7-10-94

D0275611

afgeschreven

De koudste jaren

Voor Afsaneh Mashayekhi

Michael R. Beschloss

De koudste jaren

De wereld op de rand van de afgrond

OSDORP

Het Spectrum

Boeken van Het Spectrum worden in de handel gebracht door:
Uitgeverij Het Spectrum
Postbus 2073
3500 GB Utrecht

Oorspronkelijke titel: *The Crisis Years. Kennedy and Khrushchev 1960-1963*
Uitgegeven door: Edward Burlingname Books
Copyright © 1991 by Michael R. Beschloss
Vertaald door: J. van der Meer, W. Oostendorp

Omslagontwerp: Alpha Design
Zetwerk: Elgraphic bv, Schiedam
Druk: Koninklijke Wöhrmann, Zutphen
Eerste druk: 1991

028-0291.01   ISBN 90 274 2808 5

CIP

Inhoud

Voorwoord

In dit boek wordt een onderzoek gedaan naar de verhouding tussen John Kennedy en Nikita Chroesjtsjov en de wijze waarop die verhouding zo dominerend van invloed is geweest op de Koude Oorlog. Beide leiders kwamen aan de macht met de oprechte verwachting de uiterst kille betrekkingen tussen de Sovjet-Unie en de Verenigde Staten te verbeteren. Waarom brachten zij de wereld dan toch aan de rand van een nucleaire catastrofe en naar de meest meedogenloze wapenwedloop in de wereldgeschiedenis?

Het boek profiteert van nieuw verkregen kennis en informatie over de periode Kennedy-Chroesjtsjov. Net als iedere wetenschapper steun ik op het werk dat vele anderen reeds hebben verricht en het doet mij genoegen hier mijn dank te betuigen aan al diegenen die mij zijn voorgegaan. In de afgelopen jaren is zowel het grootste deel van John Kennedy's geschriften met betrekking tot de Sovjet-Unie vrijgegeven, als dat van andere archieven die licht werpen op zijn betrekkingen met Nikita Chroesjtsjov. Amerikaanse functionarissen die in dat tijdperk in de politiek, het leger of bij de inlichtingendienst werkzaam waren, zijn bereidwilliger geworden om zich uitgebreid te laten interviewen over vertrouwelijke aspecten van hun dienst. Dank zij een werkgroep aan Harvard University zijn Amerikaanse en Sovjetfunctionarissen en geschiedkundigen bij elkaar gekomen om de crises rond Berlijn en Cuba opnieuw onder de loep te nemen.

In mijn vorige boek, *Mayday: Eisenhower, Khrushchev, and the U-2 Affair*[1], deed ik mijn beklag over het 'kleine aantal Sovjetbronnen dat toegankelijk is voor westerse wetenschappers'. De nieuwe openheid van de Sovjetregering heeft verwachtingen gewekt dat geschiedschrijvers eindelijk in gelijke mate gebruik kunnen maken van zowel Russische als Amerikaanse bronnen. Dit boek steunt op honderden mondelinge en geschreven herinneringen van Russische personages. Herinneringen die tot voor kort nog niet beschikbaar waren. Ze zorgen voor een uitbreiding van onze kennis en ons begrip van Sovjetbesluitvorming.

Desondanks heb ik deze bronnen met de nodige terughoudendheid geraadpleegd, want ze zijn onderhevig aan dezelfde bevooroordeelde motieven, onjuiste herinneringen en andere beperkingen die voor een verdraaiing zorgen van dat deel van de westerse geschiedschrijving dat zich baseert op mondelinge overlevering en memoires. Anders dan in het Westen beschikken we nog niet over een belangrijk aantal contemporaine officiële Sovjetdocumenten dat ons zou kunnen helpen hun nauwkeurigheid beter te beoordelen. Tot het moment dat de Sovjetregering haar geheime archieven voor de westerse wetenschap openstelt, moeten boeken als het onderhavige de Sovjetkant met meer voorbehoud behandelen dan

---

1. Harper & Row, 1986, p. xvi.

de Amerikaanse. Tot die tijd is niet één wetenschapper in staat een allesomvattende en volledig betrouwbare geschiedenis te schrijven van ongeacht welke fase van de Koude Oorlog.

Informatie is niet het enige wezenlijke ingrediënt voor geschiedschrijving. Het verstrijken van de tijd is dat net zo zeer. Het is moeilijk ons twee wereldleiders voor de geest te halen wier reputaties gedurende drie decennia aan nog meer fluctuaties onderhevig waren dan die van Chroesjtsjov en Kennedy. De tijdsspanne van dertig jaar stelt ons in staat de twee mannen veel objectiever te bekijken.

Het einde van de Koude Oorlog biedt ons de mogelijkheid die gevaarlijke halve eeuw niet als een vroegere fase van de huidige politiek, maar als een afzonderlijk tijdperk te bestuderen. Door op nuttige wijze gebruik te maken van de voordelen die een terugblik op die periode en de groeiende informatiestroom ons bieden, kunnen geschiedkundigen in zowel Oost als West eensgezind het antwoord zoeken op de overkoepelende vragen van waarom dat tijdperk begon, waarom er een einde aan kwam en hoe we zo'n tragische en kostbare strijd kunnen voorkomen.

Michael R. Beschloss

Washington, D.C.
Maart 1991

1. Vijf voor twaalf

Op zondagochtend 14 oktober 1962 ontwaakte John Fitzgerald Kennedy in het Penn Sheraton Hotel in Pittsburgh, waar hij in het kader van de verkiezingen van 1962 campagne voerde voor de Democraten. Wat hij nog niet wist, was dat hij aan de vooravond stond van een militaire confrontatie tussen de Verenigde Staten en de Sovjet-Unie, misschien wel de hachelijkste in de geschiedenis van de mensheid.

Na de mis vloog de president naar Niagara Falls, New York, waar hij in zijn zwarte open Lincoln Continental stapte en daarna in colonne naar Buffalo reed. Een meisje begon te springen en schreeuwde: 'Ik zie zijn haar! Ik zie zijn haar!' Na een toespraak op de trappen van het stadhuis van Buffalo zou hij 's middags naar Washington terugvliegen.

Maar zijn perschef, Pierre Salinger, deelde de verslaggevers mee dat 'de plannen plotseling waren gewijzigd': de president zou nu op zondagavond New York City aandoen voor overleg met Adlai Stevenson, zijn ambassadeur bij de Verenigde Naties. De reporters konden maar niet begrijpen dat Kennedy zijn plannen wijzigde alleen maar om Stevenson te ontmoeten. Ze wisten dat diens adviezen hem nauwelijks konden boeien.

Stevenson was niet minder verbaasd. Hij bracht net met wat vrienden een weekend door in Rhinebeck aan de Hudson toen hem werd verzocht zich zo snel mogelijk bij de president te voegen. Hij had zijn vrijetijdskleren nog aan, een tweed jasje en een trui, toen hij om 18:35 uur met een helikopter op Idlewild Airport in New York City landde, Kennedy vervolgens de hand schudde en meeliep naar de presidentiële limousine.

De twee werden naar het Carlyle Hotel gereden, waar de president op de vierendertigste verdieping een appartement bezat, compleet met antiek Frans meubilair en een schitterend uitzicht over nachtelijk Manhattan. Hij praatte een uur met Stevenson over Cuba en de Kongo. 'Gewoon een routine-briefing,' zei Stevenson tegen de pers bij zijn vertrek uit het hotel.

De verslaggevers merkten niet dat Torbert Macdonald, Kennedy's goede vriend en oud-kamergenoot van Harvard, inmiddels Congreslid, uit Malden, Massachusetts, na Stevenson onopvallend de presidentiële suite binnenliep. Het avondeten werd gebracht, en Kennedy en Macdonald genoten volstrekte privacy.

Misschien had Kennedy zijn plannen gewijzigd om een paar uur privé door te brengen met zijn ouwe makker vóór zijn terugkeer naar Washington. Het was nog waarschijnlijker dat hij en Macdonald niet alleen aten: het Congreslid uit Massachusetts behoorde tot een kleine groep vertrouwelingen, onder wie senator George Smathers van Florida en een lobbyist bij de spoorwegen, genaamd

9

William Thompson, met wie de president af en toe van het gezelschap van andere vrouwen genoot.

Na drie uur verlieten Kennedy en Macdonald de Carlyle-suite en werden ze gebracht naar LaGuardia Airport waar ze aan boord gingen van de *Air Force One* voor de vlucht naar Washington.

Terwijl het presidentiële vliegtuig over Washington vloog, bogen foto-experts zich daar ver beneden over een paar lichtbakken. Ze bevonden zich in een buitenpost van de Amerikaanse Inlichtingendienst, de CIA, een verduisterd vertrek verborgen op de bovenste verdieping van een autohandel en vijf blokken verwijderd van het verlichte Capitool. Ze bekeken foto's die die morgen gemaakt waren van het Cuba van Fidel Castro. Een U-2 spionagevliegtuig had voor het eerst in vijf weken details verstrekt over de westkant van het eiland.

Een zestal geheim agenten en Cubaanse ballingen hadden de CIA gemeld dat de Sovjet-Unie bezig was met de plaatsing van raketten op het westelijk deel van Cuba. Uitgerust met kernkoppen konden die worden afgevuurd op de VS. Kennedy had de U-2 gestuurd om uit te vinden of deze berichten onjuist waren.

Zijn Sovjetdeskundigen hadden hem eraan herinnerd dat Nikita Chroesjtsjov nooit had toegestaan dat Russische kernraketten buiten het grondgebied van de Sovjet-Unie werden geplaatst. Ze hadden benadrukt dat hij nooit zo onvoorzichtig zou zijn om ze in het geheim over te brengen naar een locatie zo dicht bij de VS, naar een eiland met zo'n wispelturige en onvoorspelbare leider als Castro.

Moe van het campagne voeren en doordat het de avond tevoren in de Carlyle-suite nogal laat was geworden, kwam de president op maandagochtend pas even voor half twaalf aan bij het Oval Office, bijna drie uur later dan gebruikelijk. Aan het beroemde bureau, vervaardigd uit het hout van de H.M. *Resolute*, voelde hij pijn in zijn rug. Op het zuidelijk terrein van het Witte Huis maakte de legerkapel zich gereed en verzamelde zich een menigte voor de landing van de marinehelikopter van Ahmed Ben Bella, premier van het pas onafhankelijk geworden Algerije.

Elke ochtend, in bed of in zijn kantoor, zette Kennedy zijn hoornen leesbril op, die hij nooit in het openbaar droeg, en begon met het doornemen van een uiterst geheim document, *The President's Intelligence Checklist*. De CIA stemde dit document af op de leesgewoonten van de president voor wie het bedoeld was. Onder Kennedy was dat de wereldwijze toon die de president en zijn intimi onder elkaar hanteerden.

In de aflevering van deze ochtend stond: 'De Saoedi's, die de voortdurende schending van hun luchtruim door Egypte beu zijn, hebben Cairo indirect gewaarschuwd hiermee op te houden... Uit betrouwbare bron in Vientiane vernemen wij dat het kabinet vrijdag werd onthaald op een vernietigende donderpreek van Phoumi Vongvichit van de Pathet Lao.'

De mannen van de inlichtingendienst wisten dat je de belangstelling van deze president kon wekken met pikante geheimen over buitenlandse leiders. Kennedy zat geboeid te lezen over de president van Brazilië, João Goulart, die de minnaar van zijn vrouw had laten doodschieten. Hij kreeg een transcriptie van hoe de agressieve Duitse minister van Defensie, Franz-Josef Strauss, 'zich uitliet als hij dronken was'.

Op maandagmiddag landde de helikopter van Ben Bella ten zuiden van het Witte Huis. Terwijl de president en zijn jonge, donkere staatsgast langs de erewacht liepen, keek de bijna vijfjarige Caroline Kennedy met haar klasgenootjes uit een bovenraam van het Witte Huis. Bij elk van de eenentwintig saluutschoten schreeuwden de kinderen: 'Boem!' De president keek op en had de grootste moeite om niet te glimlachen.

Charles de Gaulle, die als geen ander wist hoe een staatsman zich gedraagt, zou enorm verontwaardigd zijn geweest. De Algerijn was gecharmeerd. Kennedy leidde hem naar de Rozentuin, waar zijn vrouw Jacqueline gehurkt met haar armen om kleine John jr. zat, omdat hij bang was voor het kanongebulder. Grinnikend kneep Ben Bella hem in de wang.

In zijn post boven de autohandel riep een CIA-man opeens uit: 'Moet je dit eens zien!' Zijn collega's keken met een wazige blik over zijn schouder naar een uitvergroting van San Cristóbal, 160 kilometer ten westen van Havana. Het was een aaneenschakeling van wat tenten, voortbewegende voertuigen, rakettransportwagens, richtinstallaties en een lanceerplatform. Zijn chef, Arthur Lundahl, zei: 'Niemand de kamer uit. Dit is misschien het grootste nieuws van deze eeuw.'

Hij belde Ray Cline, plaatsvervangend directeur Inlichtingen bij de CIA, die zei: 'Je weet dat de pleuris uitbreekt als je hem dit vertelt.' Omdat hij vond dat hij niet in de positie was om Kennedy het macabere nieuws te vertellen, belde hij McGeorge Bundy, de nationale veiligheidsadviseur van de president, die hij al kende uit zijn studietijd op Harvard in 1941.

Bundy en zijn echtgenote Mary hadden een bescheiden diner georganiseerd ter ere van Charles en Avis Bohlen, die op het punt stonden af te reizen naar Parijs. Daar zou de doorgewinterde diplomaat en Sovjetexpert het zware ambt van Kennedy's afgezant bij De Gaulle aanvaarden. Bundy verliet de kamer toen de telefoon rinkelde. Cline sprak behoedzaam: 'Die zaken waar we ons zorgen over maakten – het lijkt erop dat we echt iets op 't spoor zijn.'

Bundy vroeg: 'Weet je het zeker?' Cline wist het zeker. Bundy zei: 'Ik zal doen wat me te doen staat. Zijn jullie morgenochtend gereed?'

Bundy wist dat de VS en de Sovjet-Unie binnen enkele uren waarschijnlijk 'dichter bij een kernoorlog dan ooit tevoren in het atoomtijdperk' zouden zijn. Zijn telefoongesprek met de president kon wel eens van doorslaggevender belang blijken dan het telefoontje naar Franklin Roosevelt na Pearl Harbor of naar Harry Truman nadat Noordkoreanen over de achtendertigste breedtegraad waren uitgezwermd.

Hij dacht er nog eens over na: waarom nú de president bellen? Onder de pratende en lachende gasten in de aangrenzende kamer bevonden zich Franse diplomaten en ten minste één verslaggever. Het gezelschap 'zou ongetwijfeld verschrikt opkijken als het etentje werd afgebroken of als ik de avond aan de telefoon zou doorbrengen, omdat het niemand anders dan de president kon zijn'. De hoogste regeringsfunctionarissen waren 'verspreid over de stad'. Als de president ze vanavond allemaal bijeenriep, dan zou de hele stad van het geheim op de hoogte raken.

Bundy wist dat zijn baas moe was van zijn vlucht uit New York. Lange tijd daar-

11

na vertelde hij Kennedy, 'Ik was ervan overtuigd dat een rustige avond en een nacht slapen voor u de beste voorbereiding zouden zijn gezien de zaken die de volgende dagen op u af zouden komen.'

Dinsdag 16 oktober om half negen 's ochtends nam Bundy de kleine lift naar de familievertrekken op de tweede verdieping van het Witte Huis. Hij liep de brede gang af langs schilderijen van Catlin, Homer, Prendergast en Sargent en hield halt voor de eiken deur naar de slaapkamer van de president. Binnengekomen trof hij Kennedy zittend in een oorfauteuil aan. Hij droeg een pyjama en slippers, en zat aan het ontbijt.
Bundy vertelde hem dat het ergste was gebeurd. Hij merkte dat de eerste reactie van de verbolgen president een gevoel was van: 'Dit kan hij míj niet aandoen!' Meteen daarop zei hij vastbesloten: 'De raketten moeten daar hoe dan ook weg.' Zonder een woord te zeggen wisten ze allebei dat een bomaanval op de raketbases de terdoodveroordeling van miljoenen Amerikanen, Europeanen en Russen kon inhouden.
Kennedy liet zich zakken in een dampend bad waarin de gele hondjes en roze varkens, het speelgoed van zijn kinderen, langs de rand dreven. Terwijl hij zich snel aankleedde, droeg hij Bundy op een geheime spoedvergadering te beleggen in de Cabinet Room en dreunde hij namen op van de op te roepen mensen. Hij belde zijn broer Robert, de Amerikaanse minister van Justitie, en vertelde hem dat er 'grote problemen' waren.

Op het ministerie van Justitie had Robert Kennedy een afspraak met Richard Helms, het plaatsvervangend hoofd 'Plannen' van de CIA. De man met het pokerface had de minister om het onderhoud gevraagd in verband met een recente KGB-overloper. Terwijl hij het ondergrondse kantoor betrad, vielen zijn priemende ogen op de krijttekeningen van Kennedy's kinderen die aan de mahoniehouten muurpanelen hingen.
De informeel geklede Kennedy keek op van achter zijn grote bureau: 'Dick, is het waar dat ze Russische raketten hebben gevonden op Cuba?'
'Ja, Bob, dat klopt.'
'*Shit!*'
Helms en Kennedy spraken over de overloper, maar hun aandacht bleef gefixeerd op Cuba. Later op de ochtend gingen de twee naar het oude Executive Office Building tegenover het Witte Huis voor een afspraak met de Special Group (Augmented). De president had deze groep in het leven geroepen om onderzoek te doen naar een geheime operatie tegen het eiland. Slechts enkele leden mochten op de hoogte zijn van de raketten op Cuba. Helms en Kennedy wisten dat het afzeggen van de bijeenkomst wantrouwen zou kunnen wekken.
Na de mislukte poging in april 1961 om het eiland vanuit de Varkensbaai te heroveren, had Helms gemerkt dat Kennedy 'witheet' werd als het over Cuba ging. Bij gebrek aan een ontoelaatbare provocatie door Castro of de Russen had Kennedy geen trek om zijn goedkeuring te geven aan een algehele Amerikaanse militaire invasie die meer dan honderdduizend levens kon kosten.
De Amerikaanse oorlog tegen Castro zou dus een geheime campagne moeten worden. Helms herinnerde zich: 'De CIA werd continu achter de vodden gezeten door zowel de president als Bobby – "Schiet op met die zaak! Jezus, doe er

dan iets aan!" Hij wilde Castro daar *weg* hebben.' Robert Kennedy had Helms in januari 1962 in zijn kantoor geroepen en hem verteld dat het afzetten van Fidel Castro 'de hoogste prioriteit binnen de Amerikaanse regering' had. 'Al het andere is van minder belang. We besparen niet op tijd, geld, inspanning of mankracht.'

Het resultaat was Operatie Mongoose, die snel het grootste 'familiejuweel' van de CIA werd. Het programma bestond uit ten minste drieëndertig verschillende plannen die uiteindelijk moesten resulteren in de val van Castro – paramilitaire invallen, spionage, het vervalsen van geld en distributiebonnen, aanvallen op olieraffinaderijen en suikervelden die de Cubaanse economie ineen zouden doen storten. De CIA besproeide Cubaanse suikervelden, pleegde bomaanslagen in warenhuizen en zette fabrieken in brand.

Helms en zijn mannen hadden ook twee jaar gecollaboreerd met maffialeiders als Sam Giancana uit Chicago om Fidel Castro te laten vermoorden. In oktober 1962 was Helms tot de conclusie gekomen dat deze komplotten nergens toe leidden. Hij vermoedde dat ten minste een van de maffia-moordcommando's in Cuba door Castro's leger gevangen was genomen en gemarteld. Volgens hem kon het weinig kwaad om de gangsters door te laten gaan met hun pogingen de dictator te doden, zodat hij kon zien of de maffia werkelijk over waardevolle inlichtingenbronnen beschikte op het eiland.

Om te voorkomen dat het geheim van de raketten op Cuba zou uitlekken, gedroeg Robert Kennedy zich tijdens deze ochtendbijeenkomst met de Special Group alsof er geen speciaal nieuws was van het eiland. Op driftiger toon dan gebruikelijk klaagde hij dat het karwei om Castro af te zetten was 'verknald'. Operatie Mongoose had een jaar geduurd en geen succes opgeleverd. Waarom konden ze er niets aan *doen*? De president was *niet gelukkig*.

Na de bijeenkomst ging hij naar Bundy's kantoor in het souterrain van het Witte Huis om zelf de U-2-opnames te bekijken. Gebogen over de foto's, kijkend door een vergrootglas, siste hij: '*Shit! Shit! Shit!*'

In het Oval Office vroeg de president zijn naaste medewerker en tekstschrijver Theodore Sorensen na te gaan wat voor publieke waarschuwing hij had geuit tegen Sovjetrussische aanvalsakuten op Cuba

Het antwoord: te weinig en te laat. Vóór juli 1962 had Kennedy de Sovjet-Unie nooit formeel gewaarschuwd tegen aanvalswapens op het eiland. Tegen die tijd moesten de raketten al onderweg zijn geweest. De wetenschap dat hij had verzuimd Chroesjtsjov tijdig te waarschuwen, waardoor deze in feite werd aangemoedigd de gok te wagen, viel hem nu steeds zwaarder.

Medewerkers van het Witte Huis die niet mochten weten van het grote geheim, vroegen zich af waarom Kennedy deze ochtend zo nerveus was. Hij zat almaar onder aan zijn kin te trekken, met zijn wijsvinger langs zijn lippen te wrijven, met zijn voet tegen de bureauladen te schoppen en met zijn knie op en neer te wippen. David Powers, de man achter de schermen die vanaf Kennedy's eerste campagne voor het Congres in 1946 voor hem had gewerkt, dacht: God, hij ziet eruit of iemand hem net heeft verteld dat zijn huis in brand staat.

Salinger veronderstelde dat Kennedy kwaad was vanwege Ben Bella. Na de prachtige welkomstceremonie op het Witte Huis en het naar zijn indruk gemoedelijke gesprek in het Oval Office, zag de president zijn persoonlijke vooroordelen over het opportunisme van neutrale leiders bevestigd toen Ben Bella direct doorvloog naar Havana en Castro steunde in diens eis dat de VS hun negenennegentigjarige pachttermijn van de marinebasis Guantanamo op het eiland zouden opgeven.

Om tien voor twaalf liep Kennedy de Cabinet Room in en ging met de minister van Buitenlandse Zaken Dean Rusk, de minister van Defensie Robert McNamara en zijn andere trouwe medewerkers zitten rond de tafel die de vorm van een doodkist heeft. De president was de enige aanwezige die wist dat hij opdracht had gegeven de zitting in het geheim op te nemen met behulp van microfoons die in de gordijnen waren verborgen.

Terwijl de recorder begon te lopen, vroeg Kennedy Arthur Lundahl en Sidney Graybeal, een raketexpert van de CIA, een toelichting te geven bij de U-2-foto's. De band van de dialoog is bewaard gebleven:

Lundahl: Meneer de president, dit is het resultaat van de opnames die we zondag maakten.
Kennedy: Ja.
Lundahl: Er bevinden zich een lanceerplatform voor ballistische raketten voor de middellange afstand en twee nieuwe militaire kampementen op de zuidrand van Sierra del Rosario in Westcentraal-Cuba...
Kennedy: Hoe weet je dat het om middellange-afstandsraketten gaat?
Lundahl: Door de lengte, meneer de president.
Kennedy: Door de wat? De lengte?
Lundahl: Door hun lengte... Mr. Graybeal, onze raket..., eh, man, heeft enkele foto's van net zo'n Russische installatie die door de straten van Moskou is vervoerd...
Kennedy: Zijn ze direct te lanceren?
Graybeal: Nee, meneer de president.
Kennedy: Hoe lang hebben we? Niet te zeggen, zeker.
Graybeal: Nee, meneer de president.

In Moskou diezelfde ochtend was Kennedy's nieuwe ambassadeur in de Sovjet-Unie, Foy Kohler, richting Kremlin vertrokken voor zijn eerste officiële audiëntie bij de man die zowel voorzitter was van de Ministerraad als Secretaris-Generaal van de Communistische Partij van de Sovjet-Unie.

Het gezicht van Nikita Sergejevitsj Chroesjtsjov was roze en gloeiend. Het resultaat van twee maanden lezen, zwemmen, zonnebaden en badmintonnen met zijn vrouw, zoon, dochters en kleinkinderen op zijn landgoed vlak bij Pitsoenda aan de Zwarte Zee. De twee maanden dienden niet alleen ter ontspanning. Sinds de tijden van Stalin, die Moskou zelden verliet, waren Sovjetleiders het bijna aan hun eer verplicht om lange perioden buiten de hoofdstad door te brengen. Het was hun bovendien ernst te laten zien dat zij niet van plan waren weer een bewind te gaan voeren als dat van Stalin.

Tijdens zijn ontspannende verblijf bij Pitsoenda wandelde Chroesjtsjov graag langs de stranden en door de bossen om na te denken over de 'stralende toekomst' van de Sovjet-Unie die hij voor ogen had. Met halfgesloten ogen bleef hij tot diep in de nacht op en zong hij met zijn vrienden en familie de volksliedjes uit zijn jeugd in de Oekraïne, 'De brede Dnjepr raast en klaagt', 'Zwarte wimpers, bruine ogen' en 'Verbaasd kijk ik naar de hemel'. Op zijn dertigste kon hij nauwelijks lezen en schrijven. Nu las hij *Oorlog en vrede* minstens één keer per jaar. Chroesjtsjov begroette Kohler en zijn politieke raadsman, Richard Davies, in het Kremlin. Achter hem stonden Vasili Koeznetsov en Michael Smirnovski van het Russische ministerie van Buitenlandse Zaken, en Viktor Soechodrev, de jonge topvertaler van Chroesjtsjov. Hij liet de Amerikanen aan de met een groen laken bedekte tafel tegenover hem plaatsnemen. Ze keken recht tegen de zon in. Chroesjtsjov beklaagde zich erover dat Amerikaanse spionagevliegtuigen Russische koopvaardijschepen die op weg waren naar Cuba 'lastig vielen'. Waarom baarde Cuba de VS zoveel zorgen? De Sovjetregering had 'geen intenties om er aanvalswapens te stationeren'. Kohler verklaarde dat de bezorgdheid van de Amerikanen onder meer te wijten was aan Castro's recente mededeling dat de Russen op het eiland bezig waren met de aanleg van een nieuwe haven. Chroesjtsjov zei: 'Alleen omdat ik op Cuba een vissershaven aanleg, wilt u een oorlog beginnen. Per slot van rekening onderneem ik niets dat u niet in Turkije en Iran tegen mij heeft ondernomen.' Hij voer krachtig uit tegen de Amerikaanse stationering van Jupiter middellange-afstandsraketten langs de Russisch-Turkse grens in 1959. Terwijl hij volhield dat de Cubaanse haven geen militaire betekenis had, gaf hij toe dat Castro's mededeling bij Kennedy voor politieke problemen had gezorgd: 'Als ik in Moskou was geweest, zou deze mededeling nooit zijn vrijgegeven... Na de verkiezingen zal er genoeg tijd zijn om over deze zaken te praten.'

Na terugkeer op de Amerikaanse ambassade telegrafeerde Kohler naar Washington dat Chroesjtsjov 'charmant' en 'zeer beminnelijk' was geweest. In zijn onwetendheid over de raketten in Cuba schreef Kohler dat het gesprek 'zeer geruststellend' was verlopen.

's Middags vertrok de president naar het Auditorium van het ministerie van Buitenlandse Zaken voor een inofficiële bijeenkomst met vijfhonderd mensen van de pers, radio en tv. Sommige aanwezigen vroegen zich af waarom Kennedy zo afwezig en gespannen leek.

Hij verklaarde dat het belangrijkste probleem van de VS het veiligstellen van 'het voortbestaan van ons land' was, waarbij 'een derde en misschien laatste wereldoorlog' voorkomen moest worden. Hij las een vers voor uit een gedicht van Robert Graves dat Robert Kennedy altijd in zijn portefeuille meedroeg:

> *Bullfight critics row on row*
> *Crowd the enormous Plaza full;*
> *But only one is there who knows,*
> *And he's the man who fights the bull.*[1]

Die avond, na een tweede vergadering in de Cabinet Room over de raketten, vertrok hij met Jacqueline naar een diner, aangeboden door de columnist Joseph

---

1. De tribunes zitten rij na rij
   vol met kenners van het stierengevecht;
   maar er is slechts één die recht van spreken heeft,
   dat is de man die de stier bevecht.

Alsop en diens intelligente vrouw Susan Mary. De president zat, zoals Alsop het zich nog herinnerde, 'aan het hoofd van de tafel en het scheelde niet veel of hij had met zijn afwezige gepeins de avond compleet geruïneerd'. Tweemaal had Kennedy aan twee andere gasten, Chip Bohlen en de Oxford-historicus Isaiah Berlin, gevraagd wat de Russen in het verleden hadden ondernomen wanneer ze in de hoek waren gedreven.

De vrouw van Alsop verbaasde zich erover dat de president 'dieper wilde ingaan op zo'n ontzettend oninteressant onderwerp'. Die avond, in bed met haar echtgenoot, zei ze: 'Het kan aan mij liggen, maar volgens mij is er iets aan de hand.' Op weg naar huis vroeg Berlin zich af of 'er in het hoofd van de president misschien een diep en angstig vermoeden bestaat dat hij niet meer zo lang te leven heeft... en dat hij daarom snel zijn stempel op de geschiedenis moet drukken'.

Opgewektheid en optimisme waren de kenmerken van Kennedy's politieke imago. 'Als een schip vol wapperende vlaggen,' vond Charles Spalding, zijn vriend uit Harvard. Maar de historicus William Manchester zei: 'Achter die façade gaat, nauwelijks waarneembaar, toch een vleugje somberheid schuil.' Walt Rostow, Kennedy's buitenland-adviseur, merkte op dat zijn 'ontembare levensvreugde' altijd in evenwicht was met 'het besef dat er iets mis kan gaan en iets ergs kan gebeuren'.

Het fatalisme vormde een rationele weerslag op de levenservaringen van Kennedy. Als zoon van een zeer pessimistische Ierse vader vergat hij nooit hoe zijn carrière op toeval berustte. Als zijn vader geen fortuin had vergaard, zijn oudere broer Joe de Tweede Wereldoorlog had overleefd en daarna in de politiek was gegaan, en als er één stemmer per kiesdistrict in 1960 toch maar liever voor Nixon had gekozen, dan zou hij waarschijnlijk nooit president van de Verenigde Staten zijn geworden.

Kennedy werd gefascineerd door het fenomeen 'dood door geweld of in ongeluk'. Zijn vriend George Smathers herinnerde zich dat Kennedy 'meer dan twintig maal' aan hem vroeg wat de beste manier was om te sterven: 'Hoe zou het zijn om te verdrinken? Zou je liever in een vliegtuig willen zitten en dan neerstorten? Zou je liever neergeschoten willen worden? Kun je het best in je hoofd worden geraakt, of in je borstkas zodat je nog wat langer blijft leven? Zou je dan aan alle leuke dingen denken die je zijn overkomen of zou je spijt hebben van alle dingen die je nooit hebt gedaan?'

Aan boord van het presidentiële jacht dat hij had herdoopt tot *Honey Fitz*, naar John Fitzgerald, zijn grootvader van moederskant en burgemeester van Boston, staarde Kennedy naar een passerend vliegtuig en vroeg zich af of hij, worstelend met de bedieningsorganen, de besturing zou kunnen overnemen als de piloot zou sterven. Toen hij met Jacqueline en wat vrienden in Newport was, had hij als macabere grap eens net gedaan alsof hij doodging: hij greep zich bij de borstkas en liet zich op de grond vallen, met bloed dat zogenaamd uit zijn mond gutste terwijl een vriend met een filmcamera alles opnam.

LeMoyne Billings, Kennedy's schoolvriend van Choate, had het gevoel dat Kennedy sinds het einde van de jaren veertig, nadat zijn geliefde zus Kathleen bij een vliegtuigongeluk om het leven was gekomen en hij te horen had gekregen dat hij zelf binnen afzienbare tijd aan de ziekte van Addison zou kunnen sterven, 'simpelweg tot de conclusie was gekomen dat plannen maken voor de toekomst geen zin meer had. Het enige dat nog de moeite waard was, [...] was om elk moment bewust te leven alsof elke dag de laatste kon zijn. Waarbij het leven onafgebroken intens, avontuurlijk, spannend en plezierig moest zijn.'

Zelfs in zijn dagen als president bleef zijn 'morgen zijn we er geweest'-houding kenmerkend voor Kennedy, wat nog eens werd onderstreept door zijn talrijke affaires met vrouwen en zijn onverschilligheid tegenover lichamelijke risico's. Agenten van de Geheime Dienst klaagden dat hij een 'berucht slecht automobilist was die vaak door rood reed en veel onnodige risico's nam'. Soms stuurde hij zijn agenten weg met de boodschap: 'Wie het echt op mij heeft gemunt, krijgt me toch wel te pakken.'

In november 1963, het weekend voordat hij naar Texas zou vertrekken, bood hij Lyndon Johnson aan: 'Vlieg met mij mee.' Veiligheidsagenten smeekten hem de voorschriften in acht te nemen en de vice-president in zijn eigen vliegtuig plaats te laten nemen. Kennedy lachte en zei: 'Willen jullie McCormack dan niet als president?'[1]

Tijdens een paardenshow in Washington maakte Jacquelines stiefbroer, de roman- en toneelschrijver Gore Vidal, eens een opmerking over hoe gemakkelijk het zou zijn om de president neer te schieten – 'alleen zouden ze waarschijnlijk missen en mij dus raken' – waarop Kennedy gniffelde: 'Niet echt een groot verlies dus.'

De president ging verder in op de verrassende intrige van *Twenty-four Hours*, een van zijn favoriete thrillers en geschreven door Edgar Wallace. Een Britse premier krijgt te horen dat hij om middernacht vermoord wordt. Mannen van Scotland Yard omsingelen Downing Street 10. Het wordt middernacht, en weer ochtend. De telefoon gaat. Opgelucht tilt de premier de hoorn van de haak – en wordt vervolgens geëlektrokuteerd.

Het was rond middernacht toen Kennedy met Jacqueline aan zijn linkerzijde weer wegreed van het huis van de Alsops. Hij keek naar buiten en staarde naar de bijna verlaten straten van Washington

Vaak zei hij dat het presidentschap 'de mooiste baan ter wereld zou zijn als die Russen er niet waren... Je weet nooit wat die rotzakken van plan zijn.' Die middag had Rusk hem het telegram van Kohler over diens gesprek met Chroesjtsjov bezorgd. Toen Kennedy het las, kon hij zijn ogen bijna niet geloven. Geen offensieve wapens op Cuba! Niet van plan om hem voor de verkiezingen in verlegenheid te brengen? Had een Sovjetleider een Amerikaanse president ooit onbeschaamder voorgelogen?

Kennedy vertelde zijn broer dat Chroesjtsjov 'zich als een immorele gangster gedroeg, en niet als een staatsman, iemand met gevoel voor verantwoordelijkheid'. Zoals Robert later zou zeggen: 'Het waren allemaal leugens. Eén gigantisch web van leugens. Niet alleen had Chroesjtsjov ons om de tuin geleid, we hadden onszelf ook voor de gek gehouden.'

Kennedy wist wat een nucleaire oorlog inhield – vluchten naar het ondergrondse, presidentiële Doomsday-hoofdkwartier in Virginia, rellen, paniek en dodelij-

---

1. John McCormack uit Massachusetts was de enghartige voorzitter van het Huis van Afgevaardigden en nogal eens een tegenstander van Kennedy. Hij was 72 jaar oud en verkeerde in zwakke gezondheid.

ke wolken boven Amerikaanse en Russische steden. In een minder ernstige situatie zou hij de ironie hebben ingezien van het feit dat hij en Chroesjtsjov aan de macht waren gekomen met de oprechte hoop de Koude Oorlog te beëindigen – maar dat ze in plaats daarvan de mensheid op de rand van de afgrond hadden gebracht. Binnen enkele dagen zouden de twee leiders realiseren wat Eisenhower in 1953 als kenschetsing van de Koude Oorlog had gebruikt: twee reuzen die elkaar aankeken met tussen hen in een angstige wereld.

De president zou ook de ironie hebben ingezien van het feit dat deze wereldomvattende confrontatie per ongeluk en via misrekening tot stand was gekomen, precies die gevaren waartegen hij, privé en in het openbaar, al twee jaar had gewaarschuwd. In de herfst van 1962 las hij de thriller *Fail Safe*, de best-seller van Eugene Burdick en Harvey Wheeler, die handelde over een Amerikaanse atoombommenwerper die per ongeluk op Rusland wordt afgestuurd, waarbij New York en Moskou uiteindelijk totaal worden weggevaagd.

Deze herfstavond in oktober speelde drie jaar en één maand na Kennedy's eerste ontmoeting met de Sovjetleider tijdens diens rondreis door de VS. Kennedy was destijds het jongste lid van de Senaatscommissie voor Buitenlandse Betrekkingen, en hij kwam te laat – iets wat Chroesjtsjov nooit zou vergeten.

2. 'Hij is jonger dan mijn zoon'

Op woensdagmiddag 16 september 1959 arriveerde de jonge senator uit Massachusetts met het nieuwe familievliegtuig, een Convair met achttien zitplaatsen, op de luchthaven van Washington DC. Hij werd afgehaald door Muggsy O'Leary, zijn chauffeur uit Boston, en nam zelf plaats achter het stuur van zijn gehavende blauwe Pontiac met vouwdak. O'Leary schoof op naar wat hij 'de dodenstoel' noemde, klaar voor een nieuwe halsbrekende rit met zijn baas naar de Oude Senaatsgebouwen.

Kennedy was, zoals zijn staf het noemde, poolshoogte gaan nemen in Ohio, maar moest zijn trip onderbreken voor een middagzitting op het Capitool samen met Nikita Chroesjtsjov, vooraanstaande Senatoren en leden van de Senaatscommissie voor Buitenlandse Betrekkingen waarvan Senator J. William Fulbright uit Arkansas voorzitter was. Verscheidene Senatoren hadden te kennen gegeven dat ze weigerden om met de meest vooraanstaande communist ter wereld in één ruimte te zitten.

Chroesjtsjovs verblijf in Washington vormde een onderdeel van het eerste bezoek dat een Sovjetleider ooit aan Amerika had gebracht. Ter afsluiting van zijn zeven dagen durende trein- en vliegreis naar New York, Los Angeles, San Francisco, Des Moines en Pittsburgh had men een privé-weekend op Camp David gepland met president Eisenhower en hun voornaamste medewerkers.

Kennedy was gewoonlijk geïrriteerd als hij zich voor een belangrijk Senaatsbesluit of een andere wetskwestie naar Washington moest haasten, maar deze keer lag de zaak anders. Hij was nieuwsgierig naar de ontmoeting met Chroesjtsjov en kon het zich tegenover de kiezers niet permitteren deze kans te laten lopen.

Een opiniepeiling van die week liet zien dat Richard Nixon in de strijd om het presidentschap voor het eerst dat jaar aan kop lag. Deze voorsprong van de vicepresident werd toegeschreven aan zijn 'keukendebat' met de Sovjetleider in Moskou in juli, waarin Nixon zichzelf wist te verkopen als de man die een vuist durfde te maken tegen Chroesjtsjov door met hem tegen de achtergrond van een keukeninterieur op een Russische beurs een heftige discussie te beginnen. Kennedy wist dat het bijwonen van een middagbijeenkomst van de Senaat met Chroesjtsjov maar schraal afstak tegen Nixons optreden, maar het zou hem in ieder geval in staat stellen de kiezers duidelijk te maken dat ook hij in het gezelschap van de Sovjetleider zijn mannetje wist te staan.

Kennedy was jaloers op Humphrey's prestige dat deze in 1958 in Moskou gewonnen had in een door de pers breed uitgemeten ontmoeting van twaalf uur met Chroesjtsjov. Slechts vier jaar na de kwellingen van Joseph McCarthy was de Senator uit Minnesota erin geslaagd om zelfs het omslag van Henry Luce's *Life* te halen. Kennedy dacht er nog even aan om zelf een audiëntie bij

Chroesjtsjov aan te vragen, maar zag van het idee af omdat dit anders te veel op naäperij van Humphrey zou gaan lijken.

Begin 1959 begon Sovjetambassadeur Michail Mensjikov, de stroperige 'Amerikaantje-pester' die in Washington beter bekendstond als 'Smiling Mike', met het bezoeken van Senatoren die potentiële kandidaten voor het presidentschap van 1960 waren. Toen Mensjikov de Kennedy-burelen bezocht, maakte de Senator 'korte metten met hem', zoals zijn buitenland-adviseur Frederick Holborn het zich herinnerde: 'Kennedy was zeer terughoudend als het ging om directe contacten met de Russen. [...] Het duurde niet lang en Kennedy had geen interesse in een echt gesprek. Ik denk dat hij gewoon erg op zijn hoede was. Hij wist niet wat Mensjikov zou zeggen of proberen – hij was niet gesteld op zo'n aanpak.'

Een paar weken later nodigde Mensjikov hem schriftelijk uit voor een weekend op het Sovjetlandgoed aan de oostkust van Maryland. Holborn merkte dat Kennedy's reactie 'laconiek, maar neerbuigend' was: hij had een hekel aan de ambassadeur, vreesde dat de Russen, dan wel de Conservatieven, dit bezoek zouden gebruiken om hem in 'verlegenheid te brengen' en wist zeker dat hij zich 'dood zou vervelen'.

Na aankomst in zijn Senaatskantoor, kamer 362, bladerde Kennedy door de binnengekomen boodschappen. Sommige betroffen Ohio. De vorige avond hadden hij en zijn 27-jarige broer Edward in Columbus gedineerd met de breedsprakige gouverneur van die staat, de democraat Michael DiSalle. ('Dubbelgangers ontmoeten gouverneur,' kopte de *Washington Evening Star*.) Tweeëneenhalf uur onderhandelen bleek uiteindelijk niet voldoende om DiSalles vroege steun voor Kennedy's kandidatuur voor 1960 te verkrijgen.

Het was nu bijna vijf uur. De ontmoeting met Chroesjtsjov stond op het punt te beginnen. Hij negeerde de waarschuwing om nog wat telefoontjes te beantwoorden. Daarna liep hij met Holborn naar het Capitool, waar ze nog nooit zoveel veiligheidsagenten bij elkaar hadden gezien. Amerikanen en Russen bewaakten met luidruchtige walkie-talkies de geluiddichte deur van kamer F-53, de ontvangstkamer van de Senaatscommissie voor Buitenlandse Betrekkingen.

Toen Kennedy de kamer werd binnengelaten, keek Chroesjtsjov op. Na vijf jaar als de machtigste man in het Kremlin te zijn geweest, was hij niet meer gewend aan laatkomers. Altijd op zijn hoede voor zelfs de kleinste aanwijzing voor een Amerikaanse confrontatie, kan hij zich hebben afgevraagd of dit niet een opzettelijke belediging was: toonde deze jongeman hier zijn minachting voor de grote socialistische staat en zijn leider?

Op grond van anciënniteit werd Kennedy gedwongen te zwijgen terwijl oudere Senatoren zoals Fulbright, Lyndon Johnson, Everett Dirksen, Richard Russell, Theodore Green en Carl Hayden Chroesjtsjov doorzaagden over Amerikaanse bases overzee, de ruimte, onderdrukking en censuur in de Sovjet-Unie en het storen van radiozenders. Terwijl Kennedy luisterde, maakte hij aantekeningen: 'Thee – vodka – als we de hele dag vodka zouden drinken, konden we geen raketten naar de maan lanceren. [...] Bruin pak – dubbele manchetten – klein, stevig, twee lintjes, twee sterren.'

Na anderhalf uur stelde Fulbright de eregast voor aan iedere Senator afzonderlijk. Kennedy was onder de indruk van de manier waarop Chroesjtsjov precies scheen te weten wie van de aanwezigen genoeg invloed in de Senaat had om zijn aandacht te verdienen. Chroesjtsjov vertelde hem dat hij te jong leek voor een Senator: 'Ik heb veel over u gehoord. Mensen zeggen dat u een grote toekomst tegemoet gaat.' Tijdens de wandeling terug naar zijn kantoor zei Kennedy tegen Mike Mansfield: 'Het was erg belangrijk om Chroesjtsjov in levenden lijve te zien.'

Jaren later, bij het dicteren van zijn memoires, zei Chroesjtsjov dat hij 'onder de indruk was van Kennedy. Ik weet nog dat zijn gezicht me aanstond, soms streng, maar er brak vaak een opgewekte glimlach doorheen.' De Russische diplomaat Georgi Kornjenko herinnerde zich dat toen Chroesjtsjov aan Mensjikov en zijn ambassadestaf informatie over Kennedy vroeg, 'ik een zo positief mogelijk beeld van hem schetste. Ik vertelde hem dat, hoewel Kennedy nog geen nieuwe Roosevelt was, hij onafhankelijk en intelligent was en dat bij koersveranderingen op zijn steun gerekend kon worden. Chroesjtsjov luisterde.'

Een aantal weken later ontving Kennedy een briefje van Fulbright samen met diens tafelkaartje van de Chroesjtsjov-ontmoeting die de Sovjetleider voor elke Senator had gesigneerd. Op het briefje stond: 'Beste Jack. [...] Misschien zorgt dit voor een vrije aftocht zodra de revolutie uitbreekt, maar wie weet heeft het ook nog een andere waarde die ik op dit moment nog niet kan inschatten.'

Kennedy, nog te jong om die avond te worden uitgenodigd op het door Chroesjtsjov ter ere van Eisenhower aangeboden diner op de Russische ambassade, vloog terug naar Columbus en arriveerde nog diezelfde avond laat voor een toespraak voor de Ohio Bankers Association. Over zijn ontmoeting met Chroesjtsjov vertelde Kennedy dat deze een 'minderwaardigheidscomplex' had dat af te leiden was uit zijn antwoorden op 'onschuldige vragen': 'Zijn gevoel voor humor komt in alles tot uiting. Hij oogt onvermoeibaar [...] hij staat met beide benen op de grond en het ziet ernaar uit dat hij het nog een lange tijd zal uithouden.'

In het jaar daarna kwam Kennedy in de ene toespraak na de andere terug op Chroesjtsjovs voorspelling dat hun kinderen en kleinkinderen eens onder het communisme zouden leven: 'Ik geloof er niks van. [...] Ik denk dat zijn kinderen in *vrijheid* zouden kunnen leven, maar dat zal van ons afhangen.'

Als adolescent in de jaren dertig was John Kennedy duidelijk meer op de hoogte van buitenlandse zaken dan de gemiddelde student op Choate en Harvard. In die tijd werd zijn vader op het internationale vlak steeds actiever en deed in Europa zaken op film- en drankgebied. En als voorzitter van Franklin Roosevelts beurscommissie en de commissie voor maritieme zaken had hij contacten met bankiers, zakenlieden en buitenlandse autoriteiten. Tijdens zijn beslissende ambtstermijn als ambassadeur van Roosevelt in Londen aan het Court of St. James's had hij te maken met Neville Chamberlain en Winston Churchill.

In de overtuiging dat een gedegen kennis over de gang van zaken in de wereld bij zijn zoons tot kennis van zaken zou leiden van sociale en politieke vraagstukken, betrok hij hen in de overbekende familiedebatten aan de eettafel, stuurde hen naar het buitenland en betrok hij Joe Jr. en Jack tijdens zijn ambtstermijn in Londen bij verschillende taken binnen de ambassade.

In de lente van 1934 nam Joe Jr., met tennisracket in de hand, samen met Harold Laski, de Britse socialist met wie hij aan de London School of Economics studeerde, de trein naar Moskou en Leningrad. Toen hij vol enthousiaste verha-

21

len over het leven in de Sovjet-Unie terugkeerde en zijn vader uitdaagde voor een debat communisme versus kapitalisme, grapte zijn broer Jack dat 'Joe de situatie iets beter door lijkt te hebben dan pa'.

In 1936 brachten Rose Kennedy en haar oudste dochter Kathleen ook een bezoek aan dat geheimzinnige land. In Moskou verbleven ze in het Spaso House met ambassadeur William Bullitt, die door Roosevelt was aangesteld nadat de VS in november 1933 het Stalin-regime hadden erkend. Mevrouw Kennedy nam met verbijstering kennis van het opgelegde atheïsme en de geheime politie, maar was verrukt over de nieuwe metro in Moskou en beschreef ieder station als 'een kunstwerk in marmer en mozaïek'.[1] Aan het eind van haar rondreis gaf ze toe dat de massa 'op heel wat manieren beter af was dan dat ze onder het tsarisme zou zijn geweest.'

Tijdens de zomer van 1937 reisde Jack door Frankrijk, Italië en Spanje en las hij *Inside Europe*, de best-seller van John Gunther, waarin zowel Stalins zuiveringen en schijnprocessen als de groeiende levensstandaard in de Sovjet-Unie werden beschreven. Gunther concludeerde dat, hoewel het idee van een wereldrevolutie nog steeds in het hoofd van Stalin rondspookte, de buitenlandse Sovjetpolitiek 'in één woord kon worden samengevat – vrede'.

In zijn dagboek schreef Kennedy: 'Heb Gunther uitgelezen en ben tot het besluit gekomen dat Duitsland en Italië het facisme [sic] in huis hebben gehaald, en dat het communisme bestemd is voor Rusland en de democratie voor Amerika en Engeland.' Op Harvard volgde hij in 1938 een populaire cursus Russische geschiedenis bij professor Michael Karpovich, een Witrussische emigrant. Hij gaf Kennedy een 'ruim voldoende'.

Bij aanvang van het derde semester van 1939 verruilde hij Harvard voor een baan die zijn vader voor hem had geregeld, bij de Amerikaanse diplomatieke vertegenwoordiging in Parijs, waar Bullitt inmiddels ambassadeur was geworden. In mei schreef Jack een brief naar Lem Billings, zijn vriend van Choate, die nu aan de Universiteit van Princeton studeerde: 'Geniet van het leven op de ambassade en leid hier een vorstelijk leven. [...] Big Bull Bullitt is weer de innemendheid zelve en is tot nu toe zelfs zeer aardig voor mij geweest.'[2]

Met een aanbevelingsbrief van de minister van Buitenlandse Zaken, Cordell Hull, op zak reisde Kennedy naar Polen, Letland, Moskou, Leningrad en de Krim, Turkije, Palestina en de Balkan. Over zijn reis door Rusland is weinig bekend. Kennedy zei later dat hij het een 'primitief, achterlijk land met een hopeloze bureaucratie' vond. Hij raadde zijn moeder aan om *Blind Date with Mars* van Alice-Leone Moats te lezen waarin de Russen als een grauw, onderdrukt volk worden afgeschilderd, onderworpen aan een eeuwige gevangenschap.

1. De bouw van de metro had plaatsgevonden onder supervisie van Chroesjtsjov, destijds plaatsvervangend chef van de Communistische Partij van Moskou.
2. Bullitt bracht hem onder bij zijn medewerker Carmel Offie, een homoseksueel die door Jack 'La Belle Offlet' werd genoemd. Hij schreef aan Billings: 'Offie heeft me net opgeroepen, dus ik denk dat het weer tijd is om zijn wc-papiertje klaar te houden en zijn kont af te vegen.' Hij klaagde dat deze medewerker van Bullitt 'altijd *zonder succes* probeert om me met champagne vol te gieten'. Hij voegde eraan toe: 'Heb een meisje ontmoet dat iets met de hertog van Kent heeft gehad en die zegt dat ze "via injecties een lid van de koninklijke familie" is geworden. Ze draagt geweldige diamanten armbanden die hij haar gegeven heeft, plus nog een grote robijn die de Marajah [sic] van Nepal haar cadeau heeft gedaan. Ik heb nog geen idee wat ze van mij denkt te krijgen, maar we zullen wel zien.'

Chip en Avis Bohlen, die de taak hadden gekregen zich op de Amerikaanse ambassade te ontfermen over de zoon van Joseph Kennedy, stonden tijdens de maaltijden versteld van de jongeman. Bohlen noemde hem 'charmant en ad rem' – vooral vanwege zijn 'openhartigheid over de Sovjet-Unie'. Bohlen karakteriseerde dat als een 'schaars goed in die vooroorlogse dagen'.

'Heb een fantastische reis gehad,' schreef Jack halverwege juli vanuit Londen naar Billings. 'De enige manier waarop je erachter kunt komen wat er allemaal staat te gebeuren, is alle landen te bezoeken – ik denk nog steeds niet dat er dit jaar een oorlog komt. [...] Duitsland zal proberen Danzig stukje bij beetje los te weken, waarbij het voor Polen alsmaar moeilijker wordt aan te geven waar het precies in zijn onafhankelijkheid wordt bedreigd.[1] Maar ik denk niet dat Duitsland hierin zal slagen.' Na het uitbreken van de oorlog in september keerde hij terug naar Harvard, waar hij zich wijdde aan zijn proefschrift over 'de Münchense appeasement', dat na publikatie in 1940 onder de titel *Why England Slept* een best-seller werd.

Na Pearl Harbor schreef Kennedy, inmiddels luitenant bij de inlichtingendienst van de marine, een brief naar Billings die nu op weg was naar Noord-Afrika: 'Het klinkt vreemd om te zeggen dat ons pas na massa's doden de ogen geopend zullen worden, maar ik denk dat iets anders niet zal helpen. Ik denk niet dat de mensen zich realiseren dat er tussen ons en de mislukking van onze christelijke kruistocht tegen het heidendom niets staat, behalve dan een hoop spleetogen die nog nooit van God hebben gehoord, en een hoop Russen die wel van Hem hebben gehoord, maar die niet van Hem gediend zijn.

Ik neem aan dat we op dit moment niet al te kieskeurig kunnen zijn. Als je naar Afrika gaat, sluit dan vriendschap met ieder bruin, zwart of Aziatisch individu dat je ontmoet. In *Ondergang van het Avondland* voorspelde Spengler, na zijn uitgebreide studie van de beschavingsgolven, dat de komende paar eeuwen het tijdperk van de Aziaten zouden worden. Wanneer de Jappen Azië eenmaal helemaal hebben verenigd, ziet het ernaar uit dat mevrouw Lindberghs "toekomstgolf" een gele kleur zal hebben.'

In mei 1945, terug van zijn PT-109-avontuur in de Stille Zuidzee, versloeg hij voor de Hearst-edities de oprichtingsvergadering van de Verenigde Naties in San Francisco. Uit de turbulente bijeenkomsten en de 'gedachte om de Russen in de komende tien tot vijftien jaar te bevechten' concludeerde hij dat het een zeer lange tijd zou duren voordat de Russen hun veiligheid aan iets anders dan het Rode Leger zouden toevertrouwen: 'We zitten met een erfenis van vijfentwintig jaar wantrouwen tussen Rusland en de rest de wereld, die nog heel wat jaren zal doorwerken.'

Nadat Kennedy in 1946 in het Congres gekozen werd door een kiesdistrict dat uit arbeiders uit etnische minderheden bestond, weerspiegelden zijn uitspraken over de Koude Oorlog de woede van de kiezers over de Russische inmenging in Oost-Europa. Tegen een Pools-Amerikaanse groepering zei Kennedy dat Roosevelt Polen aan de communisten had weggegeven 'omdat hij de Russische mentaliteit niet aanvoelde'. In 1949 hekelde hij 'die zieke Roosevelt' omdat deze in Jalta de Koerilen en Chinese strategische havens had prijsgegeven.

1. Dit zijn bijna dezelfde woorden waarin Kennedy in 1961 zijn bezorgdheid uitte over wat Chroesjtsjov wellicht met West-Berlijn voor had.

Door het maken van reizen en zijn ambities voor een hogere betrekking kon Kennedy zich concentreren op het hoofdbeleid van de Democratische Partij. Een reis naar West-Europa gaf hem in 1951 de geruststelling dat een invasie door het Rode Leger onwaarschijnlijk was. In Parijs vroeg hij generaal Eisenhower of het gevaar niet groot was dat westerse militaire voorzorgsmaatregelen Rusland tot een aanval zouden verleiden. Hij noteerde Eisenhowers mening 'dat er slechts twee aanleidingen voor een opzettelijke oorlog bestaan. Ten eerste: wanneer de Russen in een snelle overwinning zouden geloven en ten tweede: als ze een langdurige uitputtingsslag zouden kunnen winnen. Tot geen van beide zijn ze nu in staat.

Hij sluit de kans op een oorlog door toeval niet uit. Ik vroeg wat hij zou doen als hij adviseur van de Russen zou zijn. Hij antwoordde dat hij hen zou adviseren door te gaan met waar ze mee bezig zijn – maar zou ze vooral de hoop laten koesteren op een economische ineenstorting van de VS "of dat de omringende landen" in Russische handen zouden vallen. [...] Een andere vraag was of de leiders in het Kremlin fanatieke dogmatici waren, of gewoon meedogenloze lieden die vast beraden waren aan de macht te blijven. In het eerste geval is de kans op vrede kleiner dan in het tweede geval.'

Toen Kennedy in 1953 in de Senaat kwam, had hij veel van zijn ongezouten kritiek op de Roosevelt-Truman-benadering van de wereld teruggenomen. Maar pas in 1957 zou hij zich als nieuw lid van de Senaatscommissie voor Buitenlandse Betrekkingen weer sterk op buitenlandse aangelegenheden richten. In juli van dat jaar joeg hij tijdens een toespraak in de Senaat een groot deel van de gevestigde voorstanders van het Amerikaanse internationale beleid tegen zich in het harnas door zich uit te spreken voor de Algerijnse onafhankelijkheid van Frankrijk. De maand daarna deed hij in een andere toespraak een beroep op de Verenigde Staten om door middel van handel en economische hulp de pluriformiteit in Polen en andere landen binnen het Sovjetblok te stimuleren.

Aan het eind van de jaren vijftig heerste er bij de Democraten verdeeldheid over de wijze waarop er met de Russen moest worden omgegaan. Dean Acheson en verwante geesten stelden dat er sinds het einde van zijn periode als minister van Buitenlandse Zaken onder Truman weinig was veranderd. Verder waren Chroesjtsjovs nucleaire dreigingen erop gericht om het oude doel van Stalin te verwezenlijken: het bereiken van een wereldheerschappij. Adlai Stevenson, Chester Bowles, Averell Harriman en andere Democraten geloofden dat Chroesjtsjov oprecht zijn militaire budget wilde terugbrengen om zo de Russische levensstandaard te kunnen verbeteren.

In 1960 had Kennedy nog een te grote hekel aan ideologieën en had hij het nog te druk met het winnen van brede steun onder de Democraten te winnen om hem in 1960 als hun presidentskandidaat te nomineren, dat hij geen partij koos. Hij bezigde een Koude-Oorlogsretoriek die een man als Stevenson nooit zou hebben gebruikt. Na de topontmoeting van 1955 in Genève tussen Eisenhower, Boelganin, Eden en Faure zei Kennedy: 'De barbaar kan dan wel het mes tussen zijn tanden hebben verruild voor een glimlach, maar datzelfde mes houdt hij nu in zijn vuist geklemd.' In 1957 presenteerde George Kennan zijn controversiële voorstel voor gesprekken tussen Oost en West over terugtrekking uit Centraal- en Oost-Europa. In zijn reactie prees Kennedy de 'helderheid en stimulans' die van het voorstel uitgingen.

24

In 1958 en 1959 hekelde Kennedy keer op keer de diplomatieke houding van Eisenhower: de president zette zich onvoldoende in voor wapenbeheersing, vertrouwde te veel op nucleaire bewapening, stond onverschillig tegenover de Derde Wereld en de toename van Russische raketten. Samen met andere Democraten en Republikeinen waarschuwde hij voor een raketachterstand, de zogenaamde *missile gap*, waardoor er voor de Russen 'een nieuwe sluiproute naar een complete beheersing van de wereld' zou ontstaan. Dit alles via 'Spoetnik-diplomatie, oorlogen op kleine schaal, verborgen en indirecte agressie, intimidatie en onderdrukking, binnenlandse revoluties [...] en moedwillige afpersing van onze geallieerde bondgenoten. Aan de grenzen van de vrije wereld wordt langzaam aan geknaagd.'

Een tot dan toe niet openbaar gemaakte tekst van een gesprek uit juli 1959 tussen Kennedy en zijn eerste biograaf, James MacGregor Burns, zittend in zijn zwembroek in Hyannis Port, onthult zijn persoonlijke pessimisme over het vermogen van een volgende president om de relaties met Moskou te verbeteren:

Je moet eerst bepalen wat de drijvende kracht binnen de Sovjet-Unie is. Handelt die alleen maar om haar persoonlijke veiligheid en die van het Russische continent, willen ze omringd worden door pro-Russische landen? [...] Of is het meer het evangelie volgens communisten, waarbij zij, door constant druk uit te oefenen, ons zo verzwakken dat zij uiteindelijk de wereldrevolutie kunnen ontketenen...?

Ik denk dat het waarschijnlijk, ja duidelijk om een combinatie van die twee gaat. Daarom denk ik ook dat één druk op de knop niet tot een duurzaam akkoord met de Sovjet-Unie zal leiden. [...] Waar we mee te maken hebben, is een strijd van dag tot dag met een vijand die continu probeert zijn macht uit te breiden. [...] Het is als bij twee mensen die allebei van goede wil zijn, maar ze kunnen niet met elkaar communiceren vanwege een taalbarrière. [...]

Ik denk niet dat er een magische oplossing is die nu de spanningen tussen Oost en West zou kunnen wegnemen of verminderen. Misschien dat een opvolger van Chroesjtsjov – of misschien Chroesjtsjov zelf... Het is net als in die advertenties die je achterin de zondage-ditie van de [*New York*] *Times* ziet van zo'n figuur met een baard, over wie staat geschreven: 'Hij roept de magische krachten in jou wakker.' De magische kracht is eigenlijk het verlangen van iedereen en elke natie om onafhankelijk te zijn. Dit is, denk ik, onze eigen sterke kant. Dit is de magische kracht en deze kracht zal de Russen uiteindelijk in de problemen brengen.

Het weekeinde op Camp David van Chroesjtsjov en Eisenhower leverde nieuwe, onverwachte resultaten op. Na een wandeling in de bossen van Maryland schortte de Rus zijn eis op dat het Westen zich uit Berlijn moest terugtrekken. De twee leiders kwamen overeen dat er een volwaardige topconferentie moest komen met de leiders van Engeland en Frankrijk, waarna Eisenhower, vergezeld door Chroesjtsjov, een rondreis door de Sovjet-Unie zou maken. Ondanks Eisenhowers waarschuwingen kondigde de pers een 'Geest van Camp David' aan die de wereld zou bevrijden van de Koude Oorlog.

De campagnevoerders binnen het Republikeinse kamp waren buiten zinnen: Eisenhower zou baanbrekende akkoorden met de Russen sluiten. Hij zou door de Sovjet-Unie reizen, precies een maand voordat het partijcongres zou plaatsvinden. Op die manier zou Richard Nixon in het Witte Huis worden geloodst, die Eisenhowers werk voor de vrede zou voortzetten.

In een toespraak op de Universiteit van Rochester uitte Kennedy harde kritiek op Chroesjtsjov. De partijleider die hij had ontmoet, had 'op geen enkele manier' afstand genomen van zijn geloof in de overwinning van het communisme: 'De echte wortels van het Amerikaans-Russische conflict kunnen niet zomaar door onderhandelen worden weggenomen. Onze nationale belangen botsen met de hunne – zowel in Europa en het Midden Oosten, als in de rest van de wereld.' De *Washington Star* vond dat Kennedy's toespraak aantoonde dat hij 'in deze fase van het spel nog niet weet welke kant hij op moet. Als wij in zijn schoenen stonden, zouden we het ook niet weten.'

In de vroege lente van 1960 waren noch Kennedy noch zijn rivalen van plan om Eisenhower, toen deze zich voorbereidde op de Parijse topconferentie van half mei, in zijn plannen te ondermijnen. Hier zou hij met Chroesjtsjov onderhandelingen gaan voeren over Berlijn en een verdrag over een verbod op nucleaire proeven. Aangezien Kennedy in New Hampshire, Wisconsin en Indiana de voorverkiezingen had gewonnen, richtte hij zich hoofdzakelijk op binnenlandse aangelegenheden.

Maar op 1 mei crashte een Amerikaanse U-2 tweeduizend kilometer diep in de Sovjet-Unie. Eisenhower verklaarde plechtig dat er een eind kwam aan deze vluchten, maar weigerde gehoor te geven aan Chroesjtsjovs eis excuses aan te bieden. De Sovjetleider verliet op hoge poten de conferentiezaal in Parijs, trok de uitnodiging aan Eisenhower voor diens rondreis door Rusland weer in en verklaarde dat hij alleen met een nieuwe Amerikaanse president zou onderhandelen.

Tijdens zijn campagne in Oregon zei Kennedy dat Chroesjtsjov 'een amateuristische poging had ondernomen om verdeeldheid binnen de partijen te zaaien'. Hij beloofde, indien gekozen, Eisenhowers verbod op spionagevluchten te zullen handhaven, maar verklaarde wel dat de president 'het risico van een oorlog' nooit van de een kans op 'motorpech' had moeten laten afhangen. Het resultaat van de U-2-affaire was dat de Amerikanen nu 'de gevaarlijkste periode sinds de Koreaanse oorlog' doormaakten.

Op de tweede ochtend na het debâcle van de conferentie vroeg een scholier uit St. Helens, Oregon, aan Kennedy wat hij in plaats van Eisenhower had gedaan. Kennedy antwoordde dat Chroesjtsjov twee voorwaarden had gesteld om de conferentie te kunnen voortzetten: 'Ten eerste, dat we onze excuses aanbieden. Ik denk dat dit een mogelijkheid was geweest. Ten tweede, dat we de opdrachtgevers tot deze vlucht gerechtelijk zouden vervolgen. Dit konden we gewoon niet doen. Het was een voorwaarde waarvan de heer Chroesjtsjov wist dat we die niet konden aanvaarden. Dit gaf aan dat hij de conferentie wilde ondermijnen.' Kennedy wist meteen dat hij voorzichtiger had moeten zijn. Hij droeg iemand op om Mervin Shoemaker te bellen, de politieke journalist van de *Oregonian* in Portland, om te zeggen dat hij bedoeld had te zeggen: 'dat we onze spijt betuigden'. Maar Shoemaker schreef nu een verhaal waarin hij Kennedy's 'trawanten' beschuldigde van 'gerommel met woorden' om 'een verklaring van Kennedy recht te praten waarvan gevreesd wordt dat deze een negatieve uitwerking kan hebben.'

De media verspreidden deze blunder van Kennedy over heel Amerika. In de Senaat eiste Hugh Scott, afgevaardigde uit Pennsylvania, dat Kennedy zijn argwaan met betrekking tot het woord 'verzoening' overboord zette – een woord dat de zoon van Joseph Kennedy op een bepaalde manier stak. Voordat Kennedy hierop antwoordde, wilde hij er zeker van zijn dat hij het ontegenzeglijk over 'verontschuldigen' had gehad. Hij belde daarom de rector van St. Helens, die een bandopname van zijn toespraak vond en deze over de interlokale telefoon voor hem afspeelde.

In de Senaat stelde hij dat hij nooit een voorstel over een excuus aan Chroesjtsjov had kunnen indienen om de conferentie nog te kunnen redden. Er was toch al geen redden meer aan. Toch daalde er een lawine van boze telegrammen neer op kamer 362: 'Je excuses aanbieden aan iemand als Chroesjtsjov is hetzelfde als je excuses aanbieden aan de duivel... Zeggen of impliceren dat Eisenhower tijdens de conferentie heeft geblunderd, zal afgunst tegenover u en uw partij wekken. [...] U bent ongeschikt voor het presidentschap. In Rusland kunnen ze nog wel wat oplichters zoals u gebruiken. Ga toch naar Rusland.'

Tijdens zijn campagne in het noordwesten vroeg Lyndon Johnson de kiezers: '*Ik ben niet bereid Chroesjtsjov mijn excuses aan te bieden – en jullie*? ('Nee-ee-ee!' schreeuwde iedereen.) David Kendall, staflid van het Witte Huis, vertelde collega's dat Kennedy zichzelf 'tot kandidaat voor het Kremlin' had uitgeroepen.

Nixon zag in Kennedy's 'naïeve' commentaar een nieuw bewijs van diens onervarenheid: nooit mag een president zijn excuses aanbieden 'alleen omdat hij de Verenigde Staten verdedigt'. *Time* berichtte dat een 'nieuw koufront' uit Moskou de oorzaak van 'een geheel nieuw klimaat binnen het Amerikaanse politieke leven is geworden'. Senator Henry Jackson uit Washington zei: 'De mensen verwachten een harde, zeer harde lijn.'

Met Kennedy op de drempel van een nominatie voor de Democraten toonden enquêtes aan dat mensen hun twijfels hadden gekregen om hun veiligheid toe te vertrouwen aan een gewone, 43-jarige Senator. Deze nieuwe gemoedstoestand belette Kennedy niet om ook de nog resterende voorverkiezingen te winnen. Maar als het U-2-voorval in maart en niet in mei had plaatsgevonden, dan had iemand als Adlai Stevenson, die meer ervaring met buitenlandse aangelegenheden had, Kennedy wel eens kunnen verslaan.

In juni 1960 kwam Kennedy in de Senaat met een twaalf punten bevattend plan waaronder het opvoeren van het defensiebudget om tegenwicht te bieden aan 'het Sovjetdraaiboek voor een wereldheerschappij': 'Ter vervanging van een beleid heeft president Eisenhower geprobeerd om tegen de Russen te glimlachen, heeft ons ministerie van Buitenlandse Zaken geprobeerd om de wenkbrauwen te fronsen en heeft de heer Nixon beide geprobeerd. [...] Zolang de heer Chroesjtsjov ervan overtuigd is dat het machtsevenwicht naar zijn kant begint over te hellen, kan geen enkele glimlach of onverschrokken houding – zowel overleg op Camp David als 'keukendebatten' – hem dwingen deel te nemen aan vruchtbare onderhandelingen.'

Die zomer werden in zowel Ankara als Seoel de vredelievende regimes omvergeworpen. In Havana liet Castro beslag leggen op Amerikaanse eigendommen en vroeg om Sovjethulp. Anti-Amerikaanse relschoppers in Tokio zorgden ervoor dat Kennedy zijn bezoek aan Japan moest afzeggen. In de Kongo werd de hulp van Sovjettroepen ingeroepen en de Russen liepen weg bij ontwapeningsbesprekingen in Genève. In juli haalden ze een Amerikaanse RB-47 neer boven de Barentszzee en namen de twee overlevenden gevangen. In augustus onderwierpen ze Francis Gary Powers, de piloot van de neergestorte U-2, aan een vernederend schijnproces waarin hij tot gevangenisstraf werd veroordeeld.

Nikita Chroesjtsjov had door zijn ontmoeting met Eisenhower op Camp David en zijn sabotage van de Parijse topconferentie nu al twee maal de Amerikaanse verkiezingscampagne van 1960 weten te beïnvloeden. In september vertrok hij, gesterkt door zijn winst van die zomer, naar New York om daar de Algemene Vergadering van de Verenigde Naties bij te wonen. Vijfentwintig dagen lang vocht hij met de twee presidentskandidaten om de aandacht van nerveuze Amerikanen, gaf persconferenties vanaf het balkon van de Sovjetambassade, omhelsde Castro in Harlem en hield blufpraatjes bij de Verenigde Naties, waarbij hij de beroemdste handeling uit zijn carrière verrichtte: hij sloeg met een schoen en vuist op de tafel.

Bij de verkiezingsstrijd van 1952 ging het niet om welke kandidaat persoonlijk met Stalin in de slag kon gaan. Maar Chroesjtsjovs drie ontmoetingen met Eisenhower, zijn gepraat over raketten en zijn opzichtige bezoeken aan de Verenigde Staten bepaalden zozeer het Sovjetimago, dat het Amerika van 1960 zich alleen maar afvroeg welke man Chroesjtsjov aankon. Nixon schepte op over zijn ontmoetingen met de Sovjetleider en waarschuwde dat Kennedy 'overhaast en onervaren' was, het soort waar 'de heer Chroesjtsjov gehakt van zou maken.'

De waarheid was dat geen van de kandidaten dezelfde gigantische ervaring in buitenlandse aangelegenheden had die Nixon opeiste. De vice-president had inderdaad vele goodwill-reizen ondernomen, waaronder de Sovjetrondreis van 1959 met onder meer het 'keukendebat' met Chroesjtsjov. Hij ging prat op zijn besprekingen met 35 presidenten, negen premiers, twee keizers en één sjah. Zijn campagneslogan luidde: 'Het is de ervaring die telt.'

Maar gedurende de afgelopen zeven jaar had Nixon zelden deel uitgemaakt van de kleine kring van buitenland- en defensiespecialisten waarop Eisenhower zich beriep. Wanneer dat wel het geval was, betrof het meestal zijn advies over binnenlandse aangelegenheden. Privé klaagde de vice-president dat Eisenhower hem 'uitsluitend als een politieke expert' beschouwde: 'Als ik mijn stem wil laten horen met betrekking tot defensiezaken, vanuit een strikt militair oogpunt bijvoorbeeld, zegt hij: "Wat weet die vent er nou van?"'

Ondanks Kennedy's internationaal gerichte opvoeding en zijn buitenlandse reizen, zijn artikelen en spreekbeurten, ontbrak het hem aan een serieuze achtergrond in het voeren van diplomatieke onderhandelingen en het leiding geven aan een organisatie. Critici merkten op dat de grootste onderneming die hij ooit had geleid, de PT 109, een fiasco was geworden. Gedurende zijn drie jaar als lid van de Senaatscommissie voor Buitenlandse Betrekkingen besteedde hij de meeste tijd aan de campagnevoering buiten Washington.

In zijn vlugschrift over de campagne, getiteld *Kennedy or Nixon: Does it Make Any Difference?*, ondernam de Harvard-historicus en Kennedy-aanhanger Arthur Schlesinger Jr. verstandig genoeg geen pogingen om te beweren dat zijn kandidaat ruime ervaring op buitenlands gebied had: 'Ervaring is nuttig. Vooral als het daarbij om goede dingen gaat. Maar het begaan van blunders is geen pluspunt.' Jaren later schreef Schlesinger dat 'een ieder met een kundig politiek oordeel, intellectuele nieuwsgierigheid, een gedisciplineerd karakter en gevoel voor het mechanisme van de geschiedenis snel genoeg het buitenlandse beleid kan doorgronden'.[1]

Kennedy verdedigde zichzelf met een sterke aanval: 'Meneer Nixon heeft ervaring – ervaring met een beleid van terugtrekking, verslagenheid en zwakte. [...] Een waarschuwende vinger in het gezicht van Chroesjtsjov zal de Verenigde Staten er niet sterker op maken.'[2]

Toch lieten de enquêtes zien dat Chroesjtsjovs gezwollen taal de kiezers in de Verenigde Staten bang had gemaakt en dat ze de kant van Nixon opdreven. Persoonlijk verwachtte Kennedy dat Nixon zou proberen 'ons als communistenvriendjes in de verdediging te lokken'. Walt Rostow waarschuwde hem dat dit de enige manier was waarop Nixon 'weet te opereren. [...] Geef hem geen kans. Richt je op de zaak zelf en bereid je voor op de aanval.'

Rostow had gelijk. Nixon vroeg zijn vriend, minister van Justitie William Rogers, op gedempte toon om 'eens te kijken' of er materiaal te verzamelen was voor een toespraak waarin opgemerkt kon worden dat Kennedy 'een zeer gevaarlijke president zou zijn, gevaarlijk voor de vrede en gevaarlijk vanuit het standpunt van overgave. Op dit punt kunnen we angst zaaien.'

Kennedy startte zijn herfstcampagne dan ook met een anticommunistische toon die zo hard was dat zelfs John Foster Dulles er zijn goedkeuring aan zou hebben gegeven. In september, in de mormonenkerk van Salt Lake City, zei hij: 'De vijand is het communistische systeem zelf – meedogenloos, onverzadigbaar, niet te stoppen in zijn drang naar een wereldheerschappij. [...] We hebben hier niet alleen te maken met een strijd tegen een wapenovermacht. Het is ook een strijd tussen twee botsende ideologieën: vrijheid onder God versus een goddeloze tirannie.'

Louis Harris, Kennedy's enquêtedeskundige, kreeg snel daarna een brief van de Harvard-econoom John Kenneth Galbraith waarin stond: 'J.F.K. heeft duidelijk gemaakt dat hij geen slappeling is. Hij kan daarom dus alleen maar angst inboezemen.' Chester Bowles, de belangrijkste adviseur voor buitenlandse aangelegenheden van de Senator, schreef hem dat hij de campagne op een 'briljante' manier 'naar een punt [had] gestuurd waarbij niemand ons meer van een zachte houding tegenover het communisme kan beschuldigen'.

Maar in de herfst van 1960 stond Kennedy voor een veel groter probleem dan de noodzaak zijn anticommunistische houding te bewijzen. Hij stond voor de on-

1. In 1965 reageerde Jacqueline Kennedy gepikeerd toen ze in het manuscript van Schlesingers *A Thousand Days* las dat, toen haar echtgenoot in het Witte Huis belandde, hij 'meer wist van binnenlandse kwesties, dan van buitenlandse'. Meer uit loyaliteit dan vanuit een historische kennis van zaken stond ze erop dat de historicus dit zou veranderen in 'wist net zo veel van buitenlandse als van binnenlandse aangelegenheden en duidelijk meer dan welke andere Amerikaanse president tot dan toe'. Schlesinger was zo ridderlijk om zijn tekst te veranderen zodat Kennedy nu 'duidelijk meer internationale ervaring bezat dan de meeste gekozen presidenten'.

2. Stevenson had Kennedy na diens nominatie geschreven dat 'het argument van "jong en onervaren" in feite een vals argument is. [...] Je hebt leiderskwaliteiten of niet. [...] Aangezien het duidelijk is dat de Republikeinen de nadruk zullen leggen op Nixons "ervaring" met de omgang met communisten [...] is het van essentieel belang om duidelijk te maken dat [...] het niet gaat om de vraag wie een vuist tegen de maffia kan maken of een waarschuwende vinger in het gezicht van Chroesjtsjov kan opsteken, maar wie een programma kan opzetten en leiden waarin zulke incidenten worden vermeden.'

aangename taak om de strijd aan te binden met de erfgenaam van een president die de Verenigde Staten tijdens de Koude Oorlog op het toppunt van macht en invloed had gebracht. De natie baadde in een overwicht aan nucleair vermogen en economische produktiviteit zonder weerga.

Bewust van het feit dat hij niet kon winnen tenzij hij Amerika's rol in de rest van de wereld op een andere manier aan de kiezers kon presenteren, bedacht Kennedy het argument dat de VS met betrekking tot de lange-afstandsraketten, de economische groei en politieke invloed bij de Sovjet-Unie achterliep, of achterop begon te raken.

Het centrale punt van Kennedy's aanval tegen het feit dat Nixon en Eisenhower de natie hadden verzwakt, was zijn invulling van het *missile gap*. In zijn puurste vorm luidde het argument dat Eisenhowers ziekelijke bezorgdheid om zijn begroting sluitend te krijgen hem gedwongen had het intercontinentale-kruisraketttenprogramma op de korte- en middellange-afstandsraketten toe te spitsen: terwijl de VS in een rustig tempo intercontinentale raketten bouwden, kwamen de Russische raketten, zoals Chroesjtsjov rondbazuinde, 'als worstjes van de lopende band'.

Deze zaak gaf Kennedy de gelegenheid zijn taaiheid te bevestigen en aan te tonen dat het uitgangspunt van de Democraten over het nut van beperkte uitgaven evenredig was aan het opvoeren van Amerika's sterkte. Het probleem was dat er helemaal geen *missile gap* bestond. Eisenhower had toegang tot zorgvuldig geheimgehouden U-2- en ander informatiemateriaal dat voldoende was om hem ervan te overtuigen dat er geen sprake was van een snelle aanwas van Russische raketten, wat Chroesjtsjov ook mocht beweren. De Verenigde Staten liepen voor.

Nixon wilde dat de president de hele zaak uit de wereld hielp door het Amerikaanse publiek van deze feiten op de hoogte te stellen, maar Eisenhower wilde geen geheime informatiebronnen openbaar maken. Ook wilde hij de stilzwijgende overeenkomst niet breken die hij samen met Chroesjtsjov had weten af te sluiten.

Telkens wanneer men Eisenhower in het openbaar confronteerde met Chroesjtsjovs grootspraak dat de Sovjet-Unie op het gebied van intercontinentale raketten vóór lag op de VS, beriep Eisenhower zich simpelweg op zijn geloofwaardigheid als held van de Tweede Wereldoorlog en antwoordde dat Amerika's stootkracht afschrikwekkend en afdoende was. Zolang Eisenhower niet de illusie verstoorde dat de Russen meer lange-afstandsraketten produceerden dan de Verenigde Staten, was Chroesjtsjov bereid de gigantische uitgaven, nodig voor zo'n toename van Sovjetraketten, voor zich uit te schuiven.

Eisenhower probeerde op een indirecte manier Kennedy te verstaan te geven dit delicate akkoord niet te verstoren en de natie niet de stuipen op het lijf te jagen met een verhaal over een *missile gap* dat niet bestond. Jerome Wiesner van het Massachusetts Institute of Technology en een van Eisenhowers wetenschappelijke adviseurs die op de hoogte was van de Amerikaanse superioriteit op dit gebied, was dan ook 'stomverbaasd' toen de president zijn verzoek inwilligde om Kennedy's adviseur voor diens campagne te worden. Wiesner dacht dat het Eisenhowers bedoeling was om Kennedy op deze manier op de hoogte te kunnen brengen van de waarheid achter het *missile gap*.

In augustus, voordat CIA-topman Allen Dulles naar Hyannis Port vertrok voor de informatiebriefing aan de beide presidentskandidaten, verzocht Eisenhower hem vooral de nadruk te leggen op Amerika's imponerende militaire kracht. Maar toen Kennedy aan Dulles vroeg hoe de Verenigde Staten er in de raketten-wedloop voor stonden, antwoordde de CIA-man zuinigjes dat deze vraag alleen door het Pentagon kon worden beantwoord.[1]

Later in augustus, toen Kennedy door het Strategic Air Command in Omaha werd ingelicht, was hij geïrriteerd dat hij over de omvang van het Amerikaans-Russische bommenwerper- en raketarsenaal niet uit volledige, topgeheime informatie kon putten. Hij beklaagde zich erover dat hij als lid van de Senaats-commissie voor Buitenlandse Betrekkingen meer informatie had gekregen: als het luchtmachtcommando en de luchtmacht per se zo zelfingenomen wilden zijn, zou hij de begrotingen voor deze departementen het komende jaar nog eens goed heroverwegen. Verzekerd van het feit dat er tijdens de briefing met de ge-zamenlijke stafchefs geen sprake was van een *missile gap*, zei Kennedy: 'Zijn er dan helemaal geen ongelovige Thomassen in het Pentagon?'

Kennedy kon naar voren brengen dat hij niet op de hoogte was gesteld van de globale informatie die de president ervan overtuigd had dat er geen *missile gap* bestond. Maar Eisenhower, de gezamenlijke stafchefs en het luchtmachtcom-mando hadden allen bevestigd dat zo er al sprake van was, dit alleen maar sterk in het voordeel van de Verenigde Staten was. Ondanks deze bewijzen bleef Ken-nedy maar op deze zaak hameren.

Hij wist dat dit de Amerikanen schrik zou aanjagen en tevens de vrijheid van een volgende president zou inperken. Hij wist ook dat het de Russen zou aan-sporen op een soortgelijke manier te reageren wanneer hij tot president werd ge-kozen. Hij bleef op zijn hoede wanneer hij naar het Russische raket-'overwicht' verwees, waarbij hij getallen en data ontweek en onafhankelijke experts citeerde. Maar zijn beschuldiging aan het adres van de Republikeinen trok hij niet in. Het publiek kreeg te horen dat de Republikeinse partij 'ons het *missile gap* had bezorgd'.

In een wat rechtvaardiger aanval verweet Kennedy de regering te veel op nu-cleaire wapens te vertrouwen waarbij 'we in geval van een conventionele oorlog met lege handen staan'. Hij beloofde een uitbreiding van de conventionele be-wapening en dat eraan gewerkt zou worden om de Verenigde Staten op het ge-bied van wetenschap, scholing en ruimtevaart niet op de tweede plaats te laten belanden.

Hij uitte de misleidende klacht dat de Sovjet-Unie een 'twee tot drie maal grote-re economische groei dan het prachtige produktieve Amerika' doormaakte en dat economische groei in de Verenigde Staten in 1959 'het laagste percentage van alle belangrijke industrielanden van de wereld' te zien had gegeven. Met zijn kennis van de strenge beperkingen van de geleide economie en de manipula-

1. Later verklaarde Dulles zijn omzichtigheid door te zeggen dat zolang de Verenigde Staten nog geen volledig satellietbeeld van de Sovjet-Unie hadden, een mogelijke *missile gap* niet geheel kon worden uitgesloten. Later verdacht Nixon hem ervan dat deze zijn antwoord zo had ingekleed dat Kennedy hiermee de gelegenheid kreeg de kwestie verder uit te buiten – een gunst die Kennedy, als hij de verkiezingen zou winnen, misschien mee zou laten wegen wanneer hij zich af zou vragen of Dulles wel of niet vervangen moest worden.

tie met groeicijfers door het Kremlin wist Kennedy als geen ander dat de Verenigde Staten niet het gevaar liepen om door de Sovjet-Unie op economisch gebied te worden ingehaald.

De verontrustende statistieken die door hem werden geciteerd, waren gemanipuleerd. Het lage Amerikaanse groeipercentage was kunstmatig laag aangezien de economie in 1959 in een recessie was beland. Het hoge Russische groeipercentage was kunstmatig hoog, want het gaf het economische herstel weer na de verwoestingen van de Tweede Wereldoorlog. In 1960 besloeg de Sovjeteconomie nog maar een fractie van de Amerikaanse. De Verenigde Staten waren goed voor bijna een derde van de totale wereldproduktie.

Kennedy stak de beschuldigende vinger uit naar diegenen die hij politiek verantwoordelijk achtte voor het Amerikaans prestigeverlies in de wereld. Hij wees op geheime onderzoeken van het Amerikaanse Informatie Bureau (USIA) die een dalend prestige hadden vastgesteld en eiste openbaarmaking van deze onderzoeken.[1] Een opiniepeiling in november stelde vast dat bijna de helft van alle Amerikanen vond dat het respect voor de Verenigde Staten in de rest van de wereld het afgelopen jaar was afgenomen.

In een van zijn standaardzinnen zei Kennedy: 'Ik nodig u uit voor een reis door de komende jaren waarin we onze krachten zullen bundelen en weer nummer één zullen worden. Niet nummer één *onder voorwaarde dat...*, niet nummer één, *maar...*, niet nummer één, *wanneer...*, maar nummer één, *punt*. Ik wil niet dat de wereld zich afvraagt waar Chroesjtsjov mee bezig is. Ik wil dat de wereld zich afvraagt waar de Verenigde Staten mee bezig zijn.'[2]

In Amerikaanse verkiezingscampagnes willen buitenlandse aangelegenheden nog wel eens met het simplisme van een tekenfilm worden behandeld. De campagne van 1960 vormde daarop geen uitzondering. Kennedy's uitspraken gaven weinig inzicht in hoe hij zou handelen bij de twee vuurhaarden van de Koude Oorlog die zijn ambtstermijn als president zouden gaan bepalen – Cuba en Berlijn.

Hij merkte dat kiezers hem vaker over Cuba en Castro aan de tand voelden dan over welke andere buitenlandse aangelegenheid dan ook. Zoals Robin Goodwin, Kennedy's tekstschrijver, zich herinnerde, had een pro-Russische dictator, honderdtwintig kilometer uit de Amerikaanse kust, 'de Amerikaanse bevolking meer woede en schrik bezorgd dan Chroesjtsjov'. Cuba was voor Kennedy een nieuwe kans om Nixon van rechts aan te vallen. Hij vroeg zijn staf: 'Hoe hadden

1. Toen deze onderzoeken in de pers uitlekten, had een woedende Eisenhower dezelfde bedenkingen tegen de directeur van het Informatie Bureau, George Allen, als Nixon tegen Allen Dulles. Privé vitte Nixon op Allen, van wie hij vond dat deze 'een politiek spelletje speelde' om zijn baantje na een eventuele overwinning van Kennedy te kunnen behouden.

2. Met dit soort statements wees hij Nixons openlijke suggestie van de hand dat de presidentskandidaten het niet over de zwakke toestand van de Verenigde Staten moesten hebben zolang Chroesjtsjov op bezoek was. 'Ik wil duidelijk stellen dat ik met geen woord de heer Chroesjtsjov zal bemoedigen,' zei Kennedy tegen zijn toehoorders. 'Hij heeft al genoeg aanmoediging gekregen.' Hij stelde voor Chroesjtsjov 'te ontmoedigen' door 'dit land zijn kracht en vitaliteit weer terug te geven. Het meest onheilspellende geluid dat de heer Chroesjtsjov zal gaan horen, zullen niet de debatten zijn, maar het geluid van het Amerika dat zichzelf weer op de been helpt, klaar voor de volgende zet.'

we Cuba kunnen redden als we de invloed hadden gehad?' En vervolgens: 'En wat dan nog? Ze hebben ons nooit verteld hoe ze China hadden kunnen redden.' Hij hekelde de Republikeinen die 'op slechts acht minuten vliegen van Florida' aan een 'communistische dreiging' geen halt hadden weten toe te roepen: 'We moeten de Russen zowel duidelijk maken dat ze niet hoeven te proberen om Cuba tot hun basis in het Caribisch gebied te maken – als te kennen geven de Monroe-leer te willen handhaven.' Hij eiste meer propaganda, vroeg om sancties om de Cubaanse revolutie 'onder quarantaine te plaatsen' en eiste meer steun voor anti-Castro gezinde Cubanen. Zijn campagneleider Robert Kennedy vreesde dat de regering-Eisenhower Cuba voor de verkiezingen wel eens zou kunnen binnenvallen, waardoor Nixon zeker van zijn verkiezing zou zijn.

Eind oktober, tijdens een vlucht naar New York, kreeg Goodwin de opdracht van Kennedy om 'een gigantische aanval op Nixon voor te bereiden'. Die avond schreef Goodwin de eerste versie voor een nieuwe aanval op de Republikeinen en Cuba, bestemd voor de ochtendkranten: de Verenigde Staten moeten democratische, anti-Castro gezinde Cubanen steunen 'die ons uiteindelijk de hoop kunnen geven Castro ten val te brengen. Tot nu toe hebben deze vrijheidsstrijders nagenoeg geen steun van onze regering ontvangen.' Volgens Goodwin sliep Kennedy toen hij de eerste versie klaar had. Het zou de enige publikatie uit de campagne worden die zonder de goedkeuring van de kandidaat werd vrijgegeven.

Toen Nixon de koppen van de ochtendkranten onder ogen kreeg ('Kennedy bepleit interventie van Verenigde Staten in Cuba'), werd hij woedend. Hij nam aan dat Dulles zijn tegenstander had ingelicht over het plan van de CIA om Cuba binnen te vallen: hunkerde Kennedy zo naar zijn overwinning dat hij de hele operatie op het spel wilde zetten om stemmen te kunnen winnen? Via een speciale telefoonlijn belde Nixons adviseur Fred Seaton, minister van Binnenlandse Zaken, naar generaal Andrew Goodpaster, Eisenhowers stafsecretaris, die hem meedeelde dat Kennedy 'volledig was ingelicht'.[1]

---

1. In maart 1962 verweet Nixon Kennedy in zijn memoires *Six Crises* dat deze de nationale veiligheid ondergeschikt had gemaakt aan zijn eigen politieke belangen. Dit veroorzaakte een publieke rel. Nixon schreef dat Dulles de genomineerde Democraat had verteld dat de CIA maandenlang 'Cubaanse bannelingen niet alleen gesteund en geholpen had', maar deze zelfs had 'getraind ter ondersteuning van een eventuele invasie op Cuba'.
In een brief naar de president schreef McGeorge Bundy: 'Dit onderwerp blijkt gecompliceerder dan ik had gehoopt.' Hij praatte met de gepensioneerde Dulles en diens collega's die 'het erover eens waren dat u geen inlichtingen over het eigenlijke invasieplan kreeg, maar helaas is dit niet wat Nixon beweert. [...] Allen Dulles bericht dat zijn aantekeningen voor een briefing in juli wel aangeven dat hij van plan was u op de hoogte te stellen van het feit dat de CIA bezig was met het opleiden van Cubaanse bannelingen tot guerrillaleiders. [...] Hij zegt dat hij u niet meer informatie had kunnen geven omdat er verder nog geen informatie was. [...] Maar u zou kunnen zeggen dat wat Nixon zegt niet onjuist is.
Aan de andere kant [...] lijkt het erop dat u alleen over onuitgewerkte en fragmentarische informatie beschikte die handelde over geheime relaties met Cubaanse bannelingen en dat u niets over een specifiek invasieplan wist. De moeilijkheid is dat de aantekeningen van Dulles Nixon weer wat bewijs zouden geven voor zijn verwijt. Dulles staat duidelijk

Nixon belde naar het Witte Huis en zei dat hij zich door deze affaire 'in een hoek gedreven' voelde. Na beraadslaging met de president probeerde hij de operatie geheim te houden door het tegenovergestelde te verklaren van wat hij eigenlijk geloofde. Tijdens hun vierde tv-debat bestempelde hij Kennedy's idee als 'de gevaarlijkste, en meest onverantwoordelijke aanbeveling die hij tijdens deze campagne heeft gedaan. [...] We zouden hiermee voor Chroesjtsjov alle deuren openzetten om deze kant op te komen, Latijns-Amerika binnen te vallen en ons bij een burgeroorlog, of nog erger, te betrekken.'

Als antwoord hierop en op kritiek uit de linkerhoek zei Kennedy dat hij geen voorstander was van een interventie waarbij Amerikaanse verdragsverplichtingen zouden worden geschonden. Hij wilde alleen de vrijheidsstrijders laten weten dat Amerika 'achter hen stond'. De *New York Times* noemde deze omkering van zaken een 'cruciale blunder'. Adlai Stevenson schreef een persoonlijke brief naar een vriend waarin stond dat Kennedy's misrekening inzake Cuba 'rampzalig' was.

Het bizarre gevolg was dat veel Amerikanen die geen voorstander van een invasie waren, de voorkeur gaven aan Nixon, die heimelijk de CIA aanspoorde om de klus voor de verkiezingsdag te klaren. Omgekeerd stemden veel Amerikanen die voorstander waren van een hardere militaire lijn tegen Cuba vóór Kennedy

tussen twee vuren en ik ben ervan overtuigd dat hij zich er liever buiten wil houden als dat kan.'

Bundy adviseerde om een verklaring uit te geven waarin stond dat Kennedy in juli van Dulles een 'algemene briefing' had gekregen, maar dat hij pas na zijn verkiezing tot president door het CIA-hoofd 'volledig werd ingelicht over de geheime plannen met betrekking tot Cuba'. Kennedy sloeg geen acht op deze hoffelijke poging om zijn politieke problemen de wereld uit te helpen zonder zich op een presidentiële leugen te beroepen. Op 20 maart ontkende het Witte Huis categorisch dat Kennedy 'voor zijn verkiezing in 1960 van zowel het trainen van troepen in de buurt van Cuba, als van enig plan voor "het steunen van een invasie op Cuba" op de hoogte was gesteld'.

De president vroeg ook aan Dulles een verklaring op te stellen waarin stond 'dat de president nooit van deze zaak heeft geweten'. Dulles echter, liet journalisten alleen weten dat Nixon het slachtoffer moest zijn geworden van een 'zuiver misverstand'. Kort daarna werden bepaalde CIA-pensioenprivileges van hem ingetrokken. Op de dag van Dulles' verklaring belde John McCone naar Nixon in Californië en deelde hem 'op de man af' mee dat Dulles hem persoonlijk had laten weten dat hij in 1960 'Kennedy over de geheime operatie had verteld'. Hij voegde eraan toe dat Senator Smathers hem de bevestiging had gegeven dat Kennedy al 'voor de verkiezingen' van de Cubaanse plannen op de hoogte was.

Goodpaster vertelde de schrijver van dit boek dat Allen Dulles hem in oktober 1960 liet weten dat hij Kennedy inderdaad kort 'over de planning' van de operatie had ingelicht 'waarbij het ging om het vormen en trainen van militaire eenheden en dat hieraan goedkeuring was verleend'. In 1981 zei Richard Goodwin dat Kennedy die maand 'best eens op de hoogte zou kunnen zijn geweest' van de plannen van de CIA. In zijn in 1988 gepubliceerde memoires *Remembering America* was Goodwin een stuk directer toen hij schreef dat Kennedy's CIA-briefings tijdens de campagne 'onthulden dat we bezig waren met het trainen van een militaire eenheid van Cubaanse bannelingen, met het oog op een mogelijke invasie op het Cubaanse vasteland'. We mogen gevoeglijk aannemen dat deze hele affaire Nixon niet van zijn toch al grote verbittering jegens de Kennedy's, Dulles en de CIA kon afhelpen.

die persoonlijk, op zijn zachtst gezegd, ambivalente gevoelens koesterde ten aanzien van het aan de kant zetten van Castro.

Over een oplossing van het probleem-Berlijn liet hij zelfs nog minder los. Als een waar staatsman had hij daar zijn redenen voor. In augustus 1960 had Stevenson hem persoonlijk geadviseerd om een 'uitgebreide discussie' van deze zaak uit de weg te gaan omdat het 'moeilijk zou worden om iets constructiefs over een mogelijke schikking inzake Berlijn te zeggen zonder toekomstige onderhandelingen te ondermijnen. Ondanks onze verklaring onze rechten te behouden en aan onze plichten te voldoen, is de verleiding groot om hierbij een grotere starheid aan de dag te leggen dan de onderhandelingspartner.'

Stevenson herinnerde zich dat hij als kandidaat voor het presidentschap bij de Democraten 'in september 1956 "eenzijdig" een soortgelijke positie innam – en dat ik het niet over de Suez-kwestie wilde hebben, aangezien de situatie "te gevoelig" lag, hoewel ik persoonlijk stond te trappelen om aan te vallen. Een maand later kwam de ramp en Eisenhower plukte zo de vruchten van mijn aarzeling. Dus, ik schrijf u met twijfel en schroom.'

Gedurende de gehele herfst van 1960 verwees Kennedy maar in een stuk of zes toespraken naar de Berlijnse kwestie en dan alleen nog maar met een enkele zin om applaus uit te lokken: 'Kunt u nu echt beweren dat we aan macht winnen terwijl u weet dat de Verenigde Staten de komende winter en lente oog in oog komen te staan met een zeer ernstige crisis rond Berlijn, dit alles in een tijd waarin de groei van onze macht in geen verhouding staat tot die van de communisten?'

Hij besteedde meer aandacht aan Quemoy en Matsoe en zette kanttekeningen bij het indirecte pleidooi van de regering om de veel besproken eilanden voor de Chinese kust te verdedigen, misschien wel op het risico af van een atoomoorlog. Daarbij beschuldigde hij Nixon ervan 'onze Amerikaanse jongens' maar al te graag 'in een onnodige en zinloze oorlog te betrekken'. De Republikeinen noemden Kennedy's commentaar 'een uitnodiging' aan het adres van de Chinese communisten 'deze eilanden te veroveren op de dag dat Kennedy, mocht het gebeuren, in het Witte Huis belandt'. Hij kondigde aan dat hij 'in het belang van het tweepartijenstelsel' deze kwestie zou laten rusten.

Tijdens zijn verblijf van 25 dagen in New York in het oude Eben Pynchuis voor schone kunsten op Park Avenue dat als Sovjetvertegenwoordiging diende, was Chroesjtsjov zonder twijfel verrukt over het aantal keren dat zijn naam opdook tijdens de eerste twee verkiezingsdebatten tussen Kennedy en Nixon.

Aan het begin van het eerste debat zei Kennedy: 'De heer Chroesjtsjov is in New York en zal vanwege de hoge produktiviteit van de Sovjet-Unie doorgaan met zijn communistische wereldoffensief.' In het tweede debat zei Nixon over de U-2-kwestie: 'Ik ben niet van plan om ooit mijn excuses aan de heer Chroesjtsjov of wie dan ook aan te bieden wanneer ik actie onderneem [...] om de veiligheid van Amerika te waarborgen.'

Chroesjtsjov had nooit veel bewondering voor het Amerikaanse verkiezingsproces gehad. 'De Amerikaanse bevolking heeft praktisch geen enkele invloed op het beleid van de Verenigde Staten,' had hij eens gezegd. 'Tijdens verkiezingscampagnes worden de mensen slim om de tuin geleid en weten ze praktisch niet waar ze voor kiezen.' Zijn aanwezigheid in New York bracht hem niet op andere gedachten: 'De strijd tussen Democraten en Republikeinen is net een populaire worstelwedstrijd. De worstelaars bepalen vooraf wie de verliezer zal zijn, zelfs voordat ze de arena betreden.'

Later zei hij: 'De politieke reclame in Amerika verloopt tamelijk luidruchtig en is, vind ik, theatraal. Denk je eens in! Het hoofd van de arme kiezer wordt van 's morgens vroeg tot 's avonds laat overvoerd met een stortvloed aan televisietoespraken door woordvoerders van een ezel of een olifant.'

Ondanks zijn loyaliteit aan de marxistische begrippen die bepaalden dat het individu veel minder belangrijk is dan de grote krachten uit de geschiedenis, wist hij dat de keuze van de Amerikanen in 1960 van veel invloed kon zijn op het lot van zowel Rusland als van hem zelf. Het jaar daarvoor, na Camp David, had hij leden van het presidium verzekerd dat Eisenhower een 'oprecht' man was met wie hij zaken kon doen. Door het zenden van een U-2-spionagevliegtuig, twee weken voor de conferentie van Parijs, was hij door Eisenhower voor schut gezet en zetten zijn collega's in het Kremlin vraagtekens bij zijn inzicht. Nu wilde Chroesjtsjov er zeker van zijn dat de nieuwe president een man zou worden met wie hij zaken kon doen.

Zijn officiële voorkeur ging uit naar Gus Hall, de oude rot van de Amerikaanse Communistische Partij. Maar zoals Chroesjtsjov erkende, had de onvermijdelijke Amerikaanse ommezwaai naar het communisme, waardoor kameraad Hall in het Witte Huis kon belanden, zich nog lang niet aangediend. Dus begon hij 1960 als aanhanger van Adlai Stevenson. Deze, vond hij, had een 'tolerante – ik zou zelfs willen zeggen, een vriendelijke en betrouwbare houding jegens de Sovjet-Unie'. Ze hadden elkaar in 1958 ontmoet toen de gouverneur samen met zijn twee jongere zoons een rondreis door de Sovjet-Unie maakte. Chroesjtsjov raadde de jongens aan met een Russisch meisje te trouwen en zei tegen hun vader: 'In 1956 heb ik in mijn hart op u gestemd.'[1]

Tijdens de campagne van 1956 had Chroesjtsjov op een klungelige manier zijn toenmalige premier Nikolaj Boelganin de mogelijkheid gegeven om met een open brief te komen waarin 'bepaalde staatsfiguren' werden geprezen voor hun steun aan een verbod op kernproeven. Het gevolg was dat Eisenhower een boze klacht in de richting van de Sovjet-Unie lanceerde wegens inmenging 'met onze binnenlandse aangelegenheden'. Richard Nixon gebruikte deze Russische brief om aan te tonen hoe dit 'gevaarlijke komplot' van Stevenson de 'communisten rampzalig in de kaart [zou] spelen'.

Deze keer was Chroesjtsjov vast besloten zich niet met zaken te bemoeien die zich wel eens tegen hem zouden kunnen keren. Aan het eind van 1959, toen ambassadeur Mensjikov met verlof naar Moskou vertrok, vroeg Chroesjtsjov hem in het geheim een bezoekje te brengen aan Stevenson en hem te vragen 'op welke manier we behulpzaam kunnen zijn'.

Stevenson vond Mensjikov een nogal komische figuur: aan zijn vrienden vertelde de afgezant dat hij tijdens een tuinfeest in Georgetown erop stond met zijn ge-

---

1. Chroesjtsjov was niet te beroerd om een kolossale leugen te verkopen als hij toch niet betrapt kon worden. Toen Anastas Mikojan in januari 1959 Eisenhower in het Oval Office ontmoette, zei hij dat Chroesjtsjov hem vertrouwelijk had laten weten dat als hij in 1956 met de Amerikanen had kunnen meestemmen, hij op de president zou hebben gestemd!

brekkige Engels een toost op de aanwezige dames uit te brengen: in plaats van het gebruikelijke: 'Bottoms up,' riep hij:'Up your bottoms!' (waarbij hij niet naar de bodem van het glas, maar naar het achterwerk der aanwezige dames verwees). In januari 1960 accepteerde Stevenson een uitnodiging van de afgezant voor een bezoek aan het oude George Pullmanhuis op Sixteenth Street in Washington, waar de Sovjetambassade was gehuisvest.

Onder het genot van kaviaar, fruit en drank vertelde Mensjikov dat Chroesjtsjov van mening was dat Stevenson waarschijnlijk 'een betere kijk had op de zorgen van de Sovjet-Unie en haar doelstellingen' dan andere presidentskandidaten. Moest de Sovjetpers hem zonodig prijzen? Moest hij bekritiseerd worden? Waarvoor?

Na afloop schreef Stevenson naar een vriend: 'Nu ik erover nadenk, raak ik steeds meer verontwaardigd om op deze manier "gepaaid" te worden. Maar tegelijkertijd sta ik steeds meer perplex, als dat tenminste het goede woord is, van het *vertrouwen* dat ze in me stellen. Ik kan *nu* slechts één ding doen, namelijk: beleefd doch beslist het voorstel afwijzen – en bidden dat de zaak nooit zal uitlekken, tenzij dit mogelijk waardevolle vertrouwen in mij weer wordt opgezegd.'

Nadat Nixon en Kennedy genomineerd waren, droeg Chroesjtsjov zijn collega's in Moskou op 'in gedachte zelf een keuze te maken': 'We kunnen de Amerikaanse verkiezingen beïnvloeden.' Richard Nixon was zijn onheilsprofeet, een 'stroman' van het Amerikaanse Koude-Oorlogestablishment, een 'gewetenloze carrièremaker' en een bondgenoot van 'die duivel der duisternis, McCarthy'. Chroesjtsjovs zorgen waren misschien wat afgenomen door het feit dat de vicepresident niet langer de anticommunist van vroeger was. Maar, zo vreesde hij: 'Met hem zullen we nooit een gemeenschappelijke taal spreken.'

Toch was de keuze niet zo gemakkelijk. 'We wisten weinig over John Kennedy,' zei Chroesjtsjov later. 'Het was een jonge vent, veelbelovend en zeer rijk, een miljonair. Uit de pers wisten we dat hij zich door zijn intelligentie, opvoeding en politieke vaardigheden wist te onderscheiden.'

Hij en zijn adviseurs realiseerden zich dat Kennedy's *Weltanschauung* zich had ontwikkeld sinds de anti-Sovjetretoriek ten tijde van diens periode in het Huis van Afgevaardigden en zijn vroege Senaatsjaren. Sinds 1959 had Kennedy zich altijd voorstander verklaard van een verbod op kernproeven en van uitgebreidere Amerikaans-Russische betrekkingen. Chroesjtsjov was aangenaam getroffen door diens spijtbetuiging over de U-2-affaire en zijn plechtige belofte zich aan Eisenhowers woord te houden om nooit meer zulke spionagevluchten te ondernemen. Maar hij maakte zich wel zorgen over Kennedy's hameren op het *missile gap* en de noodzaak de Amerikaanse defensie te moderniseren.

Izvestija gaf Chroesjtsjovs twijfel over de Democraat bijna letterlijk weer, – niet verwonderlijk, want de hoofdredacteur was niemand minder dan Chroesjtsjovs schoonzoon en naaste adviseur Aleksej Adzjoebej: 'Hij lanceert felle aanvallen op het beleid van Eisenhower en Nixon, maar is tot nu toe nog niet met alternatieve voorstellen gekomen.' Een andere Sovjetkrant bestempelde Kennedy als opportunist, een 'jonge miljonair die iedereen van alles belooft'. Door soms voor de kant van de Arbeid en dan weer de kant van het Kapitaal te kiezen, had hij een 'flexibele, om niet te zeggen een gewetenloze positie' ingenomen: allerlei 'kleinburgerlijke politieke leiders – zowel conservatieven als progressieven' zagen Kennedy als 'hun aangewezen persoon'.

Ondanks dit alles ontbrak het bij de anti-Sovjethouding van Kennedy aan het soort consistentie dat bij Nixon wel te vinden was. Kennedy werd omringd door gematigde figuren als Stevenson, Bowles, Fulbright, Mansfield en Harriman. Zoals de jongste functionaris op het ministerie van Buitenlandse Zaken, de latere overloper Arkadi Sjevtsjenko zich herinnerde, interpreteerde Chroesjtsjov Kennedy's roep om onderhandelingen 'in zijn eigen voordeel'. Chroesjtsjov zei zelf later: 'We dachten dat we wat meer hoop op een verbetering van de Amerikaans-Russische betrekkingen konden krijgen als Kennedy in het Witte Huis zou belanden.'

Hij zou misschien gedacht kunnen hebben dat Kennedy gemakkelijker om de tuin te leiden was dan Nixon en wist ook dat een groot deel van het establishment in Washington Kennedy een onbeduidende lichtgewicht vond, een playboy. (In 1959 vroeg James Reston van de *New York Times* aan Rostow: 'Gelooft u *werkelijk* dat zo'n man president van de Verenigde Staten kan worden?') Toen Kennedy tijdens de campagne onder vuur werd genomen over Queymoy, Matsoe en Cuba, bleef dat bij de Russen niet onopgemerkt.

Niemand was trotser op zijn eigen snelle opkomst uit het niets dan Chroesjtsjov. 'Jullie hebben allemaal de beste scholen en beroemde universiteiten – Harvard, Oxford, de Sorbonne – bezocht,' zei hij eens tegen westerse diplomaten. 'Ik heb nooit een goede opleiding gehad. Ik ging gekleed in vodden, liep op blote voeten. Toen jullie nog in jullie wiegjes lagen, dreef ik koeien voor twee kopeken. [...] En toch zitten we hier allemaal bij elkaar en kan ik jullie allemaal een rad voor ogen draaien. [...] Vertelt u mij eens, heren. Waarom?'

Sinds 1917, Kennedy's geboortejaar, had Chroesjtsjov zich door de verraderlijke Sovjethiërarchie omhoog weten te werken. Ondertussen had hij zijn superieuren gepaaid en verraden en tijdens de zuiveringen en de oorlog duizenden de dood in gejaagd. Hij had weten te ontkomen aan Stalins machtswellust en paranoia. En op het toppunt van zijn macht verijdelde hij twee door zijn eigen collega's geplande staatsgrepen. Hij had dan ook het volste vertrouwen dat hij zelf veel machtiger was dan een Amerikaanse kandidaat voor het presidentschap die zich gesteund voelde door een schatrijke vader.

Chroesjtsjov kon maar niet bevatten hoe zo'n broekje in de Amerikaanse regering opeens president kon worden. Psychologische karakterschetsen gemaakt door de KGB suggereerden dat Kennedy's ambtstermijn minder voorspelbaar zou verlopen dan die van Eisenhower. Persoonlijk merkte Chroesjtsjov op: 'Hij is jonger dan mijn eigen zoon.'[1]

In het openbaar voerde Chroesjtsjov een duizelingwekkende onpartijdigheidsshow op: 'De heer Nixon heeft zich in de jas van een anticommunist gehesen,' verklaarde hij in augustus in Moskou. 'Nou, hij zal niet de eerste zijn die zal aantonen dat deze regenjas niet de naakte waarheid van de kapitalistische wereld of haar problemen kan verbergen. [...] Over de heer Kennedy weet ik minder. Ik ontmoette hem toen ik in Washington was en we hebben wat zinnen met elkaar uitgewisseld. Wat ik echter wel weet, is dat ze allebei dienaren zijn van

---

1. Leonid Chroesjtsjov, kennelijk geboren in 1917, sneuvelde in juni 1943 aan het Voronezj-front. Zijn weduwe, Ljoebov, belandde in de gevangenis op beschuldiging een of andere 'Zweedse spionne' te zijn geweest en kwam pas na Stalins dood, in 1953, op vrije voeten.

het Kapitaal. [...] Of, zoals wij Russen zeggen: zij vormen twee laarzen van hetzelfde paar: welke is beter, de linker of de rechter?' Toen men hem in New York
vroeg aan welke kandidaat hij de voorkeur gaf, riep Chroesjtsjov de schutspa-
troon van de Amerikaans-Russische samenwerking aan: 'Roosevelt!'
Nixon en Kennedy wisten dat als Chroesjtsjov het wilde, hij de verkiezingen kon
beïnvloeden door een of ander internationaal incident te veroorzaken. Hiermee
zouden óf de kiezers in paniek op een meer ervaren kandidaat stemmen, óf worden aangetoond dat zowel Eisenhower als Nixon niet in staat was de Russen in
toom te houden. Geen van de kandidaten was bereid zo'n risico te lopen. Zonder dat het Amerikaanse volk het wist, hadden de belangrijkste aanhangers van
zowel Nixon als Kennedy vertrouwelijke contacten met Chroesjtsjov onderhouden en hem gevraagd hun respectievelijke kandidaat te steunen.
In februari 1960 vertrok Henry Cabot Lodge, die onder Eisenhower zeven jaar
als ambassadeur van de VN had gediend, naar de Sovjet-Unie. Tijdens zijn ontmoeting met Chroesjtsjov in Moskou zei Lodge dat hij 'als een man die de oprechte hoop koestert op goede betrekkingen tussen Moskou en de Verenigde Staten' vond dat hij erop moest wijzen dat 'de buitenlandse betrekkingen tijdens
een verkiezingsjaar in de Verenigde Staten zeer weinig ruimte voor flexibiliteit
bieden. Wat in verkiezingsjaren onmogelijk kon of kan worden bereikt, had het
jaar daarna een goede kans van slagen.'
Hij verzekerde Chroesjtsjov ervan dat er met Nixon te werken viel: 'Schenk
geen aandacht aan de verkiezingstoespraken. Onthoud dat het alleen maar politieke uitspraken zijn. Als de heer Nixon eenmaal in het Witte Huis belandt, ben
ik er zeker – ja, *zeer zeker* van – dat hij het standpunt inneemt dat onze betrekkingen behouden en zelfs verbeterd moeten worden.' Bij zijn vertrek vertelde hij de
vice-president dat hij 'een gesprek met Chroesjtsjov had gehad' waarvan hij 'het
ministerie van Buitenlandse Zaken niet op de hoogte had gesteld'.
Ambassadeur Llewellynn Thompson schreef vanuit Moskou naar Nixon: 'Verscheidene hoge Sovjetfunctionarissen hebben mij te kennen gegeven tegenstander van u te zijn. Ik heb ze altijd voorgehouden dat u een onwrikbare en doel-
treffende anticommunist bent, net zoals zij onbuigzame antikapitalisten zijn,
maar dat ze het bij het verkeerde eind hadden met hun veronderstelling dat u
een tegenstander bent van onderhandelingen of overeenkomsten die beide partijen ten goede komen.'
Averell Harriman, de belangrijkste Union Pacific-erfgenaam, voorheen twee
maal presidentskandidaat en tijdens de oorlog Roosevelts afgezant bij Stalin,
vormde Chroesjtsjovs belangrijkste contactpersoon met de Democraten. Nadat
hij in 1958 als gouverneur van New York was verslagen door Nelson Rockefeller, zullen de Amerikanen hem misschien als machteloos hebben beschouwd.
Voor Chroesjtsjov bestond er echter geen twijfel over wie in Washington de lakens uitdeelde. In september 1959 was de Secretaris-Generaal te gast bij Harriman in diens patriciërshuis in de Upper East Side, waarbij de crème de la crème
van het Amerikaanse financiële establishment was uitgenodigd. In oktober 1960
werd Chroesjtsjov er via Mensjikov door Harriman aan herinnerd om zich tegen
beide kandidaten hard op te stellen: door Kennedy openlijk te prijzen zou Nixon
zeker winnen.
Die herfst oefende de regering-Eisenhower in stilte druk uit op de Russen om de
U-2-piloot Francis Gary Powers en de piloten van de RB-47 vrij te laten. Zoals

Chroesjtsjov het zich herinnerde, had een hooggeplaatste Republikein 'met wie ik ten tijde van mijn rondreis door de Verenigde Staten een niet-onaardige relatie had opgebouwd', een ontmoeting gehad met ambassadeur Mensjikov en een pleidooi gehouden voor de vrijlating van deze mannen: als Nixon president werd, zou het oude Eisenhower-beleid worden herzien. 'We hadden natuurlijk al lang door dat Nixon aan de vooravond van de verkiezingen hieruit voor zichzelf een politiek slaatje wilde slaan. [...] Nixon wilde het doen voorkomen alsof hij al enige contacten met de Sovjet-Unie had weten te leggen.'

In Moskou liet Chroesjtsjov zijn collega's weten: 'We zouden Nixon nooit van z'n leven zo'n cadeau geven.' De twee kandidaten waren in een volledige impasse. 'Als we ook maar een beetje steun geven aan Nixon, zal dat geïnterpreteerd worden als een uitdrukking van onze voorkeur om Nixon als president in het Witte Huis te zien.' Chroesjtsjov hield de piloten gevangen en bracht daarmee zijn vroege stem uit tegen 'die klootzak van een Richard Nixon'.

Op woensdag 9 november hielden Llewellyn en Jane Thompson een lunch ter ere van de verkiezingsdag in het Spaso House. Er werd een grote Zenith radio geïnstalleerd zodat de gasten konden luisteren naar het verkiezingsverslag van de Voice of America.

Een aanwezige Amerikaanse correspondent vroeg aan de ambassadeur op wie hij gestemd zou hebben. Thompson antwoordde dat hij ambtenaar in Buitenlandse Dienst was: Washington DC was zijn officiële huisadres, dus hij zou toch al niet hebben kunnen stemmen.[1] Zijn acht jaar oude dochter Jenny zorgde voor hilariteit toen ze riep: 'Doe niet zo stom pappie, je zou voor Kennedy hebben gekozen!' Het nieuws van Kennedy's overwinning werd door de gasten met applaus en gejuich begroet. Thompsons blauwe ogen straalden. Volgens zijn vrouw voelde hij zich 'opgewonden en verrukt'.

Thompson kende de president al sinds 1951 toen hij als raadsman in Rome een lunch had georganiseerd voor Kennedy en andere Congresleden. Datzelfde jaar was Jane Thompson gastvrouw voor Jacqueline en Lee Bouvier, de dochters van haar vriendin Janet Auchincloss, die die zomer een rondreis door Europa maakten. Omdat de Thompsons in 1953 geacht werden op hun post te blijven, moesten ze hun uitnodiging voor het huwelijksfeest van Kennedy en Bouvier in Newport afzeggen. (Later hoorden ze geruchten dat de bruidegom de nacht voor het huwelijk met een andere vrouw had doorgebracht.)

Halverwege de jaren vijftig bracht Thompson als Hoge Commissaris van de Verenigde Staten in Oostenrijk regelmatig bezoeken aan Washington om zijn begroting in het Congres te verdedigen. Vaak zocht hij dan Kennedy op. Tijdens een besloten zitting van de Senaatscommissie voor Buitenlandse Betrekkingen verwees Thompson naar een recente uitgave en was 'zeer onder de indruk', zei hij van het feit dat Kennedy 'als enig lid van de commissie de titel van het boek en de auteur van mij los wist te krijgen'.

Thompson was een Democraat, maar hield zijn voorkeur knap voor zich. Zelfs Chroesjtsjov, die Thompson goed kende en soms boodschappen onder ogen kreeg die ergens tussen de Amerikaanse ambassade en Washington waren on-

1. Het jaar 1960 was het laatste jaar waarin de grondwet burgers uit Washington DC verbood hun stem uit te brengen tijdens de presidentsverkiezingen.

derschept, dacht dat hij voor Nixon was. Op 7 november zei Chroesjtsjov in het Kremlin tijdens de viering van de drieënveertigste verjaardag van de Russische revolutie tegen Thompson: 'Ik weet op wie *u* gaat stemmen.'

'Nee hoor, dat weet u niet,' glimlachte Thompson met twinkelende oogjes.

Chroesjtsjov antwoordde: 'Ja, ik weet het wél. *Ik* wil dat *Nixon* wint, want ik weet inmiddels hoe je met hem moet omgaan. Kennedy is onbekend terrein.' Chroesjtsjov uitte zijn ongerustheid over Kennedy's jeugd en zijn dubbelzinnige staat van dienst. Republikeinen, zei hij, maakten er geen geheim van dat ze dienaren van Wall Street en de wapenfabrikanten van de Koude Oorlog waren. De Democraten probeerden dit te verbergen en waren daardoor minder voorspelbaar. Chroesjtsjov liet weten dat zijn adviseurs hem vertelden dat Kennedy zou winnen.

Thompson droomde er nu van dat hij mocht fungeren als het Oor van de nieuwe president. Sinds zijn vertrek naar Moskou, drie jaar eerder, was hij gefrustreerd geraakt omdat Eisenhower zo weinig aandacht had besteed aan zijn telegrammen en advies. Zowel de president als Foster Dulles had weinig behoefte aan adviezen over het Sovjetbeleid: zeven jaar lang werden Sovjetexperts als George Kennan en Harriman, die volgens Eisenhower onder Truman en de Democraten thuishoorde, volledig genegeerd.

Thompson vond dat Kennedy 'intelligenter en meer belezen' was dan zijn voorganger. En terwijl de journalisten met hun verhaal het Spaso House verlieten, ging Thompson naar zijn kantoor in de ambassade en begon met het uitstippelen van een plan om de nieuwe president zoveel mogelijk informatie te verschaffen.

In Hyannis Port lunchte John Kennedy, nadat hij op de landelijke televisie zijn overwinning had aanvaard, met zijn vrouw, broers, zussen, zijn vriend de schilder William Walton en Ted Sorensen in zijn ouderlijk huis. Bevrijd van de spanningen van de vorige avond lachten en discussieerden ze over wie tijdens de campagne het beste had gepresteerd en werden degenen uitgelachen die verantwoordelijk waren voor staten die naar Nixon waren gegaan.

Nadat men weer van tafel was gegaan, kreeg de pasgekozen president een telegram in handen gedrukt, afkomstig van Nikita Chroesjtsjov. Deze uitte hierin de hoop dat de Russisch-Amerikaanse betrekkingen weer zouden terugkeren naar de hartelijkheid van het Roosevelt-tijdperk. De hele mensheid, zo stond er, 'verlangde ernaar verlost te worden van een nieuwe oorlogsdreiging. [...] Er bestaan geen onoverkomelijke obstakels om de vrede te behouden en te versterken.' Bang dat de relatie met Chroesjtsjov door een verkeerd gekozen woord in mineur zou kunnen beginnen, belde Kennedy naar Chip Bohlen op het ministerie van Buitenlandse Zaken.

3. 'Onze sleutel tot de Sovjet-Unie'

Door zijn telefoontje met Bohlen keerde Kennedy weer terug naar zijn eerste contact met de Russen. Hij herinnerde zich hoe de vermaarde Sovjetspecialist hem in 1939 in Moskou had onthaald. Met zijn charmante onverschrokkenheid die Kennedy zo waardeerde en trachtte te evenaren, was Bohlen een van de Sovjetkenners wier reputatie schade had geleden onder Eisenhower.

Zijn carrière als Sovjetspecialist was in de jaren twintig op Harvard begonnen. Daar studeerde hij Russische literatuur, zong hij Russische liederen en had hij een Russisch meisje ontmoet, volgens hem de 'enig juiste manier' om de taal te leren. Tijdens nachtelijke groepsdiscussies op de exclusieve grond van de Porcellian Club zat hij boven een vol glas gin aspecten van het bolsjevistische experiment te verdedigen. Als functionaris bij de buitenlandse dienst kwam hij in 1934 de ambassade van William Bullitt versterken en keerde in steeds hogere rang terug in Moskou. In Jalta werkte hij als tolk voor Roosevelt.

Om zich in 1953 van de ambassadeurspost in Moskou te verzekeren, moest Bohlen weerstand bieden aan insinueringen van Joseph McCarthy over zijn seksuele voorkeur en zijn 'schandelijke reputatie van hoogverraad' in Jalta. Foster Dulles wilde absoluut niet op de foto met Bohlen. Eisenhower hield voet bij stuk: hij en Bohlen waren golfmaatjes geweest toen ze nog in Parijs werkten. Nadat de benoeming erdoor gedrukt was, zei de fractieleider in de Senaat, Robert Taft, tegen Eisenhower: 'Geen Bohlens meer.'

Bohlen betreurde het later dat hij ondanks alle moeite er niet in was geslaagd om Eisenhower te overreden de veelbelovende stemming na Stalins dood uit te buiten. Foster Dulles zat echter niet te springen om concurrentie. Toen Bohlen in 1956 in Washington terugkeerde, belette de minister van Buitenlandse Zaken hem het kabinet toe te spreken: 'Het zou te veel eer voor hem zijn. [...] Hij werkt niet met ons samen.'

In 1957 ontsloeg Dulles hem met een duistere brief. Hij schreef op de hoogte te zijn van Bohlens wens 'schrijver te worden'. Bohlen wilde dat niet en had er het talent niet voor. Toen hij hoorde dat Thompson zijn opvolger zou worden, verbrak hij bijna hun vriendschap. Maar hij kwam erachter dat Thompson niet wist dat hij werd gebruikt om Bohlen uit Moskou weg te werken.

Bohlen weigerde de ambassadeurspost in Karachi en verbitterd aanvaardde hij de post in Manila. Toen Dulles eens een vraag stelde over Sovjetaangelegenheden, antwoordde hij bits dat hij 'op deze grote afstand' geen commentaar kon leveren op de Sovjet-Unie. Na het overlijden van Dulles in 1959 riep de nieuwe minister van Buitenlandse Zaken en oud-schoolgenoot van St. Paul's, Christian Herter, hem terug uit zijn verbanningsoord en nam hem aan als raadsman voor Sovjetaangelegenheden. Deze functie hoefde niet bekrachtigd te worden door de Senaat.

Nu Kennedy zijn hulp inriep voor een antwoord aan Chroesjtsjov, zei Bohlen dat hij dat 'via via' moest laten goedkeuren. Herter belde Eisenhower in Augusta, Georgia, waar hij aan het golfen was. Deze vroeg hem zich ervan te verzekeren dat hij Bohlens ontwerp onder ogen kreeg voordat het verzonden zou worden.

Bohlen stond behoorlijk te blunderen aan de telefoon toen Kennedy hem belde: zelfs na de lange campagne had hij nog geen 'flauw idee' van Kennedy's opvattingen over de Sovjet-Unie. Hij vroeg of Kennedy wilde beginnen met een 'nobel gebaar' of de zaak 'rustig wilde aanpakken'. De rustige aanpak verdiende de voorkeur en daarom gaf Bohlen het advies hoffelijk te zijn en de kern van de zaak uit de weg te gaan. Hij stelde een antwoord op van één zin. Kennedy achtte dit te kort en voegde er nog twee zinnen aan toe.

Tijdens een persconferentie de ochtend daarop in de Hyannis wapenzaal las hij voor uit zijn telegram waarin hij Chroesjtsjov bedankte voor diens hoffelijkheid en gelukwensen: 'Het behalen van een rechtvaardige en duurzame vrede zal een essentieel doel van deze natie en de belangrijkste taak van haar president blijven.'

Gedurende de hele campagne had ambassadeur Mensjikov mensen als Bohlen, tientallen Senatoren en andere functionarissen, zoals rechter William O. Douglas van het Hooggerechtshof, uitgenodigd in de sombere eetzaal van de Sovjetambassade. Ze aten Kiëvse kip en spraken over wat de Sovjet-Unie kon verwachten van de volgende president.

Mensjikov had altijd de neiging gehad Chroesjtsjov een telegram te sturen met de boodschap die hij graag wilde horen: miljoenen Amerikanen waren werkloos en de Verenigde Staten stonden aan het begin van een arbeidersrevolutie. Toen Chroesjtsjov in 1959 Amerika met zijn eigen ogen zag, begon hij Mensjikovs verhalen met een flinke korrel zout te nemen.[1] Een staflid van Mensjikov noemde hem '*Nasj Doerak*' – 'Onze Dwaas'

De week na de verkiezingen van 1960 zei Mensjikov in zijn advocatenkantoor in New York tegen Adlai Stevenson dat Chroesjtsjov 'hoge verwachtingen' koesterde over nieuwe overeenkomsten met de Verenigde Staten, waaronder een verdrag inzake de stopzetting van kernproeven. Maar de twee leiders konden dit soort afspraken alleen maken via de vertrouwde kanalen. Als Kennedy en Chroesjtsjov in het openbaar communiceerden, dan zouden ze 'oude beschuldigingen' moeten herhalen.

Aleksandr Korneitsjoek, Chroesjtsjovs afgezant, had een ontmoeting met Averell Harriman. Korneitsjoek was een schrijver uit de Oekraïne en lid van het Centraal Comité. Hij kende Chroesjtsjov al van de tijd dat deze Stalins onderkoning in de Oekraïne was. Harriman kende hij uit de oorlog toen deze ambassadeur in Moskou was. Harriman liet Kennedy later weten dat Korneitsjoek 'mij vroeg of u Roosevelts beleidslijnen zou volgen. [...] Hij vroeg me hoe u en de heer Chroesjtsjov met elkaar zouden kunnen opschieten bij een eventuele ont-

1. Tijdens de vlucht van New York naar Los Angeles met de premier en zijn begeleider, Henry Cabot Lodge, zei plaatsvervangend minister van Buitenlandse Zaken Koeznetsov tegen Lodge dat de trip 'een goede les voor Chroesjtsjov' bleek. 'En ik ben blij dat hij reist met iemand die het standpunt van de Verenigde Staten krachtig uiteenzet.'

moeting. Ik zei dat Chroesjtsjov zou merken dat u niet geïnteresseerd bent in het scoren van punten tijdens een debat.'

Op de Sovjetambassade in Washington las Mensjikov een boodschap van Chroesjtsjov voor aan Harriman. De Secretaris-Generaal zei te begrijpen dat Kennedy tijdens zijn campagne anti-Sovjetverklaringen had moeten afleggen: hij was bereid ze te vergeten. Nu moesten de twee naties weer terugkeren naar de hartelijke betrekkingen uit de tijd dat Harriman in Moskou werkte. Harriman antwoordde Chroesjtsjov dat als het hem ernst was, hij de Amerikanen wellicht kon laten zien dat zijn boze bui van de zomer en de herfst voorbij was. Misschien kon hij zijn geklaag over de U-2-affaire staken en de RB-47-piloten vrijlaten.

Kennedy's campagneadviseurs Walt Rostow en Jerome Wiesner vlogen eind november naar Moskou voor een bijeenkomst van ontwapeningsexperts. Net voor de verkiezingen had Rostow in Dartmouth een ontmoeting gehad met Korneitsjoek. Deze drong er bij hem op aan de 'ontwapening serieus te nemen', omdat binnen afzienbare tijd bepaalde krachten in Moskou 'tussenbeide zouden komen en de kans op vrede onmogelijk zouden maken'.

Plaatsvervangend minister van Buitenlandse Zaken Koeznetsov vroeg de twee Amerikanen: 'Hoe kunnen wij de nieuwe regering helpen?' Wiesner en Rostow overhandigden een lijst met punten die was opgesteld met hulp van ambassadeur Thompson. De RB-47-piloten moesten worden vrijgelaten 'zonder dat Kennedy erom moet vragen of over moet onderhandelen'. Verder moest de druk op Berlijn worden verminderd en moesten de Sovjets tijdens de besprekingen over de stopzetting van kernproeven 'bijzonder coöperatief' zijn bij inspecties ter plaatse.

Rostow waarschuwde: 'Wij zijn een land dat niet zo goed functioneert met een twee-sporenbeleid. Als we met een Berlijnse crisis zitten, dan zijn we niet in staat om heel serieus over wapenbeheersing te praten.' Toen de Amerikanen Koeznetsov vroegen wat zij op hun beurt konden doen, zei de Rus: 'Neem het ontwapeningsoverleg serieus.'

In een ander gesprek herinnerde Rostow Koeznetsov en zijn collega's eraan dat Kennedy een man van daden was. Er zou geen top komen tenzij deze 'goed voorbereid zou zijn en zou gaan over concrete zaken'. Hij wees erop dat de vrijlating van de piloten en het gereedkomen van een akkoord inzake stopzetting van kernproeven zouden resulteren in een top tussen Kennedy en Chroesjtsjov in New York, waar het verdrag kon worden ondertekend. Maar het bezoek moest wel 'dramatisch verschillen' van Chroesjtsjovs optreden in New York die herfst. Hij moest 'arriveren met hoge hoed en schoenen aan'.

De Russen vroegen: 'Hoe rijmen jullie Kennedy's voornemen om het defensiebudget te verhogen met zijn belangstelling voor wapenbeheersing?' Rostow legde uit dat de veranderingen waar Kennedy om had gevraagd, de Amerikaanse vrees voor een verrassingsaanval zouden verminderen. Ook zouden ze 'voor eens en voor altijd' bekrachtigen dat in 'onze militaire strategie en onze staatkundige structuur en waarden' niet een Amerikaans voornemen lag om het Sovjetblok een eerste nucleaire klap toe te dienen.

Koeznetsov waarschuwde dat wanneer Kennedy zijn defensieplannen doorzette, hij niet kon verwachten dat de Sovjet-Unie 'stil bleef zitten'. Later vertelde Rostow de aanstaande president dat de Sovjets bereid waren de wapenbesprekingen voort te zetten, maar tegelijkertijd onbuigzaam bleven over de Berlijnse kwestie. Bovendien zouden ze 'ons op ons donder geven in de onderontwikkelde gebieden'.

Op maandag 12 december ontving Mensjikov Robert Kennedy op de Sovjetambassade voor een lunch. Hij prees de 'intelligentie en kracht' van de nieuwe president en weet oude problemen aan Amerikaanse functionarissen uit het middenkader die de Sovjetstandpunten hadden 'verdraaid'. Nu konden de twee naties werken aan een 'duidelijke en vriendschappelijke verstandhouding'.
Mensjikov liet Harriman twee dagen daarna weten dat Chroesjtsjov hem of een andere Amerikaan vóór de inauguratiedag wilde laten fungeren als een geheime, informele afgezant tussen de twee leiders. Harriman antwoordde dat de regering geen inhoudelijke besprekingen kon voeren, voordat Kennedy zijn nieuwe kabinet en adviseurs had ontmoet en beslissingen had gemaakt over het te voeren beleid.
De volgende dag had Mensjikov een vertrouwelijk gesprek met Harrison Salisbury van de *New York Times*. Salisbury was oud-Sovjetspecialist en voorstander van betere betrekkingen. Hij zei: 'Tijd is van wezenlijk belang.' De twee leiders moesten elkaar ontmoeten 'voordat degenen die geen overeenstemming willen, iets kunnen ondernemen om dit te verhinderen. [...] Met één volle dag van informele gesprekken tussen Chroesjtsjov en Kennedy bereik je veel meer dan met alle bijeenkomsten van ondergeschikten bij elkaar.'
Salisbury merkte op dat Kennedy in zijn vaders huis in Florida verbleef: 'Misschien wil Chroesjtsjov wel een vakantie doorbrengen in Palm Beach.' Mensjikov antwoordde: 'Dat is alleen mogelijk als ze dat ook allebei willen.'
Nog nooit eerder had een Sovjetleider bij een Amerikaanse president nog vóór zijn inauguratie zozeer aangedrongen op een topconferentie. Chroesjtsjovs ongeduld was met name te wijten aan een besloten vergadering van eenentachtig communistische delegaties die de ochtend na Kennedy's verkiezing in Moskou was begonnen.

In november 1960 vond, zonder dat het Westen ervan afwist, de meest dramatische verschuiving plaats in het machtsevenwicht op aarde sinds 1945. De 'onwankelbare' alliantie tussen de Sovjet-Unie en China stond op instorten. Mao Zedong was druk doende kernwapens te produceren en Chroesjtsjovs leiderschap van het wereldcommunisme uit te dagen.
Chroesjtsjov had al in 1955 geklaagd bij de Westduitse bondskanselier Konrad Adenauer: 'Moet u nagaan. Nu al met z'n zeshonderd miljoenen en elk jaar komen er twaalf miljoen bij. [...] Wij moeten iets doen aan de levensstandaard van ons volk, we moeten ons net als de Amerikanen bewapenen, we moeten het de Chinezen enorm moeilijk maken, ze zuigen zich aan ons vast als bloedzuigers.'
Hij dacht terug aan 1957, toen Mao hem had gezegd niet terug te deinzen voor een oorlog met het Westen: 'Als de imperialisten ons aanvallen, verliezen we misschien meer dan driehonderd miljoen mensen. Nou en? Oorlog is oorlog. De tijd heelt alle wonden en wij zullen meer baby's voortbrengen dan ooit daarvoor.' Twee jaar later vertelde Mao de Russische minister van Buitenlandse Zaken, Andrej Gromyko, dat de Russen in geval van oorlog de Amerikanen zo ver

mogelijk op Chinees grondgebied moesten laten doordringen: 'Pas wanneer de Amerikanen tot in de centrale provincies zijn gekomen, zouden jullie ze de volle laag moeten geven.'

Chroesjtsjov trok de conclusie dat Mao een 'gek op een troon' was. In juni 1959 brak hij in het geheim zijn plechtige belofte de Chinezen een proefatoombom te geven. Na Chroesjtsjovs weekend op Camp David met Eisenhower beschuldigde Mao hem van verraad aan China en het wereldcommunisme door met de Verenigde Staten te heulen.

Dat was niet helemaal bezijden de waarheid. Door zijn onderhandelingen met de Verenigde Staten verwierp Chroesjtsjov de Chinese theorie dat een wereldoorlog met de imperialisten onvermijdelijk was. Toen de U-2-affaire zijn verzoening met Eisenhower onmogelijk maakte, buitten de Chinezen dit voorval uit door te zeggen dat Chroesjtsjov door het Westen in de luren was gelegd. Op een geheime conferentie in Boekarest in juni 1960 zegden ze hun vertrouwen in hem op. In augustus reageerde Chroesjtsjov hierop met het terugtrekken uit China van twaalfduizend Sovjetrussische technische adviseurs.

Toch had hij nog hoop de breuk tussen China en de Sovjets voor het Westen verborgen te houden. De idee dat hij het bevel voerde over een miljard mensen, gaf hem een goede onderhandelingspositie met de Verenigde Staten. Zijn voornaamste reden om de eenentachtig communistische delegaties naar Moskou te roepen was om een verklaring los te krijgen dat de Chinees-Sovjeteensgezindheid nog altijd onwrikbaar was.

Achter gesloten deuren wees Chroesjtsjov de Chinese beschuldigingen heftig van de hand dat hij van de leninistische en stalinistische lijn afweek en met het kapitalisme flirtte. Hij noemde Mao een 'oorlogsstoker die aan grootheidswaan lijdt', en die onverschillig was ten opzichte van andermans belangen. China had blijkbaar behoefte aan een halfgod om 'de schuld te geven als er iets fout gaat [...] iemand op wie je kunt pissen. [...] Als jullie Stalin zo hard nodig hebben, dan kunnen jullie hem krijgen, als kadaver compleet met doodkist!'

Desalniettemin kwam hij tot een broos compromis met de Chinezen, die erkenden dat een oorlog wellicht toch niet onvermijdelijk was. Die erkenning kwam in ruil voor Chroesjtsjovs belofte een krachtiger politieke strijd te voeren in de pas onafhankelijk geworden staten van de Derde Wereld. De vergadering werd afgesloten met een officiële verklaring over de onwrikbare eenheid van het socialistische kamp.[1]

1. Westerse leiders waren al beter op de hoogte van de breuk tussen China en de Sovjet-Unie dan Chroesjtsjov misschien gehoopt had. In januari 1960 had Stevenson in een vertrouwelijk gesprek met Mensjikov gezegd dat hij wist van Sovjetproblemen met China. De ambassadeur glimlachte: 'Ja, misschien worden wij weer bondgenoten.' In diezelfde maand bracht Thompson rapport uit in Washington dat het Chinees-Russische geschil 'diepgaand' was en 'waarschijnlijk zal verslechteren', hoewel hij 'in de nabije toekomst een volledige breuk' niet verwachtte.

In oktober 1960 schreef Thompson dat Chroesjtsjovs woeste optreden bij de Verenigde Naties een goede indruk gaf van 'de ernst van de Chinees-Russische breuk en Chroesjtsjovs duidelijke behoefte om de Chinese invloed op andere satellietstaten te ondermijnen. Dit alles op grond van zijn milde opstelling tegenover het Westen.' Op 28 november zei de ambassadeur in een telegram dat de 'verzwakking van Chroesjtsjov persoonlijk' één effect van de bijeenkomst van de eenentachtig leden zou zijn. 'De Sovjets zullen er waar-

De westerse pers noemde Chroesjtsjov graag de 'dictator' en 'absolute leider' van de Sovjet-Unie. Die schijn hield hij maar al te graag op, maar hij wist als geen ander hoe weinig absoluut zijn gezag werkelijk was. In 1957 had hij ternauwernood een door Georgi Malenkov, Vjatsjeslav Molotov en andere reactionaire stalinisten beraamde couppoging overleefd. Een poging die hij brandmerkte als de 'Antipartijcoup'.

In mei 1960, na de gênante U-2-affaire, verwierven binnenlandse rivalen als Frol Kozlov en Michail Soeslov meer invloed. Soeslov had Chroesjtsjov bekritiseerd om diens voorstel de Sovjetstrijdkrachten met 1,2 miljoen man af te slanken, zijn onderhandelingen met de imperialisten en om de sterk bekoelde vriendschap met de Chinezen. De historicus Adam Ulam schreef dat Chroesjtsjov in de zomer van 1960 maar om één reden niet was afgezet: zijn ontslag zou worden opgevat 'als een teken van overgave aan de Chinezen'.

Chroesjtsjovs beleid van minder-wapens-meer-voedsel en zijn breuk met de Chinezen waren mogelijk in een periode van beperkte ontspanning met de Verenigde Staten. Hij wist dat als hij door onderhandelingen met het Westen te voeren weer meer aanzien kon krijgen, hij dan wel moest zorgen voor een snelle ontmoeting met Kennedy en voor concrete resultaten – een regeling voor Berlijn, een verbod op kernwapens voor Beijing en Bonn, afzwakking van Kennedy's campagnebeloften om de conventionele wapenwedloop op te voeren.

Chroesjtsjov was bang dat hoe langer een top met Kennedy werd vertraagd, hoe zwakker zijn onderhandelingspositie ten opzichte van de Verenigde Staten zou worden. De Amerikanen zouden elke maand zelfverzekerder worden van hun rakettenoverwicht en van het feit dat Beijing had gebroken met Moskou. Hij wist dat wanneer de twee supermachten nog lang in conflict zouden zijn, hij zowel de troepenverminderingen als de verhoging van de levensstandaard van de Sovjetburgers zou moeten opgeven. Hij kon zijn baan kwijtraken aan onbuigzame tegenstanders in het Kremlin die banden hadden met de Sovjetstrijdkrachten en met de Chinezen die beweerd hadden dat de Sovjet-Unie nooit zaken kon doen met de Verenigde Staten.

Een vroege top met Kennedy zou de Russische leider in staat stellen te beoordelen met wie en wat hij te maken had. Chroesjtsjovs 'hele manier van zakendoen' was, zoals Thompson het ooit uitdrukte, zo georganiseerd dat 'slechts de topfiguren beslissingen konden nemen'. Met een buitensporig geloof in eigen kunnen om motieven en personen in te schatten, was Chroesjtsjov vast besloten de nieuwe president, wiens verleden en verklaringen zo dubbelzinnig waren, voor het blok te zetten.

schijnlijk meer moeite mee hebben om andere coalitiegenoten beslissingen op te leggen. Chroesjtsjovs behoefte aan succes zal zijn toegenomen en hij zal minder goed in staat zijn compromissen te sluiten in kwesties als die van Berlijn.'

In april 1961 had een Speciale Eenheid van de CIA genoeg informatie vergaard over de Chinees-Russische zaak om de president een rapport van negenennegentig pagina's te sturen over 'Het Chinees-Russische geschil en de strekking ervan'. Het document haalde 'geheime bronnen' aan die waren aangeboord na een 'inlichtingendoorbraak' en bevatte citaten uit de geheime zittingen van de eenentachtig delegaties. De conclusie van het rapport was dat de strijd 'oprecht, ernstig en bitter' was. Toch zouden de Sovjet-Unie en China 'het bijzonder moeilijk vinden om een openlijke en definitieve breuk te overwegen.[...] Wij denken dat ze dit niet zullen toestaan.'

Chroesjtsjov dacht dat Kennedy vanwege zijn jeugd en schijnbaar moeiteloze opkomst misschien gemakkelijker te manipuleren was dan andere leiders die hij had gekend (zoals Stalin en Mao Zedong). Hij wilde al invloed uitoefenen op de nieuwe president nog voor deze zijn beleidslijnen had uitgezet.

De aanstaande president verbleef het grootste deel van november en december in zijn vaders huis in Palm Beach om zijn regering samen te stellen. Hij vulde vacatures in, las rapporten van speciale eenheden en ontving de pers. Verder lag hij te zonnen in de 'stierenwei' achter het wit gepleisterde Mizener huis, speelde golf, keek naar films (*The Sundowners, Fanny, Where the Boys Are*) en zwom in de Atlantische Oceaan onder toezicht van de kustwacht. Daar ergerde hij zich aan: 'Verwachten ze dat Castro op Palm Beach zal landen?'
Op een dag zat hij op zijn vaders motorjacht de *Marlin* toen er een ander jacht langs de boeg scheerde. Kennedy sprong op: 'Jezus, wie was dat?' Het was Armand Hammer, de sluwe, oude kapitalist die zaken had gedaan met Lenin, rijk was geworden van de drank- en oliehandel en de Kennedy-campagne financieel had gesteund. De dag daarop ging Kennedy bij Hammer aan boord voor Bloody Mary's en een gesprek over Hammers avonturen met de Sovjets.
Kennedy dacht veel aan Chroesjtsjov. Stevenson, Harriman, Bohlen, Salisbury en anderen hadden hem op de hoogte gehouden van de boodschappen die uit Moskou binnenstroomden. Kennedy was Chroesjtsjovs omslachtigheid beu en vroeg zijn vriend, oud-diplomaat David Bruce, om Mensjikov te vragen wat de Russen nu precies van plan waren. De Sovjetambassadeur overhandigde Bruce zijn antwoord in de vorm van een brief zonder briefhoofd of handtekening, waarin hij zijn 'eigen persoonlijke gedachten' uiteenzette. Hij pleitte voor snelle onderhandelingen en een topconferentie tussen Kennedy en Chroesjtsjov.

Als Chroesjtsjov had gedacht dat hij via Harriman, Stevenson, Bowles en anderen, die betere Sovjetbetrekkingen nastreefden, de nieuwe president kon bewegen hun topfuncties aan te bieden, dan werd hij zwaar teleurgesteld. 'Het treffendste voorbeeld van de manier waarop Kennedy zijn regering samenstelde, was het lot van het vroegere idool van de Democraten, de onfortuinlijke Adlai Stevenson,' schreef een Sovjetwaarnemer die Chroesjtsjovs denkbeelden weergaf. 'Hij werd niet alleen afgewezen als minister van Buitenlandse Zaken, maar kreeg ook nog eens een tweederangs post aangeboden: ambassadeur bij de Verenigde Naties.' Harriman werd ambassadeur in algemene dienst. Vooral een decoratieve functie.
Kennedy's minister van Buitenlandse Zaken zou niemand anders worden dan Dean Rusk, de president van de Rockefeller Foundation. Op Defensie kwam Robert McNamara, president van de Ford Motor Company. Kennedy was kennelijk onder druk gezet door de familie uit Michigan, wier fortuin afhing van auto's en wapens. Douglas Dillon, financieel deskundige en onder Eisenhower nog onderminister van Buitenlandse Zaken, zou op Financiën komen. Chroesjtsjov kende hem van Camp David: 'Dillon kon ons duidelijk niet uitstaan.'
De Sovjetleider was ook niet zo gecharmeerd van de herbenoemingen van J. Edgar Hoover en Allen Dulles, door de Sovjetpers doorgaans 'de gevaarlijkste man ter wereld' genoemd. Hoe gefrustreerd hij zich ook voelde over de medewerkers die Kennedy had geselecteerd, het kon niet veel erger zijn dan de teleurstelling

van de progressieve Democraten. Zij hadden hun enthousiasme voor Kennedy misschien heroverwogen als ze geweten hadden dat Kennedy na zijn verkiezing de aanspraken van Stevenson en andere progressieven naast zich neer zou leggen en Republikeinen zou benoemen op Defensie, Financiën en in de Nationale Veiligheidsraad.

Op oudejaarsavond 1960 stroomden tweeduizend gasten de met maanlicht overgoten St. George's Hall in. Llewellyn Thompson had last van zijn maagzweren en daarom kwam zijn echtgenote Jane alleen. Aller ogen waren gericht op Chroesjtsjov. Terwijl hij zich schaarde onder de balletsterren en Bulgaarse diplomaten lachte en grijnsde hij enkele ijzeren tanden bloot.
Voor hem was 1960 een rampjaar geweest. Hij was blij dat het ten einde liep. In het openbaar schepte hij misschien wel op over de communistische opmars in Cuba, de Kongo en Zuidoost-Azië, de propagandaoverwinningen na het neerhalen van het U-2-vliegtuig en zijn trip naar de Verenigde Naties. Maar in zijn gedachten verloren deze gebeurtenissen hun waarde door de instorting van de Amerikaanse betrekkingen, de levensgevaarlijke Mao Zedong en de geuite twijfel over zijn binnenlandse politieke positie.
De klok van het Kremlin sloeg middernacht. Schuchter hief Chroesjtsjov zijn glas op en riep: 'Hoe goed het oude jaar ook is verlopen, het nieuwe zal nog beter zijn!' Toejuichingen en applaus.
'Beste kameraden! Vrienden! Heren! De Sovjet-Unie spant zich in om met alle volken bevriend te zijn. Maar ik denk dat niemand het mij zal verwijten als ik zeg dat we enorm belang hechten aan een verbetering van onze betrekkingen met de Verenigde Staten. [...] We zouden graag geloven dat de Verenigde Staten hetzelfde willen – dat er met de komst van een nieuwe president een frisse wind zal blazen.'
Het was 'algemeen bekend' dat na het U-2-voorval de betrekkingen waren verslechterd. 'Tijdens de verkiezingscampagne zei Kennedy dat als hij president was geweest, hij spijt zou hebben betuigd bij de Sovjet-Unie. [...] Wij willen dat onze slechte betrekkingen met de Verenigde Staten tot het verleden gaan behoren, net als het oude jaar en de vorige president.' Hij hoopte dat de twee naties op een nieuwe bladzijde konden verdergaan. 'Op een vreedzame coëxistentie van onze naties! Op een vreedzame coëxistentie van alle volkeren!'

Op dinsdag 10 januari 1961 vlogen Kennedy en George Kennan aan boord van de *Caroline* van New York naar Washington. Tijdens de lunch vroeg Kennedy zijn reisgenoot wat hij moest doen met de proefballonnetjes die Chroesjtsjov had opgelaten. Onder het geronk van de vliegtuigmotoren beschreef Kennedy de toenaderingspogingen van de Sovjets en hij liet Kennan een kopie zien van Mensjikovs brief, die niet was ondertekend en opriep tot een top. Kennan vond de brief 'beduidend stroever en agressiever' dan wat Mensjikov in het echt had gezegd. Hij leek te zijn 'opgesteld in Chroesjtsjovs kantoor maar pas vrijgegeven nadat hij door een grotere groep was goedgekeurd'.
Kennan zei tegen de aanstaande president: 'Ik zou Mensjikov of Chroesjtsjov niet antwoorden vóór uw ambtsaanvaarding.' De Russen hadden 'absoluut het recht niet' om hem zo op te jagen. Na zijn inauguratie zou Kennedy Chroesjtsjov wellicht een vertrouwelijke boodschap willen sturen dat de Verenigde Staten

zouden reageren als de Russen serieus wilden praten over onopgeloste geschillen. Maar de 'bewijslast' lag bij een ieder die een top voorstelde 'om aan te tonen waarom deze kwesties niet beter op een lager en gepaster niveau konden worden aangepakt'.

Kennan vertelde Kennedy dat deze moest 'aandringen op het recht van geheimhouding bij de behandeling van het Sovjetprobleem': Eisenhower was 'veel te ver' gegaan toen hij 'het standpunt innam dat er niets zou worden ondernomen met de Russen dat niet onmiddellijk aan de pers zou worden meegedeeld'.

Na te zijn opgestaan in zijn vaders huis in Palm Beach trok Kennedy sportkleren aan en ging op het terras zitten, waar hij uitkeek over de grijsblauwe Atlantische Oceaan. Hij rookte een sigaartje, drukte een blocnote met geel papier tegen zijn knieën en krabbelde wat woorden voor zijn inaugurele rede.

Adlai Stevenson belde om te zeggen dat het 'allerbelangrijkste en eerste' dat er na de inauguratie te doen was, erachter te komen wat Chroesjtsjov in gedachten had. Misschien moest er namens de president een afgezant naar Moskou vliegen, uitzoeken wat voor problemen Chroesjtsjov had en 'die samen met onze problemen bestuderen': 'Volgens mij vinden we niemand met wie we zo makkelijk zaken kunnen doen als Chroesjtsjov. Ik denk dat het belangrijk is erachter te komen of hij de Koude Oorlog wil uitbreiden.'

Kennedy vroeg Stevenson aan wie hij had gedacht. Het antwoord: 'Vervelend genoeg denk ik dat ik hiervoor de geschiktste persoon ben... En anders Harriman. Hij heeft het nadeel dat hij altijd per se wil praten en moeite heeft met luisteren. Volgens mij is het 't beste iemand te sturen die Chroesjtsjov kent en met wie hij eerder te maken heeft gehad, iemand van wie hij honderd procent zeker weet dat hij u vertegenwoordigt, een invloedrijk persoon – niet zomaar een diplomaat.'

Het idee trok Kennedy niet aan. Hij was nog altijd geïrriteerd over Stevensons weigering hem te steunen tijdens de Democratische Conventie. Stevenson bleef aandringen op zijn wens te fungeren als 'brug' tussen Kennedy en Lyndon Johnson. Kennedy vond dat Stevenson zich had gedragen als 'een oud wijf': als hij zo'n groot diplomaat was, dan had hij een beter excuus kunnen bedenken.

En ook al had Kennedy Stevenson een groot diplomaat gevonden, zijn eigen, broze overwinningsmarge liet hem maar niet los. Tegen columnist Walter Lippmann zei hij dat Stevenson 'te veel vijanden' had en dat, als hij naar Buitenlandse Zaken zou gaan, 'ze hem met huid en haar zullen verslinden. Ze zullen hem een vredestichter noemen, een communist.' Kennedy wist dat critici die woedend zouden worden als Stevenson op Buitenlandse Zaken kwam, een rel zouden veroorzaken wanneer hij hem naar Moskou stuurde als zijn agent voor geheime onderhandelingen met Chroesjtsjov.

Hij beëindigde hun gesprek derhalve door Stevenson beleefd af te wimpelen: 'Goed. We spreken elkaar nog wel voor we hierover tot een definitieve uitspraak komen... Ik zie je bij de inauguratie.'

Na zijn nipte overwinning wist Kennedy dat zijn buitenlandse beleid de meest zekere manier was om bij het Congres en het volk steun voor zijn leiderschap te krijgen. Daar had hij een aangeboren gevoel voor: hij vroeg ooit in een vertrouwelijk gesprek wie er nou 'ene moer' om het minimumloon gaf vergeleken met buitenlandse aangelegenheden? Hij zei tegen Sorensen dat hun taalgebruik bij binnenlandse doelstellingen teveel een echo was van de campagne: 'Laten we de binnenlandse prietpraat maar helemaal overslaan. Het is toch te langdradig.'

De definitieve versie was een combinatie van harde waarschuwingen en vredesvoorstellen. De Verenigde Staten zouden 'de langzame aantasting' van mensenrechten niet toestaan. Ze zouden 'in alle landen op het Amerikaanse continent tegen agressie en ontwrichting optreden'. Het land zou 'elke prijs betalen, elke last dragen, elke ontbering doorstaan, elke vriend steunen, elke vijand bestrijden' om het voortbestaan van de vrijheid veilig te stellen.

Het was nog altijd aan beide kampen om opnieuw 'de zoektocht naar vrede' te beginnen. Ze konden geen 'voldoening putten uit hun huidige koers – beide kampen gaan gebukt onder de kosten van moderne wapens, beide zijn verontrust door de voortdurende proliferatie van het dodelijke atoom en toch haasten beide partijen zich om verandering aan te brengen in dat onbetrouwbare evenwicht van angst, dat de hand terughoudt die de laatste oorlog van de mensheid zou ontketenen. Dus laten we opnieuw beginnen en aan beide kanten in gedachten houden dat beschaving geen teken van zwakheid is. En dat oprechtheid altijd bewezen moet worden. Laat ons nooit onderhandelen uit vrees, maar laat ons nooit bevreesd zijn om te onderhandelen.'

Op vrijdag 20 januari zei radio Moskou: 'Over enkele uren wordt de nieuwe president geïnaugureerd, waarmee een einde komt aan de verfoeilijke acht jaar van het regime-Eisenhower.' In Washington zat Senator Barry Goldwater op het inaugurele podium dol enthousiast te applaudisseren na de meest strijdlustige passages van Kennedy's toespraak: 'God, ik hoop dat hij zich eraan houdt, maar ik verwacht het niet.' De altijd behoedzame Mensjikov zat stokstijf met zijn handen stevig in zijn schoot.

Terwijl de paradewagens langs het Witte Huis reden, kreeg Kennedy een telegram van Chroesjtsjov en de zogenaamde Sovjetpresident Leonid Brezjnev. Ze onderschreven een 'fundamentele verbetering' in de 'gehele internationale situatie'. Tegen het einde van alle dansfeesten ter gelegenheid van de inhuldiging 'stortte' Jacqueline Kennedy 'gewoon in elkaar', zoals ze later zou zeggen, en ze liet haar man zijn ronde alleen afmaken. Hij kwam lang na middernacht terug in het Witte Huis. In Moskou was het zaterdagochtend. De Amerikaanse ambassadeur stapte in zijn Cadillac voor zijn eerste privé-onderhoud met Chroesjtsjov sinds maanden. De Partijleider hield zelden officiële besprekingen in het weekend en hij had Thompson op de ambassade nog nooit gebeld. Maar hij was er zo op gebrand om zijn relatie met de nieuwe president te beginnen, dat hij nu met beide regels had gebroken. Na het neerleggen van de hoorn zei Thompson tegen een assistent: 'Je raadt nooit wie dat was.'

Op zaterdagochtend, een paar minuten voor tien, passeerde de zwarte limousine met wapperende Amerikaanse vlaggetjes de poorten van het Kremlin. Thompson, met karakoelbonten hoed en lange, zwarte jas, stapte uit, gevolgd door zijn tweede secretaris Culver Gleysteen. Thompsons adem was goed te zien in de vrieskou. Hij begon de bekende trappen op te lopen naar Chroesjtsjovs hoofdkwartier op de tweede verdieping.

Llewllyn Thompson had een intiemere relatie met Chroesjtsjov dan een Amerikaan ooit met een Sovjetleider had gehad. De mijnwerker uit Kalinovka was

buitengewoon gevoelig voor de manier waarop westerse diplomaten hem beje-
genden. Na een zwempartij aan de Zwarte Zee met de Westduitse ambassadeur
was Chroesjtsjov razend geworden toen deze door heel Moskou het nieuws rondbazuinde dat de Russische leider zwom met een zwarte rubberen binnenband.
Hij zag Bohlen als een klassevijand. Wanneer die met vrienden zat te gniffelen
over 'ons dikke vriendje' en 'Nikita's gewoonlijke zachtaardigheid', en ze mevrouw Chroesjtsjov 'Anastasia' noemden, dan werd Chroesjtsjov woedend als
die opmerkingen hem ter ore kwamen. In 1959 hield hij tegen Harriman vol dat
hij het 'onomstotelijke bewijs' had dat Bohlen het gerucht had verspreid dat
Chroesjtsjov een dronkaard was.[1]
Zulk gedrag zou ondenkbaar zijn bij Thompson. Zijn staf klaagde zelfs dat hij
wel een erg hartelijke relatie met Chroesjtsjov onderhield. Toen Thompson later
werd overspoeld met aanbiedingen om zijn memoires te schrijven, weigerde hij
dit. Hij zei dat geen enkele Sovjetleider een Amerikaan opnieuw zo in vertrouwen zou nemen, als hij moest vrezen voor een openbaarmaking van zijn opmerkingen. Chroesjtsjov gebruikte Thompson vaak om Mensjikovs rapporten uit
New York na te trekken. Hij zei dan: 'Ik vraag me af of het waar is wat ik hoor.'
Met zijn bescheiden manier van handelen en zijn rode, vriendelijke gezicht had
Thompson iets van een diplomatieke Gary Cooper. Hij had maagzweren en
hield meestal een glas melk en wat volkorenkoeken binnen handbereik. Hij werd
in 1904 geboren in Las Animas, Colorado. Zijn ouders waren arme, doopsgezinde boeren en met Chroesjtsjov maakte hij grappen over hun jeugdjaren toen
ze allebei schapen hoedden. Hij was begonnen als afwashulp en had zich opgewerkt aan de Universiteit van Colorado. De diplomatie lonkte, 'omdat ik zo veel
interesses had die ik allemaal wilde nastreven'.
De Buitenlandse Dienst stuurde hem in 1940 als tweede secretaris naar Moskou.
Het merendeel van Stalins regering en van het diplomatieke korps werd naar de
Volga geëvacueerd toen Duitse tanks over de Sovjetgrens denderden. Maar
Thompson bleef op zijn post in de verduisterde hoofdstad. Terwijl de brand-
bommen neerstortten, bracht hij verslag uit over de overlevingskansen van de
Sovjet-Unie. Later betuigden de Russen hun dankbaarheid dat hij hen niet 'in
de steek had gelaten'. Na de bevrijdingsdag in Europa, 8 mei 1945, nam
Thompson deel aan zo'n beetje iedere belangrijke internationale conferentie die
werd belegd om het Westen en de Sovjet-Unie met elkaar te verzoenen.
Zijn verlegenheid en verslaving aan zijn werk stonden romantiek in de weg. In
1948 voer hij als verloofde man naar Europa en ontmoette een opgewekte gescheiden vrouw uit Boston, Jane Goelet, die inmiddels ook al weer verloofd was.
Tegen het eind van de reis waren ze allebei hun verloofden vergeten. Janes hartelijkheid en afkeer van interessantdoenerij waren een stimulans voor zijn zelfvertrouwen en zijn karakter. Hij zei altijd tegen haar: 'Bedenk dat in dit vak de
beleefdheden en de beledigingen nooit voor jou persoonlijk zijn bedoeld.'
In 1952 gingen ze naar Wenen. Na bijna vierhonderd zittingen met de Russen
en ten slotte twee weken waarin beide partijen met het mes op tafel onderhandelden, kwam Thompson tot het verdrag dat Oostenrijk neutraal en onafhankelijk

---

1. Thompson probeerde de schade nog te beperken door Chroesjtsjov te vertellen, zij het
niet al te overtuigend, dat Bohlen hem eigenlijk een 'normale drinker' had genoemd en
dat hij had gezegd dat 'meneer Boelganin de zware drinker binnen het Presidium was'.

maakte. Zijn jarenlange ervaring in zakendoen met Moskou had hem in zijn eigen mening gesterkt. Tijdens de Hongaarse opstand van 1956 maakte iemand hem wakker met het nieuws dat Sovjettanks opstoomden naar de Oostenrijkse grens. Hij wist zeker dat de Russen het conflict niet zouden laten escaleren en zei: 'Vergeet 't maar.' En hij ging weer slapen.

Thompson stond op het punt de buitenlandse dienst te verlaten toen Foster Dulles hem vertelde dat hij was voorgedragen als Bohlens opvolger in Moskou. Thompson zei te hopen dat hij daar niet lang hoefde te blijven: Moskou was niet de ideale plaats om twee Amerikaanse meisjes te laten opgroeien. Hoewel Bohlen en Thompson ouwe makkers waren die samen golfden, skieden en pokerden, maakte het conflict over de ambassade in Moskou hun vriendschap bijna kapot. Thompson schreef een verzoenende brief waarop Bohlen antwoordde: 'Ik kan heel goed begrijpen dat je iedere "indruk" dat jij me er hier uit werkte, wilt vermijden. Volgens Dulles is dit toch echt het geval.' Uiteindelijk zei Thompson tegen zijn vrouw: 'Ik trek me gewoon terug als kandidaat.' En zoals Jane het zich herinnerde: 'Chips ogen gingen open, hij wist dat hij zich had vergist en bond in.'

In 1957 vlogen de Thompsons naar Moskou, dat zinderde van de spanning vanwege verhalen over Chroesjtsjovs overwinning na de Antipartijcoup. De nieuwe ambassadeur schreef Bohlen in Manila dat het 'meest markante' dat hem opviel 'de scepsis en het ongemak van de mensen' was.

'Ik heb met Chroesjtsjov een relatie opgebouwd waar we, volgens mij, op zijn minst een beetje van kunnen profiteren,' zo zei hij een keer tijdens een privé-onderhoud met Senatoren. 'Ik ben altijd recht door zee met hem geweest en daarom zal hij mijn opmerkingen in elk geval een beetje ter harte nemen als het een eerlijk verhaal is. En ik ben erop gebrand dat op geen enkele manier in gevaar te laten komen.'

Thompsons relatie met Chroesjtsjov begon tot bloei te komen vlak nadat deze in 1958 de hoogste macht had verworven door Nikolaj Boelganin uit de Partij te zetten en zichzelf zowel tot voorzitter van de Ministerraad als tot leider van de Communistische Partij van de Sovjet-Unie te bombarderen. Het viel de Canadese ambassadeur die zomer tijdens een receptie in Moskou op dat Chroesjtsjov het hoofd van de tafel verliet om meer dan een uur bij Thompson te zitten. Zo liet hij aan 'ongeveer duizend gasten' zien dat hij betere betrekkingen wilde met het Westen.

Op een andere receptie met een aantal collega's gaf Chroesjtsjov Thompson er zo hevig van langs dat de ambassadeur tot bloedens toe op zijn lip beet. Dit deed hij waarschijnlijk om te laten zien dat hij zijn mannetje kon staan bij de Amerikanen. Tegen Thompson zei hij later: 'Je kent me toch. Ik blies gewoon wat stoom af.' Thompson merkte op dat 'elke diplomaat die hem probeert te vleien, minachting oogst. Hij gaat te keer tegen mij en ik ga te keer tegen hem.'

Tijdens besloten etentjes in een oranjerie in het Kremlin was Jane Thompson een van de weinigen die Chroesjtsjov midden in zijn gezicht kon plagen. Toen de premier in 1959 liet doorschemeren dat hij door de Verenigde Staten zou willen toeren, maar misschien als een te gevaarlijke bezoeker zou worden beschouwd, zei ze: 'Misschien moet u uw baard laten staan.' Toen ze hem een paar Engelse toostglaasjes gaf die ontworpen waren om de hoeveelheid gedronken drank te beperken, omhelsde Chroesjtsjovs vrouw, Nina Petrovna, haar hartelijk. Chroesjtsjovs depressies of woedeuitbarstingen werden de Thompsons niet gespaard. 'Daar heb je hem weer,' zei mevrouw Chroesjtsjov. 'Of hij is op en top in de wolken of hij is zwaar gedeprimeerd.'

Thompsons telegrammen over zijn gesprekken met Chroesjtsjov hadden de structuur van een dagboek van een zeventiende-eeuwse Franse diplomaat. November 1959: 'Toen ik op het punt stond te vertrekken, merkte Chroesjtsjov op dat hij hoopte dat onze gezinnen bij elkaar konden komen maar hij kon me een geheim verklappen – namelijk dat hij [...] van plan was op korte termijn naar de Kaukasus af te reizen. Hij zei dat hij persoonlijk drie beren had geschoten in Roemenië en dat zijn jachtgezelschap er in totaal zes had geschoten. [...] Bij zulke gelegenheden kon hij niet ontkomen aan lange diners en de daarbij horende heildronken. Zo kwam hij niet echt tot rust.'

Op het nieuwjaarsbal van 1960 loodste Chroesjtsjov de Thompsons voor zonsopgang een voorvertrek van het Kremlin binnen en 'we moesten per se een borrel met hem drinken', zo zei Thompson later. De Secretaris-Generaal maakte van de gelegenheid gebruik om te verklaren dat vrede van wezenlijk belang was als ze geen 'zelfmoord' wilden plegen. Hij babbelde vrolijk over de vijftig Sovjetatoombommen die voor Frankrijk bestemd waren – 'meer dan genoeg om dat land te vernietigen'. Voor West-Duitsland en Groot-Brittannië had hij er ieder dertig. Jane vroeg: 'Hoeveel hebt u er voor ons?' Chroesjtsjov antwoordde: 'Dat is een geheim.'

Diezelfde maand nodigde hij Thompson, samen met zijn nummer drie, Boris Klosson, en hun gezinnen, uit voor een weekeinde in zijn datsja. Er waren echter nog nooit Amerikanen uitgenodigd voor een weekeindje met Chroesjtsjov. De Thompsons werden op een vrijdagavond naar het stenen huis gebracht waar Stalin Chroesjtsjov en zijn andere volgelingen had opgehitst tijdens de beruchte, nachtelijke zuippartijen.

De volgende morgen verscheen de heer des huizes met een stralend gezicht, ingepakt met een bonten hoed met oorflappen. Met de zesjarige Sherry Thompson op zijn schoot nam hij de vaders en hun kinderen mee naar de stallen die zo groot waren als een klein circus. Een stalknecht zette de jongens en meisjes op de paarden die cadeau waren gegeven door Arabische leiders en de sjah van Iran.

Het jaar daarvoor, in september, had Chroesjtsjov tijdens zijn trip door de Verenigde Staten de film *Can-Can* met Frank Sinatra en Shirley MacLaine gezien. De dansscènes deed hij af als 'pornografie'. Toen er gevraagd werd naar de naam van een paard, speelde hij de vraag door naar zijn stalknecht die uitriep: '*Khan-Khan!*' Toen zijn kleinkind Nikita weigerde een ritje te maken, zei de Sovjetleider: 'Laat maar, hij is onze intellectueel. Hij wordt de filosoof van het gezin.'

Jane Thompson was geschokt te zien hoe lomp de hyacinten, die ze voor mevrouw Chroesjtsjov had meegenomen, waren herplant. Nina Petrovna sloot de ogen en maakte heftige bewegingen: hier was de geheime politie bezig geweest. Toen het gezelschap in de eetzaal van Stalin aanzat voor een feestdiner van zwart brood, soep, vis en kwartelvlees, holden de twee dochters van de Thompsons, de drie jongens van Klosson en talrijke kleinkinderen van Chroesjtsjov heen en weer, achternagezeten door blonde kindermeisjes met stijve kapsels. Vice-premier Anastas Mikojan zei: 'Als Stalin ons nu zo met de Amerikaanse ambassadeur kon zien, dan zou hij zich in zijn graf omdraaien.'

Chroesjtsjovs schoonzoon Aleksej Adzjoebei zette wat populaire muziek op. De Sovjetleider zei: 'Kan dat ding niet wat zachter?' Hij kondigde aan dat hij op doktersadvies geen vodka maar witte wijn zou drinken: 'Aan alle Engels sprekende Russen: proost in het Engels! Aan alle Russisch sprekende Amerikanen: proost in het Russisch!' Toen Klosson slechts een nipje nam, hield de dronken Frol Kozlov zijn glas boven zijn hoofd en keerde het ondersteboven: 'In Rusland drinken we *zo.*'

Klosson bracht een toost uit op de volgende generatie. Kozlov onderbrak hem weer: 'We zouden de *huidige* generatie moeten toedrinken, niet alleen de toekomstige!' Chroesjtsjov gebaarde hem zich rustig te houden. Klosson ging door: 'Meneer de voorzitter, er is iets met het Russisch. Als ik in uw taal spreek, heb ik moeite om het in een paar woorden te zeggen.' Chroesjtsjov sloeg op tafel en bulderde van het lachen: 'Dat zeg ik altijd tegen mijn mensen. Die zeggen dat ik te veel praat. Luisteren jullie naar wat de Amerikaan zegt!'

Chroesjtsjov schreeuwde om liedjes. 'De enige die *hij* kent zijn die oude revolutionaire liederen uit 1905,' mompelde Lidija Gromyko. De kleinkinderen zongen ballades over het aanbreken van de lente. Jenny en Sherry Thompson zongen op hun beurt op de wijs van *Vader Jacob*: 'Ik wil vodka, ik wil vodka / Drink het op, drink het op! / Mix het met Martini, mix het met Martini! / Zuip, zoop, zat – zuip, zoop, zat!' Het was stil tot Chroesjtsjov begon te lachen en daarna iedereen. Moeder Thompson stikte bijna van het lachen en vroeg zich af waarom haar dochtertjes niet gekozen hadden voor een ander liedje.

Die avond sleepten een stel onbeholpen geheim agenten de kinderen op arresleeën door de verse sneeuw. In het gastenverblijf suste Thompson zijn vrouw en krabbelde de gebeurtenissen van de dag in een blocnote, die hij vervolgens in zijn pyjama wegstopte.

Tijdens dit bezoek en latere liet Chroesjtsjov zijn geliefde graan van eigen bodem zien, verdedigde hij het Sovjetsysteem ('De Verenigde Staten zijn zo rijk dat ze de revolutie kunnen opschorten door de arbeiders af of om te kopen') en haalde hij herinneringen op: 'Ik zal je vertellen hoe Stalin stierf. Op een zaterdag gingen we met z'n allen naar zijn datsja waar we goed tafelden. [...] Normaliter nodigde hij ons 's zondags uit, maar deze keer niet. Op maandagavond kwamen zijn wachters zeggen dat hij ziek was.'

Chroesjtsjov ging liggen, sloot zijn ogen en deed alsof hij de diep bewusteloze tiran was. Hij spande een wenkbrauw als teken van een moment van bewustzijn. Nadat hij het verhaal had verteld, zei hij: 'We wilden dat hij doodging.' Maar toen Stalin stierf 'huilde ik. Ik was zijn pupil. We stonden allemaal bij hem in het krijt. Net als Peter de Grote bestreed hij barbaarsheid met barbaarsheid. Maar hij was een groots man.'

Vier maanden na dit weekend vond de U-2-affaire plaats. Op een receptie na het neerhalen van het vliegtuig stond Chroesjtsjov de pers te woord: 'Ik respecteer de Amerikaanse ambassadeur en weet zeker dat hij niets had te maken met deze verrassingsaanval. [...] Ik ben overtuigd van zijn integriteit. [...] Ik neem aan dat hij zich beroerd voelt over dit incident, voor zichzelf en voor zijn land.' Hij nam Thompson apart in een zijkamer en zei: 'Deze U-2-zaak heeft me in een bijzonder lastig parket gebracht. U moet me eruit helpen.'

Maar Thompson kon de Amerikaans-Russische toenadering niet redden. In september 1960 schold Chroesjtsjov hem in aanwezigheid van honderden diplomaten de huid vol over de U-2- en RB-47-vluchten en trapte hem op zijn tenen: 'Als je zoiets doet, hoor je te zeggen: "Mijn excuses!"' Thompson verzocht hem de gevangengenomen vliegers vrij te laten. Chroesjtsjov antwoordde: 'Dat zegt u nu. Maar straks wilt u dat ze niet vóór de verkiezingen voorkomen.'

Het was inmiddels januari 1961. Thompson zat tegenover Chroesjtsjov aan de tafel met het groene laken. De Secretaris-Generaal zag er vermoeid uit en klonk hees. Uit vertrouwelijke bron wist Thompson dat Chroesjtsjov net een week lang strijd had geleverd met zijn politieke rivalen. Hij vroeg: 'Hebt u de inaugurele rede gelezen?'
'Ja, vanmorgen,' zei Chroesjtsjov. 'Kennedy heeft duidelijk een andere mening dan ik, maar ik zie constructieve elementen in de toespraak. Ik zal onze kranten vragen de volledige tekst af te drukken' – hij lachte – '*als* ze dat tenminste willen!'
Koeznetsov las een memorandum voor: hoewel de RB-47 het Russische luchtruim had geschonden, was de Sovjetregering nu bereid de twee nog levende bemanningsleden vrij te laten. Er was 'alle reden om een eind te maken aan alle flauwe kul en het restant van de Koude Oorlog.' Chroesjtsjov zei dat hij de piloten zou laten gaan zodra de Verenigde Staten de Sovjetverklaring onderschreven. Ze moesten beloven het Sovjetluchtruim niet meer te schenden en de vrijgelaten vliegers niet voor propagandadoeleinden te gebruiken. 'Zo niet, dan rest hun vanzelfsprekend nog maar één ding: een rechtszaak.'
Thompson zei dat hij nog geen instructies had van zijn president en dat hij voor zichzelf moest spreken. Hij stelde de opzet van het aanbod op prijs. Maar hij nam het risico ondankbaar te klinken door op te merken dat de RB-47, in tegenstelling tot de U-2, het Russische luchtruim niet had geschonden. Als hij het bod van de Sovjetleider goed begreep, zouden de vliegers alleen worden vrijgelaten als Washington erkende dat de RB-47 een opzettelijke aanval had gepleegd.
'Nee, het staat beide partijen vrij hun eigen standpunt te behouden.' Hij veranderde van onderwerp en zei dat het hem speet dat Thompson acht jaar lang het 'middelmatige' beleid van Eisenhower en Dulles had moeten verdedigen.
'Ik weet zeker dat ik als ambassadeur heb gefaald, omdat er aan beide kanten duidelijk groot onbegrip is – vooral aan Sovjetzijde.' Thompson zei dat wat het Westen zorgen baarde, niet zozeer het communistische systeem was, als wel Moskou's streven naar wereldhegemonie. Zodra een natie zich aansloot bij het communistische blok, wendde het blok alle macht aan om het daar te houden, in weerwil van het volk: kijk maar naar Hongarije.
Chroesjtsjov schudde zijn hoofd: de Verenigde Staten probeerden de hele wereld de wet voor te schrijven. In Laos waren guerrilla's in gevecht met de reactionaire 'zuiplap' die door de Amerikanen aan de macht was geholpen. Wat voor belang had het 'kleine Laos' voor Moskou of Washington? 'Laten we de vlammen doven.' En wat te zeggen van de Kongo? Nu de Belgen daar weg waren, was er geen 'witte koning' meer, maar de Belgen waren nu duidelijk van plan het Kongolese volk met andere middelen te onderdrukken. Waarom ontbonden we de beide machtsblokken niet? De Sovjet-Unie zou bereid zijn haar troepen uit Oost-Europa terug te trekken.
'Maar de Sovjet-Unie zou nog altijd een monolitisch systeem hebben,' zei Thompson. 'Ik geloof het tegendeel pas als een land, dat communistisch is ge-

worden, zijn systeem weer mag wijzigen.' Misschien werd het communistische systeem 'over 't geheel genomen' door het Sovjetvolk gesteund. 'Maar dat geldt niet voor de meeste andere communistische landen.'

'Hitler rekende erop dat het volk zich tegen het regime zou keren toen hij de Sovjet-Unie binnenviel,' reageerde Chroesjtsjov. 'Hitler was gek. Als hij verstandig was geweest, dan zou hij niet Hitler maar Stalin geweest zijn.' Hij zei dat het geen zin had de kwestie 'te rekken'. Misschien konden ze wat meer op hun gemak praten tijdens een weekend in zijn datsja. Chroesjtsjov vroeg: 'Blijft u aan als ambassadeur?'

'Ik weet het niet.'

'Wij steunen u met alle genoegen. Maar ik weet niet zeker of dat zal helpen.' Hij vroeg Thompson de groeten over te brengen aan president Kennedy, Stevenson en de andere Amerikaanse functionarissen die hij had ontmoet.

Op zaterdagochtend ontwaakte Kennedy in de Lincoln slaapkamer van het Witte Huis. Jacqueline kwam een tijdje bij hem op bed zitten terwijl het zonlicht door de grote ramen naar binnenviel. Tegen tienen wandelde Kennedy monter naar de westvleugel om zijn eerste officiële bezoeker te ontvangen. Het was Harry Truman, de eerste Koude-Oorlogpresident, op wie de Russen net zo veel afgaven als dat ze hielden van Roosevelt.

Trumans aanval op Kennedy vóór diens kandidaatstelling ('Senator, bent u er zeker van dat u klaar bent voor het land, of dat het land klaar is voor u?') was nu vergeten en de nieuwe president nam hem mee naar zijn privé-verblijf om Jacqueline gedag te zeggen. Toen ze de slaapkamerdeur openden, lag ze op bed met haar been in de lucht terwijl Kennedy's dokter, Janet Travell, de kramp uit een van haar kuitspieren masseerde. Truman bloosde.

Na het jaarlijkse diner van de Alfalfa Club in het Statler Hilton las de president die avond het telegram van Thompson over diens ontmoeting met Chroesjtsjov. Thompson adviseerde hem het aanbod van Chroesjtsjov over de RB 47-piloten te accepteren. Op maandagavond bespraken Kennedy, Rusk en zijn nieuwe plaatsvervanger Chester Bowles de zaak met McNamara, Bundy en Sorensen. Bundy herinnerde zich dat de president het bod van Chroesjtsjov met 'een zekere argwaan' bekeek. 'Je weet wel, zo van: "Zit er nog ergens een addertje onder het gras?"'

Kennedy besloot ja te zeggen. Hij hoopte woensdag op zijn eerste persconferentie als president de vrijlating van de piloten aan te kondigen. Rusk telegrafeerde Thompson dat de Verenigde Staten de vrijlating niet zouden uitbuiten en dat 'Amerikaanse vluchten door het luchtruim van de Sovjet-Unie zijn opgeschort sinds mei 1960. [...] President Kennedy heeft opgedragen dat ze niet worden hervat.' Rusk zei dat Kennedy hoopte dat de mannen vóór zijn persconferentie konden worden vrijgelaten.

De Kennedy's dineerden die avond op het Witte Huis met Charles en Martha Bartlett. De mannen deden hun jasjes uit en staken sigaren op. De president zei: 'Ik heb vannacht in het bed van Lincoln geslapen.' Bartlett: 'Nog gek gedroomd?' Kennedy: 'Nee, ik stapte er gewoon in en hield alles scherp in de gaten.' Geschaduwd door twee veiligheidsfunctionarissen wandelden ze door de sneeuw om Executive Office Building te verkennen en daar liepen ze Walt Rostow van de Nationale Veiligheidsraad tegen het lijf. Waarom werkte hij nog zo laat? 'Ik heb een keiharde baas.'

Bartlett nam de president vervolgens mee naar de Indian Treaty Room, waar Eisenhower de pers had ontvangen. 'Het was waarschijnlijk het gelukkigste moment in Jack Kennedy's leven en ook in dat van Jackie,' herinnerde hij zich. 'Er heerste zo'n fantastisch, opwekkend gevoel dat alles mogelijk was. Hij was door het dolle heen over alle zaken die hij kon aanpakken en straalde een enorme wilskracht uit.' Ted Sorensen beaamde dit: 'Iedereen had hem gezegd dat hij geen kans maakte en nu bemande hij de allermachtigste post.'

Chroesjtsjov had woord gehouden: de *Pravda* en *Izvestija* publiceerden de volledige tekst van Kennedy's inaugurele rede – zonder commentaar. De Sovjets minderden hun storingen van de radiozender Voice of America die na de U-2-kwestie waren opgevoerd. Moskouse kranten, radio en televisie maakten melding van de 'hoge verwachtingen' van de Sovjetbevolking ten aanzien van de verbeterde betrekkingen met de Verenigde Staten.

Koeznetsov liet Thompson weten dat het wel eens moeilijk kon zijn de piloten op tijd vrij te krijgen voor de vlucht vanuit Moskou op woensdagavond. Maar kort na middernacht, van dinsdag op woensdag, belde hij om te zeggen dat ze Chroesjtsjov hadden bereikt in Kiëv. De piloten zouden woensdagmorgen om tien uur worden afgezet bij de ambassade.

David Wise van de *New York Herald Tribune* zat in zijn kantoor in Washington en hoorde dat er om 2 uur 's nachts, Amerikaanse tijd, iets belangrijks stond te gebeuren. Hij belde Pierre Salinger thuis in Falls Church, Virginia. 'Vertel dit tegen niemand,' zei de perschef. 'Het is een uiterst geheime zaak en ik heb geen commentaar.'

Wise belde Salinger weer toen hij meer feiten over de vrijlating had bemachtigd en deelde mee dat zijn krant de persen had gestopt om een grote oplage van een extra stadseditie te drukken. Salinger zei daarop dat hij voor de president kon spreken: het verhaal zou 'het nationale belang schade berokkenen' en de vrijlating van de piloten in gevaar kunnen brengen. Wise en zijn redacteuren besloten 'de eerste diplomatieke doorbraak tussen Washington en Moskou, vier dagen na de inauguratie van een nieuwe president, niet in gevaar te brengen'.

Op woensdagochtend werden kapitein Freeman Olmstead en kapitein John McKone, gekleed in Russische overjassen en hoeden, overgedragen aan de Amerikaanse ambassade in Moskou. Thompson nam met hen de maatregelen door die waren getroffen om ze incognito het land uit te krijgen. De Sovjets hadden ook het lichaam van de dode piloot overgedragen. Thompsons staf had zijn kist met zink afgezet, conform de Amerikaanse wet. (De drie andere bemanningsleden waren nooit gevonden.)

Tijdens het taxiën naar de startbaan klapten er twee banden van het KLM-toestel. De president wist niet eerder dan een uur vóór zijn eerste persconferentie dat het vliegtuig in de lucht was. Hij stond op van zijn bureau, pakte de borstel van zijn secretaresse Evelyn Lincoln, haalde die door zijn haar en ging naar de nieuwe, reusachtige aula van het ministerie van Buitenlandse Zaken, waar 418 verslaggevers op oranje klapstoelen zaten te wachten.

Voor de eerste keer in de geschiedenis keken zestig miljoen mensen naar een live-uitzending op de televisie. De persconferenties van Eisenhower werden altijd opgenomen en later voor de omroepen vrijgegeven door het Witte Huis. Kennedy wilde het live doen, maar Rusk, Sorensen en Bundy raadden het hem af: één verspreking kon een internationaal incident veroorzaken. Maar in Salingers herinnering was de president 'er absoluut zeker van dat hij de situatie aankon'.

Met zijn handen stevig om de randen van zijn spreekgestoelte en daarop het kolossale presidentiële zegel zei Kennedy 'blij te zijn te kunnen aankondigen' dat de piloten waren vrijgekomen. Deze gebeurtenis 'verwijdert een ernstig obstakel naar verbetering van de Sovjet-Amerikaanse betrekkingen'.

Drie dagen later vloog hij per helikopter naar de luchtmachtbasis Andrews om de piloten te begroeten. Terwijl McKone zijn vrouw zevenentwintig seconden lang kuste, schuifelde Kennedy wat met zijn schoen en staarde hij naar het asfalt. Tijdens de koffie in het Witte Huis met de vliegers en hun gezinnen plaagde de president McKone: 'Je zat onder de lippenstift.' Salinger stond geen interviews toe in verband met 'onze betrekkingen met de Sovjet-Unie'.

Walt Rostow zag de vrijlating als 'gewoon een kleine, goedkope bruidsschat voor Kennedy'. Dean Rusk vertelde zijn staf: 'Het enige waar ik bang voor ben, is dat het Amerikaanse volk gaat denken dat de Russen echt zijn veranderd, dat ze milder worden en dat het ergste voorbij is.' De in Washington geplaatste KGB-chef zei later tegen een Amerikaan dat wat er in het openbaar ook was gezegd over een tegenprestatie, de Sovjet-Unie 'een aantal Amerikaanse concessies' verwachtte in ruil voor de vrijlating van de RB-47-piloten.

De week daarop kwam het al bijna tot een breuk in Kennedy's betrekkingen met Chroesjtsjov door een incident. Een Amerikaans verkenningsvliegtuig passeerde het eilandje Vize in de Karische Zee. In Moskou had Koeznetsov een gesprek onder vier ogen met Thompson en uitte de klacht dat de Verenigde Staten het Sovjetluchtruim weer eens hadden geschonden: was Kennedy's plechtige belofte het papier waarop die beschreven was wel waard geweest?

De president was razend en gaf het Pentagon opdracht uit te zoeken wat er aan de hand was. Het incident kon wel eens uitmonden in een nieuwe U-2- of RB-47-affaire. Als Chroesjtsjov de wereld liet zien dat Kennedy zijn belofte om geen spionagevluchten meer toe te staan alweer had verbroken, dan kon de nieuwe regering al verlamd raken nog voor ze begonnen was. De president stuurde Thompson een telegram om Koeznetsov te laten weten dat er 'een diepgaand onderzoek' werd ingesteld: hij hoopte dat de twee regeringen het probleem 'rustig en zonder publiciteit' konden oplossen.

In juli 1960 was het in Chroesjtsjovs belang het vuur rond het RB-47-incident aan te wakkeren ter bewijsvoering van Amerikaans 'bedrog'. Dat was deze keer niet zo. Om de 'internationale situatie niet te verslechteren' accepteerde Chroesjtsjov Kennedy's belofte dat zich geen schendingen meer zouden voordoen, er niets in het openbaar over zou worden gezegd en dat de zaak hiermee was afgedaan. Tot en met dit boek.

Kennedy probeerde het klimaat met Moskou te verbeteren door de Amerikaanse posterijen op te dragen Sovjetpublikaties niet langer te censureren. De Russen nodigde hij uit om de besprekingen over de burgerluchtvaart, die in 1960 mislukt waren, weer te hervatten.

Marinechef admiraal Arleigh Burke en andere functionarissen werden verzocht hard, anti-Sovjettaalgebruik in hun speeches te vermijden. Burke gehoorzaamde – en speelde het nieuwsfeit vervolgens door aan de *New York Times*. De Senatoren Strom Thurmond en Barry Goldwater hekelden het 'spreekverbod' van admiraal Burke en de RB-47-piloten en deden het af als 'gemuilkorfde diplomatie'.[1]

Tien jaar lang had de Amerikaanse detailhandel geen Russische krab ingekocht, omdat die de reputatie had een produkt te zijn van slavenarbeid. Senator Albert Gore uit Tennessee speelde een bemiddelende rol bij het verzoek aan Armand Hammer om het probleem te onderzoeken tijdens zijn trip door de Sovjet-Unie. Chroesjtsjov ontbood de oude bemiddelaar op het Kremlin en drukte hem op het hart: 'Er bestaat geen slavenarbeid meer in Rusland! Niet sinds de dood van Stalin!' De president keurde het opheffen van de boycot goed.

De groeiende hoop op betere betrekkingen met de Sovjet-Unie verdween voor Kennedy echter als sneeuw voor de zon door een geheime toespraak van Chroesjtsjov in Moskou.

Tijdens een vergadering achter gesloten deuren op vrijdag 6 januari met Sovjetideologen en propagandisten had Chroesjtsjov verklaard dat het kapitalisme in heel de wereld op zijn retour was. Het socialisme was in opmars. De Sovjets hadden de Verenigde Staten overtroffen met hun lange-afstandsraketten. De revolutionaire onrust van Vietnam tot Cuba liet zien dat de Derde Wereld zou opgaan in het communistische kamp.

De Russische leider betoogde dat een wereldoorlog onacceptabel was, omdat deze de beschaafde wereld zou vernietigen. Er was nu 'nog maar één manier om het imperialisme op de knieën te krijgen' – de 'heilige' strijd van de koloniale volkeren. De Sovjet-Unie zou deze nationale-bevrijdingsoorlogen ten volle on-

---

1. Burkes overtreding was niet een geval op zich. In mei 1959 merkte Eisenhowers dokter Howard Snyder dat de president 'verontrust' en 'slecht gehumeurd' was over de openbare verklaring van de admiraal 'die inhield dat noch de Nike-Hercules- noch de Bomarc-defensieraketten ene moer waard waren.'

In april 1961 schreef het plaatsvervangend hoofd van de marine-inlichtingendienst, schout-bij-nacht Samuel Frankel, een speech die zou worden voorgelezen in Austin, Texas. Hierin suggereerde hij dat de presidenten Eisenhower en Kennedy in hun bereidwilligheid waren misleid om onder bepaalde omstandigheden met de Russen te onderhandelen. Toen onderminister van Defensie en Algemene Zaken Arthur Sylvester om een herziening verzocht, namen marinefunctionarissen de zaak op met de president. Die steunde Sylvester. Toen dit bekend werd gemaakt, klaagde de in marinekringen verspreide *Navy Times* over de 'sfeer van geheimzinnigheid, censuur en willekeurige beslissingen' in Kennedy's Pentagon.

Diezelfde maand kwam de *Overseas Weekly* met bewijsstukken over de extreem rechtse activiteiten van generaal-majoor Edwin Walker. Met als gevolg een officiële 'berisping' voor zijn pogingen het stemgedrag van zijn troepen te beïnvloeden. Later nam Walker ontslag uit het leger, werd woordvoerder van de John Birch Society en verhuisde naar Dallas. Daar hing hij de Amerikaanse vlag op z'n kop, zette vraagtekens bij het patriottisme van Dean Rusk en Walt Rostow en keurde hij Kennedy's weinig effectieve buitenlandse beleid openlijk af. Hij ging in september 1962 naar Oxford, Mississippi en werd gearresteerd toen hij een rumoerige menigte opstookte om James Meredith de toegang tot de Universiteit van Mississippi te versperren. Op een avond in april 1963 schoot Lee Harvey Oswald, die in Walker een potentiële Hitler zag, vanuit het raam van zijn woning een kogel op de generaal af, en miste. De sluipschutter werd niet gegrepen.

dersteunen: 'Communisten zijn revolutionairen. En het zou een slechte zaak zijn om nieuwe kansen niet uit te buiten.'

Chroesjtsjovs toespraak werd geheimgehouden tot twee dagen vóór Kennedy's inauguratie. Toen kwam het Kremlin met een ingekorte versie. Eisenhower las haar en bleef kalm. Hij was al lang gewend aan het getier van de Secretaris-Generaal over Berlijn, Sovjetraketten en een wereldrevolutie en hij wist dat de leider zelden zijn bedreigingen in praktijk bracht: in plaats van iets te doen, sprak hij harde taal.

Het merendeel van wat Chroesjtsjov zei, was al opgenomen in de verklaring van de eenentachtig delegaties, afgelegd in december 1960. Met zijn verwerping van een mogelijke wereldoorlog trotseerde hij andermaal de haviken in Moskou en Beijing en, zo dacht hij waarschijnlijk, stelde hij het Westen gerust. Omdat hij te kampen had met binnenlandse problemen besefte hij niet in hoeverre Kennedy het moment en de inhoud van zijn speech als een provocatie opvatte. Of als een test-case voor de nieuwe, jonge president.

Omdat hij Eisenhowers ervaring met Chroesjtsjov miste, had hij niet die achtergrond waartegen hij de 'Januari-toespraak', zoals hij haar betitelde, kon spiegelen aan Chroesjtsjovs jarenlange bedrieglijke grootspraak en valse bedreigingen. Hij wist nog te weinig van de Sovjetpolitiek om de toespraak in een groter verband te zien, Chroesjtsjovs problemen met zijn rivalen in China en het Kremlin. Sinds de verkiezingen had Kennedy geprobeerd een logica te ontdekken in de tegenstrijdige signalen uit Moskou. Wilde Chroesjtsjov nu samenwerken of de wereld domineren? De nieuwe president dacht dat hij met deze speech het antwoord had. Vanaf 1957 had hij gewaarschuwd dat de Russen hun rakettenpotentieel en andere strijdmiddelen zouden aanwenden om de periferie van de vrije wereld aan te vallen. Nu leek het erop dat Chroesjtsjov zijn gelijk had bewezen.[1]

Net na zijn aanstelling las Kennedy een telegram van Thompson. Daarin stond dat de toespraak 'Chroesjtsjovs standpunt als communist en propagandist samenvat. (Hij heeft andere kanten.)' Thompson merkte op dat wanneer je de verklaring letterlijk nam, het een 'Koude-Oorlogsverklaring' was. Hij ging ervan uit dat Kennedy tijdens zijn eerste persconferentie zou worden gevraagd naar de speech.[2]

'Alleen uit tactisch standpunt vis-à-vis de Sovjet-Unie heeft de president er wellicht voordeel van te zeggen dat hij niet begrijpt waarom een man, die verklaart met ons te willen onderhandelen, een paar dagen vóór zijn inauguratie een verklaring openbaar maakt die neerkomt op een Koude-Oorlogsverklaring. En waarin hij vastberaden lijkt het Amerikaanse systeem ten val te brengen. [...]

1. Arthur Schlesinger Jr. heeft geschreven dat Kennedy op Chroesjtsjovs toespraak van 6 januari reageerde 'door zijn inaugurele rede van twee weken daarna bijna uitsluitend aan buitenlandse aangelegenheden te wijden'. In feite was Kennedy's 'inaugurele snoeverij', zoals Schlesinger het noemt, niet een reactie op de speech van de Russische leider. Die werd namelijk pas op 18 januari vrijgegeven voor het Westen. Tegen die tijd was Kennedy's inaugurele rede al opgesteld.
2. Thompson had het bij het verkeerde eind. De verslaggevers hadden meer belangstelling voor de vrijlating van de RB-47-piloten en een mogelijke topconferentie tussen Kennedy en Chroesjtsjov, en negeerden de speech van de Russische leider.

Deze verklaring zou hooguit gecompenseerd kunnen worden door een of andere verwijzing naar de passage over het zoeken naar vrede.'

De president nam Thompsons advies over en gaf zijn topmensen kopieën van Chroesjtsjovs toespraak. En hij gaf hun opdracht deze 'te lezen, te beoordelen, te bestuderen en goed in jullie op te nemen'. Robert McNamara herinnerde zich: 'Het was een belangrijke gebeurtenis in ons leven.'

Kennedy negeerde echter Thompsons waarschuwing dat de verklaring slechts één kant van de gecompliceerde wereldleider belichtte. Kennedy reageerde zwaar overdreven door het als een allesomvattende uitleg van Chroesjtsjovs bedoelingen te beschouwen. Tegen zijn hoogste functionarissen zei hij: 'U zult het moeten begrijpen, net als iedereen hier. Dit is de sleutel tot de Sovjet-Unie.' Tien dagen na de inauguratie gebruikte hij zijn eerste State of the Union-toespraak om Chroesjtsjov met gelijke munt terug te betalen.

4. Novosibirsk

Op maandagavond 30 januari liep Kennedy door het middenpad van het Huis van Afgevaardigden langs de juichende Congresleden. Hugh Sidey van *Time* vond dat de nieuwe president probeerde om 'zo plechtig te kijken als een drieënveertigjarige man maar kan', maar dat deze poging 'niet erg geslaagd' was.

Kennedy verklaarde dit uur een 'uur van nationale risico's en kansen. Voordat mijn ambtstermijn als president is verstreken, moeten we opnieuw testen of een natie, opgebouwd en geregeerd als de onze, zich kan blijven handhaven.' De Amerikaanse binnenlandse problemen verbleekten 'naast de problemen waarmee we over de hele wereld geconfronteerd worden'. De Verenigde Staten moesten zich nooit 'laten sussen' door te geloven dat de Sovjet-Unie of China 'hun ambities om de wereld te domineren hebben opgegeven – ambities die ze kort geleden nog krachtig hebben herhaald.'

Azië werd bedreigd door de 'aanhoudende druk' van communistisch China. De Kongo was 'door onrust onder burgers ruw verscheurd'. In Latijns-Amerika 'hebben communistische agenten die munt willen slaan uit de vredelievende revolutie van de hoop, een basis gevestigd op Cuba, op slechts 144 kilometer uit onze kust.' Hij had de minister van Defensie verzocht 'de defensiestrategie over de gehele linie opnieuw te bezien'. Hij wilde meer vaart zetten achter de programma's voor zowel de Polaris-duikboot als raketten en drieënvijftig nieuwe transportvliegtuigen bestellen, bedoeld voor het onderhouden van luchtbruggen in tijden van een crisis.

Met krachtig opgeheven rechterarm las hij de zinnen op die hij bij de door Sorensen opgestelde tekst had gekrabbeld: 'Elke dag komen er meer crises en worden hun oplossingen steeds moeilijker. Elke dag komen we, terwijl de wapenhandel zich uitbreidt en vijandige krachten steeds sterker worden, dichter en dichter bij het uur van de waarheid.[1] Ik vind dat ik het Congres moet laten weten dat onze analyse over de laatste tien dagen duidelijk maakt dat in alle be-

---

1. Kennedy's omschrijving 'het uur van de waarheid' was niet zomaar een vorm van retoriek. Het alarmerende NSC-68-rapport van de Nationale Veiligheidsraad uit 1950 omtrent de Koude Oorlog bestempelde 1954 als 'het jaar van de waarheid', waarin de Russen genoeg atoombommen zouden hebben om 'dit land ernstige schade te kunnen berokkenen' en dus wel eens verleid zouden kunnen worden om snel en heimelijk toe te slaan'. Tijdens de controverse over de *missile gap* verwees 'het uur van de waarheid' naar het moment waarop de Russen zich met hun raketoverwicht zó veilig waanden, dat ze het Westen zouden kunnen chanteren om op Sovjetvoorwaarden onderhandelingen te kunnen beginnen of zelfs met een nucleaire verrassingsaanval op de proppen konden komen. Kennedy's gebruik van deze code-omschrijving in zijn *State of the Union* toonde zijn niet-aflatende bereidheid de kwestie rond de *missile gap* tegen zijn voorganger te gebruiken.

langrijke crisishaarden het tij der gebeurtenissen aan het keren is – en de tijd niet aan onze kant heeft gestaan.'

Amerikanen die achttien dagen daarvoor nog Eisenhowers geruststellende afscheidsboodschap aan het Congres hadden gelezen, moeten gedacht hebben dat ze nu in een ander land of op een andere planeet waren beland. Tien jaar lang had geen enkele president zich in zulke onheilspellende termen uitgelaten.

De toespraak had een veel alarmerender karakter dan Kennedy haar privé inschatte. Tien dagen lang had hij zich met zijn buitenland-adviseurs teruggetrokken om nieuwe inlichtingen te bestuderen. Hierdoor wist hij dat de Russen en Chinezen niet langer meer op goede voet met elkaar stonden en dat de Russische militaire groei bijna stapvoets verliep. Hij wist ook dat terwijl Chroesjtsjov kansen benutte in Laos, de Kongo en Cuba, de Russische leider geen gehoor had gegeven aan de Chinese eisen de Sovjetreserves te mobiliseren voor een definitieve opmars naar het wereldcommunisme.

Hij wist dat, met uitzondering van Chroesjtsjovs toespraak over bevrijdingsoorlogen, de signalen uit Moskou sinds mei 1960 verzoenender waren dan ooit. Maar voor Kennedy had Chroesjtsjovs toespraak al diens eigen woorden en daden van na Kennedy's verkiezing tenietgedaan.

De alarmerende retoriek van de president had ook een binnenlands-politieke reden. Kennedy wilde zijn campagne-aanvallen op Eisenhowers zelfingenomenheid over de Russische dreiging rechtvaardigen. Met zijn krappe overwinningsmarge was hij genoodzaakt nationale steun op te bouwen die hem kon helpen zijn defensieplannen en zijn buitenlands beleid samen met nog andere programma's door het Congres te loodsen. De Amerikanen zouden zich bij een zich verergerende wereldcrisis sneller achter hem scharen.

De man wiens slogan 'Een tijd voor aanzien' luidde, wist dat grote presidenten niet in tijden van pais en vree worden gemaakt. Met zijn churchilliaanse voorliefde voor theater en prikkelende retoriek gleed hij als president op een natuurlijke manier in zijn rol van het wakkerschudden van een zelfingenomen volk tegen het gevaar van buitenaf, zoals hij dat in *Why England Slept* had beschreven. In Los Angeles had hij de Democraten gewaarschuwd dat de 'Nieuwe Uitdaging' het tegenovergestelde van Eisenhower zou zijn en beloofde 'meer opoffering in plaats van meer veiligheid'.

Kennedy wist dat het politiek gezien veiliger was zich te hard dan te mild tegen de Russen op te stellen. Gedurende zijn eerste jaren in de Senaat had de bezorgdheid om de grote aanhang van Joseph McCarthy in Massachusetts hem ervan weerhouden om zich publiekelijk tegen de demagoog te keren, hoewel het onwaarschijnlijk zou zijn geweest dat hiermee de benodigde meerderheid voor een herverkiezing verloren ging.

Kennedy's zorgen met betrekking tot de rechtervleugel verdwenen niet toen hij in het Witte Huis belandde. Hij genoot niet de immense populariteit en het publieke vertrouwen van Eisenhower. Zelfs al zouden Eisenhowers woorden en daden van een te grote schroom tegenover de Russen getuigen, dan nog zou de opperbevelhebber uit de Tweede Wereldoorlog het land nooit in gevaar brengen. Kennedy wist dat een Koude-Oorlogsretoriek hem hielp immuun te worden voor beschuldigingen dat hij te intellectueel zou zijn of zich te veel liet omringen door mensen als Stevenson en Bowles om de Russen met de juiste heftigheid weerstand te kunnen bieden.

Er is weinig bewijs dat Kennedy, afgezien van zijn repliek op de Chroesjtsjovs toespraak over de bevrijdingsoorlogen, veel aandacht besteedde aan de uitwerking van zijn toespraak op de Russen. Hij moest nog steeds een serieuze en uitvoerige discussie met zijn Sovjetexperts voeren over hoe zijn beleid tegenover Chroesjtsjov eruit moest gaan zien. Als hij de Verenigde Staten zou afschilderen als een door 'vijandelijke krachten' overspoelde natie terwijl het 'uur van de waarheid' naderde, dan zou het moeilijker voor hem worden met Chroesjtsjov te onderhandelen en de wapenwedloop te beheersen.

Het is bijna zeker dat Kennedy's *State of the Union* voor Chroesjtsjov een klap in het gezicht betekende. Hij had naar zijn beste vermogen de president openlijk geprezen als de nieuwe Roosevelt, via Mensjikov en Thompson laten doorschemeren dat hij betere betrekkingen wilde en had de RB-47-piloten vrijgelaten.

In zijn onwrikbare veronderstelling dat de Amerikanen telepathisch genoeg waren om zijn gedachten te kunnen lezen, nam hij waarschijnlijk aan dat Kennedy wel aanvoelde dat zijn toespraak over de bevrijdingsoorlogen hoofdzakelijk voor Chinese oren was bestemd. De Amerikaanse president leek op zijn beurt de bedoeling te hebben gehad Chroesjtsjovs pogingen te ondermijnen om diens rivalen aan te tonen dat onderhandelingen met de imperialisten tot betere resultaten zouden leiden dan een confrontatie. Na Kennedy's *State of the Union* zette de Russische *Izvestija* haar beleefdheid jegens Kennedy overboord. De krant beklaagde zich erover dat de toespraak 'ergerlijke weerklanken uit de Koude Oorlog opriep'.

Op woensdag 1 februari voerden de Verenigde Staten de eerste proeflancering met de intercontinentale Minuteman-raket uit. De Amerikaanse pers voorspelde dat halverwege 1962 deze raketten in groten getale zouden worden opgesteld. Het Kremlin wist dat de raketten, opgeslagen in versterkte silo's, voor een ontwapenende eerste slag op de Sovjet-Unie konden worden gebruikt.

In diezelfde tijd ging het gerucht dat de Verenigde Staten van plan waren om de regering van Turkije zowel Jupiter-raketten te leveren als dit land toegang tot atoomwapens te verschaffen. Er was niets dat de Russen grotere zorg baarde dan een omsingeling en dreiging langs hun grenzen. Op 3 februari eiste Sovjetambassadeur Nikita Ryzjov in Ankara dat de Turkse minister van Buitenlandse Zaken hem vertelde wat hier aan de hand was.

Op maandagavond 6 februari hield Robert McNamara zijn eerste informele persconferentie in het Pentagon. De verslaggevers vroegen hem naar de kwestie rond de *missile gap* die Kennedy in zijn campagne zo had opgeblazen. De minister van Defensie verklaarde openhartig dat hij de geheime bewijsstukken had doorgenomen: 'Er is geen sprake van een *missile gap*.'

Hij liet weten dat de Verenigde Staten en de Sovjet-Unie ongeveer hetzelfde kleine aantal raketten hadden opgesteld. (Hij deed verder geen pogingen nog veel geheimere informatie te onthullen waaruit bleek dat de Verenigde Staten ongeveer zesduizend kernkoppen bezaten tegenover de Sovjet-Unie ruwweg driehonderd – een overwicht van twintig staat tot één.)

Zoals McNamara het zich herinnerde, wist hij bijna meteen dat hij een 'verschrikkelijke fout' had begaan: 'Ze wisten niet hoe snel ze weer moesten vertrekken. Meteen meldt de kop van de middageditie van de [Washington] *Evening Star*: "McNamara zegt: geen *missile gap*." En de volgende dag eisten de Republikeinen, misschien wat ironisch, nieuwe verkiezingen."[1]

Met opkomende woede las Kennedy de columns en nieuwsberichten die suggereerden dat hij het presidentschap gewonnen had door een frauduleuze kwestie uit te buiten. Op zijn persconferentie van 8 februari probeerde hij de zaak te verdoezelen: 'Het zou voorbarig zijn om nu een oordeel te vormen over de vraag of er nu wel of niet sprake is van een *missile gap*.' Later, tijdens militaire gesprekken in de Cabinet Room van het Witte Huis, vroeg hij sardonisch: 'Wie van jullie heeft de *missile gap* ooit serieus genomen?'

De president maakte zich vooral zorgen over de politieke smet dat hij een campagne-onderwerp had benut dat nu onjuist bleek te zijn. De Russische reactie op McNamara's verklaring was nog veel ernstiger. Ongewild had de minister van Defensie de stilzwijgende afspraak tenietgedaan waarmee Eisenhower Chroesjtsjovs geschreeuw over een snelle raketaanwas nooit weerlegde om zo de Russische leider ervan te weerhouden diens eigen raketprogramma en andere militaire uitgaven op te schroeven en waarmee Chroesjtsjov ook het predikaat leugenaar kon ontwijken.[2]

Chroesjtsjov neigde ertoe de acties van de Amerikanen in Sovjettermen te schouwen, dat wil zeggen als het uitgekiende resultaat van een hoogst centralistische bureaucratie. De afwijzing van zijn pleidooi voor een vroeg topoverleg, het niet-gepubliceerde luchtincident boven de Karische Zee, Kennedy's harde *State of the Union* en zijn brede herziening van de Amerikaanse defensiestrategie, de lancering van de Minuteman, de Jupiter-raketten in Turkije plus nog eens McNamara's verklaring dat er geen *missile gap* was, dit alles vond plaats binnen zeventien dagen na Kennedy's inauguratie.

Chroesjtsjov vond Kennedy's eerdere opvattingen over de Sovjet-Unie zo moeilijk te ontcijferen dat het onvermijdelijk was dat hij te veel achter de dingen zocht die zich nu voltrokken. Hij zou verondersteld kunnen hebben dat de schijnbare provocaties tijdens Kennedy's eerste zeventien dagen niet op zichzelf stonden maar deel uitmaakten van een opzettelijke campagne die een nieuwe, harde Amerikaanse lijn tegen Moskou aankondigde.

Begin februari riep de president zijn Sovjetexperts bijeen. Hij had Thompson getelegrafeerd om terug naar huis te komen voor 'zowel je advies als uiting van mijn grootste vertrouwen in jou'. Thompson was nu verzekerd van zijn herbenoeming en schreef naar een vriend vanuit Moskou: 'Het was niet gemakkelijk

---

1. Een van de gevolgen van dit tumult was de oprichting van de inlichtingendienst van het ministerie van Defensie, de *Defense Intelligence Agency*. Ze werd in augustus 1961 door McNamara opgericht om de inschattingen door onderdelen als de Amerikaanse luchtmacht van de prestaties van de Russische strijdmacht met elkaar te integreren. De extreem hoge inschattingen omtrent de prestaties van de Sovjetraketten van de Amerikaanse luchtmacht hadden in eerste instantie gezorgd voor een publieke angst voor een *missile gap*.
2. Privé was Chroesjtsjov met betrekking tot de Russische militaire macht een stuk ingetogener. In februari 1960 maakte Henry Cabot Lodge een opmerking dat de Sovjet-Unie over superieure raketten zou beschikken. Chroesjtsjov antwoordde: 'Nee, niet echt.'

om een normaal leven opzij te moeten zetten voor de kans op een post, maar ik denk wel dat dit een kritiek jaar zal worden en het niet de geschiktste tijd is om hier over en weer te gaan zitten zeuren, hoewel ik me in het licht van de enorme problemen die we met deze mensen hebben bijzonder onbekwaam voel.'

De ambassadeur vertrok uit Moskou aan boord van een vliegtuig van de Amerikaanse luchtmacht en landde vervolgens op Idlewild Airport. Hij nam de trein naar Washington en arriveerde 's nachts in een verblindende sneeuw-en-ijzelstorm. Met de opmerking dat de Russische winter waarschijnlijk de warmste in vijftig jaar was geweest, zei hij: 'Het lijkt erop dat we ons aan de verkeerde kant van een culturele uitwisseling bevinden!' Vanaf Union Station vertrok hij naar zijn verblijfplaats in het prachtige huis van zijn CIA-vriend Frank Wisner in Georgetown.

Voordat hij Moskou verliet, had hij Kennedy een serie lange, docerende telegrammen gestuurd, het soort telegrammen waar Eisenhower altijd een hekel aan had gehad. Hij zei tegen Jane: 'Het is prachtig om voor iemand te werken van wie je weet dat hij ook leest wat je schrijft.' Hij schreef de president dat de gebeurtenissen hem dwongen 'onze grondhouding ten aanzien van de Sovjet-Unie' nu al te bepalen. Hij nam aan dat Kennedy bereid was risico's te nemen om tot een akkoord te komen: 'We moeten totaal geen illusies koesteren over wat er binnen een afzienbare periode kan worden bereikt.' Maar een ander beleid zou waarschijnlijk tot verdeeldheid in het Westen leiden, de Derde Wereld doen vervreemden en uiteindelijk tot een oorlog leiden.

Binnen het Kremlin 'trekt Chroesjtsjov de aandacht, maar het is best mogelijk dat hij in de komende jaren door natuurlijke of andere oorzaken van het toneel verdwijnt'. De president moet altijd onthouden dat de Sovjetleiders 'een bijna religieus vertrouwen in hun eigen overtuigingen hebben, wat tot een grotere motivatie leidt dan doorgaans wordt aangenomen'. Zelfs Chroesjtsjov, de minst dogmatische van allemaal, rechtvaardigde zijn positie door zich voor het wereldcommunisme in te zetten: 'De mate van inzet en de gebruikte methodes vormen de factoren die door ons eigen beleid kunnen worden beïnvloed.'

Het grote probleem? 'We kijken beiden naar dezelfde feiten, maar interpreteren ze allebei anders.' Maar er bestond reden tot optimisme. Het Russische volk koos nadrukkelijk voor vrede als de beste weg naar een beter leven. Daarom oefenden de Russen 'constante druk op ons uit voor een akkoord'.

Thompson schreef dat Chroesjtsjov geloofde dat als hij de spanning verminderde en, misschien met behulp van het Westen, zijn geldmiddelen niet voor bewapening maar ten behoeve van de Sovjetconsument zou aanwenden, hij de Sovjet-Unie tot voorbeeld kon maken en de wereld op die manier naar het communisme zou kunnen leiden: 'Ik geloof dat het Sovjetleiderschap al lang geleden de betekenis van militaire atoomkracht op een juiste manier inschatte. Ze zagen in dat een omvangrijke oorlog niet langer een acceptabel middel was om hun doel te bereiken.' Maar 'we zullen natuurlijk ons kruit droog moeten houden en een flinke voorraad in huis moeten hebben'.

De ambassadeur merkte op dat als de communisten vonden dat het systeem haarscheurtjes zou gaan vertonen, er een gevaar voor versplintering bestond: 'Helaas hebben de Chinese communisten de revolutionaire houding van de Sovjetpartij nieuw leven ingeblazen.' Toch bezaten de Russen een 'grote nationalistische trots'. Als Chroesjtsjov 'hoop op een periode van rust' kon bieden, 'zou ik een uiteindelijke en volledige breuk tussen de Russische en de Chinese communisten niet uitsluiten'.

Aan het begin van zijn ambtstermijn als president was het kenmerkend voor Eisenhower dat hij zijn algemene toenadering tot de Sovjet-Unie via formele kanalen stuurde. Hij riep drie teams van adviseurs in het leven om te onderzoeken of er iets te zeggen zou zijn voor drie verschillende niveaus van agressie – het terugschuiven (*roll back*) van het IJzeren Gordijn, een politiek van indamming (*containment*) en *Fortress America*. Na weken van debatteren en studeren riep de president de teams bijeen in het solarium op de derde verdieping van het Witte Huis, luisterde naar hun presentaties en stelde vragen.

Kennedy's werkwijze, geperfectioneerd door zijn jaren in de Senaat, was het tegenovergestelde van die van Eisenhower. 'Alle Senatoren zijn wanordelijk,' zou Bundy later zeggen. Op zaterdagochtend 11 februari riep de nieuwe president zowel Lyndon Johnson als Rusk, Bundy, Thompson en drie vroegere afgezanten in Moskou – Harriman, Kennan en Bohlen – bij zich voor informeel overleg 'om onze toekomstige betrekkingen met de Sovjet-Unie in kaart te brengen'. Kennan stond op het punt om als ambassadeur naar Belgrado te vertrekken. Bohlen bleef op het ministerie van Buitenlandse Zaken.

Kennedy opende de vergadering met: 'Nou? Hoe staan de zaken in Rusland?' Terwijl de vier diplomaten het woord voerden, onderbrak Kennedy alleen ter stimulatie en verduidelijking. Dean Rusk verbaasde zich erover hoe Kennedy 'alles vanaf het begin, vanaf de basis, wilde horen'. Gedurende de hele tweeëneenhalf uur zei vice-president Johnson zo goed als niets.

Kennan beweerde dat Chroesjtsjov met een 'behoorlijke oppositie' van stalinisten te maken had. Het waren tegenstanders van het voeren van onderhandelingen met het Westen: 'De controle over het Partij-apparaat wordt vandaag de dag collectief uitgevoerd [...] en niet door Chroesjtsjov persoonlijk.'

Thompson was het hiermee eens, maar dacht dat Chroesjtsjov alleen 'serieus bedreigd' zou worden als hij met 'ongewoon ernstige moeilijkheden' werd geconfronteerd op het gebied van de landbouw en buitenlandse aangelegenheden: de Sovjet-Unie had 'twee zeer rampzalige jaren in de landbouw achter de rug en op dit moment bestaat er een goede kans op een derde'.

Hij zei dat de Sovjet-Unie door zou gaan met flamboyant gepronk met de economische groei, zoals het bouwen van 's werelds grootste verwarmde zwembad. Iedereen in Moskou leek wel een vriend met een nieuw huis te hebben en, 'hoe meer eten, hoe meer eetlust'. Thompson had onlangs een van zijn stafleden naar een buurtbijeenkomst gestuurd: 'Het liep zo uit de hand dat ze gewoon op de tafels beukten, schreeuwden en dingen eisten. Zodra je terreur als middel ter beheersing van een dergelijk systeem afschaft, krijg je met dit soort zaken te maken.'

Thompson suggereerde dat het Pentagon waarschijnlijk de conventionele kracht van de Sovjet-Unie overschatte, maar was het met Bohlen eens dat het groeiende vertrouwen van Moskou in zijn militaire produktie het land de laatste jaren stoutmoediger had gemaakt. Kennan antwoordde dat Sovjetleiders zich niet inlieten met pure militaire berekeningen: 'Ze verwachten te winnen door middel van het spel van andere krachten. Tegelijkertijd beschermt hun militaire apparaat de "krachten uit hun geschiedenis" tegen de imperialisten.'

Thompson zei: 'Het diepste verlangen van Chroesjtsjov is om tijd te winnen voor de op handen zijnde triomf van de Russische economische vooruitgang. Hiervoor is hij gebrand op een relatief rustige periode in buitenlandse aangelegenheden. [...] Terwijl de Russische houding tegenover de wereld op zich positief is, zou Chroesjtsjov in 1961 heel graag enige tastbare diplomatieke successen willen behalen.' De 'grote lange-termijnproblemen' behelsden West-Duitsland en Rood-China. Chroesjtsjov was erg bang dat beide naties over de atoombom zouden gaan beschikken.

Ondertussen waren de Russische leider en zijn collega's 'vrolijk bezig met het benutten van kansen'. Recente successen in Laos, de Kongo en Cuba hadden hen 'misschien overmoedig gemaakt met betrekking tot hun vooruitzichten in dit soort avonturen'.

Thompson vond dat de Verenigde Staten beter af waren met Chroesjtsjov als machthebber dan met een alternatief: 'Binnen zijn kring is hij de meest pragmatische en probeert hij zijn land wat normaler te maken. [...] Hun geschil met de Chinezen is hier een goed bewijs van en ik denk dat hierin hoop voor de toekomst ligt. De binnenlandse ontwikkeling zal zich daar snel voltrekken. De mensen daar zijn hard op weg bourgeois te worden.'

Thompson merkte op dat Chroesjtsjov had gepraat over zijn plan naar de Verenigde Naties te vliegen om zo tot een eerste ontmoeting met de president te kunnen komen. Alle vier de ambassadeurs verklaarden zich wel voorstander van zo'n informele ontmoeting, maar niet van een volwaardige topconferentie met serieuze onderhandelingen. Bohlen rilde al bij de gedachte aan een herhaling in de Verenigde Naties van herfst van 1960: Chroesjtsjov zou 'niet in staat zijn weerstand te bieden aan de aantrekkingskracht van het spreekgestoelte' en het was 'onwaarschijnlijk dat dit aan de som van alle goodwill kon worden toegevoegd'.

Bohlen waarschuwde Kennedy dat als hij Chroesjtsjov wilde verhinderen naar New York te vliegen, hij snel moest handelen. Misschien moest hij de Russische Secretaris-Generaal wel laten weten dat, hoewel hij uitkeek naar een ontmoeting 'voordat er al te veel tijd verstreken is', een bijeenkomst tijdens de Algemene Vergadering 'niet vruchtbaar zou zijn' Harriman stelde Kennedy voor om Chroesjtsjov mee te delen dat het moeilijk was hem te ontmoeten voordat er eerst met de leiders van Engeland, Frankrijk en West-Duitsland was gesproken. Kennedy sloot de vergadering af met de vraag wat de Verenigde Staten te doen stonden. Thompson gaf een clever antwoord in de stijl van Kennedy's eigen campagneretoriek: 'Zorg dat onze eigen methodes werken. [...] Behoud de eenheid van het Westen. [...] Zoek naar wegen om onszelf te plaatsen binnen nieuwe en effectieve betrekkingen met de grote krachten van het nationalisme en antikolonialisme. [...] Verander ons image in de wereld zodat het duidelijk wordt dat wij en niet de Sovjet-Unie de toekomst aangeven.'

Later vertelde Bohlen aan Thompson dat toen hij in Moskou was, hij er 'heel wat' voor over had gehad om zelfs 'in de buurt' van een gesprek met een president te komen: 'Ik heb nog nooit van een president gehoord die zo veel wilde weten.' Net als Rusk stond hij verbaasd over Kennedy's gebrek aan vaststaande ideeën over betrekkingen met Moskou: 'Hij bezat een mentaliteit die opmerkelijk onbevooroordeeld was, geërfd of niet [...], alsof hij de gangbare vooroordelen die de mentaliteit van de mens inkapselen van zich had afgezet.'

Bohlen was geschrokken van het feit dat het privé-gesprek met de president zo weinig overeenkwam met de gespierde taal uit zijn *State of the Union*: 'Hij beschouwde Rusland als een geweldig en machtig land en wij waren ook een geweldig en machtig land en voor hem leek het erop dat er een basis moest zijn waarop de twee landen met elkaar konden leven zonder elkaar op te blazen.' Bohlen was bang dat Kennedy, ondanks alles, persoonlijk de ernst van Chroesjtsjovs loyaliteit aan een dynamisch wereldcommunisme zou onderschatten.

Zaterdagochtend de week daarop riep Kennedy, terwijl de regen tegen de ramen van de Cabinet Room sloeg, zijn ministerraad weer bijeen om te overwegen of hij de Sovjetleider voor een ontmoeting moest uitnodigen. Dean Rusk zat aan Kennedy's rechterzijde, zijn ronde achterhoofd en schouders werden beschenen door het licht van de lange ramen achter hem. Hij was ontzet over het idee dat de president zo vroeg in zijn ambtsperiode een topontmoeting met Chroesjtsjov moest hebben.

Rusk zei ooit eens: 'Ik voel me meer op mijn gemak dan ik laat merken.' In deze regering, die zich tot nu toe van alle regeringen het meest bewust was van het begrip persoonlijkheid, stond hij erop dat processen belangrijker waren dan mensen: 'Ik geloof niet dat de Verenigde Staten vertegenwoordigd moeten worden door iemand die zich aanstelt.' Hij telegrafeerde Amerikaanse afgezanten met het verzoek de frase: 'Ik heb het gevoel dat,' in hun telegrammen te vermijden.

Jaren later, nadat hij het ministerie had verlaten, schreef Rusk naar Bohlen dat zijn oude superieur George Marshall ('de geweldigste man die ik ooit heb ontmoet') zowel als soldaat als minister van Buitenlandse Zaken de 'zeer diepe overtuiging had dat openbare aangelegenheden niet mochten lijden onder persoonlijke overwegingen en vriendschappen. [...] Voor mijzelf kan ik zeggen dat dit altijd een trek is geweest van een stijfkop als ik, afkomstig uit Cherokee County in Georgia – dit soort mensen praat gewoon niet vaak over hun diepste gevoelens. [...] Laat me je verrassen door jou en Avis het allerbeste te wensen!'

Met Marshall als zijn voorbeeld wilde Rusk Kennedy's adviseur zijn inzake vraagstukken die mannen 'met de grootste voorzichtigheid behoren aan te roeren'. Niemand moest het advies van de minister aan de president kunnen opvangen of zich ermee bemoeien. Bij grote bijeenkomsten hield hij zich opzettelijk van de domme terwijl anderen aan het woord waren. Daarna gaf hij een samenvatting van hetgeen er gezegd was, wachtte het eind van de bijeenkomst af en volgde Kennedy naar het Oval Office om onder vier ogen zijn eigen standpunten uiteen te zetten.

Een van de weinige dingen die hem zichtbaar opwonden, betrof het gevaar van uitlekken. Hij stond maar zelden toe dat er dossiers van zijn gesprekken in het Oval Office werden bewaard. Verder maakte hij een eind aan de praktijk om iemand op de presidentiële telefoonlijn mee te laten luisteren om zo een verslag te kunnen schrijven. Op zijn hoede voor afluisterpraktijken door de FBI of het Sovjetblok gaf hij er de voorkeur aan om telefonische gesprekken met Kennedy over ernstige onderwerpen maar helemaal te vermijden. Dit vormde echter wel een hindernis bij het verkrijgen van Kennedy's duidelijke mening. De president handelde graag zaken af per telefoon. Begin 1961 zei Rusk tegen J. Edgar Hoover, waar Kennedy bij stond, dat als hij ooit zou merken dat zijn telefoon werd afgeluisterd of een afluistermicrofoon in zijn kantoor zou vinden, hij meteen zou aftreden en de bewijzen openbaar zou maken.

Rusks eis tot geheimhouding had ook invloed op de geschiedschrijving. Later, toen hij met pensioen ging, vernietigde hij alle dossiers over zijn ontmoetingen met de president die hij maar kon vinden. Net als Marshall weigerde hij zijn memoires te schrijven: toekomstige presidenten zouden niet meer zo openhartig zijn tegenover hun ministers van Buitenlandse Zaken als ze er rekening mee moesten houden dat alles wat ze zeiden gepubliceerd kon worden.[1] 'Er zijn dingen die de geschiedenis niet verdient te weten,' zei hij tegen de schrijver van dit boek in 1987. 'Historici zullen negenennegentig procent van alle informatie toch wel weten te achterhalen. Wat de resterende één procent betreft, zeg ik: "Wat de historicus niet weet, zal hem niet deren."'

Na de Tweede Wereldoorlog was Rusk degene die op het ministerie van Buitenlandse Zaken onder Truman het snelst carrière maakte en op een leeftijd van tweeënveertig jaar de op drie na hoogste post bereikte. Een van de hoofdoorzaken van zijn succes lag in zijn talent de bewondering af te dwingen van zijn superieuren – de generaals Joseph Stilwell en George Marshall, Truman, Dean Acheson en John Foster Dulles. Bij elk van deze relaties had hij tijd gehad om geleidelijk aan hun vertrouwen te winnen.

Als minister van Buitenlandse Zaken vormde hij met Kennedy, die hij vóór 1960 nog nooit eerder had gekend, het belangrijkste koppel binnen de regering. Hij beschikte niet over een onafhankelijke politieke basis zoals Stevenson en evenmin over een persoonlijke relatie met de president zoals Robert Kennedy die wél had. Rusk wist genoeg van zijn baas om te weten dat Kennedy nooit zou aarzelen om een minister van Buitenlandse Zaken de laan uit te sturen als deze op de een of andere manier tot een politieke last zou uitgroeien. Dit in tegenstelling tot Truman versus Acheson.

In het tijdperk van Truman had Rusk verscheidene vrienden in het Congres en de media gemaakt, maar hij had geen loyale medestanders kunnen kweken. In 1960 had één op de duizend Amerikanen misschien ooit van hem gehoord. Wat zijn nieuwe departement betreft, bevond Rusk zich lijnrecht tegenover de meeste nieuwe ministers: zijn loyalisten bevonden zich meer in de buitenlandse dienst dan aan de top.

Voordat McNamara akkoord ging met een post op Defensie, had hij van de president een schriftelijke belofte geëist dat hij zijn eigen mensen kon kiezen. Rusk was niet in staat om zo veeleisend te zijn. Hij werd opgescheept met Kennedy's politieke crediteurs zoals Bowles, Stevenson, Harriman en de secretaris-generaal voor Afrikaanse Zaken, G. Mennen Williams. Mannen die allemaal door de president waren aangesteld voordat hij Rusk benoemde.

Later zei Chester Bowles dat Rusk zich aan het begin van Kennedy's regeerperiode 'zeer onzeker' voelde. 'Hij had geen politieke ervaring, hij kende niemand

---

1. Een aantal jaren later had Rusk na lange aarzeling gehoor gegeven aan het verzoek van zijn zoon Richard om mee te werken aan een autobiografie, *As I Saw It* (Norton 1990). Hierin betreurde zijn zoon het feit dat zijn vader 'niets kwijt wilde over zaken die voor het verhaal van cruciaal belang waren' – 'persoonlijke teleurstellingen, mislukkingen, meningsverschillen met de president en kritische beschouwingen van de mensen met wie hij werkte'.

in het Congres, was er bang voor en had geen – of bijna geen – connecties met de pers. [...] En daar maakte hij zich zorgen over.'

De vader van Dean Rusk werd beschouwd als de man van Cherokee County in Georgia die het meest had bereikt – violist, de eerste binnen de familie met een universitaire graad, een aangesteld doopsgezinde predikant die door keelproblemen zijn activiteiten had neergelegd. Robert Hugh Rusk trouwde een lerares, pachtte ongeveer zestien hectare rode kleigrond, bouwde zelf een huis met drie kamers, hield koeien, kippen en zwijnen en verbouwde koren en katoen, het enige gewas dat geld opbracht. Maar zoals een van zijn zoons opmerkte: 'De grond moest ons niet.'

David Dean Rusk werd in 1909 geboren en was vernoemd naar zowel zijn overgrootvader als het paard waarop de arts door de stormachtige avond naar de bevalling was gereden. (Het grootste deel van zijn leven verkeerde Rusk in de veronderstelling dat de dokter een veearts was.) Toen overstromingen het land van het gezin in 1912 vernietigden, nam de wanhopige vader hen mee naar Atlanta, waar hij een baan als postbode vond.

De jonge Dean liep naar school in een korte broek die zijn moeder uit een meelzak had gemaakt, droeg op koude dagen hete bakstenen in een wollen zak, spelde '*girl*' als '*gal*' en bewonderde generaal Robert E. Lee om zijn 'volharding en moed, patriottisme en zijn liefde voor zijn manschappen'. In 1918, toen Woodrow Wilson door Atlanta reed, verscheen Dean met een wervende poster voor de Volkenbond.

In de tijd dat hij aan het Davidson College in North Carolina basketbal speelde, werd hij door zijn teamgenoten vanwege zijn al wijkende haargrens 'Eliah' of 'de ouwe knar' genoemd. Geboeid door de politiek en internationale betrekkingen verschoof hij zijn ambities voor het ambt van predikant naar dat van docent. Als ex-leerling van Rhodes vertrok hij naar Oxford, waar hij op kamers ging, volwassen werd en zijn orthodoxe zuidelijke opvattingen bijstelde over rassenscheiding. Na zijn terugkeer doceerde hij politieke wetenschappen aan Mills College in Californië en trouwde hij met de studente Virginia Foisie.

Tijdens de oorlog diende Rusk bij de militaire inlichtingendienst, meldde zich aan bij het Fort Leavenworth opleidingscentrum voor de generale staf, een eliteopleiding voor commando's, en vertrok in de functie van hoofd-oorlogsplanning onder de legendarische generaal Stilwell naar New Delhi en het oorlogsgebied langs de lijn China-Birma-India. Hij schreef naar Virginia: 'Ik ben me pijnlijk bewust van het feit dat het tijdverlies dat ik nu lijd, bestemd zou moeten zijn voor andere dingen dan het voeren van een oorlog.'

Na de Bevrijding in mei 1945 werd Rusk benoemd tot staflid van het *State-War-Navy Coordinating Committee* in Washington. Met zijn nadrukkelijke voorkeur voor ordelijke procedures was hij geschokt dat Truman bij zijn besluiten inzake Hiroshima en Nagasaki, of ten aanzien van de politieke impact die de bom op Stalin had, zich niet beriep op een ordelijke reeks van adviezen. Hij was zijn wilsoniaanse bezieling voor het internationale recht nog niet ontgroeid en voelde zich gestoken door George Kennans strijd voor een benadering van de Sovjet-Unie in termen van een machtsevenwicht.

Onder Truman hield Rusk zich op het ministerie van Buitenlandse Zaken bezig met de Sovjetdreiging in Iran, de oprichting van de Verenigde Naties, de eerste

Russisch-Amerikaanse ontwapeningsbesprekingen, de stichting van de staat Israël, de Berlijnse blokkade en het opstellen van het NSC-68-alarmrapport van de Nationale Veiligheidsraad inzake de Koude Oorlog en Korea. In maart 1950, toen het ministerie werd opgeschud door de gerechtelijke onderzoeken rond de Alger Hiss-affaire en de 'Who lost China'-onderzoeken, vroeg hij moedig om overplaatsing naar de lastige functie van secretaris-generaal op Buitenlandse Zaken voor het Verre Oosten.

Dean Acheson vertelde Rusk dat hij 'tegelijkertijd een onderscheiding voor moed en een eremedaille van het Congres' verdiende. Zijn vijanden grapten later dat niemand meer wist wat Rusk eigenlijk uitvoerde, maar daar ging het juist om: een meer aandacht trekkende functionaris zou de misère van de regering-Truman alleen maar hebben verergerd. Met hoeveel warmte Rusk ook op zijn jaren met Truman terugkeek, hij was toch kwaad over de 'bemoeienissen' van medewerkers van het Witte Huis met aangelegenheden die hij als zaken voor zijn eigen departement beschouwde.

Zoals elke aanstaande president had Kennedy geen gebrek aan gretige kandidaten voor de leiding van het ministerie van Buitenlandse Zaken. De *New Dealer* Adolf Berle merkte na een zomerse cocktail in de Newyorkse woning van Averell Harriman op dat 'de helft van de aanwezige mannen zich als kandidaat-minister voor Buitenlandse Zaken had aangemeld'.

Drie weken na zijn verkiezing bezocht Kennedy Dean Acheson, de laatste Democraten-minister van Buitenlandse Zaken, in Georgetown en vertelde hem dat hij op het gebied van buitenlandse aangelegenheden Bill Fulbright het beste kende. Wat hij niet wist, was dat Stevenson in 1952 en 1956 al met plannen rondliep om, als hij gekozen werd, Fulbright tot minister van Buitenlandse Zaken te benoemen. Acheson klaagde tegenover Kennedy dat Fulbright een amateur was: 'Hij roept graag om veel nieuwe, dappere, stoutmoedige ideeën [...] maar zelf heeft hij ze niet echt. Je hebt ze of je hebt ze niet. Als je ze niet hebt, kun je maar beter je mond houden.'

Acheson droeg de tweeënzestigjarige diplomaat David Bruce voor of John McCloy, de voormalige Republikeinse diplomaat onder Roosevelt en Truman en tevens de personificatie van de naoorlogse gevestigde voorstanders van het tweepartijenbeleid in buitenlandse aangelegenheden. Daarnaast was hij president van de Chase Manhattan Bank. Kennedy antwoordde dat hij als president gekozen Democraat een modderfiguur zou slaan als hij niet in staat was een geschikte Democraat voor de post van minister van Buitenlandse Zaken te vinden. Nu kwam Acheson met Rusk op de proppen. Kennedy zei dat hij hem alleen van naam kende. Acheson vertelde over Rusks vrijwillige overplaatsing in 1950: hij was 'sterk, loyaal en op alle fronten goed. Ik zou hem zonder meer willen aanbevelen.' Hij voegde eraan toe dat iemand die tweede of derde op de lijst staat, zich natuurlijk op zo'n post nog moest bewijzen, maar de enige manier om daarachter te komen was door hem te benoemen.

Drie dagen later nodigde Kennedy de vijfenzestigjarige Robert Lovett uit voor een lunch bij hem op N Street. Lovett, zoon van de directeur van de Union Pacific Railroad, had zich net als Acheson en McCloy via Buitenlandse Zaken en Defensie onder Truman weten op te werken om onder Eisenhower weer een gewoon burgerleven te gaan leiden. Lovett bezat niet Achesons sarcasme, had geen starre visie op de Koude Oorlog, geen vijanden en riep ook geen opvallende associaties op met het Kapitaal en de Republikeinen zoals McCloy. Hij zal door de vader van de aanstaande president, die samen met hem als informatieadviseur onder Eisenhower had gediend, zijn gewogen en goedgekeurd.

Voor de nieuwe president die zich zorgen maakte over zijn marginale verkiezingsoverwinning en de scepsis van de gevestigde voorstanders van het buitenlands beleid, zou Lovett voor geruststelling zorgen. 'Henry Stimson was zo'n Newyorkse Republikein en Roosevelt was maar wat blij dat hij Stimson kon aanstellen,' vertelde Kennedy aan zijn medewerkers. 'Ik ga praten met Lovett om eens te kijken wat hij voor me kan betekenen.' Lovett weigerde om gezondheidsredenen Kennedy's aanbod om minister van Buitenlandse Zaken, Defensie of Financiën te worden. Hij zei dat de keus voor de post op Buitenlandse Zaken niet moeilijk was: Dean Acheson. Kennedy schudde zijn hoofd. Hij zei dat Eisenhower Foster Dulles te veel volmacht had gegeven. Hij was van plan een eigen buitenlands beleid te gaan voeren.

'Wilt u een minister van Buitenlandse Zaken,' vroeg Lovett, 'of wilt u een *onderminister?*' Kennedy lachte: 'Ja, ik denk dat ik een onderminister wil.' Hierop verklaarde Lovett dat Dean Rusk de 'perfecte keus' was. Kennedy droeg zijn staf op om 'alle mogelijke informatie' over Rusk te verzamelen.

De heer in kwestie voelde zich vanuit zijn positie bij de Rockefeller Foundation, niet te min om een discrete campagne voor een benoeming te voeren. Om de gekozen president al zijn twijfel met betrekking tot zijn opvattingen over rassentheorieën weg te nemen, schreef hij 'als geboren burger van Georgia' een brief aan Kennedy en adviseerde hem om geen afspraken te maken met Democraten die lid waren van het kiescollege en die dreigden tegen hem te stemmen, tenzij hij beloofde geen haast te maken met de burgerrechten. Hij regelde ook een ontbijt in het Carlyle Hotel voor de nieuwe president en de Secretaris-Generaal van de Verenigde Naties, Dag Hammarskjöld.

Op woensdag 7 december bevond Rusk zich samen met Bowles en Lovett op een vergadering van het bestuur van de Rockefeller Foundation in Williamsburg, Virginia. Hij werd weggeroepen voor een boodschap van Sargent Shriver, Kennedy's zwager en talentenjager. Rusk zei later: 'Ik wist zo weinig van de Kennedy's dat ik dacht dat ik hier gewoon met een van zijn militaire medewerkers te maken had.' Hij vroeg Bowles: 'Waar wil hij mij in vredesnaam voor spreken?' Bowles zei: 'Hij wil jou tot minister van Buitenlandse Zaken benoemen.'

Getipt door de president vertelde Lovett tegen Rusk dat zijn ontbijt met Kennedy de volgende ochtend inderdaad een auditie was: 'Ik bedierf hiermee meteen zijn slaap voor die nacht en waarschijnlijk bracht ik zijn maag ook nog van streek.' Die avond at hij thuis bij Bowles in Georgetown en praatten ze tot diep in de avond over Kennedy en diens kijk op het buitenlands beleid.

Toen hij de volgende ochtend bij Kennedy's huis arriveerde, vroeg deze hem waaraan een geschikte kandidaat voor de post van minister van Buitenlandse Zaken moest voldoen. Rusk beschouwde loyaliteit aan de president de belangrijkste eigenschap. Hij vond dat de president niet helemaal zeker van zichzelf was en evenmin was hij gecharmeerd van de berg papier op de vloer en Kennedy's informele manier van doen. Bowles herinnerde zich dat Rusk hem na de maaltijd opbelde om te zeggen dat het ontbijt 'een compleet fiasco' was geweest.

'Ik word geen minister van Buitenlandse Zaken, want Kennedy en ik konden gewoonweg niet met elkaar communiceren. Hij begreep mij niet en ik begreep hem niet.'[1]

Na het ontbijt met Rusk gaf Kennedy nog steeds de voorkeur aan Fulbright met wie hij zich 'als mens op zijn gemak voelde', hoewel hij toegaf: 'Hij is lui.' Robert Kennedy was vastberaden de Senator uit Arkansas, die het manifest van de zuidelijke staten tegen het opheffen van de rassenscheiding op openbare scholen had ondertekend, uit de functie te weren: elke keer wanneer de Verenigde Staten een standpunt tegen een Afrikaans land moesten innemen, zouden de Russen zeggen dat dit kwam omdat Amerika's minister van Buitenlandse Zaken een blanke racist was. De Vereniging Vrienden van Israël was des duivels over Fulbrights uitgesproken pro-Arabische houding in het Midden-Oosten.[2]

De twee broers hielden inspannende discussies over de zaak. Kennedy had nu een voorkeur voor David Bruce, hoewel hij bang was dat Bruce geen 'vuur in zijn kont' zou hebben. Marguerite Higgins van de *New York Herald Tribune* verzekerde Robert ervan dat Bruce 'geen gemakkelijke' voor de Russen zou zijn, maar de broer van de president kwam tot de conclusie dat Rusk de minst kwade van de drie was.

Toen Kennedy hem belde met het verzoek zijn benoeming te accepteren, 'kwam dit als een volslagen verrassing', herinnerde Rusk zich. Hij antwoordde: 'Ho, wacht eens even. We moeten nog veel dingen bepraten voordat u tot die conclusie komt.' Kennedy: 'Kom naar Palm Beach en dan praten we verder.'

Zittend achter het huis van zijn vader en wandelend over het strand vroeg Kennedy aan Rusk of er nog iets was wat hij zou moeten weten voordat hij hem zou benoemen. Op deze manier hoefde Kennedy het tenminste niet via anderen te horen. Rusk liet vallen dat hij tijdens de Conventie in Los Angeles een telegram naar Harriman had gestuurd waarin stond: 'Doe niet zo dom, steun Adlai Stevenson.' Kennedy lachte.

Verder vertelde hij Kennedy dat deze post hem 'financieel weinig speelruimte' gaf. Hij kon maar één termijn aanblijven. Kennedy zei dat hij het begreep. Misschien was de president iets te openhartig toen hij 's middags verslaggevers liet weten dat Rusk de 'meest geschikte kandidaat' voor de functie was.

De aanstaande minister van Buitenlandse Zaken vloog naar New York en was nog steeds onzeker of hij en de president wel goed op elkaar zouden kunnen reageren. Nadat hij Rusk had aangesteld, zei Kennedy tegen Galbraith: 'Ik moet zorgen dat ik nu alle benoemingen afwerk. Over een jaar zal ik weten wie ik écht wil aanstellen.'

---

1. Toen hij hier in 1907 aan herinnerd werd, kon Rusk zich niet meer herinneren dat hij had gezegd dat hij en Kennedy niet met elkaar konden communiceren: 'Dat was nooit een probleem.'
2. In augustus 1960 bracht een door de FBI afgeluisterd telefoongesprek tussen de ambassadeur van de Verenigde Arabische Republiek en Washington bijvoorbeeld aan het licht dat, nadat Kennedy met een zionistische steungroepering voor Israël had gesproken, Fulbright de Egyptische ambassadeur opbelde. Hij 'verontschuldigde zich voor Kennedy's toespraak voor de zionisten en verklaarde dat deze gebeurtenis door politiek opportunisme was ingegeven'.

Een deel van Rusks bezwaren over een vroege topconferentie met Chroesjtsjov kan te wijten zijn geweest aan zijn bezorgdheid over Kennedy's onervarenheid op buitenlands gebied. Zijn afkeer van Amerikaans-Russische topontmoetingen had hier veel mee te maken. In 1960 schreef hij in een artikel in *Foreign Affairs* dat onderhandelingen geduld en precisie vereisen – kwaliteiten die in de hoogste regionen van een regering gewoonlijk niet in grote hoeveelheden aanwezig zijn: 'Stel je eens twee mannen voor die samen discussiëren over zaken die van invloed zijn op niets minder dan het voortbestaan van de politieke systemen die ze vertegenwoordigen. Allebei beschikken ze over een enorm destructief wapenarsenaal. [...] Is het verstandig om zo veel op het spel te zetten? Moeten deze twee mannen niet apart worden gehouden totdat anderen een degelijke basis voor een akkoord hebben geschapen?'

Toen Rusk deze argumenten persoonlijk bij Kennedy naar voren bracht, had de president daar wel een open oor voor. Tijdens zijn campagne bestempelde hij het soort informele ontmoetingen dat Eisenhower en Chroesjtsjov op Camp David hadden gehad, als 'slap sentimentalisme' en een 'breed verlangen om tot goede resultaten te komen', wat uiteindelijk een 'substituut voor realistische plannen en operaties' was geworden.

Maar, zo zou Rusk jaren later zeggen: 'Kennedy had de indruk dat als hij gewoon met Chroesjtsjov aan de tafel kon gaan zitten, dit misschien wel eens tot goede resultaten zou kunnen leiden – in ieder geval tot een nauwere gedachtenwisseling over verschillende zaken. Ministers van Buitenlandse Zaken staan altijd zeer sceptisch tegenover topconferenties, maar een mysterieus aspect van het presidentschap maakt dat presidenten het op dit punt nooit eens zijn met ministers van Buitenlandse Zaken.'

Thompson begreep de mate waarin Chroesjtsjov door persoonlijke relaties werd beïnvloed. Hij wilde dat Kennedy uit de eerste hand kennis kon nemen van Chroesjtsjovs zorgen en aspiraties: 'De president móet deze man leren kennen.' Vanuit Moskou had hij een telegram gestuurd waarin stond: 'Ik geloof dat het beleid van de Sovjet-Unie een tijdje werd beïnvloed door het feit dat Chroesjtsjov na zijn ontmoeting met Eisenhower ervan overtuigd was dat dit een man van de vrede was.'

De president brandde van nieuwsgierigheid naar die andere, op één na machtigste man in de wereld. Bohlen merkte dat Kennedy 'echt vond dat hij zelf op onderzoek uit moest gaan. De problemen en gevolgen van vergissingen in de omgang met de Sovjet-Unie zijn zo groot, dat geen enkele man, ongeacht zijn karakter of intelligentie, de opvattingen van iemand anders met heel zijn hart zal willen accepteren.'

Kennedy zei: 'Ik vind dat we Chroesjtsjov moeten opzoeken.' Later vertelde hij zijn medewerker Kenneth O'Donnell: 'Ik moet hem laten voelen dat wij net zo hard kunnen zijn als hij. Dat lukt me niet als ik hem via andere mensen boodschappen verstuur. Ik moet met hem aan de tafel gaan zitten en hem laten zien met wie hij te maken heeft.'

Op dinsdagmiddag 21 februari riep Kennedy voor de laatste maal zijn ministerraad bijeen in de Cabinet Room om aan zijn eerste belangrijke brief aan Chroesjtsjov te werken. Thompson kwam met de eerste versie van één pagina. Kennedy vond dit te kort. Onderaan had hij geschreven: 'Ben geïnteresseerd in harmonieuze betrekkingen – erken dat er twee verschillende systemen zijn.' Sorensen maakte de brief af, waarvan Bundy later vond dat deze de 'meest gematigde openingsmanoeuvre was die je kon bedenken'.

De volgende morgen in het Oval Office droeg Kennedy Thompson op om Chroesjtsjovs argumenten inzake ontwapening, kernproeven, defensie-uitgaven, de Kongo, Laos en Berlijn te onderzoeken. Kennedy zelf was nu klaar met de laatste versie van de twee pagina's tellende brief aan Chroesjtsjov, inclusief zijn onleesbare handtekening onderaan de pagina.

Geachte meneer de Secretaris-Generaal,
Mede door de terugkeer van ambassadeur Thompson ben ik in de gelegenheid geweest om alle aspecten van zowel onze relaties met hem alsmede die met de minister van Buitenlandse Zaken uitgebreid te evalueren. [...]
Ik ben in deze korte tijd nog niet in staat geweest om tot definitieve conclusies te komen voor wat betreft onze standpunten over al deze zaken. [...] Ik denk dat we in alle eerlijkheid moeten inzien dat er problemen zijn waar we het misschien niet over eens zullen worden. We moeten toegeven dat er meningsverschillen bestaan waarvan sommige waarschijnlijk nooit zullen verdwijnen. Maar ik geloof toch dat de manier waarop we deze problemen benaderen en met name de manier waarop we met onze meningsverschillen omgaan, van zeer groot belang kan zijn. [...]
Ik hoop dat het mogelijk is om binnen afzienbare tijd een persoonlijke ontmoeting met u te hebben om op een informele wijze standpunten over deze zaken uit te kunnen wisselen. Natuurlijk zal zo'n ontmoeting zowel van de algehele internationale situatie van dat moment als van onze wederzijdse agenda's afhangen.
Ik heb ambassadeur Thompson opgedragen de mogelijkheden van zo'n ontmoeting te bespreken. De ambassadeur heeft mijn volste vertrouwen en verkeert ook in de positie om u over mijn standpunten te informeren met betrekking tot een aantal van de internationale kwesties die besproken zijn. [...] Ik hoop dat zo'n uitwisseling ons kan helpen bij het uitwerken van een juiste benadering van onze geschillen. Dit met het oogpunt op hun uiteindelijke oplossing ter bevordering van vrede en veiligheid in de gehele wereld. Meneer de Secretaris-Generaal, u kunt er zeker van zijn dat ik alles in het werk zal stellen om tot harmonieuzere betrekkingen tussen onze beide landen te komen.

Na zijn ontmoeting met Thompson naar aanleiding van de inauguratie van Kennedy was Chroesjtsjov uit Moskou vertrokken voor een lange reis langs de landbouwgebieden van de Sovjet-Unie die hem zo veel moeilijkheden bezorgden. In Kiëv en Rostov-aan-de-Don, Tbilisi en Voronezj sprak hij in de meest vredelievende en spaarzame bewoordingen over de concurrentie tussen Amerika en Rusland. De vleesproduktie in de Oekraïne zou die van de Verenigde Staten 'binnen twee – hooguit vier jaar' voorbij kunnen streven. De Sovjetindustrie zou die van Amerika in 1970 gaan overtreffen. 'Door dit te zeggen, bedreigen we niemand. [...] Ons succes en onze groei berokkenen andere volkeren geen schade.'
Het was tijdens deze rondreis dat Chroesjtsjov te maken kreeg met de harde stand van zaken na Kennedy's eerste zeventien dagen als president, met als hoogtepunt McNamara's uitspraken over de *missile gap*. Die zaterdag, op 11 februari, dezelfde dag dat Kennedy met zijn adviseurs over de Sovjet-Unie vergaderde, werd Chroesjtsjov plotseling teruggeroepen naar Moskou. Volgens de diplomatiek historicus Robert Slusser hadden Chroesjtsjovs rivalen een verrassingsbijeenkomst van het presidium georganiseerd en hardere reacties geëist tegenover wat zij beschouwden als de nieuwe Amerikaanse strijdlust.

Op vrijdag 17 februari wakkerde Chroesjtsjov de Berlijnse kwestie weer aan. In Bonn overhandigde zijn afgezant een protestbrief aan Bondskanselier Konrad Adenauer waarin de Westduitse regering van 'omvangrijke militaire voorbereidingen' werd beschuldigd en waarin werd uitgesproken dat Moskou 'vastberaden zou blijven' om tot een Duitse vredesovereenkomst te komen.

Een week later, tijdens een in der haast belegde landbouwconferentie in Moskou, liet Chroesjtsjov de bescheiden taal die hij sinds Kennedy's inauguratie had gebezigd varen. Hij stak de loftrompet over het Russische nucleaire arsenaal en de intercontinentale ballistische raketten: 'Alle voorsprong die de Amerikanen kregen door bases rondom onze landsgrenzen te vestigen, verloren ze meteen vanaf het moment dat onze raketten opstegen, duizenden kilometers door de lucht vlogen en vervolgens precies neerkwamen op de plek die onze wetenschappers en ingenieurs hadden bepaald.'

Diezelfde dag gaven Chroesjtsjovs maarschalken impliciet toe dat McNamara hen inzake de *missile gap* op stang had weten te jagen. Jarenlang hadden ze zich op de borst geslagen dat hun raketmacht 'superieur' was aan die van de Amerikanen. Nu verklaarden ze voor het eerst in het openbaar dat de Russische langeafstandsraketten een 'afdoende' verdediging voor de natie vormden.

De eerste maanden van Chroesjtsjovs verstandhouding met Kennedy werden verder verslechterd door de Kongo. Nadat de Belgen de Kongo onafhankelijk hadden verklaard, had Katanga, de meest welvarende provincie, zich in juni 1960 met hulp van Belgische mijnaandelen afgescheiden. Soldaten van het nieuwe Kongolese leger, verontwaardigd over de Belgische troepen die waren achtergebleven, plunderden, verkrachtten en vermoordden de blanke kolonisten. Belgische paratroepen arriveerden om de blanken te beschermen. De grillige nieuwe premier Patrice Loemoemba beklaagde zich erover dat het koloniale bewind weer opnieuw werd ingevoerd. Een twintigduizend man tellende vredesmacht van de Verenigde Naties arriveerde om de vrede te bewaren.

Tijdens zijn ontvangst in het Kremlin aan de vooravond van Kennedy's verkiezing verklaarde Chroesjtsjov: 'Men zegt dat de Sovjet-Unie in de Kongo werd verslagen. Wij zeggen dat wie het laatst lacht, het best lacht.' Loemoemba accepteerde het aanbod van de Russische Secretaris-Generaal voor militaire hulp en beschuldigde het Westen ervan een komplot tegen hem te beramen. President Joseph Kasavoeboe ontsloeg Loemoemba en zette Oosteuropese adviseurs het land uit. De Sovjet-Unie eiste de terugkeer van Loemoemba. Hij werd gearresteerd en gevangengezet. Op 13 februari meldde de provincie Katanga dat Loemoemba was vermoord.

Toen Chroesjtsjov met een interventie dreigde, vertelde Kennedy tegen verslaggevers: 'Ik kan nauwelijks geloven dat een regering echt van plan is om dergelijke gevaarlijke en onverantwoorde stappen te nemen.' Hij liet doorschemeren dat een Russische tussenkomst door Amerikaanse strijdkrachten zou worden tegengehouden.

Chroesjtsjov weerhield zich ervan om de Verenigde Staten openlijk de schuld te geven van de moord op Loemoemba. Maar hij beschuldigde wel de 'westerse kolonialisten' onder leiding van de Verenigde Naties en Hammarskjöld: 'De moord op Patrice Loemoemba en zijn kameraden in de kerkers van Katanga vormen het hoogtepunt van Hammarskjölds criminele acties.' Chroesjtsjov eiste dat de Verenigde Naties zich terugtrokken uit Afrika en dat Hammarskjöld door een trojka werd vervangen, waarin Oost, West en de Niet-gebonden landen waren vertegenwoordigd.

Voordat Thompson uit Washington vertrok, vroeg Kennedy hem om Chroesjtsjov te laten weten dat hij hoopte dat hun geschillen over de Kongo geen 'serieuze hindernis' zouden vormen bij het verbeteren van de betrekkingen.

Toen de ambassadeur op maandag 27 februari in Moskou terugkeerde, was Chroesjtsjov ervan op de hoogte dat Thompson een belangrijke boodschap van Kennedy bij zich had. Maar de volgende morgen ondernam Chroesjtsjov opzettelijk een beledigende actie door in zijn vliegtuig te stappen om zijn landbouwtournee gewoon weer voort te zetten, zonder moeite te doen om de brief van Thompson in ontvangst te nemen.

Tijdens deze rondreis, waarbij hij de nieuwe harde Sovjetlijn handhaafde, was Chroesjtsjov druk bezig om de schade van McNamara's onthulling over de *missile gap* te herstellen. Bij de eerste tussenstop in Sverdlovsk riep hij: 'De Sovjet-Unie beschikt over de machtigste raketwapens ter wereld en net zo veel atoom- en waterstofbommen die nodig zijn om agressors van het aardoppervlak te vagen!'

In Moskou vertelde Thompson aan Gromyko dat hij Chroesjtsjov hoe dan ook wilde opzoeken 'ongeacht plaats en tijd'. Maar de Russische minister van Buitenlandse Zaken deed geen toezeggingen. Een week na de terugkeer van de ambassadeur in Moskou vertrok Chroesjtsjov naar Novosibirsk voor een bijeenkomst met Siberische landarbeiders. Deze stad ligt drieduizend kilometer oostelijk van Moskou en was normaal verboden gebied voor Amerikanen, maar Gromyko vroeg aan Thompson erheen te vliegen.

Met de brief in zijn bruine schooltas vertrok Thompson samen met Boris Klosson door een vliegende sneeuwstorm naar het vliegveld Vnoekovo buiten Moskou. Samen met Anatoli Dobrynin van het ministerie van Buitenlandse Zaken gingen ze aan boord van een zilverkleurige Toepolev 104 straalvliegtuig. Toen ze na middernacht in Novosibirsk aankwamen, werden ze naar het enige hotel van de stad gereden. Dobrynin zei tegen Thompson: 'Als we een vertaling van de brief van de president konden maken, zou dat de zaken aanzienlijk versnellen.' Hij beloofde deze brief pas de volgende ochtend bij de besprekingen met Chroesjtsjov te overhandigen. Thompson stemde toe en schaafde de Russische vertaling nog wat bij.

De Sovjetleider verbleef aan de rand van 'Akademgorod', het drie jaar oude Siberische hoofdkwartier van de Academie voor Wetenschappen. Halverwege de jaren vijftig had de Secretaris-Generaal zelf bevolen dat er een 'stad der wetenschappen' in het hart van Siberië moest worden gebouwd. De leden van de faculteit troffen hem nu in een beroerde bui, misschien als gevolg van zijn recentelijke politieke frustraties.

Net als bij andere alleenheersers die te maken kregen met problemen die ze niet in de hand hadden, haalde Chroesjtsjov zijn gram op de problemen die hij wèl kon overzien. Toen hij hoorde dat de faculteit van Akademgorod een geneticus herbergde die niet in de leer van zijn zo geliefde Lysenko geloofde, kreeg hij een woedeaanval en eiste dat de geneticus werd ontslagen. Daarna werd hem een maquette van een nieuw te bouwen academiegebouw getoond ter beoordeling.

Hoge Sovjetgebouwen telden gewoonlijk niet meer dan vijf verdiepingen. Het gebouw op de maquette had er negen. Chroesjtsjov schudde driftig het hoofd en maakte met zijn rechterhand een kappend gebaar. Het ontwerp werd teruggebracht tot vijf verdiepingen.

Thompson en Klosson werden langs de door de zon beschenen staalfabrieken en negentiende-eeuwse blokhutten van Novosibirsk naar het zomerhuisje gereden waar de Sovjetleider hof hield. Ze werden begroet door een van zijn bodyguards. 'Hij mat 1 meter 50 bij 1 meter 50,' herinnerde Klosson zich, 'en kon iemand met één vuist in tweeën hakken.' Hij nam de twee Amerikanen naar boven, waar Chroesjtsjov zich samen met Dobrynin en andere medewerkers aan een langwerpige tafel bevond. De tekenen van de spanningen van de afgelopen weken waren de Russische Secretaris-Generaal aan te zien. Volgens Thompson oogde hij 'oververmoeid. Zelfs de Russen die mij begeleidden, schrokken hiervan.'

Chroesjtsjov las de Russische vertaling van Kennedy's twee weken oude brief en zei: 'Het zou een goede start kunnen zijn.' Hij zou Kennedy's voorstel nog goed moeten bestuderen, maar was 'geneigd' om ja te zeggen: het zou 'nuttig zijn om de president te leren kennen'. In 1959 hadden ze elkaar al ontmoet toen Kennedy nog deel uitmaakte van de Senaatscommissie voor Buitenlandse Betrekkingen, maar ze hadden toen slechts 'enkele woorden' uitgewisseld.

Thompson liet vallen dat de president van plan was om Harald Macmillan en Konrad Adenauer in april in Washington te ontmoeten. Daarna zou hij naar Parijs vliegen voor een ontmoeting met De Gaulle. Misschien kon hij de Sovjetleider tijdens diezelfde reis ontmoeten en daarbij een extra reis over de oceaan uitsparen. Chroesjtsjov zei: 'Ik ken die transatlantische vluchten maar al te goed.' Thompson stelde voor dat de ontmoeting begin mei in Wenen of Stockholm zou plaatsvinden. Chroesjtsjov: 'Dat zou een geschikt tijdstip kunnen zijn.' Hij gaf de voorkeur aan Wenen.

Chroesjtsjov ging verder en zei dat hij Dag Hammarskjöld 'persoonlijk verantwoordelijk' hield voor de moord op Loemoemba. Via Hammarskjölds samenzweringen had Kasavoeboe Loemoemba naar Katanga gestuurd, alwaar de Katangese leider Moïse Tsjombe, 'de stroman van het Belgische mijnmonopolie' hem vermoordde. De Verenigde Naties waren door de 'kolonialisten' gebruikt om hun kolonies te behouden en de volkeren van de Derde Wereld te onderdrukken.

Thompson antwoordde dat de Verenigde Staten niet altijd gelukkig waren met de besluiten van de Verenigde Naties. Afrika mocht niet betrokken raken bij de Koude Oorlog. Er was niets in de Kongo dat een fundamentele invloed op de Amerikaans-Russische belangen had.

Chroesjtsjov riep: 'U beschikt over uw Belgische bondgenoten!' De Verenigde Naties voerden een 'kolonialistisch beleid'. De Sovjet-Unie zou hiertegen 'met alle middelen' weerstand bieden. De Verenigde Staten hadden eens de vlag van de 'democratische vrijheid van de bourgeoisie' gehesen: 'Helaas heeft Amerika nu aangetoond dat het geen voorstander van volksbewegingen is.' Hij eiste dat Hammarskjöld vervangen zou worden door een driemanschap – 'een van u, een van ons en een niet-gebonden' – met voor ieder een vetorecht.

Thompson verzekerde hem dat de president eind maart, wanneer het overleg tussen Amerikanen, Russen en Britten over een verdrag inzake stopzetting van kernproeven in Genève weer zou worden hervat, een 'krachtige poging' zou ondernemen om tot een rechtvaardige overeenkomst te komen: Kennedy beschouwde de gesprekken gedeeltelijk als voorlopers van détente. Chroesjtsjov antwoordde: 'We hebben twee jaar geen kernproeven genomen en het vergaat ons tot nu toe niet slecht.' Maar kernproeven waren niet het belangrijkst. 'Zelfs als de kernproeven ophielden, zou de wapenproduktie gewoon doorgaan. De hoofdzaak is ontwapening.' Thompson zei dat een verdrag inzake stopzetting van kernproeven de eerste stap moest zijn.

Chroesjtsjov: 'De Sovjet-Unie is bereid om tot een dergelijke overeenkomst te komen, maar zou Frankrijk willen tekenen?'

Thompson: 'En wat dacht u van China?'

Chroesjtsjov antwoordde: 'Frankrijk is bezig met kernproeven. China niet. China produceert nu nog geen atoomwapens, maar zou op dit terrein vooruitgang kunnen boeken.' Een akkoord inzake stopzetting van kernproeven moest door zowel Frankrijk als China worden ondertekend. 'Een overeenkomst moet algemeen geldend zijn.' (Later berichtte Thompson naar het thuisfront: 'Ik denk dat het voorgaande aangeeft dat de Sovjet-Unie minder belangstelling heeft voor een kernverdrag dan voorheen en waarschijnlijk Frankrijk als excuus wil gebruiken.')

Beneden werd de lunch geserveerd – *zakoeski*, soep, vis, biefstuk en kipkoteletjes. Chroesjtsjov slikte wat pillen, dronk maar een paar slokjes rode wijn en meed de biefstuk. Hij zei: 'Mijn vader beloofde mij een gouden horloge als ik niet zou roken.'

Hij hief een glas *pertsovka*, de met peper gekruide vodka die hij het liefst dronk, en zei dat hij niet, zoals gebruikelijk was, op de president zijn gezondheid zou toosten: 'Hij is nog zo jong, aan dit soort wensen zal hij weinig hebben.' Hij voegde eraan toe dat hij hoopte dat het spoedig 'mogelijk zou zijn' om president Kennedy voor een bezoek aan de Sovjet-Unie uit te nodigen. De bevolking zou hem en zijn gezin graag willen verwelkomen en hen het land laten zien. Maar de tijd was er nog niet rijp voor.

Chroesjtsjov vertelde Thompson dat hij die dag naar Akmolinsk en Alma-Ata vertrok en in de laatste week van maart weer in Moskou zou terugkeren. Misschien dat hij dan een antwoord op het vertrouwelijke aanbod van Kennedy klaar zou hebben.

Die avond vroegen verslaggevers Thompson op de luchthaven van Moskou of hij optimistisch was na de ontmoeting met Chroesjtsjov. Hij antwoordde: 'Ik zal altijd een optimist blijven.' De volgende dag berichtte hij in zijn serie van telegrammen naar Washington dat Chroesjtsjov 'duidelijk aangenaam verrast' was door het voorstel van de president voor een topconferentie: 'Ik geloof dat dit zijn standpunten inzake verscheidene besproken problemen verzachtte.'

Maar hij merkte op dat de hoopgevende toon van Mensjikovs persoonlijke boodschappen, die ook had doorgeklonken bij zijn ontmoeting met Chroesjtsjov na Kennedy's inauguratie, bijna verdwenen was. Het was opmerkelijk dat Chroesjtsjov zich 'had onthouden van commentaar met betrekking tot plannen voor nederzettingen' in de Kongo en dat zijn enthousiasme voor een verbod op kernproeven aan het afnemen was. Thompson was er niet in geslaagd met Chroesjtsjov te praten over Kennedy's plannen het militaire apparaat uit te breiden: 'Ik hoop dat de toekomst hiervoor gelegenheid zal bieden, aangezien ik uit de Sovjetpers verneem dat dit hen enorm bezighoudt.'

81

Op maandag 20 maart lunchte Aleksandr Fomin van de Russische ambassade met Robert Estabrook, redacteur bij de *Washington Post* van wie bekend was dat hij nauwe banden had met hoge functionarissen van de regering-Kennedy. Fomins echte achternaam was Feklisov. Zijn officiële functie was die van raadsman, maar bij de FBI stond hij bekend als ingezetene van de KGB-vestiging in Washington. In 1959 maakte hij deel uit van het Russische gezelschap dat met Chroesjtsjov tijdens diens rondreis door de Verenigde Staten meereisde.

Fomin was niet de eerste Russische diplomaat die via een Amerikaan een kijkje wilde nemen in de keuken van de 'Nieuw Uitdaging'. Tijdens de verkiezingscampagne had Michail Smirnovski Charles Bartlett uitgehoord over diens vriend, de verkiezingskandidaat van de Democraten. Bartlett herinnerde zich: 'Ik had het gevoel dat ze op zoek waren naar betere betrekkingen met de Verenigde Staten. Hij zei altijd dat het de bedoeling was de Russische voorstanders van een Koude Oorlog de wind uit de zeilen te nemen.'

Na de inauguratie vertelde J. Edgar Hoover aan de nieuwe Amerikaanse president: 'U moet oppassen voor Bartlett, want hij heeft een hoop Russische vrienden.'[1] Op zijn beurt vroeg Kennedy aan Bartlett hoe het kwam dat hij zo veel Russische vrienden had. Hij antwoordde: 'Als je voor een krant werkt, praat je met mensen. De Sovjet-Unie heeft altijd al mijn belangstelling gehad en ik ben altijd geïnteresseerd geweest in wat je kunt doen om vrede te bereiken. Ik ken daar een aantal mensen die ik heel graag mag.'

Tijdens een vroege bijeenkomst van de Nationale Veiligheidsraad merkte iemand op dat Henry Brandon van de *Sunday Times*, een Britse vriend van Kennedy, 'een gesprek met een Rus heeft gehad'. Iemand anders voegde eraan toe: 'Bartlett heeft met Smirnovski staan praten en Smirnovski zegt –' Met een bijtende lach zei Kennedy: 'Onze bronnen worden met de minuut beter.'

Tijdens de lunch vertelde Fomin aan Estabrook dat de Russen 'teleurgesteld' waren dat de Amerikanen geen waardering hadden getoond voor de Russische vrijlating van de RB-47-piloten. De Sovjet-Unie was echter verheugd over berichten dat de boycot op krabvlees zou worden opgeheven. De voorjaarsvergadering van de Verenigde Naties zou 'weinig nieuws' opleveren.

Over Laos zei hij dat de oprichting van een internationale controlecommissie de enige oplossing was voor de problemen aldaar: 'Wat we daar nodig hebben, is een neutrale regering naar Oostenrijks model.' Deze 'Oostenrijkse oplossing' kon als model dienen bij 'het oplossen van tal van conflicten over de hele wereld'. De Russen voelden zich gehinderd door het feit dat de Chinezen 'een oplossing in Laos in de weg staan'. Als de Verenigde Staten met kracht tussenbeide kwamen, zouden ze 'op eigen kracht moeten vechten'.

Het Geneefse overleg over stopzetting van kernproeven vond de volgende dag plaats en was voor Kennedy het eerste overleg in zijn ambtsperiode als president. Het Westen drong aan op twintig jaarlijkse inspecties van nucleaire testplaatsen, de Russen hielden het op drie. Fomin was van mening dat een compromis 'mogelijk' was.

---

1. Ongeveer tegelijkertijd waarschuwde Hoover de minister van Justitie dat een vooraanstaand journalist en vriend van de president tijdens een bezoek aan Moskou 'compromitterende' contacten met homoseksuelen had gehad. Kennedy sloeg de waarschuwing in de wind en bleef sociale contacten onderhouden met de journalist.

Al vanaf 1956 was John Kennedy voorstander geweest van een overeenkomst met de Sovjet-Unie over een verbod op kernproeven. Zijn Senaatscollega Clinton Anderson uit New Mexico had hem ervan weten te overtuigen dat als de proeven gestaakt werden, Amerika toch een royale voorsprong op de Russen zou houden. Kennedy vond een verbod op kernproeven de beste manier om te verhinderen dat andere landen over de atoombom zouden gaan beschikken.

Zijn Londense vriend, David Ormsby-Gore, hoofd van de Britse delegatie tijdens het Geneefse overleg en die hij al kende van voor de oorlog, lichtte de Senator in over het onderwerp: 'Jack voelde eerst niet veel voor nucleaire ontwapening. Hij dacht op een logische, en niet op een emotionele manier. Precies zoals bij alle andere zaken, nationaal of internationaal.'

Kennedy's benadering van het overleg inzake stopzetting van kernproeven in de herfst van 1960 weerspiegelde, net als zijn andere campagneretoriek, de kilte van na de Parijse topconferentie en het nieuwe gevlij van Republikeinen en onafhankelijke groeperingen. In tegenstelling tot Nixon wilde hij de vrijwillige opschorting van kernproeven, die door de Amerikanen, Britten en Russen sinds 1958 was nageleefd, voortzetten. Slechts tweemaal heeft hij de kwestie van een kernstop aan de orde gebracht. Dit deed hij eind oktober tijdens een verkiezingstournee door Wisconsin met toespraken die elkaar nauwelijks ontliepen: 'Als we ooit nog de hoop willen koesteren van een effectieve wapenbeheersing, dan moeten we nu onmiddellijk met onderhandelingen beginnen. Want elk jaar wordt de controle op ingewikkelder wordende moderne, mobiele en verborgen wapensystemen moeilijker en neemt de kans toe dat land na land over kernwapens kan beschikken. Als 1964 of 1965 in zicht komt, kunnen we wel eens in een wereld leven waarin twintig landen over kernwapens beschikken. [...] Er bestaat geen groter probleem.'

Een van Kennedy's eerste daden als president was zijn verzoek aan de Russen om de hervatting van de Geneefse onderhandelingen naar eind maart te verplaatsen om zo de Verenigde Staten de gelegenheid te geven zich over hun positie te beraden. Hij droeg zijn nieuwe speciale adviseur voor ontwapening, John McCloy, op te onderzoeken welke concessies mogelijk waren. Nadat McCloy de notulen van de meer dan 250 Geneefse bijeenkomsten vanaf 1957 had doorgenomen en een beroep had gedaan op een ad hoc-team van wetenschappers, kwam hij tot de conclusie dat huidige detectiemiddelen buiten de Sovjet-Unie in staat waren Russische nucleaire proeven in de atmosfeer en onder water waar te nemen. Maar ondergrondse of ruimteproeven konden niet worden waargenomen. Er moest dus vooral worden aangedrongen op inspecties ter plekke.

Amerika's voorstel voor twintig jaarlijkse inspecties, voor sommige Congresleden een heilig getal, week nogal af van het Sovjetaanbod van drie. McCloy adviseerde de president akkoord te gaan met een minimumaantal van tien inspecties per jaar. Voor elke vijf niet-geïdentificeerde seismische waarnemingen boven de vijftig moest een extra inspectie komen, tot een maximum van twintig per jaar. Ondanks tegenstand van de gezamenlijke stafchefs ging Kennedy akkoord en stemde hij in met andere belangrijke concessies. Na het lezen van het geheime rapport over de gesprekken van 1960 inzake stopzetting van kernproeven realiseerde hij zich hoe dicht de Amerikanen en Russen een overeenkomst genaderd waren aan de vooravond van het fiasco van de Parijse topconferentie.

Tijdens een lunch in het Witte Huis zei hij tegen Congresleden: 'Als we een overeenkomst kunnen sluiten over een verbod op kernproeven, wordt daarmee misschien de weg vrijgemaakt naar een overeenkomst over andere Oost-Westzaken, zoals Berlijn en Laos.' Samen met Rusk en Bundy mijmerde hij over de weg die overbleef als er geen overeenkomst kon worden bereikt: een oneindige wapenwedloop en een verspreiding van nucleaire wapens naar andere landen zoals Israël en China. In Genève moesten 'serieuze pogingen' worden ondernomen.

Maar toen de besprekingen op 21 maart werden hervat, presenteerden de Russen meteen een nieuwe harde lijn, zelfs voordat de Amerikanen met hun nieuwe aanbod konden komen. Sinds Mensjikov in de maanden december en januari Kennedy op rustige toon had verzekerd dat Chroesjtsjov een overeenkomst over een verbod op kernproeven serieus nam, was het Russische standpunt duidelijk verhard.

Semjon Tsarapkin, het hoofd van de Sovjetdelegatie, kwam nu met een nieuwe eis. De commissie die moest toezien op de naleving van een akkoord, mocht niet worden geleid door één neutraal iemand, zoals overeengekomen, maar door een driemanschap: 'Het is onmogelijk om een persoon te vinden die geheel neutraal is.' Toen Rusk van deze ontwikkeling op de hoogte werd gesteld, was zijn reactie: 'Volstrekt onacceptabel.'

Deze nieuwe harde lijn van de Sovjet-Unie zou in februari door het presidium kunnen zijn opgelegd, tegen Chroesjtsjovs wil in. Waarom had Fomin de dag voordat de Geneefse onderhandelingen over een kernverdrag weer begonnen, het Witte Huis geseind dat een compromis over een verbod op kernproeven binnen bereik lag? Als deze informatie van Chroesjtsjov of een van zijn naaste medewerkers afkomstig was, kon het zijn dat de Russische Secretaris-Generaal Kennedy te kennen wilde geven dat deze zich niet door het harde openingsstandpunt van de Sovjet-Unie moest laten ontmoedigen.

Op maandagmiddag 27 maart stopte er een Cadillac van de Sovjetambassade voor de westelijke vleugel van het Witte Huis. Andrej Gromyko en Michail Mensjikov stapten uit. De militaire medewerker van Kennedy, generaal Chester Clifton, begeleidde de twee Russen naar het Oval Office, waar de president, Rusk, Stevenson, Bohlen en Kohler hen de handen schudden.

Hoofdonderwerp van het gesprek was Laos, door Kennedy in vertrouwelijke kring omschreven als 'de grootste puinhoop waarmee de regering-Eisenhower me heeft opgezadeld'. In december waren de Russen begonnen met luchttransporten om de rebellen van de Pathet Lao te bewapenen. Nu overspoelden eenheden ter grootte van bataljons het noordwestelijk deel van het land en rukten ze in hun aanval op de hulpeloze, door Amerika gesteunde premier, prins Boun Oum en zijn plaatsvervanger, generaal Phoumi Nosavan, op in de richting van de steden.

Tijdens de besprekingen van februari in de Cabinet Room lieten Sovjetexperts de president weten dat 'verdeeldheid en het falen van het Westen om een gerespecteerde, niet-communistische leider te vinden en te steunen, de communisten in de kaart heeft gespeeld'.

Het Pentagon wees Kennedy er op dat als Amerikaanse troepen ten strijde moesten trekken, de Verenigde Staten weer oog in oog met China konden komen te staan. Er zou misschien een troepenmacht van driehonderdduizend man nodig zijn, plus hulp van het Westen, om de Chinezen uit Zuidoost-Azië te houden. Dit zou op een bepaald moment kunnen leiden tot het gebruik van kernwapens. Waarschijnlijk zouden de Russen dit beantwoorden door hun eigen vrijwilligers met nucleair materieel uit te rusten.

Thompson en Bohlen zeiden dat Chroesjtsjov er waarschijnlijk net zo op gebrand was om de Chinezen erbuiten te houden. Hij had ook geen behoefte de Amerikanen uit te dagen. Toch moest de president laten zien dat hij niet zou schromen geweld te gebruiken bij de bescherming van de Phoumi-regering.

Kennedy liet vijfhonderd mariniers overbrengen naar de Thaise zijde van de rivier de Mekong. Het Amerikaanse vliegdekschip *Midway* zette koers naar de Golf van Thailand en de zevende vloot rukte op naar de Chinese Zee. Amerikaanse bases vlak bij Laos werden versterkt en bevoorraad.

Het was vooral na Chroesjtsjovs toespraak over de bevrijdingsoorlogen, zo schreef een bevriend journalist, dat de president werd gegrepen door iets wat 'een obsessie over een guerrilla-oorlog dicht benaderde'. De president las over guerrillatactieken van Mao Zedong, Che Guevara en het Ierse Republikeinse Leger (IRA). In maart liet hij in een speciale defensieboodschap aan het Congres weten dat 'we beter moeten leren omgaan met guerrilla-oorlogen, opstanden en subversie'.

Kennedy's open pleidooi voor een neutraal Laos bracht het communistisch offensief niet tot stilstand. Hij vroeg Rusk om in de Verenigde Naties nog een laatste pleidooi te houden bij Gromyko. Toen dat mislukte, liet Kennedy tijdens een persconferentie een krachtige waarschuwing horen: 'Als deze aanvallen niet stoppen, wordt het tijd dat de voorstanders van een echt neutraal Laos zich op een antwoord gaan bezinnen.' De volgende dag vroeg Gromyko aan Stevenson een onderhoud aan met de president: hij had zojuist een boodschap van Chroesjtsjov ontvangen, die Kennedy's wens van een 'neutraal, onafhankelijk Laos' onderschreef.

In het *Oval Office* verklaarden Kennedy en Gromyko zich allebei voorstander van vrede en neutraliteit in Laos. Gromyko zei dat de twee landen moesten werken aan een vreedzame overeenkomst en 'maatregelen om een uitbreiding van het conflict te voorkomen'.

Gromyko sprak de hoop uit dat Amerika en Rusland op een dag 'echte vriendschap' zouden sluiten. De president wees op de verschillende politieke systemen en belangen in bepaalde gebieden zoals Laos, Afrika en Cuba. Het ging erom 'een sfeer te creëren waarin deze problemen kunnen worden opgelost zonder de zaak militair gezien op de spits te drijven'.

Kennedy stelde voor naar buiten naar de rozentuin te gaan. Ze zaten op een wit, smeedijzeren bankje toen Caroline uit het Witte Huis kwam gerend met Jacqueline in haar kielzog. Ze werden door de president kort aan zijn Russische gast voorgesteld.

Toen het formele gesprek weer verder ging, roerde Kennedy een van zijn grootste angsten aan: het gevaar van de misrekening. Op Harvard had hij de oorzaken van de Eerste Wereldoorlog bestudeerd en was geschokt geweest over hoe makkelijk de ene natie de bedoelingen van de andere verkeerd kan interpreteren en hoe snel dit tot een mondiaal conflict kan leiden.

Hij herhaalde nog eens de noodzaak om 'zaken niet op de spits te drijven'. De Russen moesten niet proberen de Verenigde Staten te 'pressen' als het om prestige ging. Gromyko en Chroesjtsjov moesten zich realiseren dat de Verenigde Staten niet lijdzaam zouden toezien hoe de communisten richting Zuidoost-Azië oprukten. Hij haalde de 'oorlogszuchtige houding' van Cuba aan.

Voordat hun tweeënvijftig minuten durende ontmoeting ten einde liep, herhaalde Kennedy dat hij nog steeds bereid was tot een ontmoeting met Chroesjtsjov. Gromyko liet weten dat de Secretaris-Generaal zich 'aangesproken voelde', maar weigerde om met een officieel antwoord te komen.

Uitgeput van zijn rondreis langs de Russische provincies keerde Chroesjtsjov op vrijdag 24 maart terug naar Moskou. Hij plande een vakantie aan de Zwarte Zee, waar hij kon slapen, zwemmen en werken aan het programma voor het tweeëntwintigste Partijcongres dat die herfst zou plaatsvinden. Twee weken lang had hij Kennedy's brief onbeantwoord gelaten.

Waarom niet gewoon toestemmen in de topontmoeting waar de Amerikaan zo om had gesmeekt? Nu Kennedy al een gedeelte van zijn beleid ten aanzien van het buitenland en de defensie in gang had gezet, kon Chroesjtsjov in het Presidium moeilijk gaan beweren dat zo'n ontmoeting in het belang van de Russen kon uitpakken. Een ontmoeting met Kennedy nadat deze zijn plannen inzake Laos, andere gebieden en militaire uitgaven had onthuld, zou voor de Amerikaanse president de beloning betekenen voor wat de Russen bestempelden als de ongegronde, harde lijn van de Amerikanen. Chroesjtsjov wist dat als een ontmoeting met Kennedy niets opleverde, dit zijn onderhandelingen met het Westen in diskrediet zou brengen en dat hij daarmee zijn vijanden in Moskou en Peking in de kaart zou spelen.

Maar de belangrijkste reden waarom Chroesjtsjov weigerde zichzelf te verplichten tot een ontmoeting, had waarschijnlijk te maken met de gebeurtenissen in het Caribisch gebied. Hij had altijd wel gedacht dat Kennedy op een dag Cuba zou binnenvallen en Castro's regime met behulp van Amerikaanse strijdkrachten zou verdrijven, maar was waarschijnlijk verrast dat dit zo snel na diens inauguratie gebeurde.

Er was ten minste één Russische diplomaat die redeneerde dat Kennedy's medewerkers, zoals Rusk, Bundy en Stevenson, niet bekendstonden als voorstanders van militair geweld. Zou de kersverse president bij machte zijn geweest om zulke adviseurs te negeren? Zou hij zijn prille betrekkingen met Sovjet-Unie en Latijns-Amerika in gevaar willen brengen?

Volgens Chroesjtsjov was Kennedy veel bedachtzamer. Die winter waren Russische en Cubaanse spionnen met steeds overtuigender bewijzen gekomen dat de Amerikaanse president spoedig Cubaanse ballingen en andere voor een invasie getrainde troepen op het eiland zou loslaten. Maar zoals een Russische overloper later zou zeggen, hoe meer informatie Chroesjtsjov kreeg, 'hoe minder hij geloofde'.

De Sovjetleider had waarschijnlijk niet ten onrechte het vermoeden dat de Cubanen het gevaar opklopten om zo meer hulp vanuit het Kremlin te krijgen. Zijn KGB-chef, Aleksandr Sjelepin, toonde duidelijk de echtheid van de bewijzen aan, maar onderwierp zich aan de politieke wijsheid van Chroesjtsjov en zocht zijn toevlucht in de klassieke waarschuwingen van de Russische spionagedienst dat het wel mogelijk was de capaciteiten van de vijand in te schatten, maar niet zijn bedoelingen.

Toch kon Chroesjtsjov er niet zeker van zijn dat Kennedy niet spoedig een Cubaanse invasie zou beginnen. Hij wilde zichzelf niet vastleggen op een ontmoeting met een president wiens troepen zojuist een regering hadden verdreven die als eerste in de geschiedenis uit vrije wil het Sovjetcommunisme had omarmd. Zijn openlijke stilzwijgen inzake Cuba was een teken van Chroesjtsjovs gespannenheid. Naarmate hij steeds meer informatie kreeg die erop duidde dat Kennedy op het punt stond het fatale startsein tot de invasie te geven, vermeed hij in openlijke uitspraken de kwestie-Cuba te noemen. Hij wist dat hij, afgezien van een dreiging de Verenigde Staten met kernbommen plat te gooien, weinig kon doen om Castro te redden als Kennedy Amerikaanse strijdkrachten zou inschakelen.

Op woensdag 29 maart, voordat de president naar Palm Beach zou vliegen om daar het Paasweekeinde te vieren, kreeg hij in de Cabinet Room bezoek van Richard Bissell van de CIA, die hem een verslag overhandigde over de laatste stand van zaken bij operatie-Zapata, het topgeheime plan om Cuba via de Varkensbaai binnen te vallen. Op Cuba werd Castro beslopen door de door de CIA bevoorrade en met gifpillen gewapende samenzweerders onder leiding van Sam Giancana.

5. 'Ik waag me niet aan Hongaarse toestanden'

Kennedy had tijdens de zittingen met zijn Sovjetexperts in februari het idee geopperd voor een invasie van Cuba om Castro door een gematigder, pro-Amerikaans regime te vervangen. Uit het verslag van deze zittingen blijkt dat zijn adviseurs het erover eens waren dat Chroesjtsjov niet met geweld zou reageren: 'Een voldongen feit zou waarschijnlijk louter verbale reacties tot gevolg hebben. Aan de andere kant zou een lange burgeroorlog de Sovjetregering wel eens onder hoge druk kunnen zetten om haar macht te bewijzen in de grote strijd tegen het imperialisme, waar een bedreigde bondgenoot dan profijt van zou hebben.' George Kennan adviseerde de president: 'Wat u ook vindt dat er gedaan moet worden, zorg dat het zijn vruchten afwerpt. Want er is niets ergers dan zoiets zonder succes te ondernemen.'

Later die maand verzekerde Chip Bohlen Kennedy dat 'Chroesjtsjov geen oorlog zou beginnen om zo'n strategisch onbelangrijk gebied als Cuba. Als de invasie uitliep op een langdurige strijd, dan zouden de Sovjets wapens leveren aan Cuba en geen strijdkrachten.' Toch was Bohlen tegen te vroege stappen tegen Castro: hij kon zich geen enkel geval in de geschiedenis herinneren waarbij teruggekeerde vluchtelingen met succes een revolutionair regime ten val brachten. 'In elk geval niet voordat een dergelijke revolutie de kans had gehad zijn grondkapitaal uit te putten.'

Toen hij met Allen Dulles en twee andere CIA-mannen wegreed van het Witte Huis, vroeg hij: 'Zou het niet beter zijn om onze mensen in de bergen van Cuba te laten infiltreren en daar een plaatselijke regering op te richten?' De Verenigde Staten konden het schaduwregime erkennen en het gebruiken als basis voor guerrilla-operaties. Dulles en zijn collega's wezen het idee van de hand. Bohlen zei later dat hij wist dat hij 'het idee niet voldoende had doordacht om met een goed argument op de proppen te komen. Daarom drong ik mijn mening niet op'.

Voor 1959 zag het er niet naar uit dat het eiland van tabak, suiker, droevige legenden, tarponvisserij, hanengevechten en de mambo een waarschijnlijke kandidaat was om de eerste satellietstaat van de Sovjet-Unie op het westelijk halfrond te worden. Cuba was vanaf 1898 een Amerikaanse vazalstaat: aan het eind van de Spaans-Amerikaanse oorlog bezetten de Verenigde Staten het eiland voor een periode van vier jaar. Ze vertrokken pas nadat ze de Cubaanse grondwet hadden opgescheept met het beruchte *Platt Amendment*, dat de Verenigde Staten in staat stelde op elk noodzakelijk moment te interveniëren om de Cubaanse onafhankelijkheid te beschermen.

In de meer recente geschiedenis kwam de ene Cubaanse leider na de andere aan de macht met hervormingsbeloften om vervolgens zijn macht te behouden met chantage en geweld. Niemand deed dat zo krachtig als de verwaande en corrupte president Fulgencio Batista. Als sergeant was hij in 1933 het brein achter een coup die hem in staat stelde vijf opeenvolgende presidenten op Cuba naar zijn hand te zetten. Tegelijkertijd vergaarde hij voor zichzelf een gigantisch fortuin. In 1940 was hij zo goed het presidentschap zelf te aanvaarden. Tijdens de Tweede Wereldoorlog schaarde hij zich met Cuba achter de geallieerden. Zo beschermde hij de Amerikaanse marinebasis in Guantánamo en verkocht hij de suikeroogst van 1941 tegen een spotprijs aan de Verenigde Staten. Na de oorlog trok hij zich terug op zijn landgoed in Florida, maar in 1952 nam hij weer de macht in handen na weer een coup zonder bloedvergieten.

In de jaren vijftig bezaten de Amerikanen op Cuba al veertig procent van de suikerindustrie, tachtig procent van de openbare voorzieningen en negentig procent van de mijnindustrie op Cuba. Wat betreft inkomen, onderwijs en sociale voorzieningen per hoofd van de bevolking bevond het eiland zich bijna aan de top van de Latijns-Amerikaanse naties. Maar een aandeel in de rijkdommen zoals die ongeremd ten toon werden gespreid in de casino's en nachtclubs van Havana, werd de plattelands- en niet-blanke bevolking niet gegund. Cuba's voornaamste industrie, 'Zijne Majesteit Koning Suiker', was in verval, waardoor massa's mensen op straat kwamen te staan. Het verzet tegen Batista groeide.

De dictator reageerde met geweld. Aan de vorstelijke palmbomen langs de plattelandswegen van het eiland bungelden de bebloede lichamen van Cubanen die de fout hadden gemaakt steun te verlenen aan de rebel uit de bergen: Fidel Castro.

Net als Lenin, Mao en andere grote revolutionairen kwam Castro niet uit de arbeidersklasse. Zijn ouderloze vader, Angel Castro y Argiz, had Spanje op zijn dertiende verlaten om met een oom in de Cubaanse streek Mayarí te gaan wonen. In dit gebied was de Amerikaanse aanwezigheid prominenter dan waar ook op het eiland en dat was met name te danken aan de aanwezigheid van de United Fruit Company. Die had in 1954 de CIA geholpen de linkse regering van president Jacobo Arbenz Guzmán in Guatemala te verdrijven nadat deze had gedreigd de voorraden van de firma te confisqueren.

Angel werkte aan de spoorlijn voor United Fruit, huurde wat van hun land en leurde met handelswaar van *finca* naar *finca* (landgoed). Van de winst kocht hij land in de provincie Oriente. Later beweerde Fidel Castro dat wanneer je landeigenaar werd, dit het 'schandelijke' gevolg was van het wonen in een door de Amerikanen gedomineerde 'pseudo-republiek'.

Castro's moeder Lina was dienstmeid in het huis van Angel. Ze trouwden in 1926 na de geboorte van Fidel. De jongen groeide op in de ban van José Martí, voorvechter van de Cubaanse onafhankelijkheid, die in 1895 in een hinderlaag in de buurt was gedood. De licht ontvlambare, sluwe en opstandige jonge Castro beschuldigde zijn vader ervan zijn suikerrietarbeiders te 'misleiden' met 'valse beloften' en deed vergeefse pogingen hen in opstand te laten komen tegen zijn vader. Later, na het begin van zijn politieke carrière, stak hij de familievelden in brand.

Castro werd naar Belén gestuurd, de voornaamste school van het Cubaanse establishment. Bij zijn eindexamen kreeg hij een lange ovatie voor zijn prestaties als basketballer, maar een vriend vond later dat klasgenoten uit het Havanese establishment 'hem opgehitst' hadden tot 'het haten van de beau monde'. Op de Universiteit van Havana, beroemd om haar levendige studentenpolitiek, schaarde hij zich bij een onafhankelijke anti-imperialistische bond en ageerde hij tegen de statische politieke situatie. Toen de chef van de Cubaanse geheime politie hem waarschuwde wat zachter te praten, schafte hij een pistool aan.

In 1947 voegde hij zich bij twaalfhonderd Cubanen, ballingen uit de Dominicaanse Republiek en anderen, om de strijd aan te gaan met Rafael Trujillo. Deze was het klassieke voorbeeld van de bloedige Latijns-Amerikaanse tiran die zijn grenzen opent voor buitenlandse investeerders en zo wapens ontvangt om zijn potentiële tegenstanders te vermoorden. De invasie werd verhinderd door Cubaanse en Amerikaanse strijdkrachten.

Castro ging naar Bogotá om medestudenten te steunen bij het verstoren van de vergadering van Latijns-Amerikaanse ministers van Buitenlandse Zaken die daar bijeen waren gekomen om het handvest van de Organisatie van Amerikaanse Staten (OAS) te tekenen. Hij trouwde met het zusje van een schoolvriend, Mirta Díaz-Balart, en nam haar mee naar Amerika voor een huwelijksreis. Dat deed hij wellicht om Martí te overtreffen. (In 1954 kwam het tot een scheiding. Hij vond dat haar familie te nauwe banden had met Batista.) In New York kocht hij enkele boeken van Marx en Engels, waaronder *Das Kapital*. Na zijn rechtenstudie in Havana begon hij een advocatenpraktijk voor minder bedeelden en maakte plannen om parlementslid te worden.

In maart 1952 was Batista inmiddels uit Florida teruggekeerd naar zijn landgoed buiten Havana. Voor zonsopgang liep hij met opgeheven kin het Cubaanse legerhoofdkwartier binnen en de volgende dag had hij zijn oude functie in het presidentiële paleis weer ingenomen. De verkiezingen werden afgeblazen.

Op 26 juli 1953 leidde Castro een vergeefse aanval op de Moncada-kazerne in Santiago de Cuba. Zeventig anti-Batistarebellen kwamen om het leven. Voor de rechtbank hield Castro een boek met citaten van Martí in zijn handen en verdedigde hij zich in een *tour de force* van twee uur. Later ontleende de Cubaanse revolutie daar haar credo aan: 'Dante deelde zijn hel op in negen kringen. Wat zal de duivel voor een dilemma worden geplaatst wanneer hij de geschikte kring voor Batista's ziel moet kiezen!'

Castro eiste vrije verkiezingen, landhervormingen, winstdeling en huisvesting voor iedereen. Hij verklaarde te strijden voor honderdduizenden werkloze Cubanen – boeren 'die vier maanden werken en de rest van het jaar honger lijden', fabrieksarbeiders 'wier pensioengelden zijn verduisterd', leraren 'die beroerd behandeld en betaald worden'. Hij citeerde Thomas van Aquino, Luther, Calvijn, Rousseau, Balzac, de revoluties van Engeland, Amerika en Frankrijk: 'Veroordeel mij! Het doet mij niets. De geschiedenis zal mij vrijspreken!'

Na negentien maanden kwam hij vrij uit de gevangenis en ging hij naar Mexico, waar hij met andere Cubanen plannen smeedde om op het eiland te landen en als guerrilla's de bergen van de Sierra Maestra in te trekken. In november 1956 gingen hij en eenentachtig andere gewapende mannen drijfnat van de regen aan boord van een wit jacht op weg naar Cuba. Ze landden op het strand van Alegría de Pio en kropen op hun ellebogen en knieën door de rietvelden naar de bergen. Batista's soldaten vielen aan. Slechts zestien man overleefden het. De rest sloeg op de vlucht of werd gedood. De volgende maand verkochten de Verenigde Staten zestien nieuwe B-26-bommenwerpers aan Batista om in te zetten tegen de rebellen. Op de marinebasis van Guantánamo werden ze voorzien van brandstof en napalm.

In het Sierra Maestra-gebergte groeide het guerrillaleger van Castro. Misschien was hij er zelf niet van op de hoogte, maar de CIA, die altijd graag een slag om de arm wilde houden, zou zijn beweging ten minste vijftigduizend dollar hebben toegeschoven.[1] Maar na een van Batista's aanvallen met Amerikaanse bommenwerpers schreef Castro aan zijn geliefde: 'Ik heb gezworen dat de Amerikanen zwaar zullen boeten voor wat ze doen. Als deze oorlog afgelopen is, dan begint er voor mij een nog veel grotere: een oorlog die ik tegen hen zal beginnen. Ik besef dat dit mijn ware lotsbestemming zal zijn.'

In 1958 keerde het tij ten gunste van Castro. Landeigenaren en zakenlieden die Batista beu waren, stopten zo veel geld in de 'Beweging van de 26ste juli' dat Castro zijn mannen kon opdragen desnoods een dollar per kogel te betalen. De Britse ambassadeur in Havana bracht het thuisfront verslag uit: 'Hij heeft ongetwijfeld een aanzienlijk aantal sympathisanten op het eiland en wordt inmiddels beschouwd als een romantische held van het type Robin Hood.' Hij voegde eraan toe dat Castro werd 'verdacht van communistische sympathieën'.

Op 5 december 1958 stuurde Arthur Gardner, een Republikeinse financier en Eisenhowers ambassadeur op Cuba van 1953 tot 1957, een cryptische boodschap 'van het allergrootste belang' naar Richard Nixons woning in Washington: 'Die zaak-Miami [...] moet direct worden gestart. Ook moet, buiten de normale kanalen van de ambassade om, de situatie op een uiterst vertrouwelijke en persoonlijke manier worden onderzocht. Misschien moet de Grote Baas wel worden opgezocht om hem wat morele steun te geven om zo de situatie voorlopig te kunnen redden. Dat geeft ons de tijd een eigen oordeel te vellen over de te nemen stappen.'

Gardner wist dat de vice-president lange tijd grote belangstelling voor Cuba had gekoesterd. Nixon had als jonge man ooit vrijblijvend de mogelijkheden bekeken van een juridische carrière in Havana. Zijn grote vriend Charles 'Bebe' Rebozo was een Cubaanse balling in Miami. Na het lezen van de boodschap maakte de vice-president direct een afspraak met Gardner om de mogelijkheden te bespreken de val van de regering in Havana te voorkomen op een manier die de Verenigde Staten geen schade zou berokkenen.

William Pawley was een rijke, voormalige ambassadeur in Brazilië en Peru. Hij sprak vloeiend Spaans, had grote belangen op Cuba en had nauwe banden met de CIA. Zoals Eisenhower discreet aan een vriend schreef, gebruikte hij Pawley 'regelmatig, als burger, voor allerlei verschillende karweitjes tijdens mijn twee ambtsperioden'. In december 1958 ging Pawley naar Havana 'om Batista te verzoeken af te treden', zo hoorde Nixon later, 'zodat er een nieuwe en betrouwbare president kan worden benoemd om te voorkomen dat een onbetrouwbare president de macht overneemt'.

Het was te laat. Op nieuwjaarsdag 1959 vluchtte Batista na middernacht met

1. In 1958 gebruikten de Verenigde Staten ook de CIA om zowel het regime van Soekarno als de opstandige oppositie te steunen.

zijn gezin naar de Dominicaanse Republiek.[1] Vanuit de Moncada-kazerne, waar zijn beweging begon, hield Castro zijn eerste toespraak als de leider van het nieuwe Cuba: 'De revolutie is nu begonnen [...]. Het zal niet zo gaan als in 1898, toen de Noordamerikanen kwamen en zich heer en meester maakten van ons land. [...] Voor het eerst zal de republiek echt helemaal vrij zijn en de mensen zullen krijgen wat hun toekomt. [...] Deze oorlog is door het volk gewonnen!'

Cubanen reden toeterend door de straten in hun Chevrolets met vlaggetjes van de Beweging van de 26ste juli. Sommigen plunderden casino's en gooiden parkeermeters omver, de beruchte bron van corruptie. Toen Castro Havana binnenreed, met zijn halfautomatische wapen over de schouder van zijn militaire tenue geslingerd en zijn handelsmerk, de sigaar, stevig tussen zijn tanden geklemd, huilden en zongen de mensen. Ze omhelsden elkaar en riepen: '*Gracias, Fidel!*'

El Líder Máximo (de hoogste leider) gaf zijn orders vanuit zijn nieuwe penthouse in Havana Hilton en zag er daarbij van af om Uncle Sam al te hard op zijn staart te trappen. Anders zouden Amerikaanse strijdkrachten weer snel worden ingezet om de onafhankelijkheid de kop in te drukken. Toen de Noordamerikanen echter verontwaardigd reageerden op zijn rechtszaken en executies van Cubaanse 'oorlogsmisdadigers', vroeg hij waarom ze stil waren gebleven toen Batista martelde en doodde: 'Als het de Amerikanen niet aanstaat wat er op Cuba gebeurt, dan sturen ze de mariniers maar en dan heb je straks tweehonderdduizend dode *gringos*!'

In april 1959 vloog hij naar Washington, waar hij een gesprek had met het Amerikaanse Genootschap van Hoofdredacteuren en hij beloofde zijn gehoor een vrije Cubaanse pers. Tegen de Senaatscommissie voor Buitenlandse Betrekkingen (John Kennedy was op verkiezingstournee) zei hij geen Amerikaanse bezittingen in beslag te gaan nemen. Eisenhower weigerde hem te ontvangen. Een Britse diplomaat in Washington tekende op: 'De dokter had de president rust voorgeschreven. Dit viel samen met de vurige wens van het ministerie van Buitenlandse Zaken om de president uit de stad te hebben als Castro op bezoek was. Hij zit nu in Georgia.'

Nu had Castro een ontmoeting met Nixon en de minister van Buitenlandse Zaken, Christian Herter, en hij verzekerde hen dat hij met de communisten 'wel raad' wist. Herter vertelde de president later dat Castro 'heel veel weg had van een kind'. 'Behoorlijk onvolwassen' en 'onzeker en in de war gebracht door enkele praktische moeilijkheden waar hij nu voor stond'. Hij had 'om geduld verzocht terwijl zijn regering de situatie in Cuba onder controle probeert te krijgen'. In het Engels sprak hij 'met terughoudendheid en met aanzienlijke aan-

---

1. In een verslag van een Brits diplomaat viel te lezen dat de Dominicaanse dictator Rafael Trujillo 'drie miljoen dollar lospeuterde van Batista [...]. Maar waarvoor [...], dat kon ik niet verklaren – wellicht voor Dominicaanse uitgaven voor huidige of toekomstige militaire operaties tegen Fidel Castro. Hoe dan ook, toen Batista na de eerste paar miljoen terugdeinsde voor verdere betalingen, gooide de Redder des Vaderlands hem in een kerker, schoof er als gezelschap een doos hongerige ratten naar binnen en na vierentwintig uur ging Batista's beurs weer open.'

trekkingskracht'. Maar in het Spaans werd hij 'rad van de tong, opgewonden en enigszins wild'.

Castro sprak 's avonds in het Newyorkse Central Park een menigte van dertig-duizend mensen toe en nog eens tienduizend in het Dillon Field House op Har-vard. Nathan Pusey, de rector magnificus van Harvard, was niet beschikbaar (misschien nadat hij had beraadslaagd met een of meer bestuursleden met grote Cubaanse belangen die wel eens in beslag konden worden genomen). Dus werd Castro begeleid door de faculteitsvoorzitter McGeorge Bundy.

Bundy herinnerde zich: 'Ik kon geen kant met hem op. Hij wilde geen Spaans spreken. Mijn Spaans is veel beter dan zijn Engels, maar dat zegt verrekte wei-nig. [...] Tot mijn verbazing was hij geïnteresseerd in zijn populariteit bij het volk en niet in privé-gesprekken.' Later, in de hoedanigheid van Kennedy's na-tionale-veiligheidsadviseur, vertelde Bundy niets over zijn ervaringen tegen zijn baas: 'Dat was niet relevant. Ik kwam niet veel te weten van Castro. [...] Ik had na afloop ook zeker niet het gevoel dat hij het eerste was dat moest worden opge-ruimd in 1961.'

Castro wist dat niets de Amerikanen zo laaiend kon maken dan de verdenking op zich te laden dat hij het eiland aan het communisme zou uitleveren. Zijn broer Raúl en zijn collega Che Guevara waren bekende marxist-leninisten, maar Castro zelf had zich altijd weerhouden van openlijke geloofsbetuigingen. Zeker al sinds 1958 had hij in het geheim gecollaboreerd met Cubaanse commu-nisten van de oude partijlijn, maar dit was heel iets anders dan het streven Cuba om te toveren tot een satellietstaat van de Sovjet-Unie.

De Sovjet-Unie had weinig ondernomen om de oude haat in Latijns-Amerika te-gen de Verenigde Staten uit te buiten. Stalin en diens opvolgers hadden het niet de moeite waard gevonden om via het flirten met de bananenrepublieken Ame-rika's hang naar de Monroe-leer op de proef te stellen. In 1959 had Moskou slechts met drie landen in de regio diplomatieke betrekkingen. Aangezien Chroesjtsjov na Camp David betere betrekkingen wilde, wilde hij in de herfst Eisenhower niet op stang jagen door een open bondgenootschap te sluiten met een grillige, jonge opstandeling wiens dagen aan de macht wel eens geteld kon-den zijn.

Castro had de Russen harder nodig dan zij hem. De bittere geschiedenis van Cuba leerde dat Amerika een vijandig regime dat zo dichtbij lag, nooit zou ac-cepteren. Eisenhowers regering probeerde al te voorkomen dat hij in het bezit kwam van wapens die hij kon gebruiken om zichzelf te verdedigen tegen berg-guerrilla's of om andere regimes in Latijns-Amerika te ondermijnen. Castro kwam tot de conclusie dat als hij de Verenigde Staten wilde trotseren, hij dat niet eeuwig zonder hulp van de andere supermacht kon doen.

De Sovjets staken in het geheim hun licht op bij de nieuwe Cubaanse leider. In oktober 1959 vestigde Aleksandr Aleksejev zich in Havana. Zogenaamd als cor-respondent van het Russische nieuwsagentschap TASS, maar hij was eigenlijk een agent van de Russische inlichtingendienst. Zijn bijnaam was Sjitov. Hij was na Castro 'de eerste Sovjetburger op het eiland', zo zou hij later zeggen. 'We wisten bijna niets over de Cubaanse revolutie. [...] Ik zag dat ten minste negen-tig procent van de mensen Fidel steunden [...]. Ze vereerden hem [...]. Op elk Cubaans huis las je muurschriften als: "Fidel, dit is jouw thuis!"'

Aleksejev ging op bezoek bij Castro en vertelde hem dat de Sovjetregering 'grote bewondering' had voor zijn werk voor sociale vooruitgang. Hij antwoordde dat hij graag handelsbetrekkingen met Moskou wilde beginnen. Misschien kon Mikojan de handelsbeurs in Havana openen. Deze stond gepland voor februari 1960. Aleksej Adzjoebei waarschuwde Mikojan: 'Fidel is een gewone Amerikaanse dictator. Hij is al in Washington geweest om zich gewonnen te geven aan de Amerikanen en hij heeft Nixon ontmoet.'

Toch ging de Russische vice-premier naar Havana waar hij een Sovjet-Cubaanse handelsovereenkomst tekende. Volgens Aleksejev vroeg Castro 'nooit' aan Mikojan om hem wapens te verkopen. Toen werd in maart het Franse vrachtschip *La Coubre* opgeblazen in de haven van Havana. Aleksejev: 'Het was voor iedereen duidelijk dat CIA-agenten de tijdbom hadden geplaatst [...]. Pas na het ontploffen van de *La Coubre* verzochten Castro en zijn regering de Russen om militaire hulp.' Esso, Texaco en Shell weigerden het verzoek van Castro om ruwe aardolie uit de Sovjet-Unie te verwerken. Zoals Aleksejev zei: 'Castro vroeg ons om olie en kocht onze olie – en betaalde veel minder.' Castro confisqueerde de raffinaderijen van de drie maatschappijen.

Al in juni 1959 had Eisenhower zijn ministers in vertrouwen gezegd dat, mocht de Sovjet-Unie 'Cuba overnemen', hij 'naar het Congres zou moeten gaan om een oorlog tegen Cuba te kunnen beginnen'. Nu sloeg hij terug met een boycot op Cubaanse suikerexport naar de Verenigde Staten. 'Dit betekende het einde van de Cubaanse revolutie,' herinnerde Aleksejev zich. 'Dus Fidel kwam met mij praten [...]. Hij vroeg of wij zijn suiker konden kopen – al was het maar een symbolische hoeveelheid. Hij bereidde een massabijeenkomst voor en wilde de Cubanen vertellen dat er wel degelijk een alternatief was.'

Het antwoord kwam met een telegram van Chroesjtsjov aan Aleksejev die zich herinnerde: 'Toen ik het aan Fidel overhandigde, las hij dat wij, de Sovjet-Unie, bereid waren álle suiker te kopen, die 700.000 ton die de Amerikanen hadden afgewezen. En niet alleen de zending van dát jaar, maar ook alles van het volgende jaar. Dat was nog eens wat! Ik was aanwezig bij de massabijeenkomst. Er waren een miljoen mensen op de been. Ik zag met eigen ogen de vreugde bij het Cubaanse volk. Ze gooiden hun baretten de lucht in. Ze dansten.'

Castro verklaarde dat Eisenhowers importverbod van suiker 'de Amerikanen op Cuba duur zou komen te staan'. Ondanks eerdere beloften nationaliseerde hij Amerikaanse suikerfabrieken, plantages, raffinaderijen en voorzieningen met een totale waarde van 850 miljoen dollar. Gedesillusioneerde aanhangers en veel Cubanen uit de middenklasse vertrokken naar de Verenigde Staten. In besloten kring beloofde de Amerikaanse president plechtig dat als er Amerikaanse burgers in gevaar kwamen, hij zou beslissen tot een 'blokkade van Cuba met behulp van de marine en luchtmacht en, als laatste middel, tot een interventie'.

Tegen de zomer van 1960 was Chroesjtsjovs toenadering tot de Verenigde Staten verdwenen en daarmee was er weinig reden om de voordelen die Cuba kon bieden niet met beide handen aan te pakken. Het eiland lag in de achtertuin van Amerika en was daarom van onschatbare strategische waarde. Dit gaf hem de kans om de Chinezen en andere sceptische bondgenoten te laten zien hoe zeer hij het wereldcommunisme aanhing en dat het Sovjetcommunisme de toekomst had. Llewellyn Thompson liet Washington weten dat Chroesjtsjov en de Sovjets 'in deze Cubaanse kwestie hun eigen revolutionaire beweging weer helemaal terugzien'.

In ruil voor Cubaanse suiker verstrekte Chroesjtsjov kredieten voor de Cubaanse aankoop van Sovjetmaterieel, machines, uitrustingen en wapens. In juli 1960 verklaarde hij de Monroe-leer voor gestorven: 'Het enige dat je kunt doen met iets wat dood is, is het te begraven zodat het de lucht niet kan vergiftigen.' Het was 'duidelijk' dat Washington 'verraderlijke en criminele acties' tegen Cuba aan het smeden was: 'Mochten de agressieve krachten binnen het Pentagon een aanval willen beginnen op Cuba, dan kunnen Russische artilleristen het Cubaanse volk ondersteunen met raketten.'

Chroesjtsjovs medewerkers haastten zich uit te leggen dat zijn belofte om Cuba met raketten te beschermen louter 'symbolisch' was. Maar Che Guevara pochte dat het Castro-regime voortaan verdedigd zou worden door 'de sterkste militaire macht in de geschiedenis'. Eisenhower reageerde met de waarschuwing dat de Verenigde Staten 'de vestiging, op het westelijk halfrond, van een regime dat zou worden overheerst door het internationale communisme', niet zouden toestaan. In de herfst van dat jaar, tijdens zijn roerige trip naar de Verenigde Naties, ging Chroesjtsjov naar Hotel Theresa in Harlem, waar hij Castro op zijn befaamde onstuimige manier omhelsde.

John Kennedy kwam in december 1957 voor het eerst in aanraking met Cuba toen hij daar een niet openbaar gemaakte trip maakte. Het was in een periode dat zijn huwelijk kennelijk in een crisis was beland.[1] Kennedy vloog in het geheim naar Havana voor een vrijgezellenvakantie met zijn maat, de Democratische Senator George Smathers uit Florida.

Hun vriendschap stamde uit de tijd van Smathers kennismaking met Joseph Kennedy toen hij nog een jonge officier van justitie was in het zuiden van Florida. Smathers begeleidde de oudere man naar de racebaan in Hialeah. Hij deed alsof hij de metgezel was van een jongedame, die daar eigenlijk met de oude ambassadeur was. Als vrienden in het Huis van Afgevaardigden en de Senaat hadden Smathers en John Kennedy, naar men zegt, een appartement dat zij gebruikten voor afspraakjes met stewardessen en secretaressen. De conservatieve man uit Florida gaf toe dat hun politieke overtuigingen verschilden: 'Soms discussiëren we en geeft hij me op mijn donder. Maar we begrijpen elkaar.'

Toen hij in december 1957 in Havana arriveerde, bracht Kennedy een bezoek aan ambassadeur Earl Smith, een oude vriend uit Palm Beach, en diens vrouw Florence, met wie hij ooit een grote romance had gehad. Hij sprak de ambassadestaf toe en bewonderde het indrukwekkende uitzicht van de ambassade over de haven van Havana.

Hij zocht Mal McArdle op, een vriend die hij kende uit de oorlog. Ze speelden golf, voeren naar Varadero Beach, bezochten de Tropicana en Casino Parisien en, zou Smathers jaren later zeggen, 'kwamen op heel wat plaatsen'. De wedu-

---

1. Nadat Kennedy in juli 1956 zijn gooi naar het vice-presidentschap onder Adlai Stevenson zag stranden, vloog hij met Smathers naar de Rivièra, waar ze zich aan boord van een jacht met enkele vrouwelijke gasten vermaakten. Tijdens de cruise verloor Kennedy's vrouw hun eerste kind, een meisje, in Newport. Vanwege de slechte verbindingen kon hij pas na enkele dagen naar huis vliegen. De columnist Drew Pearson, een buurman uit Georgetown, schreef dat 'zij lange tijd niet wilde luisteren naar zijn voorstellen om het weer goed te maken. Hij gaf zichzelf de schuld voor de vervreemding tussen hen beiden.'

we van Meyer Lansky, een bekende verschijning in de onderwereld van Miami en Havana, beweerde dat haar man Kennedy advies gaf waar hij vrouwen kon vinden.

'Kennedy was niet een echte casinoliefhebber,' herinnerde Smathers zich, 'maar de nachtclub Tropicana had een ongelooflijke striptease. Er was een meisje dat Denise Darcel heette, een Frans zangeresje, dat wij ontmoetten [...]. Kennedy hield van Cuba. Van de stijl. En de mensen. Waar je ook kwam, de mensen waren hartelijk, ze waren ontzettend aardig [...]. Cuba had van alles, en een hoop rijke mensen. Als ze eenmaal iets voor je deden, en dat deden ze natuurlijk vooral als ze wisten dat je senator was, tjonge dat was echt zeer charmant.'

Toen Kennedy in 1960 campagne voerde, veroordeelde hij het regime van Batista als 'een van de bloedigste en wreedste dictaturen in de lange geschiedenis van Latijns-Amerikaanse onderdrukking'. Hij beklaagde zich over Batista. Die had 'twintigduizend Cubanen vermoord in zeven jaar tijd'. Deze feiten maakten hem niet van streek toen hij er in 1957 op bezoek was. 'Ik geloof niet dat ik Kennedy ooit zijn gevoelens heb horen uiten over Batista of Castro,' zei Smathers later. 'Wij waren er gewoon op vakantie.' De twee Senatoren kwamen begin 1958 terug op Cuba voor weer een tussendoortje.

Gewoonlijk werd Batista's veiligheidspolitie opgedragen om hoge Amerikaanse bezoekers aan Havana te bewaken. Dat ze de Senator uit Massachusetts niet hadden geschaduwd, lijkt onwaarschijnlijk. Tenslotte was hij de man die in december 1957 in het omslagartikel van *Time* als mogelijke toekomstige president werd afgeschilderd. Toen Castro in 1959 aan de macht kwam, kreeg hij vermoedelijk alle informatie die beschikbaar was over de twee bezoeken van Kennedy aan Havana. De inhoud heeft hem misschien geholpen zijn publieke mening over Kennedy's verkiezing te vormen: 'De vier jaren van een rijke analfabeet.'

In de winter voor zijn inauguratie vroeg Kennedy zijn vriendin en schrijfster voor *Look*, Laura Bergquist, naar Castro's messiaanse manier van voordragen. Kon je het vergelijken met die van Hitler in de jaren dertig? Vanwaar die lange, heftige toespraken? Had hij nog enig persoonlijk leven, een liefdesleven? 'Kennedy was het compleet tegenovergestelde van Castro: koel, kalm, een gedisciplineerde rationalist,' schreef zij later. 'De emotionele voordracht van een Castro leek geen vat op hem te hebben en ik vroeg me toen met enkele anderen af of Kennedy zich, met al zijn schranderheid, wel kon verplaatsen in de geesteswereld van alle revolutionairen die de wereld bevolkten.'

Net zoals hij voor advies over nucleaire-proefprogramma's steunde op zijn vriend David Ormsby-Gore, had Kennedy tijdens zijn verkiezingscampagne van 1960 informeel advies over Cuba ingewonnen bij Smathers en Earl Smith. De laatste was een Republikein en bankier die Kennedy's gevoel voor objectiviteit en humor niet deelde. Kennedy's Senaatsmedewerker Fred Holborn herinnerde zich hoe zijn baas Smith hekelde toen de oudere man kamer 362 had verlaten na een vernietigende preek tegen Castro te hebben afgestoken.

Smith had een van de belangrijkste vrouwen uit Kennedy's leven getrouwd. Florence Pritchett was een model met wie Kennedy heel wat uren had doorgebracht in de Stork Club in New York aan het eind van de Tweede Wereldoorlog. De echtgenote van zijn vriend Charles Spalding, Betty, herinnerde zich nog dat de romance ten einde liep. Hun band bleef Kennedy's 'meest intieme relatie waar ik van weet. Ze was erg opgeruimd, bijzonder onderhoudend en verreweg het intelligentste en bekwaamste meisje met wie ik hem ooit heb gezien. Maar het kon nooit tot een huwelijk komen, omdat zij niet bezat wat hij politiek nodig had.'

Toen hij als president New York bezocht, kneep hij ertussenuit om naar haar appartement op Fifth Avenue te gaan. Daar kreeg ze prachtige dames en andere vrienden over de vloer voor wat een van de gasten een 'nachtclubachtige avond' noemde. Van het soort met wie hij zich niet meer in het openbaar kon vertonen. Later, toen mevrouw Smith in het Lenox Hill Hospital werd opgenomen voor leukemie waar ze uiteindelijk aan stierf, renden Kennedy en zijn veiligheids-agenten via de achterdeur naar haar ziekenkamer.

De president had geprobeerd om Earl Smith aan te stellen als ambassadeur in Zwitserland, maar de Zwitsers weigerden een diplomaat toe te laten die zo'n in-tiem contact had gehad met Batista. Ze waren bang dat hun belangen op Cuba in gevaar zouden komen. Chip Bohlen had Kennedy nog nooit zo kwaad meege-maakt als toen hij een Amerikaanse vergelding eiste. Hij stond 'geen innige ban-den' met de Zwitsers toe zolang hij president was. Toen dit bevel een keer werd genegeerd, zei Kennedy tegen Bohlen op een 'bijzonder scherpe, onplezierige en ondubbelzinnige' toon: 'Ik wil dat hier een eind aan komt.'

Als Senator van een staat waar steeds meer Cubaanse ballingen kwamen, zette Smathers Kennedy onder hoge druk om iets tegen Castro te ondernemen. Bij het begin van de verkiezingscampagne van 1960 vond Smathers dat zijn vriend zich veel te veel op Europa richtte. Hij onderschatte het gevaar uit Havana: 'Kennedy vereenzelvigde mij altijd met drammen, drammen, drammen.'

In *The Strategy of Peace*, de bloemlezing van zijn verklaringen inzake het buiten-landse beleid die begin 1960 werd gepubliceerd, omschreef Kennedy Castro als 'een onderdeel van de nalatenschap van Bolivar'. Hij vroeg zich af of Castro zich verstandiger zou hebben gedragen als de Amerikaanse regering Batista niet 'zo lang en zo kritiekloos' had gesteund en 'als ze de jonge, opvliegende rebel een wat warmer welkom had gegeven toen hij zegevierde'.

In vertrouwen zei de Senator tegen een vriend: 'Ik weet niet waarom we Castro niet in de armen sloten toen hij hier in 1959 was om hulp te vragen. [...] In plaats daarvan maakten we een vijand van hem, en dan raken we van streek als de Russen hem geld geven en doen wat wij niet wilden doen.' Maar toen Castro in de herfst van 1960 zich steeds meer als anti-Amerikaans profileerde, nam Kennedy een steeds harder standpunt inzake Cuba in: 'Er zijn twee mensen die ik liever kwijt ben dan rijk,' zei hij tegen een aantal medewerkers. 'Jimmy Hoffa en Castro. [...] Waarom trekt hij dat militaire kloffie niet uit? Weet hij niet dat de oorlog voorbij is?'

Begin oktober uitte Kennedy in Cincinnati kritiek op de regering van Eisenho-wer, omdat zij waarschuwingen over de communisten, die zich rond Castro schaarden, negeerde: 'Castro en zijn bende hebben de idealen van de Cubaanse revolutie en de hoop van het Cubaanse volk verraden. [...] Hij heeft het eiland Cuba getransformeerd tot een vijandige en militante communistische satelliet-staat – een basis van waaruit ze acties kunnen uitvoeren om Amerikaanse staten te infiltreren en te ontwrichten.' Later die maand kwam de Senator met een ver-zoek om Amerikaanse hulp voor Cubaanse vrijheidsstrijders in ballingschap die het regime van Castro ten val zouden kunnen brengen.

Vanuit de Rockefeller Foundation in New York bezag Dean Rusk de campagne van Kennedy en hij dacht dat deze 'het gemunt had op Castro'. Later stond hij er, als minister van Buitenlandse Zaken, versteld van hoe 'hevig' de vijandschap was: 'Het was een aangeboren vijandigheid bij Kennedy en niet alleen een politieke houding. Het was iets emotioneels.'

Een oorzaak voor de heftigheid van Kennedy's campagne tegen Castro was zijn angst dat Eisenhower voor de maand oktober een invasie op Cuba op touw zou zetten. Dan zou Castro worden verdreven en Nixon worden verkozen. Voor zijn gemoedsrust was het goed dat hij niet op de hoogte was van de aanhoudende druk die Nixon achter de schermen uitoefende om tot actie over te gaan. Begin oktober vroeg Nixon de Republikeinse voorzitter Leonard Hall om de president eens danig aan de tand te voelen over Cuba. Hij vroeg zijn buitenland-medewerker waarom de CIA zo lang wachtte voor ze een zet deed: 'Liggen ze daar allemaal op apegapen? Wat doen ze toch in godsnaam dat het maanden moet duren?'

Al in maart 1959, toen Eisenhowers Nationale Veiligheidsraad piekerde over een manier waarop ze 'in Cuba een andere regering aan de macht' konden krijgen, ondernamen de Amerikanen geheime pogingen om Castro af te zetten. Dit was voordat Castro Amerikaanse bezittingen in beslag liet nemen en diplomatieke betrekkingen met Moskou aanging. Naar buiten toe was het Amerikaanse beleid inzake de Cubaanse regering nog steeds vriendelijk.

In januari 1960 was er in het kantoor van J.C. King, CIA-chef voor het westelijk halfrond, een bijeenkomst van twaalf veteranen van de coup van 1954 in Guatemala. Waarom gebruikten ze de Cubaanse verzetsbeweging niet om 'een typisch Latijns-Amerikaanse politieke aardverschuiving' teweeg te brengen? In de Kanaalzone van Panama konden dertig Cubaanse ballingen worden getraind om als guerrillakader te gaan fungeren. Allen Dulles liet Eisenhower zien hoe je een Cubaanse suikerraffinaderij kon saboteren. De president reageerde: 'Als je van plan bent iets te ondernemen tegen Castro, ga dan niet gewoon wat zitten rommelen met suikerraffinaderijen.'

In maart kwam Dulles terug met 'Een plan voor geheime operaties tegen het Castro-regime'. Het omvatte een regering in ballingschap, een propaganda-offensief, geheime actie en spionage, en een paramilitaire strijdkracht. Dulles veronderstelde dat de coup voor de verkiezingen van november in gang kon worden gezet. Toen dit niet lukte, had de verslagen Nixon het vermoeden dat de 'gematigd progressieven' binnen de CIA een actie op Cuba hadden uitgesteld om Kennedy's verkiezingsoverwinning zeker te stellen. Zo'n vermoeden had hij ook al gehad toen de CIA Kennedy de belangrijke kwestie van de *missile gap* had 'geschonken'.[1]

Op zaterdagochtend 18 november 1960 gingen Dulles en zijn waarnemend hoofd operaties Richard Bissell naar Palm Beach voor de allereerste inlichtin-

1. In besloten kring betrok Nixon ook Eisenhower in zijn kritiek. In 1963 schreef hij een vriend dat zowel Eisenhower als Kennedy verantwoordelijk waren voor wat er op Cuba had plaatsgevonden – Eisenhower omdat hij 'niet eerder tot actie overging', en Kennedy omdat hij 'niet besluitvaardiger was'.

genbriefing van de verkozen president. Het CIA-hoofd had in de jaren vijftig met Kennedy gegolfd toen ze in Palm Beach vakantie vierden met de oliehandelaar en Kennedy's buurman Charles Wrightsman. Desondanks merkte zijn plaatsvervangend chef inlichtingen Robert Amory dat de oude man 'zich niet echt op zijn gemak' voelde bij de nieuwe president. Die was 'jong genoeg om zijn zoon te zijn'.

Voorafgaand aan de bijeenkomst had Dulles een beoordelingsrapport van Kennedy's karakter bestudeerd dat was gemaakt door psychologen van de CIA. Zij gebruikten daarvoor dossiers die dateerden uit de jaren dertig: onder andere materiaal van de Britse bewaking van Joseph Kennedy's ambassade in Londen en gegevens over de oorlogsdienstjaren bij de marine van zijn zoon. Zulke rapporten voorspelden de reactie van de persoon in kwestie wanneer deze op de hoogte zou worden gebracht van de totale draagwijdte van CIA-operaties. Ze gaven Dulles ook aan hoe hij de president hierover het beste kon benaderen.

De FBI-dossiers over de nieuwe president, en waarschijnlijk ook die van de CIA, bevatten het bewijs van zijn affaire uit 1942 met Inga Arvad Fejos, die verdacht werd van spionage voor de nazi's. Kennedy zat toen bij de marine-inlichtingendienst. Er waren transcripties van telefoon- en hotelkamergesprekken die de FBI, in opdracht van J. Edgar Hoover, had afgeluisterd.

Kennedy en zijn vader wisten dat dit materiaal zijn politieke carrière kon ruïneren. Als de Amerikanen van zijn romance uit de oorlog hoorden, dan zouden de verdachtmakingen, die tijdens de verkiezingscampagne van 1960 vooral door joodse groeperingen waren geuit, wel eens waar kunnen zijn. Volgens hen zou Kennedy de vermeende nonchalante opstelling van zijn vader ten aanzien van het nazisme, hebben geërfd. De Amerikanen zouden erop hebben gestaan te weten waarom de jonge marineofficier letterlijk in bed kon stappen met een vrouw van wie hij wist dat ze nauw contact had gehad met Hitler en Göring in een tijd dat zijn land in oorlog was met nazi-Duitsland.

Joseph Kennedy's bezorgdheid over deze gegevens had veel te maken met zijn pogingen in de jaren vijftig om J. Edgar Hoover en Allen Dulles voor zich te winnen. Hij schreef Hoover talrijke vleiende brieven en meldde zich vrijwillig aan als speciaal contactpersoon voor de FBI. Na zijn inspanningen om aangesteld te worden in Eisenhowers raad van toezicht bij de inlichtingendienst, verbeterde hij zijn contact met Dulles. Hij drong erop aan om Hoover en Dulles te vriend te houden en dat speelde een essentiële rol bij de aankondiging die zijn zoon direct na de verkiezingen van 1960 deed dat beide mannen op hun post zouden blijven.

De vrees dat Hoover of Dulles hem zouden breken, had nauwelijks invloed op de verhouding tussen de nieuwe president en de twee mannen. Kennedy wist dat nu hij de teugels in handen had, hij de bevoegdheid bezat om het leven van een niet-loyale aangestelde, die de koning probeerde te chanteren of te doden, aardig te verzieken. Zo kon hij de twee dus behoorlijk in toom houden. Toch zorgde het mogelijk controversiële materiaal in de FBI- en CIA-dossiers ervoor dat Kennedy minder armslag had om Hoover of Dulles bij een belangrijke kwestie te overstemmen dan een president die geen beschamende geheimen had te verbergen.

Het huis van Joseph Kennedy was wat muf, omdat het al decennialang aan zoute lucht was blootgesteld. In de duistere woonkamer, die was opgetrokken in

Moorse renaissancestijl, gebruikte Bissell grote kaarten en grafieken om de aanstaande president aan te tonen wat de CIA ondernam tegen Castro. Bissell herinnerde zich dat Kennedy alleen verrast leek door de omvang van de plannen. Hij en Dulles wezen hun nieuwe baas erop dat de Russische militaire steun Cuba nu binnenstroomde: hoe langer een invasie werd opgeschort, des te moeilijker die zou worden. Kennedy zei dat hij de zaak nog eens moest overdenken. Dulles antwoordde: 'Dat is te begrijpen, meneer de president, maar veel tijd is er niet meer.'

In januari 1961 waren er dringende redenen om iets te doen aan *el Líder Máximo*. Dulles vertelde Senatoren achter gesloten deuren dat Cuba 'razendsnel werd opgezogen door het Chinees-Russische machtsblok'. Het eiland kon snel tot 'een belangrijke militaire macht uitgroeien die de Verenigde Staten voor grote veiligheidsproblemen kon stellen'.
De Sovjets stuurden grote aantallen wapens. En Cubaanse piloten, getraind door de Tsjechen, zouden 'een dezer dagen' arriveren om de Russische MIG-straaljagers te bemannen. Het 'totalitaire apparaat', dat de communistische machten aanwendden om 'een hele bevolking' te beheersen, zou stevig in Cuba genesteld zijn. Castro steunde revolutionairen in Panama, Nicaragua, de Dominicaanse Republiek en Haïti. De CIA was bang dat een of meer van deze staten 'in de komende paar maanden het voorbeeld van Castro zou volgen'.
Het meest alarmerende was dat 'Cuba op dit halfrond een raketbasis zou kunnen worden van het Chinees-Russische blok, vlak langs onze eigen kustlijn. Een bedreiging die niet alleen gigantisch is omdat ze de Verenigde Staten rechtstreeks in groot gevaar brengt als er op Cuba korte- en middellange-afstandsraketten zouden worden geplaatst. [...] Als er politieke of diplomatieke pogingen worden ondernomen om zo'n ontwikkeling te voorkomen of te stoppen, of ze te laten terugtrekken, dan zouden we in een moeilijke onderhandelingspositie terechtkomen [...] met [...] de Sovjet-Unie.'
De dag vóór de inauguratie zei Eisenhower tegen Kennedy dat het Cubaanse project van de CIA prima verliep: het was de 'verantwoordelijkheid' van de nieuwe president om 'al het noodzakelijke' te ondernemen om het te laten slagen.

Op zaterdag 28 januari liet Dulles Kennedy en zijn Nationale Veiligheidsraad weten dat 'Cuba voor praktische doeleinden nu een door de communisten gecontroleerde staat is'. Castro's militaire macht en 'volksverzet tegen zijn regime' groeiden allebei snel. 'De Verenigde Staten hebben een aantal geheime stappen ondernomen tegen Castro, waaronder propaganda, sabotage, politieke actie en directe ondersteuning bij het trainen van Cubanen die tegenstanders van Castro zijn.' Nu moesten ze beslissen over het gebruik van 'een groep Cubanen die nu wordt opgeleid in Guatemala en niet altijd kan blijven waar ze nu zit'.
In haar race tegen de klok had de CIA het idee van een luchtlandingscampagne en infiltratie door guerrilla's verruild voor een militaire operatie. Dit hield in dat er gezorgd werd voor een bruggehoofd, terwijl B-26-bommenwerpers het luchtruim onder controle kregen en Cubaanse transport- en communicatieverbindingen vernietigden. Tegelijkertijd zou Castro, net zoals in 1954 was gebeurd met Arbenz Guzmán in Guatemala, worden overstroomd met geruchten over talrij-

ke landingen; dissidenten zouden worden aangemoedigd de wapens ter hand te nemen. In februari had het plan zich ontwikkeld tot een bestorming van de zuidkust van Trinidad met behulp van amfibievoertuigen en de luchtmacht. Dit gebied stond bekend als een broeinest van anti-Castrogezinden.

Op woensdag 8 februari zei Bundy tegen de president: 'Defensie en de CIA zijn behoorlijk enthousiast over de invasie [...]. Zij denken dat de indringers in de het ergste geval tot in de bergen zouden komen. Het beste resultaat zou zijn wanneer er een volledige burgeroorlog uitbreekt waarin we de anti-Castrostrijdkrachten openlijk kunnen steunen. Het ministerie van Buitenlandse Zaken neemt een wat koeler standpunt in, voornamelijk omdat het gelooft dat de politieke gevolgen bijzonder ernstig zouden zijn voor zowel de Verenigde Staten als Latijns-Amerika.'[1]

Kennedy wilde van Castro af zonder dergelijke gevolgen. Hij geloofde in wat hij in 1960 had gezegd over de aansluiting van de nieuwe, jonge, vrijheidslievende Verenigde Staten bij de nieuwe naties van de wereld – met name in Latijns-Amerika, waar hij hoopvolle verwachtingen had inzake de 'Alliantie voor Vooruitgang' waarvoor hij zich in zijn inaugurele rede had uitgesproken. Begon hij zijn presidentstermijn met het openlijke bevel tot vernietiging van de Cubaanse regering, dan kon dat hem en zijn land tot nieuwe vertolkers maken van de oude, imperialistische boeman. Hij dacht dat als hij bij een invasie van Cuba een grote Amerikaanse militaire macht zou inzetten, dat kon uitmonden in een tweede Hongarije. Met weerzinwekkende beelden van tanks die lichamen verpletteren in de straten van Havana.

Een nog grotere zorg van Kennedy was dat, wanneer hij in een gebied waar de Amerikanen een conventionele overmacht hadden, openlijk tegen Castro zou oprukken, Chroesjtsjov zich dan geroepen zou voelen om terug te slaan met stappen tegen Berlijn. Daar hadden de Sovjets immers een conventioneel voordeel. Het Westen had het voortbestaan van Berlijn gegarandeerd, terwijl de Sovjets dat niet voor Cuba hadden gedaan. Als Chroesjtsjov actie zou ondernemen, dan moest Kennedy moeilijke keuzes maken die hij liever niet wilde maken, zeker niet wanneer hij nog maar drie maanden in functie was. Hij zou worden gedwongen zijn westerse belofte te verbreken, een *'appeaser'* worden genoemd en de NAVO ineen zien storten – of anders Chroesjtsjovs uitdaging aannemen en de twee grote machtsblokken mogelijkerwijs in een nucleaire oorlog storten.

Terwijl Kennedy de door de CIA gesmede plannen voor Cuba afwoog, vertrouwde hij bijna niemand zijn bezorgdheid over Berlijn toe. Als iemand ook maar één achteloze opmerking van de president zou laten doorlekken naar een verslaggever, dan kon dat rampzalige gevolgen hebben – schreeuwende koppen dat Kennedy aarzelde de westerse belofte na te komen om de westerse betrokkenheid bij de stad met nucleaire wapens te verdedigen, dat hij verlamd werd door Chroesjtsjovs dreigementen.

1. Diezelfde maand deed Bundy aan Kennedy tevergeefs het voorstel om Richard Bissell over te plaatsen naar Buitenlandse Zaken. Daar kon hij 'een scherp oogje in het zeil houden' bij de geheime operaties: 'Als Dick al een gebrek heeft, dan is het dat hij niet naar alle kanten van de zaak kijkt. En het probleem van Buitenlandse Zaken is natuurlijk dat dit normaliter nu juist zijn taak is en niets anders.'

Daarom vroeg de president aan Bissell om eens na te denken over een minder ophef makende landing op Cuba, met gevechten vanuit de bergen in plaats van de wereld te verrassen met 'een door de yankees gestuurde invasiemacht'. Op 11 maart zei Kennedy dat hij 'met het oog op de wereldsituatie' niet zijn goedkeuring kon geven aan een plan dat 'ons zo in de schijnwerpers zet'. Trinidad 'baarde te veel opzien': 'Dit lijkt te veel op een invasie zoals in de Tweede Wereldoorlog.'

Dulles zei: 'Vergeet niet dat we een opruimprobleem hebben.' De Cubaanse ballingen in Guatemala kunnen misschien voorkomen dat ze worden ontwapend. Zelfs al gebeurt dat niet, dan zouden ze het nieuws verspreiden dat de Verenigde Staten hard waren weggelopen en dat zou kunnen leiden tot communistische coups in heel Latijns-Amerika. Dulles hoefde er niet aan toe te voegen dat wanneer de luidruchtige ballingen lieten weten dat ze aan hun lot waren overgelaten, de president de wind van voren zou krijgen van de Amerikaanse conservatieven.

Op woensdag 15 maart presenteerde de CIA een nieuw plan met de codenaam Zapata. Het betrof een landing bij de Varkensbaai, ten westen van Trinidad. Bundy schreef aan Kennedy dat de CIA 'een opmerkelijke prestatie' had geleverd. 'Een opnieuw aangepast landingsplan om het minder opzienbarend en minder spectaculair te maken, dat in wezen geloofwaardig Cubaans van opzet is.' De president verzocht Bissell om nog 'minder ruchtbaarheid' aan de landingen en om de verzekering dat alle schepen 's nachts zouden worden gelost. Om de een of andere reden kregen Kennedy, Bundy en McNamara niet te horen dat, anders dan bij Trinidad, mocht het nieuwe plan falen, de ballingen vanaf de Varkensbaai niet 'onzichtbaar de bergen' in konden trekken.

Op donderdag 30 maart vertrok de president voor het eerst met de *Air Force One* uit Washington om het lange Paasweekeinde in Palm Beach door te brengen. Over Cuba had hij nog geen beslissing genomen. Voordat hij met Kennedy meereed naar Florida had William Fulbright aan zijn medewerker Pat Holt gevraagd om een verhandeling op te stellen die liet zien waarom een invasie van Cuba een vreselijk idee zou zijn. Vlak nadat het vliegtuig was opgestegen, gaf hij het aan de president.

Kennedy las dat het Amerikaanse plan tegen Castro een 'open geheim' was: 'Al geven we deze activiteit alleen maar geheime steun, dan is het van dezelfde aard als de huichelarij en het cynisme waar de Verenigde Staten de Sovjet-Unie bij de Verenigde Naties en elders onophoudelijk van betichten.' Als de Verenigde Staten zich er vervolgens met militaire macht moesten inmengen, dan zou Cuba een tweede Hongarije worden: 'We doen al dertig jaar ons best ons te rehabiliteren voor vroegere interventies en dat zouden we met dit plan in één keer tenietdoen.' Het zou beter zijn het eiland te tolereren en te isoleren. Castro was een 'doorn in het vlees', geen 'dolk in het hart'.

Op Goede Vrijdag gingen de president en zijn vrouw op de lunch bij Earl en Florence Smith. 's Middags speelde hij op de Palm Beach Country Club een partijtje golf met zijn vader en Bing Crosby. De golfclub had voornamelijk joodse leden en Joseph Kennedy had zich na de oorlog aangemeld enerzijds omdat ze dichtbij was, anderzijds om van zijn antisemitische reputatie af te komen.

De president had last van zijn rug. Daarom speelde hij slechts elf holes. Tijdens het spel vernam hij van veiligheidsagenten dat er geruchten gingen dat enkele Cubanen, Castro-gezinden, een plan beraamden om Caroline te ontvoeren of op een andere manier zijn gezin schade te berokkenen. Vlak bij Palm Beach werden al snel een Cubaans stel en twee medeplichtigen opgespoord en ondervraagd. Terwijl de presidentiële familie in St. Edward's Church de Paasmis bijwoonde, werd ze nauwlettend in de gaten gehouden door veiligheidsagenten en de politie van Palm Beach. Tijdens het weekeind keek Kennedy, volgens familiegebruik, elke avond een paar films in zijn vaders huis – *One-eyed Jack*, *Posse from Hell*, *All in a Night's Work*. Hij zwom in de oceaan met Jacqueline en Caroline, speelde weer golf met Earl Smith, zijn vader en zijn zwager, de Britse acteur Peter Lawford, en hij piekerde over de invasie van Cuba.

Toen de president op dinsdag 4 april in Washington terugkeerde, stond Bundy versteld van Kennedy's veranderde denkwijze over Cuba. Voor het Paasweekeinde had Arthur Schlesinger in zijn dagboek geschreven dat de president 'langzaam maar zeker meer twijfel' leek te krijgen en dat het tij zich 'keerde tegen het project'. Nu merkte Bundy dat Kennedy 'dit echt wilde doorzetten', zo zou hij jaren later zeggen. 'Niet noodzakelijkerwijs tot het bittere einde, maar toen het uur der waarheid aanbrak – het besluit van ja of nee – had hij de knoop doorgehakt en *vertelde* het ons. Hij *vroeg* het ons niet.'
Bundy had het vermoeden dat iemand hem had aangeklampt in Palm Beach: 'Er zijn gegadigden – In ieder geval zou Smathers er één zijn, zijn vader ook en Earl Smith zou de derde zijn. Hij ging er in elk geval naartoe en er gebeurde iets waardoor hij terugkwam en zei: "We gaan ermee door." Als ik hem had gekend en als ik het soort relatie met hem had, dat we later ontwikkelden, dan zou ik hebben gezegd: "Wat is er het afgelopen weekeind verdomme gebeurd met je?" Maar dat zei ik niet. Ik zei: "*Ja, meneer de president.*"'
Bundy's speculaties over wie zijn baas zou kunnen hebben beïnvloed waren waarschijnlijk juist. De twee mannen met wie de president dat weekeind de meeste tijd had doorgebracht waren Joseph Kennedy en Earl Smith. Kennedy senior was enthousiast over de operatie op Cuba; de president was bijna constant in zijn gezelschap. Earl Smith zag hij bij vijf verschillende gelegenheden dat weekeind, in totaal meer dan zeven uur. Hij praatte met George Smathers tijdens de lunch vóór zijn partijtje golf op eerste paasdag. Alle drie ventileerden ze hun mening over Cuba, drammen, drammen, drammen.
De standpunten van Smith en Smathers hadden waarschijnlijk niet zoveel gewicht als die van Joseph Kennedy. Schlesinger herinnerde zich dat na het presidentiële weekeind in Florida 'enkelen van ons het donkerbruine vermoeden hadden dat hij met zijn vader had gepraat'.
Ondanks zijn pogingen om de rol van klankbord die vader Kennedy had vertolkt, te verbergen, belde de president hem zeker zes keer per dag. Als dit toentertijd ook bekend was geweest, dan zou het de regering niet geholpen hebben. De denkbeelden van Joseph Kennedy behoorden zeker niet tot de voornaamste stroming binnen de Democraten. Hij was tegen buitenlandse hulp, vond de westerse belofte aan Berlijn 'een verdomde vergissing' en na aanvang van de Kongocrisis gebruikte hij de term 'Loemoemba' voor elke Amerikaanse zwarte. Jaren later, toen hij werd herinnerd aan Joseph Kennedy's pogingen om de president inzake buitenlandse zaken te beïnvloeden, liet Bundy zijn ogen rollen.

Om zes uur op de avond van zijn terugkeer uit Florida ging de president naar het ministerie van Buitenlandse Zaken voor een geheime ontmoeting met twaalf man, onder wie zijn ministers van Buitenlandse Zaken en Defensie, Bissell, twee van de gezamenlijke stafchefs en Fulbright. De pers had te horen gekregen dat de vergadering over Laos ging. Het eigenlijke onderwerp was Zapata.

McNamara was een enthousiast voorstander van het plan. Rusk niet. Hij vond irreguliere oorlogvoering 'zelflegitimerend' als ze slaagde: als de stichters van Amerika hadden gefaald, dan 'zouden ze als verraders zijn opgehangen'. Maar hij maakte zich ongerust over het effect van een invasie op de internationale rechtsorde en de wereldopinie. Hij was bereid met het plan in te stemmen mits Kennedy een Amerikaanse militaire interventie verwierp.

Rusk zei weinig. Hij streefde ernaar het vertrouwen te winnen van een president die hij nog maar vier maanden kende en hij was van mening dat ministers van Buitenlandse Zaken hun president alleen onder vier ogen van advies moeten voorzien. Daarom bleef hij, zoals hij later zou zeggen, 'sterk op de vlakte'.

Kennedy was bezorgd dat de operatie misschien nog steeds 'te luidruchtig' zou zijn, maar zei: 'Als we nu zouden beslissen de hele zaak af te blazen, dan weet ik niet of we erheen kunnen gaan om ze de wapens af te nemen.' Schlesinger, die tegen de invasie was, was verbaasd over hoeveel 'militanter' de president was geworden sinds zijn trip naar Florida.

De *Hispanic American Report* had al heel vroeg, in oktober 1960, onthuld dat anti-Castroguerrilla's in Guatemala werden getraind. Tijdens de herfst en winter hadden de *Nation*, de *St. Louis Post-Dispatch*, *Los Angeles Times*, *Miami Herald*, *Washington Post* en *U.S. News & World Report* allemaal nieuwe stukjes van de puzzel aangeleverd.

Begin april liet Gilbert Harrison, eigenaar en uitgever van de *New Republic*, Schlesinger de drukproeven zien van een stuk dat onder pseudoniem was geschreven. Het heette: 'Onze mannen in Miami' en verhaalde over trainingskampen van Castro's tegenstanders. Schlesinger nam de proeven direct mee naar de president. Harrison herinnerde zich dat Schlesinger hem met 'stotterende' en 'trillende stem' terugbelde: 'Ik moet u namens het allerhoogste gezag vragen dit stuk niet te publiceren.' Harrison was bereid het artikel achter te houden, maar de auteur spaarde hem de moeite door dat zelf al te doen.

Voor de *New York Times* van 7 april stond een hoofdartikel gepland onder een vierkoloms kopregel: het was een verslag van diplomatiek correspondent Ted Szulc over opstandelingen tegen het Castro-bewind die door de CIA werden getraind voor een op handen zijnde invasie. De president haalde de uitgever van de *New York Times*, Orvil Dryfoos, over om het verhaal beduidend af te zwakken.[1] 'Ik geloof mijn ogen niet!' zei hij tegen Salinger. 'Castro heeft hier helemaal geen agenten nodig. Hij hoeft alleen maar onze kranten te lezen!'

Chroesjtsjov bevond zich op zijn landgoed aan de Zwarte Zee. Daar las hij de rapporten van zijn inlichtingendienst, die een aanstaande Amerikaanse invasie

---

1. Hoofdredacteur Clifton Daniel zei later dat Dryfoos 'het falen van de invasie kon voorzien en voelde aankomen dat de *New York Times* de schuld zou krijgen voor een bloedige mislukking'.

voorspelden. Hij stond er sceptisch tegenover. Zijn zoon Sergej herinnerde zich dat de Sovjetleider dergelijke informatie altijd wantrouwde, omdat hij aannam dat een groot deel 'lokaas' was. Toch verwachtte Chroesjtsjov dat de Verenigde Staten vroeger of later het eiland weer voor zich zouden opeisen: 'De Cubaanse kust ligt op slechts een paar mijl van het Amerikaanse strand en ze ligt uitgestrekt als een worst, een vorm die het aanvallers gemakkelijk maakt, en die tegelijkertijd ongelooflijk lastig te verdedigen is.'

In juli en oktober 1960 trad de Russische leider naar buiten met dreigementen om, ter vergelding van een eventuele Amerikaanse invasie, Sovjetraketten in te zetten. Die trok hij direct daarna weer in. Op 2 januari 1961 vertelde hij zijn gehoor in het Kremlin: 'Agressieve Amerikaanse monopolisten zijn bezig met de voorbereiding van een directe aanval op Cuba. Bovendien proberen zij de indruk te wekken alsof Sovjet-Unie op Cuba raketbases opzet of die al op Cuba heeft gevestigd. Het is algemeen bekend dat dit lasterlijke praatjes zijn.'

Zonder Kennedy bij naam te noemen, voegde hij eraan toe: 'Ik hoop dat er in de Verenigde Staten mensen zijn met voldoende gezond verstand om de uitvoering van dergelijke agressieve plannen te verbieden. Zodat de reactionaire krachten ervan weerhouden worden om de wereld aan de rand van oorlog te brengen.' Mikojan schreeuwde: '*Koeba da! Yankee njet!*' En de zaal raakte door het dolle heen. Chroesjtsjov bleef, met het oog op zijn betrekkingen met de komende president, op zijn hoede: hij schreeuwde niet mee maar glimlachte maar wat.

Vier dagen later, op dezelfde dag dat Eisenhower de diplomatieke betrekkingen met Castro verbrak, verklaarde Chroesjtsjov in zijn toespraak over de bevrijdingsoorlogen dat 'solidariteit met het revolutionaire Cuba' de 'plicht' van alle socialistische landen was. Verder ging hij echter niet. Zijn ontmoetingen met Llewellyn Thompson in januari en maart vormden een nieuw bewijs voor zijn onwil om zijn prestige op het spel te zetten. Tijdens die besprekingen bracht hij Cuba nauwelijks ter sprake. Hij liet het aan ondergeschikte functionarissen over om de Amerikanen over dit onderwerp te polsen.

Begin april verzocht Georgi Kornjenko, de alerte adviseur van de Sovjetambassade, Arthur Schlesinger om een onmiddellijk onderhoud: waarom maakten de Verenigde Staten zich zo druk om de opkomst van een regime dat banden onderhield met de communistische wereld? Schlesinger vroeg hem zich voor te stellen dat de recente gebeurtenissen in Cuba in plaats daarvan in Polen hadden plaatsgehad: zou de Sovjet-Unie zo bedaard blijven?

De Sovjetdiplomaat vroeg of Washington onderhandelingen met Castro had uitgesloten. Na de vraag van Schlesinger erkende hij dat Castro een bespreking over binnenlandse kwesties, zoals het machtsmonopolie van de Communistische Partij, ongetwijfeld zou afslaan. Vele jaren later vertelde Kornjenko dat het doel van zijn telefoontje was om inzicht te krijgen in hoe snel en krachtig Kennedy bereid was om een invasie af te blazen. Hij wilde de Amerikanen maar al te graag wat wind uit de zeilen nemen door bij hen de verwachting te wekken dat er een kans was op onderhandelingen over hun meningsverschillen met Castro.

Op dinsdag 11 april arriveerden Walter Lippmann en zijn echtgenote Helen bij Chroesjtsjovs datsja aan de Zwarte Zee. De columnist was voor zijn vertrek uit Washington ingelicht door Chip Bohlen en de CIA en had geluncht met de president. Kennedy klaagde ooit: 'Ik weet dat Chroesjtsjov hem door heeft en hij denkt dat Walter Lippmann het Amerikaanse beleid vertegenwoordigt. Hoe kom ik nu van dat probleem af?'

Toen Lippmann aan boord wilde gaan van zijn vliegtuig naar Europa, kreeg hij een briefje van Mensjikov overhandigd. Daarin stond dat Chroesjtsjov op vakantie was en de ontmoeting een week wilde uitstellen. 'Onmogelijk,' zei Lippmann. Chroesjtsjov had Lippmanns invloed nooit onderschat. Toen het echtpaar in Rome aankwam, kregen ze te horen dat de afspraak met Chroesjtsjov zou doorgaan, maar nu aan de Zwarte Zee in plaats van in Moskou. Op het moment dat ze langs de ijzeren poorten reden, kwam hun gastheer naar buiten om hen te verwelkomen. Hij gaf hun een rondleiding over zijn landgoed.

Op het schiereiland Pitsoenda, bijna dertig kilometer ten zuiden van Gagra, werd Chroesjtsjovs domein aan drie kanten omringd door een reusachtige staatsboerderij. Aan de vierde zijde lag een breed, rotsachtig strand met plankenpaden, pieren en strandtentjes. Er waaide op een keer een kille wind vanuit de Zwarte Zee, waarop Chroesjtsjov tegen een Amerikaanse bezoeker zei: 'Die komt van jullie bondgenoot Turkije. Ik denk dat we ook niets anders dan een koude wind kunnen verwachten van een NAVO-land.'

De Sovjetleider kwam hier vaak als hij een belangrijk probleem moest overdenken of als hij een belangrijke toespraak had te schrijven. Hij gaf dan opdracht alle telefoons af te sluiten en slenterde langs het strand of door zijn oeroude bos met zilverkleurige pijnbomen. 'Een kip moet voor bepaalde tijd stil zitten wil ze een ei leggen,' zei hij. 'Als ik iets heb uit te broeden, dan moet ik er de tijd voor nemen om het goed te doen.' Hier op Pitsoenda had hij de beslissing genomen om zijn onsterfelijke Geheime Toespraak tegen Stalin te houden. Dat was in 1956.

Chroesjtsjov vertelde de Lippmanns joviaal dat zijn dokter de hele dag in Moskou was en dat hij zich daarom eens niet aan zijn dieet zou houden. Uit een aangrenzend landhuis verscheen Mikojan om met het gezelschap te lunchen. Hij klaagde dat de Lippmanns van die 'asceten' waren die alleen maar wijn nipten: in zijn geboortestreek Armenië was het de gewoonte om bij iedere toost de glazen vodka tot de bodem leeg te drinken. Uiteindelijk zorgde Chroesjtsjov voor een kom waar de Amerikanen op discrete wijze hun wijn in konden gieten zodra de vice-premier hun glazen vulde.

Hij pronkte met zijn overdekte zwembad, waarvan het dak bestond uit oude vleugels van een Sovjetbommenwerper en enorme optrekbare deuren van glas en staal die naar buiten geopend konden worden. Daarna liepen ze naar de badmintonbaan: een parketvloer met oosters tapijt en zonder net. Chroesjtsjov kondigde aan: 'Nu gaan we spelen.' Gehoorzaam pakten de Lippmanns hun rackets op. De gastheer speelde samen met een stevige publiciteitsmedewerkster van zijn ministerie van Buitenlandse Zaken en verraste de Amerikanen door ze met gemak te kloppen.

Tijdens hun officiële onderhoud zei Chroesjtsjov tegen Lippmann dat de wereldmachten de laatste jaren tot de conclusie waren gekomen dat het geen zin had om elkaar met militaire middelen 'op de proef te stellen'. De groeiende communistische macht had het Westen ertoe gedwongen om de oorlogsdreiging te verminderen. De Sovjetleider zei dat Kennedy's beleid zou worden bepaald door een onzichtbare macht achter hem – in één woord: 'Rockefeller'.

Hij beweerde botweg dat de Verenigde Staten bezig waren met de voorbereiding van een landing op Cuba, waarbij geen gebruik werd gemaakt van Amerikaanse troepen, maar van bewapende Cubanen die steun kregen van Washington. Wanneer dat gebeurde, dan zou de Sovjet-Unie de Verenigde Staten 'tegenstand bieden'. Lippmann schreef later: 'Ik hoop dat ik niet op het verkeerde spoor ben gezet toen ik begreep dat hij zou terugslaan met propaganda en diplomatieke tegenacties en dat hij een militaire interventie niet in gedachte had.'

Lippmann kreeg de indruk dat Chroesjtsjov het voor een supermacht 'normaal' beschouwde om een vijandig gezinde regering binnen zijn eigen invloedssfeer te ondermijnen: 'Dat heeft hij zelf gedaan in Laos en Iran, en zijn mening over de Amerikaanse steun aan de Cubaanse opstand verschilt in alle opzichten van zijn opvatting over het aanmoedigen van het verzet in de Europese satellietstaten. De heer Chroesjtsjov denkt meer in de trant van Richelieu en Metternich dan Woodrow Wilson.'

De Russische leider gaf de Lippmanns geen enkele hint dat de Sovjet-Unie op het punt stond om de eerste man de ruimte in te lanceren. Dat was één reden dat hij in Pitsoenda verbleef. Als de lancering mislukte en het wereldkundig werd gemaakt, dan wilde hij niet in het openbaar worden gezien. De volgende ochtend pas, nadat majoor Joeri Gagarin zijn missie op glorieuze wijze had voltooid, haastte Chroesjtsjov zich terug naar Moskou om te genieten van de succesvolle vlucht van de kosmonaut.

Chroesjtsjov wist meesterlijk gebruik te maken van zijn spectaculaire ruimteprogramma om de Russische militaire achterstand te verbergen en de wereld, met name de Derde Wereld, te laten geloven dat het communisme de toekomst had. Later zei hij: 'Wij probeerden pressie uit te oefenen op de Amerikaanse militaristen en ook de mening van gematigder politici te beïnvloeden zodat de Verenigde Staten ons beter zouden gaan behandelen.'

In oktober 1957 raakte een groot deel van de wereld in paniek na de lancering van *Spoetnik*. De paniek werd veroorzaakt door de onterechte gedachte dat de Sovjets van de ene op de andere dag de grootste macht op aarde waren geworden. Dit ondanks het feit dat Moskou bij lange na niet in staat was tot perfectionering van een geleidingssysteem om uiterst nauwkeurig militaire doelen te lokaliseren. Om zijn prestige wat op te krikken, plande Chroesjtsjov in 1959 de eerste Russische maanlanding drie dagen voor zijn aankomst in Washington.

Chroesjtsjov wilde heel duidelijk weer zo'n triomf behalen toen hij in 1960 de Verenigde Naties bezocht. In zijn bagage had hij miniatuur ruimteschepen die hij op het moment suprême te voorschijn wilde halen. Maar twee Sovjetraketten, waarvan gezegd werd dat ze Mars als bestemming hadden, gingen op het lanceerplatform als een nachtkaars uit.

McNamara kreeg een hoop publiciteit toen hij volhield dat de Verenigde Staten in de rakettenwedloop een voorsprong hadden op de Sovjet-Unie. Voor Chroesjtsjov was dit wellicht aanleiding om zijn wetenschappers op te dragen zich te haasten met de eerste bemande Russische ruimtevlucht. Op 23 maart 1961 werd de geselecteerde kosmonaut, luitenant Valentin Bondarenko, tijdens een laatste, topgeheime training opgesloten in een drukcabine. Na de medische tests verwijderde hij de sensoren van zijn lichaam, gebruikte in alcohol gedrenkte watten om zich te wassen en gooide vervolgens de prop op de rand van een elektrisch warmhoudplaatje. Er joeg een vlam door de zuurstofrijke atmosfeer die Bondarenko's huid, haar en ogen wegbrandde. Binnen enkele uren stierf hij. Op bevel van Chroesjtsjov verzweeg de regering het ongeluk voor de Sovjetbevolking en de wereld. Toen Moskou foto's vrijgaf van de eerste groep kosmonauten was Bondarenko's beeltenis weggeretoucheerd. Wij weten niet of de Sovjetleider er ooit bij stil heeft gestaan dat Bondarenko misschien niet was gestorven als Chroesjtsjov zijn ruimtewetenschappers niet onder druk had gezet om hem zo snel de ruimte in te krijgen. Als Chroesjtsjov al enige spijt had, dan weerhield hem dat niet om zijn mannen te vragen onmiddellijk nog een poging te doen.[1]

Op woensdag 12 april werd Joeri Gagarin, die aan het sterfbed van Bondarenko had gestaan, vastgesnoerd in een raket en in één enkele baan om de aarde gelanceerd. Het werd pas bekendgemaakt toen de missie echt geslaagd was. Met enthousiaste goedkeuring van Chroesjtsjov werd de missie *Vostok* ('het Oosten') genoemd, ten teken van de opkomst van het communisme. De *Pravda* beweerde dat Gagarin tijdens zijn trip van 108 minuten de groeten had overgebracht aan de Afrikaanse volkeren die daar ver beneden streden om de ketens van het imperialisme te breken.

Nu hij wist dat hij een held had, begroette Chroesjtsjov de kosmonaut in Moskou met een stevige, onstuimige omhelzing en een paar zoenen op beide wangen. Er werd een nationale feestdag uitgeroepen. De mensen zongen en dansten op straat. Honderdduizenden gelukkige Sovjets paradeerden op het Rode Plein met enorme portretten van Gagarin. Dertig jaar later stonden er standbeelden van Gagarin in elke uithoek van de Sovjet-Unie: en geen één van Bondarenko. Chroesjtsjov pochte dat het succes van Gagarin een toonbeeld was van de Russische militaire macht en de vooruitgang in geavanceerde technologie in de Sovjeteconomie: spoedig zou de produktie per hoofd van de bevolking die van de Verenigde Staten overtreffen. In feite was dat succes alleen een weergave van de buitensporige geldmiddelen die Chroesjtsjov had verspild aan zijn ruimteprogramma. Desalniettemin interpreteerden veel mensen over de hele wereld, net als bij de *Spoetnik*, de vlucht als een demonstratie van de Russische overmacht op militair, sociaal en economisch terrein.

Toen Kennedy op het Witte Huis hoorde van Gagarins veilige terugkeer, gaf hij zijn goedkeuring aan een van tevoren geschreven verklaring waarin de 'technische prestatie' van de Sovjets werd geprezen. Op een personconferentie probeerde hij de gebeurtenis te bagatelliseren: 'Een dictatuur ondervindt gedurende een korte periode voordelen in dit soort competitie, doordat ze in staat is haar geldmiddelen aan te wenden voor een specifiek doel.'

Toch zei Edwin Newman die avond op NBC: 'We zijn aan het eind gekomen van een pijnlijke dag voor een groot deel van het Amerikaanse volk, evenals voor president Kennedy en zijn bondgenoten. Deze dag behoorde toe aan de Russen.' *Time* schreef dat de Amerikanen 'frustratie, schaamte, soms woede' voelden.

---

1. De Russische geheimhouding inzake het ongeluk van Bondarenko heeft misschien het leven gekost aan drie astronauten van de Apollo I, die omkwamen bij een zuurstofrijke brand in hun cabine tijdens een training in januari 1967. Met de informatie over het Sovjetongeluk zou NASA gewaarschuwd zijn geweest over de zeer brandbare materialen in de Apollo-cabine, het ontbreken van een snel bereikbare ontsnappingspoort en effectieve brandbestrijdingsapparatuur.

In vertrouwd gezelschap zei Kennedy: 'Russische huisvesting is armzalig, hun voedsel- en landbouwsysteem is een ramp, maar die feiten worden niet gepubliceerd. Opeens doen we mee aan een race om de ruimte waarvan we niet eens beseften dat we erin zaten. Wat voor vooruitgang je ook maakt, de critici bombarderen ons tot tweede in de ruimte.'

Zelf had Kennedy in 1960 geen pogingen ondernomen om dit soort feiten over het Russische systeem kenbaar te maken. Deze privé-gesprekken lieten zien hoe ver hij inmiddels was teruggekomen van zijn klachten, geuit tijdens de verkiezingscampagne, dat de Verenigde Staten in de ruimte de tweede stek innamen en op andere terreinen achterstand opliepen. Onder deze nieuwe druk om ergens op de wereld een spectaculair Amerikaans succes te behalen, bleef hij toezicht houden op de plannen voor de landing in de Varkensbaai.

Sorensen merkte op dat zijn baas nu zo overtuigd was van het Cubaanse project, dat twijfelaars hem gingen irriteren. Tegen zijn medewerkers zei hij: 'Ik weet dat iedereen als een bezetene zijn best doet in dit avontuur.' Op woensdag 12 april stelde iemand dat als de invasie slaagde, maar een nieuwe Cubaanse regering in ballingschap militaire hulp nodig zou hebben om zich te installeren, de Verenigde Staten dan misschien wel moesten bijspringen met troepen.

'Onder geen voorwaarde,' barstte Kennedy uit. 'Zodra ik één marinier laat landen, zitten we hier tot onze nek in. Ik kan de Verenigde Staten niet in een oorlog betrekken en dan verliezen, wat er ook voor nodig is. Ik waag me niet aan Hongaarse toestanden. En dat is precies wat het kan worden, een verdomde slachting. *Begrepen, heren?'*

Die middag, op dezelfde persconferentie als waar hij commentaar gaf op Gagarin, vroeg iemand hoe ver de Verenigde Staten bereid waren te gaan 'bij het steunen van een opstand tegen Castro of een invasie van Cuba'. Kennedy verklaarde: 'Onder geen enkele voorwaarde zal er op Cuba een interventie plaatsvinden door de strijdkrachten van de Verenigde Staten.'

Na talrijke vertragingen moest de president op vrijdag 14 april tot een uiteindelijke beslissing komen om het 'startsein' te geven. Hij las een telegram van een marinekolonel die net de groep ballingen, Brigade 2506, had geïnspecteerd in Guatemala. Er stond in dat de officieren 'stonden te popelen om de strijd te beginnen' en dat ze 'geen steun verwachten van de Amerikaanse strijdkrachten'. Kennedy riep Bissell bij zich en ging akkoord met de voor zaterdag geplande luchtaanvallen op de drie voornaamste vliegvelden op Cuba: hoeveel B-26-ers zouden er gestuurd worden? Bissell zei: 'Zestien.' De president zei: 'Ik wil geen grootschalige operatie. Ik wil het tot een minimum beperken.' Bissell verlaagde het aantal.

Op zaterdagmorgen hoorde de wereld dat zes B-26-ers met Cubaanse markeringen bombardementen hadden uitgevoerd op Cubaanse luchtmachtbases, waarbij ze minder dan de helft van Castro's kleine luchtmacht hadden vernietigd. Een piloot van de opstandelingen zette zijn bommenwerper, volgens instructies van de CIA, aan de grond op Miami International Airport. Hij claimde dat hij en twee andere 'overlopers uit Castro's luchtmacht' de bombardementen hadden uitgevoerd. Castro's ambassadeur bij de Verenigde Naties beschimpte het verhaal van de piloot en beschuldigde de Verenigde Staten van de aanval als het 'begin van een grootschalige poging tot invasie'.

Adlai Stevenson was niet op de hoogte gebracht van het feit dat de 'overloper' in Miami en zijn verhaal allebei in scène waren gezet. Op verzoek van Washington verdedigde hij die middag het verhaal voor de Algemene Vergadering van de Verenigde Naties. Toen pas werd hem verteld dat hij een leugen had verspreid. Stevenson stamelde dat hij 'opzettelijk bedrogen' was door zijn eigen regering. Toen hij terugkwam in zijn suite in Waldorf Towers, zag hij er beroerd uit en hij zei tegen een vriend: 'Ik moet aftreden. Dat is het enige dat ik kan doen. Mijn verdienste en geloofwaardigheid zijn volledig in opspraak gebracht.' Vervolgens: 'Ik kan niet aftreden – *kan niet* – het land heeft al genoeg problemen.'[1] Later beklaagde hij zich over Kennedy's 'commandoknapen' en hij schreef een vriend dat de 'Cubaanse dwaasheid' hem 'een week lang ziek' had gemaakt.

Stevenson vreesde dat een openlijke Amerikaanse actie tegen Castro het beeld in de wereld van Amerika zou bezoedelen. Hij stuurde Rusk een telegram: 'Als Cuba nu bewijst dat er een vliegtuig of piloot van buiten bij betrokken was, dan krijgen we te maken met een stemming die steeds vijandiger wordt. Niemand zal geloven dat een bomaanval op Cuba georganiseerd kon worden zonder onze medeplichtigheid.'

Rusk en Bundy waren ongerust dat Stevenson zijn ontslag zou indienen en Kennedy de schuld zou geven van deze zaak. Ze waren ook ongerust dat de Amerikaanse regering zou worden vernederd, net als tijdens het U-2-incident, door de onthulling van haar manipulaties. Daarom belden zij 's zondags met de president in Glen Ora, zijn 243 hectare grote landgoed in het jachtgebied van Virginia dat hij sinds kort huurde.

Kennedy had de voorkeur gegeven aan een buitenverblijf langs de oostkust van Maryland, vlak bij het water, maar had uiteindelijk voor Glen Ora gekozen voor Jacqueline, die hier vaak vier dagen per week verbleef om paard te rijden. De president vond het 'oersaai'. Hij vroeg zijn vrienden: 'Kun je je voorstellen dat ik mijn loopbaan beëindig in een plaats als deze?'

Deze zondagmiddag had hij golf gespeeld en hij bevond zich in de grote slaapkamer met Jacqueline toen de telefoon ging. De minister van Buitenlandse Zaken bracht verslag uit. Kennedy zei: 'Hier ben ik niet voor aangenomen.' Hij verbood verdere luchtaanvallen die het restant van Castro's luchtmacht zouden kunnen decimeren: de aanvallen konden pas weer beginnen nadat de ballingen voor een Cubaans bruggehoofd hadden gezorgd. Dan zou het aannemelijker zijn dat de nieuwe aanvallen vanaf Cubaans grondgebied werden ingezet.

Kennedy legde de hoorn neer en beende door de slaapkamer. Hij was duidelijk overstuur. Jacqueline dacht dat hij minder van streek leek door wat hij tegen Rusk had gezegd dan door het in de war gooien van de planning: wat zou er straks misgaan? Ze wist hoe gemakkelijk hij tot besluiten kwam, maar ze had hem nog nooit zo terneergeslagen gezien.

Bundy belde Bissell en vertelde hem bondig dat de president opdracht had gegeven de luchtaanvallen voorlopig te staken. Bissell en Dulles' tweede man, gene-

1. Maandagmorgen in New York zat Bundy aan het ontbijt met Stevenson en hij vond hem 'heel redelijk' over de zaak: 'Hij maakte zich *niet* druk over de narigheid waar hij in zat. Hij wilde alleen maar meer informatie, zodat hij niet nog dieper in de nesten zou raken.'

raal C. Pearre Cabell, verzochten Rusk tot diep in de nacht om de zaak in heroverweging te nemen: zonder een nieuwe aanval konden Castro's vliegtuigen de
invasiemacht met gemak de baas. Rusk antwoordde dat 'politieke eisen' nu 'van
doorslaggevend belang' waren: Stevenson had 'volgehouden' dat nieuwe luchtaanvallen het 'absoluut onmogelijk [zouden maken] om de Amerikaanse positie
te handhaven'. Rusk stelde voor dat Cabell en Bissell zelf met de president gingen praten. Wellicht waren ze bezorgd dat Kennedy de hele Cubaanse operatie
zou afblazen, want ze zagen er maar vanaf.

Later liet de president die beslissende zondagavond onophoudelijk door zijn
hoofd malen en hij verweet zichzelf dat hij de tweede luchtaanval had verhinderd. Hij vond het een foutieve beslissing, maar geen doorslaggevende. Toch
vertelde hij tegen Lem Billings dat als hij 'niet het hele weekeind in Glen Ora
was gebleven en op zondagavond was teruggegaan', hij 'misschien beter op de
hoogte was gebracht van de situatie' op Cuba. Dan was het misschien allemaal
anders gelopen.

Maandagochtend 17 april maakte Cabell Rusk om half vijf wakker in het Sheraton Park Hotel met een nieuw voorstel: waarom lieten ze de invasieschepen niet
terugkeren naar de internationale wateren om vervolgens luchtdekking in te roepen van het dichtbij gelegen Amerikaanse vliegdekschip *Essex*? De minister van
Buitenlandse Zaken antwoordde dat dit een schending zou zijn van het presidentiële verbod op Amerikaanse militaire betrokkenheid. Hij arrangeerde voor Cabell een telefoongesprek met de president in Glen Ora om zijn voorstel bij hem
persoonlijk in te dienen. Cabell maakte de president wakker en deed zijn verzoek. Het werd afgewezen.

In de blauwe duisternis van de Varkensbaai braken de lompe, oude invasieschc-
pen, nu alleen nog gedekt door machinegeweren, onder verblindende schijnwerpers door het koraalrif. De ironie wilde dat er bij de invasievloot ook boten waren van de United Fruit Company, wier heerschappij over de provincie Oriente
de allereerste inspiratie had gevormd voor Castro's anti-Amerikanisme. De
vaartuigen werden al snel gebombardeerd door Castro's vliegtuigen.

Het was Chroesjtsjovs zevenenzestigste verjaardag. Na de viering van het succes
van Gagarin was hij teruggekeerd naar Pitsoenda, waar hij naar Radio Moskou
luisterde: 'Er is een gewapende interventie begonnen tegen Cuba.'

Sergej Chroesjtsjov zei jaren later: 'Dat was zijn cadeau van de Verenigde Staten. Hij was heel erg geschokt en geloofde werkelijk niet dat Cuba serieus weerstand kon bieden aan de landingstroepen.'

6. 'Een flinke trap'

Op zondag 16 april hadden tienduizend Cubanen zich verzameld bij de graven van de zeven bij de Amerikaanse luchtaanval gedode piloten en schreeuwden: '*Guerra! Guerra!*' Met zijn ogen naar de hemel gericht en zijn gebogen handen gebarend riep Castro de menigte toe: 'De hele wereld weet dat deze aanval werd uitgevoerd met Yankee-vliegtuigen, bestuurd door huurlingen die door de Amerikaanse CIA zijn betaald.' Hij citeerde telexberichten over de 'overloper' van Miami: 'Zelfs Hollywood zou zoiets niet willen verfilmen!'[1]

Toen Chroesjtsjov tijdens zijn verblijf in Pitsoenda Castro's toespraak onder ogen kreeg, stond hij verbaasd over de hoogdravende toon. Castro had gezegd: 'De Verenigde Staten hebben de aanval financieel ondersteund, omdat ze het niet kunnen verdragen dat wij vlak voor hun neus een socialistische revolutie tot stand hebben gebracht.' Het was voor het eerst dat de Cubaan zijn beweging 'socialistisch' had genoemd. De Sovjetleider vond dat deze typering tactisch gezien 'weinig zin had', want hierdoor 'verkleinde hij de kring van personen op wie hij tijdens de invasie kon rekenen'.

De *Pravda* vertelde haar lezers dat Allen Dulles, 'de beruchte Amerikaanse meesterspion', naar een 'geheime commandopost' in Puerto Rico was vertrokken om van daaruit de invasie te leiden. (In werkelijkheid had Dulles dat weekeinde zijn toespraak voor een groep zakenlieden op het eiland expres niet afgezegd om zo de Cubanen en Russen niet te laten merken dat er iets vreemds stond te gebeuren.) De *Izvestija* liet weten: 'Cuba staat niet alleen. Het totale progressieve deel van de mensheid staat achter het eiland.'

In Londen schreef Anthony Eden, de Britse premier die zijn land tijdens de Suezcrisis met een ramp had opgezadeld, een brief naar een vriend waarin hij schreef dat aangezien de Amerikanen 'slechts tachtig mijl over zee [hoeven] af te leggen en geen duizend, zoals wij toen we vanuit Suez weer naar Malta moesten terugkeren, ze de klus nooit hadden moeten onderschatten en had Kennedy moeten weten dat ballingen altijd optimistisch zijn. Misschien hebben de Amerikanen alles veel grondiger berekend dan het op het eerste gezicht lijkt. Ik bid voor ze dat dit zo is.'

Op maandagmorgen 10 uur riep de president de minister van Justitie terug van een toespraak in Williamsburg, Virginia, en verzocht hem om 'direct' naar

---

1. Het zou kunnen dat Castro een paar regels van Chroesjtsjov heeft gestolen. Nadat elf maanden eerder de U-2 was neergestort, had de Sovjetleider zich in het openbaar in bijna dezelfde bewoordingen uitgelaten en uitgebreid de spot gedreven met de smoesjes in de Amerikaanse verklaring die het schandaal moesten verbergen.

Washington terug te keren: 'Ik heb het idee dat het niet zo gaat als gepland.'
Sinds de inauguratie had Kennedy in buitenlandse aangelegenheden zelden van de diensten van zijn broer gebruik gemaakt. Robert was pas een week daarvoor voor het eerst op de hoogte gesteld van de invasieplannen nadat de president Bissell daartoe opdracht had gegeven. Nu de hele operatie de mist in dreigde te gaan, had de president behoefte aan iemand die hem door dik en dun loyaal zou blijven.

Nu de gelande ballingen zware tegenstand hadden te verduren, gaf de president de Amerikaanse marine toestemming om zich meer in de richting van de Cubaanse kust te verplaatsen: hij wilde 'liever een agressor dan een slapjanus' worden genoemd. Maar hij had weinig hoop dat dit de operatie zou redden. Tegen zijn persmedewerker, Edwin Guthman, zei Robert: 'Ik denk dat we een verrekte grote fout hebben gemaakt.' Guthman vroeg of hij nog iets kon doen, waarop Kennedy antwoordde: 'Je zou alvast kunnen gaan bidden voor die kerels op het strand.'

Ondanks alle gebeurtenissen op Cuba vertrok Llewellyn Thompson vanuit Moskou met een vliegtuig van de Amerikaanse luchtmacht naar Frankfurt om van een reeds eerder geplande vakantie ergens in Midden-Europa te genieten. Op dinsdagmiddag 18 april werd Thompsons zaakgelastigde, Edward Freers, op het Sovjetministerie van Buitenlandse Zaken ontboden, waar hij een boodschap van Chroesjtsjov aan Kennedy kreeg overhandigd. Het feit dat de verklaring door Radio Moskou al drie kwartier daarvoor wereldkundig was gemaakt, was een opzettelijke belediging.

De rust van Pitsoenda had Chroesjtsjov in de gelegenheid gesteld zijn boodschap bij te schaven. Hierin waarschuwde hij dat de invasie 'een groot gevaar beduidde voor de wereldvrede'. Het was geen geheim dat de ballingen door Amerika waren getraind en bewapend. Slechts kort geleden nog hadden hij en Kennedy gesproken 'over het wederzijdse verlangen om gezamenlijke pogingen te ondernemen de betrekkingen tussen onze landen te verbeteren en het gevaar van een oorlog af te wenden'. En hoe zat het met Kennedy's belofte van een week daarvoor militair niet te zullen ingrijpen op Cuba?

De Verenigde Staten moesten er nu op toezien dat het 'vuur van de oorlog' in Cuba niet 'zo hoog zou oplaaien dat het niet meer in de hand te houden is'. Kennedy moest deze agressie een halt toeroepen. 'Iedere zogenaamde "beperkte oorlog" kan overal ter wereld een kettingreactie op gang brengen. Laat het standpunt van de Sovjet-Unie duidelijk zijn: we zullen de Cubaanse bevolking en haar regering alle hulp geven om de gewapende aanval op Cuba af te slaan.'

Die middag brak in Moskou het feest los. Zwaaiend met Cubaanse vlaggen en spandoeken (WE ZIJN VOOR JULLIE, VRIENDEN... VIVA CUBA... SPEEL NIET MET VUUR.) bekogelden duizenden studenten en arbeiders met kogellagers en flessen blauw-zwarte inkt de Amerikaanse ambassade en schreeuwden: 'Handen af van Cuba!' en: 'Interventionisten de zee in!'

Een generaal van het Rode Leger, mannen van de militie en politie op witte paarden arriveerden om de gemoederen te bedaren. Enkele Afrikaanse studenten wilden hun protest niet staken. 'Ze realiseerden zich niet dat dit een gewone geënsceneerde manifestatie was,' herinnerde Boris Klosson zich. 'Ze werden door de Russische politie van de muur getrokken en als ze bleven zitten, kregen ze flinke klappen te verduren. Deze jongelui waren niet opgevoed in de Russische protesttraditie. Dit hield in dat je aan de schijnvertoning meedeed en vervolgens weer gewoon naar huis ging.' Later zei een Sovjetfunctionaris tegen hem: 'Verschrikkelijk, een dergelijk klein land binnenvallen!' Klosson antwoordde: 'We zullen maar geen invasieverhalen gaan uitwisselen.'

Ook in Warschau, Cairo, Tokio en New Delhi werden Amerikaanse ambassades met stenen bekogeld. Het officiële Chinese persagentschap meldde dat er een golf van 'harde veroordelingen' aan het adres van de Verenigde Staten 'door de Chinese steden spoelde'. Kennedy voelde zich vooral gestoken door de Latijns-Amerikaanse demonstraties tegen 'het Yankee-imperialisme'. In Recife eisten arbeiders met fakkels en spandoeken met het portret van Castro dat Braziliaanse hulptroepen naar Cuba werden gestuurd. In Mexico-Stad schreeuwden studenten: *'Castro sí, Kennedy no!'*

Voordat de president zich naar de Family Dining Room, de eetkamer van het presidentiële gezin, begaf voor zijn gebruikelijke dinsdagochtendontbijt met Congresleiders, las hij Chroesjtsjovs boodschap. Hij vertelde dat hij het betwijfelde dat Chroesjtsjov 'vrijwilligers' naar Cuba zou sturen, zoals hij tijdens de Suezoorlog van 1956 had gedreigd, of dat hij het eiland opnieuw met militair materieel zou bevoorraden: Chroesjtsjov wist dat de Verenigde Staten een groot aantal Russen op Cuba 'niet zouden tolereren'.

Met dezelfde voorbeeldige omzichtigheid als tijdens de weken van de geheime Varkensbaai-besprekingen repte Kennedy met geen woord over de kwestie-Berlijn. Het laatste waar hij nu behoefte aan had, was dat Congresleden op de trappen van het Witte Huis voor de televisiecamera's zouden klagen dat de president zo verlamd van angst was over wat Chroesjtsjov in Berlijn zou kunnen ondernemen, dat hij op het punt stond de moedige ballingen op de Cubaanse stranden in de steek te laten.

Hoe dan ook, Kennedy vatte Chroesjtsjovs boodschap op als een bedekte dreiging West-Berlijn binnen te marcheren als de Verenigde Staten hun acties tegen Cuba zouden voortzetten. Later vertelde hij in vertrouwelijke kring aan Cubaanse ballingenleiders dat Chroesjtsjovs boodschap hem had gedwongen te kiezen tussen enerzijds een Berlijnse confrontatie die tot een grote oorlog kon leiden, of anderzijds handhaving van de wereldvrede met als gevolg het verlies van veertienhonderd man in Cuba: het was een moeilijke en pijnlijke beslissing, maar het was duidelijk dat de wereldvrede voorrang moest krijgen.

Later die ochtend las Kennedy een memo van Bundy: 'Ik denk dat u er vanmiddag achter zult komen dat de situatie op Cuba verre van rooskleurig is. De Cubaanse strijdkrachten zijn sterker, de respons van het volk is minder geworden en onze tactische positie is zwakker dan we hadden gehoopt. Tanks hebben op het strand één bruggehoofd ingenomen en bij de andere stellingen is de situatie zorgwekkend.' Bundy voorspelde dat de CIA 'meer druk voor extra luchtsteun zal uitoefenen – deze keer zal de marine gedekt moeten worden door B-26-vliegtuigen die de tanks aanvallen'.

Hij raadde aan om hiervoor toestemming te verlenen, 'want dit kan moeilijk tegen ons worden gebruikt en onze mannen zijn in nood'. Maar de echte vraag was 'of de mogelijkheid voor verdere interventie en ondersteuning opnieuw moest worden bekeken, of dat onder ogen moest worden gezien dat onze manschappen in het gunstigste geval verslagen de bergen in trekken'. (Zelfs op dit late tijdstip was het tot de presidentiële medewerkers nog niet doorgedrongen dat deze bruggehoofden dergelijke ontsnappingsmogelijkheden niet boden.) Bundy was van mening dat 'de eliminatie van Castro's luchtmacht door middel van, indien nodig, neutraal beschilderde vliegtuigen om de strijd daarna voort te zetten, de enig juiste weg' was.

Tijdens de lunch met James Reston van de *New York Times* zei Kennedy dat een nederlaag op Cuba slechts een incident en geen ramp zou zijn: als de Cubaanse bevolking nog klaar was voor een opstand, konden de Verenigde Staten haar niet via een invasie een nieuwe regering opdringen. Reston vroeg of het Amerikaanse prestige hier niet onder zou lijden. Kennedy antwoordde: 'Wat is prestige? Is het de schaduw van de macht of de macht zelf? [...] We zullen de komende weken zonder twijfel flink op ons donder krijgen, maar dat zal geen invloed hebben op de gang van zaken.'

Robert Kennedy, Lyndon Johnson, McNamara, Bohlen en anderen waren het er in het algemeen over eens dat Chroesjtsjov geen oorlog wilde riskeren om Cuba, een land dat zo ver van de Sovjet-Unie verwijderd lag. Zijn boodschap pleitte voor 'alle noodzakelijke hulp', maar maakte geen melding van de raketten waarmee hij in 1960 twee keer ter verdediging van Castro had gedreigd.
Die avond om 7 uur ontbood Rusk Mensjikov op het ministerie van Buitenlandse Zaken om hem Kennedy's reactie mee te delen. Die behelsde dat de houding van de Sovjetleider inzake Cuba 'op een volledige misvatting' was gebaseerd: 'Het zal niet als een verrassing klinken dat, naarmate de weerstand in Cuba groeit, de vluchtelingen van alle beschikbare middelen gebruik maken om terug te keren en hun landgenoten te steunen in hun continue strijd voor vrijheid.' De Verenigde Staten zouden geen pogingen tot militaire interventie op Cuba ondernemen, maar als er 'krachten van buitenaf' in het spel kwamen, zouden 'we onze verplichtingen nakomen om dit halfrond tegen agressie van buitenaf te beschermen'.
De boodschap van de president bevatte ook een reactie op Chroesjtsjovs commentaar dat de gebeurtenissen op Cuba de vrede elders in gevaar konden brengen: 'Ik vertrouw erop dat dit niet zal betekenen dat de Sovjetregering de situatie op Cuba als excuus zal beschouwen om in andere delen van de wereld onrust te zaaien.'

Om twee minuten voor twaalf 's nachts, na afloop van de jaarlijkse receptie van Congresleden op het Witte Huis, keerde Kennedy terug naar de Cabinet Room, waar de lange tafel bezaaid lag met aantekeningen en kranten. Een kaart van Cuba stond op een metalen standaard, waarbij het Caribisch gebied met kleine magnetische scheepjes was versierd. Nog steeds gekleed in een witte das en jacquet luisterden de president en vice-president, Robert Kennedy, Rusk, McNamara, generaal Lyman Lemnitzer en admiraal Arleigh Burke van de gezamenlijke stafchefs naar Bissell, die nu de resterende opties voorlegde.
De CIA-man beweerde dat de operatie nog steeds kon worden gered als de president toestemming wilde geven om straaljagers van het vliegdekschip *Essex* te laten opstijgen. Admiraal Burke zei: 'Geef me twee straaljagers om de vijandelijke

115

vliegtuigen neer te schieten.' Kennedy liet weten dat hij het Pentagon 'keer op keer' had verteld dat hij nationale strijdkrachten erbuiten wilde houden. Burke kwam met de suggestie om niet-gemarkeerde straaljagers laag over de stranden te laten scheren om zo voor wat Amerikaans machtsvertoon te zorgen – of een torpedojager te sturen. De president zei: 'Burke, ik wil niet dat de Verenigde Staten hierin betrokken raken.'

De marinechef liet zijn correcte houding varen: 'Verdomme, meneer de president, we *zijn* er bij betrokken!'

Uiteindelijk stemde Kennedy toe met een compromis. Zes straaljagers, afkomstig van de *Essex*, konden een uur lang over het bruggehoofd op het strand vliegen om zo bescherming te bieden aan de munitiebevoorradingsvluchten van de Brigade en hun B-26-escortes. De jagers mochten Castro's vliegtuigen en gronddoelen niet beschieten, tenzij de vliegtuigen van de Brigade werden aangevallen. Rusk herinnerde de president aan zijn belofte geen Amerikaanse strijdkrachten in de zaak te betrekken: 'Men mag niet denken dat de president een leugenaar is.' Kennedy bracht zijn rechterhand tot onder aan zijn neus: 'We zitten er al tot hier in.'

Ken O'Donnell vond dat zijn baas nog nooit zo dicht op het randje van een huilbui was gekomen. In een andere hoek van de kamer bleef een zich beroerd voelende Robert Kennedy maar mompelen: 'We moeten iets doen, we moeten iets doen.' Na de bijeenkomst legde Robert, met tranen in de ogen, zijn handen op zijn broers schouders: 'Dit kunnen ze je toch niet *aandoen*?'

Kennedy opende een van de serredeuren en liep zonder jasje de tuin in aan de zuidvleugel, de zachte bries tegemoet. Veiligheidsagenten hielden zich op een afstand toen hij daar tot bijna drie uur in de ochtend met gebogen hoofd en de handen diep in de zakken over het natte gras slenterde.

Op woensdag 19 april, even na zonsopgang, stegen Amerikaanse marinevliegtuigen met Kennedy's toestemming op van de *Essex*. Door een verkeerde timing arriveerden ze te vroeg bij het strand van de Varkensbaai. Bij gebrek aan de juiste verdedigingsmiddelen werden de bevoorradingsvliegtuigen van de Brigade verdreven en werden er twee B-26-ers neergehaald. Die middag begonnen de gedemoraliseerde ballingen zich over te geven. Er waren honderdveertien doden. De andere 1189 man werden door Castro's troepen gevangengenomen.

Nadat Kennedy had gehoord wat er gebeurd was, keerde hij terug naar de familievertrekken voor een dutje en een lunch met Jacqueline. Het beeld van al de dappere mannen op de stranden die nu als honden zouden worden afgemaakt of naar Castro's gevangenissen zouden worden gebracht, liet hem niet los. De enige keren dat zijn vrouw hem had zien huilen, waren in het ziekenhuis, uit pure frustratie over zijn rug. Dan huilde hij niet, maar kwamen er tranen in zijn ogen die vervolgens over zijn wangen rolden. Die dag, in de slaapkamer van Jacqueline, legde hij zijn hoofd in zijn handen en snikte bijna. Daarna nam hij zijn vrouw in zijn armen.

Rose Kennedy, die een bezoek bracht aan het Witte Huis, schreef later in haar dagboek: 'Heb Joe opgebeld, die zei dat hij het grootste deel van de dag met Jack, en ook met Bobby, aan de telefoon had gehangen. Ik vroeg hem hoe hij zich voelde en hij zei "alsof ik doodga" – resultaat van een poging Jack weer op te beuren. [...] Jackie en ik liepen allebei boven en ze zei dat hij de hele dag al

van slag was. Had praktisch gehuild, voelde zich door de CIA en anderen verkeerd ingelicht. Ik had zo'n medelijden met hem.'

In de Cabinet Room blafte Robert Kennedy tegen collega's dat ze nu 'óf moesten handelen, óf door Moskou als papieren tijgers moesten worden beschouwd'.[1]
Ze konden niet 'de boel gewoon de boel laten'. Met al dat talent rond de tafel
moest er toch iemand met een oplossing kunnen komen.

Later zei Walt Rostow dat hij zijn gevoelens ten aanzien van Kennedy's broer
'alleen maar als gevoelens van genegenheid' kon omschrijven. Hij nam hem
mee naar buiten en zei: 'Als je in een gevecht bent verwikkeld en je gaat onderuit, is niets zo gevaarlijk om weer slingerend overeind te komen.' Op zo'n manier kon je zware klappen oplopen. Ze moesten 'een rustpauze inlassen en nadenken'. Er zouden zich nog veel meer gelegenheden voordoen om de Russen te
tonen dat ze geen papieren tijgers waren: 'Berlijn, Zuidoost-Azië en andere gebieden.'

Robert zei: 'Hier kunnen we wat mee.' Hij schreef zijn broer een voorspellende
memo: 'Als we niet willen dat de Russen raketbases op Cuba installeren, kunnen we maar beter meteen bepalen tot hoe ver we bereid zijn dit te verhinderen.'
Ze konden Amerikaanse troepen naar Cuba sturen, iets wat 'misschien overwogen moet worden', of een blokkade om het eiland leggen. Dit zou een oorlogs-
handeling zijn die voor 'wereldwijde verbittering' zou zorgen.

Een derde mogelijkheid was om de Organisatie van Amerikaanse Staten (OAS)
te verzoeken alle militaire zendingen naar Cuba te verbieden en tevens de territoriale integriteit van het eiland te waarborgen, 'zodat de Cubaanse regering
niet kon beweren dat ze aan de genade van de Verenigde Staten was overgele-
verd'. De OAS kon met zo'n actie instemmen 'als er berichten zouden zijn dat
Guantánamo door één of twee Cubaanse MIG-straaljagers werd aangevallen en
de Verenigde Staten hier krachtig tegen protesteerden. [...] Misschien is dit niet
de manier, maar er moet wel iets krachtigs worden ondernomen. We staan nu
voor een beslissende stap, want over een jaar of twee zal de situatie een stuk ernstiger zijn.'

De president en zijn First Lady waren op de Griekse ambassade te gast voor een
diner dat was aangeboden door de Griekse premier Konstantinos Karamanlis
die een bezoek bracht aan de Verenigde Staten. Jacqueline vertelde later tegen
Lem Billings dat zij en Jack 'een doodsaai staatscadeau' voor Karamanlis hadden meegebracht, maar dat ze op het laatste moment nog een van haar 'favoriete snuifdoosjes' had meegenomen als cadeau voor de vrouw van de premier.

Nadat ze van het diner waren teruggekeerd, vertrok Kennedy weer naar de Cabinet Room. Robert herinnerde zich: 'Bijna iedereen stond op instorten.' De
minister van Justitie zei tegen de aanwezigen: 'We moeten onszelf opmonteren
en bedenken wat in de komende zes tot twaalf maanden het beste is voor zowel
het land als de president. [...] Wat mij het meeste dwars zit, is dat niemand in de
regering nu zijn nek durft uit te steken en de gok durft te wagen om harde en
agressieve acties tegen de communisten te plannen.'

1. In 1957 kreeg Mao Zedong veel aandacht door zijn grap dat het Westen een 'papieren
tijger' was. Chroesjtsjov was niet alleen een tegenstander van Mao's visie, maar het was
tevens een van de Chinese geloofspunten dat hij tijdens de Eenentachtigste Partijbijeen-
komst van de communisten in november 1960 in Moskou openlijk afkeurde.

Chester Bowles merkte op dat de huidige consensus dicteerde dat 'Castro goed aangepakt' moest worden. Hij vond dat als de president nu troepen naar Cuba had willen sturen, of Cuba had laten bombarderen, negentig procent van de aanwezigen in de Cabinet Room een dergelijk voorstel zou hebben gesteund. Bohlen verklaarde krachtig voorstander te zijn van het sturen van troepen naar Cuba. Rusk was daartegen. Anderen spraken over een blokkade van het eiland. Robert Kennedy herinnerde zich later dat het tussen hem en Lyndon Johnson nog tot een 'kleine confrontatie' was gekomen: tijdens een bespreking over wie er voorstander van de Cubaanse operatie was, 'hadden we de indruk dat hij bezig was om zichzelf erbuiten te houden'.

De eerste taak van de president was nu om een toespraak te schrijven die hij moest houden voor het Amerikaanse Genootschap van Hoofdredacteuren, dezelfde organisatie die Castro in 1959 voor een bezoek aan de Verenigde Staten had uitgenodigd. Met soepele tred liep hij over het geblokte linoleum van de gang met de aan weerskanten opgestelde dossierkasten naar het kantoor van Ted Sorensen.

Deze gedreven jongeman was de gematigd progressieve politicus binnen de kring van Kennedy's naaste medewerkers. Sorensen koesterde een instinctief wantrouwen tegenover de vlotte charme en snelle emoties die kenmerkend waren voor zowel New England als het Amerikaanse Midden-Westen. Zijn overtuiging dat 'een verstandelijk gerichte progressieve Democraat veel betrouwbaarder is dan een emotioneel begane Democraat', vormde de basis van zijn bewondering voor Kennedy.

Deze mening werd in oktober 1959 nog eens bevestigd toen Sorensen een eerste versie las van *John Kennedy: A Political Profile* door James MacGregor Burns. Burns' bewonderenswaardige boek, waarbij hij tijdens het schrijven toegang had tot de Senator, zijn gezin en zijn archief, eindigde met een voorbehoud: hoewel Kennedy het presidentschap met 'moed en wijsheid' zou vervullen, 'zou een bijdrage van emotie en kracht afhangen van de vraag of hij naast een verstandelijke, ook een emotionele toewijding ten toon kan spreiden, iets wat hem tot nu toe nog niet is gelukt'.

Sorensen schreef aan Burns: 'De indruk mag nooit worden gewekt dat hij niet volledig gelooft in wat hij zegt en niet hard voor de zaken vecht die hij voorstaat. [...] Ik denk echt dat hij een uniek figuur binnen de Amerikaanse politiek is – waarbij hij zijn buitengewoon sterke kwaliteiten als leider en intellectueel combineert met een exceptioneel gevoel voor public relations en wat er onder het publiek leeft. Ik denk dat hij niet alleen president zal worden – maar dat hij er meer dan ieder ander levend wezen aanspraak op maakt.'[1]

1. Burns' conclusie was niet het enige dat Kennedy en Sorensen stak. Nadat Burns' editor een selectie van loftuitingen van prominente Democraten die het manuscript hadden gelezen, aan Sorensen had opgestuurd, reageerde deze door Burns een lijst met correcties terug te sturen die hij en de Senator graag zagen doorgevoerd. Deze lijst van aanmerkingen, zei hij, vormde 'de basis voor ons oordeel dat het boek, in de vorm waarin we het nu lazen, een ramp zou worden – een belangrijke klap in onze campagne en een geducht wapen in de handen van onze tegenstanders. We zijn niet onder de indruk dat dweepzieke progressieve Democraten het tegendeel beweren – we weten dat dit bij hun houding hoort en dat het zinloos is om aan hun vooroordelen toe te geven.' Burns voerde wat wijzigin-

De vader van Sorensen was een vooruitstrevende advocaat uit Nebraska. Hij was campagneleider voor de non-conformistische Senator George Norris en werd zelf tweemaal gekozen tot procureur-Generaal van Nebraska. C.A. Sorensen stond bekend als een man die het misdadigers en welvarende ondernemingen knap lastig kon maken. Zijn Russisch-joodse vrouw Annis Tsjaikin had hij leren kennen toen hij haar en andere pacifisten tijdens de Eerste Wereldoorlog moest verdedigen.

Zijn zoon, geboren in 1928, meldde zich tijdens de Tweede Wereldoorlog bij de conscriptie aan als non-combattant en hielp mee bij de oprichting van plaatselijke afdelingen van het Congres van Raciale Gelijkheid en Amerikanen voor Democratische Actie. Nadat hij aan de rechtenfaculteit van de Universiteit van Nebraska was afgestudeerd, vertrok hij naar Washington om daar twee jaar als advocaat bij de overheid te werken, voordat hij zich in januari 1953 aanmeldde voor een gesprek bij de pasgekozen Senator uit Massachusetts.

Pas veel later zei hij: 'Ik vond toen al dat ik geschikt was voor die baan. [...] Maar ik wist ook dat als ik met hem in zee zou gaan ik toch nog wel een aantal dingen wilde weten [...]. We hadden een tweede gesprek en deze keer stelde ik vragen – over zijn vader, Joe McCarthy, de katholieke Kerk. Hij zal me wel een rare snuiter hebben gevonden [...] maar ik wist dat we aan elkaars eisen voldeden.' In de tien jaren die zouden volgen was Kennedy 'de enige persoon die iets voor mij betekende'.

Een vriend vond dat Sorensen Kennedy nu als 'zijn kunstwerk' beschouwde. Al vanaf het begin deed hij zijn best om de Senator een presidentieel aura aan te meten en hem de progressieve richting binnen de nationale Democratische Partij op te sturen. Sorensen bezorgde de Senator ook zijn spreekstijl. Kennedy's afgezaagde toespraken uit zijn jaren als Congreslid maakten ruim baan voor de staccato uitdrukkingen, de contrapuntisch opgebouwde zinnen, de verheven retoriek en citaten van de Groten van Amerika. Dingen die Kennedy onvergetelijk zouden maken.' Sorensen zei eens: 'Een toespraak van Kennedy moet stijl hebben.'

Sorensen had ook een aandeel in *Profiles in Courage*, het boek dat de aanhangers van de Senator in staat stelde Kennedy te beschouwen als 'de man die de Pulitzer-prijs won'. Tegen de historicus Herbert Parmet zei Sorensen in 1977: 'Ik heb geen behoefte aan recente geschiedenisboeken – en misschien ook niet aan toekomstige geschiedenisboeken – waarin staat dat Sorensen verantwoordelijk was voor alle dingen die de naam Kennedy met zich meebracht.

Dat was tijdens zijn leven een zeer gevoelig onderwerp – *zeer gevoelig* [...]. Niets kon hem méér overstuur maken dan de beschuldiging dat hij niet de schrijver

gen door in gevallen waar hij vond dat het standpunt van Kennedy en Sorensen 'gerechtvaardigd was', maar liet hun wel nadrukkelijk weten 'dat er maar één de auteur van het boek kan zijn'. Dit zorgde voor veel irritaties bij de presidentskandidaat en vooral bij diens broer Robert. Hoewel Burns tijdens de voorverkiezingen in Wisconsin campagne had gevoerd voor Kennedy, zou hun onderlinge verstandhouding nooit meer de oude worden. In tegenstelling tot veel medewerkers die veel verder van de president af stonden, zou Burns nooit een plek in de nieuwe regering krijgen.

1. In een afscheidsrede voor middelbare scholieren zei Sorensen: 'Om onszelf te bewijzen, moeten we de wereld verbeteren.'

van *Profiles in Courage* was en ik voel me, eerlijk gezegd, nu nog steeds geremd om over deze zaak te praten. [...] Ik zal je vertellen dat ik een belangrijk aandeel in het uiteindelijke resultaat had. Zijn functie was om als laatstverantwoordelijke zijn naam onder het boek te zetten.'[1]

In 1957 en 1958 reisde Sorensen samen met Kennedy langs alle achtenveertig staten. Hun kaartsysteem bevatte op het laatst de namen van dertigduizend Democraten. Soms imiteerde hij aan de telefoon de stem van Kennedy, zodat de Senator tijd vrij kreeg voor andere zaken. Toen iemand hem vertelde dat hij 'meer op Jack begon te lijken dan Jack zelf,' werd deze door Kennedy apart genomen die zei: 'Zeg dat nou niet – hij hoort dit van alle kanten om zich heen.' Sorensen nam volledig deel aan het politieke leven van de Senator, maar bemoeide zich niet met diens sociale leven. De politicoloog Richard Neustadt, die Kennedy later hielp bij het samenstellen van zijn staf op het Witte Huis, maakte de opmerking: 'Nog nooit waren twee mensen zo intiem en tegelijkertijd zo afstandelijk met elkaar.'

Toen de Senator in 1959 nieuwe mensen aanstelde voor zijn verkiezingscampagne, kon Sorensen niet geheel weerstand bieden aan een natuurlijke vorm van bezitterigheid met betrekking tot zijn baas. Toen Kennedy die herfst de Stevenson-Democraat Hy Raskin uit Chicago aanstelde, zei hij: 'Maak je niet druk om Sorensen. Bobby doet vanaf volgende week ook mee aan de campagne en die heeft nog een grotere hekel aan hem dan jij.' Hoe dan ook, het was Sorensen die Kennedy de ochtend na de verkiezingsdag van 1960 wakker maakte met de mededeling dat hij de nieuwe president was.

Kennedy was bang dat formele rangen tot verstarring binnen zijn staf konden leiden, maar gaf zich gewonnen toen Sorensen voor zichzelf de titel van Speciale Raadsman van de President opeiste. Neustadt merkte dat nadat Sorensen zijn titel had gekregen, deze 'met zijn volle verstand accepteerde dat zijn nieuwe werksituatie hem te veel werd. Hij kreeg daarom nu de leiding over toespraken en programma's.'

Terwijl Kennedy na middernacht nog door het grote lege kantoor van Sorensen ijsbeerde, vertelde hij zijn medewerker dat hij in zijn toespraak voor het Amerikaanse Genootschap van Hoofdredacteuren vooruit wilde lopen op de eisen gewelddadig tegen Castro op te treden. Zo wilde hij de vrije wereld overtuigen van de Amerikaanse terughoudendheid en wilde hij uiteindelijk de veronderstelling bij de communisten wegnemen dat terughoudendheid gelijkstond aan zwakte. Hier, samen met Sorensen op wie hij kon vertrouwen, vertelde de president wat hij niet tijdens andere bijeenkomsten kwijt wilde: de voornaamste reden waarom hij zo allergisch was voor een ingrijpen van het Amerikaanse leger in Cuba, was de vrees dat Chroesjtsjov dit als een excuus kon aangrijpen om acties tegen Berlijn te ondernemen.

1. Na de Senaatsdossiers over Kennedy en Sorensen bestudeerd te hebben, kwam Parmet tot de conclusie dat Kennedy 'hoofdzakelijk als opzichter of, iets vriendelijker gezegd, als sponsor en redacteur van het boek was opgetreden: Sorensen was duidelijk degene die het literaire vakmanschap voor zijn rekening had genomen en er veel tijd in had gestoken. Hij zorgde voor de dramatiek en de vaart waardoor het boek zeer leesbaar werd.'

Terwijl Kennedy Sorensen een prettige avond wenste, graaide hij een tijdschrift van het bureau. Om half twee 's nachts belde Sorensen naar Kennedy's privé-vertrek om nog wat te vragen, maar de telefoniste zei dat de president verondersteld werd nog steeds bij hem te zijn. Hij legde de hoorn weer op de haak, liep de gang weer op en viel bijna over iemand heen die onderuitgezakt in een stoel lag te lezen. Geschrokken zag hij dat het Kennedy was.

Op donderdag 20 april werkte de president tijdens en na het ontbijt aan zijn toespraak voor het Amerikaanse Genootschap van Hoofdredacteuren: 'Hij keek nooit terug op zaken,' herinnerde Bohlen zich: 'Hij keek alleen maar vooruit.' Maar tijdens een gezamenlijke wandeling over de tuin van het Witte Huis vond Sorensen zijn baas 'depressief en eenzaam'. Kennedy klaagde dat hij de betrekkingen met de Sovjet-Unie 'onnodig had verslechterd', net nu het overleg over een verbod op kernproeven weer op gang kwam. Hij had zijn critici de stok gegeven waarmee ze hem voor altijd konden slaan.
In zijn toespraak voor de hoofdredacteuren in het Statler Hilton-hotel zei hij: 'Aan onze terughoudendheid komt een eind [...]. Ik wil dat iedereen goed begrijpt dat deze regering niet zal aarzelen aan haar belangrijkste verplichtingen te voldoen: het waarborgen van de veiligheid van onze natie.' De zin die daarop volgde raakte de kern van Chroesjtsjovs boodschap van dinsdag: 'Mocht die tijd ooit komen, dan zullen we niet toestaan dat personen wier doen en laten voor *eeuwig en altijd* is bevlekt door de met bloed besmeurde straten van Boedapest, ons de les gaan lezen over "interventie"! Het applaus liet de balzaal schudden op haar grondvesten.
'In alle hoeken van de wereld zien we nu een niet-aflatende strijd die veel verder reikt dan een botsing tussen legers of zelfs nucleaire strijdkrachten [...]. Dit zijn slechts afleidingsmanoeuvres waarachter subversie, infiltratie en nog veel meer tactieken gestaag oprukken en waarbij kwetsbare gebieden – één voor één – het slachtoffer worden van omstandigheden die geen gewapende tussenkomst van onze kant toestaan. [...] We kunnen en mogen niet falen om vat te krijgen op zo wel deze nieuwe methodes, de middelen daartoe als het nieuwe gevoel van urgentie die nodig zijn om deze zaken het hoofd te bieden. Of het nu om Cuba gaat of Zuid-Vietnam.'
Hij sloot af met: 'De geschiedenis zal vastleggen dat deze bittere strijd in de periode tussen het einde van de jaren vijftig en het begin van de jaren zestig zijn climax bereikte. Laat het daarom duidelijk zijn dat ik als president van de Verenigde Staten vast besloten ben om ons systeem en ons succes voort te laten bestaan, ongeacht de prijs en ongeacht het gevaar!'
Cubaanse ballingenleiders die in Miami de toespraak op de radio hadden gehoord, sloegen elkaar enthousiast op de schouders. Ambassadeur Mensjikov zou die vrijdag met Stevenson ontbijten: na de toespraak zei hij zijn afspraak af.
Robert Kennedy vond de toespraak van zijn broer 'zeer effectief'. Richard Goodwin, nu een medewerker van het Witte Huis, vertelde de president dat zijn toespeling op een toekomstige invasie op Cuba overkwam als een vage dreiging, vooral als de Verenigde Staten niet de intentie hadden. Volgens Goodwin antwoordde zijn baas met 'ingetogen, nauwelijks hoorbare' stem: 'Ik wilde niet dat wij als een papieren tijger overkwamen. We moeten de mensen een beetje bang maken en ik deed dat om de indruk te wekken dat we hard en machtig zijn.'

Kennedy haalde zijn schouders op en vervolgde: 'Hoe dan ook, gebeurd is gebeurd. Misschien heb je gelijk, maar gedane zaken nemen geen keer.'

Het zaaien van een beetje angst diende ter bescherming tegen de kritiek die Kennedy als president reeds te verduren kreeg. Barry Goldwater verklaarde dat Kennedy's mislukte Cuba-avontuur iedere Amerikaan met 'vrees en schaamte' moest vervullen. Generaal Lauris Norstad, de opperbevelhebber van de geallieerde troepen in Europa, zei tegen een vriend dat Cuba de ergste Amerikaanse nederlaag was 'sinds de oorlog van 1812'.

De gespierde Koude-Oorlogstaal in zijn toespraak voor de Amerikaanse hoofdredacteuren hielp Kennedy in het uiten van zijn frustratie over het feit dat hij de invasie niet tot een succes had kunnen maken. Het was een waarschuwing aan Chroesjtsjov om zich tweemaal te bezinnen voordat hij grote wapenleveranties en troepen naar Cuba zond. Maar de belofte van de president om de nieuwe 'concepten' en 'methodes' van communistische opstandigheid te lijf te gaan, suggereerde dat hij nog steeds zo in de ban van Chroesjtsjovs toespraak over de bevrijdingsoorlogen was, dat hij aan de betekenis van het Varkensbaai-debâcle voorbijging.

Chroesjtsjov was een bondgenoot rijker. Niet door de ondermijning van Cuba, maar hoofdzakelijk door puur geluk. Castro was niet in het zadel geholpen met behulp van de KGB of het Rode Leger, zoals bij de dictators in Oost-Europa wel het geval was, maar via een echte volksrevolutie. Nadat Llewellyn Thompson de toespraak van Kennedy had gelezen, telegrafeerde hij: 'Met het risico om een geloofsverdediger te worden genoemd, stel ik voor dat we onthouden dat bij recente vuurhaarden – Irak, de Kongo, Cuba en, voor zover ik ben geïnformeerd, Laos – de Russen deze crises niet hadden veroorzaakt, maar dat ze hun gebruikelijke politiek van het benutten van kansen gewoon voortzetten.'

Een van de belangrijkste lessen van het debâcle was dat het Cubaanse regime ongevoelig zou blijven voor Amerikaanse tactieken zoals een tegenopstand, totdat Castro's populariteit afnam. Toch zou iedereen die Kennedy's toespraak nauwkeurig nalas, met inbegrip van Chroesjtsjovs deskundigen in Moskou, hebben kunnen voorspellen dat de president spoedig een nieuwe poging zou ondernemen om Castro af te zetten. Hetzij door middel van geheime acties, hetzij door een totale invasie door gewapende Amerikaanse troepen.

De Russische dichter Jevgeni Jevtoesjenko schreef een gedicht over een Cubaanse moeder op het strand van de Varkensbaai. Ze bivakkeert bij het graf van haar zoon die daar gesneuveld is:

> De zee...
> Zij bracht ons de moordenaars!
> Ik weet het –
> Ze kunnen terugkomen!

Op vrijdagochtend 21 april stond Kennedy de pers te woord. Op een hooghartige toon waar latere presidenten jaloers op zouden zijn, wendde hij vragen over Cuba af met de woorden dat geen enkel 'nuttig internationaal doel' gediend zou zijn met nog meer publieke discussie: 'Ik acht mijn verklaringen van gisteren voor dit moment voldoende.' Sander Vanocur van NBC vroeg waarom ze de 'echte feiten' rond de Varkensbaai niet konden onderzoeken.

Kennedy antwoordde: 'Er bestaat een oud gezegde dat luidt: "Een overwinning heeft vele vrienden, een nederlaag is een weeskind." Verdere verklaringen en gedetailleerde discussies dienen er niet toe onze verantwoordelijkheid te verbergen, want ik ben de verantwoordelijke functionaris binnen deze regering – dat is vrij duidelijk – maar hoofdzakelijk omdat ik niet geloof dat een dergelijke discussie ons in de huidige moeilijke, eh situatie, verder kan helpen.' De rest van de tijd deed niemand een poging Kennedy's stilzwijgen inzake de belangrijkste gebeurtenis onder zijn regering tot dusver te verbreken.

De president nam de verantwoordelijkheid op zich maar er werden wel pogingen ondernomen om de blaam op anderen af te schuiven. Een functionaris van het Witte Huis vertelde tegen journalisten hoe de gezamenlijke stafchefs de bruggehoofden hadden geselecteerd en hoe de CIA voor een opstand zou zorgen: 'Allen en Dick *lichtten ons niet in, ze maakten ons enthousiast.'* Hedley Donovan klaagde tegen collega's van het blad *Time-Life* dat Kennedy 'belachelijke complimenten' kreeg voor het uiten van het grondwettelijke feit dat hij de verantwoordelijke was terwijl hij 'rijen vrienden, Senatoren en journalisten op een niet echt vertrouwelijke manier meedeelde dat hij nooit had moeten luisteren naar de CIA en de militaire lintjesdragers'.

Tegen Jacqueline zei de president: 'Mijn God, wat zitten we met een zootje adviseurs opgezadeld. [...] Kun je het voorstellen president te zijn en je opvolger met dergelijke mensen op te zadelen?' Tegen een verslaggever zei hij dat Allen Dulles hem had verzekerd dat de operatie 'net zo veel kans van slagen had als in Guatemala'. In een ander interview schreef hij dit citaat toe aan de gezamenlijke stafchefs. Bij weer een andere gelegenheid sneerde hij: 'Ik durf te wedden dat Dean Rusk nu wenst dat hij zijn stem meer had laten horen.'

Weer terug in zijn kantoor na zijn persconferentie van vrijdag sprak Kennedy al in de verleden tijd over de Varkensbaai. 'Je kunt niet alles winnen,' zei hij tegen Johnson en Schlesinger, 'en ik heb de ramp dicht genoeg zien naderen om te realiseren dat je deze wereldschokkende gebeurtenissen van het ene op het andere moment weer achter je kunt laten. We hebben een flinke trap onder onze kont gekregen – en die hebben we verdiend. Maar misschien kunnen we er wat van leren.'

Op zaterdagochtend 22 april ontving hij Chroesjtsjovs reactie op zijn boodschap van dinsdag en zijn toespraak voor het Amerikaanse Genootschap van Hoofdredacteuren: 'Meneer de president, u bevindt zich op een zeer gevaarlijke weg. Denk hier goed over na. [...] Niemand kan het zich permitteren rebellen te beschermen tegen een wettige regering van een soevereine staat als Cuba.'

De Sovjetleider merkte op dat sommige Amerikanen suggereerden dat Moskou bezig was Cuba tot een Russische basis te maken: 'We bezitten geen bases op Cuba en zijn ook niet van plan die te vestigen.' De president mocht zich dan gegriefd voelen door Cuba, als er gekeken werd naar de landen langs de Sovjetgrens die een bedreiging vormen voor de Russische veiligheid, was het duidelijk dat de Sovjet-Unie 'net zoveel recht van spreken had'.

Chroesjtsjov merkte op dat Kennedy 'niet blij was met de woorden uit mijn vorige toespraak die zeiden dat er geen stabiele vrede in de wereld kan zijn zolang er overal oorlogsgeweld woedt. Maar [...] de wereld is één geheel, of u het leuk vindt of niet. Ik wil alleen herhalen wat ik eerder zei: het is zinloos om in het ene gebied de vlammen te doven en in een ander gebied een nieuwe gigantische brand te veroorzaken.'

De president zag deze boodschap als een laatste salvo in de propagandastrijd om de Varkensbaai. Zijn Sovjetexperts wezen nogmaals op Chroesjtsjovs vorige dreigement om, pas nadat de Suezoorlog was bekoeld, Russische vrijwilligers naar het Midden-Oosten te zenden: 'Hij maakt er een zeer goede gewoonte van om pas een hoop drukte te maken nadat het gevaar is geweken.'

Nu het tumult over Cuba voorbij was, nam Kennedy niet de moeite om Chroesjtsjovs boodschap te beantwoorden. Het ministerie van Buitenlandse Zaken liet eigenmachtig weten dat het zich niet 'in een uitgebreid debat met de Russische Secretaris-Generaal zou laten meeslepen' om over 'deze recente [...] communistische verdraaiing van het basisconcept van de rechten van het individu' te discussiëren.

Achteraf gezien was Chroesjtsjovs boodschap van vitaal belang. Voor het eerst had de Sovjetleider openlijk en duidelijk het standpunt naar voren gebracht dat hij de Russische belangen in Cuba nu gelijkschakelde met de Amerikaanse belangen in landen rondom de Sovjet-Unie, zoals Turkije, waar de Verenigde Staten een belangrijke militaire aanwezigheid handhaafden.

Het logische gevolg was dat als de Verenigde Staten door zouden gaan met vijandelijke acties tegen Cuba, de Sovjet-Unie nu het recht had om soortgelijke acties tegen Amerikaanse bondgenoten langs de Russische grens te ondernemen. De stationering van Amerikaanse offensieve raketten in Turkije bijvoorbeeld gaf de Sovjet-Unie het recht om hetzelfde in Cuba te doen. Zoals bij zo veel subtiele aspecten in de lange geschiedenis van de Koude Oorlog ging dit signaal aan de aandacht van Washington voorbij.

Toen het duidelijk was dat de Varkensbaai-expeditie mislukt was, had Kennedy aan Sorensen de vraag gesteld: 'Hoe kon ik zo stom zijn geweest om die toestemming te geven?' Met zijn marginale verkiezingsoverwinning was Kennedy er niet op gebrand zich de woede op de hals te halen van de nationale held die hem in het ambt voorging. In een van zijn eigen aantekeningen schreef Robert Kennedy: 'Het was Eisenhowers plan. Eisenhowers medewerkers zeiden allemaal dat het een succes zou worden.' Als de president het plan niet had doorgezet, 'zou iedereen hebben gezegd dat hij geen lef had'.

Toen Dulles en Bissell de aanstaande president inlichtten, hadden ze er hard aan gewerkt om Kennedy met beide handen aan de operatie te binden. Dulles had erop gehamerd dat ze met een 'opruimprobleem' zaten. Als Kennedy de operatie zou stoppen, zouden duizenden ballingen die voor de invasie waren getraind, over de staten van Amerika uitzwermen, hem een lafaard noemen en het land als een hulpeloze Behemoth bestempelen.

De woede van de president ten aanzien van Castro zat diep geworteld. Dit was niet alleen maar te wijten aan Castro's ideologie of zijn bloedige methodes: hij kon rustig nog eens vierentwintig andere buitenlandse leiders opnoemen die zich nog veel extremer gedroegen. Wat hem echt dwars zat, was dat hij met kostbare politieke keuzes werd geconfronteerd die hem door Castro's opkomst en diens alliantie met Moskou werden opgedrongen. Hij vertelde vrienden dat elke politicus vroeger of later met een zinkend schip werd opgezadeld: 'Voor mij is dat Cuba.'

Hij wist dat hij aan het begin van 1961 zijn laatste kans zou krijgen om dit zinkende schip te verlaten. Als Chroesjtsjov doorging Castro verder te bewapenen, zou zelfs een volwaardige Amerikaanse invasie het eiland alleen maar naar een burgeroorlog voeren en op een nucleaire confrontatie met de Sovjet-Unie kunnen uitdraaien. Bundy was later van mening dat Kennedy naar middelen zocht om het CIA-plan te doen slagen: 'Hij wilde dat het een succes werd en liet zichzelf overhalen te geloven dat de risico's te overzien waren.'

Nog maar pas in zijn functie, totaal niet gewend aan mislukkingen en zo gevoelig voor wat Schlesinger de 'zelfvergiftiging' van de vroege *New Frontier* noemde, was de president nauwelijks in staat de operatie tot een succes te maken. De Varkensbaai-affaire bleek een schoolvoorbeeld van de problemen die een heimelijke methode om buitenlands beleid vorm te geven met zich meebrengt. De planning door slechts een kleine, besloten groep, het ontbreken van respectievelijk de pers, het Congres, de bureaucratie en andere controlerende, kritische organen die aldus voor een verbetering van andere regeringsinitiatieven zorgen: alle gebreken van de Cuba-operatie bleven hoofdzakelijk onopgemerkt.

Omdat de bedenkers ervan het project maar al te graag aan de president wilden slijten, waren ze natuurlijk geneigd de risico's zo veel mogelijk te onderschatten. Als Kennedy een groep van ervaren deskundigen dezelfde toegang tot de geheimen had verstrekt als Dulles en Bissell, had men de hele operatie op fouten en foute veronderstellingen kunnen controleren en had hij zich misschien een ramp kunnen besparen. Deze deskundigen hadden tevens een objectieve inschatting kunnen geven in hoeverre het land en de president schade zouden ondervinden van een mislukking. Maar Kennedy had een groot deel van het door Eisenhower ingestelde apparaat ter controle van geheime operaties afgeschaft. Hierdoor was hij gedwongen om volledig af te gaan op de oordelen van nieuwe ministers van Buitenlandse Zaken en Defensie en andere functionarissen die hun eigen belang nastreefden. Door zijn oppervlakkige ervaring op het gebied van leiding geven en nationale-veiligheidsaangelegenheden was hij al snel te veel onder de indruk van zijn bureaucraten: 'Je denkt altijd dat mensen binnen het militaire en spionage-apparaat een geheime vaardigheid bezitten die gewone stervelingen niet hebben.'

Bij zijn afweging van het Cuba-project werd hij verlamd door dezelfde ambivalentie die ook in zijn verklaringen over Cuba en de Sovjet-Unie tijdens de verkiezingscampagne naar voren kwam. Aan de ene kant wilde hij niet worden beschuldigd van slap optreden tegenover de communisten. Aan de andere kant durfde hij niet in te stemmen met een volwaardige invasie waarmee hij de gemoederen van zowel Latijns Amerika, de Derde Wereld als de gematigd progressieven van Stevenson zou verhitten. Hij was bang dat Amerikaanse acties tegen Cuba op hun beurt Sovjetacties tegen Berlijn zouden uitlokken. Met de wens om toch tussenbeide te komen, maar zonder hiervoor de prijs te hoeven betalen, beval hij een operatie die te klein was om te slagen en te groot om een Amerikaanse betrokkenheid te verbergen.

Door het bezoek van de Westduitse bondskanselier Konrad Adenauer aan het Witte Huis voor diens eerste besprekingen met de Amerikaanse president, drie dagen voordat de operatie Varkensbaai van start ging, zou Kennedy's bezorgdheid over Berlijn zich hebben verhevigd. Dit kan er de oorzaak van zijn geweest dat de president zich meer dan normaal richtte op de gevaren van Russische acties tegen Berlijn.

Tijdens al zijn overwegingen riep hij niet één keer zijn Sovjetdeskundigen bij elkaar voor een uitgebreide beschouwing van zijn zeer twijfelachtige veronderstelling dat een openlijke Amerikaanse betrokkenheid Chroesjtjsov tot vergeldingsacties in Berlijn zou verlokken. Bundy zei: 'Twee jaar later zou hij met een Russische reactie op een Cubaans avontuur meer rekening hebben gehouden.'

Robert Kennedy schreef later in zijn aantekeningen dat zijn broer 'nooit aan deze operatie zou zijn begonnen als hij had geweten dat de Cubaanse strijdkrachten zo goed waren'. De president leed onder andere grote misvattingen – dat de landing van de ballingen tot een massale Cubaanse volksopstand zou leiden, dat het invasieleger, indien verslagen, zich naar de bergen kon begeven om daar de strijd als guerrilla's voort te zetten, en dat de rol van Amerika hierbij geheim was, of in ieder geval op een aannemelijke manier kon worden ontkend.

De CIA viel ook het nodige te verwijten. In zijn aantekeningen erkende Dulles later dat hij verzuimd had Kennedy op bepaalde zaken te attenderen, bijvoorbeeld het idee dat de ballingen naar de bergen konden vluchten, wat tot een 'verharding' van zijn weerstand tegen de operatie kon leiden. Hij verweet zichzelf dat hij er niet in was geslaagd de president ervan te overtuigen dat 'luchtsteun bij de landing een absolute vereiste was'. Jaren later hield Bissell vol: 'Als we vijf maal zo veel bommen op Castro's luchthaven hadden geworpen, hadden we een verdomd goede kans gemaakt.'

In zijn aantekeningen gaf Dulles verder toe dat hij Kennedy's beperkingen inzake de operatie accepteerde omdat hij dacht dat als het plan aan een zijden draad zou komen te hangen, 'we de dingen die we [voordat de operatie van start ging] verliezen wanneer het op een confrontatie aankwam, nu zouden winnen.' In zijn tien jaar bij de CIA was hij getuige geweest van 'een behoorlijk aantal operaties dat op dezelfde manier tot stand was gekomen'. Toen de staatsgreep in Guatemala van 1954 op een mislukking dreigde uit te lopen, redde Eisenhower de operatie door de rebellen openlijk met vliegtuigen te steunen. Het hoofd van de CIA verwachtte dat Kennedy inzake Cuba op dezelfde manier zou reageren: 'We waren van mening dat als het erop aankwam, als de crisis werkelijkheid was, alle acties die nodig waren voor het behalen van een resultaat werden goedgekeurd om zo de operatie niet te laten mislukken.'

Dulles kwam tot de bittere conclusie dat Kennedy maar 'halfenthousiast was over de harde noodzaak van waar hij mee bezig was'. Terwijl hij 'onzeker op weg naar de nederlaag' was, werd hij omringd door 'ongelovige Thomassen en Castro-bewonderaars': 'Ik had me moeten realiseren dat als hij niet enthousiast was over het idee, hij de eerste de beste gelegenheid zou aangrijpen om de hele affaire af te blazen om vervolgens de juiste stappen te ondernemen om de zaak tot een succes te maken.'

Gedurende de planning van de invasie had de CIA in alle rust aan een ander plan gewerkt om de kans op slagen te vergroten. Scenario Twee behelsde de moord op Fidel Castro.

Jaren later zei Bissell dat Scenario Twee 'parallel moest lopen met' het invasieplan: 'De moordplannen op Castro dienden ter versterking van de operatie.' Als Castro werd vermoord, zo zei Bissell, werd Scenario Een 'een stuk gemakkelijker of zelfs overbodig'.

Op een zondagavond in maart 1960, tijdens een korte rustperiode in de presidentiële voorverkiezingen, gaven John en Jacqueline Kennedy thuis op N Street in Georgetown een diner. Een van de gasten bracht de Britse romanschrijver Ian Fleming mee, die op dat moment aan zijn boek *Thunderball* werkte. Tijdens de koffie zei Fleming dat de Amerikanen 'zich veel te druk' maakten over Castro: het was veel eenvoudiger om hem onschadelijk te maken. Kennedy vroeg hoe. 'Hoofdzakelijk door hem belachelijk te maken.' Fleming meende dat Cubanen maar in drie dingen waren geïnteresseerd – geld, religie en seks. Cubaans geld moest over Havana worden uitgestrooid en aan de hemel moesten met vliegtuigen kruisen worden getekend. Verder moesten er pamfletten worden gestrooid met de waarschuwing dat de atmosfeer boven Cuba als gevolg van kernproeven radioactief was geworden: hierdoor zouden de mannen impotent worden waarbij de radioactiviteit het langst in baarden bleef zitten. Men zou massaal de baard afscheren en zonder bebaarde Cubanen zou er geen revolutie meer zijn. Kennedy wist wellicht niet precies in hoeverre Flemings fantasie de werkelijkheid benaderde, want rond die tijd spraken CIA-experts over de mogelijkheden Castro's schoenen met een ontharingsmiddel op te poetsen, waardoor zijn baard zou uitvallen en zijn viriele imago zou worden geschaad.

Dit soort plannetjes waren alleen maar bijkomstigheden. In december 1959 schreef CIA-man J.C. King een memo waarin hij voorstelde de 'eliminatie' van de Cubaanse dictator 'grondig te overwegen'. Dit zou 'de val van de huidige regering zeer versnellen'. Bissell stemde hiermee in en veronderstelde dat King het over een 'uitschakeling' van Castro had, waarbij er alleen van moord sprake kon zijn 'als we niets anders meer kunnen doen'. Hij vroeg aan dr Sidney Gottlieb, de man van de technische divisie binnen de CIA, om verschillende aanslagmethodes te onderzoeken.

In september 1960 had Bissells ondergeschikte, Sheffield Edwards, in Los Angeles een ontmoeting met voormalig FBI-man Robert Maheu, die free-lance opdrachten uitvoerde voor de CIA en Howard Hughes. De maand daarna had Maheu in Miami Beach een ontmoeting met een maffiabaas uit Chicago, Sam Giancana, zijn collega van de westkust, John Roselli, en Santos Trafficante, een vooraanstaand persoon in de Havanese onderwereld die in 1959 door Castro gevangen was gezet.[1] Giancana vroeg om vergif dat door Castro's voedsel of drinken kon worden gemengd: iets 'nets en beschaafds, zonder meteen alles vanuit een hinderlaag te moeten doen'.

Bissell dacht dat het huren van gangsters om Castro te vermoorden de 'ultieme dekmantel' was, omdat 'de kans zeer klein was dat alles wat 'het Syndicaat' zou ondernemen uiteindelijk in verband zou worden gebracht' met de Amerikaanse regering.

Tijdens de hoorzittingen van het Congres in de jaren zeventig hielden CIA-functionarissen onder ede vol dat het komplot tegen Castro de goedkeuring had van een hooggeplaatst iemand uit de regering-Eisenhower. De naam werd nooit genoemd. Op de een of andere manier zagen de onderzoekers het feit over het hoofd dat Maheu, tijdens de samenzwering, zakelijke betrekkingen onderhield

---

1. Tijdens zijn verblijf in de gevangenis kreeg Trafficante bezoek van Amerikanen, onder wie zich kennelijk ook Jack Ruby, nachtclubeigenaar uit Dallas, bevond.

met een van de beste vrienden van de vice-president van de Verenigde Staten. Robert King was een voormalig FBI-medewerker. Tijdens de oorlog verrichtte hij onderzoek naar mogelijke Russische spionnen in San Francisco en ontmoette hij Richard Nixon, toen luitenant bij de marine. In 1955 werd King door de vice-president bij de directie van de Southern Comfort stokerij weggelokt om diens belangrijkste medewerker voor buitenlandse aangelegenheden te worden. Nixon vertelde aan verslaggevers dat King een 'soort alter ego' was. Na twee jaar verliet hij de Nixon-burelen. Later begon hij in Los Angeles een partnerschap met Maheu.

Op 4 januari 1960 belde CIA-collega William Pawley naar Nixons secretaresse, Rose Mary Woods, om te vragen of het gesprek dat hij met Nixon een paar dagen eerder tijdens een diner had gehad, kon worden voortgezet. Het ging om een 'probleem iets ten zuiden van Miami. [...] Hij is van mening dat de situatie ten aanzien van Cuba met de dag wanhopiger wordt.'

De vice-president droeg zijn secretaresse op om 'Pawley te bellen' en te zeggen dat 'R.N. in een paar hevige discussies over de Cubaanse situatie gewikkeld was geweest met zowel mensen in de regering, met uitzondering van het ministerie van Buitenlandse Zaken, als met mensen buiten de regering. Binnen de komende zeven tot tien dagen zal hij een beter idee hebben over hoe we ons moeten optellen dan nu het geval is en hij zal dan contact met u opnemen.'

Op 9 januari nodigde Nixon, die die dag zijn zevenenveertigste verjaardag vierde, Pawley uit voor een lunch bij hem thuis. Op 12 januari sprak hij thuis met King. Na afloop schreef Pawley hem een cryptische brief: 'Voor wat betreft het onderwerp van onze discussie hebben we maandagochtend een zeer bevredigend gesprek gehad met de president. Jouw naam werd vaak en vol lof genoemd [...]. Naar mijn mening is de zaak in goede handen. Ik heb nog niets gehoord van onze informatiebronnen aan de Westkust, maar zal contact met je opnemen zodra ik nieuws heb.'

Verwezen de 'informatiebronnen aan de Westkust' naar King en Maheu? In 1991 zei King dat als Cuba toch een van de onderwerpen bij de gesprekken met Nixon in 1960 was geweest, er sprake moest zijn geweest van een 'groot gat in mijn geheugen'. Hij hield vol dat hij destijds niet op de hoogte was van Maheu's collaboratie met de maffia tegen Castro: 'Bob was in me geïnteresseerd vanwege mijn connectie met Nixon. [...] Toen Nixon de verkiezingen verloor, verdween de glimmende blik in zijn ogen al snel.' Hij zei dat hij niet wist of de president direct contact onderhield met Maheu. In juli 1960 schreef Pawley aan Nixon: 'Ik heb bijna dagelijks contact met Allen Dulles' mensen en we boeken redelijke vooruitgang. We hebben te maken met een zeer delicaat probleem. We moeten er alle zorg aan besteden om te verhinderen dat onze natie en onze campagne hierdoor nadelig wordt beïnvloed.'

Als president gaf Nixon in 1971 er blijk van het zeer belangrijk te vinden dat de CIA-dossiers over Cuba gesloten bleven. Hij liet zijn medewerker John Ehrlichman weten de CIA op te dragen *alle* dossiers' over het Cuba-project door te spitten, *want anders...*' De president 'moet en zal dat dossier in zijn bezit krijgen', schreef Ehrlichman in zijn aantekeningen. Hij is er zelf 'zeer nauw bij betrokken' geweest.

We zullen waarschijnlijk nooit zeker weten of vice-president Nixon de CIA en de maffia het groene licht gaf voor hun komplot tegen Castro. Maar het is moeilijk te geloven dat hij als president zo dreigend tegen Ehrlichman optrad, alleen maar om bewijsmateriaal van zijn steun aan een invasieplan op Cuba uit 1960 terug te krijgen. Zulke bewijzen zouden hem, hoe dan ook, op het politieke vlak zelfs hebben geholpen, omdat hiermee zijn vooruitziende blik inzake het gevaar van Castro voor het zuidelijk halfrond werd aangetoond. Zijn eis valt beter te begrijpen als we ervan uitgaan dat Nixon bang was dat informatie over een moordkomplot tegen een buitenlandse leider hem openlijk in verlegenheid zou brengen.

Deze bezorgdheid zou de aanloop tot het Watergate-schandaal kunnen zijn geweest. Zoals velen al is opgevallen, leek het risico om in te breken in het kantoor van Lawrence O'Brien, in 1972 de voorzitter van de Democraten, in geen verhouding te staan tot de potentiële buit. Maar Nixon wist dat O'Brien recentelijk als raadsman van Howard Hughes had samengewerkt met Maheu. Hij zou bang kunnen zijn geweest dat Maheu O'Brien over de Nixon-King-Maheu-Roselli-connectie zou hebben ingelicht en dat O'Brien deze informatie wellicht zou kunnen gebruiken om een smet op de president tijdens zijn herverkiezingscampagne te werpen.

Er bestaat geen bewijs dat de inbrekers van het hoofdkantoor van de Democraten in het Watergate-kantoorgebouw door Nixon zijn gestuurd. Maar als het tijdens Nixons verblijf in het Witte Huis algemeen bekend was dat de president wilde weten wat er in O'Briens dossiers zat, zouden zijn angstige vermoedens wel eens de aanleiding voor het Watergate-schandaal kunnen zijn geweest.

Dit brengt ons bij de vraag in hoeverre Kennedy op de hoogte was van de moordplannen op Castro. In februari 1961, een maand na Kennedy's inauguratie, ontving Roselli van Sheffield Edwards een aantal door de CIA gemaakte pillen die het gif botulinum bevatten. Begin maart berichtte Roselli dat zijn contactpersoon die zich in Castro's omgeving ophield, zijn toegang tot de Cubaanse leider had verloren. Maar Roselli achtte het waarschijnlijker dat hij de moed had verloren. Dezelfde maand ondernam Trafficante een tweede poging Castro te vergiftigen.

Begin april, toen de Cubaanse ballingen bezig waren met de voorbereiding van hun landing in de Varkensbaai, wachtten de samenzweerders tegen Castro op de berichten over diens ziekte en dood. Ondertussen bleef Kennedy zijn toestemming voor de invasie van Cuba steeds voor zich uitschuiven. Deed hij dit omdat hij op dezelfde berichten zat te wachten?

Net als bij Nixon zullen we er waarschijnlijk nooit achterkomen of Kennedy de CIA duidelijk toestemming heeft gegeven om een moordkomplot tegen Castro te beramen. De verantwoording die de CIA aan het begin van de jaren zestig in het Witte Huis en het Congres moest afleggen, was minder geheim dan in het tijdperk daarna. Bij schriftelijke opdrachten om buitenlandse leiders te vermoorden ontbrak gewoonlijk de handtekening van de president.[1]

Tijdens de onderzoeken in de jaren zeventig legden zowel Rusk, McNamara als Bundy een getuigenis af waarin ze verklaarden nooit van een CIA-komplot tegen Castro te hebben gehoord. Sorensen hield vol dat moord 'totaal niet aan-

---

1. Maar toen president Gerald Ford in 1975 een geheim rapport over de 'familiejuwelen' van de CIA las, zei hij dat het vernietigend was voor 'alle presidenten na Truman'.

sloot' bij Kennedy's 'achting voor het leven zelf, zijn respect voor zijn vijanden' en zijn 'nadruk op een morele dimensie binnen het buitenlands beleid van de Verenigde Staten'. In november 1961 vertelde de president aan Tad Szulc van de *New York Times* dat de Verenigde Staten 'moreel gezien' zich niet schuldig aan moord moeten maken. Een dag of twee daarna liet hij Dick Goodwin weten: 'Als we daar eenmaal mee beginnen, worden we allemaal een schietschijf.'

Maar Kennedy had de gewoonte om met zijn commentaar schrijvers, medewerkers en vrienden inzake een mogelijk schadelijke affaire op een dwaalspoor te brengen. Tegen zijn campagnemedewerker John Bartlow Martin dreef hij de spot met geruchten dat hij een 'rokkenjager' zou zijn: 'Je kent ze toch? Dat soort dingen proberen ze altijd.' Tegen Ben Bradlee zei hij: 'Jullie zijn er allemaal op uit om mij met een of andere meid te betrappen. Maar dat kunnen jullie toch niet, want er zijn helemaal geen meiden.'

Het feit dat er geen bewijs van Kennedy's goedkeuring bestaat, zowel schriftelijk als in het geheugen van zijn luitenanten, wil niet zeggen dat de president de CIA nooit heeft laten weten geen bezwaar te hebben tegen een moordaanslag op Castro. Richard Helms vertelde de schrijver van dit boek in 1988 dat 'veel mensen waarschijnlijk gelogen hebben over wat er allemaal is gebeurd bij de pogingen Castro uit de weg te ruimen'. In 1975 verstrekte Bissell de Senaat zijn 'strikt persoonlijke opvatting' dat tijdens de ontmoeting in Palm Beach, waar hij samen met Dulles de president over de invasieplannen inlichtte, het CIA-hoofd Kennedy 'in vage termen over deze hulpoperatie, de moordaanslag' vertelde.

Het is zeer onwaarschijnlijk dat de manier waarop de president van de moordplannen op de hoogte werd gesteld in zulke bedekte termen werd verwoord, dat de informatie niet tot hem doordrong. Het was niet waarschijnlijk dat Dulles en Bissell het risico namen dat een woedende Kennedy zich nu plotsklaps geconfronteerd zag met een niet door hem goedgekeurde moordaanslag op Castro, waardoor zijn buitenlands beleid op zijn kop zou komen te staan en, mocht Castro wraak nemen, zijn eigen leven in gevaar zou komen. McNamara gaf jaren later toe dat de CIA 'een zeer gedisciplineerde organisatie [was], volledig onder het beheer van hooggeplaatste regeringsfunctionarissen'.[1]

Helms zei: 'Er zijn twee dingen die u moet begrijpen. Kennedy wilde van Castro af en de CIA was niet van plan zoiets in zijn eentje te klaren.'

Tijdens een terugblikkend gesprek over de affaire in 1964 herinnerde George Smathers zich dat toen hij in maart 1961 over het terrein van het Witte Huis wandelde, Kennedy hem vroeg of 'de mensen voldoening zouden putten' uit een moord op Castro. In een vraaggesprek uit 1988 ging hij hier verder op in: de president had hem verteld dat de CIA hem 'de indruk had gegeven' dat als de invasiemacht op het strand van de Varkensbaai zou landen, Castro niet meer zou

---

1. Toen tijdens het Senaatsonderzoek van halverwege de jaren zeventig het komplot tegen Castro aan het licht kwam, moesten Helms, Bissell en andere voormalige CIA-functionarissen zich, zoals Thomas Powers, die de CIA bestudeerde, schreef, 'in allerlei bochten wringen. [...] Ze weigerden voor de zaak op te draaien, maar wilden ook niet de president als schuldige aanwijzen. Ze waren goede soldaten – tot op zekere hoogte. Functionarissen van de regering-Kennedy besloten wijselijk geen druk op deze heren uit te oefenen. Op het hoofd krabben van ongeloof vormde het enige antwoord dat deze functionarissen wilden geven op de vraag hoe dit allemaal had kunnen gebeuren.'

leven. Zoals Smathers zich herinnerde, 'had iemand de opdracht Castro te vermoorden, waarna er een gigantische chaos zou uitbreken'.

Als Kennedy wist dat de CIA-moordenaars zich op Cuba bevonden en klaar waren om toe te slaan, kon dit hem misschien helpen een invasieplan goed te keuren dat anders onhaalbaar leek. Het is niet ondenkbaar dat de weigering van de president het groene licht voor belangrijke luchtsteun te geven, kwam nadat hij had vernomen dat de moordaanslagen op Castro waren mislukt.

Wat we wel weten, is dat Robert Kennedy later een memo van J. Edgar Hoover ontving waarin stond dat Sheffield Edwards 'in verband met de CIA-operatie tegen Castro' contact had opgenomen met Maheu om hem als "doofpot" te gebruiken in de contacten met Sam Giancana'. Aangezien ze hier met 'vieze zaakjes te maken hadden', kon Edwards 'zich niet veroorloven om op de hoogte te zijn van acties die Maheu en Giancana voor de CIA ondernamen'. Hoover verwees naar het feit dat Bissell de minister van Justitie al had verteld dat 'een deel van de gezamenlijke plannen tegen Castro het gebruik van de diensten van Giancana en de onderwereld behelsde'.

Als de informatie van Hoover voor Robert Kennedy en de president een onaangename verrassing betekende, was het te verwachten geweest dat er een grondig onderzoek werd ingesteld om erachter te komen waar die 'vieze zaakjes' nu eigenlijk over gingen en wat voor 'contacten' er bestonden tussen de CIA en een van de beruchtste misdadigers in de Verenigde Staten. Er bestaat geen bewijs van enige achterdocht van de Kennedy's in deze zaak.

Nadat Robert Kennedy tot minister van Justitie was benoemd, kondigde hij aan dat de bestrijding van de georganiseerde misdaad 'boven aan de lijst' stond: 'Ik wil graag de geschiedenis ingaan als de man die de maffia liquideerde.' Hij stelde een lijst van veertig belangrijke criminelen samen, onder wie Giancana, Roselli, Trafficante en zijn oude wraakzuchtige tegenstander James Hoffa, de voorzitter van de Teamsters-vakbond. In de lente van 1961 werd de maffialeider uit New Orleans Carlos Marcello door het departement van Justitie naar Centraal-Amerika gedeporteerd. (Hij zou spoedig weer in Amerika terugkeren.)

Terwijl de CIA met Giancana en andere gangsters over de moordaanslag op Fidel Castro collaboreerde, was de minister van Justitie bezig om ze achter slot en grendel te krijgen. Tijdens een door de FBI afgeluisterd telefoongesprek klaagde Roselli: 'Daar sta je dan. Je helpt de regering, je helpt het land en tegelijkertijd zit die kleine klootzak me achter de vodden.'

Decennia later is het onderzoek inzake de connecties tussen Kennedy, de maffia en Castro een industrie op zich geworden. Kennedy's grootste critici beweren dat hij in 1960 een soort geheim en duivels verbond met Giancana en andere leiders van de georganiseerde misdaad afsloot. Het resultaat: toen Kennedy eenmaal president was, moest hij zien te manoeuvreren tussen respectievelijk de vastberadenheid van zijn broer om de maffia achter slot en grendel te krijgen, en de beloften die hij, dan wel zijn vertegenwoordigers, aan Giancana en zijn mannen had(den) gedaan. Een toezegging om de vervolging van de maffia te vertragen en haast te maken met de eliminatie van Castro zou een voorbeeld van zo'n belofte kunnen zijn geweest.[1]

1. Giancana en zijn partners zouden zichzelf hebben kunnen indekken door Kennedy's

Giancana had een groot belang bij de eliminatie van de dictator. Castro trad met harde hand op tegen gokken, drugs en andere belangen, wat de maffiabaas en zijn kornuiten uit Chicago een miljard dollar per jaar kostte. 'Die vuile syfilishond,' zei hij tijdens de hoorzitting van zijn dochter. 'Heb je er wel een idee van wat hij mij en mijn vrienden heeft aangedaan?'

Het FBI-dossier van John Kennedy bevatte aanzienlijke bewijzen die erop duidden dat hij tijdens zijn campagne van 1960 contacten met de onderwereld onderhield. Een document uit maart 1960 bijvoorbeeld bevat de bewering van een informant dat Joseph Fischetti, Meyer Lansky en 'andere niet-geïdentificeerde schurken' zich schuldig maakten aan 'financiële ondersteuning en actieve pogingen' om Kennedy in het zadel te krijgen. Dit in opdracht van de vriend van de Senator, Frank Sinatra.[1] In een ander rapport valt te lezen dat Giancana zijn bondgenoot Paul 'Skinny' D'Amato naar West Virginia stuurde waar op dat moment de belangrijke voorverkiezingen aan de gang waren. Hij moest daar zijn invloed aanwenden om plaatselijke politici die zich in D'Amato's illegale gokhuizen schuldig hadden gemaakt aan het gokken, te dwingen op Kennedy te stemmen.

In de zomer van 1960, nog voordat de conventie van de Democraten begon, zonderde Joseph Kennedy zich af in het kleine Cal-Neva hotel in Lake Tahoe – een opvallende keuze voor een man die dat jaar zo zijn best deed zijn zoon niet in verlegenheid te brengen. Sinatra en Giancana waren allebei mede-eigenaar van deze plek die de reputatie had de favoriete gokplaats en kroeg van de maffia te zijn. Soms werd de tent beheerd door D'Amato. Een van de FBI-rapporten over John Kennedy meldt dat zijn vader tijdens diens verblijf 'door vele gangsters met gokbelangen werd bezocht'.[2]

In november 1960, nadat Giancana's zaakgelastigde voor het West Side-district

tegenstander dezelfde belofte te ontfutselen. Er werd gefluisterd dat Trafficante en Marcello Jimmy Hoffa een half miljoen dollar hadden overhandigd in een schooltas, bestemd voor Nixons verkiezingscampagne. In december 1959 bracht een voormalig Congreslid uit Californië, Oakley Hunter, een bezoek aan Hoffa in Miami Beach. Na afloop schreef Hunter naar Nixon dat hij Hoffa had laten weten dat hij geïnteresseerd was in 'de politieke toekomst van de vice-president en de invloed die de Teamsters-vakbond hierop zou kunnen uitoefenen'.

De columnist Drew Pearson kwam later met de beschuldiging dat terwijl een rechtbank in Florida zich klaarmaakte om Hoffa wegens misbruik van vakbondsgelden aan te klagen, de regering-Eisenhower 'de zaak liet versloffen terwijl Hoffa de Republikeinen hielp bij de presidentscampagne'. Pearson schreef verder dat de invloed van de Teamsters van vitaal belang was geweest bij het 'omturnen van Ohio om in plaats van de duidelijke voorkeur voor Kennedy, toch op Nixon te stemmen'.

1. Het dossier over de zanger bevatte zo veel materiaal over veronderstelde maffiaconnecties dat herhaaldelijke verzoeken van de zanger om via hun gezamenlijke vriend Freeman Gosden een onderhoud met de president te hebben, krachtig door Eisenhower werden verworpen. In januari 1961 zei Eisenhower dat hij niet kon bevatten dat Kennedy een man als Sinatra 'zo'n belangrijke rol had laten spelen bij zijn voorverkiezing'.

Kennedy had Sinatra via Peter Lawford leren kennen. In 1959 en 1960 verbleef hij bij de zanger in Palm Springs en vergezelde hem naar nachtclubs in Las Vegas. Een justitierapport dat een verslag over het verblijf in Las Vegas bevatte, meldde dat 'show girls uit de hele stad de suitedeur van de Senator plat liepen'.

2. Al vanaf de jaren twintig en dertig werd zijn vader omgeven door geruchten dat hij connecties had met de georganiseerde misdaad. Het was in een tijd dat hij met de handel

van Chicago in Illinois Kennedy met 8858 stemmen aan een overwinning hielp, riep de gangster vol trots dat hij voor de overwinningsmarge had gezorgd. Zijn bewering ging geheel voorbij aan het feit dat de zevenentwintig electorale stemmen van die staat op zich niet voldoende waren de overwinning naar Kennedy te laten gaan en dat als er stembiljetten waren gestolen, de verdenking eerder naar burgemeester Richard Daley en zijn Democraten uit moest gaan.

Kennedy's relatie met het jonge sterretje en kunstschilder uit Beverly Hills, Judith Campbell, geeft een beter bewijs van zijn contacten met de georganiseerde misdaad. Deze affaire begon in februari 1960 toen ze door Frank Sinatra aan elkaar werden voorgesteld. Binnen een jaar zat de president van de Verenigde Staten verstrikt in een relatie met een vrouw van wie hij wist dat ze het liefje van Giancana was.

Logboeken van telefoongesprekken van en naar het Witte Huis meldden over de jaren 1961 en 1962 zeventig gesprekken tussen Campbell en de westelijke vleugel van het Witte Huis. George Smathers herinnerde zich nog dat hij zag hoe Campbell door William Thompson, een lobbyist voor de spoorwegen en tevens een louche vriend die Kennedy en Smathers in 1958 op hun reis naar Cuba had vergezeld, naar het privé-vertrek van de president werd geleid: 'Als Kennedy, Thompson en ik onder elkaar waren, werd er over haar gepraat.'[1]

Net als de vreemde keuze van zijn vader om naar het Cal-Neva hotel af te reizen, valt het te betwijfelen dat de zo op zelfbescherming beluste president zijn affaire met Campbell voortzette zonder een doel voor ogen te hebben. Hij kon zonder twijfel beschikken over vrouwen die geen connecties met de maffia hadden, zodat hij dus minder kwetsbaar zou zijn voor chantagepraktijken. Zelf beweerde Campbell in 1988 dat zij op Kennedy's verzoek tijdens de verkiezingscampagne van 1960 geheime ontmoetingen organiseerde waarin hij Giancana om verschillende vormen van hulp vroeg en die ook kreeg – en dat ze gedurende 1961 ontelbare gesloten enveloppen van en naar de president en de maffiabaas koerierde.[2]

in drank een fortuin verdiende en een relatie met de weduwe van een in New York neergeschoten maffiabaas onderhield. De radioverslaggever Walter Winchell herinnerde zich dat nadat hij halverwege de jaren dertig zomaar een onderwerp presenteerde met als titel: 'De maîtresse van een *New Dealer* die aan de top staat, is de weduwe van een gangster,' Kennedy opeens een 'vruchtbare nieuwsbron werd'.

1. Met medewerkers die niet direct tot zijn nauwe kring van adviseurs behoorden, was de president discreter. Toen Thompson in Hy Raskins aanwezigheid iets wilde vertellen over een paar vrouwen die hij en Kennedy een paar avonden eerder hadden gezien, draaide de president zich snel om naar Raskin en kapte Thompson midden in diens zin af.

2. Ze beweerde ook dat Kennedy en Giancana op 13 april 1961 een korte, geheime ontmoeting hadden in het Ambassador East Hotel in Chicago: 'Sam arriveerde als eerste en daarna Jack, die zijn arm om me heen sloeg. [...] Sam zei hallo. Hij noemde hem "Jack" in plaats van "meneer de president". [...] Ik ging de badkamer in om ze alleen te laten en zat net zo lang op de rand van het bad totdat ze klaar waren.' Het officiële dagboek van de president (dat door Sorensen als 'verre van compleet' werd omschreven) meldt dat hij op 28 april om vijf voor vijf 's middags in zijn suite van het Conrad Hilton Hotel arriveerde en daar pas weer om elf over zeven vertrok voor een diner met de Democraten. Natuurlijk maakt het dagboek geen melding van zijn treffen met Giancana, maar het sluit de mogelijkheid niet uit dat deze ontmoeting werkelijk heeft plaatsgevonden.

Dank zij het afluisteren van Giancana's telefoon door de FBI weten we dat naarmate 1961 verstreek, de maffiabaas zich steeds meer opwond over Kennedy's mislukte pogingen om Justitie van zijn nek te krijgen. Een zo'n FBI-verslag laat zien hoe Roselli zijn baas op stang jaagt: 'Je naait ze, je betaalt ze en dan moeten ze je niet meer. [...] Toon ze nu maar eens de andere kant van je gezicht.' Giancana riep tegen een FBI-agent die hem volgde dat hij alles over de Kennedy-clan wist en op een dag 'alles zou vertellen'.

We zullen nooit zeker weten of de beweringen van Campbell over de ontmoetingen en enveloppen waar zijn. Het bestuderen van de maffia en de privé-levens van presidenten kan zich niet beroepen op dezelfde precisie als dat van de diplomatieke geschiedenis waarvoor we in openbare archieven over officiële, goedbewaarde documenten kunnen beschikken.

In 1988 zei Campbell dat ze deze kant van het Kennedy-Giancana-verhaal niet in haar memoires *My Story* had opgenomen, omdat ze vreesde voor haar leven. Als dit waar is, had de president hun relatie nog kunnen voortzetten om haar als koerier en tussenpersoon te gebruiken, om zo zijn weg te banen tussen Roberts vastberaden maffiajacht en Giancana's dreigingen om uit de school te klappen over zowel zijn relatie met Campbell als de contacten die hij naar eigen zeggen met de Kennedy's in 1960 had gehad.

In 1988 vroeg Campbell zich af of zij als koerier 'Jack hielp met het plannen van de moordaanslag op Fidel Castro'. Dit valt te betwijfelen. Logistiek was een zaak van de CIA. In 1961 vond Giancana het belangrijker uit de gevangenis te blijven. De maffialeider uit Chicago kan niettemin alle gelegenheden te baat hebben genomen om de president onder druk te zetten om de plannen van de CIA tegen Cuba en de onheilsprofeet van de maffia, Fidel Castro, te laten doorgaan.

Het debâcle in de Varkensbaai zette een domper op het 'opwindende idee dat alles nu mogelijk was', en volgens Bartlett kenmerkte dit de sfeer van Kennedy's eerste week als president. Kennedy wierp een exemplaar van *Time* in de open haard zodat hij niet over zijn mislukking hoefde te lezen. Robert Kennedy: 'We hebben samen al heel wat meegemaakt, maar dit greep hem meer aan dan wat dan ook in het verleden.'

In een memo over de Varkensbaai schreef Robert: 'Hij had sterk het gevoel dat de Cuba-operatie zijn aanzien als president en het imago van de Verenigde Staten in heel de wereld in belangrijke mate had ondermijnd. Onze rol als leiders zou nu veel moeilijker worden. De Verenigde Staten waren niet te vertrouwen. De Verenigde Staten hadden geblunderd.' Tegen zijn advocaat en vertrouwelijk adviseur Clark Clifford vertelde de president dat 'een tweede Varkensbaai [...] desastreuze gevolgen voor de regering [zou hebben]'.

Tijdens zijn verkiezingscampagne beloofde Kennedy honderd dagen uit te trekken om in de stijl van Woodrow Wilson en Franklin Roosevelt 'het presidentiële leiderschap af te dwingen'. Nu schreven columnisten en verslaggevers dat hij op zijn honderdste dag bezig was zich uit het puin van het Varkensbaai-debâcle te werken.

Tegen zijn vriend LeMoyne Billings zei hij dat het presidentschap 'de vervelendste baan ter wereld' was. 'In 1964 mag Lyndon het van me overnemen.' Billings antwoordde dat hij het niet kon geloven dat Kennedy 'het land aan Lyndon wilde uitleveren'. De president was het hier meteen mee eens: hij was 'niet erg tevreden over de prestaties van Lyndon tijdens de verschillende crises die we tot nu toe hebben gehad'. Hoe dan ook, Billings was verbaasd over Kennedy's neerslachtigheid en zelfkritiek. Toen hij de president probeerde op te monteren door te wijzen op de bibliotheek die na zijn ambtstermijn naar hem vernoemd zou worden, kaatste Kennedy de bal terug: 'Wie wil er voor zo'n zielige regering nou een monument oprichten?'

Billings, een Newyorkse reclameman, kende Kennedy al sinds de tijd dat ze samen op Choate leiders waren van een groep schoolrebellen die zichzelf *'the Muckers'*, de proleten, noemden.[1] Als Kennedy's beste vriend kreeg hij zijn eigen kamer op de derde verdieping van het Witte Huis. Hij bewaarde er tevens een van zijn kostuums. Jaren later zei Billings dat Kennedy 'er misschien de oorzaak van is geweest dat ik nooit ben getrouwd. Ik bedoel, ik had ook een geweldige vrouw en een gezin kunnen hebben, maar ach. Denk je dat ik een beter leven had gehad als Jacks vriend [...] de beste vriend die je je maar kunt wensen – of als getrouwd man die zich ergens met zijn gezin had gesetteld?'

Na een lunch eind april in Glen Ora, schreef Billings in zijn dagboek dat Kennedy 'zichzelf constant de schuld gaf van het Cuba-debâcle. [...] Maar hij is ook nog steeds zeer verontwaardigd over de adviezen van de gezamenlijke stafchefs [...]. Nu hij op de zaak terugkijkt, vraagt hij zich af hoe hij ooit een ander besluit had kunnen nemen als al zijn topadviseurs hem aanraadden met het plan door te gaan.'

De president klaagde dat 'de zaken er niet beter op zullen worden', dat 'de communisten voortdurend proberen om door middel van het veroorzaken van crises overal ter wereld hun macht te vergroten', waarbij ze zich 'harder en harder' zullen opstellen. De 'Cuba-vergissing' had 'zulke verstrekkende gevolgen' dat zelfs de Britten en andere bondgenoten 'de spot met hem dreven', wat 'ze nooit gedaan zouden hebben als het niet toevallig om Cuba ging'.

'Het was het enige dat hem bezighield en dus moest hij zichzelf weer opmonteren,' aldus een andere vriend, Charles Spalding. 'Voordat we met de Varkensbaai te maken kregen, was alles nog een glorieus avontuur op weg naar de toekomst. Daarna was het een serie ups en downs met verschrikkelijke valkuilen en verdenkingen. Alles werd heel omzichtig benaderd en in twijfel getrokken.'

Kennedy beschermde snel zijn politieke flank door met Eisenhower, Nixon, Goldwater, Rockefeller en andere prominente Republikeinen in beraad te gaan. Tegen medewerkers vertelde hij dat hij Dulles voorlopig zou aanhouden om de Republikeinen zoet te houden. 'Dulles is een echte vent,' zei Robert Kennedy. 'Hij klaagde nooit en nam alle schuld op zich.'

---

1. In 1939 schreef Kennedy hem: 'Ik kreeg een behoorlijk ziekelijke brief van Choate of ik een jongen kon aanbevelen "die de tradities van het huidige zesde jaar kan voortzetten". Tot nu toe heb ik nog niemand op het oog die daarvoor de meest geschikte eikel is, maar ik denk er veel over na.' Nadat hij in 1945 een bezoek aan Choate had gebracht, schreef hij naar Billings: 'Ik heb een kaart van het schoolhoofd bijgesloten, zodat je een idee krijgt van de sfeer van het geheel. [...] Ik zou het fijn vinden als je die kaart weer terugstuurt, want ik wil hem bewaren zodat ik mijn kinderen kan laten zien hoe het voorbereidend onderwijs over hun ouwe heer dacht.'

Tijdens een privé-ontmoeting met Eisenhower op Camp David moest Kennedy zich inhouden toen zijn voorganger hem als een stoute schooljongen zijn plaats wees: waarom had hij 'in 's hemelsnaam' de ballingen geen luchtsteun ter bescherming gegeven? Kennedy zei dat hij bang was dat de Russen 'zeer waarschijnlijk acties in Berlijn zouden hebben ondernomen'.

Het was zeker dat Eisenhower, de veteraan van Iran, Guatemala, Berlijn en het begin van de invasieplannen op Cuba, zijn kille blik waarmee hij Kennedy nu aankeek nog nooit in het openbaar had vertoond: 'Dat is dus precies het *tegenovergestelde* van wat er werkelijk zou gebeuren. De Russen volgen hun eigen plannen en als we ze onze zwakheden laten zien, zullen ze de meeste druk op ons uitoefenen. […] Het fiasco van de Varkensbaai zal de Russen aanmoedigen dingen te ondernemen die ze normaliter nooit zouden doen.'

Kennedy zei: 'Nou, mijn advies was dat we ons niet in deze affaire moesten mengen.' Eisenhower stond perplex: 'Hoe kun je nu verwachten dat de hele wereld denkt dat we er niets mee te maken hadden? Hoe zijn die lui aan schepen gekomen om vanuit Centraal-Amerika naar Cuba te komen? Wie heeft hun wapens geleverd? […] Als je je met dit soort dingen inlaat, moet je maar één ding voor ogen hebben: het plan moet slagen.'

Kennedy knikte instemmend. Eisenhower pleitte ervoor 'alles' te steunen wat communisten ervan zou weerhouden op het westelijk halfrond door te dringen. Maar hij merkte op dat de Amerikanen 'nooit akkoord' zouden gaan 'met een direct militair ingrijpen door hun eigen troepenmacht, behalve wanneer de provocaties aan ons adres zo duidelijk en ernstig zijn dat iedereen begrip voor een dergelijke beslissing heeft'.

Tijdens deze harde les van Eisenhower bleef Kennedy beleefd, maar later blies hij stoom af bij Billings: hij was 'totaal niet onder de indruk' van de generaal, die 'geheel onjuist geïnformeerd' en 'behoorlijk opgelucht [was], omdat de problemen waarmee hij de nieuwe regering had opgezadeld, alleen maar een gunstige uitwerking op zijn eigen imago hebben'. Kennedy hoopte dat dit 'duidelijk door de pers' naar voren zou worden gebracht.

Toen Goldwater het Oval Office binnenliep, zei Kennedy: 'Zo, dus jij wilt deze klotebaan, hè?' Later herinnerde de man uit Arizona zich dat hij Kennedy vroeg waarom hij luchtsteun van de hand had gewezen. Volgens Goldwater antwoordde Kennedy dat als hij dit niet had gedaan, Stevenson de Verenigde Naties had laten weten dat Amerika achter de Varkensbaai-invasie stond. Goldwater vertelde de president dat die 'driedubbelovergehaalde *loser* dat eens had moeten proberen. Ik had hem zo snel op de keien gezet dat hij niet eens tijd gehad zou hebben om zijn jas aan te trekken en de Verenigde Naties te verlaten.'

Kennedy vroeg aan Nixon wat hij nu in Cuba moest doen. De oude rivaal zei: 'Ik zou een geschikte legale dekmantel zoeken en de zaak doorzetten.' Nixon vond dat de president een grote invasie op Cuba kon rechtvaardigen als het daarbij ging om het beschermen van de Amerikaanse burgers of de marinehaven van Guantánamo.[1]

De president schudde zijn hoofd: 'Zowel Walter Lippmann als Chip Bohlen hebben al laten weten dat Chroesjtsjov in een zeer verwaande bui verkeert. […]

---

1. Latere Amerikaanse presidenten maakten natuurlijk gebruik van dezelfde excuses om Grenada en Panama in respectievelijk 1983 en 1989 binnen te vallen.

Mochten we Cuba binnenvallen, dan is de kans groot dat Chroesjtsjov Berlijn onder handen zal nemen.' Het antwoord van Nixon was bijna hetzelfde als dat van Eisenhower: 'Chroesjtsjov zal op verschillende plekken tegelijk de boel op-stoken. Als wij onze zwakheden tonen, zal hij op een crisis aansturen om ons te slim af te zijn. We moeten zowel in Cuba als in Laos acties ondernemen met, in-dien nodig, de steun van de Amerikaanse luchtmacht.'

Terwijl Kennedy zijn best deed om de Republikeinse leiders de mond te snoe-ren, probeerde hij zichzelf van hun kritiek over Cuba af te schermen door het Congres opdracht te geven om te onderzoeken hoe men voor 1961 met dit pro-bleem omging. Maar Bundy waarschuwde hem dat 'de Republikeinen zeer gro-te druk zouden uitoefenen om het tijdsbestek tot aan de huidige periode te laten doorlopen'.

Kennedy's gevoel dat hij door de CIA, de gezamenlijke stafchefs en, in mindere mate, het ministerie van Buitenlandse Zaken was verraden, bracht hem ertoe zijn grip op zijn buitenlands beleid te verstevigen. Hoewel Sorensen zich nooit buiten de Verenigde Staten had begeven, droeg de president hem op zich in de buitenlandse aangelegenheden te storten: 'Daar draait het vandaag de dag alle-maal om.' Hij had dezelfde plannen met Robert en overwoog hem tot hoofd van de CIA te benoemen. Maar Robert, nu minister van Justitie, vond dat deze post niet naar een Democraat of een broer van de president moest gaan.

Kort nadat de Cuba-operatie op een mislukking begon uit te draaien, liep Henry Brandon tegen een 'lijkbleke' Bundy op die hem meedeelde: 'Ik ben hieraan schuldig.' Zichzelf edelmoedig wegcijferend in het belang van het land, krabbel-de hij snel zijn ontslagbrief.[1] Kennedy weigerde Bundy's ontslagaanvraag te ac-cepteren en plaatste hem over van het Executive Office Building aan de over-kant van de weg naar de kelder van de westelijke vleugel. Op deze plek was Bun-dy gemakkelijker te bereiken en kon hij tevens een grotere invloed uitoefenen op de stroom van inkomende en uitgaande informatie over het buitenlands beleid.

Kennedy riep een onderzoeksraad voor het Cuba-project in het leven en be-noemde de held van D-Day, generaal Maxwell Taylor, als voorzitter en Robert Kennedy, Dulles en Arleigh Burke als raadsleden. In het door Kennedy bewon-derde boek *The Uncertain Trumpet* uit 1959 uitte Taylor kritiek op Eisenhower vanwege diens te grote vertrouwen in nucleaire wapens en zijn schroom om Amerikaanse troepen uit te rusten voor kleinschalige oorlogen en contrarevolu-ties.

Een week na het Varkensbaai-debâcle riep Kennedy zijn Nationale Veiligheids-

---

1. 'Je weet dat ik je tijdens de Cuba-episode beter van dienst had moeten zijn. [...] Als mijn ontslag jou kan helpen, hoop ik dat je me laat gaan. [...] Je assistenten zijn er om jou te helpen bij het bereiken van je doelstellingen – en soms zijn daarbij ontslagen nodig.' Henry Kissinger, die voor de Nationale Veiligheidsraad als adviseur inzake de Duitse kwestie tussen het Witte Huis en Harvard pendelde, zond een met de hand geschreven brief naar Bundy: 'Binnen onze maatschappij worden de mensen niet echt gemotiveerd om te zeggen waar het echt om gaat. [...] Ik hoop dat je me toestaat iets te zeggen wat misschien wat afgezaagd kan overkomen: het is belangrijk om niet ontmoedigd te raken of in de verdediging te gaan, de zaken moeten toch worden afgehandeld. Je zou het je vrienden en bewonderaars een stuk gemakkelijker maken als ze wisten dat je je unieke, ja leidende rol in deze zaken voortzet.'

raad bijeen. Volgens Chester Bowles was dit de 'grimmigste' bijeenkomst in zijn hele loopbaan. Op hem kwam de sfeer 'emotioneel, bijna wild' over. 'De president en de Amerikaanse regering waren vernederd. Er moest iets worden gedaan.'

Toen Bowles een lang betoog oplas waarin stond dat een Amerikaanse invasie Castro zeker niet van zijn macht af kon helpen, barstte Robert Kennedy bijna uit elkaar: 'Dit is het meest waardeloze en stompzinnige dat ik ooit heb gehoord. Jullie willen zo graag je eigen hachje redden, omdat jullie bang zijn om iets te doen. Het enige dat jullie willen, is alles op de president afschuiven. We zouden beter af zijn als jullie gewoon opdonderden en het buitenlands beleid aan iemand anders overlieten.'

Terwijl Robert doorraasde, tikte zijn broer ondertussen met een metalen pennedopje tegen zijn blinkende tanden. Richard Goodwin schreef later: 'Ik realiseerde me toen opeens – en ik weet het nu zeker – dat de harde polemiek van Bobby een weerspiegeling was van de verborgen emoties van de president zelf die hij al eerder, in een intiem gesprek had geuit. Ik wist toen al dat achter het vriendelijke, attente en zorgvuldig beheerste gedrag van John Kennedy een innerlijke hardheid en een vaak onberekenbare woede schuilging.'

Dean Rusk was nu banger dan ooit dat Chroesjtsjov offensieve wapens op Cuba zou stationeren. Begin mei wees hij de Senaatscommissie voor Buitenlandse Betrekkingen er persoonlijk op dat Rusland, bij gebrek aan lange-afstandsbommenwerpers, Amerika alleen maar kon bedreigen met een klein aantal onderzeeboten en intercontinentale raketten. Op Cuba gestationeerde jachtbommenwerpers en raketten 'zouden in staat zijn delen van dit land te bereiken die anders moeilijk bereikbaar zouden blijven'. Dit zou 'met betrekking tot onze wereldproblemen een chantagemiddel tegen de Verenigde Staten kunnen zijn'.

Iemand vroeg waarom de Verenigde Staten niet gewoon een blokkade rondom Cuba legden om zo Russisch materieel op een afstand te houden. De minister van Buitenlandse Zaken antwoordde dat zo'n blokkade 'zonder twijfel als een oorlogsdaad wordt opgevat. Maar als we het punt bereiken waarop we merken dat we met dingen als raketbases te maken krijgen – en dat kunnen we heel goed in de gaten houden – kunnen we… vroeg of laat gedwongen zijn een dergelijk besluit te nemen.'

Kennedy's Nationale Veiligheidsraad kwam die maand tot de conclusie dat de Verenigde Staten 'het recht op interventie in Cuba moeten behouden' als het eiland een 'directe bedreiging voor de Verenigde Staten' zou worden of als 'welke Amerikaanse republiek dan ook slachtoffer van Castro's agressie' werd. In juni kwam de onderzoeksraad onder voorzitterschap van Taylor tot het oordeel dat 'Castro niet eeuwig buurman kan blijven […]. Hoewel we persoonlijk voorstander zijn van onmiddellijke en duidelijke acties tegen Castro, erkennen wij de gevaren van een oplossing van het Cubaanse probleem als we daarmee voorbijgaan aan de wereldsituatie.' Ondanks dit alles waren de Verenigde Staten met de Sovjet-Unie in een 'strijd op leven en dood' verwikkeld die 'wel eens door ons verloren kon worden'.[1]

1. Het is niet onwaarschijnlijk dat Dulles een hand in deze uitspraak had gehad. In 1954 had Eisenhower een soortgelijke onderzoeksraad aangesteld met generaal James Doolittle

Robert Kennedy noteerde die maand voor zichzelf dat 'men de Cuba-affaire langzamerhand begint te laten voor wat ze is, voornamelijk omdat niemand een echt antwoord op Castro heeft. Er zijn maar weinig mensen echt bereid om op dit moment Amerikaanse troepen naar Cuba te sturen, maar misschien is dit wel het goede antwoord. De tijd zal het leren.'

Vanuit Moskou wees de Canadese ambassadeur Arnold Smith zijn regering op het feit dat de snelle opeenvolging van Joeri Gagarins pioniersvlucht in de ruimte door het Varkensbaai-debâcle bij Chroesjtsjov 'misschien wel tot een overdreven zelfvertrouwen' had geleid. 'Ik denk dat ze echt geloven dat zij nu de geschiedenis in haar breedste vorm gaan bepalen.' Hij vond de stemming in het land 'vergelijkbaar met die in Engeland tijdens het victoriaanse tijdperk'.

Zoals zoveel Amerikanen die lente, maakte Smith de fout door te zwichten voor de retoriek van Chroesjtsjov. Privé was de Russische Secretaris-Generaal allesbehalve zeker van zijn zaak. Zijn land was op nucleair gebied nog nooit zo ver op de Verenigde Staten achter geweest. De Russische vorderingen in de Kongo, Laos, Cuba en andere gebieden waren ideologische aanmoedigingen die tegelijkertijd de roebels opslorpten die hij liever aan de binnenlandse economie had besteed. Op de hoogte van economische feiten die maar beter niet openbaar konden worden gemaakt, wist hij hoe moeilijk het zou worden om de Verenigde Staten vóór 1970, 1980 of 1990 'in te halen en achter zich te laten'.

De Amerikaanse nederlaag in Cuba bood Chroesjtsjov een propagandistische kans van jewelste. Maar het overheersende effect van Kennedy's optreden in het Caribisch gebied was er waarschijnlijk toch op gericht de plannen van de Sovjetleider in de war te sturen. Arkadi Sjevtsjenko van het Russische ministerie van Buitenlandse Zaken die later naar de Verenigde Staten zou overlopen, herinnerde zich dat de Varkensbaai binnen het Russische leger en het presidium 'het anti-Amerikagevoel versterkte': door Chroesjtsjov te dwingen zich aan de kant van Cuba te scharen, 'ontstond er een verslechtering in zijn verstandhouding met Kennedy, in plaats van een verbetering, waarop hij had gehoopt'.

Nadat Kennedy tot president was gekozen, vreesde de Russische top dat deze door zijn onervarenheid en marginale verkiezingsoverwinning misschien tot internationale avonturen zou worden uitgelokt waaraan een meer betrouwbare en populaire president als Eisenhower zich nooit zou hebben gewaagd. De Russen waren verbijsterd toen Kennedy's retoriek na drie maanden heen en weer slingerde tussen verzoening en strijdlust (waarbij ze altijd hadden verondersteld dat dit een voorrecht was dat alleen Chroesjtsjov te beurt viel).

Hierna gaf Kennedy het groene licht voor de invasie op Cuba, om de operatie vervolgens te laten mislukken. Via hun eigen informatiebronnen en beschouwende artikelen in Amerikaanse tijdschriften leerden de Russen van Stevensons aandeel in het presidentiële besluit geen toestemming voor een tweede luchtaan-

als voorzitter en met als taak de CIA door te lichten. De raad kwam tot de conclusie dat 'we een meedogenloze vijand tegenover ons hebben die openlijk toegeeft uit te zijn op wereldhegemonie. [...] We moeten [...] leren onze vijanden met betere en doordachtere methoden te ondermijnen, te saboteren en te vernietigen dan waarmee zij ons tot slachtoffer kunnen maken.'

val te geven.[1] Sommigen vroegen zich af hoe het kwam dat wanneer Kennedy geweld moest gaan gebruiken om een naburige natie te temmen, hij volkomen werd lamgelegd. Misschien kwam het omdat hij zo onervaren was, zo geïntimideerd door de adviezen van zijn intellectuele adviseurs en zich zo blind staarde op zijn eigen retoriek over zelfbeschikking en non-interventie. Sjevtsjenko zei dat Chroesjtsjov en de andere leiders na het Varkensbaai-debâcle 'de indruk hadden kregen dat Kennedy besluiteloos was'.

Een Oosteuropese diplomaat wees Chester Bowles erop 'dat Chroesjtsjov het probleem in Hongarije pas onder ogen zag nadat hij eerst een tijd had doorgebeuld, zelfs ten koste van tweeëndertigduizend doden in de straten van Boedapest. [...] Chroesjtsjov ging ervan uit dat Kennedy hetzelfde zou doen.'

Het ongelukkige resultaat van zijn ervaringen met de eerste Amerikaanse president die hij had ontmoet, stond de Sovjetleider nog vers in het geheugen gegrift. Na Camp David had hij zijn Partijgenoten verzekerd dat Eisenhower een oprechte 'vriend van de vrede' was, wat meteen werd gevolgd door de U-2-affaire, waarna de Russen zich afvroegen of de Amerikaanse president Chroesjtsjov niet als een joker had beschouwd.

De Sovjetleider was niet van plan opnieuw dezelfde vergissing te begaan. Na Kennedy's verkiezingsoverwinning had hij zichzelf toegestaan openlijk de hoop uit te spreken dat die jongeman een 'nieuwe Roosevelt' zou worden. Als van Kennedy kon worden aangenomen dat hij de Russische Secretaris-Generaal niet in verlegenheid zou brengen zoals Eisenhower met het U-2-schandaal, dan kon het misschien in Chroesjtsjovs politieke belang zijn geweest om een goede verstandhouding met Kennedy op te bouwen. Als de Sovjetleider zich, ook tijdens een periode van spanningen, bij de rest van de Partijtop kon presenteren als iemand die Kennedy begreep en met hem kon omgaan, dan kon dit hem misschien onmisbaar maken, waardoor zijn rivalen minder vlug geneigd zouden zijn hem aan de kant te zetten.

Maar de, naar zijn zeggen, inconsistentie van Kennedy's vroegere beleid jegens Moskou en nu de Varkensbaai maakten hem dubbel nerveus met betrekking tot het verpanden van zijn politieke toekomst aan een in zijn ogen onvoorspelbare, onervaren president, die nog te veel aan zijn eigen prioriteiten en binnenlands aanzien twijfelde om doortastend te kunnen optreden. Enkele weken na de invasie liet Chroesjtsjov zijn persoonlijke mening tegenover Kennedy doorschemeren toen hij tijdens een toespraak over andere zaken opeens de opmerking maakte dat hij niet aan het hoofd van de Russische regering was komen te staan omdat zijn vader een rijk man was.

Hij wilde zichzelf nu beschermen door met zijn collega's en Chinese critici een hardere lijn tegenover de Verenigde Staten uit te stippelen. De drie maanden waarin de Amerikaanse militante houding de boventoon voerde en die uitmondde in de Cuba-invasie, leek een te grote uitdaging om te laten passeren. De slap-

---

1. Na een golf van zulke artikelen verklaarde een van de opstandige generaals en collega van McNamara, James Van Fleet, die na zijn pensionering bij het leger adviseur bij het Pentagon was geworden, dat Stevenson 'ontslagen had moeten worden' toen hij 'de gewapende acties' in de Varkensbaai 'niet wilde steunen' en zo de Verenigde Staten 'afhield van het geven van luchtsteun' aan de rebellen. Stevenson eiste een excuus. Van Fleet verklaarde dat zijn opmerkingen 'uit hun context' waren gelicht.

stickachtige incompetentie en zwakheden die tijdens de invasie in de Varkensbaai ten toon werd gespreid, leek een te mooie kans om niet te benutten.
In Washington liet een Russische functionaris de Amerikanen weten dat Kennedy in de ogen van de Sovjetregering 'de proef niet had doorstaan'. De president
had het 'door Chroesjtsjov gegunde politieke krediet onnodig verspeeld'.
Ondanks Kennedy's uiterste zorg om bijna niemand in vertrouwen te nemen
over zijn angst dat Chroesjtsjov acties in Berlijn zou ondernemen, kostte het de
Russische Secretaris-Generaal weinig moeite om de parel in de oester te vinden.
Ze waren er bijna zeker van dat Kennedy zo onzeker was over de Amerikaanse
betrokkenheid bij de gedeelde stad, dat hij bereid was liever de vernedering van
de mislukte Cuba-invasie te slikken dan nu geconfronteerd te worden met een
nieuwe Berlijnse crisis. Nu Chroesjtsjov merkte dat hij weer wat macht tegenover Kennedy en het Westen kon stellen, concludeerde hij dat Berlijn misschien
mooi van pas kwam.

Negen weken waren inmiddels verstreken nadat Thompson tijdens zijn ontmoeting met Chroesjtsjov in Novosibirsk de Sovjetleider de geheime brief van Kennedy had overhandigd met daarin het voorstel voor een topconferentie. Negen
weken lang was er geen antwoord gekomen.
Kennedy's voorstel was gebaseerd op de hoopgevende sfeer van februari. Nu de
Cuba-operatie hem in verlegenheid had gebracht en de betrekkingen met Moskou waren verzuurd, was hij blij dat hij niet de beproeving van een ontmoeting
met Chroesjtsjov hoefde te doorstaan. In een vertrouwelijke brief aan Konrad
Adenauer schreef hij dat 'de verslechtering van de algemene situatie' hem gedwongen had 'een serieuze overweging voor een ontmoeting met Chroesjtsjov
op te schorten'. Zoals Bohlen zich herinnerde, beschouwde de president 'de
zaak hiermee als afgedaan'.
De Sovjetleider had zijn antwoord negen weken opgeschort, omdat hij wilde afwachten wat er in Cuba gebeurde. Tevens stond hij niet te trappelen om zichzelf
in verlegenheid te brengen door een ontmoeting met Kennedy aan de vooravond
van een succesvolle Amerikaanse invasie die het eiland weer onder Amerikaans
bezit zou brengen, ondanks Russische beloften Castro te verdedigen. Maar een
topconferentie zou Kennedy nu in de verdediging dringen. Na maanden van
verwarrende signalen uit Washington vond Chroesjtsjov het ook belangrijk om
Kennedy's ware gezicht te leren kennen.
Een andere reden voor een topconferentie was dat Chroesjtsjov verwachtte dat
de president in de nabije toekomst wel eens een tweede actie tegen Cuba kon ondernemen, voordat Castro zijn binnenlandse vijanden had geliquideerd en de
Russen de kans kregen grote hoeveelheden wapens en munitie naar het eiland te
zenden. Hij wist dat Kennedy Cuba niet vlak voor of na een topconferentie zou
binnenvallen. Chroesjtsjov zou bij het bepalen van het tijdstip van een topontmoeting dus een paar belangrijke maanden kunnen winnen waarin hij zijn tegenstanders de mond kon snoeren en kon werken aan een serieuze defensie.
Eind april seinde Chroesjtsjov naar een Russische agent in Washington contact
te zoeken met de Amerikanen en Kennedy te verzoeken diens aanbod voor een
topontmoeting in realiteit om te zetten.

7. De geheim agent

Sovjetfunctionaris Georgi Nikitovitsj Bolsjakov klampte zijn vriend Frank Holeman van de *New York Daily News* aan: 'Ik zou graag de minister van Justitie willen ontmoeten. Kun jij me helpen om een afspraak te maken?' Hij voegde eraan toe: 'Ik ben de enige op de ambassade die rechtstreeks met Chroesjtsjov kan communiceren.' Een ontmoeting met de broer van de president kon volgens hem wel eens heel vruchtbaar zijn.

Bolsjakov was joviaal, een flinke drinker en had weerbarstig donker haar, blauwe ogen en een fors postuur. Hij had Holeman voor het eerst ontmoet in Washington aan het begin van de jaren vijftig toen hij daar werkte onder de dekmantel van een TASS-correspondentschap. Eind 1959 was hij naar de hoofdstad teruggekeerd als secretaris inlichtingen op de Sovjetambassade en als redacteur van het Russische, Engelstalige magazine *USSR*.

Van de zevenenzestig ambassademedewerkers was Bolsjakov formeel de veertigste in rang. Maar het legertje FBI-mannen en agenten van de Russische inlichtingendienst dat hem door heel Washington op de hielen zat, getuigde ervan hoe belangrijk hij in werkelijkheid was. Holeman: 'Georgi werd door iedereen geschaduwd.'

Jaren later verklaarde Aleksej Adzjoebei dat Bolsjakov een Sovjetagent was bij de militaire inlichtingendienst. In het midden van de jaren vijftig was hij medewerker van de Russische minister van Defensie en Tweede-Wereldoorlogheld, maarschalk Georgi Zjoekov. Nadat Chroesjtsjov Zjoekov had ontslagen, redde Adzjoebei het vege lijf van Bolsjakov door hem aan te bevelen bij zijn schoonvader. Die liet hem graag de redactie over *USSR* doen en maakte hem tevens tot zijn persoonlijke vertegenwoordiger in Washington. Uit de psychologische karakterschetsen van de gebroeders Kennedy stelde de Russische inlichtingendienst ongetwijfeld vast dat zij om redenen van snelheid en flexibiliteit het liefst via een geheim agent werkten. Dit was tevens conform hun voorkeur voor geheimhouding en omzeilen van het ambtelijke apparaat. Als de vaste procedure was gevolgd, dan was Bolsjakov ingelicht over bijna alles wat de Russische inlichtingendienst wist van de president en zijn broer – hun ideologie, werkwijzen, sympathieën, antipathieën, favoriete eten, drinken en hun seksuele gewoonten.

Holeman liet de medewerker van de minister van Justitie, Edwin Guthman, weten dat Bolsjakov hem wilde ontmoeten. Robert overlegde met de president, die op de hoogte werd gebracht van het feit dat Bolsjakov 'een belangrijke agent van de Russische geheime politie' was. De president vroeg hem uit te zoeken wat de Rus wilde.

Dit was niet de eerste keer dat er een Sovjetagent werd gestuurd om te gaan praten met een hoge Amerikaanse functionaris. Aan het eind van de jaren vijftig waren Chroesjtsjov en zijn collega's verontrust over opiniepeilingen die aantoonden dat Nixon wel eens gekozen kon worden als opvolger van Eisenhower. Ze vonden het van essentieel belang om een relatie op te bouwen met de vice-president die zo legendarisch was om zijn anticommunisme.

Van Holeman was bekend dat hij op goede voet stond met Nixon en niet al te anti-Russisch was. Hij werd gekozen als de Amerikaanse tussenpersoon. Aan het eind van zijn campagne in 1952 had Nixon bij wijze van grap de *Daily News*-verslaggever tijdens een autocolonne door Seattle naast zijn vrouw Pat gezet. Zo kon hij even kandidaatje spelen en naar het in verwarring gebrachte publiek wuiven. Onder hevige protesten had Holeman medebestuurders van de *National Press Club* overgehaald om het lidmaatschap toe te staan van Sovjetdiplomaten in Washington, onder wie een zekere Joeri Gvozdev.

In februari 1958 zocht Gvozdev de journalist op en vroeg hem, 'namens de Sovjet-Unie', wat er zou gebeuren als Moskou's bondgenoot Syrië het buurland Libanon zou binnenvallen. Holeman stapte naar Nixons staf en kreeg een antwoord dat hij aan Gvozdev doorgaf: 'Jullie moeten halt houden bij de Libanese grens, want anders zullen jullie in grote moeilijkheden komen.'[1]

De Russen hebben misschien gedacht dat Holeman zelf een spion was. Hij zei tegen Nixons secretaresse Rose Mary Woods: 'Ik zeg hun steeds dat ik geen invloed en geen connecties heb, maar hoe meer ik protesteer, hoe meer zij denken dat ik niet de waarheid spreek.' Hij noemde zichzelf: 'Frank Holeman, Spion bij de Welpen.'

Nadat Eisenhower in juli de mariniers naar Libanon stuurde, gaf Gvozdev opnieuw een boodschap voor Nixon mee aan Holeman: 'De Russen denken dat een oorlog nabij is. Er zijn zat plaatsen waar Russische vrijwilligers heen kunnen gaan, waaronder Egypte. [...] Elke zet van de Amerikanen of Britten tegen Irak zal oorlog tot gevolg hebben. In dat geval zullen de Russen de Europese bases negeren en de Verenigde Staten rechtstreeks aanvallen.'

Toen Chroesjtsjov zijn Berlijnse ultimatum aankondigde, vroeg Gvozdev aan Holeman om zijn hooggeplaatste vrienden gerust te stellen. 'Maak je niet ongerust over Berlijn. Er zal geen oorlog uitbreken over Berlijn.' Deze boodschap heeft de voorkeur van de president om de crisis niet te laten escaleren wellicht versterkt.

In december 1958 zei Gvozdev tegen Holeman dat Chroesjtsjov 'erg geïnteresseerd' was in een bezoek van Nixon aan de Sovjet-Unie. Hij zou 'er erg veel constructieve tegenvoorstellen over Berlijn voor over hebben'. Hoe stond de vice-president 'tegenover een bezoek'?

Nixon hield ruggespraak met de president en de minister van Buitenlandse Zaken. Holeman werd verzocht tegen Gvozdev te vertellen dat Nixon 'onder bepaalde voorwaarden' naar Moskou zou komen. De voornaamste voorwaarde behelsde 'een periode van relatieve stilte' tussen de Verenigde Staten en de Sovjet-

---

1. Toen Eisenhowers medewerker voor buitenlands beleid, Andrew Goodpaster, dit verhaal jaren later hoorde, veronderstelde hij dat Nixon eerst overleg zou hebben gepleegd met de minister van Buitenlandse Zaken en de president voordat hij zo'n boodschap kon vrijgeven.

Unie, met name inzake Berlijn. De Sovjets gingen akkoord met Nixons voorwaarden.

De relatie tussen de vice-president en de KGB-agent is tot dit schrijven geheimgehouden. Zijn contacten met Gvozdev verliepen op zo'n afstand dat hij misschien niet eens de naam van de Rus heeft gekend. Tegen de tijd dat Nixon in juli 1959 naar de Sovjet-Unie vertrok, was Gvozdev uit Washington verdwenen. Zes jaar later werd hij overgeplaatst naar Brazilië en als spion het land uitgezet.

Holeman begeleidde Georgi Bolsjakov nu naar het ministerie van Justitie, waar de Rus de privé-lift naar Kennedy's kantoor nam. In bijna foutloos Engels vertelde hij de minister van Justitie dat hij ooit boer en arbeider was geweest. Sinds Chroesjtsjovs toer door Amerika in 1959 had hij een speciale relatie met de Secretaris-Generaal.

De president en de Secretaris-Generaal, zo zei hij, zouden elkaar ongetwijfeld dingen te zeggen hebben die niet via de officiële kanalen konden worden overgebracht. Hij zou een veel levensechter beeld kunnen schetsen van wat er in het Kremlin gebeurde dan de Kennedy's voorgeschoteld zouden kunnen krijgen van de pers of andere bronnen.

Toen kwam Bolsjakov ter zake: in zijn brief van februari had de president een topontmoeting met de Sovjetleider voorgesteld. Was dat aanbod nog geldig?

Robert legde de vraag voor aan de president. Die reageerde geschokt en geërgerd: nu, na het pijnlijke Varkensbaai-avontuur, had Chroesjtsjov besloten dat hij toch een conferentie wilde. Kennedy schreef Adenauer dat hij 'voor het blok stond' om in te stemmen met een topontmoeting of anders 'terug moest komen van mijn eerder geuite bereidheid tot een top'.

Bohlen herinnerde de president eraan dat Eisenhower voorwaarden had gesteld voordat hij Chroesjtsjov wilde ontmoeten. Kennedy besloot dezelfde tactiek te gebruiken. Hij verzocht Robert om Bolsjakov te laten weten dat hij 'de voorkeur gaf aan' een topconferentie en de Sovjetleider vóór 20 mei een definitief antwoord zou geven. Die beslissing zou afhangen van de vraag of de Amerikaanse bondgenoten ermee instemden en of er 'concrete vooruitgang' was geboekt bij de onderhandelingen over Laos en de kernproeven.

Bolsjakov verzekerde Robert ervan dat in beide gevallen vooruitgang zou worden geboekt. Volgens Kennedy suggereerde Bolsjakov dat Chroesjtsjov inhoudelijke concessies zou doen om een overeenkomst te sluiten over kernproeven. Robert herinnerde zich: 'Hij gaf mij duidelijk te kennen dat ze tot een verdrag inzake de stopzetting van kernproeven zouden komen.' Als je Bolsjakov kon geloven, dan was dit voor de president een aantrekkelijke reden om akkoord te gaan met een topontmoeting.

Volgens de minister van Justitie besprak hij met Bolsjakov ook de eventuele onderwerpen waarover de twee leiders van gedachten konden wisselen – Laos, het 'belang dat ze inzagen dat wij een verplichting hadden jegens Berlijn', en 'een poging om tot een soort schikking te komen' over de 'beheersing van de atoomwapens'.

In de daaropvolgende achttien maanden zagen Robert Kennedy en Georgi Bolsjakov elkaar ongeveer twee of drie keer per maand. De minister van Justitie legde zijn broer uit dat 'ze het klaarblijkelijk niet via hun ambassadeur wilden regelen'. Bolsjakov had hem verteld dat Mensjikov 'geen nauwkeurige verslagen uit-bracht aan Chroesjtsjov'. Vandaar dat de Secretaris-Generaal 'de Verenigde Staten niet echt begreep'.

Holeman hielp de verhouding te versterken: 'Bobby was mijn cliënt, maar Georgi mocht ik.' Als Bolsjakov niet het risico wilde nemen om Roberts kantoor rechtstreeks te bellen, dan belde Holeman naar Guthman: 'Mijn baas wil jouw baas spreken.'

De verslaggever van *Daily News* pikte de Rus per taxi op in de buurt van de Sov-jetambassade om zo Amerikaanse en Russische agenten te ontglippen: 'Ik wilde er zeker van zijn dat mijn vriend en de minister van Justitie niet in verlegenheid werden gebracht door die schoften.' Meestal ontmoetten ze elkaar op Kennedy's kantoor. Soms ook in een doughnut-shop naast het Mayflower Hotel of ze kuier-den Constitution Avenue af richting Capitool.

Bolsjakovs geheime agenda met Robert Kennedy viel nauwelijks op door zijn grote kennissenkring in het Washingtonse New Frontier-gezelschap. Hij tu-toyeerde presidentiële medewerkers als O'Donnell en Sorensen, en vrienden van de president, zoals Bartlett, Bradlee en William Walton. Hij werd gewaardeerd omdat hij weigerde de Sovjetpartijpolitiek te spuien. Tegen iedereen die maar wilde luisteren, vertelde Bolsjakov dat Nikita Chroesjtsjov en John Kennedy zijn helden waren.

Van de hoogste Amerikaanse regeringsfunctionarissen waren de president en zijn broer de enigen die alles wisten van wat Robert tegen Bolsjakov zei en wat hij van de Rus te horen kreeg. De minister van Justitie herinnerde zich later: 'Jammer genoeg schreef ik – stom genoeg, nooit veel zaken op. Ik gaf alle bood-schappen gewoon mondeling door aan mijn broer en hij ging vervolgens tot actie over. En ik denk dat hij soms het ministerie van Buitenlandse Zaken op de hoog-te bracht en soms misschien ook niet.'

Thompsons twijfel over de contacten met Bolsjakov overtroffen zijn afkeer van informele diplomatie. Hij vond het een 'beoordelingsfout. [...] Ze probeerden het idee te slijten van: "Nou, Buitenlandse Zaken zit zo vol vooroordelen tegen ons dat we helemaal niets opschieten. Als we nu een direct contact zouden krij-gen, dan konden we tenminste weer vooruit." Op deze manier hoopten ze dat het ministerie niet hoefde te worden ingeschakeld en dat ze konden voorkomen dat alle feiten bekend werden gemaakt – en wilden ze de president ertoe bewe-gen zijn oordeel te baseren op hun voorstelling van zaken in de veronderstelling dat ze zo zaken konden doen. Volgens mij was dit een geweldige vergissing.'

Thompson waarschuwde de president dat de Sovjets 'enorm veel belang zouden kunnen hechten aan achteloze uitspraken': elke Amerikaanse functionaris die een gesprek voerde met iemand van de Sovjetambassade moest daarvan een schriftelijk verslag bijhouden. Kennedy knikte, maar sloeg Thompsons advies in de wind.

Ook Rusk en Bundy waren niet zo enthousiast over dit kanaal. Ze wisten geen van beiden dat de broer van de president zo regelmatig een ontmoeting had met Bolsjakov. Roberts assistent James Symington stoorde zich aan Bolsjakovs 'insi-nuerende grappigheid' en 'bijna ongelimiteerde toegang tot het sanctum sancto-rum'. Hij vond dat zijn baas een 'gevaarlijk spelletje' speelde.

De president werd nooit samen met Bolsjakov gezien, behalve bij ontmoetingen met Sovjetdelegaties. Maar voor zijn broer bracht het de nodige risico's met zich

145

mee om zo vaak een ontmoeting te hebben met een bekende Sovjetagent. De FBI hield zowel Bolsjakov als de minister van Justitie in de gaten: toen Bolsjakov een keer bij Holeman thuis in Virginia ging dineren, zag Holeman de fotografen van de FBI in de bomen hangen. Maar Bartlett merkte dat Robert nog enige bescherming genoot vanwege zijn opvallend anticommunistische uitlatingen in het recente verleden: 'Ik geloof niet dat Bobby dacht dat hij het risico liep om voor sympathisant van het communisme uitgemaakt te worden.'

Een groter probleem met een bemiddelaar als Bolsjakov was dat het de Sovjets een voordeel gaf. Zij konden erop rekenen dat Robert Kennedy hun man geen valse informatie gaf: als hij loog, zou dat direct een smet werpen op de president. Maar van Bolsjakov konden de Russen altijd zeggen dat hij geen agent was. Als hij met opzet zou worden gebruikt om de Kennedy's te misleiden en zou worden ontmaskerd, dan hoefde het Kremlin alleen maar te zeggen dat hun man 'verkeerd ingelicht' was en hem hals over kop terug naar Moskou halen.

De Russische Secretaris-Generaal hanteerde een soortgelijke methode om met Castro te communiceren. Hun vertrouwelijkste dialogen werden niet via Chroesjtsjovs ambassadeur in Havana gevoerd – de Cubaanse leider veegde hem altijd de mantel uit – maar via Aleksandr Aleksejev, de agent die, net als Bolsjakov, onder de doorzichtige dekmantel van een functie als correspondent voor TASS opereerde.

Een belangrijke reden voor Chroesjtsjovs gebruik van dergelijke kanalen bij Kennedy en Castro was dat hij zijn ministerie van Buitenlandse Zaken niet volledig vertrouwde. Hij zei ooit dat wanneer hij Gromyko zou vragen om 'zijn broek te laten zakken en een maand lang op een blok ijs te gaan zitten', hij dat nog zou doen ook. Maar hij vergat nooit dat Molotov, de minister van Buitenlandse Zaken onder Stalin en een van de leidende samenzweerders van de Antipartijcoup in 1957, Gromyko's chef was geweest.

Als Chroesjtsjov na 1957 de absolute macht had verworven, dan had hij Molotov misschien uit de regering gestoten en een nieuwe minister gekozen die weinig banden had met de Stalingroep. In plaats daarvan had hij Molotov naar de Sovjetambassade in Oelaanbaatar uitgezonden, niet een geheel onbeduidende benoeming, en Gromyko benoemd tot minister van Buitenlandse Zaken.[1]

In 1961 was Molotov inmiddels door Chroesjtsjov naar het Atoomenergiebureau van de Verenigde Naties in Wenen overgeplaatst.[2] De Sovjetleider bleef ongerust over Molotovs loyalisten op het ministerie van Buitenlandse Zaken en op andere plaatsen in Moskou. De meesten van hen stonden wantrouwend tegen-

1. Gromyko's voorganger was Dimitri Sjepilov, een ongeduldige jongeman die in 1956 door Chroesjtsjov was aangesteld als minister van Buitenlandse Zaken om Molotov te vervangen. Sjepilov beging de vergissing de kant van de verliezers te kiezen en zijn chef te verraden tijdens de Antipartijcoup.
2. Chroesjtsjov heeft Molotov wellicht uit Mongolië teruggehaald, omdat de Chinese leiders iedere gelegenheid aangrepen om Molotov te prijzen als Stalins pupil en rechtmatige opvolger. Zo uitten zij hun minachting voor hun tegenstander Chroesjtsjov. De Sovjetleider hoorde geruchten van Chinese samenzweringen tegen hem met Molotov en andere vijanden. Hij kan gedacht hebben dat Molotov in Wenen voor minder gevaar zou zorgen. Daar was de kans minder groot dat hij in het gezelschap van hoge Chinese functionarissen zou verkeren.

over Chroesjtsjovs openingen naar het Westen. Wellicht was de Secretaris-Generaal bevreesd dat ze zijn toenaderingspogingen tot Kennedy zouden willen saboteren of gebruiken als bewijs dat Chroesjtsjov 'zich te mild opstelde tegenover het kapitalisme'.

Toch was het gebruik van agenten als diplomatiek kanaal bijna net zo gevaarlijk als het gebruik van het ministerie van Buitenlandse Zaken. Zijn pogingen om de spanningen met het Westen en de hardvochtigheid van de Sovjetpolitiestaat te verminderen, ondermijnden de *raison d'être* van de KGB. Ze vormden een gevaar voor de macht en de privileges van de leiders. Het KGB-hoofd werd gezien als een criticus van Chroesjtsjovs harde lijn jegens China en zijn pogingen om de Amerikaanse betrekkingen te verbeteren.

Na Chroesjtsjovs boodschap kon Kennedy weinig anders doen dat in te stemmen met een topontmoeting. Als hij eronderuit probeerde te komen, dan zouden de Russen de inhoud van zijn brief van februari wel eens kunnen vrijgeven en snoeven dat de president na zijn vernedering in de Varkensbaai niet meer met Chroesjtsjov in één kamer durfde te vertoeven.

De nood dwong Kennedy de voordelen van een eventuele top te bezien. Hij merkte op dat 'elke crisis waaraan ik in mijn carrière als president het hoofd heb moeten bieden, in feite geïnitieerd is door Rusland': de Kongo, Laos en Cuba hadden al gedreigd de twee supermachten mee te sleuren in een conflict. Berlijn en Zuid-Vietnam vormden een zelfde bedreiging.

In april had de president bij Nixon toegegeven dat zijn Cuba-fiasco Chroesjtsjov misschien het idee had gegeven dat deze nu in staat was 'om over de hele wereld met ons te sollen'. Een top kon Kennedy de kans geven het tegendeel te bewijzen. Tegen O'Donnell zei hij: 'Dat we betrokken zijn geraakt in een gevecht tussen communisten en anticommunisten op Cuba en in Laos, was één ding. Maar nu kunnen we hem laten weten dat een krachtmeting tussen de Verenigde Staten en Rusland iets geheel anders zou zijn.'

Al sinds zijn inauguratie had Kennedy met Chroesjtsjov om de tafel willen gaan zitten om een regeling te treffen voor het opschorten van de Koude Oorlog. Een dergelijke afkoelingsperiode zou beide supermachten ervan weerhouden om zich vast te leggen op operaties die hun wezenlijke veiligheid en het vredesevenwicht in gevaar zouden brengen. Het zou beide leiders de gelegenheid bieden om te komen tot een weldoordacht raamwerk voor de Sovjet-Amerikaanse betrekkingen waarin rekening werd gehouden met de doelstellingen en binnenlandse behoeften van beide landen.

Het ontging de president niet dat een top zijn binnenlandse en buitenlandse positie zou versterken. Eisenhowers conferenties in Genève en Camp David, zelfs de totale mislukking van Parijs, hadden het Amerikaanse volk en het Westen dichter tot elkaar gebracht. Als Kennedy bewees opgewassen te zijn tegen Chroesjtsjov, dan zou dat nu na het Varkensbaai-debâcle – net als bij zijn televisiedebatten met Nixon – de praatjes dat hij te jong en onervaren was, de wereld uit kunnen helpen.

Kennedy verwonderde zich erover hoe Amerikanen zich achter hun president schaarden als buitenlandse uitdagingen zich aandienden – zelfs wanneer het gevaar een gevolg was van persoonlijke fouten, zoals bij Eisenhower en het U-2-incident. Een opinieonderzoek na de Varkensbaai wees uit dat een ongekend aantal Amerikanen, tweeëntachtig procent, toen achter hem stond. Hij zei daarop dat het net zo was als bij Eisenhower: 'Hoe slechter ik het doe, hoe populairder ik word.' (Later zei hij nog: 'Als ik verder was gegaan, dan zouden ze me nog meer hebben gemogen.')

De president schreef naar Adenauer: 'Aangezien ik Chroesjtsjov nog niet eerder heb ontmoet, veronderstel ik dat u mijn opvatting zou delen dat een dergelijke ontmoeting, gezien de huidige internationale situatie, nuttig zou zijn. Als de top daadwerkelijk doorgang vindt, dan hoop ik u over de inhoud van deze besprekingen met Chroesjtsjov in te lichten, waarvan ik verwacht dat ze een vrij algemeen karakter zullen hebben.'

Lyndon Johnson vreesde dat Chroesjtsjov, in de nasleep van het Cubaanse fiasco, Kennedy's bereidwilligheid tot een ontmoeting zou kunnen opvatten als een teken van zwakheid. Er bestaat geen bewijs dat de president deze gedachte ooit serieus nam. En Bohlen evenmin. Die dacht dat 'Sovjetleiders gewoonlijk meer aandacht schenken aan de macht van de Verenigde Staten dan aan tactische blunders'. Andere Amerikaanse functionarissen maakten zich toch ongerust dat Chroesjtsjov naar de top zou komen en een buitensporige eis op tafel zou leggen ,die Kennedy vervolgens wel moest afwijzen, om dan, net als in 1960 in Parijs, de ontmoeting faliekant te laten mislukken om de Koude Oorlog in zijn eigen voordeel te laten escaleren.

Terwijl Bolsjakov en Robert Kennedy in het geheim beraadslaagden in Washington, kwam Gromyko op donderdag 4 mei naar Thompson met een officieel voorstel voor een topconferentie. Hij zei: 'Recente gebeurtenissen maken een top zelfs nog noodzakelijker.'

Thompson telegrafeerde Washington dat hij hoopte dat de president zijn plan om Chroesjtsjov te ontmoeten zou 'aanhouden'. Hij wist dat Kennedy's critici zouden kunnen beweren dat de Varkensbaai hem tot een overhaaste top had gedwongen. Daarom stelde hij voor dat de president het publiek zou meedelen dat hij al twee maanden voor het Cuba-fiasco met het idee voor een top was gekomen: 'Bovendien heeft de president inzake de Kongo, Laos en Cuba duidelijk gemaakt dat hij stevig in zijn schoenen staat wanneer hij geconfronteerd wordt met Sovjetacties.'

De ambassadeur dacht dat het voorbereiden van een top Chroesjtsjov in de maanden ervoor 'redelijker' zou stemmen. De Sovjetleider werkte nu aan belangrijke beslissingen voor het Tweeëntwintigste Partijcongres in oktober, 'en het is in ons belang om die beslissingen te beïnvloeden'. Het 'zuivere feit van een top' zou 'de Sovjet-Chinese betrekkingen verslechteren'. Ondanks 'recente scherpe woordenwisselingen en Sovjetacties', dacht Thompson dat er een belangrijke verandering was opgetreden in Chroesjtsjovs bedoelingen: 'Ondanks het feit dat het altijd duidelijk is geweest dat de Sovjets streven naar een wereldwijde onderwerping aan het communisme, blijft Chroesjtsjov voorstander van vreedzame middelen.'

Op vrijdagochtend 5 mei lanceerden de Verenigde Staten hun eerste mens in de ruimte. Een gespannen Kennedy had gezegd dat na het succes van Gagarin en de mislukking van de Varkensbaai een nieuw fiasco in de ruimte het begin zou zijn van 'een bijzonder moeilijke tijd voor NASA en ons allemaal'.

De bijna vijfhonderd kilometer lange onvolledige baan rond de aarde duurde vijftien minuten. Kennedy reageerde opgelucht toen hij hoorde dat de astronaut, commandant Alan Shepard, weer veilig in een helikopter zat. In zijn dagboek schreef Billings dat de president 'niet zo blij was te merken [...] dat iedereen in het succes van Shepard wilde delen, inclusief de vice-president.[1] Hij merkte op dat als de vlucht een mislukking was geworden, hij snel genoeg de enige deelgenoot van Shepard zou zijn geweest.'

De president was vooral bezorgd geweest over Shepards missie, omdat hij op dat moment weerstand moest bieden tegen een nieuwe uitdaging in Laos. Chroesjtsjov had Thompson ooit gevraagd waarom de Sovjet-Unie de moeite zou nemen om risico's te lopen met het kleine land: 'Het zal als een rijp appeltje in onze handen vallen.' Zijn voorspelling leek nu uit te komen. Het Witte Huis kreeg te horen dat de door de Amerikanen gesteunde royalistische troepen in Laos 'zo goed als verslagen' waren.
Vanuit Vientiane vroeg ambassadeur Winthrop Brown aan Rusk om toestemming voor luchtaanvallen die de vijand van hun belangrijkste doelen zouden beroven. Brown besefte dat een dergelijke aanval 'alle onderhandelingen over een wapenstilstand zou verknallen' en 'hoogst waarschijnlijk' een Amerikaanse interventie tot gevolg zou hebben. De gezamenlijke stafchefs bereidden noodplannen voor om acties te ondernemen tegen Noord-Vietnam en misschien tegen het zuiden van China.
Zo vlak na het Varkensbaai-incident wilde de president bij Chroesjtsjov of de Republikeinen niet de indruk wekken dat hij zich inhield in Laos en Cuba. Maar hij wist dat wanneer de Verenigde Staten tot actie zouden overgaan, 'we straks misschien oog in oog staan met miljoenen Chinese soldaten in de jungle'. Tegen Billings zei hij dat hij 'zich niet nog een fout kon veroorloven'. Hij zou 'liever geen' troepen naar Laos sturen 'als er nog een andere optie was. En wat Cuba betreft, denk ik er helemaal zo over.' Maar als de communisten in Laos niet tot staan werden gebracht, dan 'zou Vietnam het volgende land zijn. En dan Thailand enzovoort.'
Rusk vond het regime van de royalisten 'het leven van één enkele boerenknul' niet waard. De kopstukken in het Congres waren het met hem eens. Vanuit New Delhi schreef ambassadeur John Kenneth Galbraith naar de president dat 'heel Laos' als militair bondgenoot 'onmiskenbaar inferieur is aan een compleet bataljon principiële dienstweigeraars uit de Eerste Wereldoorlog.'
De meningen van de gezamenlijke stafchefs waren verdeeld. Robert Kennedy: 'Het legerhoofd zei dat we in korte tijd – ik denk dertig dagen – veertig procent slachtoffers zouden hebben. Dit was gebaseerd op ziekten en dysenterie. We zouden dus troepen sturen die vervolgens zouden worden uitgeroeid in een land dat niet echt geïnteresseerd is om zichzelf te verdedigen.' Na één zo'n briefing zei Robert: 'Als de mariniers al niet bereid zijn erheen te gaan, dan ben *ik* er zelfs tegen.'
De minister van Justitie herinnerde zich dat iemand een schatting maakte dat 'de communisten tegenover iedere man die wij naar Laos sturen, vijf man konden inzetten, dat ze de vliegvelden konden vernietigen en zo onze mensen de pas

1. Johnson was voorzitter van de nieuwe ruimteraad van de president.

konden afsnijden nadat er nog maar duizend of een paar duizend man in Laos waren aangekomen'. En om de royalisten aan de macht te houden 'zouden we ons moeten voorbereiden op de mogelijkheid dat we zowel met China als met Rusland in een ingrijpende atoomoorlog verwikkeld konden raken'.

De president wilde niet het risico lopen van een nucleaire confrontatie en verbood daarom het inzetten van Amerikaanse strijdkrachten in Laos. Dank zij de Varkensbaai was hij sceptischer geworden ten opzichte van militaire adviezen en zei dat als Cuba er niet was geweest, 'we in Laos er tot over onze nek in zouden zitten'.

Stille diplomatie tussen de Britten en de Sovjets leverde een wapenstilstand op. Op vrijdag 12 mei kwamen veertien naties in Genève bijeen om te confereren over Laos. Als afgezant stuurde Kennedy Averell Harriman, die voorstander was geweest van een beperkter betrokkenheid met Laos. De president droeg hem op niet terug te komen naar Washington zonder regeling.

Na een officiële reis naar Zuidoost-Azië liet Lyndon Johnson enkele Senatoren in vertrouwen weten dat hij 'bijzonder lage verwachtingen had inzake Laos. [...] Volgens mij levert de conferentie niets op. Ik denk dat de Russen de boel gaan verknallen en dat de communisten feitelijk hun zin zullen krijgen.'

Robert Kennedy raadpleegde Bolsjakov over een Amerikaans-Russische poging om de angel uit het conflict te halen. Toch vreesde hij dat een akkoord over Laos de problemen van de president in Zuidoost-Azië zou verergeren, omdat het 'de Russen en de communisten van een tunnel recht naar het centrum van Zuid-Vietnam' voorzag.

In zijn poging om de president tot een topontmoeting te verlokken, zei Chroesjtsjov op vrijdag 12 mei in Tbilisi: 'Hoewel president Kennedy en ik elkaars tegenpolen zijn, leven we op dezelfde planeet [...]. We moeten op deze planeet vreedzaam naast elkaar kunnen coëxisteren en dientengevolge bij bepaalde kwesties dezelfde taal spreken.' Het ministerie van Buitenlandse Zaken liet Kennedy weten dat Chroesjtsjovs opmerkingen 'waarschijnlijk tot de meest gematigde behoorden die hij sinds de periode voorafgaand aan het U-2-incident van vorig jaar in het openbaar heeft gemaakt'.

Half mei, toen westerse bondgenoten werden geraadpleegd over een ontmoeting tussen Kennedy en Chroesjtsjov, lekte het nieuws uit. Terwijl de president een lang weekend in Palm Beach aan het golfen was, vertelde zijn generaal Chester Clifton tegen Sander Vanocur van NBC dat wanneer hij eind mei met Kennedy naar Parijs zou vliegen, hij beter wat extra kleren mee kon nemen. Chroesjtsjovs nieuwe gematigdheid was Vanocur niet ontgaan: die ene hint was genoeg. Hij vertelde Salinger dat hij het zou gaan uitzenden 'tenzij er een nationaal veiligheidsbelang in geding komt'. De persattaché zei: 'Ik kan je niet tegenhouden.'

Op dinsdagmorgen 16 mei bezocht Michail Mensjikov het Witte Huis en overhandigde de president een Engelse vertaling van een brief van Chroesjtsjov, gedateerd 12 mei. Hierin beklaagde de Secretaris-Generaal zich nog eens over het Varkensbaai-incident en aanvaardde Kennedy's voorstel tot een top.

Nadat hij achtenzestig dagen had gewacht op Chroesjtsjovs antwoord, had de president geen haast meer met een reactie. Hij merkte koeltjes op dat toen Gromyko het onderwerp met Thompson had aangesneden, het nog niet duidelijk was of Laos en andere internationale kwesties wel 'bevorderlijk' zouden zijn voor een top. Nu zou hij de zaak met Rusk bestuderen en binnen achtenveertig uur met een antwoord komen. Mocht hij beslissen tot een top met de Sovjetleider, dan moest die in Wenen plaatsvinden.

Kennedy maakte een opmerking over speculaties in de Amerikaanse pers over een top, die de week daarvoor waren verschenen. Op zijn knorrige manier wierp Mensjikov tegen dat de Sovjetpers niets had laten uitlekken. Waarop de president weer uitlegde dat hij De Gaulle over de topontmoeting had geraadpleegd: dit had 'zonder twijfel' tot een verspreiding van het nieuws geleid. Eén reden waarom hij met Chroesjtsjov wilde praten, vormden de 'zeer belangrijke' besprekingen over een verbod op kernproeven. In officiële verklaringen wilde hij niet de suggestie wekken dat hij en de Russische leider een akkoord over Laos of over de kernproeven verwachtten. Er mochten bij het publiek geen al te hoge verwachtingen worden gewekt.

Bohlen telefoneerde met de minister van Buitenlandse Zaken, die in Genève was voor de conferentie over Laos: Kennedy wilde doorgaan, tenzij de minister bezwaar aantekende. Rusk was nog minder enthousiast voor een top dan in de periode voor het Varkensbaai-debâcle, maar antwoordde dat de situatie in Laos 'vanuit Russisch standpunt bekeken niet zo gunstig [was] en dat was wellicht een punt van overweging'.

Bohlen vertelde hem dat er al geruchten over een top de ronde deden: de president wilde vandaag beslissen. Rusk antwoordde dat de president 'onder de gegeven omstandigheden' moest 'doorzetten'. Na deze uitbundige steunbetuiging van zijn minister van Buitenlandse Zaken liet Kennedy Chroesjtsjov weten dat hij hem in Wenen zou ontmoeten.

De volgende dag vlogen John en Jacqueline Kennedy naar Ottawa voor hun eerste, officiële buitenlandse reis. De president had een hekel aan de Canadese premier John Diefenbaker. Hij vond hem zwaar op de hand en onoprecht. Hij wees Diefenbakers in het openbaar geuite suggestie dat Canada kon bemiddelen tussen de Verenigde Staten en Cuba van de hand. De premier vond Kennedy op zijn beurt een 'jonge hond' en een 'opschepperige klootzak'.

Diefenbaker voelde zich opnieuw geprovoceerd toen Kennedy het Canadese parlement openlijk verzocht Diefenbakers verzet tegen het Canadese lidmaatschap van de OAS te overstemmen. Toen de president de burelen van de premier verliet, liet iemand een memo achter van Rostow. Hierin moedigde hij Kennedy aan de Canadezen te 'pushen' met betrekking tot Laos en de OAS. (De president dacht dat Bundy de boosdoener was.)

Diefenbaker hield later vol dat de memo het woord 'S.O.B.' bevatte, in het handschrift van Kennedy. De president: 'Ik vond Diefenbaker geen *son of a bitch*' – hij zweeg even – 'Ik vond hem een lul.' Hij vroeg zich af waarom de premier 'niet deed wat elke normale, bevriende regering zou doen: een fotokopie maken en het origineel terugsturen'.

In Ottawa stond er een ceremonie op het programma waarbij Kennedy twee rode eikebomen zou planten. Misschien kwam het door de spanning van de onderhandelingen met Diefenbaker dat hij vergat te hurken, zoals zijn dokters hem hadden aangeleerd. In plaats daarvan boog hij zich over de berg zwarte aarde. De pijn schoot door het onderste gedeelte van zijn rug, een plek waar hij tijdens het voetballen en tijdens de oorlog verwondingen had opgelopen. Hij was er bijna aan overleden toen hij bij een operatie aan de ruggegraat in 1954 een infectie kreeg. Hij stak één hand in een jaszak en met de ander greep hij naar zijn voorhoofd.

De volgende dag was hij terug in het Oval Office. Zijn secretaresse, Evelyn Lincoln, vond hem 'chagrijnig' en 'op de rand van uitputting'. In de privé-vertrekken van het Witte Huis gebruikte hij voor het eerst sinds jaren weer zijn krukken.

Terwijl de president en Jacqueline in Glen Ora zaten, werd op zaterdag 20 mei de top met Chroesjtsjov tegelijkertijd in Moskou en Washington aangekondigd. Medewerkers van het Witte Huis deelden de pers mee dat Chroesjtsjov 'snel' zou inzien dat Kennedy een 'besluitvaardig man' was.

De bekendmaking van eerdere topontmoetingen, zoals die van Genève, Camp David en Parijs, had altijd tot hoge verwachtingen geleid. Maar deze keer liepen de reacties in het Westen uiteen van milde verwachting tot uitgesproken verwarring. William Fulbright gaf toe dat men in 'grote spanning' verkeerde over de jonge president die op het punt stond Chroesjtsjov te ontmoeten. Een zakenman uit Jacksonville zei: 'Je gaat niet onderhandelen met iemand die je net een pak slaag heeft verkocht.' Een arbeider uit Carson City: 'Chroesjtsjov zal hem alle hoeken van de ring laten zien.'

Columnisten citeerden uit vroegere verklaringen van Kennedy dat een president niet naar een top moet gaan, tenzij er van tevoren bij onderhandelingen resultaat is geboekt. In de *New Yorker* waarschuwde Richard Rovere: 'De heer Chroesjtsjov ziet misschien niet zo veel in onze jonge president als Theodore Sorensen en Charles Bohlen in hem zien.'

Vanuit Madrid telegrafeerde ambassadeur Anthony Biddle: 'Eenvoudig gezegd is men hier ongerust dat de geslepen en corrupte oude Sovjetleider uit zijn ontmoeting in Wenen met de jeugdige president van het "idealistisch jonge" Amerika op een of andere manier voordeel zal halen.' Een verslaggever van *Newsweek* meldde dat Westeuropese diplomaten dachten dat de ontmoeting 'louter het aanzien van Chroesjtsjov zou helpen vergroten' en dat 'Chroesjtsjov zich waarschijnlijk weinig zal aantrekken van Amerikaanse waarschuwingen'.

Senator Albert Gore noemde de top 'onverstandig en slecht getimed'. De Republikeinse Senator Bourke Hickenlooper uit Iowa: 'Geen rechtvaardiging [...] geen hoop op succes.' George Ball, de nummer drie op Buitenlandse Zaken, zei tegen een vriend dat het 'betreurenswaardig' was dat Kennedy Chroesjtsjov juist nu moest ontmoeten na de 'reeks nederlagen die we hebben geleden' in de ruimte, Cuba en Laos. De minister van Arbeid, Arthur Goldberg, liet Kennedy botweg weten dat hij nog niet toe was aan een gesprek met Chroesjtsjov, omdat hij nog niet lang genoeg president was geweest.

Kennedy's vriend en vooraanstaand Senator Mike Mansfield uit Montana schreef hem een brief waarin hij opmerkte dat zijn buitenlandse beleid sinds januari 'veel te wensen' had overgelaten. 'Als de ontmoeting ontaardt in een felle woordenwisseling, waarbij ieder wil bewijzen dat hij sterker en nog onbuigzamer is dan de ander, dan zou het beter zijn geweest de ontmoeting niet te laten plaatsvinden.'

In mei 1961 leek de wereldbevolking, zoals Kennedy het in zijn verkiezingscampagne had geformuleerd, meer geïnteresseerd in wat de heer Chroesjtsjov aan het doen was dan in wat de Verenigde Staten deden. In zijn door de *Pravda* overgenomen column merkte James Reston op dat de Sovjetleider 'de tijd van zijn leven had'. 'In Laos heeft hij ons in zijn macht. Op Cuba heeft hij ons voor schut gezet.'

De Amerikaanse tegenslagen in de buitenlandse politiek en de ruimte zorgden ervoor dat de president zich verrast voelde door de gebeurtenissen. Hij zei: 'Ik ga net als Eisenhower doen en mijn staf het papierverbruik aan banden laten leggen.' Met zijn goedkeuring staakte het Amerikaanse Informatie Bureau stilletjes de opinieonderzoeken naar het Amerikaanse prestige. Tijdens de verkiezingscampagne van 1960 had hij zulke opiniepeilingen zelf zo effectief ingezet om Eisenhower en Nixon zwart te maken.

Gedurende zijn trip naar Palm Beach van half mei had Kennedy nagedacht hoe hij het initiatief weer naar zich toe kon trekken voordat de top met Chroesjtsjov plaatsvond. Staflid Fred Holborn van het Witte Huis zei: 'Er heerst een gevoel dat de komende tien dagen van doorslaggevend belang zijn.'

De president besloot met de traditie te breken door op donderdag 25 mei een tweede State of the Union af te leggen, twaalf weken na zijn eerste. (Grappenmakers noemden het een '*Re*state of the Union.') Met deze middagtoespraak over 'urgente nationale behoeften' hoopte hij een krachtige, nieuwe start te maken voordat hij naar Wenen ging. Zijn medewerkers waarschuwden hem tegen een nieuwe militaire eis aan de vooravond van de Weense top. Daarop zei hij dat wanneer Chroesjtsjov beledigd zou worden, dat dan maar zo moest zijn.

Kennedy verzocht het Congres om een nog hoger defensiebudget dan hij in maart al had gedaan. Hij vroeg om een extra vijftienduizend mariniers, nieuwe nadruk op guerrilla-operaties, houwitsers, helikopters, transportmiddelen voor troepen, meer parate reservegevechtseenheden voor de landmacht – en hij verdrievoudigde de fondsen voor atoomschuilkelders door het hele land.[1] Hij verzocht ook om de hoogste financiële toezegging, zonder limiet, die ooit in vredestijd was gedaan om vóór 1970 een Amerikaan op de maan te laten landen.

Gedurende de eerste maanden van zijn presidentschap had men Kennedy gewaarschuwd zich op afstand te houden van het Mercury-project, opdat hij geen politieke schade zou oplopen door exploderende raketten of dode astronauten. In maart had hij afwijzend gereageerd op een verzoek van NASA om kapitaal vrij te maken voor bemande ruimtevluchten. Maar na het succes van Gagarin beschuldigden Congresleden de president ervan dat hij een 'Russisch monopolie in de ruimte' tolereerde. Kennedy vroeg zijn experts: 'Is er ergens een mogelijkheid om ze in te halen? [...] Kunnen we eerder dan zij een man op de maan krijgen?'

Cuba en Zuidoost-Azië hadden zijn politieke bevoegdheid om een weloverwo-

---

1. De schuilkelders zouden zijn positie versterken, niet alleen ten opzichte van Chroesjtsjov, maar ook ten opzichte van Nelson Rockefeller. Rockefeller was 's lands grootste verbale voorstander van een uitgebreid schuilkelderprogramma. Sorensen herinnerde zich dat de president dacht dat Rockefeller 'zijn meest waarschijnlijke tegenstander in 1964 zou zijn'.

gen inspanning in de ruimte te verdedigen verder ondermijnd. Gebruikmakend van de retoriek die Kennedy tijdens zijn campagne bezigde, schreef Lyndon Johnson aan hem: 'In de ogen van de wereld betekent eerste in de ruimte ook eerste, punt uit.' De kans dat de Amerikanen met een maanlanding de Russen zouden verslaan, was volgens wetenschappers fifty-fifty. Zij waarschuwden ook dat de enorme uitgaven voor een versneld maanlandingsprogramma op weten-schappelijke en technische gronden niet gerechtvaardigd konden worden. De doorslaggevende reden zou een politieke moeten zijn.

Politieke adviseurs wezen de president erop dat een maanproject een stimulans zou zijn voor de nationale economie. Het zou Congresleden, generaals en grote bazen uit de ruimtevaartindustrie die zich kwaad maakten over het hervor-mingsbeleid van McNamara's Pentagon tot bedaren brengen. Ook zou het Ken-nedy's populariteit opkrikken: ze zagen de president de moedige, jonge ruimte-vaarders al begroeten op Cape Canaveral en in de Rozentuin.

Kennedy wist dat wanneer de Verenigde Staten door middel van een groot-scheeps maanprogramma een voorsprong behielden dat dit hem en zijn regering zou beschermen tegen de tegenslagen van de Koude Oorlog. In navolging van Chroesjtsjov en zijn Spoetnik moest het hem lukken om met ruimtesuccessen de publieke aandacht af te leiden van de binnenlandse en buitenlandse frustraties op aarde.

Eisenhowers reputatie op het gebied van defensie en buitenlandse zaken was on-aantastbaar. Hij was erin geslaagd om na het succes van de Spoetnik de eis tot een kostbare Amerikaanse verovering van de maan te weerstaan. Dat was hem eerder al gelukt met de roep om de defensie-uitgaven aanzienlijk te verhogen. Kennedy liet zich niet tegenhouden. Twintig miljard dollar, de uiteindelijke kos-ten van een Amerikaanse maanlanding, was een hoge prijs voor het primaire doel het Koude-Oorlogsprestige weer te veroveren.

Eisenhower schreef een vriend dat Kennedy's beslissing 'bijna hysterisch' en 'een beetje onvolwassen' aandeed. In 1965 klaagde hij bij astronaut Frank Bor-man dat de inspanning voor het maanprogramma 'vlak na het Varkensbaai-fias-co ingrijpend was herzien en uitgebreid. [...] Het lichtte direct een enkel project of experiment op uit een zorgvuldig gepland en doorlopend programma van communicatie, meteorologie, verkenning en toekomstige militaire en weten-schappelijke voordelen, en het gaf de hoogste prioriteit – en ik betreur dat – aan een race, met andere woorden, een stunt.'

Senator Prescott Bush uit Connecticut klaagde dat Kennedy 'de inflatiekrachten vrij spel' zou geven en weigerde zijn nieuwe defensie- en ruimteprogramma's met belastingopbrengsten te financieren. Joseph Kennedy was het hiermee eens. Hij zei: 'Verdomme, ik heb het Jack toch beter geleerd! O, door deze onzin zijn we straks blut. *Ik* heb hem verteld dat ik het belachelijk vond.'

In de laatste week van mei lag de president in zijn hemelbed met een vochtig ver-warmingskussen onder zijn rug. Hij was verdiept in de drukproeven van *The Grand Tactician*, een nieuwe biografie over Chroesjtsjov door een Sovjetemi-grant, Lazar Pistrak, en las de zwarte in leer gebonden instructieboeken van Buitenlandse Zaken en de CIA. Bundy schreef: 'Hier volgt het prille begin van interessante informatie over Wenen.'

Kennedy werd er door Buitenlandse Zaken op gewezen dat Wenen hem de gelegenheid bood om Chroesjtsjov te laten zien dat hij 'grip had op de wereldsituatie' en dat het zijn bedoeling was om er ook vorm aan te geven. De Sovjetleider had zijn zorgen over China en 'zou er de voorkeur aan geven de besprekingen in harmonie te laten eindigen'. Chroesjtsjov veronderstelde 'dat een sfeer van ontspanning een of ander politiek afschrikmiddel zou scheppen tegen een krachtige Amerikaanse actie tegen Cuba en Laos. [...] Wellicht hoopte hij ook dat deze sfeer de vaart uit het uitdijende bewapeningsprogramma van de Amerikanen zou halen.'

Een profielschets van de CIA zei dat Chroesjtsjovs 'speech gelardeerd is met boerengezegden en zelfs bijbelse spreuken... Hij is op zijn allergewoonst en best in de velden van een collectief landbouwbedrijf, waar hij de bijeengekomen boeren adviseert over de beste manieren om aardappelen en graan te verbouwen.'

De Russische leider was 'het universele genie van het arme volk met een oplossing voor elk probleem [...] een expert op alle gebieden, van kuilvoeder tot de ruimte. Een ongeremde derderangs acteur die zijn mening altijd verduidelijkt met de grofste boerenhumor. Bij gelegenheid is hij begiftigd met een behoorlijke persoonlijke waardigheid. Trots als hij is op zijn proletarische afkomst wil hij toch de volledige erkenning en eer krijgen die hem als echte leider van een grote wereldmacht toekomt.'

Hoewel Chroesjtsjov 'in staat was om buitengewoon open te zijn en, in zijn eigen ogen ongetwijfeld, zeldzaam eerlijk', was hij ook 'een gokker en een huichelaar, een expert in het bewust geplande bluffen. [...] Terwijl hij prat gaat op zijn realiteitszin en vooral zijn beheersing van de realiteiten van het machtsevenwicht, denkt hij dat hij de Sovjetmacht kan aanwenden om nog tijdens zijn leven de wereld tot het communisme te bekeren.'

De CIA waarschuwde de president dat Chroesjtsjov hem in Wenen wel eens met opzet uit zijn evenwicht zou proberen te brengen. Volgens het inlichtingenrapport was dit een oude tactiek van Chroesjtsjov: in Moskou was hij ooit te laat gearriveerd voor een interview met de Amerikaanse televisie; hij droeg de cameraploeg op het filmen te staken en 'stak vervolgens een tirade af over de werkwijzen van de Amerikaanse pers. Op het moment dat een opname totaal onmogelijk leek te worden, zei Chroesjtsjov de opnameploeg door te gaan en werd hij weer de vriendelijkheid zelve voor het interview. Gedurende het hele programma waren het de verslaggevers, en niet Chroesjtsjov, die in de verdediging gingen.'

De CIA droeg ook de bevindingen aan van meer dan twaalf internisten, psychiaters en psychologen die in 1960 in het geheim bij elkaar waren geroepen om Chroesjtsjovs karakter te taxeren. De experts hadden films bekeken van de Sovjetleider. Hoe hij Indianen verwelkomt, in slaap sukkelt tijdens plechtigheden en bij de Verenigde Naties zijn schoen uittrekt en met zijn vuisten slaat. Na nauwkeurig onderzoek van onderschepte telefoontjes, brieven, toespraken en ondervragingen door de CIA van westerse mensen die Chroesjtsjov hadden geobserveerd en met hem hadden onderhandeld, kwamen ze tot de conclusie dat de Sovjetleider een 'eeuwig optimistische opportunist' was.

Een van de medewerkers, de psychiater Bryant Wedge, stuurde Kennedy een brief waarin hij hem waarschuwde dat het geen zin had om Chroesjtsjovs mening over belangrijke kwesties te willen veranderen: 'Er is slechts één redeneertrant mogelijk – je zet de feiten van de westerse standpunten in niet mis te verstane bewoordingen uiteen, zodat misrekeningen worden vermeden en een bruikbaar vergelijk wordt bereikt. Een uitleg over *waarom* de Amerikaanse standpunten zijn ingenomen op andere dan pragmatische beweegredenen, is aan dovemansoren gericht.'

De president las passages uit gesprekken van Chroesjtsjov met Eisenhower, Nixon, Stevenson, Humphrey, graanverbouwer Roswell Garst uit Iowa, en het hoofd van United Auto Workers, Walter Reuther, die van de Sovjetleider kreeg te horen: 'U bent net een nachtegaal. Die sluit zijn ogen als hij zingt, en ziet niets en hoort niemand behalve zichzelf.' (Dat kon Chroesjtsjov natuurlijk weten.)

Stevenson gaf Kennedy een memo over 'de manier waarop Sovjetleiders de zaken bezien'. De president vroeg Humphrey en James Reston of het mogelijk was logisch te redeneren met Chroesjtsjov. Bohlen vertelde hem dat het karakter van de Secretaris-Generaal het best kon worden omschreven met het Franse woord *méchanceté* [1]: 'Ik kan dit niet echt vertalen. U kunt uw vrouw beter vragen het wat gedetailleerder uit te leggen.' Chroesjtsjovs belangrijkste kenmerk was volgens hem 'een buitengewone hoeveelheid dierlijke energie'.

Tijdens een lunch zei Walter Lippmann tegen de president dat hij met Chroesjtsjov kon opschieten door zelfverzekerd te zijn en, vooral, *geduldig*: 'Deze man werkt erg traag. Hij valt niet op te jutten. U moet er gewoon rekening mee houden dat het een vreselijk langdradige aangelegenheid gaat worden, anders werkt het niet. [...] Drie uur voor Chroesjtsjov? Hij is nog niet eens begonnen.' Hij waarschuwde dat Chroesjtsjov een 'overtuigd revolutionair' was.

'Hij is geen *echte* revolutionair,' zei Kennedy. 'Hij zal een revolutie nooit zo ver laten komen dat een oorlog met ons onvermijdelijk wordt.'

De derde grote leider van de Sovjet-Unie werd in 1894 geboren in het dorp Kalinovka vlak bij de Russisch-Oekraïense grens. De jonge *moezjik* werkte als schaapherder tot hij op zijn zestiende naar de kolenmijnen werd gestuurd. Later noemde hij de mijnen 'het Cambridge van de arbeider, de universiteit van de berooide Russen'. Tijdens de burgeroorlog leidde hij, naar verluidt, een bataljon metaalarbeiders naar de overwinning op een kozakkenleger. Toen de kanonnen zwegen, stierf zijn eerste vrouw aan roodvonk. Ze liet twee kinderen na, Leonid en Joelia.

Chroesjtsjov bezocht een opleiding voor mijnwerkers. Gesteund door de beruchte geheime politie, de Tsjeka, was hij daar student, volkscommissaris, informant bij de politie en nieuwsinterpretator. Hij trouwde een onderwijzeres, Nina Petrovna Koechartsjoek, sloot zich aan bij de Oekraïense chef Lazar Kaganovitsj en volgde deze naar de Sovjethoofdstad. In 1935 werd hij eerste secretaris van de Moskouse Communistische Partij en in die hoedanigheid ondergeschikt lid van de kring rond Stalin. Zwijgend keek hij toe hoe honderdduizenden Russen werden vermoord tijdens de grote zuivering.

In 1938 keerde hij als Stalins trouwe volgeling terug naar Kiëv om de nog levende Oekraïense vijanden van het volk uit te roeien. Gedurende de eerste maanden van de Tweede Wereldoorlog volgde hij de tanks van het Rode Leger naar het oosten van Polen om toezicht te houden op de inlijving van de streek bij de

---

1. Een goede omschrijving zou zijn: een zekere gemene boosaardigheid.

Sovjet-Unie. Hij was medeplanner van de rampzalige aanval op Charkov en was politiek adviseur toen de Sovjets de nazi's bij Stalingrad en Koersk versloegen.

Tijdens een hongersnood in de Oekraïne in 1946 verwelkomde hij in Kiëv een afvaardiging van de Verenigde Naties die werd aangevoerd door Marshall Mac Duffie, een van de eerste Amerikanen die hij ooit had ontmoet en die zich herinnerde: 'Hij staarde me vragend en heel nieuwsgierig aan, net als iemand die een kever op een rots bestudeert.' Voordat het gezelschap vertrok, zorgde Chroesjtsjov voor een verrassing door zich met hen en hun echtgenoten te vermaken. Ze 'zaten tot diep in de nacht op de veranda en kletsten over hun persoonlijke levens en plannen'.

In 1949 gaf Stalin hem zijn oude post van chef van de Moskouse Partij weer terug en maakte hem secretaris van het Centraal Comité. Zo werd Chroesjtsjov een van de zes machtigste mannen in de Sovjet-Unie. Dit was de tijd van Stalins wildste paranoia die leidde tot de arrestatie van leden van het zogenaamde 'dokterskomplot' en geruchten over nieuwe zuiveringen in de top.

Toen stierf Stalin in maart 1953. Als nieuwe partijleider begon Chroesjtsjov de nieuwe premier Georgi Malenkov snel vanaf de rechterflank te ondermijnen. Opportunistisch als hij was trok hij de steun van de militaire en geheime politie naar zich toe door Malenkovs openingen naar het Westen te bekritiseren. Malenkov wendde de geldmiddelen die voor bewapening bestemd waren, aan voor consumentengoederen en liet zich niet-stalinistisch uit toen hij jammerde dat een atoomoorlog het einde van de beschaving zou betekenen. (Dit behoorde allemaal tot het beleid waar Chroesjtsjov voorstander van was toen hij de volledige macht naar zich toetrok.)

In 1956 was Malenkov weggewerkt. Chroesjtsjov heerste naast premier Nikolaj Boelganin. Tijdens een geheime zitting van het Twintigste Partijcongres van de Communistische Partij hield hij de toespraak die hem onsterfelijk maakte. Er zaten afgevaardigden te snikken toen hij Stalins wandaden aan de kaak stelde, de 'intolerantie, wreedheid en het machtsmisbruik', beleidsfouten, de 'ernstige verdraaiingen' van Partijprincipes, de persoonsverheerlijking. De CIA bemachtigde een kopie van de toespraak, die al snel de 'geheime rede' werd genoemd, en speelde haar door aan de New York Times. Stalins politieke gevangenen strompelden de werkkampen uit.

Chroesjtsjovs beschuldiging aan het adres van de Grote Vader moedigde regeringen in de Oosteuropese satellietstaten aan een liberalere koers te gaan varen. In Oost-Duitsland en Polen kwamen nationalisten in opstand. In de herfst was het revolutionaire gevaar zo gegroeid dat Chroesjtsjov naar Warschau vloog, waar hij opriep tot een hard politie-optreden. De Hongaarse revolutie drukte hij ook de kop in, wat hem in het Westen zijn reputatie van 'Slager van Boedapest' opleverde. In januari 1957 was het binnenlandse verzet tegen de destalinisatie zo groot dat Chroesjtsjov werd gedwongen te verklaren dat, wanneer het erop aan komt het imperialisme te bestrijden, 'wij allemaal stalinisten zijn'.

Zuivere stalinisten als Molotov, Malenkov, Kaganovitsj en Boelganin konden het bloed van Chroesjtsjov al ruiken en grepen hun kans. In juni 1957, op het moment dat Chroesjtsjov een bezoek aan Finland bracht, riepen ze het presidium bijeen en eisten ze zijn aftreden.

Chroesjtsjov weigerde weg te gaan tenzij de uitspraak zou worden bekrachtigd door het Centraal Comité: 'Jullie zijn bang oog in oog te staan met de comitéleden.' Hij wist dat de grotere groep minder gewicht had dan de functionarissen van buiten Moskou, die zijn pogingen om hun meer invloed te geven wel konden waarderen. Zijn minister van Defensie, maarschalk Zjoekov, liet leden van het Centraal Comité uit alle uithoeken van de Sovjet-Unie in legervliegtuigen overvliegen. Zijn gok slaagde.

Met zijn gave van politiek taalgebruik noemde Chroesjtsjov deze belangrijke gebeurtenis de Antipartijcoup en daarmee schilderde hij die af als een misdrijf tegen de Communistische Partij. Eenmaal weer stevig in het zadel zette hij zijn antipartijtegenstanders af. De doorslaggevende rol die maarschalk Zjoekov had gespeeld bij zijn overwinning, deed hem inzien dat de minister van Defensie te veel macht had. Uiterst ondankbaar schoof hij Zjoekov opzij middels een overduidelijk verzonnen beschuldiging van 'bonapartisme'.

Wat Boelganin betreft: 'De dwaas realiseerde zich niet dat ze hem de volgende dag zouden hebben afgezet als het hun was gelukt,' zei Chroesjtsjov. 'De post van premier van de Sovjet-Unie is niet bedoeld voor een idioot.' Chroesjtsjov voegde Boelganins portefeuille bij zijn leiderschap van de Communistische Partij en werd zo in 1958 de absolute leider van de Sovjet-Unie, zoals alleen Lenin en Stalin dat waren geweest.

Tijdens de onderhandelingen van begin mei hadden de Amerikanen voorgesteld dat het eerste programma-onderdeel in Wenen een verdrag inzake de stopzetting van kernproeven moest zijn: daarna konden Kennedy en Chroesjtsjov zich wijden aan andere kwesties als Berlijn en Laos. Maar de Russen stonden erop dat Chroesjtsjovs eerste zorg Berlijn zou zijn.

Bij hun ontmoeting in Potsdam in 1945 hadden de leiders van de Verenigde Staten, de Sovjet-Unie en Engeland het Duitse Rijk in vier zones verdeeld en waren ze in Berlijn tot een bestuursverdeling tussen de vier zegevierende mogendheden gekomen. Dit akkoord moest van kracht blijven tot de vier overwinnaars het eens zouden worden over een definitief Duits vredesverdrag en een regering die zeggenschap over heel Duitsland had. De Koude Oorlog sloeg deze hoop de bodem in. Het bezette land werd opgedeeld in tegenover elkaar staande Oost- en Westduitse staten – de Duitse Democratische Republiek (DDR) en de Bondsrepubliek Duitsland.

Honderdtachtig kilometer in de DDR lag Berlijn, volgens Chroesjtsjov een doorn in het oog van Oost-Duitsland en de rest van Oost-Europa. De westelijke sector van de stad was het toneel voor anti-Sovjetpropaganda en spionage, een afwijzing van het idee dat het communisme voorspoed bracht en een plaats die Stalins poging weerstond om elke hectare van Oost-Europa bij het Sovjetimperium in te lijven.

In 1948 probeerde Stalin deze problemen uit de weg te ruimen met een blokkade die de twee miljoen Westberlijners moest uithongeren tot ze zich overgaven. Maar toen het Westen terugsloeg met een luchtbrug naar Berlijn, was hij niet bereid om het conflict te laten escaleren. In 1949 verklaarde hij de DDR tot een soevereine staat met een door de Sovjets gecontroleerde regering in Oost-Berlijn, die het Westen weigerde te erkennen.

Chroesjtsjov blies Stalins offensief in november 1958 nieuw leven in. Dertien jaar na de oorlog was er nog steeds geen Duits vredesverdrag, zo beweerde hij.

Als het Westen niet binnen zes maanden tot een overeenkomst kwam, dan zou hij een eigen vredesovereenkomst met de DDR tekenen. Dit zou de Oostduitsers de controle verschaffen over de toegangswegen naar West-Berlijn. Als de Oostduitsers de wegen zouden blokkeren en het Westen zou proberen met tanks de blokkade te doorbreken, dan kon het conflict ontaarden in een atoomoorlog.

De Sovjetleider dreigde met zijn nieuwe raketmacht die heel West-Europa kon aanvallen: 'We hoeven ze niet eens af te vuren vanuit Oost-Duitsland. We kunnen ze vanuit de Sovjet-Unie sturen. [...] Onze troepen zitten daar niet te kaarten. Voor ons is het menens.'

Chroesjtsjovs vredesverdrag was opgezet om de westerse machten tot erkenning van de twee Duitse staten te dwingen, waarmee meteen de deling van Duitsland en Europa zou worden gesanctioneerd. Berlijn zou een 'vrije stad' worden. Zonder de vijfentwintigduizend westerse manschappen zou het vanzelfsprekend binnen de Russische invloedssfeer vallen.

Een dergelijke overeenkomst zou de groeiende uittocht van vluchtelingen naar het Westen tot staan brengen en de Sovjetmacht in Oost-Europa versterken. Een vredesverdrag op Russische voorwaarden zou het geloof in andere westerse beloften ondermijnen en de Niet-Gebonden Landen laten zien dat het Sovjetblok inderdaad de opkomende macht was. Het zou een hereniging van Duitsland minder waarschijnlijk maken en dat zou Chroesjtsjov goed uitkomen.

Zoals de meeste Sovjetleiders was Chroesjtsjovs ergste nachtmerrie een herenigd, 'revanchistisch' Duitsland, een NAVO-lid wiens 'Hitler-gezinde' generaals de beschikking hadden over atoomwapens. De profielschets van de CIA waarschuwde ervoor dat Chroesjtsjovs bezorgdheid 'dodelijk gevaarlijk' was. 'De Sovjet-Unie verloor twintig miljoen mensen aan Hitler – tien procent van de bevolking. Chroesjtsjov was zelf politiek commissaris geweest in Stalingrad tijdens het Duitse beleg. Vandaar dat het zwak houden van Duitsland een van zijn voornaamste zorgen is. En deze wens moet niet worden onderschat.'

De Verenigde Staten, Engeland en Frankrijk wilden een referendum dat het mogelijk zou maken dat de Oost- en Westduitsers voor een gezamenlijke Duitse regering konden kiezen. Ze twijfelden er niet aan dat, wanneer de stemming eerlijk zou verlopen, het een westers georiënteerd NAVO-lid zou opleveren. Foster Dulles zei ooit tegen Mikojan dat de Oostduitse regering 'een vorm van verborgen bezetting' was die de Duitsers 'volledig opgedrongen' was en door hen 'gehaat' werd. Mikojan wierp terug dat de DDR-leiders 'niet per ongeluk aan de macht waren gekomen. Het waren mensen die daar heel bekend zijn.' Velen hadden in de Rijksdag gezeten ten tijde van de Kaiser. De DDR had niets te vrezen, 'noch van de Sovjetregering, noch van de Sovjetstrijdkrachten'. De twee landen waren 'bondgenoten', net als de Verenigde Staten en West-Duitsland.

In 1958 zei Chroesjtsjov tegen Humphrey: 'Als u probeert te praten over een Duitse hereniging, dan luidt het antwoord neen. Er bestaan twee Duitse staten en een hereniging zullen ze zelf moeten regelen.' Elke andere schikking zou 'alleen door geweld worden gerealiseerd. Een aanval op de DDR betekent oorlog en wij zullen onze partner in een dergelijke oorlog steunen.' De beste hoop op een hereniging was een 'soort confederatie' tussen de DDR en de Bondsrepubliek.

Humphrey vroeg of een dergelijke confederatie het noodzakelijk zou maken dat

West-Duitsland de NAVO verliet. Chroesjtsjov zei: 'De NAVO verdwijnt in ieder geval.' Humphrey: 'En het Warschaupact? Zal dat verdwijnen?'
'Ja, dat kan op ieder moment gebeuren. [...] Denk eraan dat veel van uw vrienden, de Engelsen en de Fransen, niet echt een herenigd Duitsland willen. Ze zijn bang voor een Duitse hereniging. De Sovjet-Unie is niet bang.[1] De situatie is niet meer als voor de oorlog. De Verenigde Staten en de Sovjets hoeven geen vrees te hebben voor een herenigd Duitsland. Laten we onze wederzijdse krachten testen in een economische strijd. Als de Sovjet-Unie en de Verenigde Staten het eens zijn over Berlijn of een andere kwestie, dan zal er geen oorlog komen. Alleen een gek of een dwaas zou aan zoiets denken.'

Ondanks hun retoriek in het openbaar over de heilige behoefte aan Duits 'zelfbeschikkingsrecht', verwachtte het merendeel van de Amerikaanse leiders, onder wie John Kennedy, nooit een herenigd Duitsland mee te maken. Net als Chroesjtsjov en de Russen stond het idee van een herrijzende Duitse natie hun erg tegen. Het zou de wereld in een derde wereldoorlog kunnen slepen. Gedurende de verkiezingscampagne van 1956 liet Stevenson een van zijn medewerkers in vertrouwen weten dat een Amerikaans politicus zijn volk één feit nooit mocht toevertrouwen: dat Duitsland nooit zou worden herenigd.

Eisenhower was een uitzondering. Hij had gezien hoe Duitsland was veroverd en bezet, en hoopte nog altijd dat het na vrije verkiezingen ooit herenigd zou zijn en dat het zich zou aansluiten bij de NAVO. Dit zou de zekerheid geven dat de nieuwe natie een tegenwicht vormde tegen de Sovjetmacht en dat het Duitse militaire apparaat nooit meer een bedreiging vormde voor de wereld. In een brief uit 1953 voorspelde hij een vriend dat de 'gestage maatschappelijke, politieke, militaire en economische vooruitgang' van West-Duitsland op een dag als een magneet zou werken op Oost-Duitsland: 'Het kon voor de communisten zelfs wel eens onmogelijk worden om het land met geweld te behouden.'

Dank zij Eisenhowers inspanningen verkreeg de Bondsrepubliek in 1955 haar soevereiniteit als NAVO-lid. Het leger werd beperkt tot twaalf divisies die onder uiteindelijk bevel en controle stonden van de geallieerde opperbevelhebber in Europa. De regering in Bonn deed de plechtige belofte nooit atoomwapens te maken of te verwerven.

Deze belofte overtuigde Chroesjtsjov niet. Mikojans zoon Sergo herinnerde zich dat de Sovjetleider geloofde dat de Westduitsers op het punt stonden de Bom in bezit te krijgen: 'We wisten dat ze hem officieel niet zouden krijgen, maar we wisten ook dat ze zich een tweederangs mogendheid voelden en atoomwapens wilden, zodat ze zichzelf weer als een natie konden beschouwen.' Toen de NAVO aankondigde dat er onder het bevel van de geallieerde opperbevelhebber atoomwapens zouden worden geplaatst, vroeg Chroesjtsjov zich af of een ondergeschikte Westduitse commandant wellicht een nucleaire aanval zou kunnen lanceren op de Sovjet-Unie of Oost-Europa, waarmee het vonnis van de Tweede Wereldoorlog zou zijn omgedraaid.

Chroesjtsjovs ongerustheid was zo groot dat hij in maart 1958 het Rapacki-plan

1. Vastbesloten om nooit een greintje zwakheid te tonen, was Chroesjtsjov niet van plan om zijn bezorgdheid over een herenigd, opnieuw bewapend Duitsland in de NAVO toe te geven. Ook zou hij nooit de andere zwakten van de Sovjets erkennen: atoomwapens, de ruimte, landbouw en economische produktiviteit.

goedkeurde. De Poolse minister van Buitenlandse Zaken, Adam Rapacki, had het voorgesteld, maar het was bijna zeker in Moskou ontworpen. Het plan behelsde een verbod op atoom-, waterstof- en raketwapens in Polen, Tsjechoslowakije en de beide Duitslanden.

Eisenhower beging de vergissing het aanbod van de hand te wijzen. Aangezien het Westen niet van plan was om de Westduitsers van atoomwapens te voorzien, had het weinig te verliezen. Een atoomvrije zone in Midden-Europa zou een vorm van internationale controle hebben betekend in Oost-Duitsland, Tsjechoslowakije en Polen, die het Sovjetgezag aan het wankelen had kunnen brengen. Door de mogelijkheid van atoomwapens in Westduitse handen open te houden, dwong Eisenhowers afwijzing Chroesjtsjov tot zijn Berlijnse ultimatum van 1958. De reactie van de president was: versterking van de Amerikaanse troepen in Midden-Europa. Dat zou voldoende zijn om te voorkomen dat Oostduitse militairen Berlijn op eenvoudige wijze zouden innemen. Ondanks eisen in het Congres weigerde hij om Amerikaanse strijdkrachten te mobiliseren en zijn defensiebudget te verhogen. Eén doelstelling van 'Chroesjtsjovs uit de duim gezogen crisis', zei hij, was 'vrije volken en regeringen zo veel angst aan te jagen dat ze tot onnodige en uitputtende uitgaven overgaan'.

De deadline van de Sovjetleider verstreek geruisloos. Op Camp David vertrouwde Eisenhower hem toe dat de status van Berlijn 'ongewoon' was. Om het probleem wat te verzachten kwam hij overeen om westerse concessies te bespreken, zoals het uitdunnen van de strijdkrachten in Berlijn en het terugschroeven van spionage- en propaganda-activiteiten. Deze onderhandelingen werden afgebroken door het mislukken van de Parijse topontmoeting.

Tijdens de campagne van 1960 adviseerden Chroesjtsjovs buitenland-experts hem om inzake Berlijn wat gas terug te nemen, omdat Nixon en Kennedy anders gedwongen zouden worden elkaar de loef af te steken met zijn harde opstelling. Maar tijdens de nieuwjaarsviering (1961) in het Kremlin zei Chroesjtsjov tegen de Westduitse ambassadeur, Hans Kroll, dat de kwestie binnen een jaar moest worden 'geregeld'.

Kennedy's zwijgen over Berlijn tijdens zijn campagne van 1960 betekende dat hij, anders dan bij Cuba, het presidentiële ambt zonder de druk van campagnebeloften kon aanvaarden. Maar het hield ook in dat hij bij nul moest beginnen voor het bepalen van een beleid. Chroesjtsjov, Adenauer en andere leiders zouden zijn uitspraken over Berlijn en Duitsland veel intensiever en kritischer bestuderen dan wanneer hij was begonnen met een weldoordacht standpunt over de kwestie.

De president wist dat van al zijn buitenlandse problemen Berlijn het allergrootste directe gevaar was. Er moest een keuze worden geforceerd tussen 'holocaust en humiliatie'. Een dergelijke keuze wilde hij nooit hoeven maken – zeker niet in zijn eerste maanden als president. Niet voordat hij de zaak grondig had bestudeerd en niet voordat de Sovjet-Unie, het Amerikaanse volk en de rest van het Westen hem als wereldleider respecteerden.

Daarom probeerde Kennedy de kwestie weg te moffelen. In januari gaf hij Thompson de opdracht Chroesjtsjov om tijd te vragen, zodat hij een standpunt kon voorbereiden. In zijn eerste State of the Union had Kennedy Berlijn, in tegenstelling tot zijn uitgebreide behandeling van andere mondiale problemen als de Kongo, Cuba en Laos, niet één keer genoemd. Toen een verslaggever hem daarnaar vroeg, kwam hij met de nietszeggende verklaring dat het 'erg moeilijk was om elk gebied te noemen' waar problemen zijn. De volgende vier maanden sprak hij in het openbaar niet één maal het woord Berlijn uit, alsof zijn voortdurende zwijgen Chroesjtsjov misschien zou aanmoedigen om het probleem weg te wuiven.[1]

In februari herinnerde Thompson hem eraan dat er in september Duitse parlementsverkiezingen waren: als Kennedy de Sovjetleider op de hoogte bracht dat er inzake Berlijn 'echte vooruitgang kon worden geboekt na de Duitse verkiezingen', dan was Chroesjtsjov misschien 'genegen om de zaak voor die tijd niet op de spits te drijven'. Kennedy kon Eisenhowers beleid weer oppikken door in september een vergadering van Russische en westerse ministers van Buitenlandse Zaken te plannen. Als die succesvol was, dan kon dat leiden tot een topconferentie over Berlijn.

Thompson adviseerde zijn president om de koe bij de horens te vatten. Anders zou Chroesjtsjov 'ongetwijfeld zijn eigen vredesverdrag doorzetten' en een poging wagen 'Berlijn geleidelijk aan te wurgen'. Dit zou 'een uiterst gevaarlijke situatie opleveren, die zelfs uit de hand kon lopen'.

Kennedy negeerde het uitstekende advies van Thompson. Voordat de ambassadeur in maart naar Novosibirsk ging om Chroesjtsjov te ontmoeten, verzocht de president hem het niet over Duitsland en Berlijn te hebben. Toen Chroesjtsjov de zaak toch ter sprake bracht, antwoordde Thompson conform de instructies dat Kennedy het 'moeilijk te begrijpen' vond waarom de Sovjets het noodzakelijk vonden een kwestie te onderzoeken waarmee 'we jarenlang hebben kunnen leven, ondanks de onmiskenbare nadelen voor beide partijen'.

Zoals hem was opgedragen, merkte Thompson op dat als Chroesjtsjov een nieuwe crisis om Berlijn zou veroorzaken, hij 'verbaasd zou zijn over de eensgezinde steun die het Amerikaanse volk zou geven aan een krachtig regeringsbeleid. [...] Als er iets is wat net zo'n omvangrijke verhoging van Amerikaanse wapenuitgaven teweeg kan brengen als ten tijde van de Koreaanse oorlog, dan zou dat de overtuiging zijn dat de Sovjets ons inderdaad dwingen uit Berlijn te vertrekken door gebruik te maken van geografische voordelen die de Sovjets en Oostduitsers, zoals bekend, genieten.'

Na zijn ontmoeting in Novosibirsk stuurde Thompson een telegram met een waarschuwing naar Kennedy: 'Al mijn collega-diplomaten [...] denken dat, wanneer er niet wordt onderhandeld, Chroesjtsjov een verdrag zal tekenen met Oost-Duitsland en dit jaar een crisis om Berlijn zal bespoedigen.' De Secretaris-Generaal was in de war gebracht, zo zei hij, door het feit dat Kennedy 'meer strijdlust' had getoond dan Eisenhower. Dit gaf steun aan 'Chinese argumenten dat een vergelijk tussen Oost en West onmogelijk is'.

Thompson stelde de president voor 'het vooruitzicht op onderhandelingen te behouden. Dat zou er ten minste voor zorgen dat Chroesjtsjov zijn gezicht kan redden en zijn positie kan handhaven. [...] Als wij denken dat de Sovjets de kwestie-

---

1. Zelfs in twee communiqués van februari en april, die gezamenlijk werden vrijgegeven door de president en de Westduitse minister van Buitenlandse Zaken en de kanselier na besprekingen in het Witte Huis, ging de kwestie-Berlijn schuil achter andere problemen op buitenlands gebied, die Kennedy met de Duitsers besproken zou hebben.

Berlijn op haar beloop laten, dan kunnen we er op zijn minst rekening mee houden dat de Oostduitsers de grenszone afsluiten. Alleen op die manier kunnen ze de voor hen ontoelaatbare, voortdurende vluchtelingenstroom door Berlijn tot staan brengen.'

Toch bleef Kennedy hardnekkig geloven in zijn waanidee dat Chroesjtsjov bereid was om het probleem op zijn beloop te laten. Lippmann wist nog dat een 'Amerikaanse autoriteit' hem, vóór zijn ontmoeting met de Sovjetleider in april, vertelde: 'Kijk of je erachter kunt komen of hij niet minstens bereid is om [...] alles zo te laten zoals het is, voor een jaar of, eh, vijf. Over vijf jaar zijn we allemaal ouder en wijzer [...] misschien kunnen we dan met elkaar onderhandelen.' Toen Lippmann dat voorstel deed, keek Chroesjtsjov hem aan alsof hij gestoord was.

Chroesjtsjov liep het gevaar het mikpunt van spot te worden als hij niet snel wat genoegdoening zou krijgen in de kwestie-Berlijn. Zijn vijanden merkten verbitterd op dat hij zijn Berlijnse ultimatum van 1958 aan de kant had gezet na Eisenhowers belofte tot onderhandelingen. Die belofte bleek leeg. Beleefd had hij Kennedy's verzoek om uitstel ingewilligd, zodat deze zijn standpunt inzake Berlijn kon formuleren. Als tegenprestatie had Kennedy alleen maar in bedekte termen te kennen gegeven dat Chroesjtsjov zich als een gentleman moest gedragen en de hele zaak maar moest vergeten.

De Russische Secretaris-Generaal dacht terecht dat, als hij in 1958 zijn eisen inzake Berlijn niet had gesteld, Eisenhower nooit zou hebben ingestemd met onderhandelingen over de stad. Chroesjtsjov wist dat de kwetsbare positie van het Westen in Berlijn hem een zeldzame kans gaf de aandacht van de westerse mogendheden te trekken en ze tot onderhandelingen over andere aangelegenheden te dwingen. Uit ervaring wist hij dat de Amerikanen hun nucleaire en economische superioriteitsgevoel zouden volhouden tenzij ze onder druk werden gezet: 'Als ik een kathedraal bezoek en om vrede bid, luistert er niemand. Maar als ik twee bommen meeneem, luisteren ze wel.'

Voor Chroesjtsjov betekenden het verwijderen van het 'kankergezwel' Berlijn uit Oost-Europa en het codificeren van de definitieve deling van Duitsland een stabilisatie van de westelijke grens van het Sovjetrijk. Een nieuwe crisis om Berlijn waarin hij zou zegevieren, zou hem weer de gelegenheid geven uit te roepen dat het communisme aan de winnende hand was. Dat zou de oude doelstelling ten goede komen: het vertrouwen breken dat de NAVO en het Westen in de Amerikaanse beloften hadden. De Sovjetgeneraals zouden zien dat Chroesjtsjov niet was gevallen voor het Westen.

In mei 1961 was hij duidelijk tot de conclusie gekomen dat Kennedy, wat Berlijn betreft, onder druk kon worden gezet. Hij wist dat een wereldleider die zich werkelijk in een sterke positie bevond, niet in het openbaar vraagstukken ontweek en onder vier ogen om moratoria verzocht. Door de Varkensbaai en Laos werden Chroesjtsjovs adviseurs serieuzer genomen die beweerden dat Kennedy in zijn eigen gematigd progressieve campagneretoriek geloofde en verlamd werd door intellectuele adviseurs, wanneer het op gebruik van geweld aankwam.

Chroesjtsjov wist dat vrees voor een vergelding tegen Berlijn een van de voornaamste redenen was dat Kennedy faalde in zijn poging de Varkensbaai-invasie te redden. Het duidde erop dat Kennedy weinig zin had om Amerikaanse beloften aan Berlijn, die het gebruik van atoomwapens noodzakelijk maakten, na te komen.

Vlak na zijn Cuba-mislukking had Kennedy een defensieve houding aangenomen. Als Chroesjtsjov hem in Wenen tactvol tegemoet trad, dan zouden zijn tegenstanders hem beschimpen. Hij zou immers een schitterende kans voorbij laten gaan om Kennedy's zwakheid uit te buiten. Na zijn ervaringen met Eisenhower was de Sovjetleider erop gebrand te laten zien dat hij niet aan een of andere vorm van verliefdheid leed die zijn knieën deed knikken zodra hij in aanwezigheid van een Amerikaanse president verkeerde.

Zowel de meer spoedeisende crises in de Kongo, Cuba en Laos als de binnenlandse problemen hadden Kennedy verhinderd om een generale repetitie over Duitsland en Berlijn te beleggen. In maart had hij Dean Acheson, de onbuigzame veteraan van de Berlijnse blokkade, geraadpleegd. Deze had gezegd dat er geen overeenkomst mogelijk was waarin 'de weg zou worden geëffend voor een vroege, westerse verwijdering uit Berlijn'.

Diezelfde maand nam de Amerikaanse regering publiekelijk afstand van de concessies die Eisenhower inzake Berlijn had gemaakt en nog van plan was te maken op de top in Parijs. Averell Harriman deelde de pers mee: 'Alle gesprekken over Berlijn moeten vanaf nul beginnen.'

De Amerikaanse gezant in Berlijn, Allan Lightner, stond een harde lijn voor. Via een telegram stelde hij Kennedy voor om in Wenen 'botweg tegen Chroesjtsjov te zeggen' dat de 'Sovjets hun handen af moeten houden van Berlijn': 'Elke hint dat de president, ingeval dat de Russen een eigen vredesverdrag tekenen, bereid is tot besprekingen voor voorlopige oplossingen, compromissen of een modus vivendi, zou een afzwakking zijn van de waarschuwing aan Chroesjtsjov dat zijn misrekening van onze vastberadenheid verschrikkelijke gevolgen kan hebben.'

Thompson drong er bij Kennedy op aan om Chroesjtsjov een aanbod te doen: 'We zijn het onszelf en de wereld verschuldigd alles in het werk te stellen om de huidige impasse te doorbreken. [...] Als we een vreedzame oplossing nastreven, dan moet er een of andere formule worden gevonden die beide partijen in staat stelt hun gezicht te redden. Dat is moeilijk, maar niet onmogelijk. Volgens mij is dit een zaak die de president het allerbeste met Chroesjtsjov onder vier ogen zou kunnen bestuderen, waarbij hij open en eerlijk zegt wat hem voor ogen staat.' Anders zou Berlijn 'echt leiden tot een belangrijke crisis'. Een oorlog zou 'tot de mogelijkheden kunnen behoren'.

Bundy schreef aan zijn president: 'Aan de ene kant heb je degenen die denken dat de Sovjets als voornaamste doel hebben ons uit Berlijn te drijven. Met als gevolg de ineenstorting van de Europese alliantie. En aan de andere kant staan degenen die denken dat we in staat moeten zijn om een echte crisis te voorkomen als we ons verzoenend opstellen. [...] Wat we moeten vermijden [...], is de conclusie dat de Verenigde Staten een zwakke opstelling hebben inzake Berlijn. [...] Op een later tijdstip zouden we zelf inderdaad met voorstellen kunnen komen.'

Rusk stelde voor dat Kennedy aan Chroesjtsjov zou vragen 'wat de Sovjets nu zo onbevredigend vinden' aan de huidige situatie. Bundy was het met hem eens: 'Er is een kans dat u hem ertoe kunt bewegen te verklaren wat ze hier voor plannen hebben. Die kans is echter heel klein, omdat hij waarschijnlijk op zijn hoede zal zijn en geen open kaart zal spelen. Net zoals u dat moet zijn.' Robert Kennedy verzekerde Georgi Bolsjakov nogmaals dat de Verenigde Staten 'zich verplicht voelden ten opzichte van Berlijn'.

Op zaterdagavond 27 mei stortregende het toen Kennedy en Lem Billings aan boord van de *Air Force One* – Kennedy voor het eerst als president – naar Hyannis Port vlogen. Joseph Kennedy zat zijn zoon op te wachten en zei: 'Hij is president van de Verenigde Staten! Dan zou je toch denken dat hij tenminste iemand kan opdragen even naar zijn gezin te bellen hoe laat hij thuiskomt, verdomme!' Voor de grap strooide hij allemaal foto's van wulpse dames door de slaapkamer van de president.

De volgende ochtend striemde er een koude wind en mist over Nantucket Sound. De president strompelde met zijn krukken het huis van zijn vader uit, sloeg een grijze marinedeken om zich heen en begon in een tuinstoel meer informatiemateriaal over Wenen te lezen. De pijn in zijn rug werd steeds erger.

Tijdens een pleziertochtje op de *Marlin*, het jacht van zijn vader, klaagde hij: 'Ik heb nog geen geschenk voor Chroesjtsjov.' In Billings' herinnering wilde de president 'altijd authentiek Amerikaanse geschenken geven' aan buitenlandse leiders. 'Ik bedoel, alles moest een historisch element bevatten en een bepaalde reden hebben. Hij schonk niet alleen van dat stomme Steuben-glaswerk weg, zoals Eisenhower altijd deed.'

Billings had Kennedy's eigen nieuwe replica van het Amerikaanse schip *Constitution* in gedachten. Toen Kennedy hem voor het eerst zag, schrok de prijs hem af, ongeveer vijfhonderd dollar: 'Misschien koopt pa het voor mijn verjaardag.' Billings gaf het door aan vader Kennedy. De president realiseerde zich nu dat deze 'Old Ironsides' het ideale geschenk aan Chroesjtsjov was in Wenen. Het was het symbool van de Verenigde Staten in 1812: 'een jonge republiek – sterk, jeugdig, met een sterke vrijheidsdrang – precies het soort boodschap dat ik de Russen wil sturen.' Billings herinnerde zich: 'Hij vond het verschrikkelijk om er afstand van te doen, het was iets waar hij dol op was,' maar 'er was geen tijd meer om iets te vinden wat net zo geschikt was.'

Voor zijn vertrek uit Hyannis op maandagmiddag stak Kennedy zijn hand in zijn zak en zei een beetje schaapachtig tegen zijn vader dat hij 'geen cent' bij zich had. Joseph Kennedy stuurde iemand naar boven om een stapeltje biljetten te halen. De president zei: 'Je krijgt het van me terug, pa.' Zijn vader keek hem na terwijl hij de trappen van het huis afliep en mompelde: 'Dat wil ik nog wel eens zien.'

Het was Kennedy's vierenveertigste verjaardag. Die avond zat hij met vijfduizend Democraten uit Massachusetts aan een feestmaal in de Boston Armory, die vol hing met groene, rode, witte en blauwe slingers. Kennedy's medewerkers hadden een verzoek ingediend om hem vroeg te laten speechen, zodat hij die nacht goed kon uitrusten. Na verwoede onderhandelingen schoven ze hem op naar de dertiende plaats – na partijbonzen, de familiepriester van de Kennedy's, kardinaal Richard Cushing, en Robert Frost, die bij de eregast het vermaarde pleidooi hield om zich in Wenen 'meer Iers dan Harvard' op te stellen.

Toen de president opstond om het woord te nemen, kreeg hij nauwelijks een grotere ovatie dan de sheriff uit Middlesex County, wie nog een aanklacht boven het hoofd hing en wiens firma de miserabele maaltijd had verzorgd. Kennedy verklaarde dat hij naar Wenen zou gaan 'als de leider van het meest revolutionaire land op aarde'.

In 1960 had hij vaak het verhaal verteld van Samuel Adams, die de Britse koloniale gouverneur had bedreigd met een revolutie en daar later over schreef: 'Op dat moment meende ik te zien dat zijn knieën knikten.' Deze keer verdraaide Kennedy het verhaal door naar 'John Quincy Adams' te verwijzen. Het leek niet één politicus op te vallen. Hij vervolgde: 'Onze knieën knikken niet bij het woord revolutie. Wij geloven erin. Wij geloven in de vooruitgang van de mensheid.'

Op weg naar de wapenzaal had hij het standbeeld van William Lloyd Garrison zien staan. Garrison kwam uit Boston en was voorstander van de afschaffing van de slavernij. Kennedy stuurde er een politieagent heen om de woorden van het voetstuk over te schrijven. Die las hij nu voor: 'Ik méén het. Ik zal nergens omheen draaien. Ik zal niets door de vingers zien. Ik trek me geen centimeter terug en ik zal gehoord worden.'

Chroesjtsjov zoefde in een vijf wagons tellende trein naar Wenen. Hij was in gezelschap van zijn vrouw, Gromyko, Anatoli Dobrynin, Mensjikov en de Adzjoebei's. Duizenden bewoners van Kiëv juichten hun oude onderkoning toe. In Bratislava zei hij tegen een enorme menigte dat de Sovjet-Unie 'altijd vóór een vermindering van internationale spanningen' was, terwijl hij niet wilde 'vooruitlopen op de resultaten van deze top'.

Voordat Chroesjtsjov uit Moskou vertrok, had hij Thompson uitgenodigd om met hem de avondvoorstelling van de Amerikaanse ijsshow, 'Ice Capades', in het Lenin Sportpaleis bij te wonen. Sinds hun ontmoeting in Novosibirsk hadden ze elkaar niet meer privé gezien. Toen hij en Jane bij het stadion aankwamen, zat de Russische Secretaris-Generaal in zijn box met zijn zoon Sergej en dochter Jelena. In de pauze nodigde hij hen in een aangrenzende salon voor een diner.

Chroesjtsjov zei dat hij 'genoeg ijsshows gezien' had in zijn leven. Zijn komst was een 'excuus' om de ontmoeting in Wenen te bespreken. Hij waarschuwde Thompson botweg dat, wanneer hij en Kennedy geen overeenkomst konden sluiten over Berlijn, hij dan zijn eigen vredesverdrag zou tekenen na de Duitse verkiezingen van september en zijn Partijcongres van oktober. Hij wist dat dit zou 'leiden tot een periode van grote spanning'.

Thompson reageerde in 'alle ernst' dat Chroesjtsjov het Amerikaanse standpunt moest begrijpen: als er geweld werd gebruikt om de toegang tot Berlijn te blokkeren, dan zou dat een gewelddadige tegenzet oproepen. Chroesjtsjov antwoordde dat 'alleen een dwaas' oorlog zou willen, maar als de Amerikanen een oorlog wilden, dan konden ze die krijgen.

Kennedy vloog naar New York waar hij in het Waldorf-Astoria een ontmoeting had met de Israëlische premier David Ben-Goerion. Die had Kennedy wat afstandelijk gevonden ten opzichte van Israël en zich afgevraagd of de president het antisemitisme van zijn vader had geërfd. Op dinsdagavond 30 mei ging Kennedy op Idlewild Airport met Jacqueline aan boord van de *Air Force One*. Nog voor het vliegtuig de Noordatlantische Rug bereikte, stapte het paar in het stapelbed in de luxehut achter de cockpit.

166

De president was bezorgd dat de top onrealistische verwachtingen zou wekken. Daarom had hij Salinger verzocht de kansen op succes te minimaliseren. Georgi Bolsjakovs beloften deden hem persoonlijk geloven dat Chroesjtsjov bereid was tot onderhandelen over een verbod op kernproeven. De eventuele mislukkingen in Wenen zouden worden vergeten wanneer de topontmoeting de eerste, belangrijke nucleaire overeenkomst tussen de Verenigde Staten en de Sovjet-Unie zou opleveren. Een verbod op kernproeven zou Kennedy helpen om over de tegenslagen van zijn eerste maanden als president te komen. Het zou hem ook weer behoorlijk wat aanzien geven in de wereld.

Robert Kennedy herinnerde zich later dat hij en zijn broer 'redelijk hoopvol waren' over wat er in Wenen op het gebied van kernproeven 'kon gebeuren'. Ze wisten niet dat Bolsjakovs bewering dat Chroesjtsjov bereid was tot het sluiten van een compromis, op z'n best voorbarig was en op z'n slechtst een opzettelijke misleiding om de president tot een top te verleiden die anders niet in het belang van Kennedy zou zijn.

8. 'Niet als een manke'

Op woensdagochtend 31 mei taxiede de *Air Force One* naar de aankomstpier van vliegveld Orly in Parijs. Aan boord van het vliegtuig deed Kennedy zijn das goed en kamde zijn haren. Onder tromgeroffel stapte hij uit de voorste deur, gevolgd door Jacqueline, en zwaaide met zijn bekende kappende handgebaar naar de menigte. Beneden aan de trap doemde de rijzige gestalte op van Charles de Gaulle. Het Franse staatshoofd complimenteerde hem door in het Engels, dat hij zelden sprak, aan Kennedy te vragen: '*Have you made a good aerial voyage?*'

Kennedy rommelde wat met een knoop aan zijn jas en liep per ongeluk meteen langs de opgestelde erewacht. De Gaulle pakte hem bij de arm en gebaarde dat hij stil moest staan om een saluut in ontvangst te kunnen nemen. Kennedy's eerste woorden na aankomst werden door een Amerikaanse diplomaat in een mysterieus en hoogdravend Frans vertaald. Een Franse functionaris mompelde: '*Mon Dieu*, de vertaler speelt Molière!' Later sprak Kennedy filosofisch: 'Je kunt iemand niet aan het kruis nagelen omdat hij misschien minder gevat is dan ik, maar we zullen deze vertaler niet meer gebruiken.'

In de ontvangstruimte van Orly wachtte Rose Kennedy. Zij verbleef in Parijs in verband met haar jaarlijkse tocht langs de modehuizen. Ze vond dat haar zoon 'een beetje verrast leek toen hij mij ontdekte'. Lem Billings zei later dat Kennedy 'zéér huiverig keek naar dit soort reisjes van zijn vrienden en vooral zijn familieleden. Hij was een nieuwe, jonge president en had een marginale verkiezingsoverwinning behaald. [...] Maar veranderen kon hij daaraan niets, want mevrouw Kennedy was vast besloten overal bij aanwezig te zijn.'

Vanuit het vliegveld reden vijftig zwarte Citroëns, geëscorteerd door de bereden, met sabels uitgeruste, Garde républicain, langs een miljoen juichende Parijzenaars die 'Kenn-a-dieie!' en 'Zjackieie!' schreeuwden. Dave Powers draaide zijn raam omlaag en riep in een curieuze mengeling van Frans en Engels: 'Commen-tally vous, *pal*?'

Op de quai d'Orsay werd de president de grote, met blauwgrijze zijde behangen slaapkamer van Lodewijk XVI binnengeleid. Hij verging bijna van de rugpijn, deed zijn kleren uit en liet zich met een dankbare kreun in een gigantisch verguld bad met stomend water zakken: 'Mijn God, zo'n bad moeten we ook in het Witte Huis hebben.' Powers liet hem weten dat als hij het een beetje wist te spelen bij De Gaulle, hij de badkuip wellicht als souvenir mee naar huis mocht nemen.

Voordat het tijd was voor de lunch werd Kennedy naar het Elysée gebracht. Hij was al lange tijd gefascineerd door De Gaulle, een van de laatste grote helden van de Tweede Wereldoorlog, die te hulp was geroepen om Frankrijk te redden uit de chaos van de Vierde Republiek. Jacqueline had hem ooit eens stukken voorgelezen uit de memoires van de generaal, waaruit De Gaulles beeld van Frankrijk sprak. Kennedy gebruikte bepaalde elementen hieruit weer in zijn toespraken. Voordat hij naar Parijs vertrok, had hij bepaalde passages uit De Gaulles memoires van buiten geleerd om deze tijdens hun ontmoeting te kunnen citeren, en hij las informatiebulletins over de pogingen van de generaal om Frankrijks onafhankelijke opstelling binnen de NAVO zeker te stellen.

Tevens had de president een memo gelezen die Bundy bij Nicholas Wahl, een politicoloog aan Harvard, had opgevraagd. Deze had De Gaulle een keer of zes ontmoet: 'Zelfs als er sprake was van een dialoog, krijg je toch de indruk dat De Gaulle vanaf het begin "de touwtjes in handen had". [...] Als hij naar zichzelf verwijst, gebruikt hij vaak de derde persoon. Dit is eerder een uiting van de geschiedschrijver in hem dan van de megalomaan, een trekje dat niet geheel in hem ontbreekt.'

Toen Kennedy in 1917 werd geboren, had De Gaulle er al drie jaar op zitten als commandant aan het westelijk front. In zijn weigering een Duitse herbewapening te accepteren was hij bijna net zo vastberaden als de Russen. Hij vond Kennedy vooral na de Varkensbaai 'ietwat klunzig en al te enthousiast' en maakte zich zorgen dat 'de jongeman' inzake Berlijn geen resolute stappen durfde te ondernemen.

In een poging de zorgen van de Franse president weg te nemen en de eenheid van het Westen te verzekeren voordat de ontmoeting met Chroesjtsjov zou plaatsvinden, begon Kennedy met het citeren van recente en felle donderpreken die Chroesjtsjov tegen Thompson had afgestoken over een Duits vredesverdrag. De geallieerden, zo zei Kennedy, hadden twee opties: weigeren te onderhandelen omdat er over de westerse rechten in Berlijn niet kon worden onderhandeld – of 'een onderhandelingsballonnetje oplaten', zoals Eisenhower had gedaan, door met minder belangrijke concessies te komen.

Een jaar geleden had De Gaulle in dit paleis tegen Eisenhower gezegd dat het 'hele Berlijnse probleem' om de vraag draaide of de Russen wel of geen ontspanning wilden. Nu wees hij Kennedy vermoeid op het feit dat Chroesjtsjov al twee-eneenhalf jaar bezig was met het stellen van ultimata. Als de Russische Secretaris-Generaal van plan was geweest een oorlog over Berlijn te beginnen, dan had hij dit al lang gedaan. Kennedy zei dat het probleem om de vraag draaide of Chroesjtsjov ook werkelijk in de beloftes van het Westen geloofde: zelfs president de Gaulle had zich afgevraagd of de Verenigde Staten Parijs zouden verdedigen als dit tot de vernietiging van New York zou leiden.

De Gaulle adviseerde Kennedy om Chroesjtsjov erop te wijzen dat het de Russen waren geweest, en niet het Westen, die veranderingen wilden. De Sovjetleider moest ervan doordrongen worden dat hij vanaf het eerste moment dat hij geweld tegen Berlijn zou gebruiken, hij zich meteen een algehele oorlog op de hals zou halen: 'Dat is wel het laatste dat hij wil.'

Jacqueline was nog steeds niet helemaal hersteld van de moeilijke bevalling van hun zoon John jr, zes maanden eerder. Maar tijdens haar verblijf van een week in Glen Ora had ze kunnen slapen en weer kunnen aansterken. Terwijl De Gaulle tijdens de lunch in het Frans met haar over Lodewijk XVI, de duc d'Angoulême en de latere Bourbons sprak, leunde hij over naar Kennedy en vertelde hem dat diens vrouw meer van geschiedenis wist dan de meeste Franse vrouwen.

De Gaulle gebaarde naar Bundy en vroeg *'Qui est ce jeune homme?'* Jacqueline zei dat hij een briljant hoogleraar van Harvard was die nu als hoofd van de presidentiële Nationale Veiligheidsraad fungeerde. Tegen Bundy zei de Franse president nu langzaam iets over Harvard op een manier alsof hij tegen iemand sprak die de taal niet machtig was. Bundy antwoordde in vloeiend Frans. Jacqueline dacht: *Die zit, 1-0 voor ons.*

Na de lunch kwam Kennedy weer terug op de problemen rond Berlijn. Bestaande militaire plannen van de geallieerden gingen van de veronderstelling uit dat Russisch onderzoek naar westerse bedoelingen maar op kleine schaal zou plaatsvinden. Maar wat zou er gebeuren als de Russen een brigade of divisie naar Berlijn stuurden? De Gaulle adviseerde dat in geval van een blokkade een nieuwe Berlijnse luchtbrug moest worden opgezet. Als een westers vliegtuig werd neergehaald, zou de situatie duidelijk zijn. Rusland was ook gevoelig voor economische vergeldingsacties. De positie van het Westen in Berlijn was niet zo zwak als men wel dacht.

Kennedy verzocht De Gaulle de Franse militaire aanwezigheid in Laos op te voeren. De generaal antwoordde dat Laos en zijn buurlanden 'gefingeerde' landen waren waar zowel de westerse politiek, als westerse troepen niets te zoeken hadden. Neutralisatie bood de beste oplossing: 'Hoe meer u daar betrokken raakt tegen het communisme, hoe meer de communisten te voorschijn komen als nationale-onafhankelijkheidshelden en des te meer steun ze zullen krijgen, al is het maar uit wanhoop. [...] U zult stap voor stap in een politiek en militair moeras wegzakken, ongeacht de hoeveelheid geld en manschappen die hiermee gemoeid zijn.'

Die avond werd Salinger, terwijl hij zich kleedde voor het officiële diner met De Gaulle op het Elysée, door O'Donnell gebeld: Rusk zou de volgende dag 'vanwege de situatie in de Dominicaanse Republiek' niet in Parijs aankomen, zoals gepland was. Trujillo was vermoord. Volgens Salinger liet O'Donnell dit op zo'n terloopse manier weten, dat hij dacht dat dit nieuws waarschijnlijk al lang bekend was. In die veronderstelling verkondigde Salinger in het Hotel Crillon dan ook dat de komst van Rusk was vertraagd wegens 'de moord op generaal Trujillo'.

Nadat de pers lucht had gekregen van dit verhaal, vroeg men zich af hoe het mogelijk was dat de Verenigde Staten zo snel van Trujillo's dood op de hoogte waren. Op de Caribische eilanden werd het nieuwsfeit nog steeds ontkend. Was de CIA erbij betrokken? Tegenover de president bekende Salinger zijn fout. Kennedy was 'nog nooit zo kwaad op me als op dat moment'. Rusk belde Salinger vanuit Washington: *'Ben je van lotje getikt?'*

Kennedy wist bijna zeker dat de CIA voor de moord op Trujillo wapens de Dominicaanse Republiek had binnengesmokkeld. Dit was gebeurd voordat ze zich als gevolg van het Varkensbaai-debâcle hadden teruggetrokken. Zou de fout van Salinger verslaggevers er nu toe brengen de president in verband te brengen met een Amerikaans komplot tegen Trujillo? Kennedy zou gevreesd kunnen hebben dat het verhaal, aan de vooravond van de top in Wenen, tot onthullingen van de Amerikaanse plannen voor de moordaanslag op Castro zou leiden.

Die avond ontving Salinger de bevestiging van Trujillo's dood. Dol van vreugde zette hij het tot zes uur in de ochtend op een zuipen.

Ondanks Kennedy's hoffelijke verwijzingen naar de Franse invloeden, 'die zich over de hele wereld verspreiden' en de betekenis van het land als 'de oudste vriend van Amerika', bleef De Gaulle vast besloten zijn land een zelfstandiger koers te laten varen en een grotere rol op het wereldpolitieke toneel te laten spelen. Donderdag liet hij Kennedy weten dat Frankrijk niet van plan was de NAVO ten tijde van een Berlijnse crisis tegen te werken, maar dat hij er rekening mee moest houden dat Frankrijk hierna zijn eigen koers zou bepalen.

De president antwoordde hierop met het weergeven van het gebruikelijke Amerikaanse standpunt dat als de Russen West-Europa aan zouden vallen, hij deze met nucleaire wapens zou vergelden. Als Europese landen aan hun eigen defensie werkten, zou dit bij de landen zonder atoombom verontwaardiging teweegbrengen en tot een opgelegd neutralisme leiden.

Toen Kennedy zei dat hij geen verschil zag tussen de Europese defensie en de Amerikaanse, antwoordde De Gaulle: 'Omdat u het zegt, meneer de president, geloof ik u.' Maar hij vroeg wel meteen hoe iemand daar zo zeker van kon zijn. De Sovjet-Unie bezat misschien 'tien maal zo veel vernietigingskracht als Frankrijk,' maar de Russen zouden misschien nooit aanvallen als ze wisten dat zijn land dan in staat zou zijn hun land 'een arm af te rukken'.

Die avond bood de generaal de Amerikanen in de Spiegelzaal van Versailles een groot diner aan, gevolgd door een balletvoorstelling en vuurwerk. Eerder die dag had Jacqueline, samen met de Franse minister van Cultuur, André Malraux, een bezoek gebracht aan het huis van Josephine Bonaparte. Ze protesteerde niet toen Malraux tegen haar zei dat haar man Frans sprak met een 'slecht Cubaans accent'. Kennedy was vol trots over de overweldigende ontvangst van zijn vrouw overal in Parijs. Tegen zijn medewerkers zei hij: 'Tussen mij en De Gaulle klikt het wel. Waarschijnlijk vanwege mijn charmante vrouw.' Terwijl hij tijdens het diner in Versailles naar zijn vrouw en De Gaulle keek, mompelde hij: 'God nog an toe, ze papt behoorlijk met hem aan, hè?'

Voordat de twee leiders die vrijdag hun gesprekken beëindigden, vroeg Kennedy: 'U hebt uw leiderschap van dit land vijftig jaar lang kunnen bestuderen. Zit daar iets bij dat ik moet weten?' De Gaulle vertelde hem dat hij niet te veel aandacht moest besteden aan adviseurs of overgenomen beleidsvormen: wat telde, was dat iedereen op zijn eigen oordeel af moest gaan.

Aan het eind van Kennedy's bezoek gaf de generaal een compliment waarvan hij verwachtte dat de Amerikanen dit voor publicatie zouden vrijgeven: 'Ik heb meer vertrouwen in uw land gekregen.' Later zou Kennedy tegen vrienden zeggen dat De Gaulle alleen om het 'eigenbelang' van zijn land gaf, maar dat hij de generaal dankbaar was dat hij de verschillen van mening over Berlijn, Laos en de NAVO naar de achtergrond had geschoven.

Met Rusk, Bundy, Sorensen, Thompson, Bohlen en Kohler had hij die avond een rustig diner aan de quai d'Orsay. Harriman was uit Genève aangekomen met het laatste nieuws over de vastgelopen onderhandelingen over Laos. Hij adviseerde de president voorzichtig met Chroesjtsjov te praten over hoe ze beiden tegen de wereld aankeken: 'Ga er gewoon heen, wees ontspannen, doe rustig aan en wees grappig en openhartig.'

Op zaterdagochtend 3 juni taxiede de *Air Force One* weer weg van de pier. Een veiligheidsagent schreeuwde opeens: 'Stop dat vliegtuig!' Een bestelwagen scheurde de taxibaan op met daarin de hulp, de privé-secretaresse en de bagage van mevrouw Kennedy. Zowel de vrouwen als de bagage werden aan boord van het vliegtuig genomen. Tijdens de vlucht naar Wenen keek de president de briefings nog eenmaal door. Onder het genot van broodjes en jus d'orange beraadslaagde hij met Thompson die hem een laatste waarschuwing gaf: 'Mijd ideologie, want anders gaat Chroesjtsjov met je aan de haal.'

Kennedy was nog steeds verkrampt door de pijn in zijn rug. Zijn artsen hadden gezegd dat als hij naar Europa ging, hij krukken mee moest nemen, maar hij had het hoofd geschud: Hij 'dacht er niet over' om Chroesjtsjov 'als een manke' te ontmoeten. Als Congreslid had hij in 1949 zelf beweerd dat de Koerilen en andere strategische punten door een 'zieke' Roosevelt in Jalta aan Stalin 'cadeau waren gedaan'. Hij wilde niet dat er over zijn optreden in Wenen in dezelfde bewoordingen werd gesproken.

Op de dag van Kennedy's inauguratie arriveerde admiraal en voormalig voorzitter van de gezamenlijke stafchefs, Arthur Radford, ruim op tijd voor een lunch in de F Street Club die na alle ceremoniën ter ere van Eisenhower zou worden genuttigd. Terwijl hij Kennedy's toespraak op televisie volgde, merkte hij tot zijn verbazing dat, ondanks dat Kennedy zich zonder jas of hoed in de koude buitenlucht bevond, er grote druppels zweet van zijn voorhoofd gutsten.

'Hij zit onder de medicijnen!' riep generaal Howard Snyder, de arts van het Witte Huis die met pensioen ging. Net als Eisenhower was hij op de hoogte van informatie van de FBI en de geheime dienst en zei tegen Radford dat Kennedy 'elke ochtend een shot van het hormoonpreparaat cortisone werd voorgeschreven om zichzelf in goede conditie te houden. Zonder twijfel heeft hij vanochtend twee doses gehad vanwege de ongebruikelijke ongemakken die hij moet doorstaan en duiden de zweetdruppels op deze extra dosis.'

Snyder voegde eraan toe dat mensen die van cortisone afhankelijk waren, in een depressief gat vielen als het middel uitgewerkt raakt: 'Ik moet er niet aan denken wat er met het land zou kunnen gebeuren als Kennedy om drie uur 's ochtends een belangrijke beslissing moet nemen die van invloed is op de nationale veiligheid.'

In juni 1960 had India Edwards, een van de leiders van Lyndon Johnsons presidentscampagne, aan verslaggevers verteld dat Kennedy aan de ziekte van Addison leed: 'Als hij geen cortisone zou hebben,' zou hij 'zich vandaag niet meer onder ons bevinden'. Sorensen weerde de aanval af en zei: 'Ik denk niet dat hij op andere middelen teert dan u en ik.'

Die herfst vond er een inbraakpoging plaats in de kantoren van de twee artsen van Kennedy in New York. Men was er bijna zeker van dat de inbrekers op zoek waren geweest naar zijn medische dossiers, die evenwel wijselijk onder een valse naam waren ondergebracht. De daders waren niet de enigen die in Kennedy's gezondheid waren geïnteresseerd: William Casey, de Newyorkse Republikein die twintig jaar later onder Reagan de CIA zou leiden, onderzocht de zaak ten gunste van Nixons verkiezingscampagne.[1]

1. Ondanks Casey's voorkeur voor heimelijke acties bestaat er geen bewijs dat hij of iemand anders binnen Nixons verkiezingsteam voor de inbraak verantwoordelijk was. Toch kan een grote gelijkenis tussen deze zaak en die van de inbraak in het kantoor van de psychiater van Daniel Ellsberg in 1971 niet over het hoofd worden gezien. In het laatste geval had men naar gegevens gezocht die door het Witte Huis ten tijde van de regering-Nixon konden worden gebruikt om de man in diskrediet te brengen die de informatie in de 'Pentagon Papers' inzake Vietnam had verspreid.

Bezorgde mensen waren bang dat de gezondheid van Kennedy een negatieve invloed kon uitoefenen op zijn beslissingen inzake de nationale veiligheid. Na de verkiezingen van 1960 werd Nixon door Raymond Moley van *Newsweek* ervoor gewaarschuwd dat de nieuwe president misschien aan 'gevoelige geestelijke black-outs' kon lijden die een 'ernstige crisis' tot gevolg konden hebben: 'Misschien hoef ik je hierover niets meer te vertellen, maar ik heb het met Bill Casey al eens allemaal goed doorgenomen. En het is angstaanjagend. Er zijn bepaalde onvoorziene gevallen die wel eens tot een presidentschap voor maar één termijn – en zelfs een opvolging door Johnson – kunnen leiden.'

Lang voordat men met gevallen als de beroerte van Woodrow Wilson en Roosevelts terminale vermoeidheid op Jalta te maken kreeg, hebben historici geprobeerd de invloed te bepalen van fysieke ongesteldheid op de politieke besluitvorming. Het voornaamste probleem bij zulke terugblikkende diagnoses is het gebrek aan betrouwbare en uitgebreide informatie. Bij gebrek aan iemand als lord Moran, de privé-arts van Churchill die dagelijks de conditie en de behandeling van zijn patiënt te boek stelde, zullen we waarschijnlijk nooit in staat zijn de precieze gezondheidstoestand van Kennedy te achterhalen toen deze naar Wenen vloog.

Afgezien van een pijnlijke rug vormde de ziekte van Addison zijn hardnekkigste probleem. Deze ziekte verzwakt de adrenalineklieren en ondermijnt het afweergestel. Voorheen was deze ziekte bijna fataal, maar toen men in 1947 bij Kennedy de ziekte vaststelde, kreeg hij een balletje met corticosteroïdehormonen in zijn dij ingeplant, waardoor de levensverwachting met vijf tot tien jaar werd verlengd. In 1953 schakelde Kennedy over op het innemen van de nieuwe cortisone-pillen, waarbij er van een gewone levensverwachting kon worden uitgegaan. Hoe dan ook, hij wist dat deze behandeling niet waterdicht was en dat hij vanwege zijn ziekte bevattelijker was voor infecties, vooral tijdens een eventuele operatie. Na de operatie aan zijn rug ontving hij de laatste sacramenten van de katholieke Kerk. Zijn houding tegenover zijn ziekte had veel te maken met zijn persoonlijke fascinatie voor mannen die jong stierven, zijn niet-aflatende nieuwsgierigheid naar wat de beste manier was om te sterven en zijn vastbeslotenheid elke dag als zijn laatste te beschouwen.

Door de cortisonebehandeling zwol zijn gezicht op. Hij verafschuwde de uitwerking ervan, zag zichzelf in de spiegel en zei: 'Dit ben ik niet.' Het hormoon zorgde ook voor een toename van uithoudingsvermogen, libido en welbehagen van de gebruiker. Dit leidde weer tot wisselvallige buien.

Kennedy's managers ontkenden de geruchten dat hij aan de ziekte van Addison leed, en redeneerden dat de 'klassieke' vorm van de ziekte toe te schrijven was aan tuberculose. Dokter Travell bracht een verklaring uit waarin stond dat de bijnieren van de president 'wel functioneren', maar vermeldde niet dat dit door de cortisonehormonen kwam. De misleiding had succes, maar hierdoor onthield men het Amerikaanse volk de wetenschap dat het een president zou kiezen wiens behandeling vanwege een chronische ziekte wel eens van invloed kon zijn op zijn besluitvaardigheid, onderhandelingstalent en, niet ondenkbaar, zijn kans om te overleven.[1]

1. Deze misleiding duurde tot november 1963. Kennedy's autopsierapport vermeldde niet, waarschijnlijk na aandringen van Robert Kennedy, dat röntgenstralen postmortaal aantoonden dat 'de president leed aan bilaterale bijnieratrofie'.

Naast de ziekte van Addison was er nog eens zijn oude rugprobleem. Hij zei eens tegen Billings dat hij al zijn politieke successen en al zijn geld in zou ruilen 'om maar van die pijn af te zijn'. Een van zijn artsen dacht dat hij 'met een instabiele rug was geboren', wat zich misschien door het voetballen had verergerd. Toen de PT-109 door een Japanse torpedoboot in tweeën werd geblazen, liep hij een zware verwonding aan zijn rug op. Later onderwierp hij zich aan de levensgevaarlijke operatie aan de wervelkolom, omdat hij 'de pijn niet meer kon verdragen'.

Nog steeds gebukt onder de pijn bezocht hij nu dr Travell, een van de eerste artsen die spierproblemen behandelde met injecties met het verdovingsmiddel procaïne. Later zei Jacqueline dat dit 'Jacks leven veranderde'. In 1960 verzocht hij Travell de Verenigde Staten niet te verlaten zolang hij nog met zijn verkiezingscampagne bezig was.

Tijdens zijn bezoek aan Parijs zat Kennedy bijna elke vrije minuut in zijn vergulde badkuip aan de quai d'Orsay en gaf Travell hem twee tot drie procaïne-injecties per dag. Admiraal George Burkley, arts aan het Witte Huis en nog uit de tijd van Eisenhower, was hierover zeer verontrust. Hij had liever dat Kennedy zijn rug op een conventionelere manier aansterkte, zoals door middel van oefeningen en fysiotherapie. Zodra de verdovende werking van procaïne afnam, kwam de pijn weer terug en werden de benodigde doses steeds groter. Burkley vreesde dat narcotica wel eens de volgende stap zou kunnen zijn.

Er waren meer redenen om bezorgd te zijn dan Burkley kon hebben geweten. Kennedy werd tevens behandeld door een excentrieke arts die binnen de cafékringen van Manhattan bekendstond als 'Doctor Feelgood' omdat hij zijn patiënten met 'vitamine- en enzyminjecties' weer nieuwe energie en een goed humeur gaf. Zijn injectiespuiten mogen dan wel vitaminen en enzymen hebben bevat, ze bevatten ook amfetaminen, steroïden, hormonen en dierlijke orgaancellen waardoor bekende namen als Eddie Fisher, Truman Capote, Alan Jay Lerner en Tennessee Williams terug bleven komen. Ten minste één patiënt zou later overlijden aan wat de Newyorkse medisch-inspecteur omschreef als 'acute amfetaminevergiftiging'.

Max Jacobson was als jood uit Duitsland gevlucht en in 1936 naar de Verenigde Staten geëmigreerd. Met zijn dikke zwarte haar, hoornen brilletje en van de chemicaliën zwart uitgeslagen vingernagels zag hij eruit als een dwaze geleerde. In zijn kantoor aan de East Side en zijn schuur op Long Island experimenteerde hij met magneten, edelstenen, borrelende fiolen en ketels en legde hij zich toe op het zoeken naar een geneesmiddel tegen multiple sclerose. Hij wilde graag beroemd worden en beweerde dat hij de uitvinder was van de eerste lasermicroscoop, maar dat een 'totaal geschifte' partner er met het apparaat vandoor was gegaan.

Eddie Fisher herinnerde zich dat Jacobson 'zichzelf op de borst sloeg omdat hij in één oogopslag de diagnose van zijn patiënten kon vaststellen en dat zijn injecties speciaal bedoeld waren voor het wegnemen van vermoeidheid, nervositeit, vitaminegebrek of wat hij ook vond dat de patiënt mankeerde'. Nadat hij de zanger in de kleedkamer een injectie had toegediend, vroeg hij altijd met donderende stem: 'Nog meer liefhebbers? Jij, ja? In je arm of in je kont?' Soms injecteerde hij patiënten in de maag, achter in hun nek en de ruggegraat. Met behulp van sinaasappels liet hij hun zien hoe ze zichzelf konden injecteren.

Kennelijk was Kennedy in september 1960 door zijn vriend Charles Spalding naar Jacobson verwezen. Spalding maakte zich zorgen over Kennedy's vermoeidheid tijdens de verkiezingscampagne. Naar zijn eigen zeggen ontmoette Jacobson Kennedy in het Witte Huis, Palm Beach, New York en Hyannis Port. Joseph Kennedy's chauffeur herinnerde zich later dat iemand tegen hem zei: 'Dr Jacobson is er. [...] Heb je nog een vitamine-injectie nodig?'

Een van Kennedy's andere artsen zei later dat hij er bij de president op had aangedrongen zijn bezoeken aan Jacobson te stoppen: 'Ik liet hem weten dat als ik erachter zou komen dat hij weer een injectie had gehad, ik dit meteen openbaar zou maken. Een president die met zijn vinger bij de rode knop zit, moet zich verre van dit spul houden.' Maar zelfs in 1963 bevond Jacobson zich nog dicht genoeg bij Kennedy om samen in Palm Beach in sportkleren te worden gefotografeerd.

In zijn boek uit 1983, *One Brief Shining Moment*, vermeldt de schrijver William Manchester dat Kennedy, na zijn aankomst in Parijs, 'zichzelf een procaïne-injectie gaf' terwijl hij zijn vergulde badkuip liet vollopen. Maar als deze injectie door Travell was voorgeschreven, had Kennedy haar vast en zeker uit haar nabijgelegen kamer geroepen om hem deze injectie te geven. Dit suggereert dat hij zichzelf wellicht met een van Jacobsons amfetamineformules injecteerde.

Deze verklaring wijkt niet veel af van het verhaal van Jacobson. In een niet-gepubliceerde autobiografie schreef hij dat hij pas later die dag in Parijs arriveerde. Hij herinnerde zich dat hij die avond naar Kennedy's suite werd gebracht en de president één injectie toediende voor 'een goede nachtrust' en vervolgens de volgende ochtend weer een, voordat de gesprekken met De Gaulle weer werden voortgezet. Daarna vloog hij samen met de president aan boord van de *Air Force One* naar Wenen, zodat hij Kennedy tijdens diens topontmoeting met Chroesjtsjov verder kon behandelen. Zoals zijn vrouw jaren later zou zeggen: 'Het laatste dat Kennedy wilde, was dat de Russen zouden weten dat hij in een allesbehalve blakende gezondheid verkeerde.'

Kennedy's toevlucht tot de dokter uit New York was nog niet zo vreemd als op het eerste gezicht mag lijken. Eind mei 1961 zag hij dat hij niet onder een ontmoeting met Chroesjtsjov uit kon. Hij liep krom van de rugpijn en werd omgeven door adviseurs die hem maar bleven waarschuwen dat hij Chroesjtsjov vooral niet de indruk mocht geven van zwakte of besluiteloosheid inzake Berlijn en andere kwesties. Hij wist dat er een grote kans was dat hij Chroesjtsjov op krukken en uitgeput van de pijn tegemoet zou treden – vooral na zijn drie volgeboekte dagen met De Gaulle in Parijs.

Door zijn lange medische geschiedenis had Kennedy net zo weinig respect voor medische experts als voor de politieke experts die hem hadden verteld dat hij in 1952 nooit Senator en in 1960 nooit president zou worden. Hij wist dat meer orthodoxe artsen met een schuine blik tegen Travells procaïne-injecties aankeken, maar wat hem betrof slaagde ze waar zijn zogenaamde experts faalden.

Zijn eerste ontmoeting met Jacobson had niet plaatsgevonden in een of ander achterafstraatje. Kennedy's zwager Stanislas Radziwill, Charles Spalding en andere notabele vrienden behoorden ook tot zijn clientèle. Het was duidelijk dat als Jacobson erin slaagde Kennedy voor Parijs en Wenen in een strijdlustige conditie te brengen, hij iets voor elkaar had gekregen wat andere doktoren nooit gelukt zou zijn. Je kon maar beter Jacobsons injecties accepteren, wat deze ook mochten bevatten, en voorlopig even niet zeuren. Kennedy zou hebben gezegd: 'Al is het paardezeik. Het helpt.'

Het uitspelen van wederzijds verontwaardigde artsen liep parallel aan de manier waarop hij politiek advies zocht. Hij gaf er de voorkeur aan om verschillende adviseurs met een probleem op te zadelen en ze tegen elkaar te laten concurreren. Op deze manier hoefde hij zich niet door een afzonderlijke medewerker als een 'marionet te laten sturen'.

Het probleem was echter dat geneeskunde iets anders is dan politiek. Nu Kennedy president was, moest hij veel voorzichtiger omspringen met zijn medische experimenten dan voorheen, toen hij nog Senator was. Niet alleen stond nu zijn politieke carrière op het spel, maar letterlijk het lot van de hele wereld.

Op geen enkel moment tijdens zijn Europese bezoek was één arts in de positie om toezicht uit te oefenen over Kennedy's totale medische behandeling. Er was niemand aangesteld met de bevoegdheid te waarschuwen of in te grijpen als het gevaar dat de onderlinge reactie van cortisone, procaïne, amfetamine of wat voor spul Jacobson ook in zijn spuit had zitten, in Wenen tot rampzalige gevolgen kon gaan leiden.

Zelfs in kleine doses kunnen amfetaminen tot neveneffecten leiden zoals nervositeit, loslippigheid, beperkt inschattingsvermogen en overmoedigheid. Als de drug is uitgewerkt, bestaat er een kans op depressies. Wat zou er gebeuren als hij deze symptomen in Wenen ten toon zou spreiden terwijl Chroesjtsjov zijn gedrag nauwlettend in de gaten hield en zijn capaciteiten, deugdelijkheid en mening kritisch op een weegschaal zou leggen?

Op vrijdagmiddag bereikte Chroesjtsjov per trein de Oostenrijkse grens. Hier verving men de Russische locomotief door een Oostenrijkse voor de laatste vijfenzestig kilometer naar Wenen. Hij arriveerde daar om vijf uur. Het welkomstcomité op het station van Wenen bestond onder meer uit Chroesjtsjovs vijand Molotov, die sardonisch stond te glimlachen. Zonder een greintje overtuiging in zijn stem liet Chroesjtsjov hem weten: 'We moeten weer eens bij elkaar komen.' De oude rivaal antwoordde: 'Lekker weertje vandaag.'

Wat beide mannen niet wisten, was dat de CIA er in 1961 van uitging dat Molotov misschien zo ontmoedigd was over zijn vooruitzichten in de Sovjet-Unie dat hij wellicht een miljoen dollar, verborgen tussen de bladzijden van een Amerikaans tijdschrift, wilde accepteren om daarna naar het Westen over te lopen of zich in ieder geval aan een ondervraging wilde onderwerpen. Men werkte aan een aanbod. Terwijl Chroesjtsjov in een open limousine langsreed, schaarden kleine groepjes mensen zich in de straten. De rit voerde naar het presidentiële paleis, waar hij een bezoek zou brengen aan de Oostenrijkse bondspresident, Adolf Schärf. Vervolgens ging de rit naar de Russische ambassade die van een zwembad en tennisbanen was voorzien. Zijn medewerkers waren verontrust over Kennedy's onbuigzame houding over de kwestie-Berlijn zoals die tijdens zijn gesprekken met De Gaulle naar voren was gekomen: 'Een militaristische oefening en een slechte voorbereiding op de komende ontmoeting.'

Toen de *Air Force One* op zaterdagochtend om tien voor elf landde, regende het. Op spandoeken stond met schreeuwende letters te lezen: 'GEEF ZE OP HUN

DONDER, JACK! HELP BERLIJN. HAAL HET IJZEREN GORDIJN WEG. ONSCHULDIGE BUITENLANDERS VRAGEN: HOE GAAT 'IE?' Oostenrijkers deelden pamfletten uit waarop stond: 'Meneer Kennedy, Europa zal Jalta nooit vergeten.'

In hun angst dat de Amerikaanse president nog grotere en nog enthousiastere menigten op de been zou weten te krijgen, hadden de Russen geprobeerd te eisen dat zowel Chroesjtsjov als Kennedy geen parades zou afnemen. De Amerikanen reageerden met nog meer limousines en vlaggen. Net als in andere steden maakte het plaatselijke CIA-hoofdkwartier overuren om ervoor te zorgen dat de president warm werd onthaald.

Door de regen rijdend op weg naar het presidentiële paleis en de Amerikaanse residentie zag Lem Billings 'nog nooit zo veel mensen als hier, allemaal juichend van enthousiasme'. Later zei hij dat 'Kennedy altijd dezelfde houding tegenover grote menigten ten toon spreidde. [...] Hoe meer mensen, hoe groter zijn enthousiasme. [...] De Oostenrijkers wilden natuurlijk duidelijk blijk geven van hun voorkeur voor de Amerikaanse president boven de Russische Secretaris-Generaal.' Toen de president en zijn First Lady de donkere stenen residentie binnengingen, liet een kille wind de pijnbomen heen en weer schudden en de ramen klapperen. Het huis, omgeven door prikkeldraad en bewaakt door gemuilkorfde politiehonden, behoorde ooit toe aan een joodse handelaar die door de nazi's was verdreven. Tijdens de oorlog fungeerde het gebouw als het plaatselijke hoofdkwartier van Hitlers SS.

Boven liep Kennedy heen en weer op de overloop. Hij vroeg zich af of Chroesjtsjov zich hun ontmoeting van 1959 in de Senaatscommissie voor Buitenlandse Betrekkingen nog zou herinneren. Volgens Jacobson riep Kennedy hem bij zich en zei: 'Chroesjtsjov schijnt op weg te zijn. Je kunt me maar beter een spuitje voor mijn rug geven.'

Om kwart voor één hoorden Kennedy en zijn medewerkers de ZIL-limousine over het grindpad van de cirkelvormige oprijlaan knarsen. Kennedy stond op de rode loper bij de trappen. Toen de limousine stopte, gooide Chroesjtsjov zijn korte benen uit de wagen en stond beneden aan Kennedy's voeten. Hij had twee medailles op zijn borst en revers gespeld.

Beperkt in zijn bewegingen door een strakzittend korset leunde Kennedy moeizaam naar voren. Met een stijve glimlach stak hij krachtig zijn hand uit, keek Chroesjtsjov recht in de ogen en vroeg in zijn chicste Bostonse accent: 'Hoe gaat het ermee? Blij u te zien.' Met een ietwat neerbuigende trek om de lippen keek Chroesjtsjov op, schudde Kennedy de hand en liep de treden op naar boven.

De fotografen schreeuwden: 'Nog een handdruk!' Tegen zijn tolk zei Kennedy: 'Zeg tegen de Secretaris-Generaal dat ik het alleen doe als hij daar ook mee akkoord gaat.' Na een tweede handdruk deed de president een stap achteruit. Mensjikov deed hetzelfde, trapte op Dean Rusks voet en bood uitgebreid zijn verontschuldigingen aan.

Met samengeknepen lippen duwde Kennedy zijn handen stevig in de broekzakken en bekeek Chroesjtsjov vervolgens van top tot teen. Verslaggevers krabbelden fanatiek in hun blocnotes. Later vertelde hij O'Donnell: 'Na al mijn bestuderingen en al mijn gepraat over hem tijdens de afgelopen weken kun je het me niet kwalijk nemen dat ik hem eens goed wilde bekijken.'

Frank Holeman, die voor de *New York Daily News* de Weense ontmoeting ver-sloeg, kreeg een telefoontje van zijn oude Russische contactpersoon, Joeri Gvoz-dev, die hem vroeg naar een coffeeshop te komen. Sinds Nixons reis naar Mos-kou in 1959 hadden de twee elkaar niet meer ontmoet. Volgens Holeman 'pro-beerde Joeri uit te vinden of ik op de hoogte was van de Amerikaanse standpun-ten op de topontmoeting. Tegelijkertijd probeerde ik bij hem naar de Russische uitgangspunten te vissen. We spraken elke keer op een ander adres af. Toen we op een keer weer ergens bij elkaar kwamen, zei hij: "Kom, wegwezen."'

Tijdens de Geneefse topconferentie van 1955 beschikte het plaatselijke CIA-kan-toor over een geheime informatiebron binnen de Russische delegatie. Elke avond kwam deze informant naar een nachtclub om te worden ondervraagd over de Russische reacties over wat er die dag besproken was. Deze informatie werd ver-volgens de volgende ochtend naar Eisenhower doorgespeeld. In Wenen kon noch Holeman, noch Gvozdev een licht werpen op wat hun leiders tegen elkaar zouden zeggen. Zoals Holeman later zou zeggen: 'Geen van ons tweeën stuitte op olie.'

Chroesjtsjov liep de Amerikaanse ambassade binnen. De dakspanten trilden door zijn zware voetstappen. De president stelde hem voor aan de verschillende stafleden, onder wie een boos kijkende O'Donnell. Later zei Kennedy tegen zijn medewerker: 'Hij zal wel gedacht hebben dat je een spion voor de IRA was.' De twee leiders gingen naast elkaar zitten op een rooskleurige sofa in de met rood, grijs en goud uitgevoerde muziekkamer. Hun adviseurs, Gromyko, Dobrynin, Mensjikov, Rusk, Kohler, Bohlen en Thompson zaten in een halve kring op stoelen om hen heen. Onder de kamer bevond zich de ingang naar een destijds door de SS aangelegde vluchttunnel.

De president begon met te zeggen dat Chroesjtsjov 'onze ambassadeur in Mos-kou' natuurlijk wel kende, waarop Chroesjtsjov de bal terugkaatste: 'U bedoelt *onze* ambassadeur.' Iedereen lachte.

Kennedy uitte zijn genoegen over de nieuwe ontmoeting met de Sovjetleider: zo-als hij Gromyko en Mensjikov al had laten weten, was hij 'zeer geïnteresseerd' om 'tot op zekere hoogte' gesprekken over hun wederzijdse betrekkingen te voe-ren. Hij hoopte dat deze twee dagen 'tot een betere kijk op de problemen kun-nen leiden waarmee we nu geconfronteerd worden'.

Chroesjtsjov antwoordde daarop dat ook hij wilde dat de gesprekken nuttig zou-den zijn. Verwijzend naar hun eerste ontmoeting in 1959, plaagde hij Kennedy met de opmerking dat de Amerikaanse president destijds te laat was. Er was toen 'geen gelegenheid om veel te zeggen, behalve dan hallo en tot ziens'. Ver-der herinnerde Chroesjtsjov zich dat Kennedy destijds werd omschreven als 'een veelbelovende jongeman' in de politiek. Nu was hij verheugd dat hij deze jonge-man als president tegenover zich had.[1]

1. De verslagen van de vertrouwelijke gesprekken tussen Kennedy en Chroesjtsjov in dit boek zijn onder meer afkomstig van interviews door de auteur en andere primaire bronnen, maar zijn hoofdzakelijk gebaseerd op de officiële memoranda van gesprekken die door de tolk van de president, Alexander Akalovsky, uiteindelijk beschikbaar zijn gekomen. Deze documenten werden na de ontmoeting in Wenen door de Amerikaanse regering voor ne-genentwintig jaar verzegeld. Op 5 september 1990 werden ze, na vier jaar lang aandringen door de schrijver van dit boek, vrijgegeven door de Amerikaanse staatsarchivaris.

'Ik weet nog dat u zei dat ik er jong uitzag voor een Senator, maar ik ben sindsdien een stuk ouder geworden.'

'Heb ik dat *echt* tegen u gezegd?' Volgens Chroesjtsjov wilden jonge mensen er altijd ouder uitzien en omgekeerd. Als jongen voelde hij zich altijd zeer beledigd als mensen hem vanwege zijn uiterlijk jonger inschatten. Dit probleem loste zich automatisch op toen hij op tweeëntwintigjarige leeftijd al grijs haar begon te krijgen. Hij wilde graag met Kennedy van leeftijd ruilen en was zelfs bereid zijn leeftijd ten opzichte van die van de Amerikaanse president te halveren.

De Amerikaanse president ging over tot de orde van de dag en verklaarde dat het gemeenschappelijke doel erop toegespitst moest zijn de onderlinge concurrentie geen gevaar voor de vrede te laten worden: 'Het gaat erom dat we naar middelen zoeken ter voorkoming van situaties waarin onze landen bij acties worden betrokken die hun veiligheid in gevaar brengen.' Hoe konden twee naties met zulke verschillende maatschappelijke systemen, die in alle delen van de wereld lijnrecht tegenover elkaar stonden nu, in een tijdperk van grote veranderingen, een frontale botsing vermijden?

Chroesjtsjov antwoordde dat de Sovjet-Unie zich al lange tijd voor vriendschappelijke betrekkingen met de Verenigde Staten had ingezet, maar dit niet ten koste wilde laten gaan van andere volkeren: 'De Verenigde Staten zijn een rijke natie en beschikken over alle noodzakelijke hulpbronnen. Tot dusver is de Sovjet-Unie altijd armer geweest dan de Verenigde Staten en onderkent dit ook. Maar wij zullen ons ontwikkelen – niet ten koste van de Verenigde Staten, want wij zijn niet uit op een prooi, maar door middel van het ontwikkelen van het menselijk en natuurlijk potentieel.' Hij wilde niet verbergen dat de Sovjet-Unie 'rijker wilde worden dan Amerika', maar wilde eveneens 'de economische ontwikkeling van de Verenigde Staten niet in de weg staan'.

Kennedy antwoordde dat hij onder de indruk was van het economisch groeipercentage van de Russen: voor de Secretaris-Generaal was dit wellicht 'reden tot tevredenheid', net zoals het Amerikaans groeipercentage de Amerikanen tot tevredenheid stemde.

Chroesjtsjov zei dat hij wist dat de president niet tot het communisme te bekeren zou zijn, maar dat 'het Westen moet inzien dat het communisme bestaat en het recht heeft zich te ontwikkelen. Zulke onderkenningen moeten *de facto* en niet *de jure* zijn.' Het buitenlands beleid van de Amerikanen onder John Foster Dulles baseerde zich 'op de vooronderstelling dat het communistische systeem moet worden uitgeroeid'. Maar het communisme zou uiteindelijk 'via de verspreiding van ideeën zegevieren'.

Kennedy zei dat Chroesjtsjov hiermee een zeer belangrijk aspect aanstipte: 'U wilt de invloed van mijn land vernietigen op plaatsen waar het van oudsher altijd aanwezig is geweest. U wilt het vrije systeem in andere landen om zeep helpen.' Tegelijkertijd protesteerde de Sovjet-Unie tegen elke poging de communistische maatschappelijke systemen te liquideren.

Chroesjtsjov bestempelde dit als 'een onjuiste interpretatie van het Sovjetbeleid. De Sovjet-Unie is tegen het opleggen van haar beleid in andere staten. In feite zou dit ook een onmogelijke taak zijn. Wat de Sovjet-Unie zegt, is dat het communisme zal triomferen. Dit is een ander uitgangspunt [...]. Wij kijken verder vanuit slechts één veronderstelling – namelijk dat elke verandering binnen een maatschappelijk systeem moet afhangen van de wil van het volk zelf.'

Hij zei verder dat de Sovjet-Unie het kapitalistische systeem wilde uitdagen, net zoals de Franse Revolutie een reactie was op de Heilige Alliantie van het feodale Rusland. Zijn land had 'het voorstel gedaan voor algemene en volledige ontwapening' om daarmee 'zijn bedoeling' aan te tonen 'niet op geweld uit te zijn'. De Sovjet-Unie geloofde in haar systeem, net zoals de Verenigde Staten in het hunne geloofden, maar 'dit was een ruzie niet waard, laat staan een oorlog'.

Kennedy reageerde hierop door te zeggen dat het Amerikaanse standpunt zich baseerde op het idee dat 'mensen vrij moeten kunnen kiezen'. Toen communistische minderheden de macht in handen namen, legde de Secretaris-Generaal dit uit als een onvermijdelijke historische ontwikkeling. De Verenigde Staten hadden een andere mening. Het was duidelijk dat onenigheid op bepaalde punten niet kon worden vermeden, maar ze hoopten dat een directe militaire confrontatie wel uit de weg kon worden gegaan.

Chroesjtsjov wilde nu weten of hij het volgende goed had begrepen: had de president gezegd dat indien het communisme zich in nieuwe gebieden zou vestigen, de Amerikanen daardoor in conflict met de Sovjet-Unie zouden komen? Immers, de ontwikkeling van de menselijke geest kent geen beperkingen: 'De Spaanse inquisitie verbrandde andersdenkenden, maar hun ideeën gingen niet verloren en bleken uiteindelijk te overwinnen.'

Laat de geschiedenis hierover oordelen: 'Mensen zullen het kapitalisme en het communisme beoordelen naar hun respectievelijke resultaten. Als het kapitalisme betere leefomstandigheden kan garanderen, zal het uiteindelijk overwinnen. [...] Als het communisme dit doel bereikt, zal het de winnaar zijn. Chroesjtsjov wilde 'benadrukken' dat hij een 'overwinning van ideeën, geen militaire overwinning', in gedachten had. 'Hoe dan ook, het militaire aspect is vandaag de dag onbelangrijk geworden [...]. Ideeën moeten niet door bajonetten of raketkoppen worden ingegeven.'

Kennedy merkte grimmig op dat de politieke macht volgens Mao Zedong uit de loop van een geweer komt. Chroesjtsjov betwijfelde of Mao dat werkelijk had gezegd: 'Marxisten zijn altijd tegen oorlog geweest.'

De president verklaarde dat hij en de Sovjetleider elkaars volk verplicht waren 'de strijd om ideeën, iets wat hoort bij dit tijdperk, niet te laten uitdraaien op negatieve effecten op de vitale veiligheidsbelangen van de twee landen'. Zowel de Amerikanen als de Russen hadden essentiële belangen: de problemen op andere terreinen moesten niet tot een directe confrontatie tussen de twee landen leiden en mochten geen afbreuk doen aan hun nationale belangen en prestige.'

Zoals de Sovjetleider uit de geschiedenis wist, was het heel gemakkelijk om betrokken te raken bij een strijd die de wereldvrede in gevaar zou brengen. 'Mijn streven is om de vrede veilig te stellen. Als we daarin falen, zullen beide landen verliezen [...]. Onze landen beschikken over moderne wapens [...]. Als onze beide landen zich misrekeningen veroorloven, zullen ze nog een lange tijd verliezers blijven.'

'Misrekeningen!' riep Chroesjtsjov. 'Het enige dat ik van jullie, jullie nieuwscorrespondenten en jullie vrienden in Europa hoor, is dat verdomde woord "misrekening".' Wilde Amerika dat de Sovjet-Unie als een schooljongetje rechtop zat, braaf met de handjes boven de tafel? 'We maken geen vergissingen en beginnen ook geen oorlog per vergissing.' De Sovjet-Unie zou zijn vitale belangen blijven verdedigen, of de Verenigde Staten dit nu misrekening noemden of niet. 'Jullie zouden dat woord moeten invriezen en het nooit meer moeten gebruiken.' De Sovjet-Unie wilde geen oorlog, maar wenste ook niet 'geïntimideerd' te worden.

Kennedy kaatste terug dat, zoals Chroesjtsjov wist, de geschiedenis had aangetoond dat het 'onmogelijk was te voorspellen welke stappen een land op een bepaald moment neemt [...]. West-Europa heeft veel geleden onder het feit dat het niet met precisie kon voorspellen wat andere landen zouden doen.' Onlangs had hij 'bepaalde misrekeningen' van de Verenigde Staten erkend. Tijdens de Koreaanse oorlog waren de Amerikanen 'er niet in geslaagd te voorspellen hoe de Chinezen zouden reageren. [...] Het doel van deze ontmoeting is om de beoordeling door beide kanten met zo veel mogelijk precisie te formuleren en om een duidelijker inzicht te krijgen in welke kant we op gaan.'

Chroesjtsjov was het hiermee eens: als deze ontmoeting een goede afloop had, zouden de 'kosten goed zijn besteed'. Als er geen resultaten werden geboekt, 'zou de hoop van de volkeren danig op de proef worden gesteld'. Om twee uur 's middags werd het gesprek onderbroken voor de lunch.

In de eetkamer sloeg Chroesjtsjov een droge martini achterover: 'Net vodka.' Beide leiders kregen, ieder omringd door zijn eigen negen adviseurs, een lunch van boeuf Wellington. Kennedy vroeg Chroesjtsjov naar diens medailles. Met de kin tegen de borst antwoordde de Rus: 'Dit is de Leninprijs voor de Vrede,' waarop Kennedy tegen zijn tolk zei: 'Zeg hem dat ik hoop dat ze hem deze onderscheiding nooit zullen afnemen.' Chroesjtsjov lachte.

Tijdens het uitwisselen van verhalen over de ruimtevaart, onthulde Chroesjtsjov dat de Sovjetgeleerden in het begin verontrust waren over de psychologische effecten die een baan om de aarde op een astronaut kon hebben. Daarom waren de instructies aan Joeri Gagarin zo opgesteld dat deze alleen konden worden begrepen door iemand die bij zijn volle verstand was. Gelukkig bleek dit een onnodige voorzorgsmaatregel: Gagarin had zelfs tijdens zijn baan om de aarde liedjes gezongen. Kennedy vroeg waarom beide landen niet gezamenlijk naar de maan konden vliegen. Chroesjtsjov sprak zijn voorzichtigheid uit: de ruimtevaart kon ten voordele van militaire projecten worden gebruikt. Daarna klonk het: 'Goed, waarom niet?'

Ingelicht over Chroesjtsjovs favoriete onderwerp, vertelde Rusk over een nieuwe, snelgroeiende Amerikaanse graansoort die jaarlijks twee tot drie oogsten op hetzelfde stuk grond mogelijk maakte. 'Opmerkelijk,' zei Chroesjtsjov, 'maar weet u al dat wij een methode hebben uitgevonden om vodka uit aardgas te verkrijgen?' Kennedy zei: 'Dat klinkt weer als een van Rusks graanverhalen.'

Chroesjtsjov onthulde dat hij in 1960 op Kennedy 'had gestemd' door de RB-47-piloten pas na de verkiezingen vrij te laten: 'We wilden voorkomen dat Nixon kon zeggen dat hij wist hoe je met de Russen moest omgaan.' 'U hebt gelijk,' lachte de president. 'Ik geef toe dat u inderdaad een rol hebt gespeeld in de verkiezingen en uw stem op mij hebt uitgebracht.'

Chroesjtsjov wilde nu weten hoe de omgang met Gromyko verliep. 'Goed,' antwoordde de president. 'Mijn vrouw vindt dat hij een aardige glimlach heeft. Waarom vraagt u dat?' Chroesjtsjov: 'Nou, veel mensen vinden dat Gromyko op Nixon lijkt.' Hilariteit alom.

Kennedy stond op en hief het glas. Hij had Chroesjtsjov in 1959 welkom geheten in de Verenigde Staten en was blij dat hij dit op een klein stukje Amerikaanse grond in Wenen opnieuw kon doen. Nu ging de Sovjetleider staan en haalde herinneringen op aan Eisenhower. Hij was er 'bijna zeker van' dat de oude generaal van de vlucht van de U-2 op 8 mei 1960 niet op de hoogte was, maar dat hij wel alle schuld ruiterlijk op zich had genomen. Hij had respect voor Eisenhower en het speet hem dat Eisenhowers rondreis door de Sovjet-Unie moest worden afgelast. Hij uitte de hoop dat hij Kennedy wél in de Sovjet-Unie mocht verwelkomen 'als de tijd daar rijp voor is. [...] De weg ligt open.'

Inspelend op de aanwezigen, herinnerde Chroesjtsjov eraan dat Nixon het Russische volk tot het kapitalisme probeerde te bekeren door het een 'droomkeuken' voor te zetten. Voor wat betreft Chroesjtsjov bestond een dergelijke keuken niet en zou deze er ook nooit komen. 'Excuseert u mij voor deze verwijzing naar een burger van de Verenigde Staten, maar alleen Nixon kon met zulke nonsens op de proppen komen.'[1]

Hij klaagde over de commerciële taal die zo vaak bij onderhandelingen met de Russen werd gebezigd: 'Jij gaat hiermee akkoord, dan gaan wij daarmee akkoord.' Wat voor eisen zou hij moeten inwilligen? 'Wij krijgen de schuld van de aanwezigheid van communistische partijen in andere landen. Ik weet niet eens wie hun leiders zijn. Ik heb het thuis veel te druk.' Hij sprak geringschattend over wederzijdse concessies bij onderhandelingen.

Verder liet hij weten dat de Russen de Amerikanen bewonderden – vooral om hun successen op technologisch gebied. Hij en de president zouden moeten samenwerken om hun volken een betere toekomst te kunnen bieden. En hadden Amerikaanse ingenieurs niet Russische onderscheidingen gekregen omdat ze het land na de revolutie hadden geholpen met de wederopbouw? Hij herinnerde dat een ingenieur die opnieuw een bezoek bracht aan de Sovjet-Unie, vertelde dat hij nu huizen bouwde in Turkije. Natuurlijk wisten de Russen dat hij 'in werkelijkheid militaire bases bouwde. Maar dit is slechts een zaak voor zijn eigen geweten.'

Chroesjtsjov bracht een toost uit op Kennedy's gezondheid. Hij benijdde de jonge leeftijd van de president: 'Als ik net zo oud was als u, zou ik zelfs nog meer energie aan onze zaak besteden. Toch, ook al ben ik zevenenzestig, geef ik de wedstrijd niet op.'

Na de lunch nam Kennedy Chroesjtsjov mee voor een wandeling in de tuin van de ambassade, slechts vergezeld van tolken. Uit de opgetekende Camp-David-gesprekken tussen Eisenhower en Chroesjtsjov van 1959 was hem opgevallen dat een wandeling in de bossen, weg van alle mensen uit zijn gevolg, een milde uitwerking had op de Sovjetleider.

Terwijl de zon weer aan de hemel was verschenen, wandelden de twee leiders in de ambassadetuin. O'Donnell keek toe vanuit een raam op de tweede verdieping en dronk een glas Oostenrijks bier. Hij zag dat Chroesjtsjov heftig met zijn wijsvinger schudde en 'als een terriër' tegen de president 'stond te blaffen'.

1. Hiermee verwees Chroesjtsjov naar een Amerikaanse tentoonstelling in Moskou in 1959 waar de twee staatsmannen hun 'keukendebat' hielden. Ondanks het feit dat elk apparaat in deze droomkeuken overal in Amerika te koop was, weigerde Chroesjtsjov dit nog steeds te geloven.

Naar eigen zeggen, begon Kennedy het gesprek met de opmerking dat ze allebei een speciale verantwoording voor de vrede droegen: 'Ik zou u nu graag willen vertellen wat ik wel en niet kan doen en wat mijn problemen en mogelijkheden zijn. Daarna kunt u hetzelfde doen.' Volgens Chroesjtsjov vertelde de president over zijn krappe verkiezingsoverwinning in 1960, zijn zwakke positie in het Congres en vervolgens vroeg hij hem niet te veel concessies te eisen omdat hij anders wel eens uit het presidentsambt kon worden ontheven.

Hierop reageerde Chroesjtsjov met een donderpreek over Berlijn. Hij klaagde over de aanhoudende druk van de Amerikanen inzake een Duitse hereniging: zijn eigen zoon was door het Duitse leger vermoord. Kennedy antwoordde dat dit ook voor zijn broer gold. Hij was niet naar Wenen gekomen 'om over een oorlog van twintig jaar geleden' te praten. De Verenigde Staten konden de Westduitsers nu niet de rug toekeren en zich uit Berlijn terugtrekken.

Om de spanning wat te verlichten vroeg Kennedy hoe Chroesjtsjov in staat was geweest om met Humphrey en Lippmann zulke lange gesprekken te voeren zonder dat hij gestoord werd. Zijn eigen Witte-Huisagenda zat 'tjokvol'. Hij 'moest de hele tijd telefoontjes beantwoorden'. De Russische Secretaris-Generaal zei dat het Sovjetsysteem onder zijn leiderschap was gedecentraliseerd.

Kennedy legde uit dat de Amerikaanse manier waarop de president met het Congres kon beraadslagen 'tijdrovend' was. Chroesjtsjov nam meteen zijn kans waar: 'Welnu, waarom stapt u niet over op ons systeem?' Kennedy nodigde hem vervolgens uit om het gesprek zonder hun adviseurs binnen voort te zetten. Om tien voor half vier keerden ze weer terug in de muziekkamer en zaten deze keer op met rood damast beklede stoelen.

Kennedy kwam nu met een nieuwe formulering van zijn these van die ochtend. Hierdoor zou Chroesjtsjov zich waarschijnlijk meer aangesproken voelen. Als antwoord op de verwijzing van de Sovjetleider naar de dood van het feodalisme zei hij dat hij hieruit opmaakte dat het kapitalisme door het communisme zou worden opgevolgd. Dit was 'verontrustend'. Zoals de Russische Secretaris-Generaal goed wist, had de Franse Revolutie 'door heel Europa grote onrust en omwentelingen teweeggebracht'

'Zelfs daarvóór vormde de strijd tussen de protestanten en de katholieken [...] de aanleiding tot de honderdjarige oorlog. [...] Als landen en hun systemen zich in een overgangsfase bevinden, moeten we voorzichtig te werk gaan, vooral vandaag de dag waarin we moderne wapens bij de hand hebben. Hoe de huidige competitie ook zal uitvallen – en niemand weet welke kant het op zal gaan –, de acties van beide partijen moeten zich richten op het vermijden van een direct contact waarbij een blijvende vrede in gevaar wordt gebracht.' Zelfs de Russische Revolutie had tot uitbarstingen en 'interventies van andere landen' geleid. Hij wilde nog eens formuleren wat hij met het fenomeen van de misrekening had bedoeld. In Washington moest hij een oordeel proberen te vellen over gebeurtenissen – 'beoordelingen die wel of niet zuiver zijn.' Hopend dat hij Chroesjtsjov voor zich kon winnen door een zelfkritische opmerking te maken, zei hij dat hij zelf een misrekening had begaan omtrent de Varkensbaai. 'Het was meer dan een vergissing. Het was een compleet falen.'

Deze bekentenis bracht niet het gewenste effect op. 'Wij geven onze fouten toe,' klonk het wanhopig en geïrriteerd richting Chroesjtsjov. 'Hebt u ooit wel eens een vergissing toegegeven?' 'O, jazeker,' zei Chroesjtsjov. 'In mijn toespraak voor het Twintigste Partijcongres gaf ik de fouten van Stalin toe. Kennedy: 'Dat waren niet *uw* fouten.'

De Sovjetleider vervolgde met te zeggen dat hij Kennedy's Congresverklaring van mei had gewaardeerd. Hierin had de Amerikaanse president verklaard dat het moeilijk was ideeën te verdedigen die geen verbetering van de levensstandaard van de burgers tot gevolg hadden. De president trok echter de 'verkeerde conclusie' als hij dacht dat wanneer 'mensen tegen een tiran in opstand komen, dit aan acties vanuit Moskou te danken is. Dat is niet zo. Als de Verenigde Staten dit niet kunnen begrijpen, schuilt hierin een groot gevaar. De Sovjet-Unie wil mensen niet tot een revolutie ophitsen, maar het zijn de Verenigde Staten die bij onrust altijd naar krachten van buitenaf zoeken.'

Chroesjtsjov vroeg hoe hij en Kennedy überhaupt plannen konden uitwerken als de Verenigde Staten geneigd waren om revoluties waar ook ter wereld te beschouwen als het resultaat van communistische samenzweringen. De Sovjet-Unie 'ondersteunt de aspiraties van het volk'. Met hun steun aan 'tirannieke regimes' waren de Verenigde Staten de aanstichters van revoluties.

Kijk maar naar Cuba! Ten tijde van Castro's strijd aan het eind van de jaren vijftig werd Batista gesteund door Amerikaanse kapitalisten: 'Dit is de reden waarom de woede van het Cubaanse volk zich tegen Amerika keerde.' Het besluit van de president tot de landing op Cuba had slechts tot een versterking van 'de revolutionaire krachten en Castro's positie geleid, omdat de Cubaanse bevolking bang was weer met een nieuwe Batista te worden opgezadeld, waardoor de resultaten van de revolutie verloren gingen'.

Chroesjtsjov waarschuwde Kennedy dat hoewel Castro geen communist was, 'u hard op weg bent hem tot een goede communist te maken'. De president had beweerd dat de Verenigde Staten Cuba hadden aangevallen omdat de Amerikaanse veiligheid in gevaar was gekomen. Chroesjtsjovs reactie: 'Kunnen die zes miljoen mensen nu echt een bedreiging vormen voor het grote Amerika?' Als Amerika zich al bedreigd voelde door het kleine Cuba, wat moest de Sovjet-Unie dan wel niet met Turkije en Iran beginnen? 'Deze landen lopen bij de Verenigde Staten in de pas. Ze lopen Amerika achterna en hebben Amerikaanse bases en raketten.'

Hij bespotte de bewering van de sjah dat diens macht door God gegeven was: in feite wist 'iedereen' dat de sjah via zijn vader aan de macht geholpen was. Die was geen God maar slechts een legersergeant. 'Als de Verenigde Staten vinden dat ze vrijheid van handelen hebben, wat moet de Sovjet-Unie dan doen? De Verenigde Staten hebben een precedent geschapen voor interventies in binnenlandse aangelegenheden van andere landen. De Sovjet-Unie is sterker dan Turkije en Iran, zoals dat de Verenigde Staten sterker zijn dan Cuba.' Hij waarschuwde dat 'om in termen van de president te spreken', deze situatie misschien ook enige misrekeningen tot gevolg kan hebben.

Kennedy zei 'geen voorstander van Batista' te zijn. En als de sjah er niet in slaagde de levensstandaard van zijn volk te verbeteren, moest Iran ook veranderingen ondergaan.[1] Hij protesteerde niet tegen Castro's regime omdat dit com-

1. Dit lekte al snel uit naar de sjah, die zich bezorgd afvroeg of Kennedy misschien plannen had hem af te zetten. Na de topontmoeting in Wenen vertelde Dean Rusk tegen functionarissen van de NAVO dat er nu een kans bestond dat Chroesjtsjov later in 1961 acties tegen Iran zou ondernemen.

merciële monopolies de deur had gewezen, maar vanwege 'Castro's vernietiging van het recht op vrije keuze en zijn verklaring Cuba als basis te beschouwen voor de verspreiding van zijn ideeën naar omliggende gebieden'. Dit zou uiteindelijk 'een bedreiging vormen voor de Verenigde Staten'. Voor wat betreft de Amerikaanse bases in Turkije en Iran: 'Deze twee landen zijn zo zwak dat ze geen bedreiging kunnen vormen voor Rusland – niet meer dan Cuba voor de Verenigde Staten.'

Verder herinnerde de president Chroesjtsjov eraan dat Rusland had verklaard geen vijandig gezinde regeringen te tolereren in gebieden die men van vitaal belang achtte. Wat zou de Russische Secretaris-Generaal doen als Warschau opeens een pro-Amerikaanse regering huisvestte? 'De Verenigde Staten staan voor het recht van vrije keuze voor alle volkeren.' Als Castro in die geest had gehandeld, had hij misschien de steun van de Verenigde Staten kunnen winnen.

Kennedy herhaalde dat het 'van kritisch belang [was] dat de veranderingen in de wereld die van invloed zijn op het machtsevenwicht, moeten plaatsvinden op een manier die geen afbreuk doet aan het aanzien en de verdragsverplichtingen van onze twee landen'. Als bepaalde regeringen er niet in kunnen slagen hun volk een betere levensstandaard te bieden en zich alleen inzetten 'voor het belang van slechts een kleine groep', zouden hun dagen geteld zijn.

Chroesjtsjov antwoordde: 'Als Castro nog geen verkiezingen heeft uitgeschreven, is dit een binnenlandse aangelegenheid waarbij niemand het recht heeft tussenbeide te komen. Als Castro er niet in slaagt zijn volk vrijheid te bezorgen, zal hij zich er steeds verder van verwijderen en er net zo geïsoleerd van raken als Batista vroeger was. Het zou anders zijn als onze beide landen zich over deze vraag zouden buigen.'

Hij sprak de hoop uit dat de Amerikaans-Cubaanse betrekkingen zouden verbeteren: 'Een dergelijke verklaring zal de Verenigde Staten vreemd in de oren klinken, maar de Sovjet-Unie gelooft niet alleen dat dit tot betere betrekkingen op het westelijk halfrond, maar zelfs tot betere betrekkingen over de hele wereld zal leiden.' Nogmaals vergeleek hij Cuba met Turkije: toen de regering in Ankara in mei 1960 omver werd geworpen, hield de Sovjet-Unie vast aan haar neutrale positie 'omdat ze deze verandering als een binnenlandse aangelegenheid van dat land beschouwde'.

Chroesjtsjov bracht het onderwerp nu op Laos en zei dat de president 'maar al te goed wist' dat de staatsgreep tegen Souvanna Phouma in december 1960 werd gesteund door de Verenigde Staten. Ze moesten 'eerlijk zijn en erkennen' dat beide landen wapens naar Laos verzonden. Maar, net als bij Mao Zedongs overwinning op Jiang Kaishek, zal de kant die door de Sovjet-Unie wordt gesteund meer succes hebben, omdat de door de Verenigde Staten geleverde wapens tegen de bevolking worden gebruikt.'

Omtrent Laos moesten ze samen geduld opbrengen: 'Als de Verenigde Staten oude, ten dode opgeschreven en reactionaire regeringen steunt, zal hiermee een precedent worden geschapen voor een interventie in binnenlandse aangelegenheden die tot een confrontatie tussen onze beide landen zou kunnen leiden.'

Kennedy antwoordde: 'Wij vinden [...] de machtsbalans tussen de Chinees-Russische troepen enerzijds en die van de Verenigde Staten en West-Europa anderzijds min of meer evenwicht.' Hij liet weten geen behoefte te hebben aan een discussie over de details met betrekking tot de militaire stand van zaken. Maar zo zag hij de situatie.[1]

Deze verklaring van Kennedy bracht Chroesjtsjov bijna in extase. De rest van zijn leven zou hij zich met trots beroepen op het feit dat de leider van de Verenigde Staten tijdens deze topontmoeting uiteindelijk erkende dat de twee grote mogendheden in grote lijnen gelijkwaardig waren. Toen hij eind 1960 zijn memoires dicteerde, prees hij Kennedy voor het feit dat deze inzag dat de Sovjet-Unie zo'n grote economische en militaire macht had gekregen, 'dat de Verenigde Staten en hun bondgenoten niet langer serieus een oorlog tegen ons konden overwegen'.

Toen in Washington de gezamenlijke stafchefs Kennedy's uitspraak hadden vernomen, waren ze des duivels.

De president zei daarna dat de Verenigde Staten drie primaire doelen nastreefden. Ten eerste: 'een vrije keus voor iedereen door middel van verkiezingen.' Ten tweede: 'de verdediging van onze strategische belangen.' Ten derde: ervoor te zorgen dat de gebeurtenissen van 1960 niet tot een 'grote verstoring van het machtsevenwicht' in de wereld zouden leiden. Het groeiende militaire potentieel van de Chinezen, zei hij, zou een dergelijke storingsfactor kunnen zijn. Kennedy zou de kwestie rond China kunnen hebben aangeroerd om te kijken of Chroesjtsjov misschien met een idee kon komen om gezamenlijk te proberen Peking buiten het bereik van kernwapens te houden.

Maar de Sovjetleider zei alleen dat de Verenigde Staten China moesten erkennen, het tot de Verenigde Naties moesten toelaten en een eind moesten maken aan 'de bezetting' van Taiwan. Als de Sovjet-Unie in China's schoenen had gestaan, had ze Taiwan al lang aangevallen. (Dit was klinkklare onzin: in werkelijkheid hadden de Russen Mao er zelfs van weerhouden acties tegen het eiland te ondernemen.) De president antwoordde door Pekings 'aanhoudende vijandschap' tegenover de Verenigde Staten te noemen en merkte op dat de Taiwanese kwestie onder andere betrekking had op Amerikaanse strategische belangen.

In de wetenschap dat Laos een van de terreinen was waarvan Bolsjakov had laten weten dat Chroesjtsjov bereid zou zijn om concessies te doen, zei Kennedy dat terwijl Laos 'strategisch gezien relatief onbelangrijk' was, de Verenigde Staten als gevolg van de Zuidoostaziatische Verdragsorganisatie verplichtingen in dit gebied hadden. Hij voegde eraan toe dat het Amerikaanse beleid in Zuidoost-Azië 'om eerlijk te zijn' niet altijd 'verstandig' was geweest.

Hij had echter nog geen tijd gehad om vast te stellen 'wat de wensen van de mensen in dit gebied zijn'. Er bevonden zich negen- tot tienduizend leden van de Pathet Lao, een beweging die twee pluspunten had. 'Ten eerste steunen ze veranderingen.' Ten tweede werden ze 'niet alleen met voorraden' gesteund, maar kregen ze 'ook steun in de vorm van mankracht afkomstig van de Viet

---

1. Na hun gesprekken op Camp David in april tekende Eisenhower op dat Kennedy geloofde dat 'de twee grote mogendheden elkaar voor wat betreft atoomwapens en voorraden nu geneutraliseerd hebben, maar dat we voor wat betreft het aantal troepen en onze externe verbindingen, vergeleken met de interne communicatielijnen van de Sovjet-Unie, relatief zwak staan. Hij leek zich niet te realiseren dat onze grote zeemacht deze situatie totaal tenietdeed.'

Minh, waardoor ze sterker waren geworden'. Afgelopen maart hadden hij en de Sovjetleider overeenstemming bereikt over een 'neutraal en onafhankelijk Laos'. Nu moesten ze 'een oplossing vinden waarbij het prestige en de belangen van onze twee landen onaangetast blijft', inclusief een staakt-het-vuren en de middelen ter naleving hiervan.

Chroesjtsjov veranderde van onderwerp: hij wilde 'iets zeggen over de zogenaamde guerrilla-oorlog tegen regimes die door de Verenigde Staten niet erg worden gewaardeerd. Binnen de Verenigde Staten wordt er veel over dit soort oorlogen gesproken en dat is een gevaarlijk beleid.'

De president moest hem geloven toen hij waarschuwde dat als de Verenigde Staten guerrillatroepen naar gebieden stuurden waar ze niet door de bevolking werden gesteund, dit een 'hopeloze' zaak zou zijn. 'Wanneer deze guerrillatroepen lokale troepen zijn, behorend tot dat land, dan is elke struik hun bondgenoot.' Hij verwees naar zijn eigen diensttijd bij het Rode Leger: 'Ondanks het feit dat het Rode Leger erg arm was, wonnen we toch, omdat de mensen aan onze kant stonden.'

Chroesjtsjov beweerde dat 'de moderne tijden geheel anders zijn dan vroeger. De moderne wapens zijn verschrikkelijk.' Hij wist niet of er sprake was van een zuiver machtsevenwicht, maar dat deed niet terzake. 'Beide partijen weten maar al te goed dat ze over de kracht beschikken om elkaar te vernietigen. Daarom mag er geen sprake zijn van inmenging.'

Amerika steunde koloniale machten: 'Daarom zijn de mensen ertegen. Er was een tijd dat de Verenigde Staten in het gevecht voor vrijheid het voortouw namen. De Russische tsaar weigerde trouwens zesentwintig jaar lang de Verenigde Staten te erkennen, omdat hij Amerika als een onwettig creatuur beschouwde. Nu weigeren de Verenigde Staten het nieuwe China te erkennen. De tijden zijn wel veranderd, nietwaar?'

Kennedy zei dat de Amerikanen bezorgd waren over de toespraak van de Sovjetleider van januari, waarin hij zijn steun verklaarde aan nationale vrijheidsoorlogen: 'Feit is dat bepaalde groeperingen vaak met militaire middelen naar de macht grijpen.' Sommige werden door de Sovjet-Unie gesteund, andere door de Verenigde Staten. 'Als we de situatie in Vietnam bekijken, zien we daar zo'n zeven- tot vijftienduizend guerrillastrijders. Wij geloven niet dat zij de wil van het volk vertegenwoordigen. [...] De Sovjet-Unie gelooft misschien van wel. Het gaat erom dat we bij onze respectievelijke steun aan deze groeperingen een directe betrokkenheid uit de weg gaan.'

Chroesjtsjov antwoordde dat de president voor wat betreft vrijheidsoorlogen andere opvattingen had. Als 'een volk zich alleen nog maar kan verzetten door middel van een gewapende opstand', was dit voor de Sovjet-Unie een heilige oorlog. 'De Verenigde Staten kwamen zelf in opstand tegen de Britten. De Sovjet-Unie is in dit verband trots op de Verenigde Staten. Maar nu hebben de Amerikanen hun standpunten veranderd en verklaren ze zich tegen volkeren die nu hetzelfde doen.'

Als een of ander Afrikaans land het socialistische systeem zou aanvaarden, 'zou dit wel eens kunnen betekenen dat er weer wat meer macht naar de communisten vloeit [...] Maar dit zou een uiting zijn van de wil van het volk. Als er interventies zouden komen, zou dit een kettingreactie tot gevolg hebben en uiteindelijk tot een oorlog tussen onze beide landen leiden.'

De Russische Secretaris-Generaal uitte zijn standaardklacht inzake de Amerikaanse bases rondom de Sovjet-Unie: 'Dit is zeer onverstandig en komt de betrekkingen tussen de twee landen niet ten goede. De landen waar deze bases zich bevinden, besteden hun geld aan militaire bases terwijl de bevolking als zwervers leeft. Dus hebben deze volkeren de keuze tussen het accepteren van hun ontwikkeling volgens militaire richtlijnen, of het ontketenen van een opstand. We moeten verstandig zijn en onze troepen binnen de nationale grenzen houden.'

Kennedy wilde graag duidelijk maken dat hij geen tegenstander was van alle landen met afwijkende politieke systemen: 'Joegoslavië, India en Birma vormen voor wat betreft de Verenigde Staten heel bevredigende voorbeelden. [...] Als het communisme zich erop richt in bepaalde gebieden te winnen en als deze gebieden zich vervolgens tot de Sovjet-Unie zouden keren, zou dit voor de Verenigde Staten strategische problemen opleveren.'

Voor het geval Chroesjtsjov zich niet realiseerde dat hij hiermee naar Cuba verwees, merkte de president nog eens op dat de Russische Secretaris-Generaal geschokt zou zijn als de Poolse bevolking de kans kreeg zich tot het Westen te keren: 'Natuurlijk zou je kunnen zeggen dat ze daarmee niet meteen de huidige regering steunen.'

Chroesjtsjov antwoordde boos dat de president zich niet moest bemoeien met wat er in Polen gebeurde: 'Polen heeft een uitstekende regering, democratischer dan die van de Verenigde Staten. De verkiezingswetten zijn er eerlijker dan in Amerika.' Daar bestonden partijen alleen maar om het volk om de tuin te leiden. Als het doel van het Amerikaanse beleid erop gericht was het huidige machtsevenwicht te handhaven, dan waren de Verenigde Staten klaarblijkelijk niet op vreedzame coëxistentie uit. Misschien zochten ze naar een excuus voor een oorlog.

Chroesjtsjov zei verder dat de president het mis had als hij dacht dat de troepen van de Viet Minh in de kwestie rond Laos betrokken waren: 'Het is een feit dat de militaire acties vanuit Thailand door de Verenigde Staten zijn begonnen.'

Ondanks de verzekering van Bolsjakov vond Kennedy dat Chroesjtsjov weinig interesse toonde voor Laos. Ze kwamen overeen hun Laotiaanse aanhangers aan te sporen mee te werken met de commissie die verantwoordelijk was voor het staakt-het-vuren. Met een glimlach liet de president weten dat ze op dit punt misschien de krachten konden bundelen, zelfs als ze zich niet konden verenigen met de verdiensten van het Amerikaanse electorale systeem. Chroesjtsjov antwoordde droog dat de verkiezingen 'een Amerikaanse binnenlandse aangelegenheid' waren.

Om kwart voor zeven begeleidde Kennedy de Russische Secretaris-Generaal weer naar diens auto. Henry Brandon van de *Sunday Times* en vriend van Kennedy vond dat hij 'verbijstering' uitstraalde. Nadat Chroesjtsjov weer vertrokken was, vroeg Kennedy aan Thompson: 'Gaat het altijd zo?' waarop de ambassadeur antwoordde: 'Wat je kunt verwachten.'

Naar eigen zeggen vroeg Jacobson tijdens een middagpauze aan Kennedy hoe hij zich voelde. De president antwoordde: 'Staat u mij toe eerst even te pissen voordat ik op uw vraag reageer?' Toen hij weer terugkwam, zei hij dat hij zich 'goed' voelde en dat Jacobson weer naar zijn hotel terug kon gaan. Toen Kennedy na afloop weer zijn eigen vertrek binnentrad, werd net Jacquelines haar onder handen genomen. Hij vroeg Evelyn Lincoln om een sigaar en zei dat hij wilde rusten. In plaats daarvan ijsbeerde hij door de kamer, diep in gedachten verzonken. Ze vroeg hem hoe de ontmoeting die eerste dag was verlopen. 'Niet echt geweldig.'

De president weekte zich in een heet bad. Ondertussen vertelde Dave Powers hem dat hij de twee leiders tijdens hun wandeling in de tuin in de gaten had gehouden: 'U leek aardig kalm te blijven, terwijl hij het u behoorlijk moeilijk maakte.' Hierop aansluitend zei Kennedy: 'Ik probeer mezelf nu steeds voor ogen te houden: de volgende keer dat je met Chroesjtsjov praat, vermijd je het woord misrekening.'

Wetend dat Chroesjtsjov zich minachtend had uitgelaten over het feit dat Eisenhower zich altijd op zijn adviseurs verliet, had de president de gesprekken zo gestuurd dat de Russische Secretaris-Generaal wel onder de indruk moest zijn van Kennedy's zelfverzekerdheid, zijn onverschrokkenheid, energie en feitenkennis en zijn bereidheid te zeggen wat hij wilde, niet geholpen door aantekeningen of adviseurs.

Hij had echter de vergissing begaan Chroesjtsjov de gelegenheid te geven hem in een debat over ideologieën te betrekken. De debatten met Humphrey en Nixon in 1960, plus de uitstekende kritieken naar aanleiding van zijn presidentiële persconferenties, hadden Kennedy te veel vertrouwen in eigen kunnen bezorgd wanneer het erop aankwam Chroesjtsjov in een debat over het communisme versus het kapitalisme te verslaan.

De Sovjetleider bevond zich niet alleen in een betere uitgangspositie omdat hij al zo'n vijftig jaar volksmenner was geweest, maar ook vanwege zijn heilige overtuiging in het succes van het communisme. Kennedy, de sceptische pragmaticus, slechts bewapend met speechmateriaal uit zijn campagne van 1960, kon zich in zo'n situatie niet staande houden. De president was in de positie te beweren dat de Verenigde Staten, beschermheer van Bonn Oum, de Somoza's en de sjah, een revolutionaire en antikoloniale natie waren. Toen hij zei dat wanneer een regering zich 'alleen voor de belangen van een kleine groep zou inzetten', haar dagen geteld zouden zijn, weerhield alleen zijn beleefdheid Chroesjtsjov er van te reageren dat de president hiermee zojuist zijn eigen politieke systeem had beschreven.

Kennedy's cynische trekjes inzake politici en zijn ongeduld met ideologieën werkten in zijn gesprekken met Chroesjtsjov alleen maar in zijn nadeel. Hij sloeg Thompsons waarschuwing in de wind dat Chroesjtsjovs loftuitingen op het communisme meer dan alleen woorden waren: 'Hij gelooft er echt in.' Het was dan ook duidelijk dat Chroesjtsjov Kennedy's commentaar dat hij niet alle beslissingen en verplichtingen van zijn voorgangers kon verdedigen, als een teken van besluiteloosheid opvatte.

Uit zijn verzoek aan Chroesjtsjov om tot een wapenstilstand in de Koude Oorlog te komen, bleek dat Chroesjtsjovs openlijke visie op een dynamisch wereldcommunisme door Kennedy slechts werd opgevat als een politieke houding die in vertrouwelijke kring terzijde kon worden geschoven. Wat van Chroesjtsjov werd gevraagd, was om zijn levensovertuiging opzij te leggen en daarmee Amerikaanse overheersing in de wereld te garanderen. Voor de Sovjetleider vormde dit de belichaming van de arrogantie van de Amerikaanse macht. Voor zichzelf en voor diegenen in het Kremlin die later zijn opmerkingen zouden lezen, voelde Chroesjtsjov zich gedwongen Kennedy's verzoek te verwerpen en zijn eigen doctrines met strijdlustige taal te verdedigen.

Er bestaat geen bewijs dat Kennedy's optreden onder invloed van drugs of amfetamine-injecties negatief werd beïnvloed. Met zijn opportunistische kijk op zijn eigen medische behandeling was de president erin geslaagd het noodlot te tarten.

Naar aanleiding van een gesprek met Kennedy zei Charles Bartlett jaren later: 'Ik denk dat zijn verdomde rug in Wenen het probleem vormde. [...] Als zijn rug opspeelde, was het met Jack gedaan. [...] Het feit dat hij eerst Parijs bezocht, drukte toch iets te zwaar op zijn conditie. [...] Hij wilde indruk maken op De Gaulle en tegemoet komen aan de Franse voorliefde voor protocol. [...] Mijn indruk was dat hij niet in topconditie verkeerde toen hij in Wenen aankwam.'

In de gigantische marmeren balzaal van de Weense Hofburg wachtten zo'n duizend journalisten. Gezien de belangstelling van de president voor het begrip misrekening was het een toepasselijke plek voor voorlichtingsbijeenkomsten: dit was eens de residentie van aartshertog Frans Ferdinand, wiens moord aanleiding gaf tot de escalerende misrekeningen die op hun beurt tot de Eerste Wereldoorlog hadden geleid.

'*Achtung! Achtung!*', klonk het opeens uit de mond van een Oostenrijkse functionaris. Salinger en Michail Charmalov lazen een Amerikaans-Russische verklaring voor waarin stond dat de gesprekken van de eerste dag 'eerlijk en hoffelijk' waren verlopen en 'breed van opzet' waren geweest. Charmalov sprak de hoop uit dat de ontmoeting van zondag net zo 'vruchtbaar' zou verlopen als vandaag. Chalmers Roberts van de *Washington Post* vroeg aan Salinger of hij de gesprekken ook zo vruchtbaar had gevonden. Salinger verwees naar de officiële verklaring, een antwoord dat door Roberts werd opgevat als 'een overduidelijke hint dat alles niet zo rozegeur was als Charmalov hun wilde doen geloven'.

Terwijl andere journalisten tevergeefs de twee woordvoerders informatie probeerden te ontfutselen, verklaarde Randolph Churchill van de Londense *Evening Standard* dat hij zich 'verveelde': 'Ik wil niet langer naar deze onzin luisteren!' Op weg naar de uitgang werd hij door een bewaker tegengehouden. Churchill vroeg waar de man dacht dat hij was – in Rusland? Toen hij ten slotte weer werd losgelaten, belegde de zoon van de oorlogsleider zijn eigen persconferentie en, zo sprak een collega, 'liet zich veel openhartiger uit dan wie dan ook die dag'.

Tijdens de overdag gehouden gesprekken tussen de twee leiders had iemand op het Oostenrijkse ministerie van Buitenlandse Zaken een ziekelijk gevoel voor humor aan de dag gelegd door mevrouw Chroesjtsjov een tentoonstelling van Cézanne te laten bezoeken en mevrouw Kennedy naar een fabriek te sturen. Net als in Parijs trok Jacqueline nu ook weer veel bekijks terwijl ze verschillende delen van de stad bezocht. Tijdens een lunch in een met kaarsen verlicht restaurant ging de *maître d'hôtel* naar buiten en kondigde aan dat mevrouw Kennedy 'aan het dessert toe was'. De menigte juichte. Die middag liet ze zich excuseren voor een rondreis langs kloosters om te kunnen rusten.

Op zaterdagavond vond er in het veertienhonderd kamers tellende paleis Schönbrunn een staatsdiner plaats. Het oude Habsburgse landgoed, gebouwd in 1694, was die avond geheel met lentebloemen versierd. Toen de auto met de Kennedy's de helverlichte poort naderde, klonk er vanuit het donker: 'De Amerikaanse prinses!'

Terwijl hij Chroesjtsjov begroette, moest de president tevens zijn excuses aanbieden aangezien hij vijf minuten te laat was. De Sovjetleider droeg geen zwarte das. Vanwege zijn aversie tegen avondkleding had hij zijn hele delegatie opgedragen in zakelijk uniform te verschijnen. Hij zou er de voorkeur aan hebben gegeven Nina Petrovna niet op deze reis mee te nemen, maar zwichtte, net als bij zijn reis naar Amerika van 1959, voor de westerse gebruiken. Toen fotografen Chroesjtsjov vroegen Kennedy's hand te schudden, wierp hij een verlekkerde blik op de Amerikaanse First Lady in haar tot de grond reikende, mouwloze glitterjurk van Cassini en haar lange witte handschoenen: 'Ik zou graag eerst *haar* hand willen schudden.'

'De vrouw van Kennedy was jong en werd door verslaggevers altijd omschreven als een grote schoonheid,' herinnerde Chroesjtsjov zich later. 'Op mij kwam ze niet over als iemand die zo'n speciale, briljante schoonheid bezit die mannen achtervolgt, maar ze was jeugdig, levendig en vriendelijk. [...] Als hoofd van de Sovjetdelegatie interesseerde het me totaal niet wat voor vrouw hij had. Als hij haar leuk vond, was dat zijn zaak – veel geluk samen.'

Terwijl er vermout en appelsap werd geserveerd, stelde Kennedy zijn moeder, die met het gezelschap naar Wenen was meegereisd, aan Chroesjtsjov voor. 'We wisten dat ze miljonaire was en dus moesten we de hele tijd niet vergeten met wie we te maken hadden,' herinnerde Chroesjtsjov zich. 'We konden beleefd naar haar glimlachen en haar de hand schudden, maar dit deed niets af aan het feit dat we lijnrecht tegenover elkaar stonden.'

Nadat ze Nina Petrovna had ontmoet, schreef Rose Kennedy in haar dagboek dat de vrouw van Chroesjtsjov 'sterk en potig was en in staat tot harde fysieke inspanningen. Draagt het haar glad naar achteren. Geen make-up.' Chroesjtsjovs vrouw was, zo schreef ze zonder een greintje ironie, 'het type vrouw dat je met het grootste vertrouwen kunt vragen te komen babysitten als je eens een avondje uit wilt'. Kennedy's moeder was verrukt toen Nina Petrovna vertelde dat ze in *McCall's* over haar gelezen had en zei: 'Ik wil alles weten over uw schoonheidsgeheimen.'

De Gaulle had Jacqueline voor de vrouw van de Sovjetleider gewaarschuwd: '*Plus maline que lui*' [sluwer dan hij]. Ze vond Nina Petrovna 'ruw en hard', maar misschien had De Gaulles waarschuwing wel te veel indruk op haar gemaakt. Haar oordeel was echter totaal misplaatst. Chroesjtsjovs echtgenote was inderdaad een sterke vrouw: ze was scherpzinniger dan haar man en was een even, zo niet nog meer, overtuigd communiste. Maar ze was ook een vrouw die een ongewoon zachte natuur bezat. Ze had in de tijd van Stalin, onder wie ze zo zwaar op de proef waren gesteld, een belangrijke rol vervuld. Ze had destijds zowel Chroesjtsjovs instincten op het menselijke vlak, als zijn aspiraties levend weten te houden.

Jacqueline vond Rada Adzjoebei, Chroesjtsjovs dochter, erg aardig maar kon haar opschepperige echtgenoot niet uitstaan. Men had haar verteld over zijn invloed op Chroesjtsjov, maar nadat ze de twee mannen onder elkaar had gezien, kwam ze tot de conclusie dat 'Chroesjtsjov niet echt op hem gesteld is' en dat hij ook 'niet echt een nauwe band met hem heeft'.

191

Eunice Shriver, Kennedy's lievelingszus, was ook naar Wenen gekomen. Volgens Billings vond de president het 'heerlijk als ze bij hem in de buurt was en beleefde hij ontzettend veel plezier aan haar humor. Dit was dan ook de reden dat Eunice in staat was de boel tijdens deze gelegenheid wat op te vrolijken. [...] Chroesjtsjov brulde van het lachen om iets wat Eunice had gezegd. Ik weet niet meer waar het over ging, maar ik ben er zeker van dat het ten koste van haar broer ging.' Gromyko vroeg of haar broer moeilijk in de omgang was. 'Zeer moeilijk,' was het antwoord, waarop Gromyko zei: '*Ik* heb daar anders nog niets van gemerkt.'

Terwijl ze naar 'An der schönen blauen Donau' en andere walsen luisterden, aten de gasten van Chinees porselein. Dr Travell schreef in haar journaal: 'Zelfs niet in mijn wildste dromen heb ik ooit gedacht dat ik nog eens met Chroesjtsjov bij een diner zou aanzitten!' Tijdens het diner amuseerde Chroesjtsjov Jacqueline met anekdotes. Hij vond haar 'rap van tong. Met andere woorden, ze had geen moeite met het vinden van de juiste woorden om je af te kappen als je haar niet voorzichtig genoeg behandelde.'

Terwijl hij wat dichter bij haar aanschoof, vertelde hij de ene mop na de andere, verwijzend naar Abbott en Costello. Op een gegeven moment veinsde ze tijdens een van zijn verhalen haar verbazing door een met een handschoen bedekte hand naar haar mond te brengen. De paarden en het dansen in *Sabres of Paradise* van Lesley Blanch hadden op haar een betoverende uitwerking gehad. Ze vroeg Chroesjtsjov daarom te vertellen over de Oekraïne tijdens de negentiende eeuw. Toen hij haar vertelde dat het gebied nu veel meer leraren bezat dan ten tijde van het tsarisme, zei Jacqueline: 'O meneer Chroesjtsjov, verveel mij niet met statistieken.'

Chroesjtsjov barstte in lachen uit en even vond ze hem 'bijna gezellig'. Nadat de gespreksonderwerpen een beetje uitgeput waren, herinnerde ze zich dat één van de honden die een ruimtevlucht hadden gemaakt puppies had gekregen: 'Waarom stuurt u er mij niet eentje?'

Na het diner, een opera- en een balletvoorstelling vertrokken de Kennedy's naar de Amerikaanse ambassade. Bohlen vond de president 'een beetje terneergeslagen'. Dit was naar aanleiding van zijn vergeefse poging Chroesjtsjov te bewegen het bestaande machtsevenwicht in de wereld niet aan te tasten. Hij probeerde Kennedy op te beuren: 'De Sovjets slaan altijd harde taal uit.'

Persoonlijk geloofde Bohlen dat ook al had Kennedy tijdens de middaggesprekken tegenover Chroesjtsjov een 'rustige' houding getoond, hij ook 'uiterst standvastig' was geweest. Het probleem was dat Kennedy zichzelf door Chroesjtsjov tot een ideologische discussie had laten verlokken: 'Hij waagde zich in ietwat te diep water.'

Thompson was 'zeer verontrust' over het feit dat Kennedy zijn advies de ideologie te vermijden, in de wind had geslagen: de president leek zich nog steeds niet te realiseren 'dat een communist als Chroesjtsjov' op dit gebied 'nooit het onderspit kon delven, zelfs al zou hij dit willen'. Kohler vroeg zich af of het wel zo verstandig was geweest zo vlug na het Cubaanse debâcle een ontmoeting te hebben met Chroesjtsjov: 'Als je Chroesjtsjov kende, wist je dat de Varkensbaai zijn eetlust meteen zou opwekken.'

Bohlen, Thompson en Kohler drongen er bij de president op aan om zich tijdens de gesprekken van zondag te beperken tot concrete zaken. Kennedy besloot ervoor te zorgen dat Chroesjtsjov, voordat hij Wenen weer zou verlaten, 'het Amerikaanse standpunt volledig zou begrijpen'. Rusk stelde voor dat Kennedy voor een benadering koos in de trant van: 'U kunt geen communist van me maken en ik denk dat ik u op mijn beurt niet tot het kapitalisme kan bekeren, dus stel ik voor dat we terzake komen.'

Op zondagochtend woonden de Kennedy's de ochtendmis bij in de Stefansdom en luisterden naar de Wiener Sängerknaben. Ondertussen legde Chroesjtsjov een krans bij een Russisch oorlogsmonument dat plaatselijk bekendstond als 'Het monument van de Onbekende Plunderaar'. Een Amerikaanse verslaggever vroeg hem naar zijn mening over zijn Amerikaanse gesprekspartner. 'Dat moet het Amerikaanse publiek maar uitmaken. Sommigen houden van kleine mannen, anderen van grote en weer anderen van dikke mannen. Iedereen heeft zijn eigen voorkeur.' Hij nodigde de Amerikaanse verslaggever uit een bezoek aan Moskou te brengen: 'En neem uw president mee.'
Kennedy en Rusk werden naar de Russische ambassade gereden. Deze bevond zich naast een Russisch-orthodoxe kerk en lag verscholen in de schaduw van kastanjebomen. Duizenden inwoners van Wenen, die allemaal waren gekomen om de Amerikaanse First Lady te kunnen zien, stonden verbijsterd te kijken toen alleen de minister van Buitenlandse Zaken verscheen. Kennedy zei: 'Rusk, je bent een verdomd goeie vervanger voor Jackie!' Rusk vreesde dat als Chroesjtsjov het publieke enthousiasme voor Kennedy zou gaan vergelijken met de milde ontvangst die hij van de Weners had gekregen, hij nog strijdlustiger zou worden. De president stapte uit en een stralende Chroesjtsjov schudde hem de hand: 'Ik begroet u op een klein stukje Russisch grondgebied. Soms drinken we uit een klein glas, maar praten doen we met veel gevoelens.' Kennedy knikte: 'Ik ben blij dit te horen.' Hierna gingen ze naar binnen.

9. 'Hij gaf me vreselijk op mijn donder'

Chroesjtsjov ging de president voor op de reusachtige trap van de Sovjetambassade en leidde hem naar een ontvangkamer die geheel gestoffeerd was in somber rood damast. Rusk, Bohlen, Thompson, Kohler, Gromyko, Dobrynin en Mensjikov schaarden zich rond een langwerpige tafel. Chroesjtsjov riep de twee ministers van Buitenlandse Zaken toe: 'Jullie doen zo gereserveerd. Kom wat dichter bij ons zitten!'

Volgens de nieuwe kordate aanpak, voorgesteld door zijn minister van Buitenlandse Zaken, begon Kennedy met te zeggen dat ze misschien op zijn minst een afspraak konden maken over Laos, als ze het over andere zaken niet eens konden worden. De Verenigde Staten hadden verdragsverplichtingen bij het kleine land, maar ze wilden hun betrokkenheid verminderen. Hij hoopte dat de Sovjet-Unie hetzelfde zou doen. 'Laos is niet zo belangrijk voor ons om er nu in deze mate bij betrokken te raken.'

Chroesjtsjov antwoordde dat de Sovjet-Unie geen verantwoordelijkheid op zich wenste te nemen voor geografisch afgelegen gebieden. De Sovjets bevonden zich in Laos op verzoek van Souvanna Phouma en de 'enige rechtmatige regering' van het land. Hij was niet onder de indruk toen de president het had over Amerikaanse verplichtingen: 'De Verenigde Staten hebben niet het recht om, als het ware, gunsten te verlenen aan en zich te mengen in verschillende gebieden over de wereld.' Wat hadden de Verenigde Staten toch met Laos dat ze er bijzondere rechten opeisten?

Hij vroeg de president hem maar te vergeven voor zijn botheid toen hij zei dat het Amerikaanse beleid voortsproot uit grootheidswaan. 'De Verenigde Staten zijn zo rijk en machtig dat ze denken dat ze speciale rechten hebben en dat ze het zich kunnen veroorloven die van anderen niet te erkennen.'

De Sovjet-Unie zou niet stoppen andere volkeren in hun streven naar onafhankelijkheid te helpen. 'Zoals de president heeft verklaard houden de twee partijen elkaar in evenwicht. [...] Een grote mate van terughoudendheid is geboden, omdat we hier te maken hebben met zaken als prestige en nationale belangen. We moeten elkaar niet op de tenen trappen en geen inbreuk plegen op de rechten van andere naties, of ze nu klein zijn of groot.'

Kennedy reageerde buitengewoon openhartig door te zeggen dat de Amerikaanse verplichtingen ten opzichte van Laos 'eerlijk gezegd' al aangegaan waren voordat hij op 20 januari zijn ambt aanvaardde. Waarom ze bestonden, was hier niet aan de orde. Hij wilde de Amerikaanse betrokkenheid verminderen: 'Waar het nu om gaat, is het zeker stellen van een wapenstilstand en het stoppen van de vijandelijkheden.'

Chroesjtsjov diende hem weer van repliek door op te merken dat hij in de kwestie-Laos 'de hand' van de president herkende. 'Ik heb al uw toespraken gelezen.' Had de president Amerikaanse militaire adviseurs in Laos niet opdracht gegeven om Amerikaanse uniformen te dragen? En had hij de mariniers niet het bevel gegeven tot een landing in Laos en dit later weer ingetrokken?

De president bleef erbij dat hij de marine nooit te hulp had geroepen. Chroesjtsjov zei dat hij in de Amerikaanse pers iets anders had gelezen. Hij bracht naar voren dat toen Molotov zich in 1955 verzette tegen het Oostenrijkse Staatsverdrag, hij hem had 'overstemd'. Toen hij het hoogste staatsambt had verworven, had hij alle 'onredelijke beslissingen' van Malenkov en Boelganin teruggedraaid.

De mensen in het Westen konden 'veel geraffineerder dreigementen uiten dan de mensen in het Oosten. Zo eens in de tijd wordt er gesuggereerd dat de mariniers wel eens ingezet zouden kunnen worden. Maar ingenieurs weten dat er een natuurwet is die zegt dat elke actie een reactie oproept. Dus als de Verenigde Staten van plan waren de marine in te schakelen, dan zouden andere landen ook wel eens hun marine of andere onderdelen kunnen inschakelen. Dit zou tot een tweede Korea of nog erger kunnen leiden.'

Chroesjtsjov zegde toe alles in het werk te willen stellen om de Laotiaanse strijdkrachten ertoe te bewegen een echt neutrale regering te installeren. De Amerikaanse en Russische ministers van Buitenlandse Zaken 'zouden in één kamer moeten worden opgesloten om een oplossing te vinden'. Gromyko merkte grinnikend op dat het Palais des Nations in Genève 'een grote ruimte met een hoop kamers' was.

De president zei dat hij 'de Amerikaanse marine maar wat graag uit Laos wilde terugtrekken'. Hij had zelfs geaarzeld om een landing in overweging te nemen, omdat hij had erkend dat een dergelijke actie een 'reactie' zou uitlokken, 'en de vrede in dat gebied in gevaar zou kunnen brengen'.

Chroesjtsjov was het met hem eens: 'De situatie aan de frontlinie is altijd instabiel. Zelfs als een soldaat per ongeluk een schot afvuurt, dan kan dat door de andere partij worden opgevat als een schending van de wapenstilstand. Om die reden zou het oplossen van andere kwesties niet moeten afhangen van een wapenstilstand. [...] Het voornaamste is dat de drie strijdmachten in Laos tot overeenstemming komen, zodat de formatie van een neutrale regering zekergesteld kan worden.'

Nu bracht de Russische Secretaris-Generaal het onderwerp van nucleaire proefnemingen te berde. In mei had Georgi Bolsjakov bij Robert Kennedy de indruk gewekt dat Chroesjtsjov bereid was om akkoord te gaan met twintig inspecties per jaar om zo tot een kernstopverdrag te kunnen komen.

Als dit de verwachting van de president was, dan werd hij zwaar teleurgesteld. Chroesjtsjov verklaarde dat drie onderzoeken per jaar voldoende moesten zijn: 'Een groter aantal zou neerkomen op spionage en dat kan de Sovjet Unie niet toestaan.' Het Westen moest eenvoudigweg akkoord gaan met een complete en algemene ontwapening. Spionagepraktijken werden dan onmogelijk, 'omdat er geen wapentuig zou zijn'. Als beide partijen goodwill toonden, dan zouden ze binnen twee jaar een dergelijke overeenkomst kunnen sluiten.

De Russische Secretaris-Generaal voegde eraan toe dat een eventuele commissie, die toezicht zou moeten houden op de naleving van een verbod op kernproeven, zou moeten worden geleid door een driemanschap: het gedrag van Hammarskjölds Verenigde-Natiestroepen in de Kongo had aangetoond dat er wel neutrale landen bestaan, maar dat mensen dat niet zijn. Ontmoedigd vroeg Kennedy of Chroesjtsjov echt dacht dat het 'onmogelijk was om iemand te vinden die onpartijdig zou zijn ten opzichte van de Verenigde Staten en de Sovjet-Unie'. De Secretaris-Generaal knikte.

Het idee van een verdrag dat de Sovjets in staat stelde hun veto uit te spreken over controlemaatregelen, werd door Kennedy van de hand gewezen. Het zou net zijn alsof hij en Chroesjtsjov naast elkaar op kamers woonden en 'niet naar elkaar konden lopen zonder toestemming van de huiseigenaar' om verdachte zaken te onderzoeken. Een dergelijk verdrag 'kon de Amerikaanse Senaat niet bekrachtigen'. Hoe kon de Secretaris-Generaal, zonder geschikte verificatie, dat deel van zijn mensen dat de Verenigde Staten beschuldigde van geheime proefnemingen, geruststellen? Hij gaf toe dat het probleem voor de Russen minder acuut was, omdat de Verenigde Staten een vrije maatschappij waren.

Chroesjtsjov grinnikte: 'En Allen Dulles dan? Is dat geen geheim?' Kennedy zei dat hij wilde dat het waar was.

De Partijleider zei dat een kernstop niet zo belangrijk was: 'Het risico van een oorlog zou blijven bestaan, omdat de produktie van kernenergie, kernraketten en kernbommen op grote schaal zou doorgaan. De mensen willen vrede. Daarom moet er een akkoord komen over algemene en volledige ontwapening.' In dat geval zou de Sovjet-Unie instemmen met controles, 'zelfs zonder naar het document te hebben gekeken'.

Kennedy erkende dat een kernstop op zichzelf niet zou zorgen voor een vermindering van Amerikaanse en Russische kernwapens: 'Ook zal hierdoor de produktie van dergelijke wapens niet verminderen. Desalniettemin wordt de ontwikkeling van kernwapens door andere landen een stuk onwaarschijnlijker – hoewel niemand natuurlijk in de toekomst kan kijken. [...] Groot-Brittannië bezit bepaalde aantallen kernwapens en Frankrijk werkt ook aan zijn nucleaire slagkracht.'

'Als we er niet in slagen een kernstopverdrag op te stellen, dan zullen andere landen ongetwijfeld een kernwapenprogramma lanceren.' Hij was te diplomatiek om China bij naam te noemen. 'Zonder overeenkomst hebben we over enkele jaren misschien tien of zelfs vijftien nucleaire mogendheden. De Partijleider moet zijn angst voor spionage afwegen 'tegen de risico's van de proliferatie van kernwapens'.

Chroesjtsjov bekende dat er 'enige logica' zat in Kennedy's standpunt. Daarom onderhandelde de Sovjet-Unie in Genève. 'Maar in de praktijk blijkt dat deze logica niet helemaal juist is, omdat tijdens de onderhandelingen tussen de drie machten [...] Frankrijk zich nergens wat van aantrekt en doorgaat met proefnemingen. [...] Zonder een verband tussen een kernstopverdrag en ontwapening kunnen andere landen zeggen dat ze in een ongelijke positie verkeren en het voorbeeld van Frankrijk gaan volgen.'

Bij een algemene en volledige ontwapening 'zouden kernwapens verdwijnen en andere landen in een gelijke positie komen, zodat ze geen geld hoefden te steken in de ontwikkeling van kernwapens'. Dit was 'het meest drastische middel ter voorkoming van oorlog. [...] Laat ons nu beginnen met het belangrijkste onderwerp en de kernstop hierin opnemen.'

De president antwoordde dat het huidige ontwerp van een kernstopverdrag door een ondertekenaar teniet kon worden gedaan 'wanneer een land dat banden heeft met een van de betrokken partijen proefnemingen zou doen. De Verenigde Staten steunen de Franse proeven niet. Wij hopen dat wanneer er eenmaal een verdrag is, de meeste andere landen zich er ook aan zullen houden. Een kernstopverdrag is een probleem dat relatief eenvoudig is op te lossen, omdat de naleving ervan met wetenschappelijke apparatuur kan worden gecontroleerd. [...] Dus waarom beginnen we niet met dit relatief eenvoudige vraagstuk?'

Chroesjtsjov gaf geen antwoord. Kennedy vroeg of een Sovjetplan voor een algemene en volledige ontwapening 'toezicht op iedere mogelijke locatie in de Sovjetrepublieken' zou omvatten. 'Absoluut,' zei de Russische Secretaris-Generaal. Waarom, zei Kennedy, verklaren we dan niet dat beide naties zich verplichten tot een dergelijk plan, maar dan in fasen, met in de eerste fase een kernstopakkoord? Chroesjtsjov verzocht hem 'niet met deze maatregel te beginnen, omdat die niet de belangrijkste was'. Het was beter om te beginnen met een verbod op het maken van kernwapens 'dan de opruiming van militaire en raketbases'.

De president zei: 'Als een kernstopverdrag al niet de allerbelangrijkste stap was, dan had het toch enorm veel betekenis en het zou een ontwapeningsakkoord vergemakkelijken. Er is een Chinees spreekwoord dat zegt dat een reis van duizend mijl begint met een enkele stap. Dus laten we die stap zetten.'

Chroesjtsjov keek hem vragend aan: de president leek de Chinezen goed te kennen, maar hij kende ze zelf ook vrij goed. Kennedy wierp terug dat de Sovjetleider 'ze misschien nog veel beter zou kunnen leren kennen.' Chroesjtsjov nam dit duidelijk op als een teken van spot dat de president op de hoogte was van Mao's boze plannen met hem. Hij kaatste de bal keurig terug: 'Ik ken ze al erg goed.'

Kennedy klaagde dat ze inzake een kernstop weer terug bij af waren. Drie jaar lang hadden hun landen een niet-gecontroleerd moratorium op proeven in acht genomen. Als het kernstopakkoord nu deel ging uitmaken van discussies over algemene ontwapening, dan zou het ongeverifieerde moratorium nog enkele jaren moeten worden gehandhaafd. Dit zou de Amerikanen 'grote zorgen' baren. Hij stond erop dat ze nu hun best zouden doen voor een kernstopverdrag.

Chroesjtsjov zei bereid te zijn tot onderhandelingen, maar de Sovjet-Unie zou geen toestemming geven voor controles die neerkwamen op spionage. Dit had 'het Pentagon altijd al gewild. Eisenhowers *Open Skies*-voorstel van 1955 was een onderdeel van dat programma.'[1] Nu wilde het Westen controlestations binnen het Sovjetrijk: 'Dit is ook spionage.'

De president waarschuwde: 'Dit zal beslist de nationale veiligheid van onze twee landen beïnvloeden en het gevaar op grote conflicten verhogen.'

Nu was Berlijn aan de beurt. Chroesjtsjov werd nog emotioneler dan hij het hele weekeind al was geweest: 'Er zijn zestien jaren verstreken sinds de Tweede Wereldoorlog. De Sovjet-Unie heeft in die oorlog twintig miljoen mensen verloren en veel van haar gebieden zijn verwoest. Nu heeft Duitsland, het land dat de

1. Eisenhower had voorgesteld dat de twee landen de gedetailleerde plannen zouden uitwisselen van verkenningsvluchten die ze boven elkaars luchtruim mochten uitvoeren. Dit ter controle op beider militair-industriële complexen.

Tweede Wereldoorlog heeft ontketend, zich wederom een militaire macht verworven en een overheersende positie binnen de NAVO ingenomen.' Er dreigde gevaar van een derde wereldoorlog.

De Sovjet-Unie wilde 'een streep zetten' onder de Tweede Wereldoorlog: 'Er is geen reden waarom er zestien jaar na de oorlog nog altijd geen vredesverdrag is.' Hij constateerde slechts de realiteit 'dat er twee Duitse staten bestaan. Niettegenstaande onze eigen wensen en inspanningen is een verenigd Duitsland niet haalbaar, omdat de Duitsers het zelf niet willen.'

Hij drukte de president op het hart dat hij met betrekking tot het Duitse vraagstuk tot een overeenkomst wilde komen 'met *u*'. Anders zou hij een vredesverdrag met de DDR sluiten. Dan 'zullen alle verplichtingen die voortvloeien uit de Duitse overgave niet langer gelden. Dit zou alle instellingen, bezettingsaanspraken en de toegang tot Berlijn omvatten, inclusief de luchtwegen.'

Wanneer Berlijn een 'vrije stad' zou worden, dan zou hij bereid zijn tot het bieden van garanties 'die zowel een non-interventie als de banden van de stad met de buitenwereld zeker zouden stellen. Als de Verenigde Staten hun troepen in West-Berlijn willen laten, dan zou dat onder bepaalde voorwaarden acceptabel zijn. In dat geval is de Sovjet-Unie van mening dat er ook Sovjettroepen gestationeerd moeten zijn.' Hij zou een Amerikaanse afwijzing van dit voorstel beschouwen als het gevolg van 'pressie van Adenauer'. In dat geval zou de Sovjet-Unie 'een eenzijdig vredesverdrag ondertekenen. [...] Alle toegangsrechten tot Berlijn zullen vervallen, omdat de oorlogstoestand niet langer zal bestaan.'

Kennedy bedankte de Sovjetleider voor zijn oprechtheid: 'Tegelijkertijd gaat de discussie hier niet alleen over de wettelijke situatie, maar ook over de praktische feiten die onze nationale veiligheid beïnvloeden. We praten hier niet over Laos. Deze zaak is voor de Verenigde Staten van enorm belang. We zitten niet in Berlijn als gevolg van iemands toestemming. We hebben ons erheen gevochten, hoewel onze verliezen misschien niet zo hoog waren als die van de Sovjet-Unie. We zitten niet in Berlijn dank zij de toestemming van de Oostduitsers, maar op grond van contractuele rechten.'

'We praten hier over een gebied waar elke Amerikaanse president sinds de Tweede Wereldoorlog [...] zijn trouw aan zijn verplichtingen opnieuw heeft bewezen. Als wij uit de regio zouden worden verdreven en het verlies van onze rechten zouden accepteren, dan zou niemand meer enig vertrouwen hebben in Amerikaanse toezeggingen en beloften. [...] Als wij het Sovjetvoorstel accepteren, dan zullen de Amerikaanse toezeggingen worden beschouwd als niets meer dan een vodje papier. West-Europa is van levensbelang voor onze nationale veiligheid en die hebben we in twee oorlogen verdedigd. Wanneer we West-Berlijn zouden verlaten, dan wordt Europa ook in de steek gelaten. Dus wanneer we het over West-Berlijn hebben, dan hebben we het ook over West-Europa.'

Hij merkte op dat Chroesjtsjov het ermee eens leek te zijn 'dat de krachtsverhoudingen vandaag de dag gelijk liggen. Daarom is het moeilijk te begrijpen dat een land met grote prestaties op het gebied van de ruimtevaart en economische vooruitgang, nu zou voorstellen dat wij een regio verlaten waar wij enorme belangen hebben.'

Chroesjtsjov zei dat Kennedy's definitie van nationale veiligheid een Amerikaanse opmars richting Moskou ook kon rechtvaardigen. Kennedy antwoordde: 'Wij hebben het hier niet over de Verenigde Staten die naar Moskou gaan of over de Sovjet-Unie die naar New York oprukt. Wij hebben het over onze aanwezigheid in Berlijn en over het feit dat die al vijftien jaar duurt. Wij stellen voor er te blijven.'

Hij erkende dat de situatie rondom Berlijn niet bevredigend was en dat Eisenhower in Camp David tegen Chroesjtsjov had gezegd dat deze situatie 'zeer ongewoon' was. 'Omdat op dit moment de omstandigheden in *vele* regio's in de wereld niet bevredigend zijn, is dit toch niet het geschikte moment om de toestand in Berlijn en het evenwicht in het algemeen te wijzigen.' De Sovjet-Unie 'moet niet proberen onze positie te wijzigen en zo het machtsevenwicht verstoren. Als dit evenwicht zou worden verstoord, dan verandert de hele situatie in West-Europa en dat zou een bijzonder ernstige klap betekenen voor de Verenigde Staten.' Chroesjtsjov zou een vergelijkbare verschuiving in het wereldevenwicht ten nadele van zijn land ook niet accepteren: 'Dat kunnen wij evenmin accepteren.' Een slechtere woordkeuze had Kennedy in het bijzijn van Chroesjtsjov niet kunnen maken. Hij had voortdurend overredingspogingen gedaan om de Secretaris-Generaal te laten instemmen met het bevriezen van de Koude Oorlog, aangezien de machtsverhoudingen in de wereld werkelijk in evenwicht waren. Dit betekende dat Chroesjtsjov het ideaal van een actief wereldcommunisme moest laten varen. Een ideaal dat hij persoonlijk koesterde en waar hij in het openbaar voor pleitte, met name onder recente druk van de Chinezen.

Kennedy's dringende verzoek aan Chroesjtsjov om het machtsevenwicht niet aan te tasten, kwam slechts zes weken nadat hij dit evenwicht zelf had willen verstoren met zijn acties in de Varkensbaai. Zoals hij vijf maanden lang via Thompson, Lippmann en andere afgezanten had gedaan, vroeg hij de Sovjetleider om de Berlijnse eisen, die hij sinds 1958 had gesteld, simpelweg te laten vallen. Ongeacht de politieke vernedering.

Twintig maanden daarvoor had Eisenhower op Camp David een compromisvoorstel gedaan om de spanning rondom Berlijn wat weg te nemen. Kennedy had Eisenhowers concessies verworpen. In de ogen van Chroesjtsjov dreigde hij nu op arrogante wijze met de superieure macht van de Verenigde Staten: in weerwil van zijn eerdere retoriek over gelijkwaardigheid leek Kennedy te beweren dat Amerika het zich kon veroorloven de Russische ongerustheid over Berlijn te negeren aangezien het meer macht had.

De Secretaris-Generaal werd alsmaar kwader. Hij zei eerst dat Berlijn 'de gevaarlijkste plek ter wereld' was. 'De Sovjet-Unie wil op deze gevoelige plek een operatie uitvoeren om deze doorn, deze etterwond te verwijderen.' Een vredesverdrag zou 'de revanchisten in West-Duitsland die uit waren een nieuwe oorlog te willen, tegenhouden [...].

Vandaag zeggen ze dat de grenzen gewijzigd moeten worden [...]. Hitler sprak van een Duitse behoefte aan *Lebensraum* richting het Oeralgebergte. Nu zijn Hitlers generaals [...] hoge bevelhebbers in de NAVO.' Hij betuigde zijn 'grote spijt', maar 'geen één mogendheid in de wereld zal de Sovjet-Unie weerhouden van de ondertekening van een vredesverdrag'. Hoe lang moest het nog worden uitgesteld? 'Nog zestien jaar? Of nog dertig jaar?'

In de Tweede Wereldoorlog 'verloren de Verenigde Staten duizenden mensen en de Sovjet-Unie miljoenen. Maar Amerikaanse moeders rouwen net zo hard om hun zonen als Russische moeders tranen storten om het verlies van hun geliefden.' Hij had een zoon verloren, Gromyko twee broers, Mikojan een zoon. 'Zowel binnen als buiten het leiderschap van de Sovjet-Unie is er niet één gezin dat niet minstens één familielid heeft verloren in de oorlog.'

Zijn voorstel van een Duits vredesverdrag was niet ontworpen 'met het doel hartstocht aan te wakkeren of spanningen op te voeren', maar diende 'juist het tegenovergestelde – het verwijderen van belemmeringen die de ontwikkeling van onze betrekkingen in de weg staan'. Na de ondertekening van het verdrag zou de Sovjet-Unie schendingen van de soevereiniteit van de DDR opvatten als 'openlijke agressie tegen een vredelievend land', en dienovereenkomstig stappen ondernemen.

Kennedy was tegen 'een troepenconcentratie in West-Duitsland die een bedreiging zou vormen voor de Sovjet-Unie. Het besluit tot ondertekening van een vredesverdrag is van grote betekenis [...]. De Sovjet-Unie moet het zien in het licht van haar nationale belangen.' Hij herhaalde dat zijn eigen broer was omgekomen in de laatste oorlog. Chroesjtsjovs voorstel zou 'van de ene dag op de andere een fundamentele verandering teweegbrengen in de situatie en ons onze rechten ontzeggen. [...] Niemand kan voorzien hoe ernstig de gevolgen zouden zijn. [...] Hier wordt niet alleen West-Berlijn besproken. We praten hier ook over West-Europa en de Verenigde Staten.'

Chroesjtsjov zei: 'De Poolse en Tsjechische grens moet formeel worden vastgelegd. De positie van de DDR moet genormaliseerd worden en haar soevereiniteit moet worden gegarandeerd. Om dit allemaal te bereiken is het noodzakelijk dat de aanspraken van de bezettende mogendheden in West-Berlijn worden opgeheven. [...] Het zou onmogelijk zijn een situatie voor te stellen waarin de Sovjet-Unie een vredesverdrag zou tekenen en de Verenigde Staten hun bezettingsaanspraken behouden op grond van de oorlogstoestand.'

De president antwoordde dat de Sovjet-Unie niet het recht had om de afspraken van Potsdam te breken. Chroesjtsjov benadrukte dat de oorlog al zestien jaar afgelopen was: 'Het is zelfs zo dat president Roosevelt aangaf dat de troepen na twee of tweeëneenhalf jaar konden worden teruggetrokken.' Kennedy zei dat Roosevelt 'deze situatie of het feit dat onze twee landen tegenover elkaar zouden komen te staan, niet kon voorzien'.

Chroesjtsjov zei dat ze allebei 'heel erg goed' wisten 'dat Berlijn geen militaire betekenis heeft. De president heeft het over rechten, maar wat voor rechten? Ze spruiten voort uit een oorlog. Als die voorbij is, is het ook gedaan met de rechten.'

Hij herinnerde eraan dat hij op Camp David met Eisenhower had gesproken over een 'interimregeling' die 'het aanzien van onze twee landen niet zou beïnvloeden. Misschien kan ze dienst doen als basis voor een akkoord. De Sovjet-Unie is nu zelfs nog bereid om een dergelijke regeling te accepteren. Adenauer zegt dat hij een hereniging wil, maar dat is niet waar. Wat de eenwording betreft, moeten we zeggen dat de twee Duitse regeringen elkaar moeten ontmoeten en zelf tot een beslissing moeten komen.

Een tijdlimiet van, laten we zeggen, zes maanden zou moeten worden ingesteld en als er geen akkoord komt, dan kunnen wij onze verantwoordelijkheden afstoten. En daarna is iedereen vrij om een vredesovereenkomst te sluiten.' Dit zou een 'uitweg' zijn die de 'prestigekwestie' zou oplossen.

Hij zei dat hij in mei 1960 tijdens de Parijse top had gehoopt tot een dergelijke afspraak met Eisenhower te komen, 'maar de machten die tegen een verbetering van de betrekkingen tussen de Verenigde Staten en de Sovjet-Unie zijn, stuur den het U-2-vliegtuig... Gezien de heersende spanningen, als gevolg van die vlucht, besloot de Sovjet-Unie deze kwestie niet aan te roeren.' Nu geloofde hij dat 'de tijd rijp is voor dergelijke stappen'.

Ze moesten niet handelen 'als de kruisvaarders in de middeleeuwen' en 'louter uit ideologische overwegingen elkaar naar het leven staan'. De Sovjet-Unie kon niet langer wachten met Berlijn. 'Aan het eind van het jaar zal ze naar alle waar schijnlijkheid een vredesverdrag tekenen. [...] Als de Verenigde Staten weigeren een verdrag te tekenen, dan zit er niets anders op dan dat de Sovjet-Unie alleen een dergelijk verdrag tekent.'

De geschiedenis zou rechtspreken over hun acties: 'Het Westen heeft gezegd dat Chroesjtsjov zich wel eens zou kunnen misrekenen. [...] Als Amerika een oorlog over Duitsland wil, dan moet dat maar. Misschien moet de Sovjet-Unie nu di rect een vredesverdrag tekenen, dan zijn we ervan af. Dit heeft het Pentagon toch altijd al gewild. Maar Adenauer en Macmillan weten donders goed wat oorlog betekent. Als er een dwaas is die oorlog wil, dan zou hij in een dwangbuis gestopt moeten worden.'

Kennedy zei: 'Het is strategisch van enorm belang dat de wereld gelooft dat het de Verenigde Staten menens is.'

In koele woede verklaarde Chroesjtsjov dat de Amerikaanse voornemens tot 'niets goeds' leidden. Na het vredesverdrag zou de Sovjet-Unie 'nooit, onder geen enkele voorwaarde', Amerikaanse rechten in West-Berlijn accepteren. Hij was er 'absoluut van overtuigd' dat de wereld dat zou begrijpen. De Verenigde Staten hadden de Sovjet-Unie haar rechten en belangen in West-Duitsland ont nomen en een unilateraal vredesverdrag met Japan ondertekend.

'Als de Verenigde Staten weigeren een vredesverdrag te ondertekenen, dan doet de Sovjet-Unie het alleen. Oost-Duitsland krijgt dan volledige onafhankelijkheid en alle verplichtingen die voortvloeien uit de Duitse overgave zullen teniet wor den gedaan.' De Verenigde Staten konden niet langer hun beleid volhouden van 'Ik doe wat ik wil.'

Kennedy diende hem van repliek: 'Er zijn allerlei bewijzen dat ons standpunt inzake Berlijn door de mensen daar volledig wordt gesteund. We hebben er ver plichtingen. De heer Chroesjtsjov zegt dat wij de oorlogstoestand voorstaan. Dat is niet waar. Het zou goed zijn wanneer de ontwikkeling van de Amerikaans- Russische betrekkingen een oplossing van het gehele Duitse probleem mogelijk zou maken.'

Hij zei dat hij tijdens Chroesjtsjovs bewind veel veranderingen had waargeno men. Nu wilde de Secretaris-Generaal 'in zes maanden tijd een vredesverdrag, iets wat ons uit Berlijn zou verjagen'. Hij was dan misschien wel jong, zoals de Secretaris-Generaal had opgemerkt, maar hij had niet 'het ambt van president op zich genomen om regelingen te accepteren die de Amerikaanse belangen ern stig in gevaar zouden brengen'.

Wederom deed Chroesjtsjov het voorstel tot een interimovereenkomst over Ber lijn die 'de schijn zou ophouden dat de Duitsers nu zelf alle verantwoordelijk heid voor het probleem zouden krijgen. Als de Verenigde Staten een dergelijke overeenkomst niet wilden, dan was er geen andere mogelijkheid dan de onderte kening van een unilateraal vredesverdrag. Niemand kan de Verenigde Staten dwingen een vredesverdrag te tekenen, maar de Verenigde Staten kunnen de Sovjet-Unie ook niet dwingen hun eisen te accepteren.'

Kennedy weigerde een interimovereenkomst te bespreken die de Secretaris-Generaal in staat zou kunnen stellen om zonder gezichtsverlies een Berlijnse crisis op te schorten. In tegenstelling tot Eisenhower op Camp David vond hij dat hij tijdens deze gespreksronde over de kwestie-Berlijn in niets mocht toegeven. Chroesjtsjov zou er alleen maar uit concluderen dat hij de Amerikaanse verplichtingen aan de stad niet zou nakomen.

Nadat de twee leiders voor de lunch uiteen waren gegaan, liet de president zijn medewerkers weten dat hij Chroesjtsjov nog één keer alleen wilde spreken. Voor een minuut of twintig om het Sovjetstandpunt over Berlijn nog eens duidelijk te vernemen en om bij de Russische Secretaris-Generaal alle twijfel over zijn vastberadenheid weg te nemen: 'Ik kan hier niet weggaan zonder nog één poging te wagen.' Iemand wees de president erop dat hij Wenen niet op tijd zou kunnen verlaten als er nog een zitting werd belegd. Kennedy blafte: 'Nee, we gaan *niet* op tijd. Ik ga niet weg vóór ik meer weet.'

De diplomatieke plichtplegingen werden voortgezet. De dames Chroesjtsjov en Kennedy lunchten in het Pallavicini Palast met de dochter van de Oostenrijkse president. Buiten schreeuwde een menigte: 'Jah-kee! Jah-kee!' De twee dames liepen boven naar een raam. Nina Petrovna zei later dat ze zich 'moederlijk' voelde bij Jacqueline, die eruitzag 'als een kunstwerk'. Zij waardeerde haar intelligente opmerkingen die in het openbaar zo ongebruikelijk waren. Glimlachend nam ze de hand van mevrouw Kennedy en hield hem omhoog.

Op de Sovjetambassade kregen de Secretaris-Generaal, de president en hun delegatieleden kaviaar, vispastei en krab opgediend. Chroesjtsjov zei dat hij de defensienota die de president in mei aan het Congres had verzonden, had bestudeerd: Amerika werd duidelijk beheerst door monopolisten en kon het zich niet veroorloven te ontwapenen.

Kennedy stak een sigaar op en antwoordde dat van de financiers en industriëlen die Chroesjtsjov in 1959 bij Harriman thuis in New York had ontmoet, er geen één op hem had gestemd. Chroesjtsjov wist zeker dat het allemaal een grote truc was: 'Het zijn slimme kerels.' Kennedy merkte op dat Walter Reuther, het hoofd van United Auto Workers, hem wel had gesteund: had de Secretaris-Generaal hem niet ontmoet op zijn trip naar San Francisco? Chroesjtsjov zei: 'Kerels als Reuther werden in Rusland in 1917 *opgehangen*.'

Hij waarschuwde dat de uitbreiding van de Amerikaanse militaire macht hem ertoe dwong de omvang van de Sovjetstrijdkrachten te vergroten. Kennedy zei dat hij niet van plan was om zijn krijgsmacht uit te breiden, 'met uitzondering van tienduizend mariniers om drie korpsen mariniers op volle sterkte te krijgen'. Chroesjtsjov zei: 'Raketten zijn de oorlogsgoden van vandaag.' Hij merkte op dat zowel hij als de president door hun wetenschappers werd aangespoord om de kernproeven te hervatten: 'Wij wachten tot u de proeven hervat – en als u dat doet, dan volgen wij. [...] Wij zullen nooit als eersten het moratorium verbreken. Dat zult u doen en dan worden wij gedwongen de proeven te hervatten.'

Over het gezamenlijke maanproject, dat zij de vorige dag tijdens de lunch hadden besproken, zei Chroesjtsjov dat hij bij nader inzien vond dat de Verenigde Staten dat maar alleen moesten voortzetten. Zonder ontwapening zou een gezamenlijke vlucht onmogelijk zijn, omdat raketten ook voor militaire doeleinden zouden kunnen worden gebruikt. Het project zou zo duur zijn dat het de voor de Sovjetdefensie bestemde geldmiddelen zou opslokken. Hij zei dat hij bezig was weerstand te bieden aan de druk die wetenschappers op hem uitoefenen om een man op de maan te krijgen. De Verenigde Staten waren rijk. Die moesten maar eerst gaan. Dan zouden de Sovjets wel volgen.

Kennedy deed het voorstel allebei geld te besparen door hun ruimte-inspanningen te coördineren: 'Hierbij zouden geen Sovjetraketten worden betrokken.' Chroesjtsjov wees het idee niet direct van de hand, maar bekende dat er tot nu toe 'weinig praktisch nut van ruimtelanceringen' was gebleken. De ruimterace was niet alleen een dure zaak, maar 'diende voornamelijk prestigedoeleinden'.

De president schonk hem de replica van het Amerikaanse slagschip *Constitution*, dat zo laat was uitgekozen dat Billings het naar Europa had moeten meenemen. Kennedy's fatsoen weerhield hem ervan tegen Chroesjtsjov te zeggen dat het model een verjaarsgeschenk van zijn vader was geweest. De Secretaris-Generaal zou zich in Kennedy's schoenen niet zo hebben beheerst. Op zijn beurt schonk hij Kennedy een zilveren koffieservies uit Tsjechoslowakije, een gouden humidor, kaviaar en grammofoonplaten.

Later zou Billings zeggen dat de president het koffieservies beschouwde als een 'buit van een geplunderd en geketend volk. Hoewel hij vond dat hij het op andere punten zwaar te verduren had gehad, was hij wat betreft het uitwisselen van de geschenken er beter van afgekomen. [...] Maar na afloop wilde hij dat hij de *Constitution* voor zichzelf had gehouden. [...] We konden nooit meer een dergelijk goed model vinden.'

De Secretaris-Generaal stond op en hief zijn glas champagne. Persoonlijke contacten waren 'altijd beter dan handelen via ambassadeurs, ook al zijn het de beste'. Als de staatslieden 'de meest gecompliceerde problemen tussen hen' al niet konden oplossen, hoe konden de ondergeschikte functionarissen die taak dan vervullen? Hij en de president hadden naar elkaar geluisterd en waren het 'niet eens geworden'.

Maar 'wanneer mensen bij hun eerste ontmoeting alle moeilijke kwesties zouden kunnen oplossen, dan zouden die niet bestaan'. Het Duitse vredesverdrag zou 'een moeizaam proces worden en is te vergelijken met een chirurgische ingreep. De Sovjet-Unie wil dat probleem overwinnen en zal daarin slagen.' Het zou 'geweldige spanningen' met de Verenigde Staten opleveren, maar hij was ervan overtuigd dat 'de lucht zal opklaren en de zon weer helder zal schijnen.

De Verenigde Staten willen Berlijn niet. De Sovjet-Unie evenmin. Het is een feit dat het aanzien van de Verenigde Staten hier in het geding is, maar de enige die echt in Berlijn is geïnteresseerd, is Adenauer. Hij is intelligent, maar oud.' Hij knikte naar Kennedy en zei: 'De Sovjet-Unie kan het niet toelaten dat de oude en ten dode opgeschreven mensen de jonge en krachtdadige generatie in de weg staan.'

Hij noemde Franz-Josef Strauss, de Westduitse minister van Defensie, 'de agressiefste man van Duitsland. Maar zelfs bij deze man, wiens geest helemaal aftakelt, gaan de ogen klaarblijkelijk open. Bij één gelegenheid was Strauss zo verstandig geweest te erkennen dat hij volledig begreep hoe ernstig Duitsland zou lijden onder een nieuwe oorlog en hoe totaal de vernietiging van zijn land zou zijn.'

De Secretaris-Generaal bracht een dronk uit op de president en de oplossing van hun problemen: 'U bent een religieus mens en zou zeggen dat God ons moge helpen bij deze inspanning. Wat mij betreft, ik wil dat gezond verstand ons zal helpen.'

Kennedy antwoordde dat beide landen sterk waren. Hun volkeren wensten vrede en een beter leven. Zoals hij de heer Gromyko ook al had laten weten, streefde hij 'in dit tijdperk van ontwikkeling naar het voorkomen van een directe confrontatie tussen de Verenigde Staten en de Sovjet-Unie, waarvan we het resultaat niet kunnen voorzien'. Hij had de macht van de Sovjet-Unie nooit onderschat. Beide landen hadden 'enorme voorraden vernietigingswapens'.

Hij wees naar het model van de *Constitution* en merkte op dat de kanonnen van het schip een bereik hadden van nog geen kilometer. In het tijdperk van de *Constitution* waren naties nog in staat van een oorlog te herstellen. Die tijd was voorbij. Hij hoopte niet uit Wenen te hoeven vertrekken 'met een kans dat een van de twee landen zich geconfronteerd ziet met een bedreiging van zijn nationale belangen'. Duitsland was 'buitengewoon belangrijk vanwege zijn geografische ligging'. Hij en Chroesjtsjov konden alleen de vrede bewaren 'wanneer ze allebei wijsheid betrachten en in hun eigen gebied blijven'.

Hij herinnerde aan de avond daarvoor in het paleis Schönbrunn toen hij de Secretaris-Generaal had gevraagd welke baan hij op zijn vierenveertigste had. Chroesjtsjov had geantwoord dat hij toen hoofd van de Moskouse Commissie voor Planning was. Kennedy zei dat hij op zijn zevenenzestigste hoofd van de Commissie voor Planning van de staat Boston hoopte te zijn en misschien zelfs nationaal voorzitter van de Democratische partij. Chroesjtsjov zei: 'Wellicht de Commissie voor Planning van de hele wereld?' Kennedy grinnikte: 'Nee, Boston lijkt me wel mooi.'

Om kwart over drie 's middags hielden de twee leiders hun laatste gespreksronde, alleen vergezeld door de tolken. Kennedy sprak de hoop uit dat Chroesjtsjov het belang van Berlijn begreep. Hij hoopte dat de Secretaris-Generaal hem niet zou confronteren 'met een situatie die onze nationale belangen nadelig beïnvloedt'. Overal ter wereld vonden veranderingen plaats. 'Niemand kan voorspellen welke kant dat zal opgaan.'

Chroesjtsjov bedankte Kennedy voor zijn oprechtheid, maar klaagde dat 'de Verenigde Staten de Sovjet-Unie willen vernederen. Dat kunnen wij niet toelaten.' Hij wilde graag een interimovereenkomst voor Duitsland en Berlijn 'met een tijdlimiet'. Maar geweld zou geweld oproepen. De president vroeg of zo'n overeenkomst het Westen toestemming zou geven in Berlijn te blijven en of de toegang tot de stad behouden zou blijven. Chroesjtsjov zei ja – 'zes maanden'. Daarna moesten ze vertrekken.

De president zei dat wanneer Chroesjtsjov deze 'drastische maatregel' zou nemen, hij zeker niet geloofde dat de Amerikaanse toezegging aan Berlijn niet 'serieus' was. Binnenkort zou hij in Londen met eerste minister Macmillan praten. Hij zou deze dan moeten vertellen dat de Russen hem voor de keus hadden gezet: 'of de Sovjetactie in Berlijn accepteren of opgescheept worden met een directe confrontatie'.

Chroesjtsjov antwoordde dat het Westen geen gezichtsverlies hoefde te lijden: 'We zouden kunnen afspreken dat symbolische troepencontingenten, waaronder Russische troepen, in West-Berlijn worden gehandhaafd. Dit zou echter niet op grond van bezettingsaanspraken zijn, maar op grond van een overeenkomst die onder toezicht van de Verenigde Naties wordt getekend. Uiteraard valt de toegang dan onder beheer van de DDR. Dat is haar voorrecht.' Hij keek met staalharde ogen en sloeg met zijn vlakke hand op tafel: '*Ik wil vrede. Maar als u oorlog wilt, dan is dat uw probleem.*'

Het werd doodstil in de kamer. Alleen het harde tikken van de klok op de schoorsteen was hoorbaar. Conform het advies van De Gaulle antwoordde Kennedy: '*U bent het, en niet ik, die een verandering wil forceren.*'

Chroesjtsjov zei dat de Sovjet-Unie 'geen andere keus had dan de uitdaging aan te nemen. Ze moet reageren en zal reageren. Het onheil van een oorlog zal gelijk worden verdeeld. Er zal alleen een oorlog uitbreken als de Verenigde Staten die opdringen aan de Sovjet-Unie. Het is aan de Verenigde Staten om te beslissen of er oorlog of vrede komt.' Zijn besluit om een vredesverdrag te ondertekenen was 'definitief en onherroepelijk. [...] De Sovjet-Unie zal het in december tekenen als de Verenigde Staten een interimovereenkomst weigeren.'

Kennedy zei met opeengeklemde lippen: '*Als dat waar is, dan krijgen we een koude winter.*'

Jaren daarna wist Chroesjtsjov te vertellen dat de president 'niet alleen ongerust leek, maar ook behoorlijk overstuur. [...] Ik had graag gezien dat we in een andere stemming uit elkaar waren gegaan. Maar ik kon niets voor hem doen.' De politiek was 'een ongenadig vak'. De twee leiders wandelden naar de voortrappen van de ambassade om elkaar voor de laatste maal de handen te schudden. De fotografen vroegen zich af waar Kennedy's glimlach was gebleven.

Op de terugweg naar de Amerikaanse ambassade met Rusk en Salinger gaf Kennedy een dreun op de hoedenplank achter in de auto. De minister van Buitenlandse Zaken toonde zich geschokt over Kennedy's laatste onderhoud met Chroesjtsjov. 'In de diplomatie gebruik je bijna nooit het woord oorlog,' merkte hij veel later op. 'Kennedy was behoorlijk van streek. [...] Hij was niet voorbereid geweest op de bruutheid waarmee Chroesjtsjov naar voren trad. [...] Chroesjtsjov probeerde tegenover deze jonge Amerikaanse president de bullebak uit te hangen.'

In alle stilte overhandigde de Sovjetdelegatie de Amerikanen een *aide-mémoire* waarin in 'niet meer dan zes maanden' een Duitse regeling werd geëist. Kennedy besloot die niet te laten publiceren, tenzij de Russen het deden. Hij wist dat wanneer zijn critici hoorden dat Chroesjtsjov de top had uitgebuit om een nieuwe Berlijnse crisis te beginnen, zij zich af zouden vragen of de president er wel goed aan had gedaan om de Secretaris-Generaal zo kort na de Varkensbaai te ontmoeten. Het openbaar maken van de tijdlimiet zou alleen maar de druk op Chroesjtsjov opvoeren om zich eraan te houden.

De president wilde geen valse 'geest van Wenen' oproepen. Die zou zich alleen maar keihard tegen hem keren wanneer de wereld uiteindelijk zou horen van Chroesjtsjovs nieuwe eis inzake Berlijn. De arme Bohlen informeerde de verslaggevers nog over de 'gemoedelijke aard' van de besprekingen, toen Kennedy besloot om de pers te laten weten dat de sfeer eigenlijk 'somber' was geweest. Hij verzocht Salinger om een paar uur in Wenen achter te blijven om zo veel mogelijk invloedrijke correspondenten te spreken.

De president had al een afspraak met James Reston van de *New York Times*, die reeds zat te wachten in een donkere kamer van de Amerikaanse vertegenwoordiging. De jaloezieën waren neergelaten, zodat de andere journalisten hem niet konden zien. Kennedy plofte neer in een sofa naast Reston, schoof een hoed over zijn ogen en slaakte een harde zucht. De columnist zei: 'Het is er nogal hevig aan toe gegaan?'

'Zo pittig heb ik het in mijn hele leven nog nooit meegemaakt.' Kennedy vertelde dat hij getracht had Chroesjtsjov te zeggen wat hij wel en niet kon doen, waarbij hij de Secretaris-Generaal voorstelde hetzelfde te doen. Het resultaat: een hevige aanval op het Amerikaanse imperialisme, met name in Berlijn. 'Ik zit met twee problemen. Ten eerste: waarom deed hij dit en waarom zo vijandig. En ten tweede moet ik uitzoeken wat wij eraan kunnen doen.

Ik denk dat het eerste zich vrij gemakkelijk laat uitleggen. Ik denk vanwege de Varkensbaai. Volgens mij dacht hij dat iemand die zo jong en onervaren was en zich in die rotzooi wist te manoeuvreren, zich wel zou laten verrassen. En iemand die zich erin stortte en het niet uitzong, die had geen lef. Dus hij gaf me vreselijk op mijn donder. [...] En dus zit ik met een ontzettend groot probleem. Als hij denkt dat ik onervaren ben en geen lef heb, dan komen we nergens met hem, tenzij we die ideeën uit de wereld helpen. We moeten dus wel iets ondernemen.'

De *Air Force One* steeg op richting Londen. Kennedy's steward Godfrey McHugh merkte hoe stil en gedeprimeerd de president en zijn gezelschap leken: 'Het leek wel een vlucht met het verliezende honkbalteam na de *World Series*.'

Jacqueline Kennedy was ook gespannen. Toen zij McHugh vroeg om een aan De Gaulle gerichte, handgeschreven brief te corrigeren, deed hij haar de suggestie niet de mannelijke vorm voor de aanhef te gebruiken, '*mon général*': de Franse staatsman was een pietje precies in etiquette. Zij antwoordde: 'In dat geval kan Buitenlandse Zaken zijn eigen verdomde brief schrijven.'

De president ontbood O'Donnell in zijn privé-coupé en maakte Chroesjtsjov uit voor een 'smeerlap' en een 'klootzak'. Hij had zich twee dagen lang beheerst om de Secretaris-Generaal te overtuigen van zijn vastberadenheid in de kwestie-Berlijn, maar nu liet hij zijn echte gevoelens de vrije loop: 'We zitten met een belachelijke situatie opgescheept. Het lijkt dwaas om nu aan de vooravond van een atoomoorlog te staan vanwege een verdrag dat Berlijn als de toekomstige hoofdstad van een herenigd Duitsland moet behouden, terwijl wij allemaal weten dat Duitsland waarschijnlijk nooit zal worden herenigd.'

Hij bleef denken 'aan de kinderen, niet de mijne of de jouwe, maar alle kinderen op de wereld. [...] God weet dat ik geen aanhanger ben van het isolationisme, maar het lijkt mij bepaald stom om het leven van een miljoen Amerikanen te riskeren vanwege een onenigheid over toegangsrechten tot een *Autobahn* [...] of omdat de Duitsers Duitsland herenigd willen zien. Als ik de Russen met een atoomoorlog ga dreigen, dan moet ik toch wel met een hoop meer en belangrijkere redenen komen. Voordat ik Chroesjtsjov met zijn rug tegen de muur zet en hem op de ultieme proef stel, moet de vrijheid van heel West-Europa op het spel staan.'

Hij dacht dat de exodus van arbeidskrachten uit Oost-Duitsland voor Chroesjtsjov de voornaamste reden was om West-Berlijn af te willen sluiten: 'Je kunt het

Chroesjtsjov niet kwalijk nemen dat hij daarover gepikeerd is.' Hij klaagde dat Adenauer Amerikaanse en Britse inspanningen voor een vreedzame regeling probeerde te dwarsbomen. De vier bezettingsmachten in Berlijn waren 'een vergissing die noch wij noch de Russen hadden moeten goedkeuren'.

Nu wilden de Westduitsers dat de Verenigde Staten 'de Russen uit Oost-Duitsland verjagen. Het is nog niet genoeg dat wij een reusachtige som geld besteden aan de militaire verdediging van West-Europa [...] terwijl West-Duitsland de snelst groeiende industriële macht ter wereld aan het worden is. Nou, als ze denken dat wij haast hebben om over Berlijn een oorlog te beginnen, behalve als een laatste wanhopige zet om het NAVO-bondgenootschap te redden, dan staat hun nog iets te wachten.'

Vanaf Heathrow Airport reden de Kennedy's met Harold Macmillan en zijn echtgenote, lady Dorothy, in een open beige Bentley richting Londen. Ze passeerden wat demonstranten op Trafalgar Square: 'GEEN POLARISRAKETTEN; BAN DE BOM; BEVRIJD ONS VAN DE ANGST!' In zijn dagboek schreef de eerste minister dat Kennedy 'gedurende de hele rit praatte over wat hij had meegemaakt'. Hij had 'geweldige hoop gevestigd' op de topontmoeting, maar voor het eerst van zijn leven 'een man ontmoet op wie zijn charmes geen enkel effect hadden gehad'.

Het presidentiële paar zou de nacht doorbrengen in het Georgian herenhuis van de Radziwills in Belgravia. Uit een aantekening van dokter Jacobson blijkt dat hij door een veiligheidsagent werd opgeroepen uit Claridge over te komen: 'De chauffeur begeleidde mij door de tuin naar de achterdeur. [...] Ik liep de slaapkamer van Lee Radziwill binnen waar ik Lee, de president en Jackie aantrof [...] kletsend. De president en ik trokken ons terug in een voorkamer waar ik hem behandelde.'

Op maandagmorgen 5 juni begaf Kennedy zich naar het Admiralty House voor formele gesprekken met Macmillan.[1] Toen de eerste minister merkte dat zijn gast doodmoe was, sloeg hij de handen ineen en zei: 'Laten we de bijeenkomst schrappen – met Buitenlandse Zaken en de hele mikmak. Waarom kletsen we niet gewoon wat samen onder het genot van een drankje?' Hij zag dat de president 'dankbaar en opgelucht' was.

In november van het vorige jaar had Macmillan zich ongerust gemaakt of hij wel zou kunnen opschieten met de drieëntwintig jaar jongere 'eigenwijze Ier': 'Ik was een ouder wordende politicus [...] met een totaal andere ervaring en achtergrond.' De eerste minister had net als het Britse establishment een afkeer van Joseph Kennedy. Kennedy senior had zich destijds als Roosevelts ambassadeur in Londen afgezet tegen Amerikaanse steun aan de Engelsen in hun strijd tegen Hitler. Het scheelde dat Kennedy's overleden zus Kathleen in de oorlog getrouwd was geweest met lord Hartington, de neef van lady Dorothy, voordat Hartington om het leven was gekomen tijdens de invasie van Frankrijk.

Ambassadeur David Bruce had de president vanuit Londen ooit een telegram gestuurd waarin hij zei dat Macmillan 'de indruk [gaf] doorspekt te zijn met victoriaanse sentimentaliteit', maar eigenlijk was hij 'een politiek beest, intelligent met een verfijnde manier van handelen'. De eerste minister was de belichaming

1. Downing Street Ten was gesloten wegens herstelwerkzaamheden.

van het 'Engeland uit de tijd van koning Edward VII en de achttiende eeuw in de grootse traditie van het establishment', hij bezat 'charme, beleefdheid, droge humor, zelfvertrouwen, een levendig historisch besef, waardigheid en persoonlijkheid'.

Bijeenkomsten in Washington en Key West hadden Kennedy's meest hechte relatie met een buitenlands staatsman versterkt. Voordat de top in Wenen plaatsvond, schreef Macmillan de president een brief ter gelegenheid van zijn verjaardag: 'Ik ken veel waarde toe aan onze vriendschap. Ik ben verheugd dat de betrekkingen tussen de Verenigde Staten en mijn land zo hecht en aangenaam zijn.'

Jaren later zeurde hij dat Kennedy 'de helft van de tijd aan overspel zat te denken en de andere helft aan tweedehands ideeën die hij van zijn adviseurs kreeg doorgespeeld'. Maar hij zei: 'Je weet hoe het is als je iemand ontmoet en meteen het gevoel hebt alsof je hem altijd al hebt gekend? Zo voelde ik me bij Jack. Aan een half woord hadden wij genoeg.'

Nu vertelde de president hem dat Chroesjtsjov 'een grotere barbaar' was geweest dan hij had verwacht. In zijn dagboek schreef Macmillan dat Kennedy 'nogal overrompeld leek. [...] Hij leek meer op iemand die Napoleon (op het hoogtepunt van zijn macht) voor het eerst ontmoet.'

Chroesjtsjov keerde terug naar Moskou en was vast besloten om dat als overwinnaar te doen. Op de Indonesische ambassade was een feest ter gelegenheid van de zestigste verjaardag van president Soekarno, die een bezoek aan Moskou bracht. Een aanwezige westerse verslaggever had Chroesjtsjov in geen jaren zo 'uitbundig en ontspannen' gezien. *Time* merkte op dat hij 'zich ogenschijnlijk nergens druk om maakt'.

Terwijl het orkestje 'Indonesië / Is vrij / Cha-cha-cha' inzette, schreeuwde de Secretaris-Generaal tegen Mikojan en Brezjnev: '*Dansen*, jullie twee!' Brezjnev haalde plotseling een witte zakdoek te voorschijn, wapperde ermee boven zijn hoofd en voerde een chassé uit met de vice-premier. Chroesjtsjov sloeg op een bongo en riep dat Mikojan een 'goeie danser' was. 'Daarom houden we hem op zijn post.'

Soekarno gaf enkele in sarongs gehulde Indonesische vrouwen opdracht om de Sovjetleiders te kussen en eiste zelf ook een zoen van een Russisch meisje. Mevrouw Chroesjtsjov vroeg een Russisch meisje haar plicht te doen: 'Och alsjeblieft, kom op. Je hoeft hem maar één keer te kussen.' De Secretaris-Generaal bedankte het meisje voor 'het hooghouden van de Russische eer.'

In het Kremlin bracht hij zijn collega's een gemengd verslag uit over Wenen: Kennedy had geen behoefte om zijn minister van Buitenlandse Zaken te raadplegen 'zoals Eisenhower zich altijd verliet op Dulles'. Toch leek de president 'te intelligent en te zwak'.

Chroesjtsjov vertelde hoe verbaasd hij was over het feit dat Kennedy zijn eigen argumenten ondermijnde toen hij zei dat hij veel van zijn beleidslijnen had geërfd en niets anders kon doen dan die te verdedigen. In de ogen van een leider als Chroesjtsjov was het ontbreken van emotionele overtuiging bij een staatsman een teken van zwakte: als Kennedy alleen gemotiveerd werd door abstracte geopolitieke gewiekstheid, dan zou hij onder druk het bijltje er wel eens bij kunnen neergooien. Hij was ook ongerust over de 'bijzonder krappe meerderheid waarmee Kennedy verkozen was'. Kennedy had hem dat in Wenen laten weten: in een wereldcrisis zou de president extreem oorlogszuchtig kunnen worden om zijn binnenlandse positie te ondersteunen.

Chroesjtsjovs medewerker Fjodor Boerlatski merkte aan zijn baas dat hij Kennedy 'meer op een adviseur vond lijken dan op een president of iemand die politieke beslissingen neemt. In een crisis zou hij misschien een adviseur zijn, maar niet eens eentje met veel invloed.' Volgens hem keek Chroesjtsjov naar Kennedy met de hooghartigheid van een man die zich heeft opgewerkt: 'Deze vent was hier als gevolg van zijn eigen prestaties. En hij begreep de gevoelens van eenvoudige mensen. John Kennedy had dat begrip en dat gevoel niet. Misschien waren zijn betrekkingen met arbeiders en boeren zoiets als een politiek spel.'

Sergej Chroesjtsjov herinnerde zich dat zijn vader Kennedy zag 'als een waardige partner en een krachtig staatsman, en gewoonweg als een charmante man die hij echt aardig begon te vinden. [...] Hij vertrouwde Kennedy en voelde echt sympathie voor hem. Zulke gevoelens van voorkeur en afkeer speelden een grote rol in mijn vaders leven.' Hij vond de president een 'serieuze politieke figuur' met wie het 'mogelijk zou zijn om zaken te doen'.[1] Georgi Kornjenko wist nog te vertellen dat Chroesjtsjov uit zijn verslag van 1959 voorlas over Kennedy: 'onafhankelijk en intelligent. Kun je op rekenen bij een nieuwe koers': 'U had gelijk en de anderen niet.'

In Londen woonden de president en zijn vrouw de doop bij van Antony Radziwill en een feestje na afloop. Tot de aanwezigen behoorden de Macmillans, de hertog en hertogin van Devonshire, Randolph Churchill, Douglas Fairbanks en David en Cissie Ormsby-Gore. Evangeline, de echtgenote van David Bruce, vond Kennedy er 'erg gedeprimeerd' uitzien. Joseph Alsop raakte in verwarring, toen de president tegen hem zei: 'Wat er ook gebeurt, ik geef de Russen geen duimbreed toe.' Alsop vond de opmerking 'een beetje als een koude douche, zo tussen de hertoginnen en de champagne'.

Voordat hij naar Buckingham Palace ging om te dineren, zat de president in zijn badjas op zijn bed en signeerde een foto van hemzelf voor Elizabeth II. De twee staatshoofden hadden elkaar in 1938 voor het eerst ontmoet toen Kennedy zijn ouders opzocht op de Londense ambassade. Hij schreef naar Billings: 'Ontmoette koningin Mary en was op de thee bij prinses Elizabeth, met wie ik veel tijd doorbracht. Donderdagavond ga ik naar het koninklijk paleis in mijn nieuwe zijden kniebroek die zo lekker strak in mijn kruis zit en waarin ik er geweldig aantrekkelijk uitzie.'

De koningin had een hekel aan Radziwill, maar om de president een plezier te doen had ze het paar ook uitgenodigd en sprak ze hen aan met hun koninklijke, Poolse titels. Normaliter werden die niet door het hof erkend. Tijdens de vlucht

---

1. Sergej Chroesjtsjovs herinnering van Wenen werd misschien een beetje verdraaid door de periode dat Kennedy in Chroesjtsjovs achting steeg, vooral na november 1963. De zoon herinnerde zich ook dat Chroesjtsjov en Kennedy in Wenen 'een idee bespraken dat erg gedurfd was voor die tijd. Het idee van een gezamenlijke Sovjet-Amerikaanse vlucht naar Mars.' De gezamenlijke vlucht waarover ze spraken was, uiteraard, die naar de maan.

naar Londen had Jacqueline de Amerikaanse chef protocol, Angier Biddle Duke, gevraagd of ze een kniebuiging moest maken voor de koningin. Hij vertelde haar dat de vrouw van een staatshoofd nooit voor iemand een revérence maakte.

Na het diner vloog zij met haar zus naar Griekenland voor een achtdaags bezoek. De Griekse regering had gezorgd voor een villa en een jacht voor een trip langs de Griekse eilanden. De president had zijn smoking nog aan toen hij aan boord ging van de *Air Force One*. Onderweg naar Washington bestelde hij wat hete soep, nam de Londense kranten door en liet Hugh Sidey van *Time* binnenkomen. Die trof hem aan in zijn bokser shorts, de ogen 'rood en waterig, met dikke wallen eronder'.

Kennedy vertelde hem dat de ontmoeting met Chroesjtsjov 'van onschatbare waarde' was geweest. Voordat hij ging slapen, krabbelde hij een citaat van Lincoln op dat hij aan het eind van de campagne had gebruikt: 'Ik weet dat er een God bestaat en ik zie dat er een storm op komst is. Als hij voor mij een plek heeft, dan denk ik dat ik gereed ben.'

De volgende morgen zat Charles Bartlett te werken in zijn kantoor in het National Press Building toen hij de presidentiële helikopter over hoorde razen van Andrews luchtmachtbasis naar het Witte Huis. Eerder die lente, toen Kennedy hem vroeg waarom hij zo veel Russische vrienden had, had de columnist zichzelf verdedigd door te zeggen: 'Iedereen heeft zijn eigen Rus.'

Een paar minuten nadat hij de helikopter had gehoord, kreeg Bartlett een telefoontje uit het Oval Office: 'Nou, ik wil je even laten weten dat ik nu een Rus voor mezelf heb.'

Salinger had de drie grote omroepmaatschappijen om zendtijd op de televisie verzocht op dinsdagavond. Bundy adviseerde Sorensen dat de toespraak van de president de Weense top moest afschilderen als een 'openhartige, eerlijke en beleefde gedachtenwisseling', waarin Kennedy een toonbeeld was geweest van Amerikaanse 'kracht en zelfvertrouwen. [...] Niemand verwachtte ooit dat een weekeind praten de kloof tussen onze twee landen zou overbruggen.' Hij stelde voor de 'gewoonte van Churchill' over te nemen: het beschrijven van 'kleurrijke en mooie momenten' en 'de overweldigende menigten die langs de straten stonden'.

Kennedy ontbood Congresleiders in het Oval Office voor een inofficiële inlichtingenbijeenkomst. Jacqueline zag erop toe dat kamer werd veranderd in een smaakvolle salon. Kennedy deelde mee dat Chroesjtsjov 'zelfverzekerd en verwaand' was. Het enige onderwerp waarbij de Secretaris-Generaal zijn stem had verheven, was Berlijn. Fulbright vroeg of Chroesjtsjov voor het tekenen van een vredesverdrag een tijdlimiet had gesteld.

'Hij zei december.' De president voegde eraan toe dat hij van plan was om in zijn toespraak te erkennen dat Berlijn belangrijk was, maar hij zou 'de zaak niet al te scherp op de spits drijven. We zullen binnenkort een *aide-mémoire* over onze rechten terugsturen, en we moeten in beschouwing nemen wat we nog meer kunnen ondernemen.' Hij zou 'het niet hebben over een tijdlimiet.' Hij verzocht de leiders om 'niets te zeggen wat Chroesjtsjov ogenschijnlijk in de hoek zou drijven waaruit hij dan zou moeten terugknokken.'

Die avond om even voor zevenen plaatste Kennedy een technicus achter zijn bureau in het Oval Office, keek door de camera en verzocht om een andere belichting: 'Ik krijg soms een dubbele kin van die televisielampen.' Het bureau, dat afkomstig was van een schip, was helemaal leeggemaakt op de in leer gebonden uitgaven van *Why England Slept* en *Profiles in Courage*, zijn olijfgroene telefoon en een agenda na. De kamer zat propvol mensen en apparatuur en was daardoor snikheet.

Hij ging zitten op de drie kussens die opgestapeld lagen op de zitting van zijn gestoffeerde draaistoel. Terwijl het rode lampje op de camera oplichtte, zoemde er een vlieg door het vertrek. Te laat om te worden doodgemept.

'Goedenavond, medeburgers. Deze morgen ben ik teruggekeerd van een reis van een week naar Europa en ik wil u volledig verslag doen van die reis. [...] Het leggen van een krans bij de Arc de Triomphe, de diners in Versailles en Schönbrunn en met de koningin van Engeland – dit zijn de kleurrijke herinneringen die ons nog vele jaren zullen bijblijven.'

Maar 'dit was geen ceremoniële reis'. Na het beschrijven van zijn besprekingen met De Gaulle kwam hij bij Wenen. 'Ik vertel u nu dat het twee bijzonder sobere dagen waren.' Toch waren de besprekingen 'enorm nuttig' geweest. Hij en Chroesjtsjov hadden van elkaar 'zo veel kennis uit de eerste hand' nodig als maar mogelijk was. Hij had op een 'directe, nauwgezette en realistische' manier met de Secretaris-Generaal gesproken. De besprekingen hadden de kans op een 'gevaarlijke misrekening door een van de twee partijen' verminderd.

Desalniettemin 'kennen de Sovjets en onszelf [*sic*] totaal andere betekenissen toe aan dezelfde woorden – oorlog, vrede, democratie en de wil van het volk. Wij hebben totaal verschillende opvattingen over goed en slecht, over wat een binnenlandse aangelegenheid is en wat agressie. En boven alles hebben wij een totaal ander begrip van waar de wereld staat en waar het heen gaat met diezelfde wereld.'[1] Chroesjtsjov 'gelooft dat de wereld zich naar hem toe zal buigen zonder dat hij zijn toevlucht hoeft te nemen tot geweld'. De enige 'kans op een akkoord' lag in Laos. Maar de hoop op een kernstop had 'een ernstige klap gekregen'.

De 'somberste' gedachtenwisseling, zei hij, was die over Duitsland en Berlijn geweest: 'Wij en onze bondgenoten kunnen onze verplichtingen ten opzichte van de Berlijners niet opgeven.' Kennedy was zo vast besloten om Chroesjtsjovs ultimatum van december te verzwijgen, dat hij het Amerikaanse volk een leugen vertelde. Er waren 'door beide partijen geen bedreigingen of ultimata geuit'.

De uitvlucht slaagde. De kop van de *New York Times* van woensdag deed niet eens melding van Berlijn: 'KENNEDY ZEGT BESPREKINGEN CHROESJTSJOV HEBBEN KANS OP "MISREKENING" VERMINDERD.'

De volgende dag vernam de president dat de strijdkrachten van de Pathet Lao het gehucht Padong in Laos hadden ingenomen. Het nieuws deed zijn bloed koken: enkele uren na zijn toespraak waarin hij aankondigde dat hij en Chroesjtsjov inzake Laos tot overeenstemming waren gekomen, zouden de Amerikanen zich bij deze aanval afvragen of hij voor de gek was gehouden.

1. De president was duidelijk onder de indruk van het telegram dat hij vlak na zijn inauguratie van Thompson had ontvangen. Daarin stond: 'We kijken allebei naar dezelfde feiten en zien verschillende dingen.'

Rusk maande hem tot voorzichtigheid en zei dat Padong 'een beetje een speciaal geval' was, op slechts vijfentwintig kilometer van het hoofdkwartier van de Pathet Lao, 'een doorn in zijn zij, vanaf het allereerste begin al een beschamend iets voor hen'. Thompson herinnerde hem eraan dat het buitenhouden van de Chinezen Chroesjtsjovs voornaamste reden was geweest voor het binnentrekken van Laos: Padong was geen reden om aan te nemen dat hij het niet meende met een 'tijdelijke overeenkomst'.

Kennedy's critici maakten hem belachelijk toen stappen tegen Chroesjtsjov uitbleven en dat nadat Kennedy had gewaarschuwd de Amerikaanse belangen in Laos te verdedigen. Hij gaf Harriman opdracht de conferentie van Genève te boycotten, maar toen de wapenstilstand weer in acht werd genomen, vertelde hij hem terug te keren naar de onderhandelingstafel: 'Ik wil een regeling waarover onderhandeld is. Ik wil er niet militair bij betrokken raken.'

Kennedy had gehoopt uit Wenen terug te keren met een kernstopakkoord, een goede werkrelatie met Chroesjtsjov en andere wapenfeiten om zijn krappe verkiezingsoverwinning en de internationale tegenslagen uit de lente van 1961 te boven te komen. In plaats daarvan had het Berlijnse ultimatum van Chroesjtsjov de twee machten geplaatst voor mogelijk de gevaarlijkste confrontatie sinds het begin van de jaren vijftig. Zoals Kennedy tegen Reston gezegd had, kon hij niet begrijpen waarom de Secretaris-Generaal 'het deed, en waarom zo vijandig'.

In feite zou Chroesjtsjov onder grote druk hebben gestaan om Berlijn in 1961 te negeren, ook al had hij het gewild. Tweeëneenhalf jaar had hij gehamerd op het essentiële belang van een oplossing voor Berlijn en Duitsland. In die periode had hij het toegelaten dat zijn eis steeds weer werd opgeschort. In mei 1959 had hij zijn tijdlimiet voor een vredesverdrag opgegeven ten faveure van de besprekingen van Genève.

Toen die mislukten, kwam hij met Eisenhower overeen om met de Grote Vier te onderhandelen tijdens de Parijse top van mei 1960. Toen die top ook mislukte, had hij het probleem opzij gezet tot een nieuwe Amerikaanse president zich zou aandienen. Na de inauguratie had hij het verzoek van Kennedy ingewilligd om hem een paar maanden de tijd te geven vorm te geven aan het nieuwe Amerikaanse beleid inzake Berlijn. Hij kon het probleem niet eeuwig voor zich uit schuiven zonder voor zwakkeling te worden uitgemaakt.

Voor Chroesjtsjov lag de prijs voor het dulden van de Duitse status quo in juni 1961 hoger dan ooit – het groeiende aantal Oostduitsers dat naar het Westen vluchtte, het toenemende gevaar van een herbewapend, 'revanchistisch' West-Duitsland dat de beschikking zou hebben over kernwapens. Een harde opstelling inzake Berlijn zou hem helpen de beschuldiging te vermijden dat hij Washington te mild bejegende. Bovendien zou hij met zijn bevestiging van de Sovjetmacht indruk maken op zijn Sovjetcritici, de Chinezen en de Derde Wereld. Zijn instemming met een wapenstilstand in Laos had extra druk op hem uitgeoefend om te bewijzen dat zijn retoriek over het opkomende communisme niet louter bestond uit woorden.

Deze feiten zouden Chroesjtsjov hebben genoodzaakt om een of andere vorm van genoegdoening te halen in Berlijn, wie er ook president zou zijn in 1961. De woestheid waarmee hij die genoegdoening nu trachtte te bereiken, was grotendeels te wijten aan Kennedy. In zijn eerste vijf maanden als president had hij Chroesjtsjov de gevaarlijke indruk gegeven dat hij zowel passiever als militanter was dan Eisenhower.

Enkele adviseurs van Chroesjtsjov opperden dat als Kennedy van die tegenstrijdige gevoelens had over het heroveren van Cuba, dat toch in de Amerikaanse invloedssfeer lag, waarom zou hij dan elders doortastender optreden? Chroesjtsjov was op de hoogte van Kennedy's persoonlijke twijfel over de Amerikaanse belofte aan Berlijn en zijn vrees voor Russische represailles tegen de stad tijdens de Varkensbaai-actie. Als hij Kennedy niet onder grote druk zette, dan zouden zijn critici hem ervan beschuldigen dat hij een prachtgelegenheid voorbij liet gaan om een president, die gevoelig was voor intimidatie, te overdonderen.

In dezelfde periode vond Chroesjtsjov dat Kennedy zich vreselijk agressief had gedragen. De nieuwe president had afstand genomen van Eisenhowers omzichtigheid om niet te dreigen met de Amerikaanse nucleaire superioriteit. Ondanks de waarschuwende geluiden uit Moskou had hij het Congres drie maal verzocht om een verhoging van het defensiebudget. De laatste keer in zijn 'tweede State of the Union' van eind mei. Chroesjtsjov kan de timing van deze poging, een week voor de Weense top, hebben opgevat als een dreigende boodschap.

Het irritantste was wel dat Kennedy erop stond dat Chroesjtsjov zijn Berlijnse eisen zou opgeven, terwijl de Secretaris-Generaal toch regelmatig had gewaarschuwd dat het probleem in 1961 moest worden opgelost. Voor hem was dit een uitdagende belediging. Het suggereerde niet alleen dat hij niet serieus was genomen met wat hij zei over Berlijn, maar ook dat Kennedy probeerde om hem met zijn neus op de werkelijkheid van een Russische nucleaire minderwaardigheid te drukken.

Hypergevoelig als hij was voor tekenen van Amerikaanse hooghartigheid, vond hij dat wanneer de president de Sovjet-Unie echt als gelijke macht respecteerde, deze zou onderhandelen over Berlijn, net als Eisenhower had gedaan. Het was niet onlogisch te veronderstellen dat Kennedy de kwestie zou blijven negeren, tenzij hij een nieuwe Berlijnse crisis zou veroorzaken.

Als de president begin 1961 had aangekondigd nieuw leven te gaan blazen in Eisenhowers onderhandelingsmethode met de Grote Vier om de kwestie-Berlijn kwestie op te lossen, dan zou Chroesjtsjov misschien minder geneigd zijn geweest om met de instelling van een nieuw Berlijns ultimatum de aandacht van Kennedy te trekken. In Wenen had hij aangegeven dat hij zou kunnen leven met een soort interimoplossing. Kennedy's eis dat Chroesjtsjov de bestaande Berlijnse situatie gewoon maar had te slikken, liet de Secretaris-Generaal weinig meer keus dan het vuur onder deze ernstige tegenstelling flink op te rakelen.

Dit verklaart Chroesjtsjovs bijna theatrale en strijdlustige optreden in Wenen – zo weldoordacht dat hij jaren later zei dat hij het niet kon helpen 'medelijden met Kennedy' gevoeld te hebben toen hij zijn hardvochtige uitspraken deed. Hij moest de president overtuigen dat hij bereid was Berlijn tot inzet van een kernoorlog te maken. Anders zou Kennedy kunnen denken dat hij weer eens loos alarm sloeg.

Waarom verbrak Chroesjtsjov in Wenen de beloften van Georgi Bolsjakov over een kernstopovereenkomst? Bolsjakov vertelde Robert Kennedy later dat de Secretaris-Generaal vóór de top op een of andere manier 'van mening was veranderd.' Het is mogelijk dat Chroesjtsjov nooit tot concessies bereid was geweest en Bolsjakov met opzet had gestuurd om tegen de Kennedy's te liegen om de president zo tot de top te verlokken. Maar het is moeilijk voor te stellen dat Chroesjtsjov zo terloops zijn betrekkingen met een president, van wie hij verwachtte dat deze nog acht jaar aan de macht zou zijn, op het spel zette.

Het was waarschijnlijker dat Chroesjtsjov in mei besloot om een nieuwe Berlijnse crisis te ontketenen. Een akkoord over kernproeven viel niet te rijmen met zijn doelstelling Kennedy schrik aan te jagen met zijn strijdlust inzake Berlijn. Russische wetenschappers en generaals oefenden druk op hem uit om hun toestemming te geven de grootste waterstofbommen die ooit gefabriceerd waren, tot ontploffing te brengen. Chroesjtsjov realiseerde zich dat dit, in de context van een Berlijnse crisis, een demonstratie zou zijn van de Russische nucleaire kracht en van zijn bereidheid deze te gebruiken.

Misschien geloofde hij het toen hij tegen Kennedy zei dat de Sovjets niet als eersten de proefnemingen zouden hervatten. Hij wist dat een meerderheid van de Amerikanen vóór een hervatting was en nam aan dat, zodra ze wisten dat een kernstop in 1961 niet haalbaar zou zijn, ze de president onder druk zouden zetten om het driejarige moratorium op kernproeven te beëindigen.

Als de Verenigde Staten als eerste weer proeven gingen nemen, dan zou de verontwaardiging van de rest van de wereld geheel op Kennedy's schouders komen te liggen. Vervolgens kon Chroesjtsjov met een opmerkelijke spijtbetuiging zijn veel grotere 'superbommen' tot ontploffing brengen. Daarmee zou hij, net als met de Spoetnik en de Vostok, de Sovjetmacht indruk kunnen laten maken op de rest van de wereld.

Lem Billings zag dat Chroesjtsjovs oorlogszucht 'een absolute schok' was voor Kennedy: de president had 'nog nooit een dergelijk onheil voorzien'. Harriman vond Kennedy 'totaal ontredderd'. Robert Kennedy vond dat dit de eerste keer was dat zijn broer 'echt iemand tegen het lijf was gelopen met wie hij niet op een zinvolle manier van gedachten kon wisselen'. De president klaagde dat zakendoen met Chroesjtsjov hetzelfde was 'als zakendoen met pa. Alleen maar slikken.'

Ben Bradlee merkte op dat Kennedy nog weken na de top 'over weinig anders praatte'. De *Newsweek*-correspondent behoorde tot de vrienden aan wie Kennedy hardop voorlas uit de officiële afschriften. Toen er fragmenten in de pers verschenen, sprong de president uit zijn vel. Acheson schreef een vriend dat 'terwijl JFK ons een lesje over veiligheid gaf, vertelde hij ons dat de pers zelfs kopieën had gezien van zijn verslag over zijn besprekingen met de heer C. Voor mij was dat geen verrassing aangezien een van hen, een buurman van me, mij had verteld dat JFK tijdens het weekeind aan hem en een collega de interessantste gedeelten had voorgelezen.'

Mike Mansfield kwam tot de conclusie dat Chroesjtsjov de president beschouwde 'als een jongeman die nog heel veel te leren en weinig te bieden had'. Lyndon Johnson vertelde zijn makkers: 'Chroesjtsjov joeg de arme knul de stuipen op het lijf.' Later, toen hij inmiddels president was, viel hij op de knieën in een dramatische herhaling van hoe hij dacht dat Kennedy in Wenen had gesmeekt bij Chroesjtsjov. En hij zei daarbij dat hij het met Vietnam heel anders zou aanpakken.

Kennedy maakte zich kwaad over de kritiek die hij over zich heen kreeg en zei tegen Dave Powers: 'Wat moest ik dán doen om te laten zien hoe hard ik was? Mijn schoen uittrekken en ermee op tafel timmeren?'

Georgi Bolsjakov zei tegen Frank Holeman dat de Russen 'verbaasd' stonden dat de president zo 'aangedaan en bang' leek voor Chroesjtsjov: 'Als je met je hand onder de jurk van een meisje komt, dan verwacht je dat ze gaat gillen en niet dat ze bang wordt.'

Kennedy's rugprobleem was nog nooit zo erg geweest. Op donderdag 8 juni vloog hij naar Palm Beach om weer op krachten te komen in het leegstaande huis van zijn buurman Charles Wrightsman. Het meubilair was bedekt met stoflakens. Hij sliep uit en luierde wat met zijn pyjama nog aan, hij strompelde met zijn krukken naar het verwarmde zwembad met zout water. 's Avonds onthaalde hij vrienden en enkele secretaressen van het Witte Huis op daiquiri's en platen van Frank Sinatra.

Salinger bracht de pers op de hoogte van Kennedy's kwaal. Verslaggevers vroegen waarom de First Lady haar trip door Griekenland voortzette als Kennedy zo veel pijn had. Na onderhoud met de president legde hij niet echt overtuigend uit dat mevrouw Kennedy tot hun vertrek uit Londen niet wist van het rugprobleem: 'Hij had terloops gezegd dat hij last van zijn rug had.' Toen ze in Griekenland hoorde van de ernst van het probleem, had ze 'onmiddellijk' naar huis willen vliegen, maar haar echtgenoot had haar ervan 'weerhouden'. Op de vraag of de president geneesmiddelen gebruikte tegen de pijn zei Salinger: 'Ik weet niet of hij ze gebruikt of niet.'

Kennedy had in vertrouwelijke kring gespeculeerd over een oproep van Chroesjtsjov voor een vredesconferentie over Berlijn voor het eind van 1961, maar merkte op dat de dreigementen van de Secretaris-Generaal zelden werden uitgevoerd: 'Zoals De Gaulle al zegt. Chroesjtsjov bluft en zal dat verdrag nooit tekenen. [...] Het zou krankzinnig zijn en ik weet zeker dat hij niet krankzinnig is.'

Rusk adviseerde de president dat wanneer de Russen Chroesjtsjovs ultimatum van zes maanden geheim zouden houden, dat een bewijs zou zijn voor hun bereidheid om een nieuwe Berlijnse crisis te voorkomen. Op zaterdag 10 juni publiceerde de *Pravda* de volledige tekst van Chroesjtsjovs *aide-mémoire* en bracht zo de hele wereld op de hoogte van de tijdlimiet.

Kennedy vertrok richting Washington. De fotografen op het vliegveld van West Palm Beach stonden perplex toen ze hem met zijn krukken en met behulp van een hydraulische kraan aan boord van de *Air Force One* zagen gaan. In het Witte Huis schreven zijn doktoren hem absolute rust en een verwarmd kussen voor in zijn hemelbed. Zijn adviseurs stonden met ernstige gezichten rondom het bed terwijl hij hun vertelde dat de Verenigde Staten binnenkort 'erg dicht bij een oorlog' met de Sovjet-Unie konden zijn.

Later peinsde hij met David Ormsby-Gore over wat er fout was gegaan, waardoor zijn bescheiden hoop van het eerste uur op betere betrekkingen met de Sovjet-Unie de bodem was ingeslagen. Hij vroeg zich af of zijn defensienota's, die hij in maart en mei aan het Congres had gepresenteerd, te dreigend van toon waren geweest – niet qua inhoud, maar wat de presentatie betreft.

Volgens Robert Kennedy was Berlijn 'Chroesjtsjovs eerste poging om de president op de proef te stellen. Hij redeneerde dat de president na het Varkensbaai-debâcle zich overal uit terug zou trekken.' In Londen schreef Macmillan in zijn dagboek: 'We drijven naar aanleiding van Berlijn misschien wel af in de richting van een ramp – een vreselijke diplomatieke nederlaag of (uit je reinste onbekwaamheid) een kernoorlog.'

De president liet zijn medewerkers weten dat hij niet precies wist wat voor stappen Chroesjtsjov tegen West-Berlijn zou ondernemen: misschien was hij van plan om net als Stalin te trachten de sector via een blokkade over te nemen. Hij vroeg McNamara welke voorraden er beschikbaar zouden zijn voor de Amerikaanse troepen in Berlijn en de 2,4 miljoen Westberlijners als Chroesjtsjov en de Oostduitsers de toegang zouden afsluiten.

10. De klok tikt door

Op woensdag 21 juni bezocht Chroesjtsjov de Grote Hal van het Kremlin voor een militair eerbetoon om te herdenken dat het twintig jaar geleden was dat Hitler Rusland binnenviel. De ceremonie werd door de Russische televisie uitgezonden. De Sovjetleider droeg zijn groene luitenant-generaalsuniform: in de Tweede Wereldoorlog had hij gediend als politiek adviseur aan het front bij Stalingrad.

Hij vertelde de verzamelde maarschalken, generaals en admiraals dat het Rode Leger alle middelen ter beschikking kon krijgen voor de verdediging van het vaderland. Op deze manier probeerde hij aan de vooravond van de Berlijnse crisis hun steun te winnen. Zoals hij zich later herinnerde: 'De wijzers van de klok tikten door.'

Drie dagen later, in Alma-Ata, balanceerde hij op de rand van het onsamenhangende met zijn geklets over de smaak van paardevlees. Censors die hem van dronkenschap verdachten, deden hun uiterste best om nog met een acceptabele officiële tekst te komen. De volgende dag noemde Chroesjtsjov Berlijn 'het belangrijkste probleem', maar besteedde het overgrote deel van zijn toespraak aan het ontvouwen van zijn visie op een vredelievende economische concurrentie met de Verenigde Staten. Hij beloofde plechtig dat de Sovjet-Unie voor het eind van 1970 deze 'ouder geworden hardloper' zou inhalen.

Mensjikov arriveerde op het Witte Huis met een doodsbenauwd wit hondje, genaamd Poesjinka. Chroesjtsjov liet in een brief weten dat het dier een 'directe nakomeling van de beroemde ruimtereiziger Strelka' was. De president vroeg zijn vrouw: 'Hoe komt die hond hier?' Verschrikt sloeg ze de hand voor haar mond: 'Ik ben bang dat ik Chroesjtsjov erom heb gevraagd in Wenen. Op een gegeven moment wist ik niet meer waar ik het met hem over hebben moest.'

Het cadeau van de Secretaris-Generaal kwam recht uit zijn hart, maar hij genoot tevens van het idee een bewijs van de Sovjetheerschappij in de ruimte binnen het privé-leven van de Amerikaanse president te hebben gebracht. Tijdens zijn verkiezingscampagne had Kennedy geklaagd dat de namen van de eerste wezens die in een baan om de aarde waren gebracht, 'Strelka en Belka, en niet Rover of Fido' waren.[1] Nadat Poesjinka op afluisterapparatuur was onderzocht, werd ze, zoals O'Donnell later zou verklaren, 'een verwend lid van de familie'. Chroesjtsjov zond tevens een handgemaakt model van een Amerikaanse walvisvaarder: 'Deze stoomzeilschepen werden aan het eind van de negentiende eeuw in de Tsjoektsjenzee gebruikt voor de walvisvaart en deden dan Russische ha-

1. 'Of zelfs Checkers,' zoals hij er soms ter ere van Richard Nixon aan toevoegde.

vens aan.' De president antwoordde dat de walvisvaarder 'nu zijn rustplaats heeft gevonden in mijn kantoor hier op het Witte Huis'. Hoewel Poesjinka's lange transatlantische vlucht naar de Verenigde Staten 'niet zo ingrijpend als die van haar moeder' was geweest, 'had ze de reis prima doorstaan. Wij beiden waarderen het dat u dit ondanks uw drukke werkzaamheden nog niet vergeten was.'

In Wenen hadden Charmalov en Salinger samen met Adzjoebei en Harrison Salisbury ingestemd om de voordelen van hun respectievelijke politieke systemen op zowel de Amerikaanse als Russische televisie in een debat aan de orde te brengen. Op zaterdag 24 juni werd het zestig minuten durende programma in New York opgenomen en door NBC uitgezonden.[1] Vanuit Glen Ora belde Kennedy naar Salinger met de boodschap: 'Ik vond dat je met een straatlengte hebt gewonnen.'

Op maandagochtend ontving de president Charmalov, Adzjoebei en Georgi Bolsjakov in het Oval Office. Kennedy, die inmiddels op de hoogte was gesteld van Chroesjtsjovs stangende opmerking dat Amerika een 'ouder geworden hardloper' was, zei tegen Adzjoebei: 'Uw schoonvader heeft zo zijn mening, maar laat mij u vertellen hoe wij er over denken. [...] Jullie zijn als een hoogspringer die elke keer de balk dertig centimeter hoger kan leggen, net zo lang totdat hij een bepaalde hoogte heeft bereikt - zeg één meter tachtig. Maar om de volgende dertig centimeter te kunnen bereiken, kan hij de balk na elke sprong slechts centimeter voor centimeter hoger plaatsen en uiteindelijk slechts millimeter voor millimeter.'

Adzjoebei zei: 'U meet onze groei met andere maten dan wij de uwe.' Kennedy antwoordde: 'Ik bagatelliseer uw inspanningen niet. Uw land heeft een opmerkelijke economische vooruitgang geboekt. Dit is het soort vredelievende concurrentie die ik graag tussen onze landen zie. Maar u zult er meer aan moeten doen om de vrede te bewaren. Doe dat. We zullen in 1970 allemaal gaan kijken of de inschatting van de heer Chroesjtsjov correct is geweest.'

Adzjoebei vroeg waarom de Verenigde Staten, ondanks hun vredelievende bedoelingen, hun troepen in Berlijn handhaafden. De president antwoordde dat deze tienduizend man een 'symbolische' troepenmacht vormden, waarop Adzjoebei reageerde: 'Ik vind dat u *ons* een symbolische troepenmacht naar West-Berlijn moet laten sturen.' Misschien maakte hij gebruik van dossierkennis over Kennedy toen hij vervolgde: 'We zouden beginnen met het sturen van zeventien knappe verpleegsters.'

De president lachte: 'Ik denk dat *dit* nog net geen probleem hoeft op te leveren!' Hij vervolgde weer op ernstige toon en omschreef de Amerikaanse troepen als 'een symbool van onze verplichtingen aan West-Berlijn, een verplichting die we van plan zijn volledig na te komen. [...] Ik wil er gewoon zeker van zijn dat er bij u en uw schoonvader geen twijfel bestaat omtrent ons standpunt over Berlijn.'

Na de publicatie in de *Pravda* van Chroesjtsjovs deadline van zes maanden had Kennedy omtrent Berlijn in het openbaar geen commentaar meer gegeven. Tij-

1. Later braken de Russen de belofte het debat op hun eigen televisiestations uit te zenden. Ze zeiden dat dit kwam omdat de videoband niet compatibel was met de Russische televisieapparatuur.

dens de weken dat de president zweeg, had Mike Mansfield openlijk verklaard dat 'Berlijn vroeg of laat de aanleiding wordt voor een nieuwe ramp voor de mensheid'. Hij stelde voor dat de NAVO en het Warschaupact, als eerste stap tot een Duitse hereniging, de waarborg moesten geven dat Berlijn een 'vrije stad' was.

Tijdens een persconferentie op woensdag 28 juni zei de president dat Mansfield niet namens hem sprak: In een 'vrije stad', naar Chroesjtsjovs voorstel, zouden 'de rechten van de inwoners van West-Berlijn geleidelijk maar onverbiddelijk teniet worden gedaan – met andere woorden, een stad die niet vrij is [...]. De Russen begaan een grote fout als ze denken dat dreigementen of nieuwe agressieve daden de eenheid en vastberadenheid onder de geallieerden kunnen ondermijnen.'

Hij reageerde ook op Chroesjtsjovs opsnijden dat de Sovjet-Unie de Verenigde Staten in 1970 zou hebben ingehaald: 'Zonder de Secretaris-Generaal nu meteen af te troeven, doet hij me toch denken aan een jager die, voordat hij de tijger heeft gevangen, al een plaatsje aan de muur heeft gereserveerd voor het tijgervel. Deze tijger heeft echter andere plannen.'[1] Hij hield vol dat de Verenigde Staten de Russen ver achter zich lieten en dat hier zelfs tot het jaar 2000 geen verandering in zou komen.

In de *New York Herald Tribune* verwees Roscoe Drummond nog eens naar Kennedy's aantijging uit zijn verkiezingscampagne dat de economische groei van de Verenigde Staten gevaarlijk achterbleef bij die van de Sovjet-Unie: 'Ik dacht dat ik op de verkeerde persconferentie was of dat [...] Richard Milhous Nixon aan het woord was.'

Net als bij de pogingen van de president de Russische nucleaire ondergeschiktheid aan Amerika te onthullen, kan Chroesjtsjov zich hebben afgevraagd waarom Kennedy hem nu weer in verlegenheid probeerde te brengen door ditmaal zijn opschepperij over economische zaken onder vuur te nemen. Het zou niet bij hem zijn opgekomen dat hij, door het aanwakkeren van een Berlijnse crisis, de Amerikaanse president gedwongen had de westerse bondgenoten en de rest van de wereld precies te laten zien tot hoe ver de kracht van de Verenigde Staten reikte.

Er waren maar weinig wereldleiders die zich door Kennedy's verkiezingsoverwinning zo ongemakkelijk voelden als de vijfentachtigjarige bondskanselier van West-Duitsland, Konrad Adenauer. Hij had graag gewild dat Eisenhower en Dulles nog steeds de lakens uitdeelden.

Adenauer, kleinzoon van een bakker en zeer katholiek, kwam uit het Rijnland en voelde zich veel meer aangetrokken tot Zuidduitsers, Nederlanders en Fransen dan de 'heidense steppen' van het protestantse noordoostelijke deel van Duitsland, een gebied dat voor hem 'bijna in Azië' lag. Voor Adenauer was Berlijn het 'onchristelijke Babylon'. Als burgemeester van Keulen van 1917 tot 1933 had hij nauwkeurig een plan bestudeerd om het Duitse Rijnland van Duitsland los te maken en dit met Frankrijk te verenigen.

Adenauer haatte Hitler vooral vanwege diens heidense aura waardoor kinderen

---

1. Stafleden gniffelden bij deze opmerking: in de westelijke vleugel van het Witte Huis stond Kennedy gemeenzaam bekend als 'de tijger'.

van hun ouders werden vervreemd. Nadat hij door de nazi's aan de kant was gezet en tweemaal door de Gestapo was gearresteerd, bracht hij tijdens het Derde Rijk het grootste deel van tijd door in zijn huis in Rhöndorf, gelegen langs de Rijn tegenover Bonn. Hier cultiveerde hij rozen en sleutelde hij aan zijn klokken. Toen in 1949 de Bondsrepubliek werd gesticht, werd de christen-democraat Adenauer door Truman en Acheson tot kanselier gepromoveerd, ondanks de protesten van de Labour-premier Clement Attlee, die de voorkeur zou hebben gegeven aan de socialist Kurt Schumacher.

Als leider van de christen-democratische meerderheid, hielp *der Alte* West-Duitsland in zijn streven de welvarendste natie van het Europese vasteland te worden, waarbij zijn politiek, defensie en economie stevig in het westerse bondgenootschap verankerd lagen. Zijn regionale vooroordelen en zijn bezorgdheid voor wat hij zag als de Duitse neiging tot dwaasheden en buitensporig gedrag, weerhielden hem ervan zich enthousiast te maken voor een Duitse hereniging.

Adenauer was zeer ontstemd geraakt toen hij in 1957 een door Kennedy geschreven artikel in *Foreign Affairs* las waarin werd gesuggereerd dat de bondskanselier zijn beste tijd had gehad en dat Eisenhower te zwaar op de christen-democraten leunde. Hij vreesde dat Stevenson Kennedy's nieuwe minister van Buitenlandse Zaken zou worden. Hij vond dat Stevenson een gevaarlijk laks standpunt innam met betrekking tot een Amerikaanse erkenning van de DDR. Tegen vrienden vertelde hij dat Kennedy 'nog veel moest leren' en dat hij als president wel eens 'rampzalig' kon zijn. Kennedy zelf beschouwde Adenauer op zijn beurt bijna als een openlijke Nixon-aanhanger.

Uren nadat hij had vernomen dat Kennedy de Amerikaanse verkiezingen had gewonnen, probeerde hij de klap te boven te komen door aan te kondigen dat hij in februari 1961 een ontmoeting zou hebben met de nieuwe president. Met een steek onder water naar aanleiding van Adenauers partijdigheid liet Kennedy's staf weten dat februari te vroeg zou zijn: de kanselier moest zijn beurt afwachten.

Toen zijn bezoek aan het Witte Huis uiteindelijk voor begin april stond vastgesteld, was Adenauer vast besloten van Kennedy de verzekering te krijgen dat de president even standvastig zou zijn ten aanzien van Berlijn en West-Duitsland als Eisenhower. Met de verkiezingen van september in het vooruitzicht hoopte hij zijn eigen achterban te kunnen laten zien dat hij met Kennedy overweg kon. Enquêtes lieten zien dat de positie van de christen-democraten zwakker werd in vergelijking tot die van de coalitie van Willy Brandt, de jonge burgemeester van West-Berlijn die zo vaak als 'kennedyaans' werd omschreven.

Nog voor Adenauers komst schreef Henry Kissinger die lente naar de president dat de grote recente Amerikaanse belangstelling voor William Shirers boek *The Rise and Fall of the Third Reich* en het proces in Israël tegen Adolf Eichmann, bij de Duitsers de aloude 'onduidelijke vrees aan hun lot overgelaten te worden' weer hadden doen bovenkomen. Een nadrukkelijke aansporing aan het adres van Adenauer om zich vooral flexibel op te stellen, zou net zoiets zijn als 'Anonieme Alcoholisten vertellen dat één martini voor het eten geen kwaad kan'.

Terdege voorbereid deed de kanselier dapper zijn best om bij Kennedy spontaan en enthousiast over te komen, maar deze voelde dat hij 'niet alleen een andere generatie, maar een ander tijdperk, een andere wereld tegenover me zag'. Hij zei tegen Jacqueline dat Adenauer te lang was aangebleven en nu kortzichtig en verbitterd begon te worden. Adenauers onverzadigbare honger naar wat Sorensen omschreef als 'herhaaldelijke betuigingen van onze liefde en eer', had Kennedy ongeduldig gemaakt.

Na zijn terugkeer in Bonn prees Adenauer in vertrouwelijke kring Kennedy's vermogen zich op de fundamentele lijnen te kunnen concentreren, maar beschreef de president als 'een kruising tussen een ondergeschikte marineknaap en een rooms-katholieke padvinder', die de scepter zwaaide over een entourage van 'koks', 'whiz kids' en 'prima-donna's.'

Daarnaast was de kanselier verontrust over het Varkensbaai-debâcle. Zijn militaire inlichtingenchef, generaal Gerhard Wessel, zei later: 'Dat de grootste wereldmacht tot zoiets in staat bleek, was een catastrofe. Ongelofelijk! Het was een schok [...]. Ons vertrouwen in het leiderschap van de Verenigde Staten nam zienderogen af tot een zeer laag niveau.' Dit wantrouwen werd nog eens verscherpt door de topontmoeting in Wenen: 'Wij hadden het gevoel dat Kennedy in zijn gesprekken met Chroesjtsjov niet hard genoeg naar voren kwam.'

Op donderdag 29 juni riep de president de Nationale Veiligheidsraad in de Cabinet Room bijeen en vroeg Dean Acheson wat hij moest doen met Berlijn. De elegante en sardonische diplomaat was nooit een Kennedy-adept geweest. Voordat de president in 1960 de verkiezingen won, had hij diens vader beschouwd als een nouveau riche, illegale stoker en een vooroorlogse 'appeaser', die voor zijn verwende zoontje een plaats in het Congres had gekocht. Na de nominaties van Kennedy en Nixon schreef hij aan een vriend dat dit de beste verkiezingskreet was die hij kende: 'Men kan ze niet *allebei* kiezen.'

Acheson sloeg Kennedy's aanbod om ambassadeur bij de NAVO te worden af. Zijn oude betrekking was de enige volledige baan die hij zou accepteren. Maar toen Kennedy in maart 1961 openlijk een beroep deed op zijn advies inzake Duitsland en Berlijn, merkte Achesons secretaresse op dat 'D.A. hierdoor helemaal is opgebeurd en er beter en jonger uitziet dan ik hem in jaren heb gezien'. Zijn bescheiden terugkeer in de regering had echter geen invloed op zijn scherpe tong. In een toespraak die hij na het Varkensbaai-debâcle hield voor de buitenlandse dienst, verwoordde hij het gevoel van de Europeanen alsof ze 'een begaafde jonge amateur gadesloegen die zijn boemerang wegwierp en tot hun grote verschrikking zagen dat hij door hetzelfde projectiel vervolgens knock-out werd geslagen'. Kennedy hoorde van de toespraak en, zoals Acheson later zei, 'was hier totaal niet van gediend'.

In de Cabinet Room stelde hij nu dat Chroesjtsjov met zijn nieuwste Berlijnse crisis de NAVO wilde verzwakken, het Oostduitse regime wilde schragen en tot legalisatie van de Oder-Neissegrens met Polen wilde overgaan, die door de Sovjet-Unie als de oostelijke grens met de DDR werd erkend.[1] Maar de Sovjetleider

1. Op de conferentie van Potsdam van juli 1945 hadden de geallieerden voorlopig bepaald dat de rivieren de Oder en de Neisse als provisorische grenzen moesten dienen tussen de oude Westduitse en Oostduitse provincies. De laatstgenoemde werden toegewezen aan het naoorlogse Polen. Het wegsnijden van de oostelijke provincies uit het Duitsland van voor de oorlog zou altijd een actueel onderwerp in de politiek van de Bondsrepubliek blijven. Felix von Eckhardt, een medewerker van Adenauer, overhandigde zowel Kennedy als Nixon in juli 1960 een geheim verzoek van de kanselier om tijdens de verkiezings-

was vooral bezig de wilskracht van de Verenigde Staten op de proef te stellen. Amerika kon een heilige plicht als de verdediging van Berlijn niet zomaar opgeven. Chroesjtsjov zou de bereidheid tot onderhandelen als een teken van zwakte interpreteren. Hij kon deze crisis alleen maar hebben uitgelokt omdat de toegenomen Sovjetsterkte zijn vrees voor een nucleaire confrontatie had verminderd.

Het ministerie van Buitenlandse Zaken had onder Eisenhower in alle stilte drie 'essentials' opgesteld om Berlijn zelfs bij een dreigende kernoorlog te kunnen beschermen: het garanderen van een toegang tot de stad via de lucht en over de grond, de blijvende stationering van westerse troepen en andere vormen van Amerikaanse aanwezigheid, en het garanderen van de vrijheid en het voortbestaan van de westerse sector.[1]

Acheson zei dat de Verenigde Staten Chroesjtsjov moesten laten weten dat ze de 'onherroepelijke verplichting' hadden deze belangen te beschermen. De president moest overgaan tot een snelle concentratie van conventionele en nucleaire wapens, twee of drie extra divisies in West-Duitsland stationeren, op korte terijn drie tot zes extra divisies voor transport overzee achter de hand houden en een nationale noodtoestand afkondigen.

Als Chroesjtsjov een vredesverdrag zou tekenen, moest Kennedy niet kiften. Maar als de Russen en Oostduitsers de toegang tot Berlijn zouden blokkeren, moest de president tot een nieuwe luchtbrug overgaan. Als een dergelijke luchtbrug het westerse luchtverkeer zou hinderen, moest hij twee divisies als stoottroepen inzetten – deze zouden voor de Oostduitsers te groot zijn om ze zonder hulp van de Sovjets tegen te houden. Hij moest Chroesjtsjov duidelijk laten voelen dat hij de vastberadenheid bezat om, indien nodig, een kernoorlog niet uit de weg te gaan. Als het eenmaal zo ver was, zou Kennedy met concessies kunnen komen zoals het verbieden van spionage en subversieve activiteiten vanuit West-Berlijn, of zelfs het erkennen van de Oder-Neissegrens.

Enkele aanwezigen waren nogal geschrokken van Achesons schijnbare nonchalance omtrent het riskeren van een kernoorlog. Ze dachten dat het op gang brengen van onderhandelingen een teken aan Chroesjtsjov kon zijn dat het Westen

campagne geen aandacht te besteden aan de Oder-Neissegrens: 'Hij heeft in de gaten dat hij anders door de Polen in dit land enigszins onder druk kan worden gezet [...]. Alle verstandige Duitsers zien in dat de grens niet veranderd kan worden. Maar met de Duitse verkiezingen van september 1961 in het vooruitzicht zullen alle Amerikaanse uitspraken [...] in plaatselijke campagnes in het nadeel van de kanselier en zijn partij worden gebruikt.'

Von Eckhardt seinde deze boodschap via Harriman over naar Kennedy. Harriman vertelde de president dat 'hoe eerder iedereen met de Oder-Neissegrens instemde, hoe beter het voor iedereen zou zijn'. Aangezien Kennedy de kwesties Berlijn en Duitsland toch al liever wilde laten rusten, ging hij graag op Adenauers verzoek in. Tijdens zijn herfstcampagne naderde hij deze kwestie het dichtst toen hij tegen het Pools-Amerikaanse Congres van Chicago zei: 'We moeten de angst van Polen voor het Westen wegnemen, een angst die wel degelijk aanwezig is, en zich vooral op Duitsland richt.'

1. Toen West-Duitsland tijdens een bijeenkomst van de NAVO in mei 1961 van deze drie 'essentials' op de hoogte werd gesteld, klaagde Egon Bahr, een van de medewerkers van burgemeester Willy Brandt: 'Dit is bijna een uitnodiging aan de Russen om met de westelijke sector te doen wat ze willen.'

klaarstond om de irritatie rondom de kwestie-Berlijn te verlichten en tegelijkertijd de rechten van het Westen te beschermen.

Llewellyn Thompson, terug in Washington om inzake Berlijn advies te kunnen geven, verklaarde dat de nieuwe, door Chroesjtsjov begonnen crisis niet was bedoeld om de Verenigde Staten te vernederen, maar om de communistische positie in Oost-Europa te versterken en voor verwarring binnen de NAVO te zorgen. Thompson gaf de voorkeur aan een stille militaire opbouw, gevolgd door een diplomatiek offensief dat na de Westduitse verkiezingen in september van start moest gaan. Op deze manier zou de Sovjet-Unie zich de vijandschap van de rest van de wereld op de hals halen als ze tegenstand bood aan het plan van het Westen een kernoorlog omtrent Berlijn af te wenden.

Thompson stelde dat een afkondiging van de noodtoestand de Verenigde Staten 'hysterisch' zou doen lijken. Daarbij kon Chroesjtsjov wel eens genoodzaakt zijn om tot een overhaaste tegenactie over te gaan waar hij eigenlijk niet achterstond. Kennedy vroeg op of het eigenlijk wel 'in ons voordeel' was om druk te zetten achter de oude eis van het Westen voor een hereniging van Berlijn. Rusk zei dat 'zelfbeschikking een betere basis biedt dan hereniging', waarna de president hem opdroeg een voorstel uit te werken over een referendum dat Berlijners in staat moest stellen hun eigen lot te bepalen: er bestond geen twijfel over de vraag waar de meeste voorkeur naar zou uitgaan. Hij uitte hardop zijn vrees dat de Sovjet-Unie een nieuwe troepenconcentratie met gelijke munt zou kunnen terugbetalen. Acheson was het ermee eens dat zulke 'over-en-weer-uitdagingen' 'zo veel mogelijk' moesten worden vermeden.

Kennedy vroeg wat er gedaan moest worden 'als Chroesjtsjov voorstelt deze zomer een topontmoeting te houden'. Acheson zei: 'Met het verstrijken van de tijd, wordt het vinden van antwoorden niet moeilijker.' De president moest eerst gesprekken op een lager niveau voorstellen. Er waren 'zat oudere werkelozen', zoals hijzelf, die 'voor onbepaalde tijd gesprekken konden voeren zonder te onderhandelen'. Hijzelf zou dit 'gemakkelijk drie maanden achter elkaar' kunnen volhouden. Terwijl Robert Kennedy naar Acheson luisterde, hoopte hij dat hij 'nooit tegenover hem in een debat zou komen te zitten'.

Die week publiceerde *Newsweek* geheime informatie over rampenplannen voor Berlijn die door het Pentagon waren opgesteld, waaronder een mobilisatie van Amerikaanse strijdkrachten. Bezorgd over hoe Chroesjtsjov deze informatie zou opvatten, droeg Kennedy de FBI op de zaak te onderzoeken. Net als bij de genotuleerde gesprekken tijdens de Weense topontmoeting kan de president zelf, of een van zijn medewerkers, het lek hebben veroorzaakt – in dit geval om Chroesjtsjov een duidelijke waarschuwing te geven.[1]

Chroesjtsjov had de boodschap begrepen. In een toespraak in Moskou dreef hij de spot met 'berichten' over westerse mobilisatieplannen. Terwijl hij een uitvoering door dame Margot Fonteyn in het Bolsjoi-theater bijwoonde, riep hij de Britse ambassadeur, sir Frank Roberts, naar zijn loge en waarschuwde dat elke poging zijn Duitse vredesverdrag te dwarsbomen, tevergeefs zou zijn: als de

---

1. David Klein van de Nationale Veiligheidsraad, wiens mandaat onder meer Berlijn bevatte, veronderstelde dat iemand in het Witte Huis of het ministerie van Defensie de bron van het lek was.

westerse mogendheden een nieuwe divisie naar Duitsland sturen, zou de Sovjet-Unie daar het honderdvoudige tegenover stellen.

Zes Russische waterstofbommen zouden 'meer dan genoeg' zijn om de Britse eilanden te vernietigen. Voor Frankrijk lagen negen bommen gereed. Chroesjtsjov benutte de wetenschap dat de Britten meer dan de Amerikanen bereid waren om over Berlijn te onderhandelen en vroeg: 'Waarom zouden er tweehonderd miljoen mensen moeten sterven voor twee miljoen Berlijners?'

Op dinsdagavond 4 juli verschenen Chroesjtsjov en zijn vrouw voor het eerst in drie jaar weer op een door Jane en Llewellyn Thompson georganiseerde receptie ter ere van Onafhankelijkheidsdag in het Spaso House. Ze werden gevolgd door Mikojan en Kozlov, minister van Defensie Rodion Malinovski en vijf andere Russische maarschalken. Dit was typisch Chroesjtsjov: hij pleegde zulke bezoeken af te leggen wanneer hij bezorgd was dat bij een crisis met het Westen de gemoederen oververhit konden raken.

Boris Klosson onderhield hem totdat de ambassadeur hem afloste en eindelijk zijn eigen welkomstwoord kon spuien: 'Ik heb een klacht. U bent van plan mij uit te buiten. U bent van plan uw Twintigjarenplan op zondag bekend te maken, dus ik zal op zondag moeten werken.'

Chroesjtsjov zei: 'U bedoelt hiermee dat u het ook werkelijk gaat *lezen*?' Jane Thompson reikte hem een 'Scotch highball' aan, die Chroesjtsjov eerst een tijdje in de hand hield, om hem daarna aan Nina Petrovna door te spelen: 'Ik wil nog langer leven dan vandaag. Mikojan is degene die drinkt.'

Sherry Thompson, de zevenjarige dochter van de ambassadeur, nam Chroesjtsjov bij de hand en leidde hem mee naar haar eigen groentetuin. Het was onvermijdelijk dat hij meteen eiste dat ze haar lapje grond met koren ook liet zien, maar ze liet hem weten dat de halmen nog niet groot genoeg waren om getoond te worden.

Iemand riep: 'De aanval van correspondenten is begonnen!' Chroesjtsjov zei: 'We zullen deze afslaan, maar niet met raketten.' Een verslaggever: 'Ons enige wapen is een typemachine. Bezit u een geheim wapen?' Chroesjtsjov: 'Wij hebben geen wapens en uniformen nodig. Het enige dat nodig is, is gezond verstand.' Mikojan: 'Zijn tong is zijn wapen.' Een andere verslaggever: 'Een goed wapen dat ons heel wat ammunitie geeft, maar het is geen geheim wapen.'

Op zaterdag 8 juli schrapte Chroesjtsjov zijn programma ter reducering van het Rode Leger met 1,2 miljoen man. Onder militaire druk zag hij af van zijn bewering dat raketten troepen konden vervangen. Het Russische defensiebudget zou met een derde worden verhoogd: 'Dit zijn forse maatregelen, kameraden. We nemen zulke maatregelen omdat we de veiligheid van de Russische bevolking niet kunnen verwaarlozen.'

Hij merkte op dat Adenauer 'zichzelf schor stond te schreeuwen om kernwapens'. Ook Kennedy had zijn militaire uitgaven verhoogd. 'Dit is de reactie van het Westen op de unilaterale reductie van onze gewapende Sovjetstrijdkrachten en militaire uitgaven van de laatste jaren.'

Om de scherpe randjes er een beetje af te halen, citeerde Chroesjtsjov de wens van de Amerikaanse president om tot een vreedzame concurrentie te komen: 'Dit is natuurlijk veel beter dan een concurrentie op het gebied van de ontwikkeling van nog destructievere wapens.' Volgens Arkadi Sjevtsjenko 'overheerste de sfeer van een crisis terwijl we in afwachting waren van wat voor tegenmaatregelen Kennedy zou nemen'.

De president bevond zich in Hyannis Port. Eenmaal op de hoogte van Chroesjtsjovs verklaring zei hij dat de Russische Secretaris-Generaal zijn standpunt in de kwestie-Berlijn had verhard. De week daarvoor had hij John McCloy naar Moskou gestuurd in een poging de Geneefse ontwapeningsbesprekingen weer in gang te zetten.[1] Nu vroeg hij aan Bundy: 'Moeten we de gesprekken afbreken met als reden de onlangs verhoogde Russische militaire uitgaven en een verzoek indienen om de zaak aan de Verenigde Naties voor te leggen?'
Eerder die dag had Kennedy, gekleed in een beige tweed jasje en katoenen broek, zich bij zijn vrouw, Rusk, McNamara, Maxwell Taylor en Charles Spaldings gevoegd voor een maaltijd met hot dogs en een gevulde vissoep aan boord van de *Marlin*. Jacqueline sprong over de reling en ging waterskiën. Taylor en McNamara zwommen. De minister van Buitenlandse Zaken zat nog steeds in zijn nette pak op de achtersteven samen met Kennedy, die er zich over beklaagde dat er sinds de topontmoeting in Wenen al een maand was verstreken, maar dat Buitenlandse Zaken nog niet met een antwoord op Chroesjtsjovs Berlijnse *aide-mémoire* op de proppen was gekomen.
Rusk wees hem erop dat zo'n antwoord eerst door de westerse bondgenoten moest worden goedgekeurd: de Sovjets zouden elke nuancering aangrijpen om de westerse alliantie uiteen te drijven. De president gaf daarop te verstaan dat hij niet van plan was afhankelijk te worden van de bondgenoten: begreep Rusk dit dan niet? Het waren de *Verenigde Staten* die voor Berlijn de volle verantwoordelijkheid droegen. Uiteindelijk zouden alleen zij het beleid bepalen.
Kennedy had een memo, afkomstig van Schlesinger en twee andere stafleden, gelezen waarin kritiek werd geuit op Achesons fixatie op de militaire aspecten van de kwestie-Berlijn en van wat ze zelf omschreven als 'de minst waarschijnlijke eventualiteit' – een ogenblikkelijke blokkade van West-Berlijn. Hij was het hiermee eens en gaf Rusk tien dagen de tijd om met een plan te komen voor onderhandelingen over Berlijn.
Taylor en McNamara klommen weer aan boord. De president, nog steeds geïrriteerd, klaagde over het militaire scenario rond Berlijn. Als de Russen de toegangswegen afsneden, zou de NAVO sterk onder druk komen om met conventionele militaire middelen te reageren. Hij wilde uit meer opties kunnen kiezen dan alleen maar 'een holocaust of humiliatie'.
Hij gaf McNamara tien dagen de tijd om een plan op te stellen voor een niet-nucleaire tegenstand op een schaal die groot genoeg was om te kunnen aantonen dat het Westen het hoofd zou bieden aan een 'goedkope en gemakkelijke' inname van Berlijn door Oostduitse Vopo's. Zo'n operatie moest groot genoeg zijn om tot een echte rustpauze te kunnen komen – een maand in plaats van een uur – voor hemzelf en voor Chroesjtsjov om te kunnen kiezen tussen een terugtocht of een kernoorlog.

1. McCloy schreef naar Eisenhower dat hij zich klaarmaakte voor 'een volgende zitting met de Russen waar ik niet echt naar uitkijk, aangezien ik vanwege onze betrekkingen met zowel de bondgenoten als met andere regeringsvertegenwoordigers een behoorlijk gebrek aan bewegingsvrijheid heb'.

In de Cabinet Room vertelde Rusk op donderdag 13 juli tegen Kennedy dat 'wij geen invloed kunnen uitoefenen op Chroesjtsjovs tijdschema'. Als de president nu onderhandelingen zou voorstellen, kon hij de 'spanning' uit de crisis wegnemen. Het probleem was, zoals Acheson al had laten weten, dat de Verenigde Staten 'zich op dit moment niet in een goede onderhandelingspositie' bevonden. Als Chroesjtsjov 'bereid zou zijn geweest onze grondrechten te beschermen', had hij het nooit tot deze confrontatie laten komen.

McNamara adviseerde een nationale noodtoestand af te kondigen om de Amerikanen over de gevaren met betrekking tot Berlijn wakker te schudden en ze voor te bereiden op eventuele offers. De president moest de reservisten en de Nationale Garde oproepen, de diensttijd van de huidige soldaten verlengen, Amerikaanse medewerkers uit Europa terugtrekken en het Congres om een extra bedrag van 4,3 miljard dollar voor het defensiebudget verzoeken.

Rusk vreesde dat het uitroepen van de noodtoestand 'gevaarlijk dicht bij een mobilisatie' lag. 'We moeten alle acties die geen zuiver militair doel hebben en die als provocaties kunnen worden uitgelegd, proberen te vermijden.' Chroesjtsjov zou meer onder de indruk raken als 'drastischer maatregelen bij onze voorbereiding pas worden uitgevoerd wanneer de crisis zich verergert'. Als alternatief kon de president het Congres verzoeken met een resolutie te komen die hem in staat zou stellen het leger op te roepen wanneer dit nodig mocht zijn.

Acheson klaagde dat als de president pas op een laat moment in de crisis zou overgaan tot het oproepen van reservisten, dit net zo weinig invloed op Chroesjtsjovs inzicht zou hebben als 'de zaak met bommen platgooien wanneer hij de crisis tot het uiterste had gebracht'. Lyndon Johnson stelde dat Kennedy 'het voortouw moest nemen' omdat de Congresleden anders zouden denken dat de president hun met de lasten wilde opzadelen.

Na de bijeenkomst nam Kennedy McNamara mee naar het Oval Office: hij moest werken vanuit de veronderstelling dat Amerika alleen met militaire acties zou komen als er sprake was van een directe bedreiging van Berlijn. Bij deze crisis draaide het om twee dingen – 'onze aanwezigheid in Berlijn' en 'onze toegang'. De Verenigde Staten zouden geen plannen ondernemen de Sovjet-Unie in haar eigen invloedssfeer uit te dagen.

De Amerikaanse regering had nog steeds geen reactie laten horen op Chroesjtsjovs *aide-mémoire*. Kennedy's naaste medewerkers herleidden dit lange uitblijven tot een beroemde parabel die de traagheid van het ministerie van Buitenlandse Zaken aantoonde. In 1962 zei de president in een interview dat 'het ministerie van Buitenlandse Zaken weken nodig had om zich over ons antwoord te beraden. [...] Het lijkt me dat de taak van de president erop gericht is meer vaart achter de zaken te zetten. Anders kun je gewoon wachten totdat de wereld in elkaar stort.'

Het werkelijke verhaal was een stuk minder zwart-wit. Martin Hillenbrand, medewerker op het ministerie van Buitenlandse Zaken, zei later dat men na de topontmoeting in Wenen met een eerste ruwe versie was gekomen, maar 'de administratieve procedures binnen het Witte Huis waren zo slordig' dat deze eerste versie uiteindelijk in de kluis belandde van een presidentiële medewerker, een zekere Ralph Dungan, die meteen daarna twee weken op vakantie ging. [...] Toen uiteindelijk werd toegegeven dat de eerste versie zoek was geraakt, maakten we een tweede versie. Het is duidelijk dat de president hier niets over te weten kwam en dus kreeg het ministerie van Buitenlandse Zaken de schuld.'

Toen de tekst van het Amerikaanse antwoord ten slotte toch het Oval Office bereikte, waren Kennedy en Bundy van mening dat het niet meer dan een collage van afgezaagde voorstellen en verklaringen uit de Berlijnse crisis van 1948 was. Beide heren voelden dat men de zaak niet serieus had genomen: gewoon weer zo'n Koude-Oorlogdocument dat naar de achtergrond zou verdwijnen om daarna snel vergeten te worden.

De president vroeg nu aan Sorensen 'een kortere en eenvoudiger versie' te maken. Foy Kohler klaagde dat elke nieuwe versie eerst door de bondgenoten moest worden goedgekeurd, wat weer tijd zou kosten. Volgens Kohler moest Kennedy nog steeds een besluit nemen over zijn beleid ten aanzien van Berlijn, 'en ik zal vervloekt zijn als we zouden toestaan als we ook maar één nietszeggende aantekening de deur uit lieten gaan'. Kohler vond dat dit soort argumenten 'weinig effect' hadden op Robert Kennedy, 'die ons maar inefficiënt vond werken'. Uiteindelijk slaagden de Verenigde Staten er in om zes weken na de topontmoeting in Wenen met een antwoord op Chroesjtsjovs *aide-mémoire* te komen.

Diezelfde maand klaagde de president tegen Bundy dat de eerste versie van Lyndon Johnsons brief aan Jiang Kaishek 'hopeloos' was: 'Ik ben geschokt over het feit dat deze brief kon worden goedgekeurd.' Na de inauguratie en ontevreden over de voorgestelde antwoorden aan de verschillende staatshoofden, dicteerde hij uiteindelijk zijn eigen antwoorden zelf. Robert Kennedy zei later dat belangrijke documenten 'allemaal door de president zelf of iemand op het Witte Huis moesten worden geschreven of herschreven, iets waarvan hij doodziek werd. [...] Ze ontbeerden niet alleen goede ideeën, maar alles was ook nog eens slecht geschreven.' Later zou John Kenneth Galbraith Kennedy's standpunten ten aanzien van het ministerie van Buitenlandse Zaken in een gezuiverde vorm weergeven in de roman *The McLandress Dimension*, die hij onder een pseudoniem had geschreven. In Galbraiths versie krijgt het ministerie van Buitenlandse Zaken de beschikking over een grote computer waarmee zijn grote droom van een 'volledig geautomatiseerd buitenlands beleid' in vervulling gaat: als antwoord op een heftige Sovettoespraak braakt de machine genoeg clichés uit om een doodzonde als iets nieuws bedenken bij voorbaat uit te sluiten.

Kennedy vond dat een meerderheid binnen het ministerie van Buitenlandse Zaken 'mij als president niet ziet zitten'. Hij zei eens: 'Het zijn geen idioten, maar, uh, ze zijn een beetje zoals Adlai [Stevenson].' Vanuit New Delhi schreef Galbraith naar hem: 'Als die lui op het ministerie van Buitenlandse Zaken je gek maken, kun je jezelf misschien kalmeren door te kijken naar wat voor effect ze op mij hebben gehad. Onlangs werd ik met een zalig gevoel wakker en ontdekte dat ik had gedroomd dat het hele godvergeten departement was afgebrand. Ik dutte weer in en hoopte dat ik in mijn dromen een krantekop zou zien die meldde dat er geen overlevenden waren.'

De president vertrouwde in toenemende mate op McGeorge Bundy. Hij vertelde Jacqueline dat deze, met uitzondering van David Ormsby-Gore, zijn nationale-veiligheidsadviseur, de slimste man was die hij ooit had gekend: 'Verdomme, Bundy en ik krijgen op één dag in het Witte Huis meer voor elkaar dan het ministerie van Buitenlandse Zaken in zes maanden.'

227

Bundy rekende loyaliteit, snelheid van werken en verbeeldingskracht tot zijn taken, eigenschappen waarvan Kennedy voelde dat hij deze niet van het ministerie van Buitenlandse Zaken hoefde te verwachten. Hij vulde de Nationale Veiligheidsraad aan met een aantal onversaagde jongemannen die als de oren en ogen van de president zouden gaan fungeren. Verder moesten ze verhinderen dat het ambtenarenapparaat Kennedy's doelstellingen zou ondermijnen en moesten ze hem op opties wijzen die anders in de strijd voor ambtelijke consensus verloren zouden gaan. Gevraagd naar wat hij zou doen als hij minister van Buitenlandse Zaken zou zijn terwijl Bundy voor de Nationale Veiligheidsraad zou werken, zei Dean Acheson: 'Aftreden.'

In het begin kende Kennedy zijn buitenlandadviseur nog maar vaag. Hierdoor sprak hij hem vaak aan met 'McBundy'. Maar in de zomer van 1961 was hij al zo ver dat hij, met uitzondering van O'Donnell en Sorensen, meer tijd in het Oval Office doorbracht dan welke andere hooggeplaatste medewerker.
Aangemoedigd door Kennedy week hij af van de gebruikelijke lijnen door beleidsbepalende toespraken te houden en door zijn weigering op te treden als een neutrale overbrenger van informatie tussen het Witte Huis en de verschillende instanties.[1] Kennedy grapte: 'Ik hoop alleen dat hij nog wat overgebleven functies voor mij overlaat.' En tegen Ben Bradlee zei hij: 'Tegen verstand kun je niet op en inzicht komt met het verstand. [...] Hij verzet een gigantische hoop werk en laat zich niet uit het veld slaan als anderen hem een veeg uit de pan geven.'
Documenten en telegrammen werden door Bundy vaak nog eens van een kort, vaak schertsend commentaar voorzien in de trant van: 'De wereld is van ons,' iets wat Kennedy wel kon waarderen: 'Een schokkend bericht tussen de Italiaanse post... Heb gesprek onderschept uit Bonn tussen de ambassadeur van de Verenigde Arabische Republiek [Egypte] en [Franz Josef] Strauss. Stuur het hierbij op, want het vertelt heel wat over Strauss en heel weinig over ons.[2]... Achtergrondinformatie over de ontstemming van de Saoedi's... Een Afghaanse thriller... De sjah zadelt de minister met nog meer werk op... Als u niet instemt, kunnen we de volgende week omdraaien... Memorandum laat zien dat de Afrikanen nog minder, dan wel meer op ons zijn gesteld dan dat we tot nu toe gedacht hebben.'
Met een goed gevoel voor dienstbaarheid toonde Bundy een bewonderenswaardige bereidheid de schuld op zich te nemen als Kennedy door een bepaald besluit politieke schade dreigde op te lopen en schreef: 'Ik vind dat het Witte Huis maar weer eens achter die handige zondebok van een McBungle aan moet gaan.'
In september 1962 berichtte Bundy, nadat Chester Bowles een toespraak over

1. Goodpasters officiële titel onder Eisenhower was die van stafsecretaris, maar hij vervulde de meeste functies die later door mannen als Bundy, Rostow, Kissinger en Zbigniew Brzezinski voor hun rekening werden genomen en die allemaal dezelfde officiële titel voerden: presidentsassistent voor nationale-veiligheidsaangelegenheden. Gordon Gray, die deze titel onder Eisenhower voerde, richtte zich op het buitenlands beleid op lange termijn.
2. Dit verwijst naar een rapport van een gesprek dat door de Amerikaanse inlichtingendiensten in Bonn werd onderschept, misschien door middel van een op het Westduitse ministerie van Defensie of de ambassade van Egypte geplaatst afluisterapparatuur.

Cuba had gehouden, aan de president: 'Een klucht van ondermaatse fouten
[...]. Ze waren allemaal te wijten aan slordigheid (waarbij de controle binnen
Buitenlandse Zaken zelfs nog slordiger was). Ik heb ze zozeer de stuipen op het
lijf gejaagd dat ik het betwijfel of de fout in kwestie zich nogmaals zal voordoen.
[...] Ik heb die slimme jongeman van Yale die voor Bowles werkt ook uitgelegd
dat als zijn baas zich op deze toon uitlaat, die niet door het Grote Amerikaanse
Publiek zal worden gehoord en dus alleen het mikpunt is van die stukken onbe-
nul van de Republikeinen.'

Een van Bundy's andere werkzaamheden was onder meer te zorgen voor een
grotere etnische diversiteit binnen de westelijke vleugel van het Witte Huis. Onder de mannen die de oorspronkelijke staf van Kennedy vormden, was hij de enige echte Angelsaksische protestant. Net als McNamara, Dillon, McCloy en anderen kwam hij tegemoet aan de zelfbeschermende instincten van de president
om het buitenlands beleid vooral aan Republikeinen toe te vertrouwen. In 1962
vroeg Bundy aan Kennedy of het 'nuttig' zou zijn als hij zich nu als Democraat
liet inschrijven: omdat hij nu voor de president werkte 'voelde' hij zich 'meer een
Democraat'. Kennedy liet daarop weten dat het voor hem 'van iets meer nut is
om jou als een Republikein te kunnen beschouwen'. Bundy zag van het idee af.
Kennedy vroeg hem zijn mening over van alles. Bang dat hij en Jacqueline als
'twee dandy's' over zouden komen, vroeg hij in mei 1962 aan Bundy of deze het
politiek verstandig vond om de First Lady gekleed in ruiterkledij naar een paardenshow in Virginia te laten afreizen. Bundy antwoordde met een gedicht:

> 'Moet ik haar naar de paardenshow laten gaan?'
> De president keek sip.
> 'Konden onze critici nu heviger toeslaan
> Dan bij Steel, Phoumi of de Trib?[1]
>
> De belichaming van trots – een paard,
> Een mooi bezit   een paard,
> Als je tenminste voor een ruiter zorgt   uiteraard
> Een dappere en mooie dame met pit.
>
> Want kiezers durven schoonheid te bewonderen,
> En kiezers willen maar al te graag de dapperen eren;
> Alleen de rijken zijn geneigd te katten,
> Maar welke rijken zitten om ons te springen?
>
> En dus smoort de president alle twijfel als hij roept:
> 'Ik die beslis, zeg: "Laat haar rijden!"'
> Ik zeg geen Ho – we gaan door met de show;
> Alle lichten op groen – van mij kun je beginnen.'[2]

1. 'Steel' en 'Trib' verwezen respectievelijk naar de confrontatie die de president in 1962
had met Roger Blough, de president van *US Steel*, over een verhoging van de staalprijzen,
en zijn opzegging van abonnementen van het Witte Huis op de *New York Herald Tribune*
vanwege zijn ongenoegen over wat hij bestempelde als hun anti-Kennedyhouding.
2. Zoals vaak in Kennedy's presidentiële loopbaan, kende ook deze episode een diepere

Bundy werd in 1919 als derde kind uit een gezin van drie zoons geboren en groeide op in wat hij noemde 'een Bostons koud-buffetgezin'. Zijn moeders meisjesnaam was Lowell. Zijn vader, geboren in Grand Rapids in Michigan, had het op de Harvard Law School tot de eerste van de klas geschopt. Henry L. Stimson was de familieheilige. Deze legendarische overheidsdienaar was de superieur van Harvey Bundy tijdens diens periode als minister van Buitenlandse Zaken onder Herbert Hoover en later als minister van Oorlog onder Franklin Roosevelt.

De jonge Bundy groeide op in een milieu waarin Stimson, Acheson en andere leden van de noordoostelijke buitenlands-beleidaristocratie ook groot waren geworden. Het gezinsleven van de Bundy's eiste van iedereen een briljant optreden, uitstekende resultaten, concurrentiedrang en op logica gebaseerde overredingskracht. Al vanaf jonge leeftijd leek hij door zijn eigen gyroscoop te worden gestuurd. Op Groton weigerde hij mee te werken aan de heldenverering van de beroemde rector Endicott Peabody, die hij als een anti-intellectueel en antimeritocraat beschouwde. Ondanks de Harvard-traditie van het gezin schreef hij zich in op Yale, waarbij hij de eerste eerstejaarsstudent was die drie tienen op zijn toelatingsexamen haalde.

Nadat hij in 1940 was afgestudeerd, kwam hij uiteindelijk toch op Harvard terecht, namelijk als lid van de *Society of Fellows* die door zijn oudoom en rector van Harvard, A. Lawrence Lowell, werd bekostigd om jonge, veelbelovende studenten te bevrijden van wat hij als de dodelijke invloed van het Amerikaanse hoger onderwijs beschouwde. Nadat hij was aangemoedigd om zich verkiesbaar te stellen voor de gemeenteraad van Boston, werd hij door een onbekende Democraat verslagen, ondanks het feit dat zijn verkiezingsstrijd zich in een zwaar Republikeins district had afgespeeld. Later zou hij deze verkiezingen bestempelen als 'de slechtst georganiseerde campagne in de geschiedenis'.

Na Pearl Harbor leerde Bundy de lettervolgorde op oogtestvellen van buiten om zo toch een post bij de inlichtingendienst van het leger te kunnen krijgen. Een vriend van de familie, vice-admiraal Alan Kirk, commandant van de amfibische strijdkrachten op de Atlantische Oceaan, stelde hem aan als adjudant voor de invasie van Sicilië.[1] In 1943 schreef Bundy naar zijn vriend John Mason Brown, de toneelcriticus: 'Oorlogen zitten vol met momenten van glorie en heldhaftigheid, maar deze momenten bezitten geen eigen schoonheid, noch als geheel noch afzonderlijk – ze zijn lelijk.'

Later schreef hij: 'Waarom deden we zo veel dingen samen – ondanks onze verbazingwekkende en algehele eenzaamheid? Er bestaat geen roman die hierbij helpt – mij niet in ieder geval.'

betekenis. Doordat Kennedy's vrouw de paardenshow bijwoonde, miste ze het groots opgezette feest in Madison Square Garden ter gelegenheid van de vijfenveertigste verjaardag van haar man. Het was op dit feest dat Marilyn Monroe haar beroemde zwoele versie van het refrein uit 'Happy Birthday' zong en zich na afloop tijdens een besloten party bij de president voegde.

1. In 1961 haalde Bundy president Kennedy over om Kirk tot ambassadeur in Taipei te benoemen met als argument dat de ervaringen van de admiraal met amfibielandingen hem in staat zouden stellen Jiang Kaishek te laten zien hoe moeilijk het zou zijn het vasteland weer te heroveren.

In juni 1944, toen het Amerikaanse slagschip de *USS Augusta* Normandië bereikte, stond Bundy samen met Kirk op de vlaggebrug. Met zijn uitstekende Frans hielp hij de admiraal om in Parijs een hoofdkwartier op te zetten. Na het einde van de oorlog in Europa werd hij overgeplaatst naar de infanterie in de Stille Zuidzee voor de invasie van Japan, die nooit zou komen. In 1946 verhuisde hij naar het pension van Stimson op diens landgoed op Long Island om samen met de kolonel aan diens memoires te werken. Deze handelden over de ontwikkeling die Amerika had doorgemaakt van isolationisme tot wereldmacht. In 1948 werkte hij onder leiding van zijn voormalig Yale-docent economie, Richard Bissell, aan het Marshall-plan en schreef toespraken over het buitenlands beleid voor Thomas Dewey.

Hij verhuisde daarna naar Harvard om er colleges te geven over 'De Verenigde Staten en de wereldpolitiek' en werd op vierendertigjarige leeftijd tot faculteitsvoorzitter benoemd. In deze hoedanigheid vormde hij een tegenwicht voor wat Galbraith omschreef als 'het verre van strenge bewind' van rector Nathan Pusey. Hij hield een aandeel in de politiek van de Republikeinen. 'Ik zal naar de Tempel Israëls gaan en daar het evangelie volgens Eisenhower prediken,' schreef hij naar Brown in 1952. 'Kom ook en laat jezelf bekeren, als je tenminste een afvallige van Adlai bent.'

In september 1953 vroeg Robert Cutler, Eisenhowers nationale-veiligheidsadviseur, aan Bundy of deze Harvard wilde verlaten om zijn vervanger te worden. Bundy moest echter weigeren: hij was zojuist tot faculteitsvoorzitter benoemd en kon niet al na een maand opstappen. Verder voelde hij 'geen diepe genegenheid' voor Foster Dulles. Als Bundy het aanbod had geaccepteerd en daarmee Cutler had opgevolgd, zou hij bij Kennedy's spervuur van kritiek aan het adres van Eisenhower in de herfst van 1960 een van de hoofdverdedigers van diens buitenlands beleid zijn geweest.

Bundy had samen met de toekomstige president en diens oudere broer de Dexter-school in Brookline bezocht: 'Ik betwijfelde of ik alle Kennedy's uit elkaar kon houden. [...] Bij twee colleges zaten we altijd in dezelfde zaal en zag ik hem buiten de studie in en rond Boston. Ik zag zijn zus Kathleen eigenlijk vaker, maar zo werkt dat nu eenmaal.'

In de lente van 1952 werd Bundy door Arthur Schlesinger jr uitgenodigd voor een lunch in Cambridge om te bespreken of 'Jack zich verkiesbaar moet stellen voor de Senaat'. Bundy liet Kennedy weten dat Henry Cabot Lodge de gedoodverfde winnaar was: 'Je zou makkelijk voorzitter van het Huis van Afgevaardigden kunnen worden als je gewoon bleef zitten waar je zit.' Hij zag hoe hevig Kennedy terugdeinsde voor het vooruitzicht van een leven lang in het Huis van Afgevaardigden, en zou later opmerken dat Kennedy hem nooit meer om dit soort politieke adviezen zou vragen.

Nadat de Senator tot Harvard-inspecteur was verkozen, zagen Bundy en Kennedy elkaar vaker. In 1958 citeerden Republikeinse adviseurs Bundy's uitspraak dat de Democratische gouverneur Foster Furcolo geen slechte man, maar alleen een slechte gouverneur was. Kennedy vroeg lacherig aan Bundy: 'Waarom denk je dat hij geen slechte vent is?'

Omstreeks 1960 vreesde Bundy dat de regering Eisenhower het initiatief in de Koude Oorlog aan het verliezen was. Aangezien hij Kennedy 'veel beter dan Nixon' vond, liet hij de Senator tijdens een promotiedag op Harvard weten hem te zullen steunen. Uit de campagne van Dewey wist hij dat 'je van buitenaf niet echt een goede bijdrage kunt leveren', maar hij zou de Kennedy-karavaan toch vanaf een afstand ideeën aanreiken.

Nadat de presidentsverkiezingen van 1960 achter de rug waren, zei hij onder het genot van een drankje in het Ritz-Carlton Hotel in Boston tegen Sargent Shriver dat hij interesse had voor een baan bij de regering, 'maar het hangt wel van de post af'. Toen Robert Lovett en Walter Lippmann hem als minister van Buitenlandse Zaken voordroegen, zei Kennedy: 'Hij is nog wel erg jong, vind je niet?' De aanstaande president werd korte tijd bevangen door het idee van Bundy als minister van Buitenlandse Zaken. Hij was slim, onconventioneel, nationaal gezien een onbekende en dus had hij tot nu toe nog weinig vijanden in Washington en nog geen eigen politieke aanhang. Hij was een onafhankelijk gerichte Republikein en bezat de geloofwaardigheid van de gevestigde Republikeinen om hun twijfel ten aanzien van Kennedy's leeftijd, zijn vader, zijn serieuze houding en zijn niet al te brede ervaring weg te nemen. Uiteindelijk kwam Kennedy tot de conclusie dat 'twee kerels met een baby face zoals hij en ik gewoon te veel van het goede zijn'.

Nadat hij Dean Rusk als eerste keus had voorgedragen, kwam Bundy als nummer twee, maar Rusk gaf de voorkeur aan Chester Bowles. Kennedy sprak met Bundy af in het Carlyle Hotel en liet hem weten dat hij niet van plan was nieuwe posten te scheppen: hij wilde niet hebben dat een stelletje '*New Deal*-bureaucraten de regering verpesten.' Kende Bundy Rusk eigenlijk wel en zou hij akkoord gaan met een post als onderminister voor Politieke Aangelegenheden? Hiermee zou hij de nummer drie worden op het departement. Bundy ging akkoord: hij kende Rusk nog van de Rockefeller Foundation en kon hem wel waarderen.

Kort daarna moest een in verlegenheid gebrachte Kennedy Bundy vertellen dat Bowles al had besloten zich te specialiseren in politieke aangelegenheden. De statuten bepaalden dat de nummer drie zich moest bekwamen in economische zaken: 'Ik denk niet dat we *beiden* onze geloofwaardigheid kunnen behouden als we jou op *zo'n* post zetten.' Bundy herinnerde zich dat de daaropvolgende weken zich in een 'afschuwelijke stilte' voltrokken. Daarna kwam Kennedy met het aanbod hem tot onderminister van Regeringszaken te benoemen. Bundy antwoordde dat hij al jaren bestuurder was geweest: hij had het niet in zich om 'dat rare departement' op orde te brengen.

Terwijl Bundy en zijn familie bezig waren de kerstboom op te tuigen, belde Kennedy nog een laatste keer met het aanbod hem tot speciale presidentsassistent voor nationale-veiligheidsaangelegenheden te benoemen. Bundy accepteerde. In 1960 bezat deze post nog niet het prominente karakter dat Bundy en latere functionarissen eraan zouden geven. Maar Bundy zag in dat deze positie hem in ieder geval in staat stelde nauw met de president samen te werken: 'Dat leek al mijn gebrek aan kennis over deze post goed te maken.'

In mei 1961 was hij inmiddels verhuisd van West Executive Avenue naar de kelders van de westelijke vleugel van het Witte Huis. Al gauw liet hij O'Donnell weten dat zijn kantoorruimte te klein was: 'De president noemde dit een varkenskot en dat heeft mijn trots gekrenkt. [...] In de tijd van Eisenhower bleven alle medewerkers van de Nationale Veiligheidsraad aan de overkant – maar daarvandaan kan ik mijn werkzaamheden niet verrichten. [...] Het heeft allemaal te maken met een president die zich heeft belast met buitenlandse aangelegenheden.'

Bundy bezat een oprechte bewondering voor Kennedy en hield soms rekening met zijn handelwijze. Hij zou bijvoorbeeld nooit op feestjes gezien zijn waar hij met actrice Angie Dickinson danste als hij door Eisenhower in plaats van Kennedy naar het Witte Huis was gehaald. Maar soms nam hij afstand van de subcultuur van de Kennedy's. Toen bekend werd dat de president graag spionageromans las, liet Bundy een verslaggever duidelijk weten: 'Ik ben geen fan van Ian Fleming.'

Hij stond zichzelf nooit toe stoom af te blazen of tegenover verslaggevers zijn reputatie op te vijzelen door persoonlijke, afvallige en snijdende opmerkingen over zijn baas te maken, zoals latere presidentiële medewerkers zouden doen. Zijn grote dosis scepsis en trots weerhielden hem ervan een jaknikker te worden. Wanneer hij de president uitdaagde, vertrouwde hij nauwlettend op zijn fijnzinnige instinct dat de grens aangaf waar hij gas terug moest nemen om niet aanmatigend over te komen: bij Kennedy lag deze grens hoger dan bij de meeste andere presidenten.

Veel later herinnerde Bundy zich dat toen hij en zijn collega Myer Feldman bij Kennedy aanliepen, 'er net een van zijn knappe vriendinnen een of ander goedje in zijn haar stond te smeren, een of ander perfect middel dat iemand had aanbevolen voor gezond haar. Ik zei dat ik dit soort praktijken min of meer beneden de waardigheid van het Oval Office vond. Hij keek naar Mike en mij – we hadden allebei niet echt veel haar meer op ons hoofd – en zei: "Nou, ik vraag me af of jullie je haar wel zo goed *plannen*."'

Jaren later kon Bundy zich herinneren dat Kennedy hem nooit meer dan vijf keer had bedankt: 'Hij was niet onvriendelijk of zo, maar je wordt nu eenmaal geen president als je geen aandacht aan de Nummer Een, jezelf, besteedt.' Toch werden dit glorieuze jaren voor Bundy. Het was een tijd waarin de wereld jong en hoopvol leek, een periode die vooral achteraf gezien aantrekkelijk kan zijn geweest, nadat Bundy onder Lyndon Johnson de nodige ervaring met Vietnam had opgedaan.

In juli 1961 vertelde ambassadeur Mensjikov in Washington tegen iedereen die maar wilde luisteren dat 'als het erop aan komt, het Amerikaanse volk niet wil vechten voor Berlijn'. Volgens Fjodor Boerlatski, een medewerker van Chroesjtsjov, geloofde bijna niemand binnen de Sovjetregering dat de Amerikanen bij de verdediging van Berlijn kernwapens zouden gebruiken: 'Maar misschien hadden we het wel bij het verkeerde eind. Misschien waren we wel stom.' Robert Kennedy regelde een ontmoeting met Bolsjakov. Hij was klaarblijkelijk bereid alle foute informatie door de vingers te zien die de Rus had doorgegeven over Chroesjtsjovs bereidheid om tijdens de topontmoeting in Wenen tot compromissen te komen inzake kernproeven: de Kennedy's waren tot de conclusie gekomen dat de Secretaris-Generaal een behoorlijke verandering van ideeën had ondergaan. Bolsjakov waarschuwde dat Mensjikov zoals gebruikelijk Chroesjtsjov precies vertelde wat deze 'wilde horen': als hij druk uitoefende, zou de president hiervoor bezwijken en 'zou de Sovjet-Unie Berlijn innemen'. Bolsjakov liet weten dat hij probeerde de verkeerde indruk weer ongedaan te maken. Tijdens de lunch op de Sovjetambassade liet Robert Kennedy Mensjikov nadrukkelijk weten dat hij en de president eerder bereid waren te sterven dan te capituleren. Het antwoord van de Russische afgezant ging vergezeld van een beleefd soort scepsis. Kennedy werd hierbij zo boos dat bij bijna de kamer uit beende. Terwijl hij Mensjikov dreigend aankeek, verklaarde hij dat de Verenigde Staten Berlijn nooit in de steek zouden laten: de ambassadeur kon deze boodschap maar beter – in dezelfde bewoordingen – aan Chroesjtsjov overbrengen. Ook andere Amerikaanse functionarissen vulden Kennedy's boodschap aan. Paul Nitze lunchte met Mensjikov in de Metropolitan Club en waarschuwde hem dat de Sovjet-Unie door de nucleaire multi-megatonaanvallen, zoals die in de Amerikaanse oorlogsplannen werden beschreven, totaal verwoest zou worden. Walt Rostow wees Mensjikov erop dat wanneer mensen met hun rug tegen de muur stonden, ze de neiging tot bluffen vertoonden.

Zowel Henry Rowen, een van McNamara's medewerkers, als Carl Kaysen, staflid van de Nationale Veiligheidsraad, was zeer verontrust dat wanneer de confrontatie in Midden-Europa 'een militair niveau bereikte en zich tegen ons keerde', de bestaande plannen voorschreven om 'alle strategische middelen tegen zowel de Sovjet-Unie, de Oostbloklanden als China in te zetten'. Kaysen en Rowen stelden zichzelf nu de vraag: 'Hoe klein kan een aanval zijn om […] als een waarschuwing te kunnen dienen en hoe groot zal een zo klein mogelijke, maar onvermijdelijke slachting zijn als je toch van kernwapens gebruik maakt?' Ze krabbelden een *first strike*-plan op papier dat de Russische kernmacht moest uitschakelen voordat de Amerikaanse aanval van start kon gaan. Zowel tactische kernwapens in Europa, vliegdekschepen met vliegtuigen met kernkoppen en snel inzetbare bommenwerpers zouden worden gebruikt om 'de Russische bases voor raketten en bommenwerpers' te vernietigen, waarbij niet direct bij het conflict betrokken Sovjetburgers en materieel zo veel mogelijk moest worden ontzien. Paul Nitze verklaarde zich tegenstander van dit plan en merkte op dat daarmee niet verhinderd kon worden dat het Kremlin misschien zou overgaan tot de lancering van zijn vele kernwapens voor de korte en middellange afstand die gericht waren op West-Europa. Hierbij zouden tientallen miljoenen mensen de dood vinden. De non-conformistische Marcus Raskin, ook een staflid van de Nationale Veiligheidsraad, vroeg aan Kaysen: 'Wat maakt ons nou beter dan de personen die de gasovens voor de concentratiekampen uittekenden of de technici die de spoorlijnen voor de dodentreinen in nazi-Duitsland aanlegden?' Kaysen legde vervolgens het plan voor aan Sorensen die zei: 'Jullie zijn gek! Lui zoals jullie zouden hier verboden moeten worden.' Volgens hem was het een 'belachelijke gedachte' en zou de president zo'n plan 'nooit en te nimmer in overweging nemen'. Jaren later betwijfelde Sorensen of het plan ooit het Oval Office had bereikt.

Op woensdagmiddag 19 juli riep de president de Nationale Veiligheidsraad bijeen voor wat volgens Bundy 'de belangrijkste bespreking' zou worden 'die we ooit hebben gehad'. Kennedy moest een beslissing nemen over de door Acheson voorgestelde snelle uitbreiding van de conventionele bewapening om aan te tonen dat de Verenigde Staten 'onherroepelijk van zins waren de verdediging van Berlijn ter hand te nemen'.

Eisenhower had ten tijde van de vorige crisis om Berlijn zo'n gedachte naast zich neergelegd. In de overtuiging dat de totale vernietiging van het Kremlin het laatste was dat de Russen wilden, vond hij dat de Verenigde Staten simpelweg 'klaar moesten staan': zolang Chroesjtsjov ervan overtuigd was dat de president de atoombom zou gebruiken om de westerse rechten in Berlijn te verdedigen, bestond er geen behoefte aan meer troepen.[1]

Kennedy kon er niet echt zeker van zijn dat Chroesjtsjov zijn wil respecteerde. Een uitbreiding van de conventionele bewapening kon hem helpen in zijn poging de Secretaris-Generaal ervan te overtuigen dat hij zich niet zomaar opzij liet schuiven. Ten tweede werd de keus tussen 'holocaust en humiliatie' of 'zelfmoord en overgave', de andere kreet van die dagen, een stuk minder moeilijk. Kennedy vreesde dat Chroesjtsjov de Amerikaanse toegang tot Berlijn stukje bij beetje zou bemoeilijken zodat de Verenigde Staten de stad zouden verliezen voordat er op een nucleaire provocatie kon worden aangestuurd: 'Als de heer Chroesjtsjov gelooft dat we alleen maar over de atoombom beschikken, zal hij het gevoel krijgen dat [...] het wat onwaarschijnlijk is dat we dit wapen tegen hen zullen gebruiken.'

De Berlijnse crisis voorzag de president zowel in een reden als een voorwendsel zijn doctrine van een 'flexibele respons' te promoten. Zelfs afgezien van de kwestie-Berlijn hadden McNamara's mensen belangrijke gebreken en tekorten ontdekt binnen de opbouw van de Amerikaanse conventionele strijdkrachten – grote aantallen torpedo's zonder stroomvoorziening, geweren zonder kogels en luchtafweergeschut dat in staat van verval verkeerde.

Kennedy ging akkoord met een belangrijke uitbreiding van de conventionele bewapening. De Verenigde Staten zouden een nieuwe Berlijnse luchtbrug voorbereiden en zich buigen over de mogelijkheid om op het tijdstip van de door Chroesjtsjov gestelde deadline van het vredesverdrag in december zes extra divisies in Europa te hebben gestationeerd. Hierdoor zou zowel de sterkte van de marine, als het aantal operationele bommenwerpers, tactische en transportvliegtuigen toenemen. De extra 3,5 miljard dollar die deze uitbreiding vereiste, bracht het totale extra bedrag dat Kennedy sinds zijn inauguratie aan defensie had besteed, op zes miljard dollar. De president zou het Congres verzoeken om hem de bevoegdheid te geven de diensttijd, indien nodig, te verdrievoudigen, reservisten op te roepen en economische sancties tegen landen van het Warschau pact af te kondigen.

Kennedy had Achesons financiële verzoek met achthonderd miljoen dollar verminderd en weigerde gehoor te geven aan diens eis voor een ogenblikkelijke mobilisatie van de Amerikaanse strijdkrachten. Hij werd hierin gedeeltelijk beïnvloed door een telegram van Thompson uit Moskou, die beweerde dat een geleidelijke, over een langere termijn uitgesmeerde, militaire uitbreiding meer indruk zou maken op Chroesjtsjov dan een plotselinge escalatie.

---

1. In juni 1961 schreef Eisenhower naar John McCloy: 'Ik geloof dat er genoeg bewijzen zijn dat Rusland vrees en ontzag heeft voor onze vernietigingskracht. [...] Het land is zo vastberaden een nietsontziende militaire uitdaging met ons uit de weg te gaan, dat het sinds de Tweede Wereldoorlog alleen gebruik heeft gemaakt van troepen uit satellietlanden en van marionettenregeringen, met uitzondering van Hongarije, dat al achter het IJzeren Gordijn lag.'

Nadenkend over de standpunten van Bohlen, Thompson en de meeste andere collega's in het Witte Huis, waarschuwde Sorensen de president 'Chroesjtsjovs prestige niet op het punt te brengen waarop hij zou merken niet meer onder een confrontatie uit te kunnen, en om van zijn kant geen verdere of snellere acties met betrekking tot de wapenwedloop uit te lokken'. De president zag weinig in Achesons gedachte dat Chroesjtsjov elk onderhandelingsaanbod als een teken van zwakte zou beschouwen en besloot zich 'in de richting' van onderhandelingen 'te buigen' zodra hij tot een Amerikaans voornemen was gekomen. Hij was niet van plan Chroesjtsjov de gelegenheid te geven 'het raamwerk' waarbinnen de discussie plaats moest vinden, te bepalen.

Tevens sprak hij zijn veto uit over Achesons suggestie voor een afkondiging van de nationale noodtoestand. Kissinger had al gewaarschuwd dat een dergelijke maatregel als 'onnodig oorlogszuchtig, wellicht zelfs hysterisch' zou overkomen. Kennedy beklaagde zich erover dat Rusk nog niet met een eigen standpunt in de zaak was gekomen. Het was niet de eerste en zou ook niet de laatste keer zijn. De president omschreef de nationale noodtoestand nu als 'een alarmbel die je slechts éénmaal kunt gebruiken'. Het kon bij de Russen alleen maar tot de overtuiging leiden dat we 'in paniek waren'.

Sommige presidentiële adviseurs kwamen met de suggestie de nieuwe militaire uitgaven te financieren door de inkomstenbelasting met één procent te verhogen. Robert Kennedy meende dat deze verhoging de Amerikanen van de 'ernst van de situatie' zou doordringen, waardoor 'iedereen het gevoel zou hebben erbij betrokken te zijn'. Rusk, McNamara en Lyndon Johnson stemden hiermee in. Toen Douglas Dillon echter met de waarschuwing kwam dat een dergelijke verhoging een negatieve invloed kon hebben op het herstel na de recessie, wees de president het plan af.[1] Later zei Kennedy tegen O'Donnell dat hij het 'onverklaarbaar' vond dat zijn broer, een 'zogenaamd ervaren politicus, er zelfs over kon denken om in een tijd als deze de inkomstenbelasting te verhogen'.

De president bracht de atoomschuilkelders ter sprake. Deze kelders zag hij als middel om de Russische schattingen omtrent hun vernietigingskracht op het Amerikaanse vasteland terug te brengen. Men had hem verteld dat als er bij een kernaanval geen gebruik kon worden gemaakt van schuilkelders, negenenzeventig miljoen mensen de dood zouden vinden. Dit aantal kon verminderd worden tot vijftig miljoen. Hij diende nu een verzoek in bij het Congres om 207 miljoen dollar voor de bescherming van de burgerbevolking ter beschikking te stellen.

Verontwaardigd dat zijn aanbevelingen niet volledig waren overgenomen, zette Acheson nu de aanval in. Hij eiste een afkondiging van de nationale noodtoestand en dat reservisten nog voor september 1961 zouden worden opgeroepen. McNamara antwoordde dat het 'verkeerd [was] van tevoren een strak tijdschema op te stellen'. Hij wilde geen 'grote aantallen reservisten zonder concreet doel voor ogen op de been hebben'. De zes nieuwe leger- en de twee nieuwe marinedivisies konden naar Europa worden gestuurd zodra daar moeilijkheden ontstonden. Reservisten zouden dan worden opgeroepen om deze eenheden te vervangen.

1. Nadat O'Donnell met Wilbur Mills, voorzitter van de commissie overheidsinkomsten van het Huis van Afgevaardigden, overleg had gepleegd, liet hij Robert Kennedy weten dat diens belastingvoorstel 'de eerstkomende vijfentwintig jaar ergens in het Huis van Afgevaardigden zou blijven steken'.

Later zei Acheson tegen zijn collega's: 'Heren, we kunnen de situatie nu maar beter onder ogen zien. Dit land moet het stellen zonder leiderschap.'

Een van de twee hoofddoelen van Kennedy's beleid ten aanzien van Berlijn was erop gericht de kans te verkleinen dat Chroesjtsjov de stad snel en gemakkelijk in bezit kon nemen. Het andere doel was hem ervan te overtuigen dat als het standpunt van het Westen serieus werd ondermijnd, Kennedy wel eens de voorkeur zou geven aan een 'holocaust' in plaats van een 'humiliatie'.
Die zomer vroeg Kennedy, slechts in het bijzijn van Bundy, aan Acheson op welk moment in de crisis kernwapens overwogen konden worden. Zijn antwoord was afgewogener en rustiger dan gebruikelijk: 'Als ik u was, zou ik er heel diep over nadenken en aan niemand vertellen wat ik besloten had.'[1]
Later beweerde McNamara dat 'noch ik, noch de president, noch minister Rusk tijdens de Berlijnse crisis ooit overwogen heeft kernwapens te gebruiken'.[2] Bundy voegde daar wat voorzichtiger aan toe dat 'niemand eigenlijk wist' wat Kennedy zou doen als hij gedwongen werd 'te kiezen tussen een nederlaag en een toevlucht tot kernwapens'.

Op dinsdagavond 25 juli stond er om tien uur 's avonds een toespraak van de president voor het Amerikaanse volk gepland. Bundy zei tegen Sorensen: 'De president zou er bijna letterlijk goed aan doen zacht te praten als hij zijn nieuwe wapen presenteert.'
Diezelfde dag stuurde Sorensen laat in de middag stukjes van de uiteindelijke toespraak naar Kennedy die zich in de westelijke vleugel van het Witte Huis bevond. Deze las elke passage hardop op zodat Dave Powers de tijdsduur kon opnemen. Sorensen vond de tekst de somberste van alle presidentiële toespraken sinds de Sovjets over kernwapens beschikten. Kennedy krabbelde er nog een persoonlijke aantekening bij voor aan het einde van zijn toespraak en vroeg Evelyn Lincoln de tekst uit te typen.
Zeven televisiecamera's, medewerkers van het Witte Huis, veiligheidsagenten, technici, filmfotografen en verslaggevers onder wie Tom Wicker van de *New York Times*, Mary McGrory van de *Washington Star* en een correspondent van het Russische persbureau TASS, bevolkten het Oval Office. Volgens een verslagge-

1. In 1959 schreef Acheson in een artikel in de *Saturday Evening Post* dat als er op het laatst alleen nog maar gekozen kon worden tussen een nederlaag of een kernoorlog, nederlaag de enige goede keus zou kunnen zijn. Jaren later schreef Bundy dat Acheson 'zichzelf getroost kan hebben met de gedachte dat niets geheimer is dan een zin die ergens in een twee jaar oud, tweewekelijks blad begraven ligt'. In de lente van 1961 waren een paar ondernemende journalisten er trouwens in geslaagd Achesons standpunt weer boven water te halen en dit te publiceren. Het feit dat zelfs Kennedy's meest militante adviseur inzake Berlijn een vraagteken zette bij het nut van een kernoorlog, moest bijna zeker door de mannen van Chroesjtsjov zijn opgemerkt en hem er verder van hebben overtuigd dat de president uiteindelijk geen gebruik zou maken van de atoombom.
2. Hij herinnerde zich dat hij op een bepaald moment Kennedy persoonlijk aanraadde nooit tot het gebruik van kernwapens over te gaan en dat Kennedy hiermee had ingestemd. Als deze gedachtenuitwisseling Kennedy's oprechte standpunten vertegenwoordigden, is het zeer waarschijnlijk dat dit gesprek later plaatsvond en gedeeltelijk het gevolg was van de ervaring die hij tijdens de Berlijnse crisis had opgedaan.

ver zag Kennedy er 'gespannen en nerveus' uit toen hij het vertrek binnentrad. Deppend aan zijn bovenlip klaagde de president over de hitte en liep eerst nog even de koele nachtelijke buitenlucht in voordat hij achter zijn bureau plaatsnam.

Jacqueline, die in Hyannis Port naar de toespraak van haar man keek, voelde een 'scheutje angst' door haar lichaam schieten. Ze maakte zich zorgen dat 'zelfs Jack' niet in staat zou zijn deze crisis 'tot een goed einde te brengen'.

Kennedy keek recht in de camera: 'Vanavond, zeven weken geleden, keerde ik terug uit Europa om verslag uit te brengen over mijn ontmoeting met Secretaris-Generaal Chroesjtsjov en de anderen. [...] Zoals u zich zult herinneren heeft de heer Chroesjtsjov de bedoeling om via een simpele krabbel *eerst* onze wettelijke rechten ten aanzien van West-Berlijn aan de kant te schuiven – om *daarna* ons niet meer in staat te stellen aan onze verplichtingen tegenover de twee miljoen vrije mensen in deze stad te voldoen. Dit kunnen wij niet toestaan.'

Opnieuw formuleerde hij de verplichtingen die de Amerikanen zich gesteld hadden: 'We hebben gezworen een aanval op Berlijn te beschouwen als een aanval op ons allemaal. [...] We kunnen en zullen niet toestaan dat de communisten ons uit Berlijn verdrijven.' Hij vervolgde met een passage die door generaal Taylor was voorgesteld: 'Ik hoor mensen zeggen dat West-Berlijn militair gezien niet kan worden behouden. Maar dat gold ook voor Bastogne en in feite ook voor Stalingrad. Elke plek die aan gevaar blootstaat, kan worden behouden als er mannen – dappere mannen – zijn die daarvoor zorgen. We willen niet vechten, maar in het verleden hebben we ook gevochten.'

Terwijl hij zijn uitbreiding van de Berlijnse verdediging en de oproep van reservisten aankondigde, zei hij: 'Ik ben mij zeer bewust van het feit dat veel Amerikaanse gezinnen hier de last van zullen dragen. [...] Studies en carrières zullen onderbroken moeten worden. Echtgenoten en zonen zullen worden opgeroepen. Inkomens zullen in bepaalde gevallen worden verlaagd. Maar dit zijn lasten die gedragen moeten worden als de vrijheid op het spel staat. Het Amerikaanse volk heeft zulke lasten in het verleden altijd bereidwillig op zich genomen en het zal er ook nu weer niet voor terugdeinzen.'

Hij vroeg om nieuwe fondsen voor 'het zoeken en markeren van plekken die geschikt zijn voor atoomschuilkelders in geval van een aanval', en deze te bevoorraden met 'voedsel, water, eerstehulppakketten en andere hoogstnoodzakelijke overlevingsmiddelen'. Tot nu toe had geen enkele president in zulke directe termen gesproken over de mogelijkheid van een kernaanval: 'De levens van de gezinnen die niet bloot zullen staan aan een nucleaire schokgolf en brand, kunnen nog worden gered – *als* deze gezinnen *tenminste* gewaarschuwd kunnen worden dat ze zich naar een schuilkelder moeten begeven en er ook *inderdaad* een schuilkelder aanwezig is.'

Als blijk van de bereidheid tot onderhandelingen had Sorensen een zin opgenomen die de president tijdens diens zorgvuldige afwegingen inzake de Berlijnse crisis had uitgesproken: 'We willen niet dat militaire overwegingen een greep krijgen op het denken van zowel Oost als West.' Op Bundy's aanraden erkende de president de Russische 'bezorgdheid uit historisch oogpunt' omtrent de Europese veiligheid nadat de 'verwoestende invasies' voorbij zouden zijn. De Verenigde Staten stonden klaar 'om alle irritaties rond West-Berlijn te elimineren' en de vrijheid van de stad intact te laten. Met een zin van Edward R. Murrow, een gevierd nieuwslezer en nu door Kennedy tot hoofd van een van de Amerikaanse inlichtingendiensten gemaakt, zei hij: 'We kunnen niet onderhandelen met mensen die zeggen: ""Wat van mij is, is van mij en wat van jou is, daarover kunnen we onderhandelen."""'

Hij liet zijn wereldpubliek weten dat 'de bron van alle moeilijkheden en spanningen in de wereld zich in Moskou bevindt en niet in Berlijn. [...] Als er een oorlog uitbreekt, zal deze in Moskou, en niet in Berlijn zijn begonnen. Het zijn de Sovjets die op deze crisis hebben aangestuurd. Zij zijn het die een verandering willen forceren.[1] [...] Om kort te zijn, we zoeken naar vrede maar zullen ons niet overgeven.'

Hij las nu zijn afsluiting voor die hij in zijn slaapkamer op papier had gekrabbeld: 'Ik wil graag met wat persoonlijke woorden afsluiten. Toen ik deelnam aan de presidentsverkiezingen van de Verenigde Staten, wist ik dat dit land voor serieuze uitdagingen stond. Maar ik kon toen nog niet bevroeden – en dat geldt voor elk individu dat niet de lasten draagt die deze functie met zich meebrengt – hoe zwaar en continu deze lasten zouden zijn. [...] Ik weet dat we soms wat ongeduldig worden. [...] Maar ik wil u vertellen dat een snelle en gemakkelijke oplossing niet bestaat. De communisten hebben de macht over meer dan een miljard mensen en ze zien in dat als wij falen, hun succes binnen handbereik ligt. [...]

Ik vraag om uw steun en advies. Ik vraag om uw ideeën als u vindt dat er ruimte voor verbetering bestaat. Ik weet dat we allemaal van ons land houden. En we zullen ons best doen ons land te blijven dienen. Bij het vervullen van mijn plichten als president zal ik de komende maanden uw goede wil, uw steun – maar vooral uw gebeden – nodig hebben. Dank u en goedenavond.'

Nadat de hete lampen werden gedimd, lachte Kennedy niet en zei geen woord tegen de talrijke aanwezigen in het Oval Office. Hij liep in zijn eentje weer terug.

'Die knul is *cool*,' zei Lyndon Johnson. 'Als hij gedwongen wordt op de rode knop te drukken, zal hij het nog doen ook. [...] Hij laat zich niet kisten. Ik kan het weten. Hij heeft *mij* verslagen!' Richard Nixon steunde Kennedy's harde houding inzake Berlijn, maar vroeg hem waarom hij niet doorging met het nemen van kernproeven en geen acties tegen Castro ondernam. Samen met andere Republikeinen verklaarde Nixon dat de president de belastingen had moeten verhogen of op sociale voorzieningen had moeten bezuinigen om zijn nieuwe militaire voorstellen financieel te kunnen ondersteunen. Dit was tevens de strekking van de twintigduizend brieven en telegrammen die naar het Witte Huis werden gezonden. Enkele bevatten voorstellen voor een aanslag op Chroesjtsjov.

Robert Hartmann schreef in de *Los Angeles Times* dat Kennedy 'verwoede pogingen ondernam om zich als een groot leider van een verward land te manifesteren, maar gaf tegelijkertijd de indruk dat hij de meest verwarde burger van heel het land was'. *Indianapolis News* schreef dat 'Amerika lang heeft gewacht op deze taal uit het Witte Huis'. TASS claimde dat Kennedy's verhoging van de defen-

1. Hier haalde de president een regel aan die hij in Wenen tegen Chroesjtsjov had gebruikt en die afkomstig was van De Gaulle.

sieuitgaven erop gericht was zijn industriële superieuren uit het economisch slop te halen.

De *Times* schreef: KENNEDY BEREID OM TOT VREDE TE KOMEN.[1] De meeste Amerikaanse kranten negeerden echter de verwijzingen naar onderhandelingen van de president en legden daarentegen de nadruk op de defensie-opbouw en de atoomschuilkelders. Om de Russen te kennen te geven dat Kennedy serieus wilde onderhandelen nadat de Verenigde Staten hun standpunt duidelijk hadden gemaakt, zorgden anonieme regeringsfunctionarissen ervoor dat bepaalde onderwerpen, waarvan gezegd werd dat deze voor Kennedy onderhandelbaar waren, naar de Russen werden uitgelekt.

James Reston berichtte in de *New York Times*: 'De oostelijke grens van Duitsland is onderhandelbaar. Dit geldt ook voor de sterkte van de troepenmacht in Berlijn, Duitsland in zijn geheel en Oost-Europa.' Marguerite Higgins van de *New York Herald Tribune*, wier dochter Robert Kennedy's petekind was, schreef dat Kennedy aan 'een soort verbond voor twintig tot vijftig jaar non-agressie' met de Sovjet-Unie dacht dat voorzag in 'wederzijdse garantie tegen een opleving van het Duitse nationalisme'.

Nadat Chroesjtsjov hoorde dat Kennedy zijn besluiten inzake Berlijn op 25 juli bekend zou maken, had hij John McCloy uitgenodigd om samen met hem vanuit Moskou naar Pitsoenda te vliegen. Hij wilde bijna zeker de diplomaat, indien dit nodig was, als tussenpersoon tussen hemzelf en Kennedy gebruiken nadat deze zijn Berlijn-toespraak gehouden zou hebben.

McCloy arriveerde in gezelschap van zijn vrouw, zijn twintigjarige dochter en een nicht. De volgende ochtend tufte Chroesjtsjov per motorboot naar de villa waar de McCloy's verbleven. Met een veel te wijde zwembroek die hij van de Secretaris-Generaal had geleend, dook McCloy samen met Chroesjtsjov de Zwarte Zee in. Er werd een fotograaf geroepen om een foto te maken van de glimlachende communist die zijn mollige arm om de blote schouder van de eveneens glimlachende kapitalist had geslagen.

Terwijl ze in de weelderige tuin wandelden en badminton speelden, was Chroesjtsjov in een vrolijke bui. Het uitwisselen van diplomatieke nota's, zo zei hij, was net zoiets als het over en weer schoppen van een voetbal: dit zou zo doorgaan totdat er een verdrag was ondertekend en de Sovjet-Unie voorlopig aan de bal zou blijven. Hierna ontving de Secretaris-Generaal een vertaling van

---

1. De week daarvoor had ambassadeur David Bruce vanuit Londen een telegram gestuurd: 'Het idee dat een Berlijnse crisis per ongeluk of door onoplettendheid uitmondt in een kernoorlog of deze uitlokt, wordt hier met afschuw bekeken.' Hij merkte op dat de Britten weliswaar stoutmoedig zijn wanneer het op een confrontatie aankomt, maar 'hun nationaal politiek temperament zet hen aan tot het sluiten van compromissen, zelfs ten koste van principes. [...] Tevens voelen de Duitsers zich met hun welvaart, belastingtarieven [...] en vredige onderschikking aan het leiderschap en instituten niet tot Engeland aangetrokken. Vreugde scheppen uit werk is geen Brits ideaal, zoals in West-Duitsland wel het geval is. Britten die vinden dat de macht in Europa al honderd jaar een voorrecht was dat hun land te beurt viel, lijden onder hun afgunst van de ontluikende macht van de Duitsers. Omgekeerd heeft dezelfde beschouwing ook, zij het in mindere mate, betrekking op hun achterdocht en afgunst ten aanzien van ons.'

Kennedy's Berlijn-toespraak. Zijn vrolijke humeur verdween als sneeuw voor de zon.

De volgende ochtend liet hij McCloy weten dat de Verenigde Staten de Sovjet-Unie zojuist de 'inleidende oorlog' hadden verklaard. Wat hij in zijn toespraak over bevrijdingsoorlogen had gezegd, bleek waar te zijn: de kapitalisten hadden duidelijk het vertrouwen verloren in hun vermogen via vredelievende middelen te zegevieren. President Kennedy leek een 'verstandige jongeman', boordevol energie die hij zonder twijfel maar al te graag ten toon wilde spreiden. Maar als er oorlog uitbrak, zou Kennedy 'de laatste president van de Verenigde Staten' worden. De volgende oorlog zou door de grootste raketten worden beslist, en deze zouden onder Russisch bevel staan.

Hij waarschuwde McCloy dat de Russen nu beschikten over een waterstofbom van honderd megaton, de grootste ter wereld. Zijn wetenschappers stonden te popelen om het ding te testen. Hij had hen verzekerd dat de Verenigde Staten hun door het verbreken van het moratorium op kernwapens daarvoor spoedig de gelegenheid zouden bieden, en zei: 'Knijp uw blaas nog even af. Uw kans komt snel genoeg.'

Chroesjtsjov vertelde McCloy dat hij een Duits vredesverdrag zou tekenen, 'ongeacht de omstandigheden'. De westerse toegang zou worden afgesneden en de Verenigde Staten zouden 'een afspraak moeten maken' met Oost-Duitsland: 'Als jullie proberen met geweld een toegang te forceren, zullen we jullie met geweld tegenhouden. Het staat vast dat deze oorlog met kernwapens zal worden uitgevochten en hoewel wij beide misschien zullen overleven, zullen uw Europese bondgenoten compleet worden vernietigd.'

Zoals bij al zijn beloften waterstofbommen op Londen, Parijs en andere steden te gooien, verzachtte Chroesjtsjov zijn dreigementen door te verklaren dat hij nog steeds vertrouwen had in het gezonde verstand van de Amerikaanse president. Na uitbarstingen bekoelden mensen meestal en overdachten ze hun problemen nogmaals. De Russen en de Amerikanen waren beide een geweldig volk en hoorden vrienden te zijn. Als beide partijen op hun redelijkheid zouden vertrouwen, bestond er geen reden een oorlog te beginnen. Er moesten onderhandelingen worden gevoerd om een toegang tot Berlijn te garanderen en om tot een oplossing van de Duitse kwestie te komen – 'het enige echte probleem dat er tussen ons bestaat'.

Nadat hij in Moskou was teruggekeerd, stuurde McCloy een telegram naar Kennedy in Hyannis Port dat Chroesjtsjovs bloed, 'nadat hij dinsdag de toespraak bestudeerd had, behoorlijk kookte. Hij gebruikte harde, oorlogszuchtige taal en werd weer hoffelijk nadat de bui was overgedreven. [...] Mijn inschatting is dat de situatie nog niet rijp is voor wat voor onderhandelingsaanbod dan ook, maar tevens te gevaarlijk is om te laten afglijden tot een punt waarbij een gebrek aan tijd tot ongelukkige acties kan leiden.'

McCloy liet weten dat zowel hij als ambassadeur Thompson dacht dat de Sovjets de westerse bondgenoten spoedig onder druk zouden zetten 'en door middel van dreigementen tot vernietiging hun vastberadenheid om zich achter ons te scharen, zouden ondermijnen'. Hij stond op het punt naar Europa te vliegen en wenste 'de NAVO-top persoonlijk op het belang van eensgezindheid te wijzen'. Verder schreef hij dat De Gaulle hem 'misschien in Parijs wel eens zou willen ontmoeten', en nam hij aan dat ze 'in alle vrijheid over

Chroesjtsjovs opmerkingen konden spreken'.[1]
De president was gesteld op McCloy, maar was bang dat deze selfmade, eigenzinnige en praatzieke Republikein hem in zijn handelen zou beperken door in Europa een eigen diplomatie te bedrijven. Hij liet Rusk een telegram naar McCloy sturen waarin stond: 'Ben van mening dat je persoonlijk bij president verslag uit moet brengen voordat je NAVO-vertegenwoordigers inlicht. [...] President en ik verzoeken je daarom direct naar Washington terug te keren.'

De Oostduitsers waren banger dan ooit toen ze hoorden dat hun de toegang tot West-Berlijn spoedig onmogelijk zou worden gemaakt. De laatste jaren was de stroom vluchtelingen naar het westelijk deel toegenomen als gevolg van de meedogenloze pogingen van Oost-Duitsland om de landbouw te collectiviseren en de zware industrie te hervormen. Chroesjtsjov had er bij de Oostduitsers op aangedrongen 'rustig aan te doen' met deze hervormingen. Maar volgens zijn assistent Boerlatski 'konden we hierop geen invloed uitoefenen. Chroesjtsjov wist dat hij geen Stalin was die zijn pink maar hoefde te bewegen om het hele Oostblok te kunnen beheersen.'
Na Chroesjtsjovs uitspraak van 8 juli waarin hij had aangekondigd het Russische defensiebudget met een derde te verhogen, waren zesentwintigduizend Oostduitsers naar West-Berlijn gevlucht. In zijn dagboek schreef Harold Macmillan dat 'een recordaantal vluchtelingen het marxistische paradijs in Oost-Duitsland voor de kapitalistische hel (of in ieder geval het vagevuur) van West-Berlijn heeft verruild'.
Op zondagochtend 30 juli werd Senator Fulbright tijdens een nationale-televisieuitzending vanuit Washington gevraagd of hij dacht dat het afsluiten van het ontsnappingsluik naar West-Berlijn tot een verlichting van de crisis zou leiden. Hij zei daarop: 'De waarheid is, denk ik, dat de Russen de macht hebben de toegang hoe dan ook af te sluiten. Ik bedoel, we zouden weinig met een dergelijk voorstel opschieten, want als ze [...] volgende week besluiten hun grenzen te sluiten, zouden ze daarmee geen enkel verdrag schenden. Ik begrijp niet waarom de Oostduitsers hun grenzen niet afsluiten want ik denk dat ze daar wel het recht toe hebben.'
De Westberlijnse krant *Der Tagesspiegel* kwam met de woedende opmerking dat Dean Acheson, door Zuid-Korea buiten de Amerikaanse verdedigingsstrook te houden, de Koreaanse oorlog mee had helpen uitlokken. Oostduitse kranten jubelden dat Fulbright 'een realistische' formule voor een compromis had aangedragen. Bundy presenteerde Kennedy een wat hij noemde 'variëteit aan commentaar afkomstig uit Berlijn en Bonn met onder meer verwijzingen naar het nuttige effect die de opmerkingen van Senator Fulbright hebben gemaakt'.
Jaren later hield Bundy vol dat hij het woord 'nuttig' sarcastisch had bedoeld. Maar velen vroegen zich af of de suggesties in juni van zowel Fulbright als Mansfield, twee Democratische Senatoren die over de grootst mogelijke invloed inzake het buitenlands beleid beschikten, voor een 'vrije stad' niet afkomstig wa-

---

1. Herve Alphand, de Franse ambassadeur, had reeds namens De Gaulle bij Bundy geklaagd over het feit dat McCloy naar de Sovjet-Unie werd gestuurd in een periode waarin de Verenigde Staten werden verondersteld hun standvastigheid inzake Berlijn te demonstreren.

ren van de president. Op deze manier kon Kennedy, via de twee Senatoren, Chroesjtsjov inseinen over een mogelijk compromis omtrent Berlijn dat hij zelf niet openbaar durfde te maken.

Op maandagavond 31 juli had Kennedy met McCloy in het familieverblijf op het Witte Huis afgesproken en vroeg hem over diens gesprekken met Chroesjtsjov. Een paar dagen later, terwijl hij samen met Rostow met grote passen door de zuilengalerij naar het Oval Office liep, dacht hij na over wat er nu gebeuren zou. In maart had Thompson hem vanuit Moskou een telegram gestuurd waarin deze schreef: 'Als we ervan uitgaan dat de Russen de kwestie-Berlijn laten voor wat ze is, dan moeten we op zijn minst verwachten dat Oost-Duitsland de grens tussen de sectoren afsluit om zo de voor hen waarschijnlijk ontoelaatbare stroom vluchtelingen naar het westen van Berlijn te kunnen stoppen.'

Nu liet de president Rostow weten: 'Chroesjtsjov is bezig Oost-Duitsland te verliezen. Hij mag dat niet laten gebeuren, want anders verliest hij Polen en de rest van Oost-Europa ook. Hij moet iets doen om de vluchtelingenstroom te stoppen. Misschien met een muur. En we zullen niet in staat zijn dit te voorkomen. Ik kan de alliantie bij elkaar houden voor de verdediging van West-Berlijn, maar ben niet in staat Oost-Berlijn open te houden.'

11. 'Een muur is een stuk beter dan een oorlog'

Op zaterdag 5 augustus bevond Walter Ulbricht zich in het Kremlin. De bebrilde Oostduitse Partijleider met geitesik verzocht Chroesjtsjov dringend om toestemming de Oostberlijnse grens af te sluiten. Vanaf januari had Ulbricht de Secretaris-Generaal al twee of drie keer per maand schriftelijk of telefonisch over het onderwerp lastig gevallen.

Eind maart had Chroesjtsjov hem laten weten dat een grenssluiting 'voorbarig' zou zijn. De Amerikanen waren bezig met de voorbereiding van de invasie in de Varkensbaai: de Secretaris-Generaal was misschien ongenegen om Kennedy een voorwendsel te geven Amerikaanse strijdkrachten naar Cuba te sturen. Chroesjtsjov en zijn mensen lieten Ulbricht alleen weten 'alle voorbereidingen te treffen' voor een mogelijke vergrendeling op een later tijdstip.

Op maandag 31 juli kwam Ulbricht naar Moskou en stelde voor de luchtwegen tussen Berlijn en het Westen te blokkeren, omdat deze werden gebruikt om honderden vluchtelingen per dag te laten vertrekken. Chroesjtsjov weigerde, omdat hij dacht dat dit een oorlog kon uitlokken. Ulbricht verzocht nog eens om het afsluiten van de grens. Chroesjtsjov gebood hem geduld te hebben tot de op Ulbrichts verzoek geplande conferentie van Warschaupactleiders de donderdag daarop.

Tijdens die bijeenkomst waarschuwde Ulbricht dat wanneer er niets werd gedaan aan de uitstroom van waardevolle Oostduitse arbeiders en deskundigen – tweeëneenhalf miljoen sinds 1949 – en de veertigduizend dagelijkse *Grenzgänger* die in West-Berlijn werkten, de DDR niet zou kunnen voldoen aan haar produktieverplichtingen aan het Sovjetblok. Hij waarschuwde dat er overal tekenen van onrust waarneembaar waren. Een opstand zoals die van 1953 toen zijn regering bijna omver werd geworpen, zou nu wel eens kunnen slagen. Het vluchtelingenprobleem moest 'hier en nu' worden opgelost.

Chroesjtsjov zei dat hij zou instemmen met een grenssluiting als Ulbricht kon beloven dat zijn veiligheidstroepen de orde konden handhaven en dat zijn economie het kon overleven wanneer de Westduitsers met een handelsboycot zouden reageren. Ulbricht deelde publiekelijk mee dat hij een oplossing moest zoeken voor een Westduitse 'polio-epidemie', haastte zich terug naar Oost-Berlijn en riep zijn veiligheidschef, Erich Honecker, en andere belangrijke ministers bijeen in zijn luxueuze villa in het voorstedelijke Wandlitz.

De hele nacht door probeerde hij hun vertrouwen te winnen inzake de Oostduitse economie en de ordehandhaving. Ze waren het er allemaal over eens dat de bouw van de afsluiting in een weekeind moest beginnen. Dan waren er geen Oost- en Westberlijners op weg naar hun werk over de grens en waren de politieke wereldleiders zich aan het ontspannen.

Zaterdagochtend vroeg was Ulbricht weer terug in Moskou. Chroesjtsjov dwong hem urenlang te wachten terwijl hij met andere zaken bezig was. Dit deed hij wellicht om de arrogante Partijbaas, die hij uiteindelijk net zo min vertrouwde als welke Duitser dan ook, wat deemoed bij te brengen. Daarna kwam Ulbricht, omringd door andere leiders van het Warschaupact, wederom met zijn smeekbede. Hij hield vol dat de Amerikanen niets zouden ondernemen om een grenssluiting te voorkomen en citeerde uit Fulbrights verklaring dat de DDR hiertoe het 'recht' had.

Chroesjtsjov gaf zijn toestemming. Ter ondersteuning van Ulbrichts argument dat Kennedy niet tussenbeide zou komen, zei hij dat hij in Wenen onder de indruk was geraakt van Kennedy's wens om een onafhankelijk staatsman te zijn die niet gecommandeerd werd door militaire en industriële lobby's, een man van de vrede. Volgens een van de aanwezigen sloeg hij Ulbrichts verzoek af om een muur van gewapend beton rond West-Berlijn op te trekken: in plaats daarvan moest de grens met prikkeldraad worden afgesloten. Als het Westen met geweld zou reageren, dan moest de prikkeldraadversperring alsnog worden vervangen door een betonnen muur. Onder geen voorwaarde mochten Ulbrichts strijdkrachten zich op westers grondgebied wagen.

'Dank u, kameraad Chroesjtsjov,' zei de uitbundige Ulbricht. 'Zonder uw steun konden we dit moeilijke probleem niet oplossen.' De Secretaris-Generaal herhaalde: 'Maar geen millimeter verder.'

Ulbricht vloog terug naar Oost-Berlijn en gaf opdracht tot de uitvoering van de gedetailleerde plannen voor een grenssluiting. Die plannen lagen er al sinds de jaren vijftig en werden steeds aan de actualiteit aangepast. Sinds Chroesjtsjovs waarschuwing van maart had Honecker in het geheim voorraden beton en prikkeldraad laten aanleggen.

Ulbricht en Honecker bepaalden dat tot kort voor het uur-U, zaterdag 12 augustus om twaalf uur 's nachts, slechts een stuk of twintig DDR-functionarissen van het plan op de hoogte mochten zijn. Andere sleutelfiguren van hun militaire en politieke staf werden alleen op de hoogte gebracht van ophanden zijnde 'oefeningen'. Vlak voordat er met de bouw werd begonnen, zouden de orders mondeling worden overgedragen. Honeckers staf werkte de klok rond. Hij propte zijn mensen in vier kamers om te voorkomen dat de aandacht zou worden getrokken.

Op maandag 7 augustus zei Chroesjtsjov in zijn tv-toespraak tot het Sovjetvolk dat hij Kennedy's nieuwe militaire opbouw niet zou beantwoorden met een andere escalatie van zijn kant. De imperialisten 'gebruikten West-Berlijn voor subversieve activiteiten tegen de DDR en de andere socialistische landen'. Maar zij kregen te horen: 'Halt, mijne heren! [...] Wij gaan een vredesverdrag tekenen en uw achterdeur naar de DDR vergrendelen.'

Oostduitsers dachten te weten wat Chroesjtsjov bedoelde. In de vierentwintig uur na de toespraak stroomden bijna tweeduizend vluchtelingen West-Berlijn binnen, het grootste aantal van dat jaar.

De volgende dag op het Sovjetministerie van Defensie bracht Chroesjtsjov zijn generaals vertrouwelijk op de hoogte van zijn beslissing de grens te sluiten: 'We zetten gewoon prikkeldraadversperringen op en het Westen zal als een stel domme schapen toekijken. En terwijl ze daar staan, leggen wij de laatste hand aan een muur.'

Onder de applaudisserende gasten was kolonel Oleg Penkovski, een militaire inlichtingenofficier en de meest waardevolle westerse spion in de Sovjet-Unie. Als hij het Westen had willen waarschuwen voor de grenssluiting, dan had hij een seintje kunnen geven aan een westers agent in Moskou, maar dit zou buitengewoon gevaarlijk zijn geweest. Later vertelde hij zijn collega-agenten: 'Ik wist dat jullie het hadden willen weten. Maar ik zou enorm veel risico lopen als ik het jullie vertelde, en ik wist dat jullie er onmogelijk iets aan konden doen.'

In het Witte Huis las Kennedy een geheim verslag van de Italiaanse premier Amintore Fanfani, die drie dagen bij Chroesjtsjov in het Kremlin had vertoefd. De Secretaris-Generaal had hem 'ongeveer twaalf maal' verteld dat als er een oorlog uitbrak over Berlijn, dat deze vanaf het begin een nucleaire zou zijn. De Secretaris-Generaal wilde dat John Foster Dulles nog had geleefd. Kennedy's 'gecompliceerde buitenlandse beleid' plaatste hem voor een 'geweldig probleem'. Chroesjtsjov zei te geloven dat 'er geen oorlog komt', maar de president kon maar beter 'niet te lang wachten' met onderhandelingen. Hij verwees enkele malen naar de verklaringen van Mansfield en Fulbright: hoewel Kennedy het niet in het openbaar kon zeggen, was hij het waarschijnlijk toch voor 'ongeveer tachtig procent' eens met de twee Senatoren.

Chroesjtsjov wist dat deze boodschap Kennedy zou bereiken en misschien wilde hij zijn veronderstelling dat de president zich niet met een grenssluiting zou bemoeien, eens uittesten. Als zijn veronderstelling onjuist bleek, dan was het te verwachten dat Kennedy via openbare of vertrouwelijke kanalen een waarschuwing zou terugsturen. Tijdens het Varkensbaai-incident schrok hij er bijvoorbeeld niet voor terug de Secretaris-Generaal te waarschuwen het voorval niet uit te buiten door iets te ondernemen tegen Berlijn. Nu was er geen sprake van zo'n waarschuwing. Chroesjtsjov voelde zich aangemoedigd om door te zetten.

Op donderdagmorgen 10 augustus gaf Kennedy een persconferentie. Iemand vroeg naar Fulbrights opmerking over een grenssluiting: 'Kunt u ons een inschatting geven van het gevaar en kunt u ons zeggen of deze regering over een beleid beschikt dat zich uitspreekt over het aanmoedigen of ontmoedigen van Oostduitse vluchtelingen die naar het Westen trekken?'

Kennedy ontkende de verklaring van Fulbright niet. Hij maakte van de gelegenheid geen gebruik om Chroesjtsjov te waarschuwen voor een grenssluiting. Hij zei alleen dat de Amerikaanse regering niet 'tracht de bewegingen van de vluchtelingen aan te moedigen of te ontmoedigen, en ik ben niet op de hoogte van eventuele plannen daartoe'.

Diezelfde dag had Dean Rusk een lunch met Adenauer in diens villa in het Italiaanse Cadenabbia. Kennedy had hem verzocht om zich ervan te verzekeren dat de kanselier geen olie op het vuur zou gooien als en wanneer de Verenigde Staten met de Sovjets over Berlijn zouden gaan onderhandelen.

De minister van Buitenlandse Zaken liet zijn gastheer voorzichtig weten dat als de president militair geweld moest gebruiken in de kwestie-Berlijn, het 'aan iedereen duidelijk' moest zijn dat 'alles was geprobeerd om tot een vreedzame oplossing te komen en dat de oorlog ons door de andere partij was opgedrongen'.

Onderhandelingen moesten plaatsvinden 'onder omstandigheden waarin wij ook nog iets te zeggen hebben over de te bespreken onderwerpen en niet in een laat stadium van de crisis pas geconfronteerd worden met alleen door Chroesjtsjov uitgekozen onderwerpen'.

Hij vertrouwde Adenauer toe dat Kennedy bezig was 'te kijken of het Westen het initiatief moest nemen om de komende herfst te gaan onderhandelen'. Hij verwees naar een bezoek aan Parijs en zei dat 'Generaal de Gaulle gelooft dat wij in Berlijn zitten en dat we zullen schieten wanneer de Sovjets ons het vuur aan de schenen leggen. In de jaren zestig is het overwegen van een atoomoorlog toch geen gepast uitgangspunt.'

Adenauer wees Rusk erop dat Chroesjtsjov een dictator was: 'Een dictator ontvangt van zijn ambassadeurs rapporten die niet de volledige waarheid weerspiegelen.' Niet de werkelijkheid, maar datgene waarin Chroesjtsjov geloofde, was dus belangrijk. De kanselier zei dat hij geen bezwaar zou maken tegen onderhandelingen, maar dat 'er vanaf 1949 bij compromissen weinig meer viel te halen. Het resultaat was altijd broodmager. Het aanzien van Chroesjtsjov is hier in het geding en het zal moeilijk voor hem zijn om zijn gezicht te redden.'

Rusk zei: 'We zouden tegen Chroesjtsjov kunnen zeggen dat hij er in Oost-Duitsland een behoorlijke puinhoop van heeft gemaakt. Hij heeft de leiding overgelaten aan een gangster die hier schuldig aan is, die de Sovjets onder druk zet en een gevaar voor ons vormt. Wellicht kan dit afnemen als er in Oost-Duitsland een aanvaardbaar regime de macht zou overnemen. Dan zou hij zowel dit als de kwestie-Berlijn uit zijn hoofd kunnen zetten en zich kunnen concentreren op de opbouw van Rusland.' Hij vertelde Adenauer dat het doorspelen van de kwestie-Berlijn aan zijn opvolger zijn grootste persoonlijke ambitie was.

Tijdens een vriendschappelijke Sovjet-Roemeense bijeenkomst in het Kremlin op vrijdag 11 augustus waarschuwde Chroesjtsjov dat wanneer de imperialisten het naar aanleiding van Berlijn op een oorlog zouden laten aankomen, de Sovjet-Unie de westerse bondgenoten zou verpletteren – niet alleen 'de sinaasappelbomen van Italië, maar ook de mensen die ze geplant hebben'. Hij zou er niet voor terugdeinzen om zijn generaals de opdracht te geven 'de militaire bases van de NAVO in Griekenland te vernietigen. En uiteraard zullen zij geen genade hebben voor de olijfbossen of de Acropolis. [...] Als je iemand zijn hoofd afhakt, maakt niemand zich zorgen om het haar.'

Na afloop deed hij zijn uiterste best om vriendelijk te babbelen met Canadese, Britse en Franse diplomaten.[1] Hij zei dat er over Berlijn zou worden onderhandeld en dat er geen oorlog zou komen als het Westen van de kwestie geen 'krachtmeting' zou maken.

De volgende dag reisde de Secretaris-Generaal af naar Kiev om daar een toespraak te houden over landbouwzaken. Daarna zou hij tot begin september ter ontspanning in Pitsoenda verblijven. Voor Chroesjtsjov was augustus ieder jaar een maand van ontspanning, maar zijn afwezigheid in de hoofdstad kwam hem ook om een andere reden goed uit. Hij wekte in het Westen de indruk dat er niets belangrijks stond te gebeuren met Berlijn. Net als bij de ruimtevlucht van Gagarin wilde hij misschien ook wel uit de buurt blijven van Moskou om niet al

---

1. Thompson was met verlof in de Verenigde Staten.

te zeer in verband te worden gebracht met de grenssluiting voor het geval het tot opstootjes zou komen.

Kennedy verbleef het weekeind in Hyannis Port. Daar gaf Bundy hem 'een checklist van de handelingen die u verplicht bent te verrichten als en wanneer u het gebruik van atoomwapens in overweging gaat nemen'. Als er een atoomoorlog uitbrak terwijl hij zich op zijn zomerverblijf bevond, dan zou hij met spoed worden overgebracht naar de nieuwe, geheime presidentiële atoomschuilkelder op Nantucket Island. Die was gebouwd onder een achttieneneenhalf hectare metende verkenningsbasis voor duikboten en de marine deed het voorkomen alsof het een 'opslagplaats voor brandstoftanks voor hulpmotoren van opstijgende straalvliegtuigen' was.

Buiten de territoriale twaalfmijlszone probeerden Sovjettrawlers gewoonlijk de communicatie tussen de presidentiële jachten en de commandopost 'Hyannis White House' af te luisteren.

Zaterdagmiddag voeren de president en Billings met de *Caroline K* naar Oyster Harbor, waar zij Jacqueline en Caroline op de *Marlin* troffen. Voordat de lunch op het grootste schip werd opgediend, ging Kennedy zwemmen en de presidentsvrouw waterskiën. Hij bezocht een cocktail-party bij een buurman en nam vervolgens Jacqueline, Billings en de kleine Kennedy's mee naar de Hyannis News Store.

's Avonds kwamen ze allemaal bij elkaar in het huis van Joseph Kennedy om te dineren en een film te kijken. *Tiger Bay* en *Expresso Bongo* behoorden tot de filmtitels die Kennedy senior die zomer bestelde.

Rond middernacht reden zware trucks en transportvoertuigen naar de grenzen van West-Berlijn. Oostduitse grenswachters met machinegeweren werden geposteerd op kruispunten. Terwijl de officieren door megafoons brulden, bewerkten de troepen de bestrating met pneumatische hamers en hakten ze de bomen met bijlen omver. Ze ramden cementen palen de grond in en verbonden ze met wild kronkelend prikkeldraad.

De wachters hadden opdracht gekregen het karwei te klaren voordat iemand de tijd had te reageren. Op bevel van Chroesjtsjov stonden er op tactische plaatsen rond de stad Sovjetinfanterie en bewapende divisies paraat om in te grijpen voor het geval Oostduitsers zich zouden verzetten of het Westen een tegenaanval zou inzetten.

Toen het nieuws van de versperring bekend werd, renden duizenden Oostberlijners naar de ondergrondse en de treinstations. Ze kregen te horen dat het te laat was. Sommigen schreeuwden, sommigen huilden en weer anderen werden gearresteerd. Westberlijners hieven hun vuist op tegen de Oostberlijnse wachters, maar ze werden genegeerd.

In een verklaring deden Ulbricht en Honecker de grensafsluiting af als een onbelangrijke gebeurtenis: om aan de vijandige activiteiten van 'wraakzuchtige en militaristische krachten', waaronder 'spionnen en saboteurs', een einde te maken, waren er maatregelen getroffen die 'elke soevereine staat zou nemen'. Het Westen kreeg één geruststelling waar Chroesjtsjov op had aangedrongen: 'Het hoeft geen betoog dat deze maatregelen de bestaande verkeersvoorzieningen en controle op wegen tussen West-Berlijn en West-Duitsland niet mogen beïnvloeden.'

In 1961 waren de verbindingen nog zo primitief dat het nieuwe *Operations Center* van het ministerie van Buitenlandse Zaken tot middernacht Amerikaanse tijd – zes uur na het begin van de grenssluiting – bijna niets hoorde van de gebeurtenissen in Berlijn. Iemand belde naar John Ausland thuis, officier van dienst voor de speciale eenheid van Foy Kohler in Berlijn: een persbureau meldde 'dat er iets aan de hand is in Berlijn', maar het was 'niet duidelijk wat'. Ausland ging weer slapen.

Net voor vier uur werd hij weer wakker gemaakt. Er was een dringend telegram van de CIA-post in Berlijn gearriveerd: Oostduitse strijdkrachten waren 'alle bewegingen richting West-Berlijn aan het afsluiten'. Tot zo ver was er 'geen belemmering van de doorgang tussen West-Berlijn en West-Duitsland'. De boodschap bevatte een codewoord dat inhield dat de president onmiddellijk op de hoogte moest worden gesteld.

Ausland spoedde zich naar het ministerie van Buitenlandse Zaken en zocht naar een plan voor onvoorziene gebeurtenissen. Uiteindelijk werd er een kluis geopend en een map te voorschijn gehaald. Die was leeg. Het ministerie was jarenlang geobsedeerd geweest door de angst dat West-Berlijn van West-Duitsland zou worden afgesneden, niet van de DDR en Oost-Berlijn.

Tegen tienen arriveerde Dean Rusk in een pak van bobbeltjesstof bij zijn kantoor. Foy Kohler herinnerde hem eraan dat de westerse mogendheden Oost-Berlijn 'nooit beschouwd' hadden als een kwestie waarvoor men bereid was ten oorlog te trekken. Hoe erg zij de scheiding ook zouden 'betreuren', ze moesten er niet aan denken 'de demarcatielijnen met geweld te veranderen'.

Rusk was het ermee eens. Later zei hij: 'We hadden ook wel om ons heen kunnen kijken en zeggen: "Waar is iedereen?"' Hij zag de grenssluiting als een defensieve stap, niet een 'spel tegen West-Berlijn'. Hij besloot de president niet te bellen tot er meer feitenmateriaal was binnengekomen: Kennedy zou details eisen en hij wilde zijn 'zaakjes op een rijtje' zetten.

De Kennedy's woonden de zondagsmis van tien uur bij in de Franciscus-Xaveriuskerk en om zeventien over twaalf gingen ze aan boord van de *Marlin* voor een tocht naar Great Island. Ze zouden lunchen met John Walker, de directeur van de *National Gallery* die Jacqueline assisteerde bij de restauratie van het Witte Huis. De president ging gekleed in een poloshirt en witte broek. Hij wist nog steeds weinig of niets van het drama dat achttien uur daarvoor in Berlijn was begonnen.

De boot werd teruggeroepen voor een 'extreem belangrijke' boodschap uit Washington. Generaal Clifton zat op de kade te wachten in een golfwagentje en overhandigde Kennedy het gele telexbericht. Kennedy las het en keek met een woeste blik: 'Hoe komt het dat we hier niets van afwisten?' Hij belde Rusk in Washington: 'Wat is dit, verdomme? Hoe lang weet je dit al? Was er in de afgelopen twee, drie dagen een waarschuwing?'

Rusk zei dat ze niet zeker konden weten of de Russen de vluchtelingenstroom probeerden te stoppen en niet alleen onder controle probeerden te krijgen. De toegangswegen naar West-Berlijn werden niet belemmerd. Hij zag voor de president geen aanleiding om zich naar Washington te haasten.

Hij las Kennedy een voorstel voor een Amerikaanse verklaring voor. Hierin stond dat de 'schendingen van bestaande overeenkomsten het onderwerp zullen zijn van een krachtig protest via de juiste kanalen'. Dit milde antwoord was opgesteld om te voorkomen dat er een Oostduitse opstand zou uitbreken, zoals gebeurd was toen de Verenigde Staten de Hongaarse opstand in 1956 hadden aangemoedigd, met de bekende tragische gevolgen van dien. Het was de bedoeling de Sovjets gerust te stellen dat de Verenigde Staten niet overdreven zouden reageren.

De president gaf Rusk de opdracht de verklaring uit te brengen en er zorg voor te dragen dat niemand iets ondernam wat de situatie kon verergeren. Rusk was van plan geweest om die middag naar de honkbalwedstrijd tussen de Yankees en de Senators te gaan. 'Ga er heen zoals je van plan was,' zei Kennedy. 'Ik ga zeilen.'

Op het ministerie van Buitenlandse Zaken gaf Kohler de verklaring aan Ausland, die waarschuwde dat 'de mensen gaan vragen wat we hier nog meer aan gaan doen behalve protesteren'. Kohler zei: 'Laten we wachten en zien hoe de zaken zich gaan ontwikkelen. De Oostduitsers hebben ons immers een gunst verleend. Die vluchtelingenstroom werd gewoon gênant.'

Chroesjtsjov was op weg naar Pitsoenda. 'Wij maakten geintjes dat ze de dertiende in het Westen een pechdag vinden,' zou hij later zeggen. 'Ik grapte dat het voor ons en voor het hele socialistische kamp juist een bijzonder gelukkig dag zou worden.'

Willy Brandt voerde campagne als de sociaal-democratische kandidaat voor het kanselierschap. Hij had geslapen in een speciaal rijtuig van de Neurenberg-Kiel exprestrein toen hij het telegram uit Berlijn ontving. Nog suf van de 'vrolijke' zaterdagavond rende de burgemeester in Hannover de trein uit, vloog naar Berlijn en haastte zich naar de Brandenburger Tor, die nu werd versperd door vopo's met lichte mitrailleurs.

Brandt eiste een gesprek met de geallieerde controleraad. Tegen de westerse generaals zei hij: 'U heeft zich vannacht door Ulbricht flink te grazen laten nemen! [...] Stuur dan in ieder geval direct een paar eenheden naar de sectorgrens om het gevoel van onveiligheid te bestrijden en laat de Westberlijners zien dat zij geen gevaar lopen.' Toen hij te horen kreeg dat er geen sprake kon zijn van een dergelijk machtsvertoon deelde hij verslaggevers mee: 'Het hele Oosten lacht zich rot, van Pankow tot Vladivostok.'

Brandt werd in 1913 geboren als Herbert Frahm, de zoon van een ongetrouwde verkoopster uit Lübeck. Na de opkomst van Hitler vertrok hij naar Noorwegen voor een verblijf van twaalf jaar. Hij werkte er als journalist en zat in het verzet tegen de nazi's. Toen hij na de oorlog terugkeerde, schaarde hij zich bij de kring rondom Ernst Reuter, de naoorlogse burgemeester van West-Berlijn, en werd voorzitter van de senaat van de stad Berlijn voordat hij een gooi deed naar het burgemeesterschap. Zijn tweede poging in 1957 slaagde.

De betrekkingen tussen Brandt en Adenauer waren vanaf het begin kil. Toen ze allebei in de Bondsdag zaten, speelde de oude man een briefje door waarin hij Brandt vertelde dat premier Boelganin hem had gevraagd of Kempinski, het chicste hotel van West-Berlijn, nog overeind stond. Brandt hekelde de afstandelijkheid van de kanselier jegens de stad en vroeg hem of hij het antwoord had geweten.

De kanselier bezag met argusogen hoe Brandt en de nieuwe Amerikaanse president met elkaar konden opschieten. De Amerikaanse en Westduitse pers schreven er ook veel over. Hoewel hij wars was van heldenverering, raakte de burgemeester toch geïntrigeerd door Kennedy. Hij beschouwde hem als 'een ultramoderne conservatief', maar 'opmerkelijk onbevooroordeeld en begiftigd met een treffende combinatie van politiek inzicht en verstand, persoonlijk gezag en geestelijk doorzettingsvermogen'. Ze waren allebei van dezelfde generatie en lachten 'om dezelfde opmerkingen en grappen'.

Zijn eerste bezoek aan Kennedy en het Witte Huis vond plaats in maart 1961.[1] De president bedankte hem voor een opmerking tegen de pers dat herhaalde Amerikaanse loyaliteitsverklaringen overbodig waren: zulke dingen hoorde hij niet van Adenauer en hij was hem daar dankbaar voor. Toen Brandt het had over zijn campagne voor het kanselierschap, verwees hij naar 'verwaarloosde maatschappelijke verantwoordelijkheden'. Kennedy grinnikte: 'Dat komt me bekend voor.'

Nu vroeg Brandt zich echter af of zijn achting voor de president niet misplaatst was. Op de dag dat de grens dichtklapte, riep hij luidkeels zijn medewerker Egon Bahr toe: '*Kennedy* is gehakt van ons aan het maken.' Zijn vrienden dachten dat de ogenschijnlijke passiviteit van de president na de grensafsluiting in West-Berlijn van zeer grote invloed was op het latere politieke denken van Brandt, een reden voor zijn streven naar een verzoening met de Sovjet-Unie toen hij in de jaren zeventig uiteindelijk bondskanselier werd.

'Op 13 augustus werden wij volwassen,' zei Bahr later. 'Jammer dat het op deze manier moest gebeuren.' Met het afsluiten van de grens had de Sovjet-Unie, volgens Brandt, 'de belangrijkste wereldmacht getrotseerd en haar op effectieve wijze vernederd'. Later zei hij: 'Het gordijn ging op en het toneel was leeg.'

Op maandag had Kennedy in het Witte Huis een bespreking met Thompson en Bundy, die hem vertelde dat dit 'vanaf het allereerste uur' iets was waar de Sovjets 'altijd de macht voor hebben gehad. Iets wat ze vroeg of laat zeker zouden hebben gedaan.'

Eerder die morgen had Bundy aan Robert Amory van de CIA gevraagd: 'Wat moeten we nu in godsnaam doen?' Amory adviseerde hem om 'uw betrokkenheid bij Berlijn krachtig te versterken'. Stuur 'vanmiddag een gevechtseenheid over de Autobahn' om de toegang tot het westelijke deel van de stad zeker te stellen.

Het voorstel sprak Bundy wel aan, maar Maxwell Taylor niet: 'We zitten hier in een gevaarlijke situatie. [...] Die troepen die we in Berlijn hebben, sneuvelen tijdens de eerste zes uur van gevechten.' De president schaarde zich achter hem.

Bundy liet Kennedy weten dat zijn hoogste stafleden allemaal van mening waren dat de Verenigde Staten in de komende tien dagen een 'duidelijk initiatief' moesten nemen om tot onderhandelingen over Berlijn te komen. De president vond dat de nasleep van de grensafsluiting daarvoor niet het geschikte moment was. De verontwaardiging van de Amerikanen over die sluiting groeide en dat zou leiden tot 'steeds meer druk om een harder militair standpunt in te nemen'. Hij dicteerde een memo voor Rusk: 'Welke stappen ondernemen we deze week om de Sovjet-Duitse grensafsluiting politiek en propagandistisch uit te buiten?

---

1. Het bleef niet onopgemerkt dat Kennedy pas een maand later zijn eerste ontmoeting met Adenauer had.

Voor mij is het weer duidelijk dat het begrip 'vrije stad' een holle frase is en hoe verachtelijk de Oostduitse regering is. Terwijl de Sovjet-Unie haar juist salonfähig tracht te maken. [...] Het biedt ons een prima propagandastok achter de deur waar, als de rollen waren omgedraaid, goed gebruik van zou worden gemaakt om ons om de oren te slaan.'

Op dinsdag kreeg de president bezoek uit Belgrado van George Kennan, die hem adviseerde koel te blijven: Chroesjtsjov had de grens gedicht om een confrontatie te verhinderen, niet om er een te veroorzaken. Kennan was degene die in 1957 besprekingen had voorgesteld voor het losmaken van Midden- en Oost-Europa. Kennedy ontving hem in zijn privé-vertrekken, zodat de bijeenkomst geheim bleef voor de pers.

Op woensdag 16 augustus stroomden driehonderdduizend Westberlijners het plein op voor het Rathaus Schöneberg, het Westberlijnse stadhuis. Ze riepen leuzen en zwaaiden met borden: 'DOOR HET WESTEN BEDROGEN... WAAR BLIJVEN DE BESCHERMENDE MACHTEN?... HET WESTEN VOERT EEN TWEEDE MÜNCHEN OP.'

Zwetend stond Brandt op om vanaf de trappen van het Rathaus te spreken. Hij wist dat wanneer zijn mensen niet de verzekering kregen dat de vrijheid van West-Berlijn zou worden gegarandeerd, ze de stad zouden verlaten. Hij herinnerde de menigte eraan dat de westerse mogendheden hun grondrechten hadden behouden: 'Anders zouden de tanks zijn doorgereden.' Toch: 'Berlijn verwacht meer dan woorden!' Hij zei dat hij president Kennedy een persoonlijke brief had geschreven waarin 'in alle eerlijkheid onze standpunten' zijn verwoord.

Zijn brief kwam per telex aan in het Witte Huis. Er stond: 'De onwettige soevereiniteit van de Oostduitse regering is bij goedkeuring erkend.' Hij waarschuwde dat de Westberlijners wel eens in drommen de stad zouden kunnen verlaten en stelde daarom een versterking van de westerse troepen voor. 'Ik schat de situatie dermate ernstig in dat ik u dit in alle openhartigheid schrijf, zoals alleen mogelijk is onder vrienden die elkaar volledig vertrouwen.'

Kennedy werd woedend bij het lezen van de brief. Zijn politieke gevoeligheid stond tot het uiterste gespannen: 'Vertrouwen? Ik vertrouw deze man absoluut niet! Hij zit midden in een campagne tegen de oude Adenauer en wil mij erbij slepen.' Hij liet de brief zien aan zijn vriendin Marguerite Higgins en zei dat de burgemeester in plaats van zoveel drukte te maken, beter had kunnen telefoneren of naar Washington kunnen vliegen. Higgins was ontoeschietelijk: 'Ik moet je eerlijk vertellen dat in Berlijn het vermoeden rijst dat je de Westberlijners gaat verraden.'

Konrad Adenauer had de grensafsluiting veel kalmer opgenomen dan Brandt. Nadat hij op zondagmorgen met het nieuws was gewekt en had vernomen dat de Westduitse inlichtingendienst van het Sovjetblok geen aanval op West-Berlijn verwachtte, ging hij weer slapen. De volgende dag sloeg hij het advies om naar de stad te vliegen van de hand. Hij liet zijn medewerkers weten dat hij geen Oostberlijnse opstand wilde veroorzaken die, net als in 1953, uiteindelijk zou worden verpletterd door Russische tanks.

De nieuwe onvoorziene gebeurtenis verflauwde zijn partijgeest niet. Die avond in Regensburg sprak hij voor vijfentwintigduizend aanhangers en verwees hij naar zijn tegenstander als: 'Herr Brandt, alias Frahm.' Brandt zat in een West-berlijnse senaatsbijeenkomst toen hij op de hoogte werd gesteld van de belaste-ring. Ontroostbaar verliet hij de zaal en gaf een verklaring uit: 'Drie dagen na de gebeurtenis die het Duitse volk aan de zwaarste beproeving heeft blootge-steld, kan ik alleen maar mijn absolute onbegrip uitspreken over de lage aanval-len van de bondskanselier.'

Chroesjtsjovs ambassadeur in Bonn, Andrej Smirnov, zei tegen Adenauer dat de Sovjet-Unie niet van plan was de crisis rondom Berlijn te verergeren, maar het Westen moest een soortgelijke zelfbeheersing tonen. De Secretaris-Generaal was blijkbaar ongerust dat Amerikaanse woede of eisen van Brandt en zijn Westberlijners Kennedy tot een escalatie van de crisis zouden kunnen aanspo-ren – vooral omdat de Oostduitsers op het punt stonden het prikkeldraad te ver-vangen door een permanente betonnen muur. Hiermee verviel alle hoop dat de grensafsluiting van tijdelijke aard zou kunnen zijn.

Vanuit West-Berlijn verzond Allan Lightner van de Amerikaanse ambassade alarmerende berichten naar het thuisfront over het verslappende moreel in West-Berlijn. Edward R. Murrow, die toevallig in de stad was, telegrafeerde dat de Westberlijners misschien zouden vluchten: 'Wat hier het gevaar loopt te wor-den vernietigd, is die vergankelijke basisbehoefte die wij hoop noemen.' CIA-agenten brachten verslag uit over 'plotselinge vrees onder de Westberlijners dat er een militaire coup zou komen'.

Walt Rostow schreef aan zijn president: 'Bedenk dat wat hier op het spel staat – en wat volgens Chroesjtsjov altijd op het spel heeft gestaan –, de lang gekoester-de verwachtingen van de Westberlijners zijn. Hun wil om tegen die achtergrond te blijven leven en werken hangt uiteraard voornamelijk af van de vraag of ze zich al dan niet zeker voelen over westerse toegang.'

Om de Amerikaanse betrokkenheid nog eens te bevestigen, besloot Kennedy een gevechtseenheid van vijftienhonderd Amerikanen dwars door Oost-Duits-land naar West-Berlijn te sturen. Als speciale afgezant stuurde hij de vice-presi-dent, samen met Bohlen en generaal Lucius Clay, een held uit de tijd van de Berlijnse blokkade. Johnson zou de hoogste functionaris zijn die een bezoek bracht aan Berlijn sinds de Tweede Wereldoorlog. Toen de president hem bel-de, bracht hij net een bezoek aan Sam Rayburn, de voorzitter van de Democra-ten in het Huis van Afgevaardigden, die aan kanker leed.

De vice-president stribbelde tegen omdat hij van plan was met Rayburn te gaan vissen, maar de voorzitter zei dat ze dat ook een ander weekend konden gaan doen. O'Donnell, geen bewonderaar van Johnson, beweerde later dat de vice-president nerveus was over de troepenbewegingen en zei: 'Er zal veel geschoten worden en dan zit ik ermiddenin. Waarom ik?'

Harold Macmillan schreef in zijn dagboek: 'De president deed mij een bood-schap toekomen over het sturen van meer troepen naar Berlijn. Militair gezien is dit onzin. Maar om een gebaar te maken ben ik akkoord gegaan met het sturen van een paar pantserwagens extra en zo. Ik vind nog steeds dat vanuit Chroesjts-jovs optiek de binnenlandse situatie in Oost-Duitsland uit elkaar begon te vallen en dat er iets moest gebeuren. Maar ik denk ook dat hij niet een situatie wil creë-ren die tot een oorlog zou kunnen leiden. Het gevaar is natuurlijk aanwezig dat beide partijen elkaar willen overbluffen en er per ongeluk een ramp plaatsvindt.'

Zowel in de acht dagen na het sluiten van de grens als bij de vervanging van de hekken van prikkeldraad door een betonnen muur liet Kennedy zich niet publiekelijk uit over wat er gaande was in Berlijn. Ook gaf hij geen toestemming voor een verklaring uit zijn naam over het onderwerp. Zoals in de winter en lente van 1961 werd het openbare stilzwijgen van de president ongetwijfeld ingegeven door zijn wens om te voorkomen dat Berlijn tot een slopende, binnenlands-politieke controverse zou verworden die hem zou kunnen dwingen een harder beleid te gaan voeren dan hij wilde.

Verbazingwekkend genoeg slaagde hij daarin. In een later tijdperk zouden de Amerikaanse pers en het publiek het hoogstwaarschijnlijk niet getolereerd hebben dat een president langer dan een week weigerde commentaar te geven op een dergelijk gedenkwaardige gebeurtenis als de bouw van de Berlijnse Muur. Maar in augustus 1961 was er niet één belangrijke publikatie die bezwaar maakte tegen Kennedy's zwijgen.

Stafleden van het Witte Huis gebruikten deze periode om de indruk te verspreiden dat de president 'geschokt en gedeprimeerd' was door de grensafsluiting en de Muur.[1] Dit was misschien wel waar, maar het was lang niet het hele verhaal. O'Donnell schreef later: 'Eigenlijk zag hij de Muur als het keerpunt dat naar het einde van de kwestie-Berlijn zou leiden.'

Tegen zijn medewerkers zei Kennedy: 'Waarom zou Chroesjtsjov een muur neerzetten als hij echt van plan was West-Berlijn in te nemen? Er zou helemaal geen muur nodig zijn als hij de hele stad bezette. Zo redt hij zich uit een hachelijke situatie. Het is geen elegante oplossing, maar een muur is een stuk beter dan een oorlog.' Bij een andere privé-gelegenheid liet hij zich grover uit over zijn sympathie voor de Oostduitsers. Die was beperkt: ze hadden vijftien jaar de tijd gehad 'om uit hun gevangenis te ontsnappen'.

1. In de weken en maanden nadat de Muur werd opgetrokken, verschenen er verslagen over Kennedy's woede over het nalaten van de Amerikaanse inlichtingendienst om hem eerder op de hoogte te stellen van de grenssluiting. Zijn gepikeerdheid was oprecht. Toch aanvaardde hij de stellingname van de CIA dat de geheime Moskouse en Oostberlijnse vergaderingen en de geheime bewegingen van bouwmaterialen bijna iedere inlichtingendienst om de tuin zouden hebben geleid.

Het opblazen van Kennedy's woede in de pers is wellicht een opzettelijke poging van het Witte Huis geweest om de indruk te wekken dat de Muur voor hem als een verrassing kwam. En als gevolg daarvan zou men ook de indruk krijgen dat hij stappen zou hebben ondernomen om het te voorkomen, als hij er maar van op de hoogte was geweest. In die tijd is het in ieder geval nooit bekendgemaakt dat de president eind juli al een of andere poging van Chroesjtsjov verwachtte om de vluchtelingenstroom te stoppen – 'misschien met een muur,' zei hij tegen Rostow.

Kennedy was redelijk goed op de hoogte van de politieke beschuldigingen in de jaren veertig dat Franklin Roosevelt op de hoogte was van de komende aanval op Pearl Harbor en deze signalen negeerde om zijn eigen grotere internationale doelen te bereiken. De les die hieruit kon worden geleerd, was dat het voor een president verstandiger was op te draaien voor de nalatigheid van inlichtingendiensten om tijdige waarschuwingen te geven, zoals Roosevelt deed, dan voorvallen als Pearl Harbor of een Berlijnse Muur op een cynische manier te aanvaarden om andere doelen in het buitenlandse beleid te bereiken. Na de rakettencrisis probeerde Kennedy op een vergelijkbare manier de schuld (voor het nalaten van een waarschuwing aan de Russen om geen raketten te sturen naar Cuba) voor het nalaten van een voorspelling van Chroesjtsjovs tactische zet, op de CIA af te schuiven. Zie hoofdstuk 19.

De president zou zulke dingen niet in het openbaar hebben durven zeggen. Als Amerikanen en Westeuropeanen zouden horen wat anderen misschien vermoedden – dat Kennedy de Muur minder als een probleem dan als een oplossing beschouwde –, dan zou hij beschuldigd worden van een verzoenende politiek richting Chroesjtsjov. In het oververhitte taalgebruik van die tijd zouden de critici hebben geëist te weten welke volkeren hij nog meer bereid was te verraden en welke andere Russische schendingen van naoorlogse overeenkomsten hij bereid was te negeren om het gebruik van Amerikaans geweld te voorkomen?

Chroesjtsjov had geen behoefte aan een duidelijke boodschap van de president om er tamelijk zeker van te zijn dat de Amerikanen niet ten strijde zouden trekken vanwege een grensafsluiting of een muur. De eensgezindheid van de NAVO over de 'drie essentials' betreffende Berlijn, waarvoor het Westen bereid was te vechten, werd niet als haar officiële standpunt beschouwd. Toch had de Secretaris-Generaal voldoende spionnen met toegang tot NAVO-geheimen om te weten dat een grensafsluiting niet tot die drie behoorde.[1]

De eis van vrije doorgang tussen Oost- en West-Berlijn, die in 1945 was vastgelegd tijdens de conferentie van Potsdam, bleef opvallend afwezig in Kennedy's speech van 25 juli. Hij zei: 'Vandaag loopt de bedreigde grens van de vrijheid door het verdeelde Berlijn. [...] Alleen de Sovjetregering kan de vredesgrens van Berlijn omzetten in een excuus voor een oorlog.' Zijn verwijzing naar de grenslijn met de term 'vredesgrens' suggereerde nauwelijks een afkeuring. In zijn toespraak verwees de president herhaaldelijk naar de verdediging van 'West-Berlijn' in plaats van 'Berlijn.'[2]

Bundy gaf jaren later toe dat de toespraak van Kennedy 'een aanmoediging kan zijn geweest voor Chroesjtsjov' om de grens te sluiten: 'Je kunt erover discussiëren of het misschien niet verstandiger was geweest om er ten minste iets minder duidelijk over te zijn – om Chroesjtsjov in grotere onzekerheid te laten – om hem de mogelijkheid te laten overdenken dat een muur een oorlog zou kunnen betekenen. Kennedy had zeker iets vager kunnen zijn en het meer over Berlijn dan over West-Berlijn kunnen hebben.' Bundy dacht dat 'de aldus gewijzigde toespraak Chroesjtsjov duidelijker afgeschrikt' zou kunnen hebben, maar dat die

1. Een van die agenten heette Georges Paques, een Fransman in de NAVO-staf, die informatie over de 'drie essentials' en nucleaire-noodplannen aan Moskou doorspeelde voor hij eind 1961 werd gearresteerd. Een andere was luitenant-kolonel W.H. Whalen, een Amerikaanse inlichtingenofficier die op het Pentagon voor de gezamenlijke stafchefs werkte. Hij kwam met andere geheime informatie, waaronder schattingen van de Amerikaanse inlichtingendienst over een harde opstelling van de geallieerden bij de verdediging van Berlijn. Whalen werd in 1966 gearresteerd. Jaren later vertelde Dean Rusk dat hij vermoedde dat er spionnen in de NAVO zaten en daarom gebruikte hij zijn verbindingen met de alliantie om Moskou ervan te overtuigen dat de Verenigde Staten zich hard zouden opstellen inzake Berlijn. Hij verwachtte dat dergelijke informatie sneller aandacht zou krijgen van de Russen wanneer ze het van de NAVO stalen, dan wanneer Chroesjtsjov en Gromyko het in Moskou van Thompson vernamen.

2. Er werd ook niet meer gerept over de Duitse hereniging, terwijl die toch lang het hoofdbestanddeel was geweest in Amerikaanse verklaringen over Duitsland en Berlijn. Dit kan de boodschap hebben versterkt dat Kennedy wellicht bereid was een grensafsluiting te tolereren die de scheiding van de stad en het land een permanenter karakter zou geven.

ook 'beslist minder overtuigend' zou zijn geweest voor Amerikanen van wie zware offers werden gevraagd.

Anders dan Eisenhower voelde Kennedy zich niet op zijn gemak met dubbelzinnigheden wanneer er zo veel op het spel stond als met Berlijn. Hij was altijd bang voor een atoomoorlog die door een beoordelingsfout zou uitbreken. In Bundy's herinnering waren Kennedy's inspanningen van juli en begin augustus gewijd aan 'het bepalen en het opheldeeren' van waar hij wel en niet voor zou vechten. Tot die inspanningen behoorde ook Kennedy's persconferentie drie dagen voor de grensafsluiting, toen hij naliet zijn afwijzing uit te spreken over Fulbrights bewering dat het Oosten het 'recht' had om de vluchtelingenstroom te stoppen en zei dat de Verenigde Staten de 'beweging van vluchtelingen niet zouden aan- of ontmoedigen'.

Dergelijke commentaren zouden echter niet zo effectief zijn geweest als het versturen van een rechtstreekse, geheime boodschap naar Chroesjtsjov. Dit roept de vraag op of Kennedy misschien een of ander vertrouwelijk kanaal heeft gebruikt om er absoluut zeker van te zijn dat de Secretaris-Generaal wist dat wanneer de bouw van een muur de prijs moest zijn voor het bezweren van de Berlijnse crisis, hij niet zou proberen hem tegen te houden.

Het meest voor de hand liggende kanaal zouden de geheime besprekingen zijn geweest tussen Georgi Bolsjakov en Robert Kennedy, de enige *New Frontier*-man die de president echt vertrouwde. Tijdens vraaggesprekken in 1964 en 1965 met historici kwam Robert Kennedy met zijn eerste en enige verslag van zijn betrekkingen met de Sovjetagent – dat verre van compleet was. Hij heeft het nooit gehad over een dergelijke boodschap aan Chroesjtsjov. Hij beweerde zelfs dat hij Bolsjakov weigerde te zien 'nadat ze de Muur hadden opgetrokken, omdat ik ervan walgde. Uiteindelijk zag ik hem drie of vier maanden later.'

Met deze herinnering deed Robert wellicht een verwoede poging om zijn broer te beschermen tegen latere beschuldigingen dat hij de gehate Berlijnse Muur in de hand zou hebben gewerkt. Als hij 'walgde' van de Muur, dan was hij er veel feller op tegen dan de president.[1]

Er valt nog iets te zeggen voor de poging van de Verenigde Staten om de wereldopinie achter zich te krijgen met behulp van een openbaar protest tegen de Muur. Maar het lijkt twijfelachtig dat de jongere Kennedy voor drie of vier cruciale maanden afstand zou hebben gedaan van een kanaal dat hij en de president belangrijk achtten om alleen maar een emotioneel gebaar te maken. Dat gebaar zou bovendien geen impact hebben, aangezien het geheim was. De president diende op geen enkele andere serieuze manier een protest in bij Chroesjtsjov, dus waarom zou Robert dat gedaan hebben door Bolsjakov een tijdje de rug toe te keren?

In zijn vraaggesprekken zei Robert dat hij in het begin van de zomer van 1961 er bij Bolsjakov op bleef hameren dat de Verenigde Staten zouden vechten wanneer de toegang tot Berlijn werd geblokkeerd. Bolsjakovs voornaamste opdracht was erachter te komen hoe de Verenigde Staten zouden reageren op andere pro-

---

1. Er rijst nog meer twijfel over Roberts bewering dat hij vanwege zijn afkeer van de Muur geen ontmoetingen meer had met Bolsjakov. In dezelfde serie vraaggesprekken zegt hij namelijk dat hij Bolsjakov half oktober ontmoette – twee maanden na de bouw van de Muur, en niet drie of vier.

Zondag 11 oktober 1962. Aan de vooravond van de rakettencrisis is John Kennedy op verkiezingscampagne in Buffalo. Hij komt hier samen met zijn ambassadeur bij de Verenigde Naties, Adlai Stevenson, aan bij het Carlyle Hotel in New York.

Januari 1961. De nieuwe president begroet de door de Sovjets vrijgelaten RB-47-piloten op de luchtmachtbasis Andrews in Maryland. Een maand later houdt hij zijn eerste vergadering over de Sovjet-Unie in de Cabinet Room. *V.l.n.r.:* Llewellyn Thompson, Lyndon Johnson, W. Averell Harriman, Charles Bohlen, George Kennan, Kennedy en Dean Rusk.

Cuba: de 'steen om de nek'.
Rechts: Fidel Castro wordt in Harlem begroet door Nikita Chroesjtsjov, oktober 1960. *Onder:* John Kennedy (*rechts*) en zijn vrienden William Thompson, een spoorweglobbyïst, en George Smathers, Senator voor Florida, met wie hij eind jaren vijftig naar het Cuba van Batista uitstapjes maakte waaraan weinig ruchtbaarheid werd gegeven.

Boven: dinsdag 4 april 1961; na afloop van een weekend in Palm Beach, waar hij heeft besloten de plannen van de CIA voor een invasie van Cuba door te zetten, neemt Kennedy (*links met hoed*) afscheid van zijn vader (*rechts met korte mouwen*). *Onder:* Cubaanse ballingen maken zich klaar voor de herovering van hun vaderland.

Rechtsboven: de mislukte poging begint. *Midden:* aan de pers getoonde krijgsgevangenen. *Onder:* hun onverbiddelijke plichten gaan door. De president en mevrouw Kennedy ontvangen de Griekse premier Konstantinos Karamanlis en diens vrouw in het Witte Huis.

Minister van Justitie Robert Kennedy (*links*) en Georgi Bolsjakov, de Russische inlichtingenagent met wie hij vanaf voorjaar 1961 geheime ontmoetingen had.

Zwaar bekritiseerd na de tegenslagen op Cuba en in Laos bekijken de president en zijn vrouw de vorderingen van commandant Alan Shepard, de eerste Amerikaan in de ruimte.

Juni 1961. De Kennedy's met de Franse president Charles de Gaulle buiten het Elysée in Parijs (*boven*) en bij aankomst in Versailles.

Zaterdag 3 juni 1961 bij de Amerikaanse ambassade in Wenen. Kennedy begroet Chroesjtsjov voor hun eerste topontmoeting. Links en rechts van de Secretaris-Generaal bevinden zich ambassadeur Michail Mensjikov en minister van Buitenlandse Zaken Andrej Gromyko. *Links:* om 18.45 uur neemt de president afscheid van Chroesjtsjov.

Die avond worden de twee leiders
naar hun plaatsen geleid in paleis
Schönbrunn (*rechts*).
Chroesjtsjov in een vrolijke bui
met zijn echtgenote, Nina Petrovna, en Jacqueline. Op de achtergrond: Rose Kennedy.

Op de Sovjetambassade vindt op zondag de confrontatie over Berlijn plaats, waarover Kennedy later zou zeggen: 'Toen hebben we 'm echt geknepen.' *Rechtsboven:* Chroesjtsjov begeleidt de president naar de voordeur na afloop van de ontmoeting. *Onder:* na afloop van de Weense top, wetend dat een Berlijnse crisis nabij is, keert de president uit Palm Beach op krukken terug naar Washington.

Juli 1961. *Rechts:* op het jaarlijkse tuinfeest in het Spaso House ter gelegenheid van Onafhankelijkheidsdag, Moskou. Chroesjtsjov begroet Jane en Llewellyn Thompson en een van hun dochters. *Onder:* in Hyannis Port, tijdens de vergaderingen over Berlijn, laat Kennedy de omgeving zien aan generaal Maxwell Taylor, Dean Rusk en Robert McNamara.

Augustus 1961. Oost-Duitsland en de Sovjet-Unie bouwen een muur dwars door Berlijn.

Boven: vice-president Johnson, door president Kennedy naar Duitsland gestuurd om de Amerikaanse garanties aan West-Berlijn te bevestigen, wordt verwelkomd door de Westduitse bondskanselier Konrad Adenauer. *Onder:* Kennedy onderhoudt zich met Johnson, generaal Lucius Clay en Charles Bohlen.

Amerikaanse kinderen zoeken dekking tijdens een oefening voor het geval de Berlijnse crisis uit loopt op een atoomoorlog met de Sovjet-Unie.

Oktober 1961, Checkpoint Charlie, Berlijn. Amerikaanse en Russische tanks staan tegenover elkaar; de enige keer dat een dergelijke confrontatie tijdens de Koude Oorlog plaatsvond.

Met bravoure en bluf verbergt Chroesjtsjov zijn ernstige politieke problemen tijdens het Tweeëntwintigste Partijcongres in Moskou, oktober 1961. Hij wordt toegejuicht door (v.l.n.r.) Anastas Mikojan, Leonid Brezjnev, Frol Kozlov, Michail Soeslov en Aleksej Kosygin.

December 1961. Kennedy aan het eind van wat zijn broer 'een bijzonder moeilijk jaar' noemt.

vocaties, zoals het afsluiten van de grens tussen West-Berlijn en Oost-Europa. Als hij dit had gevraagd, dan zou Robert hebben beweerd dat de president geweld zou gebruiken om de grensafsluiting te voorkomen. En hiermee zou Robert de pogingen van zijn broer, om te bepalen waarvoor de Verenigde Staten ten strijde zouden trekken, niet ondermijnen. Het is nagenoeg uitgesloten dat de intensieve besprekingen over Berlijn tussen Robert en Bolsjakov dit aspect niet tot onderwerp hadden.[1]

Via indirecte of directe communicatie met Chroesjtsjov slaagde Kennedy erin een interimoplossing te bereiken voor de kwestie-Berlijn. Hij nam veel weg van Chroesjtsjovs motief om de confrontatie op de spits te drijven door zijn aanmoediging om de grens te sluiten en de vluchtelingenstroom te stoppen. Als bijkomend voordeel gaf de Muur de westerse propagandisten een schitterend voorbeeld waarmee ze het genadeloze mislukken van het Sovjetsysteem konden afkraken.

In die jaren waarin de Amerikanen minder geneigd waren om de buitenlandse activiteiten van hun president nauwkeurig te bekijken en te onderzoeken, ging Kennedy's medeplichtigheid aan de bouw van de Muur nagenoeg voorbij aan de publieke aandacht. De critici concentreerden zich daarentegen op zijn nalatigheid geweld te gebruiken nu die eenmaal was gebouwd. Eisenhower leverde geen openlijke kritiek op de president, maar onder vier ogen met vrienden vertelde hij over zijn afkeer van Kennedy's nalatigheid om de akkoorden van Potsdam na te leven.[2] Dean Acheson vond ook dat 'als we krachtdadig hadden gehandeld [...], dan waren we misschien in staat geweest om iets te bereiken'.

Er bestaat enig bewijsmateriaal dat Ulbricht en Oostduitse leiders bevreesd waren voor een poging om de muur af te breken. Lucius Clay dacht: 'We hadden die nacht kunnen voorkomen dat de Muur werd gebouwd.' Als de Amerikaanse commandant in Berlijn 'vrachtwagens met ongewapende soldaten heen en weer had laten rijden', zo dacht hij, dan 'zouden we nooit een oorlog hebben gehad'. Als de commandant tot actie was overgegaan, 'dan zou hij hierin geslaagd zijn, zelfs wanneer hij zijn instructies zou hebben geschonden. Dat zou hem vergeven worden en hij zou een held zijn geworden.' Clay vond dat tegen de tijd dat Kennedy op de hoogte werd gesteld, 'het al te laat was'.

De Franse minister van Buitenlandse Zaken, Maurice Couve de Murville, zei jaren later dat hij en De Gaulle dachten 'dat het misschien beter zou zijn geweest om direct te reageren op de Muur [...] en misschien zouden de Russen zich hebben teruggetrokken'. De Westduitse commentator Wolfgang Leonard zei later: 'Nu weten we – zo hoorden we later van vluchtelingen – dat de leiding in Oost-

---

1. Veertien maanden later beëindigde de president de meest kritische fase van de rakettencrisis op precies deze manier – door een oplossing voor te leggen in absoluut geheime besprekingen met een vertrouwelijke afgezant van Chroesjtsjov. Hierbij spande hij zich tot het uiterste in om zich ervan te verzekeren dat de concessie geheim bleef, omdat hij bang was politieke schade op te lopen als de Amerikanen erachter zouden komen wat hij had gedaan. Zie ook hoofdstukken 18 en 19.

2. Ironisch genoeg ontmoetten Kennedy en Eisenhower elkaar voor de eerste keer in Potsdam in juli 1945, toen Truman, Stalin, Churchill en zijn opvolger Clement Attlee die akkoorden aan het opstellen waren. Eisenhower was er in zijn hoedanigheid van zegevierende bevelhebber van de geallieerden in Europa en Kennedy was de jongste medewerker van een vriend van zijn vader, James Forrestal, toentertijd minister van Marine.

Berlijn teruggekrabbeld zou hebben als het Westen zijn poot stijf had gehouden. Maar, zoals gewoonlijk, was het Westen te laat.'

In de Verenigde Staten was de president politiek gezien veel minder kwetsbaar vanwege zijn verzuim de Muur neer te halen, dan hij zou zijn geweest wanneer het publiek volledig op de hoogte was geweest van hoe hij Chroesjtsjov had aangemoedigd deze te bouwen. Zoals Sorensen later opmerkte, wisten de meeste Amerikanen dat 'wanneer we hem hadden neergehaald en de Duitsers vervolgens op honderd meter, vijfhonderd meter of anderhalve kilometer achter de eerste een nieuwe hadden gebouwd, dat wij dan vroeger of later militair betrokken zouden zijn geraakt in Oost-Duitsland'.

Zelfs zonder een militair conflict, zoals Boerlatski zei, hadden de Oostduitsers de Muur steeds opnieuw kunnen bouwen 'totdat de andere partij gewoon te moe is om hem te vernietigen'. Franz-Josef Strauss wist in die tijd zeker dat direct ingrijpen tegen de sluiting 'een derde wereldoorlog zou riskeren'. Pas in oktober vroeg een verslaggever aan de president waarom hij geen 'geweld gebruikt om de bouw van de Muur tegen te houden'. Kennedy antwoordde: 'Zoals u weet staan Oost-Berlijn en Oost-Duitsland in feite al sinds 1947 en 1948 onder controle van de Sovjet-Unie.'

Of hij nu een hekel had aan demagogie of het vuur niet wilde opporren waar hij zich politiek aan zou kunnen branden, het feit blijft dat Kennedy de Berlijnse Muur in het openbaar opvallend bleef verzwijgen. Voor een president die het zo vaak had over de tragische verschillen tussen kapitalisme en communisme, vereiste deze omissie een bovenmenselijke inspanning: er was geen levendiger of treffender symbool van Amerika's superieure morele standpunt in de Koude Oorlog dan de ijzingwekkende verdeling rond West-Berlijn.

Tussen augustus 1961 en de dag van zijn dood – met uitzondering van zijn bezoek aan West-Duitsland in juni 1963 – vermeldde Kennedy de Muur in slechts drie toespraken. Het waren louter terloopse verwijzingen en besloegen niet meer dan een zin.[1]

Kennedy was voorzichtig met zijn beslissing om het behoud van de vrije doorgang tussen West-Berlijn en het Oosten niet te beschouwen als een reden om de Amerikanen te verzoeken om te gaan vechten. Hij wist dat wanneer een grensafsluiting onvermijdelijk was en ze de crisis zou kunnen verlichten, hij zelf een lage politieke prijs zou betalen. Immers, het was beter dat de Russen en Oost-

---

1. Tijdens een toespraak in Bogotá in december 1961 merkte de president op dat het communistische 'falen gegrift staat in het dramatische contrast tussen een vrij, machtig en welvarend West-Europa en de beroerde, doffe armoede van Oost-Europa, of de honger van China, of de muur die West-Berlijn van Oost-Berlijn scheidt.' In maart 1962, op een geldinzamelingsdiner voor George Smathers in Miami Beach, zei hij: 'Volgens mij geeft de Muur in Berlijn, bedoeld om mensen op te sluiten, over de hele wereld duidelijk blijk van de superioriteit van ons systeem.' In mei 1963 sprak Kennedy tijdens de viering van het dertigjarig bestaan van de *Tennessee Valley Authority*. Hij noemde de critici die de *TVA* met de Berlijnse Muur vergeleken 'een bedreiging van onze vrijheid'.
Jaren later schreef Bundy: 'Het zou ook beter zijn geweest wanneer Kennedy zelf in het openbaar wat sneller zijn afkeuring over de Muur had uitgesproken.' Het is moeilijk om het daar niet mee eens te zijn, vooral als je bekijkt dat de president de Muur in het openbaar nooit op serieuze wijze heeft afgekeurd tot juni 1963!

duitsers het heimelijk en zonder waarschuwing op eigen houtje zouden doen, dan dat het Westen tijdens openbare onderhandelingen zijn toestemming zou moeten geven voor de sluiting.

Het was niet bepaald volgens de traditie van een groot leider dat Kennedy trachtte de kritiek uit de weg te gaan dat hij het ontstaan van de Muur door het nalaten van een verklaring na de bouw zou hebben aangemoedigd of toegestaan en dat hij zich zelden publiekelijk uitliet over dit onderwerp. De Amerikanen kregen nooit van hun president te horen waarom de Muur was gebouwd, waarom het niet in hun belang was om met militair geweld verzet te bieden en waarom de Muur nooit gebruikt zou worden om de duurzame Amerikaanse eis van een uiteindelijke hereniging van Duitsland af te zwakken.

Kennedy's stilzwijgen over de Muur was niet alleen een teken van slecht leiderschap, maar ook van riskante politiek. Omdat hij verzuimde de zaak voor de Amerikanen in een bepaalde context te plaatsen, maakte hij zich bijzonder kwetsbaar voor een belangrijk onderzoek door verslaggevers of Republikeinse Congresleden rond de vraag waarom hij de Muur niet had voorkomen of op wat voor manier hij de bouw ervan had aangemoedigd om zijn eigen politieke doelstellingen te dienen. Op zo'n manier was Roosevelt ervan beschuldigd Pearl Harbor te hebben uitgelokt. Kennedy had het geluk dat een dergelijk onderzoek uitbleef.

Op vrijdagmorgen 18 augustus landden de vice-president, generaal Clay, Bohlen en de rest van hun gezelschap in Bonn. Tijdens de vlucht had Bohlen Johnson eraan herinnerd dat zijn voornaamste doel moest zijn 'het moreel van de Westberlijners op te vijzelen'. Bohlen zou later zeggen dat Johnson 'zo vaak mijn advies vroeg dat ik me gevleid voelde. Hij ging nauwkeurig te werk om geen vergissingen te begaan.'

De vice-president las de verslaggevers een voor hem geschreven verklaring voor: 'Ik wil persoonlijk de gevolgen zien van deze tragische toestand [...] de gescheiden gezinnen, de vluchtelingen die hun huis en vrienden hebben moeten verlaten en hun wortels hebben moeten losrukken om in vrijheid een nieuw leven op te bouwen.' Deze aaneenschakeling van clichés was zelfs gedurfder dan wat er over Kennedy's lippen was gekomen.

Op het vliegveld van Bonn wees Adenauer naar een bord met de eis: 'GEEN WOORDEN MAAR DADEN.' Het werd omhooggehouden door een oude vrouw met wie hij persoonlijk, zo zei hij tegen Johnson, geen van beide zou willen ondernemen. De bondskanselier had de Muur nog steeds niet gezien. Hij bood aan om zich bij de Amerikanen in het vliegtuig te scharen, maar Bohlen wist de vice-president er stilletjes van te overtuigen dat dit Adenauer een voorsprong zou kunnen geven op Brandt in de verkiezingen van september.

Laat in de middag landde de *Air Force Constellation* op Tempelhof, het toneel van de Berlijnse Luchtbrug waaraan Clay zo succesvol leiding had gegeven. Jack Bell van Associated Press merkte dat Johnson 'angstig' was geweest over de vlucht boven Oost-Duitsland: 'Hij dacht dat de Russen dit misschien echt gedenkwaardig wilden maken en zijn vliegtuig zouden neerhalen.' De vice-president en Brandt reden door de straten die bijna verstopt raakten door een half miljoen juichende en bloemen gooiende mensen. Johnson kuste baby's, schudde handen en deelde balpennen uit. Egon Bahr merkte op dat hij al campagne voerde voor de presidentsverkiezingen van 1968.

Bij het stadhuis hield Johnson voor nog eens 350.000 juichende Berlijners een toespraak die was opgesteld door Walt Rostow en regel voor regel was nageplozen door Kennedy om te voorkomen dat de vice-president 'onzin zou uitkramen', zoals Robert Kennedy het uitdrukte. Hij zei: 'Aan het overleven en de creatieve toekomst van deze stad hebben wij Amerikanen verpand wat onze voorvaderen in feite hebben verpand aan het ontstaan van de Verenigde Staten – "ons leven, ons goed en onze heilige eer". De president wil u laten weten en ik wil u laten weten dat de gelofte die hij heeft gedaan aan de vrijheid van West-Berlijn en aan de rechten van westerse toegang tot Berlijn, nog altijd geldt. [...] Dit eiland staat niet alleen!'

Op zaterdagavond verzocht Johnson om een bezoek aan de *Staatliche Porzellanwerke*. Brandt liet hem weten dat de fabriek was gesloten. De vice-president ontplofte bijna: 'Wel verdomme, u bent toch de burgemeester? Het moet toch niet al te moeilijk voor u zijn om te regelen dat ik dat porselein kan zien. Ik ben een hele oceaan overgevlogen om hier te komen.'

Officieren van het protocol sleepten de fabrieksdirecteur uit zijn bed en Johnson bestelde enkele porseleinen serviezen. Vanuit zijn suite in het Berlijnse Hilton bestelde hij ook grote aantallen schoenen, elektrische scheerapparaten en asbakken van plaatselijke verkopers. Hij verkneukelde zich over de asbakken: 'Ze lijken een dollar te kosten, maar ik betaal er slechts vijfentwintig dollarcent per stuk voor!'

De president had zondagmorgen vroeg de vijftienhonderd man van de eerste gevechtsgroep van de Amerikaanse achtste infanteriedivisie naar Berlijn gesommeerd. Kennedy bleef in het Witte Huis: mocht het ergste gebeuren, 'dan moesten we niet vanuit Hyannis Port de oorlog verkondigen'.

Nadat hij de gevechtsgroep had gestuurd, kreeg de president bedenkingen. Het behoorde wel tot de rechten van het Westen, maar misschien zouden de Russen zich geprovoceerd voelen. Robert Kennedy: 'Het was een gevaarlijke ogenblik. [...] Hij wist niet of ze zouden proberen hen te stoppen.' De president was rusteloos en besloot een film te draaien. Het enige dat hij kon vinden, was een middelmatige western. Na een uur liep hij het theater van het Witte Huis uit en droeg generaal Clifton op hem te wekken als er iets onverwachts zou gebeuren.

Het was middernacht in Washington toen de vijftienhonderd man de Oostduitse grens passeerden en de Autobahn opreden richting Berlijn.[1] Kennedy had de Amerikaanse lucht- en grondstrijdkrachten in staat van paraatheid gebracht voor het geval dat er gevochten moest worden. Tijdens de verkiezingsnacht van 1960 was hij erin geslaagd een paar uur te slapen, hoewel de uitslag in een paar staten nog onzeker was. Wetende dat hij nu weer weinig kon doen om de uitkomst te beïnvloeden, ging hij naar bed.

Acht uur later was de president op en verzocht om nieuws. Clifton deelde hem mee dat het eerste contingent zonder problemen Berlijn was binnengekomen. Opgelucht ging Kennedy naar de zondagsmis van negen uur in de St. Mat-

---

1. Om de doorgang van de gevechtseenheid over de Autobahn te vergemakkelijken, voldeed de commandant aan het Russische verzoek om zijn troepen te laten uitstappen voor een telling. In het verleden hadden commandanten zo'n verzoek geweigerd. Deze ongepubliceerde Amerikaanse concessie werd uiteindelijk een officiële procedure.

thew's Cathedral en daarna stapte hij aan boord van zijn helikopter voor de vlucht naar Cape Cod.

In West-Berlijn reden de trucks de Kurfürstendamm af langs roepende en huilende Berlijners. Ze gooiden bloemen die de soldaten in hun helmbandjes staken. Volgens hun bevelhebber leek het op de bevrijding van Parijs. Een legerkapel speelde terwijl Johnson en de andere Amerikanen tot diep in de middag de troepen verwelkomden. Hij zei: 'Alle middelen van de machtigste natie ter wereld staan achter jullie.'

Voor de kust van Hyannis Port verbleven de president en de First Lady die zondagmiddag op de *Marlin* met Jacquelines couturier Oleg Cassini en een van haar ex-minnaars, John P. Marquand jr. De opgewekte vice-president liet weten dat hij naar Hyannis Port wilde komen vliegen voor een aangrijpend welkom dat op de televisie zou worden uitgezonden. De president stuurde een bericht terug dat kon worden volstaan met een bijeenkomst in Washington. Salinger liet de pers weten dat 'weersomstandigheden' het de vice-president moeilijk zouden maken om te landen op de Kaap.

Op maandagmiddag ontving Kennedy in de Fish Room van het Witte Huis het verslag van Johnson en sprak hij voor het eerst sinds de grensafsluiting over Berlijn. Het bleef beperkt tot één zin: 'Om de vrijheid van West-Berlijn te behouden, gaan wij moeilijke weken en maanden tegemoet, maar we zullen haar behouden.'

De vice-president deelde verslaggevers inofficieel mee dat de president hem niet alleen naar Berlijn had gezonden vanwege de kwestie-Berlijn, maar ook vanwege Laos en de Varkensbaai: Chroesjtsjov 'heeft bloed geroken in Cuba en Laos en nu in Berlijn, en hij wil meer. Hij denkt dat hij een jonge president en een nieuwe regering onder druk kan zetten en onderzoekt nu hoe ver hij kan gaan.'

Kennedy was ongerust dat Eisenhower zijn delicate poging om de Muur buiten de binnenlandse politiek te houden op zijn kop zou zetten. Daarom stuurde hij Allen Dulles naar de generaal in Gettysburg om hem in te lichten. Eisenhower voorspelde dat Chroesjtsjov 'alleen maar zou gniffelen' om de door de president bevolen versterking van de Berlijnse troepen. Kennedy's conventionele opbouw zou Chroesjtsjov uitdagen tot 'een grotere opbouw van de grondstrijdkrachten om ons voor te blijven'. Hij maakte het idee belachelijk dat 'wij in Europa een conventionele oorlog kunnen voeren zonder gebruik te maken van atoomwapens'.

De generaal kwam terug op een van zijn grootste zorgen en vertelde Dulles dat de regering-Kennedy zich moest afvragen 'hoe lang wij kunnen doorgaan met het uitgeven van steeds grotere bedragen. [...] Elke beperking op de economie die gepaard gaat met strenger overheidstoezicht zou uiteindelijk kunnen leiden naar een geleide economie waarin alles door de overheid wordt gecentraliseerd en gecontroleerd.'

Toen Chroesjtsjov hem eenmaal tot actie had gedwongen, bewees Kennedy beter met de kwestie-Berlijn om te kunnen gaan dan hij was geweest in het voorkomen ervan. Hij had geleerd van zijn fouten tijdens het Varkensbaai-incident en zette nu zijn Nationale Veiligheidsraad en zijn speciale eenheid in Berlijn in om het probleem systematisch vanuit verschillende invalshoeken en politieke standpunten aan te pakken. Deze zorgvuldige overwegingen waren des te belangrijker, omdat de president inzake eventuele stappen in Berlijn zelf buitengewoon onbevooroordeeld was. Rusk en Bohlen hadden die eigenschap ook al opgemerkt tijdens de Cabinet Room-vergaderingen in februari over de Sovjet-Unie. Bij het uitdenken van zijn aanpak van de kwestie-Berlijn moest hij de schade te boven komen die hij zichzelf gedurende de eerste zes maanden van zijn ambtstermijn had berokkend. Het beleid inzake Berlijn, aangekondigd vanuit het Oval Office in de toespraak van 25 juli, was voornamelijk opgesteld om Chroesjtsjov, het Amerikaanse Congres en het Amerikaanse volk te overtuigen van zijn vastberadenheid en belofte om de westerse rechten in de stad te verdedigen.

Het was een geniale en succesvolle inspanning van de president. Hij liet Chroesjtsjov zien dat het volledig najagen van diens hoofddoel om het Westen uit Berlijn te verdrijven, een atoomoorlog op het spel kon zetten. Maar als Kennedy er in de lente en tijdens de top in Wenen al in was geslaagd om zijn vastberadenheid en meesterschap inzake de kwestie-Berlijn te demonstreren, dan zou hij minder dringend behoefte hebben gehad om de Amerikanen en de hele wereld op te schrikken met een toename van het defensiebudget met drieëneenhalf miljard dollar en een versneld schuilkelderprogramma.

De president had geen behoefte aan paniekzaaierij als hij zelf niet in paniek was. Hij nam Chroesjtsjovs uitdaging hoogst serieus, maar hij wist ontegenzeglijk dat een verontrustende toespraak en het gevoel van nationale eenheid dat daarop zou volgen, het hem gemakkelijker zouden maken om de conventionele opbouw, die hij ook zonder Berlijnse crisis gehad zou willen hebben, door het Congres te loodsen – en om wijdverspreide nationale steun af te dwingen voor om het even welke koers hij zou gaan varen inzake Berlijn, inclusief onderhandelingen met de Sovjets.

Voordat de Berlijnse Muur werd opgetrokken, had de president aan Rusk gevraagd om een elegante manier voor te stellen om met Chroesjtsjov onderhandelingen over Berlijn te beginnen. Rusk had geadviseerd om Thompson en Chroesjtsjov in een ongedwongen sfeer te laten praten over een manier om de westerse toegang tot Berlijn zeker te stellen. De Verenigde Staten zouden een verzoek kunnen indienen voor een topontmoeting met de Britten, Fransen en Westduitsers, wellicht op de Bermuda Eilanden, waar ze tot overeenstemming konden komen over een westers standpunt voordat Chroesjtsjovs ultimatum van december voor een vredesverdrag verliep.

Begin augustus was de president nog niet gereed geweest om iets te ondernemen. Nu had Chroesjtsjov zijn vluchtelingenprobleem opgelost. De westerse toegang tot Berlijn was opnieuw gehandhaafd. Sorensen vertelde later dat Kennedy 'voelde dat er in de crisis een keerpunt was bereikt'. De dag nadat de vijftienhonderd man Berlijn hadden bereikt, dicteerde de president aan Rusk een memo dat een opvallend andere koers verried dan zijn vroegere besluiteloosheid:[1]

1. Misschien was hij beïnvloed door een memo van Bundy dat hij die dag had gelezen. Het ging over een gesprek met Stevenson van twee dagen daarvoor: 'Zijn eigen directe zorg is de onevenwichtigheid tussen onze eigen militaire opbouw en onze onderhandelingspositie. [...] Hij vindt dat we onmiddellijk duidelijk moeten maken dat we onderhandelingen willen. Hij is op de hoogte van het plan van Dean Rusk voor een formeel bezoek aan het eind van de maand, en hij zou graag nog eerder stappen willen ondernemen als dat mogelijk is. [...] Daarnaast leek hij een stuk opgewekter en minder bezorgd over zijn eigen problemen dan gewoonlijk.'

'Ik wil nadrukkelijker het voortouw nemen in de onderhandelingen over Berlijn. [...] Ik geloof niet langer dat we een bevredigende vooruitgang kunnen boeken door alleen maar met de Vier Mogendheden rond de tafel te gaan zitten. [...] We moeten natuurlijk zo overtuigend en diplomatiek zijn als maar mogelijk is, maar het is tijd om tot actie over te gaan. [...] Deze week moeten we het de andere drie geallieerde mogendheden duidelijk maken dat we dit van plan zijn en dat ze mee kunnen doen of achter moeten blijven.' Hij wilde Chroesjtsjov voor het einde van augustus een uitnodiging sturen. Bohlen kon in september allerhande zaken afspreken met de Sovjets. De besprekingen konden in november beginnen.

Kennedy schreef Rusk dat de voorstellen van Acheson een 'goed startpunt' waren geweest, maar 'geen eindpunt. U en ik hebben een kleine groep harde werkers nodig, die in recordtijd met alternatieven op de proppen kan komen voor onze kritische op- en aanmerkingen. Naar mijn mening moet dit een opdracht zijn die los staat van het dagelijkse operationele werk en de planning onder Kohler.'

Als leden van de groep stelde hij Bohlen, Bundy en Sorensen voor – mannen die de orthodoxe ideeën die Acheson en Kohler over Berlijn hadden, niet deelden. Hij wilde de touwtjes in eigen handen houden en wilde niet dat het publiek te horen kreeg dat hij drie mannen had geselecteerd die, voor wat Berlijn betreft, onvoldoende hard werden geacht door de critici. Anders dan met Achesons in maart veelvuldig aangekondigde aanstelling als adviseur inzake Berlijn, zei Kennedy nu tegen Rusk dat de groep 'zo onzichtbaar mogelijk moet functioneren, en ze moet rechtstreeks verslag uitbrengen aan u en mij'.

Hij gaf zijn instructies op een staccato manier: 'Maak de structuur van onze voorstellen zo helder mogelijk – het moet er niet uitzien als opgewarmde kost uit 1959. [...] Neem alle verklaringen van Chroesjtsjov onder de loep en vind een aanknopingspunt voor ons eigen standpunt. Hij heeft hier en daar behoorlijk wat zekerheden en aanwijzingen laten vallen en ik vind dat die moeten worden uitgebuit.'

Twee dagen later verklaarden de Sovjets dat de toegang tot Berlijn moest worden belemmerd, aangezien het Westen 'extremisten, saboteurs en spionnen' naar de stad overbracht. Kennedy dacht dat, nu Chroesjtsjov zonder tegenspraak de Muur had gebouwd, de verklaring een teken was van een nieuwe poging om nog een stap verder te gaan en de westerse toegang tot Berlijn te stoppen.

De Russische Secretaris-Generaal bevond zich in Pitsoenda. Het is mogelijk dat de verklaring is opgesteld door zijn collega's in Moskou, die de hoop koesterden dat de president voor verdere uitdagingen in de kwestie-Berlijn zou zwichten. Het is minder waarschijnlijk, maar Chroesjtsjov kan het document ook zelf hebben geschreven om Kennedy's wil nog eens uit te testen: als de president met een harde reactie zou komen, dan kon Chroesjtsjov de verklaring altijd weer intrekken of beweren dat hij verkeerd begrepen was.

Wat ook de reden was, Chroesjtsjov ondernam snel stappen om het effect van de verklaring af te zwakken. In een brief aan premier Fanfani en in een haastig gearrangeerd interview met de Amerikaanse columnist Drew Pearson gaf hij uiting aan zijn verlangen naar onderhandelingen over Berlijn.

Na een cruise door de Noorse fjorden met opperrechter Earl Warren en andere gasten op een boot die door Agnes Meyer, de weduwe van *Washington Post*-uitgever Eugene Meyer, was gecharterd, waren Pearson en zijn echtgenote Luvie naar Moskou gevlogen in de hoop op een interview met Chroesjtsjov.

Zij vlogen in een oud toestel van het type Viscount naar Sotsji voor het eerste interview dat Chroesjtsjov een Amerikaanse journalist toestond sinds hij Lippmann in april had ontboden. Bij aankomst in Pitsoenda troffen zij de Secretaris-Generaal aan met een panamahoed op. Verder droeg hij een Oekraïens boerenhemd en een geelbruine broek die bijna tot op zijn borst was opgetrokken.

Hij ging hen voor naar het binnen-en-buitenbad – de ideale plek voor vergaderingen, zo zei hij, omdat iedereen het water kon inspringen om af te koelen als de besprekingen wat te verhit werden. Hij bleef er maar op hameren dat er geen oorlog meer zou komen: als hun landen schouder aan schouder zouden staan, dan 'kan geen ander land ter wereld nog een oorlog beginnen'. Hij was bereid tot een topconferentie over Berlijn met president Kennedy en andere westerse leiders.

Mevrouw Pearson vroeg waarom hij dacht dat zo veel Oostduitsers naar het Westen waren gevlucht. Chroesjtsjov legde uit dat er minder consumptieartikelen waren in de DDR: de Oostduitsers hadden herstelbetalingen moeten doen aan andere Oosteuropese landen. Anders dan in West-Duitsland waren er voor de Tweede Wereldoorlog weinig fabrieken in het Oosten.

Pearson verzekerde hem dat Kennedy 'een man met een goed hart [was], een man die in de laatste oorlog zwaar heeft geleden [...] en niet nog een oorlog wil'. Toch had de president nog te maken met 'de oppositie van de extreme rechtervleugel. [...] Hoe meer u in de Sovjet-Unie druk op hem uitoefent, des te moeilijker het voor hem wordt om de kwestie-Berlijn tot een oplossing te brengen, omdat het er dan op lijkt dat hij zich onder vuur gewonnen geeft.' Hij spoorde de Secretaris-Generaal aan om 'gematigden als Kennedy niet in de wielen te rijden': de meeste Amerikanen 'zouden naar aanleiding van Berlijn niet een oorlog willen beginnen, maar dat zouden ze wel doen om hun president in bescherming te nemen wanneer ze vonden dat er met hem werd gesold'.

Chroesjtsjov nodigde zijn gasten uit voor een zwempartijtje in de Zwarte Zee en om te blijven slapen. Dan kon Pearson zijn interview uittypen en direct toestemming krijgen voor de publicatie. Hij zei dat hij als jongetje in de mijnen had gewerkt en nooit goed had leren zwemmen: 'Ik heb gemerkt dat meneer McCloy ook geen goeie zwemmer is, dus ik voel me nu niet meer zo opgelaten. En ik heb voor iedereen rubberen zwembanden. Dus laat u zich alstublieft niet in verlegenheid brengen als u niet al te goed kunt zwemmen.'

Terwijl de Secretaris-Generaal rond dreef in zijn rode rubberen band, raasde er een vliegtuig over. Hij grapte: 'Ik geloof niet dat het een U-2 is!' En vervolgens: 'Ik zal jullie laten zien dat ik zonder deze band kan zwemmen.' Hij klom op de kant, schudde de band af, dook terug het water in en zwom op z'n hondjes.

Tijdens de lunch de volgende dag hoorden ze een harde explosie die van een grote afstand over de Zwarte Zee kwam aanrollen. Chroesjtsjov zei dat het geluid waarschijnlijk van een Amerikaanse basis in Turkije afkomstig was: 'Misschien gaan ze ons opblazen. Ik heb begrepen dat ze daar nu met manoeuvres bezig zijn.' Mevrouw Pearson zei: 'U lijkt niet erg bezorgd.' De Secretaris-Generaal antwoordde: 'Ben ik ook niet. Er komt geen oorlog.'

Pearson schreef een artikel dat Chroesjtsjovs vreedzame bedoelingen bevestigde en dat op maandag 28 augustus werd gepubliceerd. Dat tijdstip kwam de Secretaris-Generaal goed uit, want hij stond op het punt om de confrontatie met de Verenigde Staten te verhevigen.

12. 'Ik wil weg'

Op maandagmiddag 28 augustus kreeg de president net nadat hij uit een dutje was ontwaakt, het slechte nieuws te horen. Een Amerikaanse luisterpost had een signaal opgepikt dat de Sovjetregering op het punt stond een nieuwe serie kernproeven aan te kondigen.

'Weer genaaid,' zei Kennedy chagrijnig. Tijdens de topontmoeting in Wenen had Chroesjtsjov hem de verzekering gegeven dat de Sovjet-Unie 'nooit als eerste' het vrijwillig aanvaarde moratorium op kernproeven zou verbreken die de beide mogendheden vanaf 1958 in acht hadden genomen. Eind juli had hij zijn belofte tijdens het bezoek van McCloy in Pitsoenda nog eens herhaald.

Chroesjtsjov had Kennedy om de tuin geleid. Kennedy was woedend, zowel op Chroesjtsjov als op zichzelf, omdat hij de Secretaris-Generaal had vertrouwd. Zijn wetenschappers vertelden hem dat de Russen op het moment dat Chroesjtsjov tijdens de Weense top met zijn beloften kwam, al bezig zouden zijn geweest om in het geheim een nieuwe reeks kernproeven voor te bereiden. Jaren later waren Bundy en Sorensen van mening dat dit verraad voor Kennedy gedurende zijn presidentschap een grotere teleurstelling was dan welke andere Sovjetactie dan ook.

Al vanaf januari had de president manmoedig de binnenlandse druk om de kernproeven te hervatten, weten te weerstaan. Een enquête van juli liet zien dat de helft van de Amerikanen vond dat hij tot hervatting over moest gaan, ongeacht wat de Sovjets zouden doen.

Eisenhower schreef naar vrienden dat hij de kernproeven in december 1960 weer had willen hervatten, 'aangezien ik aannam dat Dick Nixon president zou worden'. Maar in het licht van de 'ongelukkige verkiezingsuitslag' had hij bepaald dat Kennedy 'de vrije hand moest hebben'. Ook voelde de president de druk van de gezamenlijke stafchefs om tot hervatting van de proeven over te gaan.

Begin augustus 1961 waren de meeste adviseurs van Kennedy van mening dat een Amerikaanse hervatting onvermijdelijk was als de Sovjets vastberaden tegenstanders bleven van een kernstopverdrag. De president schreef aan Macmillan dat hij 'niet erg optimistisch' was over het uitstellen van een hervatting tot aan begin 1962: 'Zonder inspectiesysteem kunnen we er gewoon niet zeker van zijn dat de Sovjets geen proeven nemen, en als ze dat wel doen, kunnen ze wel eens interessante ontdekkingen doen. [...] Wat we niet weten, kan ons terdege deren.'

Op Thompsons aandrang speelde Kennedy met het idee de Sovjets het plan voor te leggen van een beperkt kernstopverdrag. Een verbod op proeven in de atmosfeer en onder water kon de mondiale angst voor radioactieve neerslag wegnemen en testgebieden, waarvan werd aangenomen dat deze meer voordelen voor de Russen dan voor de Amerikanen boden, tot verboden gebied maken. Maar de president was bang dat een dergelijke aanpak de positie van de Verenigde Staten zou verzwakken: het was beter te vechten voor een allesomvattend verbod, dan om een beperkt verdrag te accepteren als dat nodig mocht zijn.

Rond half augustus waren de Geneefse onderhandelingen inmiddels in een impasse geraakt. Kennedy gaf toestemming om tot voorbereiding van kernproeven over te gaan, maar wilde de uiteindelijke opdracht pas geven als de hele wereld ervan overtuigd was dat hij er alles aan had gedaan om tot een kernstopverdrag te komen, maar dat een hervatting nodig was om de veiligheid van het Westen te kunnen garanderen. Op 28 augustus stuurde hij ambassadeur Arthur Dean terug naar Genève met een nieuwe concessie. De Russen waren niet geïnteresseerd.

Nadat de president van Chroesjtsjovs besluit tot hervatting van de kernproeven op de hoogte was gesteld, bracht Drew Pearson een bezoek aan het Oval Office om verslag uit te brengen over zijn gesprekken met de Secretaris-Generaal. Afgeleid door Chroesjtsjovs besluit tot hervatting, liet Kennedy weten dat hij zich afvroeg of de geschiedenis hen zou omschrijven als: 'Chroesjtsjov en Kennedy, de mannen die de wereld in een kernoorlog stortten.'

Pearson schreef vervolgens naar Chroesjtsjov dat de president zich 'verslagen' voelde door het Russische besluit de kernproeven te hervatten: 'Ik vrees dat dit bij de Amerikaanse publieke opinie tot verontwaardiging leidt die niet eenvoudig te overwinnen zal zijn.' Als Chroesjtsjovs besluit diende om 'Kennedy inzake Berlijn onder druk te zetten, verlies dan alstublieft ons gesprek over een aantal van de politieke krachten in de Verenigde Staten niet uit het oog'.

Kennedy riep die avond zijn ambassadeur Dean weer uit Genève terug en bracht een verklaring uit: het besluit van de Sovjet-Unie tot hervatting van de kernproeven heeft gezorgd voor een toename van 'de gevaren voor een nucleaire holocaust' en heeft 'de totale huichelachtigheid van haar uiting om tot een algemene en totale ontwapening te komen' aangetoond.

Na de Varkensbaai had Robert de president laten weten dat Chroesjtsjov 'gedacht moet hebben dat achter dit alles een sinister en gecompliceerd verhaal schuilging, want anders hadden we nooit een dergelijke stommiteit kunnen begaan'. De twee broers hadden nu dezelfde overtuiging van Chroesjtsjovs hervattingsbesluit. De president zei dat de Secretaris-Generaal 'duidelijk' probeerde 'zowel het Westen als de niet-gebonden landen te intimideren', maar hij zat 'nog steeds met de handen in het haar' over een verklaring van een dergelijk besluit.

Inmiddels had Chroesjtsjov, twee dagen nadat hij had verklaard de defensie rondom Berlijn te zullen versterken, tijdens een geheime bijeenkomst in het Kremlin op maandag 10 juli Andrej Sacharov en andere kernwetenschappers van zijn besluit op de hoogte gesteld. Hij vertelde hun dat de wereldsituatie zich had verslechterd: de Sovjet-Unie moest haar nucleaire macht uitbreiden en de imperialisten laten zien waartoe ze in staat was.

Sacharov was ervan overtuigd dat Chroesjtsjovs beslissing door politieke motieven was ingegeven. Hij schoof de Secretaris-Generaal een briefje toe waarop stond dat een Russische hervatting in technische zin 'de Verenigde Staten alleen maar voordelen biedt. [...] Denkt u niet dat nieuwe kernproeven de onderhandelingen over een kernstopverdrag, de ontwapening en wereldvrede serieus in gevaar zullen brengen?'

Tijdens de lunch stond Chroesjtsjov op en hief zijn glas wijn alsof hij wilde toosten. Hij zette het glas weer neer en sprak met toenemende woede. Sacharov deed opnieuw verslag van de donderpreek van de Secretaris-Generaal: 'Sacharov schrijft dat we geen kernproeven nodig hebben. Maar ik heb informatie over hoe weinig proeven wij in vergelijking tot de Amerikanen hebben genomen. Kan Sacharov echt bewijzen dat we met minder kernproeven waardevollere informatie hebben gewonnen dan de Amerikanen? Zijn ze soms dommer dan wij?

Ik kan met geen mogelijkheid iets zeggen over alle technische details. Maar *het aantal* kernproeven, dat is het belangrijkst. Hoe kun je nu nieuwe technologieën ontwikkelen zonder proeven uit te voeren? Maar Sacharov gaat nog verder. Hij kijkt verder dan de wetenschap en begeeft zich nu op politiek terrein. Hij steekt zijn neus in zaken die hem niets aangaan. [...] Politiek is net als die oude grap over die twee joden die samen in de trein zitten. Vraagt de een aan de ander: 'Zo, waar gaat u heen?' 'Ik ga naar Zjitomir.' 'Wat een sluwe vos,' denkt de ene jood weer. 'Ik weet dat hij inderdaad naar Zjitomir gaat, maar omdat hij me vertelde dat hij naar Zjitomir ging, denk ik dat hij in werkelijkheid op weg is naar Zjmerinka.'[1]

'Laat de politiek aan ons over – wij zijn de specialisten. Jullie maken de bommen en testen ze. [...] Maar onthoud, we moeten onze politiek belijden vanuit een sterke positie. We schreeuwen dit niet van de daken, maar zo staan de zaken er wel voor! [...] Onze tegenstanders kennen geen andere taal.

Kijk, vorig jaar hebben we Kennedy bij zijn verkiezingsoverwinning geholpen. Daarna hebben we hem in Wenen ontmoet. Het had een keerpunt kunnen betekenen. Maar wat zegt hij? 'Vraag niet te veel van me. Drijf me niet in een hoek. Als ik te veel concessies doe, kan dit mij mijn functie kosten.' Wat een vent! Hij verschijnt voor een ontmoeting, maar kan niet presteren. Wat hebben we aan een dergelijk figuur? Waarom nog onze tijd verspillen door met hem te praten? Sacharov, je hoeft ons niet te vertellen wat we moeten doen of hoe we ons moeten gedragen. [...] Ik zou een slapjanus zijn en geen voorzitter van de ministerraad als ik naar mensen als Sacharov luisterde!'

Chroesjtsjovs besluit tot hervatting van de kernproeven bevredigde zijn groeiende behoefte om de wereld nogmaals met de kracht van de Sovjet-Unie te imponeren. Voordat zijn bespreking met zijn atoomgeleerden plaatsvond, wist hij al dat het onwaarschijnlijk was dat hij zijn doel met een crisis rond Berlijn volledig zou bereiken – het Westen via een dreiging met kernwapens te dwingen tot erkenning van de DDR en Berlijn geheel in het Sovjetblok te kunnen incorporeren.

---

1. Net als de meeste andere verhalen die de Secretaris-Generaal vertelde, was het niet de eerste keer dat hij deze grap liet horen. De mop verscheen in een iets andere vorm (Zjitomir was vervangen door Tsjerkassy) in het biografisch materiaal over Chroesjtsjov dat door de CIA naar Kennedy was gestuurd voordat de topontmoeting in Wenen plaatsvond.

Met de Berlijnse Muur had hij zijn kleinste doel bereikt: een halt toeroepen aan de Oostduitse vluchtelingenstroom en het behalen van een kleine propaganda-overwinning door aan te tonen dat het Sovjetblok een verdrag als dat van Potsdam kon schenden zonder ernstige vergelding van het Westen. Het was aantoonbaar dat Chroesjtsjov altijd al had geweten dat de kansen om zijn doelstellingen volledig te bepalen altijd zeer gering waren geweest, aangezien hij met zijn eisen inzake Berlijn niet op het randje van een kernoorlog wilde belanden. Zijn medewerker Boerlatski zei later dat de Secretaris-Generaal tijdens de Berlijnse crisis 'veel had geëist', maar 'tevreden was met wat hij bereikte'.

Als Chroesjtsjov er niet in slaagde zijn maximale doelstellingen te realiseren, zou hij zich daarmee nieuwe politieke problemen op de hals halen. Net als in 1959 zouden zijn generaals klagen dat hij de Sovjet-Unie in verlegenheid had gebracht door van zijn Berlijnse ultimatum af te zien. Nu al wilden ze weten waarom hij geen gelijke tred had gehouden met Kennedy's defensie-uitbreidingen door het eigen defensiebudget verder te verhogen en de crisis op het randje van een kernoorlog te brengen. Volgens Sergej Chroesjtsjov konden de militaire leiders 'verstandelijk gezien begrijpen dat geweld geen oplossing kon bieden, maar in hun harten hoopten ze dat wel'.

Verder vreesde de Secretaris-Generaal dat de leiders in de Derde Wereld en van andere landen zijn bereidheid tot onderhandelen zouden interpreteren als een stilzwijgende bekentenis dat de nucleaire sterkte van de Amerikanen, ongeacht Russische beweringen, die van de Sovjet-Unie vele malen overtrof. Als er met het Westen over Berlijn moest worden onderhandeld, dan niet vanuit een zwakke positie.

Chroesjtsjov wist dat een besluit tot een hervatting van kernproeven Kennedy, Macmillan en een aantal niet-gebonden landen furieus zou maken, maar hij wist tevens dat een dergelijk besluit het nucleaire arsenaal en politieke bestand van de Sovjet-Unie zou versterken. Hij hoopte dat alle wereldleiders die twijfelden aan zijn beweringen over de strategische kracht van zijn land, misschien zouden aannemen dat de natie die over de grootste en afschuwelijkste bom beschikte, in staat was de wereld te beheersen.

In het kielzog van Chroesjtsjovs aankondiging van de hervatting van Russische kernproeven riep Kennedy op donderdagochtend 31 augustus zijn Nationale Veiligheidsraad bijeen. Volgens Robert Kennedy werd het 'de somberste' vergadering' in het Witte Huis 'sinds het vroege begin van de Berlijnse crisis'. De president wilde weten of hij tot een onmiddellijke hervatting van de Amerikaanse kernproeven moest overgaan.

Lyndon Johnson zei: 'Persoonlijk vind ik het een goed idee als u Chroesjtsjov een tijdje met rust zou laten. Ook moet u hem niet de indruk geven meteen te willen reageren als hij iets onderneemt.' Hij was verder van mening dat Chroesjtsjovs acties 'misschien een reactie kunnen zijn op het falen van de Russen om het Westen in de situatie rond Berlijn te intimideren'.

Rusk stelde voor een verklaring op te stellen waarin de president beval tot de nodige voorbereidingen over te gaan, maar nog geen bevel voor een uiteindelijke hervatting van kernproeven zou geven. Met een dergelijke verklaring kon Kennedy niet van besluiteloosheid worden beschuldigd en hoefde er niet meteen met een hervatting worden begonnen. Edward Murrow klaagde dat een dergelijke

269

verklaring 'het grootste propagandamiddel dat we sinds lange tijd hebben gehad' teniet zou doen.

De president was het met Murrow eens, maar betwijfelde of hij de druk van het Congres om tot hervatting over te gaan, kon weerstaan: 'De Russen zijn geen domme jongens. Ze dachten dat ze met een dergelijk besluit meer zouden winnen dan verliezen. Ze geloven waarschijnlijk dat ze het meest zullen bereiken door zich hard en gemeen op te stellen.' Bezorgd dat de Secretaris-Generaal hem via het neerhalen van westerse vliegtuigen op weg naar Berlijn nog verder op de proef wilde stellen, en daarmee de crisis naar het kookpunt zou brengen, stemde Kennedy in met McNamara's voorstel zulke vliegtuigen eerst toestemming te laten vragen voordat er op gronddoelen kon worden geschoten.

Na de bijeenkomst zei de minister van Justitie tegen zijn broer: 'Ik wil weg.' De president vroeg: 'Weg, waarvan?' Robert: 'Ik wil weg van deze planeet.' Hij voegde eraan toe dat hij het schertsende advies van een vriend om bij de verkiezingen van 1964 als tegenkandidaat van zijn broer aan te treden, niet zou opvolgen: 'Ik hoef die baan niet.'

In een aan zichzelf gericht memo schreef Robert dat de Russen van mening waren 'dat als ze met Berlijn onze wil kunnen breken, we nergens meer goed voor zijn en ze in 1961 de strijd gewonnen zullen hebben [...] Hun plan is er duidelijk op gericht niet het populairste, maar het meest angstaanjagende land te zijn en de wereld via terreur aan zich te onderwerpen. Ik heb het gevoel dat ze niet op oorlog uit zijn, maar ons wel op het randje willen brengen.' Hij was het eens met Bohlens opmerking aan het eind van de winter dat 1961 het jaar zou worden waarin de Russen de wereld het dichtst bij een kernoorlog zouden brengen.

De perikelen rond Berlijn en de hervatting van de kernproeven wierpen een licht op Robert Kennedy's nieuwe positie, dicht bij de kern van de op het buitenlands beleid gerichte regering van zijn broer. Toen de president in februari en maart adviseurs om zich heen verzamelde om een topontmoeting met Chroesjtsjov en een invasie van Cuba te kunnen bespreken, was de minister van Justitie zo goed als afwezig. Na de Varkensbaai had de oudere broer gezegd: 'Ik had hem al vanaf het begin erbij moeten betrekken.'

Toen Joseph Kennedy voor het eerst met de eis kwam dat Robert binnen de Cabinet Room moest worden opgenomen, kwam dat op de aanstaande president over als een irritant voorbeeld van het Ierse stamdenken van zijn vader. 'Maar nu realiseerde hij zich hoe de oude man het bij het rechte eind had gehad,' zei Lem Billings later. 'Toen puntje bij paaltje kwam, waren de familieleden *inderdaad* de enigen op wie je kon vertrouwen. Bobby *was* de enige persoon van wie hij totale toewijding kon verwachten. Jack zou het zelf nooit hebben toegegeven, maar vanaf dat moment veranderde het presidentschap in een soort collaboratie tussen hen.'

Lyndon Johnson zei tegen een vriend: 'Hou niemand voor de gek over wie de belangrijkste adviseur is bij elke topconferentie die ze hebben. Het zijn niet McNamara, de gezamenlijke stafchefs of aanverwante lui. Bobby is degene die het eerst binnenkomt en het eerst weer weggaat en Bobby is degene naar wie hij luistert.' Johnson zei later: 'Die snotneus is gewoon omhooggevallen. Hij heeft de stappen overgeslagen waarin je de spelregels van het leven leert.'

Geboren in 1925 was Robert Francis Kennedy acht jaar jonger dan zijn broer de president en hij had een andere jeugd. De oudere broer kon zich nog zijn eigen jeugd in het bescheiden huis in Brookline herinneren met de zomervakanties in katholiek-Ierse, getto-achtige vakantieoorden, een moeder die met het oog op gezinsuitbreiding de hand op de knip hield en een vader die er toen nog op gebrand was zijn eerste miljoen te verdienen.

In zijn jeugdjaren moest John Kennedy zich aanpassen aan de zich snel verbeterende financiële en sociale omstandigheden van de familie. Tijdens deze jaren verhuisde het gezin van het Ierse Boston van zijn grootouders en Brookline, de wereld van de 'upper-middle-class'-strevers, naar de buitenhuizen op Palm Beach, Bronxville en Hyannis Port, Washington ten tijde van de *New Deal*, waar zijn vader als maatje van Roosevelt op handen werd gedragen, Londen en het Britse hof.

De tijd dat het gezin voornamelijk omging met andere Ierse katholieken en niet aanpapte met de Groten en Bekenden, was voor John nog een tijd waarin het nog helemaal niet zeker was dat hij zich nooit financiële zorgen hoefde te maken. Dit aspect manifesteerde zich in bepaalde trekken van zijn persoonlijkheid – het ongeveinsde respect voor mannen die zich net als zijn vader omhoog hadden weten te werken (zolang ze zijn politieke pad maar niet kruisten)[1] en zijn bezorgdheid over zijn eigen maatschappelijke positie, zelfs nadat hij tot president was verkozen. In vertrouwelijke kring maakte Jacqueline grapjes over de 'immigrantentrekjes' van haar echtgenoot.

Lem Billings geloofde dat 'Jack zichzelf op veel punten een beetje een snotneus vond, een Ierse katholiek die, om zijn eigen gedrag te kunnen bepalen, naar de intellectuele snobs keek'. Zijn vrienden waren vaak upper-class protestanten. Zijn overredingskracht en andere aspecten van zijn stijl in het openbaar waren bewust ingetogen en aristocratisch.[2]

Hoewel hij vaak de bijbelse spreuk: 'Wie veel geeft, mag veel verwachten' aanhaalde, toonde John Kennedy geen schuldgevoel omtrent zijn privileges. Zoals Sorensen en anderen hebben geschreven, voelde hij zich altijd verscheurd tussen

1. Eén voorbeeld was Henry Luce: 'Ik mag Luce wel [...]. Hoe je het ook bekijkt, hij heeft toch maar een hoop geld verdiend met zijn eigen onderneming en denkt daarbij natuurlijk dat het zelfstandig ondernemerschap alles tot stand brengt. Ik heb niks op deze mensen tegen. Ze hebben zich het recht verdiend om zo te praten. Dit is trouwens de sfeer waarin ik ben opgegroeid. Mijn vader is precies hetzelfde.'

2. Privé was hij dolblij dat hij zich kon gedragen op een manier die bij het establishment voor grote verontwaardiging zou hebben gezorgd. Hierin weerspiegelde hij Joseph Kennedy, die krom van het lachen zijn *New Deal*-makker Thomas Corcoran vertelde over een rijke oude dame uit Washington van wie hij in de jaren dertig een landhuis in Maryland had gehuurd. Op een dag zocht ze hem op voor een kopje thee: terwijl hij de trap afliep om haar binnen te laten, deed hij geen pogingen er een geheim van te maken dat hij boven met een jonge vrouw in bed lag en hij genoot bij de aanblik van het ongemak van de oude dame.

Nadat de *Boston Globe* in 1962 onthulde dat Edward Kennedy tijdens een tentamen Spaans op Harvard had gespiekt, vertelde de president tegen Ben Bradlee: 'De WASP's (de White Anglo-Saxon Protestants) zullen het niet pikken. Ze houden er helemaal niet van dat je over je schouder op een ander zijn examenblaadje zit te kijken. Ze stelen liever van aandeelhouders en banken.'

de aantrekkingskracht van de wedijver van de politiek en een leven van goed gefinancierde luxe, zittend op een strand.[1] Zijn onverschrokken houding tegenover zijn rijkdom harmonieerde met die van zijn ouders: iets wat zijn moeder tijdens een van zijn campagnes iets te openhartig naar voren bracht: 'Het zijn onze centen en we hebben het recht om zelf te bepalen waar we die aan uitgeven.'

In tegenstelling tot de vroege ervaringen van zijn broer was Robert Kennedy bijna vanaf zijn geboorte al miljonair. Toen hij op jonge leeftijd een postzegelverzameling begon aan te leggen, stuurde Franklin Roosevelt hem vaak postzegels op. Hij voelde zich minder gedwongen zichzelf te bewijzen dan zijn broer John. In Londen had hij dan ook minder voorname vrienden dan zijn broer en op Harvard had hij geen lijfknecht. In ieder geval stelde hij zich veel ontspannender op als het ging over zijn Ierse afkomst en zijn katholicisme. De intellectuele dichter Robert Lowell merkte eens op: 'Mijn god, wat is die onaangepast.'

Misschien gaven Roberts sociale en financiële zekerheden hem een psychologische vrijheid waarin het hem niets uitmaakte dat mensen hem als een snotneus beschouwden. Hij deelde de uiterlijke conformistische houding van zijn broer niet en voelde zich, in tegenstelling tot zijn broer, niet op zijn gemak bij grote zakenlui en rijke playboys. John Kennedy zei eens over een vriend dat de beste eienschap van deze persoon het feit was dat 'het hem allemaal geen donder interesseert'. Het is ondenkbaar dat Robert Kennedy een vriend ooit zo zou typeren.[2]

Als zevende kind was Robert niet stevig gebouwd en werd hij zo door zusjes omringd dat zijn moeder bang was dat hij als 'een mietje' zou opgroeien. Misschien voelde hij zich hierdoor meer verplicht zijn vastberadenheid te bewijzen – vooral tegenover zijn koppige vader – dan zijn oudere broers.

Robert benaderde de politiek met een combinatie van onverzettelijkheid en nonconformisme. Een van de helden van zijn vader was Melbourne; ideologieën even buiten beschouwing gelaten, zou Castro misschien Roberts held zijn geweest. Toen hem eens verteld werd dat hij eigenlijk samen met de Cubaanse leider en Che Guevara in de Cubaanse heuvels hoorde mee te vechten, antwoordde hij: 'Dat weet ik.' De minister van Justitie was een groot voorstander van het onderdrukken van opstanden, bezat een groene baret die hij op zijn bureau had liggen, en had eens elitetroepen naar Hyannis Port gevlogen waar zijn kinderen, nichtjes en neefjes konden kijken hoe de soldaten aan touwen uit de bomen en over de schuttingen kwamen gesprongen.

In 1948 studeerde hij af aan Harvard nadat hij vlak na de oorlog een cruise had gemaakt aan boord van de *Joseph P. Kennedy, Jr.* Hij was een voorstander van de isolationistische aanpak van zijn vader, verwierp de Truman-doctrine en was tegenstander van hulp aan Griekenland en Turkije. Hij was het klaarblijkelijk niet oneens met zijn vader toen deze twee jaar later in het openbaar eiste dat de Verenigde Staten zich uit Korea en Berlijn moesten terugtrekken en ze het communisme maar onder zijn eigen gewicht moesten laten bezwijken, in plaats van hiervoor Amerikaans bloed en geld op te offeren.

Tijdens een zes maanden durende rondreis door Europa en het Midden-Oosten

1. Ooit begroette hij een playboy uit Oklahoma als de man 'die leeft zoals wij allen willen leven'. Het leek erop dat hij dit meende.
2. John Kennedy doelde op Smathers.

in 1948 schreef Robert vanuit Wenen aan zijn ouders: 'Iedereen op [de] ambassade wil oorlog en baseert de uiteindelijke resultaten niet op historische gronden, maar op eigen, tamelijk idealistische gronden. Ik ben bang dat ze ons wel eens regelrecht in een oorlog kunnen betrekken.' In een artikel voor de *Boston Advertiser* schreef hij: 'Als we terugkijken naar de afgelopen vier of vijf jaar zien we de kolossale fouten die we hebben gemaakt.'

Als rechtenstudent aan de Universiteit van Virginia schreef hij een stuk waarin hij zich achter een groot deel van de kritiek van de rechtervleugel inzake Jalta schaarde: 'President Roosevelt vond dat het behoud van vriendschappelijke betrekkingen met Rusland het beste middel was om zowel de gemeenschappelijke vijand te kunnen verslaan als de toekomstige vrede te kunnen garanderen. [...] Dit was de filosofie die voor hem en zijn luitenanten, Hopkins, Harriman, Winant[1] enzovoort, het baken aan de hemel vormde [...] en dit was tevens de filosofie die elders in de wereld dood en vernietiging betekende.'

Een reis die hij in 1951 samen met Congreslid John Kennedy ondernam en die in een wijde boog van Israël naar Japan voerde, maakte dat hij dichter bij zijn broer kwam te staan dan ooit. De reis vergrootte het ongeduld dat de Kennedy's hadden met de subcultuur binnen de buitenlandse dienst, waarin risicoloze diplomaten de taal van het land niet spraken en volhielden dat de problemen tussen Moskou en Washington de enige waren die telden. In India dineerden de broers met Nehroe die met een verveeld gezicht waarschuwde dat het communisme een voedingsbodem vond op een gevoel van onvrede. In zijn reisverslag noteerde Robert de opmerking van Nehroe dat het communisme 'iets was om voor te sterven [...]. Moeten ervoor zorgen dat de democratie een zelfde uitstraling krijgt. [...] Het enige dat wij deze mensen kunnen bieden, is een status-quo.'

Na de reis begon Robert zijn juridische carrière onder Truman met een onderzoek naar Russische agenten voor het ministerie van Justitie. Daarna stapte hij over naar de afdeling misdaadbestrijding, waar hij hielp met het aanspannen van een rechtszaak tegen twee voormalige functionarissen van Truman. Met tegenzin verliet hij deze post om in 1952 de leiding te gaan voeren over de Senaatscampagne van zijn broer tegen Henry Cabot Lodge. Na de overwinning regelde Joseph Kennedy met Joseph McCarthy, zijn van hem financieel afhankelijke vriend uit Wisconsin, om Robert tot assistentsraadsman te benoemen voor McCarthy's Permanente Subcommissie voor Onderzoek inzake Regeringsbeleid.

'In die tijd dacht ik dat de Verenigde Staten daadwerkelijk van binnenuit konden worden bedreigd,' zo zei Robert later. 'Ik vond destijds dat Joe McCarthy de enige was die er iets aan leek te doen.' John Kennedy kan gedacht hebben dat de nieuwe post van zijn broer misschien een gunstig teken voor de kiezers uit Massachusetts kon zijn die vonden dat hun nieuwe Senator te weinig McCarthy-bloed in de aderen had. Terwijl McCarthy en zijn voornaamste raadsman Roy Cohn binnen de regering op communistenjacht waren, analyseerde Robert handelsstatistieken om tot de conclusie te komen dat, terwijl Chinese troepen in Korea Amerikanen hadden vermoord, vijfenzeventig procent van de schepen die goederen naar China hadden vervoerd, onder westerse vlag had gevaren.

1. John Gilbert Winant was de opvolger van Joseph Kennedy in Londen.

In augustus 1953 verliet hij deze betrekking om zijn vader bij te staan in de twee-de Commissie-Hoover inzake de Reorganisatie van de Uitvoerende Macht. Vol-gens Billings was Robert in deze periode 'echt een ontzettend humeurige en on-gelukkige *angry young man*', die altijd tegen mensen zei dat ze moesten opdonde-ren en die bij ruzies betrokken raakte. Het jaar daarop keerde Robert als Demo-craat en raadsman terug in McCarthy's Subcommissie. Na de beruchte 'Army-McCarthyhoorzittingen' schreef hij een minderheidsrapport waarin hij geen spaan heel hield van de methodes zoals die door McCarthy en Cohn waren ge-bruikt.

In juli 1955 sloot Robert zich aan bij rechter William O. Douglas voor een rond-reis van vijf weken door Russisch Centraal-Azië. In hun hotelkamer in Bakoe tjokvol afluistermicrofoons deed Douglas met luide stem zijn beklag over het feit dat de Russen hun belofte een tolk te sturen niet waren nagekomen: hij zou Chroesjtsjov bellen en hem van deze schandalige behandeling op de hoogte stel-len. Kort daarna arriveerde er een tolk.

Douglas merkte dat Robert 'zeer opvallend met een bijbel in zijn linkerhand' liep, 'waar we ook heen gingen'. Met een air van iemand die een zaak moet on-derzoeken, werkte de negenentwintigjarige jongeman de rechter op zijn zenu-wen door de Russen aanhoudend vijandige vragen te stellen. Hij weigerde ka-viaar van het Russische merk Intourist en ander Russisch voedsel tot zich te ne-men want hij vond het 'vies'. Hij at hoofdzakelijk watermeloenen.

Tijdens de vlucht naar Omsk liep Robert een flinke verkoudheid op. Douglas voelde aan zijn voorhoofd en was er zeker van dat hij minstens veertig graden koorts had. Robert zei: 'Ik laat me niet door een communist behandelen.' De rechter zei: 'Ik heb uw pappie beloofd voor u te zorgen.' Kennedy was een deli-rium dicht genaderd toen een grote vrouwelijke arts hem een penicilline-injectie gaf en hem in bed stopte. Toen Kennedy en Douglas in Moskou arriveerden, werden ze door Ethel, Jean en Patricia Kennedy verwelkomd en dineerden ze met ambassadeur Charles Bohlen in het Spaso House.

Later was Douglas van mening dat de reis door de Sovjet-Unie 'bij Bobby een verandering teweeg had gebracht [...]. Ondanks zijn zwaar gewetensvolle drang tegen het communisme begon hij, denk ik, oog te krijgen voor de fundamentele en belangrijke krachten in Rusland – de mensen, hun dagelijkse aspiraties, hun menselijke trekjes en hun verlangen om samen met de rest van de wereld in vre-de te leven'. Volgens Douglas had de reis door Rusland Kennedy doen inzien dat de Russen geen zielloze fanatici waren, maar mensen en strevers, 'mensen met hun eigen problemen'. Voor Robert Kennedy verdween hiermee 'het laat-ste restje McCarthyisme'.

In een lezing voor de Balie van Advocaten in Virginia zei Robert dat het dossier over Rusland 'blijk geeft van een soort kolonialisme met een eigenaardig hard en eigenzinnig karakter'. In tegenstelling tot fanatiekere Koude-Oorlogstrijders droeg hij geen voorstellen aan om het Amerikaanse rijk tot verdedigingswal te-gen het communisme te maken en kwam hij evenmin met beweringen dat anti-koloniale bewegingen in Afrika en Azië vanuit Moskou werden gedirigeerd. Toch waarschuwde hij in een toespraak aan Georgetown University ervoor dat de geschiedenis aantoonde dat belangrijke concessies aan Moskou zonder een *quid pro quo* 'zelfmoord' betekenden: 'Het enige dat ik van de Sovjet-Unie vraag, is dat we van hen wat meer mogen ontvangen dan alleen een glimlach en een belofte – een glimlach net zo vals en een belofte net zo leeg als in het verleden – voordat we nog meer drastische stappen overwegen.'

Toen de medewerker van Chester Bowles, Harris Wofford, begin 1957 voor zijn baas een reis naar de Sovjet-Unie voorbereidde, bracht hij een bezoek aan Robert Kennedy. Deze gaf hem een 'kort, mistroostig verslag van zijn eigen reis door de Sovjet-Unie en waarschuwde me dat ze je dag en nacht bespioneren. [...] Daarna deed hij een felle aanval op het Sovjetregime, dat hij als een groot kwaad en een eeuwige bedreiging omschreef, om me daarna uitgeleide te doen.' Later zei Wofford dat zijn bespreking met Robert 'mij geenszins in de overtuiging sterkte dat zijn broer president moest worden'.

In augustus 1956 hielp Robert, terwijl hij zijn eerste Democratische Conventie in Chicago bijwoonde, zijn broer bij diens pogingen de nominatie voor het vice-presidentschap te winnen. Volgens een afgevaardigde die met hem mee terug-vloog naar Boston, was Robert 'bitter gestemd': 'Hij zei dat ze hadden moeten winnen en dat iemand een streek had geflikt en dat hij erachter wilde komen wie dat geweest kon zijn.' Hij verzekerde zijn broer ervan dat deze 'een prima gevecht had geleverd. Ze zullen niet winnen en de volgende keer word jij de kandidaat.'

Die herfst sloot hij zich aan bij Stevensons gevolg, voornamelijk om zich te bekwamen in het leiden van een presidentiële verkiezingscampagne. Op de dag van de verkiezingen was hij inmiddels tot de conclusie gekomen dat Stevenson 'totaal geen contact met zijn publiek [had] – voelde het niet aan – had geen idee over wat het voeren van een campagne met zich meebracht – was niet in staat om beslissingen te nemen. Het was een grote schok voor me.' Hij was zo gedesillusioneerd dat hij heimelijk op Eisenhower stemde. De antipathie was wederzijds: Stevenson verwees naar de bruuske jongeman als 'de Zwarte Prins'.

Hij werd vervolgens de belangrijkste raadsman van de nieuwe Benoemingscommissie inzake Onjuiste Activiteiten van Arbeids-en Managementzaken Andere leden waren onder meer de jonge Senator uit Massachusetts. In deze commissie vervolgde hij Jimmy Hoffa voor het aan zijn laars lappen van democratische procedures in de *Teamsters*-vakbond, het in elkaar laten slaan en wellicht vermoorden van tegenstanders van de vakbond en het misbruiken van ten minste negeneneenhalf miljoen dollar aan vakbondsgelden die werden besteed aan gangsters die hem hielpen bij het handhaven van zijn macht. Voor het eerst kreeg hij daarbij inzicht in de verborgen macht die de georganiseerde misdaad over het leven in Amerika uitoefende.

Sam Giancana was een van de getuigen van de commissie. Hij had een lokale bond van elektriciens gebruikt om de jukebox-en-verkoopautomatenbranche in Chicago over te nemen. Terwijl Pierre Salinger als staflid van de commissie aanklacht na aanklacht oplas, beriep de gangster zich drieëndertig keer op het vijfde amendement van de Amerikaanse Grondwet. Robert beet hem toe: 'Wilt u ons soms vertellen dat u zich van uw tegenstanders ontdoet door ze gewoon maar in een koffer te proppen? [...] Blijft u elke keer zo giechelen als ik u een vraag stel? [...] Ik dacht dat alleen kleine meisjes giechelden, meneer Giancana.'

In de best-seller *The Enemy Within* schreef Robert Kennedy dat de 'gangsters van vandaag op een zeer georganiseerde manier werken en nog nooit zo veel macht hebben gehad als nu. Ze hebben de macht over politieke figuren en bedreigen complete leefgemeenschappen.' Samen met zijn broer pleitte hij voor een nationale misdaadcommissie die als een coördinatiecentrum voor inlichtingen over criminelen moest dienen. Namens de Kennedy's klaagde Ken O'Donnell in 1959 dat 'de FBI nooit hard tegen de georganiseerde misdaad is opgetreden. Ze jaagde op communisten en daar liet ze het bij.' J. Edgar Hoover was niet gelukkig met deze kritiek.

In juli 1959 schreef Robert aan Richard Nixon dat de gangstercommissie van de vakbond, de zogenaamde *Labor Rackets Committee*, werd ontbonden: had de vice-president belangstelling om een van haar uitstekende onderzoekers bij zich in dienst te nemen? Nixon had geen behoefte om dit voorstel, waarvan zijn medewerkers het gevoel hadden dat het een poging betrof om een agent binnen het vijandelijke kamp te sluizen, ook maar in overweging te nemen.[1] Een van Nixons stafleden schreef op Kennedy's brief: 'Onderdeel van hun spionagesysteem!'

John McCormack uit Massachusetts zei eens dat Joseph Kennedy zijn zoon adviseerde: 'Als je in het Witte Huis belandt, moet je proberen twee posten veilig zien te stellen – die van minister van Justitie en die van hoofd van de *Internal Revenue Service* (IRS),' de binnenlandse belastingdienst.[2] Ongelukkig over het feit dat zijn ambtstermijn onder een lawine van klachten over nepotisme moest aanvangen, stelde de aanstaande president zijn advocaat Clark Clifford en zijn vriend George Smathers aan om zijn vader omtrent een dergelijke benoeming om te praten.

De dag voor de aankondiging schreef Sam Rayburn met zijn hanepotige handschrift met letters van wel meer dan twee centimeter hoog een waarschuwing naar John Kennedy: 'Beste Jack – wees voorzichtig met je minister van Justitie – er wordt te veel gepraat.' Lyndon Johnson zei tegen een vriend dat Richard Russell, de Senator van Georgia, 'zich zit aan te stellen alsof er een lintworm naar buiten moet. Hij vindt het een schande dat een jochie dat nog nooit als advocaat heeft gewerkt op deze post wordt benoemd.'[3] De stapels postzakken die bij het Democratische Nationale Comité werden bezorgd, bevatten een verhouding van honderd staat tot één tegen Roberts benoeming.

1. In 1960 ondernam Nixons staf zelf een dergelijke poging toen John Ehrlichman als chauffeur in het gevolg van Nelson Rockefeller moest infiltreren en regelmatig verslag uitbracht omtrent het doen en laten van de gouverneur uit New York.
2. Al in 1957 voorspelde de ambassadeur tegen een verslaggever dat John op een dag president zou worden en zijn broer minister van Justitie. Belangrijk was dat John Kennedy zijn broer via diens benoeming tot superieur van J. Edgar Hoover kon maken en daarbij hoopte dat Bobby ook de supervisie over de dossiers van Hoover kon krijgen.
Als ambassadeur in Londen had de oude Kennedy gezien hoe Frank Murphy en Robert Jackson, de ministers van Justitie onder Franklin Roosevelt, zich met de diplomatie hadden bemoeid. Deze ervaring kan hem hebben geleerd dat de post van minister van Justitie, in tegenstelling tot andere posten, Robert in staat zou stellen zich zowel met het binnenlands als het buitenlands beleid bezig te houden, waarmee hij voor de president een maximale steun kon zijn. De oude Kennedy vertelde aan Mortimer Caplin, die door zijn zoon als directeur van de IRS was aangesteld, dat hij 'de op twee na zwaarste baan van de Verenigde Staten had'.
3. Russell was later van mening dat Robert 'verreweg de slimste van alle Kennedy's [was], maar het stond vast dat hij niet de persoonlijkheid van zijn broer bezat'.

Ken O'Donnell had het gevoel dat 'Bobby helemaal geen minister van Justitie wilde worden', want 'hij hield zo veel van zijn broer dat hij hem geen pijn wilde doen. [...] De president wilde Bobby aan zijn zijde omdat ze als broers van elkaar hielden en omdat Bobby hem nooit zou bedriegen.'

De eerste drie maanden van hun ambtstermijnen werden gekenmerkt door een afstand die zich tussen de broers had ontwikkeld. Dit kwam doordat Robert al zijn tijd kwijt was om te leren hoe het ministerie van Justitie moest worden geleid. Verder werd deze scheiding nog eens benadrukt door de gevoeligheid van de president over de beschuldiging van nepotisme en het feit dat hij wist dat hij zich nu op een nieuw niveau bevond. In het begin keerde Kennedy zich voor dagelijkse adviezen niet tot zijn broer, maar tot degenen met een wettelijk opgelegde verantwoordelijkheid. Roberts aanraking met Sovjetaangelegenheden beperkte zich in de eerste maanden van 1961 hoofdzakelijk tot de aandacht van het ministerie van Justitie voor contraspionage.

Na het Varkensbaai-fiasco en gefrustreerd door slechte adviezen van functionarissen die hij nauwelijks had gekend, zette de president al zijn twijfel over openlijke gebruikmaking van de diensten van zijn broer over zaken die buiten Justitie vielen, van zich af. Eisenhower had hierin al iets van een precedent geschapen: voor vertrouwelijk advies had hij geleund op zijn toegewijde jongste broer Milton. Hij had hem opdracht gegeven voor de installatie van een aparte telefoonlijn binnen het Witte Huis en had Milton speciaal vanuit Baltimore, waar hij het hoofd van de Johns Hopkins University was, over laten vliegen. Maar voor het Amerikaanse volk bleef Milton een figuur op de achtergrond: hij had nooit een volledige regeringspost bekleed en had nauwelijks iets te maken met de uitvoering van het beleid. Robert Kennedy daarentegen werd niet alleen de probleemoplosser van zijn broer, maar ook zijn bliksemafleider, woordvoerder, adviseur, neezegger en diens Oog en Oor ('*Little Brother Is Watching*'). Hij was verder slavendrijver van de FBI en fungeerde als tribunaal voor verlangens en gedachten waarvan de president vond dat ze binnen vier muren moesten blijven. De president hekelde het cliché van die dagen door de hoorn van de telefoon te bedekken en te zeggen dat 'de op een na belangrijkste man van de hoofdstad' aan de telefoon hing. Hij vertelde Robert: 'Er is maar één weg die je kunt gaan, want hoger kom je niet!'

Bij zaken als burgerrechten en armoede fungeerde de minister van Justitie als het geweten van zijn broer, die weinig behoefte had om in de traditie van hun Ierse grootvaders uit Boston emoties met politieke daden te mengen. Billings herinnerde zich dat toen Robert in mei 1961 aan de Universiteit van Georgia een toespraak over burgerrechten hield, de president 'hier niet zo gelukkig mee was [...]. Hij zei dat het beginnen van een discussie over zulke burgerrechten in het hart van het Zuiden hem weinig voordeel zou opleveren'.

Robert voelde zich niet gedwongen om zich net als de meer orthodoxe ministers te gedragen die het grote gevaar liepen het bij de president te verbruien. Hij was vooral gericht op resultaten en zei: 'Laat Jack maar aardig tegen ze doen.' Tijdens een diner op Hickory Hill, zijn landgoed in McLean, Virginia[1], vroeg hij

---

1. Dit huis behoorde ooit aan Kennedy's voorganger, Robert Jackson, en was ten tijde van de Amerikaanse burgeroorlog tevens het hoofdkwartier geweest van generaal McClellan. Robert had deze generaal nooit bewonderd, want: 'McClellan hield de druk niet op de ketel!'

Averell Harriman, een van de boosdoeners in zijn dissertatie over Jalta, ooit iets over een bepaalde richtlijn waar Harriman zich over had moeten buigen. Deze zei dat hij van plan was er binnenkort aandacht aan te besteden. Kennedy sloeg zijn hand op de tafel en riep: 'Morgenochtend vroeg begin je eraan!'

Uit een enquête uit 1962 waarin alle 'slechte dingen' die Amerikanen het meest over de president hadden gehoord waren vastgelegd, bleek onder meer dat er 'te veel Kennedy's deelnemen aan het openbare leven'. (Andere voorbeelden waren: 'Te veel feestjes, te veel in zwembaden duiken[1] en te veel heen en weer geren.') William Robinson, een vriend van Eisenhower en voormalig medewerker van de *New York Herald Tribune*, klaagde bij de generaal over 'die kleine bullebak die nu minister van Justitie is' en die nu de 'nauwelijks verholen arrogante bedoeling' had ervoor te zorgen dat de Kennedy's 'de levens, activiteiten en bestemmingen van het Amerikaanse volk compleet zouden gaan beheersen'.

Het was bewonderenswaardig dat de minister van Justitie weigerde om mannen zoals de gewetenloze buitenlandse agent Igor Cassini en de oude gabber van zijn vader en voormalig decaan van Harvard, James Landis, van gerechtelijke vervolging te ontslaan omdat ze familievrienden waren. Als de buldoggen van de georganiseerde misdaad de indruk hadden dat ze de Kennedy's een of andere stilzwijgende campagnebelofte over een minder harde gerechtelijke vervolging hadden weten te ontfutselen, dan vormde Robert Kennedy's gerechtelijke vervolging van de maffia, waartegen hij agressiever optrad dan welke andere minister van Justitie ook, hierop een harde tegenstelling.

Robert Kennedy was na de Varkensbaai nog geen hoofdadviseur inzake de Sovjet-Unie. Die portefeuille bleef bij Bohlen en Thompson. Tegen hun ervaring kon Robert nog niet op. Maar hij was wel degene die de groep van raadslieden rond zijn broer doorlichtte en aanpaste zodat een Varkensbaai-debâcle zich nooit meer zou voordoen. De president realiseerde zich nu dat Robert zijn enige adviseur was die de zaken bijna uitsluitend vanuit het presidentiële standpunt bekeek, daarbij slechts oog had voor het welzijn van de president en gevrijwaard bleef van de aspiraties van de ministeries van Buitenlandse Zaken en Defensie of de Nationale Veiligheidsraad.

Als informant tussen de president en de CIA was Robert, afgezien van zijn broer, waarschijnlijk de enige persoon die van bijna alle geheime operaties die de president had goedgekeurd op de hoogte was en wist op welke manier Kennedy zulke acties als een bijdrage aan zijn buitenlands beleid opvatte. De twee broers waren de enige twee in de regering die alles wisten wat er tussen Robert en Georgi Bolsjakov besproken was.

Voor een man die in de jaren vijftig zo heftig anticommunistisch was, toonde de minister van Justitie tijdens zijn bewind een opvallend gebrek aan ideologische standpunten over dit onderwerp. Ogenschijnlijk zonder zich daarbij ongemakkelijk te voelen had hij een geheime ontmoeting met een bekende Russische geheim agent. Ten tijde van Berlijn en latere buitenlandse crises bewees hij vaak

---

1. Dit is een verwijzing naar de vele verwarrende verhalen uit een uitgemolken verslag van een diner op Hickory Hill, waarbij de stoel van Ethel Kennedy van een richel in het zwembad gleed en Arthur Schlesinger het water in dook om haar te redden. Toen Dean Rusk later trots verkondigde dat hij nooit 'in Ethels zwembad [was] geduwd', onderstreepte hij hiermee hoever hij afstond van de *New Frontier*-incrowd.

degene met de minst militant houding te zijn. Maar als het ging om zaken zoals het afzetten van Castro, bestond er geen fellere adviseur van de president.

Robert deelde de sterke voorkeur van de president voor een crisisbeleid, dit in tegenstelling tot een vorm van planning en vooruitdenken die op een bepaalde ideologie gebaseerd moest zijn. Met hun diepe overtuigingen omtrent de motivaties en het gedrag van de Russen hoefden Acheson en Stevenson weinig twijfels te overwinnen of ze Kennedy bijvoorbeeld moesten adviseren om wel of niet met Chroesjtsjov te gaan onderhandelen over Berlijn. Robert daarentegen hielp de president bij het zoeken naar alle uitputtende en beschikbare adviezen, zette vraagtekens bij veronderstellingen en eiste conclusies die waren gericht op het nemen van maatregelen.

Als een politicus die wilde dat zijn broer in 1964 herkozen zou worden, verloor hij nooit uit het oog dat de president de steun verlangde van een partij die niet alleen bestond uit een Acheson-kamp dat tegen serieuze onderhandelingen met de Sovjet-Unie was, maar ook uit een Stevenson-kamp dat juist zulke onderhandelingen eiste. Hij hield net als de president altijd één oog gericht op de Amerikaanse rechtervleugel, die vanaf het midden van de jaren veertig anticommunistische houdingen van Democratische presidenten in de gaten had gehouden.

De minister van Justitie, altijd op zoek naar manieren waarop de Amerikaanse morele superioriteit over de Sovjet-Unie aan de wereld kon worden getoond, zag nu dat de hervatting van de Russische kernproeven hiertoe een geweldige kans bood. 'Weet je, ik was niets meer dan een herrieschopper,' zo zei hij later. 'Ik vond het ongehoord dat [...] er geen parades en demonstraties werden gehouden en dat er geen bakstenen door de ruiten van Russische voorlichtingsbureaus werden gegooid – zoals ze dat wel bij ons gedaan zouden hebben als wij weer met kernproeven waren begonnen.'

'Ik dacht als we nu [...] bepaalde elementen binnen onze maatschappij in contact konden brengen met hun tegenhangers in andere landen – zakenlui met zakenlui, advocaten met advocaten, vakbonden met vakbonden, studenten met studenten [...] plus wat onze eigen regering nog kan doen, hoewel we niet over een interne politieke partij beschikten zoals de communisten wel deden [...], dan konden we zeker nog meer bereiken '

Op vrijdag 1 september brachten de Russen voor het eerst in drie jaar een kernlading tot ontploffing. Het leverde een gigantische vuurbal boven de centrale vlakten van Centraal-Azië op. Arthur Dean en John McCloy hadden zich in Bundy's souterrain verzameld en wilden dat de president onmiddellijk een hervatting van de Amerikaanse kernproeven zou aankondigen. Jerome Wiesner, de wetenschappelijk adviseur van Kennedy, gaf de voorkeur aan een verklaring die opriep tot een veroordeling van de Russen door de rest van de wereld. Murrow, Bundy en Schlesinger sloten zich hierbij aan.

Kennedy bevond zich in zijn slaapkamer en sliep nadat hij die middag wat had gezwommen. Al vanaf zijn dagen als Senator had hij dit uur volledig gereserveerd voor een dutje. Nadat Bundy en zijn collega's op de slaapkamerdeur hadden geklopt, verscheen Kennedy enkele ogenblikken later gekleed in een kamerjas. Terwijl Bundy hem vroeg wat ze met de Russische hervatting aan moesten, luisterde Kennedy ongeduldig. Hij was duidelijk gespannen en geïrriteerd omdat hij was gestoord in zijn slaap. McCloy was van mening dat ze niet konden toekijken terwijl de communisten hen openlijk beledigden.

Kennedy liet weten niet geneigd te zijn om nu een Amerikaanse hervatting af te kondigen, maar wist niet hoelang hij hier nog mee kon wachten. Bundy overhandigde hem twee mogelijke verklaringen. Nadat de president ze had gelezen, verscheurde hij de vellen en liet zijn medewerkers weer inrukken.

Die middag vond Schlesinger hem in het Oval Office 'een stuk relaxter'. Over hun gesprek eerder die middag zei Kennedy: 'McCloy viel duidelijk terug op een Republikeinse houding – en dan te bedenken dat hij nog maar een paar dagen geleden nog ontzettend positief was over Chroesjtsjov'.

In Parijs liet Charles de Gaulle de Amerikaanse ambassadeur, generaal James Gavin, weten dat het Sovjetbesluit tot hervatting van de kernproeven weer een extra bewijs was van het opvoeren van de Sovjet-Unie van haar militaire potentieel: 'Het Westen zou een grote vergissing begaan als het nu naar de Sovjet-Unie zou rennen en om onderhandelingen vragen.' Aan het eind van hun gesprek vroeg de Franse president aan Gavin of deze een 'persoonlijke' boodschap aan Kennedy wilde overbrengen:

'Beter dan wie ook weet ik hoe wijd vertakt en zwaar de verantwoordelijkheden zijn die op president Kennedy's schouders rusten. Hij staat aan het hoofd van de machtigste westerse natie. Daarom hangt alles min of meer van hem af [...]. Als de situatie zich verslechtert, zullen we met een ramp te maken krijgen. Als dat gebeurt, zal Frankrijk naast de Verenigde Staten staan. [...] Mocht er geen ramp ontstaan, dan zal het voor het Westen toch belangrijk zijn geweest dat het standvastigheid heeft kunnen tonen.'

Op zaterdag 2 september belde Kennedy, in een laatste poging om een Amerikaanse hervatting te vermijden, vanuit Hyannis Port naar Rusk en stelde voor dat hij en Macmillan een ogenblikkelijk verbod op kernproeven in de atmosfeer zouden afkondigen waarbij geen sprake van wederzijdse inspectie zou zijn. Dit was een ingrijpende concessie. Tot nu toe had het Westen zulke inspecties altijd geëist. Er werd een Engels-Amerikaanse brief naar Moskou gestuurd.

De volgende middag werd de president tijdens een boottocht op de *Marlin* door generaal Clifton naar de wal geroepen: de Sovjets hadden een tweede kernproef ondernomen. Kennedy arriveerde in een golfwagentje bij zijn huis en zei: 'Bel Dean Rusk voor me! Haal mijn broer!' Carl Kaysen, staflid van de Nationale Veiligheidsraad, kwam met de suggestie om deze situatie te benutten om de Russen beleefd te kennen te geven dat de Amerikanen hun vieze spelletje niet zouden meespelen. Kennedy antwoordde: 'Ze zouden me voor mijn ballen schoppen. Ik zou er niet meer onderuit komen.'

De neutrale, niet-gebonden landen die in Belgrado bijeen waren, weigerden de Sovjets terecht te wijzen. Tegelijkertijd namen ze hun gebruikelijke resolutie tegen het westerse kolonialisme aan. Kennedy reageerde met gevloek.

Dinsdag meldde Bundy in het Oval Office dat de Russen een derde kernproef hadden ondernomen. Het geduld van de president was op. Hij gaf opdracht tot hervatting van de Amerikaanse kernproeven, maar deze moesten beperkt worden tot ondergrondse en in laboratoria zodat er geen sprake was van radioactieve neerslag. 'Ik had geen keus,' zei hij later. 'Ik heb twee dagen op een antwoord op de boodschap gewacht die Macmillan en ik naar Chroesjtsjov hebben gestuurd. Hij heeft ruimschoots de tijd gehad te reageren. Het enige dat ze gedaan hebben, is nog twee bommen laten ontploffen.'

Tegen Rusk vertelde hij dat de reden waarom de Russen zo weinig belangstelling in onderhandelingen over Berlijn toonden, was omdat 'de tijd nog niet rijp is. Het is nog te vroeg. Ze zijn er op gebrand eerst de wereld schrik aan te jagen voordat ze met onderhandelingen beginnen en ze hebben de zaak nog niet aan het koken gebracht. Er zijn nog te weinig mensen bang.'

Toen Stevenson zich beklaagde over Kennedy's beslissing tot hervatting, zei Kennedy: 'Wat voor keus hadden we? Ze hadden de Verenigde Staten al drie keer in het gezicht gespuugd. We konden met geen mogelijkheid achterover leunen en gewoon toekijken.' Stevenson antwoordde dat Amerika voor wat betreft de propagandastrijd aan kop lag.

'Wat betekent dat?' vroeg de president. 'Ik hoor geen berichten over gesneuvelde ruiten vanwege de Russische beslissing. De niet-gebonden landen hebben zich op een verschrikkelijke manier opgesteld. De Russen hebben twee tests uitgevoerd *nadat* wij in onze boodschap een verbod op kernproeven in de atmosfeer hadden voorgesteld. [...] Door dit alles maakt Chroesjtsjov een behoorlijk taaie indruk. Hij heeft een reeks van schijnbare overwinningen behaald – in de ruimte, Cuba en de Berlijnse Muur. Hij wil iedereen laten voelen dat hij ons in het defensief heeft gedrongen. [...] Hoe dan ook, de beslissing is gevallen. Ik zeg niet dat het de juiste beslissing is geweest. Wie kan daar nou in vredesnaam iets over zeggen?'

In een vertrouwelijk memo aan collega's van *Newsweek* berichtte Ben Bradlee dat de president van mening was dat 'de tegenwind van de oorlog weer krachtig de kop opsteekt' en dat 'Chroesjtsjov bezig is de zaak onvermijdelijk op het randje te brengen'.

Bundy herinnerde de late zomer en herfst van 1961 als 'een periode van aanhoudende en uitputtende bezorgdheid. [...] Er ging geen week voorbij [...] waarin er geen sprake was van knagende vragen met een strekking van wat er zou gebeuren als [...], of wat een bondgenoot wel of niet zou steunen, of over de vraag of het moreel in West-Berlijn zelf wel standhield'. Toen hij later Robert Lowells gedicht 'Herfst 1961' las, vond hij zijn eigen emoties hierin terug:

> *Een hele herfst lang, het gekibbel en gedoe*
> *over een kernoorlog;*
> *we hebben onze vernietiging doodgepraat.*

Begin september schreef James Reston na een gesprek met de president in zijn column in de *New York Times* dat Kennedy gefrustreerd was vanwege zijn falen om met Chroesjtsjov 'tot een rationeel gesprek te komen' over Berlijn. Als de Sovjets over een 'eerzame schikking' wilden onderhandelen, was de president bereid 'hiermee in te stemmen [...]. Hij zal in goed vertrouwen onderhandelen, maar zal zich niet laten commanderen. Al sinds Wenen heeft hij dit aan Chroesjtsjov duidelijk willen maken, echter zonder succes.'

Chroesjtsjov maakte gebruik van zijn eigen *Times*-columnist om Kennedy een boodschap te sturen. Op dinsdag 5 september liet hij C.L. Sulzberger in het Kremlin weten dat hij bereid was tot een nieuwe top. In Wenen hadden de twee leiders elkaar 'afgetast'. Nu moesten beiden 'bereid zijn de spanningen te verlichten om overeenstemming te bereiken over een Duits vredesverdrag, West-

Berlijn als vrije stad en vooral over het belangrijkere probleem van de ontwapening'.

De Secretaris-Generaal omschreef Kennedy als 'te jong. Hij beschikt niet over de autoriteit en het prestige om deze zaak tot een goed einde te brengen. [...] Als Kennedy zich tot het volk zou richten, zijn diepste gedachten zou uiten en vervolgens zou verklaren dat het geen zin heeft over Berlijn te vechten, [...] zou de hele situatie snel opgelost kunnen zijn.' Als Eisenhower zoiets had gezegd, 'zou niemand hem ervan kunnen hebben beschuldigen dat hij te jong, te onervaren of te bang was geweest'. Maar als Kennedy dit zou doen, 'zal de oppositie haar stem laten horen en hem beschuldigen van onervarenheid, lafheid en een gebrek aan goed staatsmanschap. Daar is hij bang voor.'

Frankrijk zou onder een verbod op atmosferische kernproeven, zoals dat door Kennedy en Macmillan was voorgesteld, nog steeds de vrijheid hebben gehad om in naam van de NAVO door te gaan met kernproeven. Het Westen had al veel meer kernproeven ondernomen dan de Sovjet-Unie. De Sovjets hadden 'moreel gezien het recht' met de Verenigde Staten gelijk te komen. 'Wat moeten we in vredesnaam met al die kernproeven? Je kunt die bommen niet als soepballetjes gebruiken en je kunt er ook geen overjas van maken.' Hij zou de nieuwe Russische bom van honderd megaton laten testen 'om ervoor te zorgen dat die zogenaamde agressors zich twee keer zullen bezinnen'.

Toen Sulzbergers transcriptie werd vrijgegeven, wilden de Russen er twee belangrijke veranderingen in aanbrengen om het effect wat te verzachten. In plaats dat een top tussen Kennedy en Chroesjtsjov zich moest toespitsen op vorderingen in het overleg over ontwapening en Berlijn, wilde Chroesjtsjov nu zeggen dat hij 'altijd graag bereid is tot een ontmoeting' met de president. In plaats van het dreigement zijn bom van honderd megaton te testen, wilde Chroesjtsjov nu laten weten dat de Sovjets alleen het ontstekingsmechanisme van de bom wilden uitproberen.

Tijdens een ontvangst op het Kremlin bedankte de Secretaris-Generaal Sulzberger voor de manier waarop hij het gesprek had uitgewerkt. Sulzberger kwam daarop met een gewaagd antwoord: 'Weet u, we hebben wel twintigduizend sparren in Canada moeten kappen om al deze rotzooi te drukken.' Chroesjtsjov bulderde van het lachen.

Voordat het gesprek ten einde was, vroeg de Secretaris-Generaal aan Sulzberger een geheime boodschap aan Kennedy over te brengen: 'Ik ben niet afkerig om bepaalde contacten met hem te onderhouden om zo naar een manier te kunnen zoeken om, zonder dat dit het prestige van de Verenigde Staten schaadt, tot een regeling te komen – maar wel op basis van een vredesverdrag en een vrij Berlijn. De president zou via dit soort informele contacten zijn gedachten kunnen uiten over mogelijke manieren om het probleem op te lossen.'

Sulzberger had Chroesjtsjov laten weten dat de snelste manier om een dergelijke boodschap te versturen, via Thompson was. Chroesjtsjov antwoordde: 'Thompson is zeer bekwaam, maar hij is een ambassadeur. Hij zou dan een boodschap naar secretaris Rusk moeten sturen. Rusk zou Kennedy vervolgens laten weten wat er niet aan deugt [...] en Kennedy zou uiteindelijk de zaak door de bril van Rusk bekijken. Daardoor was de president niet in staat een onbevooroordeelde eerste reactie te geven. En Rusk is gewoon een stuk gereedschap van de Rockefellers.'

Lopend in de tuin van het Spaso House, uit de buurt van Russische afluisterapparatuur, vertelde Sulzberger aan Thompson dat hij door Chroesjtsjov in de 'pijnlijke positie' was gemanoeuvreerd, waarbij hij Kennedy een boodschap moest sturen maar waarbij de Secretaris-Generaal hem verzocht had deze boodschap niet openbaar te maken: zodra hij de boodschap verstuurd had, zou hij de president verzoeken meteen de inhoud aan Thompson bekend te maken.

Sulzberger vloog vervolgens naar Parijs, verzegelde Chroesjtsjovs boodschap in een envelop en verstuurde deze via een speciale koerier naar het Witte Huis. Daar las Kennedy de brief en zei dat 'het moeilijk was om uit te vinden' wat de brief nu precies betekende.

Op 13 september lichtte de voorzitter van de gezamenlijke stafchefs, generaal Lemnitzer, de president in de Cabinet Room in over geheime plannen voor een algehele kernoorlog tegen het 'Chinees-Russische blok'.

Met gebruik van nieuwe satellietinformatie berichtte hij dat terwijl de Sovjet-Unie in staat was West-Europa met korte- en middellange-afstandsraketten te vernietigen, het land over slechts tien tot vijfentwintig lanceerinrichtingen beschikte die in staat waren raketten op de Verenigde Staten af te vuren. Verder beschikte de Sovjet-Unie over ongeveer achtentwintig atoomonderzeeërs en ruwweg tweehonderd bommenwerpers die in een eerste aanval boven Noord-Amerika konden worden ingezet. Dit vormde 'een grote bedreiging voor de gebieden rond de Amerikaanse steden', maar zou de maanden daarna van beperkter betekenis zijn voor het Amerikaanse nucleaire aanvalskracht.

Maar een klein deel van de Russische strijdkrachten verkeerde in een staat van paraatheid. De intercontinentale ballistische raketten en de bommenwerpers hadden een uur of meer nodig voordat ze het luchtruim konden kiezen. Slechts een paar onderzeeërs waren in staat om de Verenigde Staten direct met atoomkoppen te bestoken. Lemnitzer waarschuwde Kennedy dat zelfs als de Verenigde Staten een eerste directe aanval tegen de Sovjet-Unie zouden ondernemen, hij kon verwachten dat 'een deel van de Russische kernmacht voor de lange afstand op de Verenigde Staten zou neerkomen'.

Uiteindelijk was de situatie aldus: de Verenigde Staten beschikten over een groot atoomoverwicht aan kernwapens, maar het land was niet onkwetsbaar. Als de president berichten zou ontvangen over een ophanden zijnde Russische verrassingsaanval, was hij in staat om bijna onmiddellijk 1004 transportsystemen met een totaal van 1685 kernkoppen in een preventieve eerste aanval tegen de Sovjet-Unie te lanceren. De Verenigde Staten zouden hierbij, nog afgezien van het Europese dodental dat zich 'ergens laag in de tientallen miljoenen zou bevinden, wellicht twee tot vijftien miljoen slachtoffers moeten accepteren'. Maar de Sovjetmaatschappij zou voor een groot deel zijn vernietigd.

Lemnitzer zei dat als de president ooit tot een aanval 'uit het niets' zou overgaan, zonder dat daarbij sprake zou zijn van een ophanden zijnde Russische aanval, zoals Chroesjtsjov had gevreesd en sommige strategen en functionarissen van het Pentagon in de jaren veertig en vijftig openlijk hadden geëist, zou de geweldsbalans nog verder naar één kant doorslaan.

Kennedy's eerste toespraak voor de Verenigde Naties stond gepland voor eind september. Nog steeds woedend over het feit dat de niet-gebonden landen het hadden laten afweten om de Russische hervatting van kernproeven te veroordelen, vroeg hij zich af of Nehroe, Nkroemah en andere niet-gebonden leiders zich dan in New York zouden bevinden: 'Chroesjtsjov heeft wel de besten uit het nest gekozen.'[1]

Hij vroeg Stevenson: 'Wat vind je van het idee om de Verenigde Naties naar West-Berlijn over te brengen?' Een dergelijk plan, dat onder Eisenhower tot stand was gekomen, kon ertoe bijdragen dat een Sovjetaanval op de stad werd voorkomen en dat de aandacht van de wereld op het pijnlijke gegeven van de Berlijnse Muur gericht bleef. Stevenson antwoordde dat de Verenigde Staten in hun hoedanigheid van gastland een dergelijke stap niet moesten ondernemen. Hierdoor zou het prestige van de Sovjet-Unie worden opgeschroefd en zouden de Verenigde Naties bijna gijzelaars achter de linies van het oostblok worden.

Terwijl hij zijn toespraak voor de Verenigde Naties aan het opstellen was, overwoog de president om met een vier-puntenplan te komen om de kwestie-Berlijn ten gunste van het Westen te kunnen herformuleren: leg alle gerechtelijke aspecten van het geschil voor aan het Internationaal Gerechtshof, stel de Autobahn naar Berlijn onder toezicht van de Verenigde Naties, laat Berlijners door middel van een door de Verenigde Naties opgezet volksreferendum beslissen over hoe ze bestuurd willen worden en neem een verhuizing van de Verenigde Naties naar Berlijn in overweging. In vertrouwelijke kring zei Kennedy: 'Er bestaan twee mogelijkheden omtrent Berlijn: oorlog, of West-Berlijn geleidelijk aan verliezen aan de communisten. Ik denk dat een groot deel van de Verenigde Naties niet bereid is om Berlijn tegen een kernoorlog in te ruilen.' Hij maakte opnieuw gebruik van de pers om een boodschap aan Chroesjtsjov te versturen en zei in een voor publicatie bestemd gesprek met zijn vriend James Wechsler van de *New York Post* dat hij op een dag wel eens gedwongen kon zijn het uiterste risico te nemen om Chroesjtsjov te overtuigen dat een verzoening geen vernedering hoefde te betekenen: 'Als hij mijn neus in de modder wil duwen, houdt het op.' Wechsler liet zijn lezers weten dat Kennedy over alles wilde onderhandelen, 'behalve over de waardigheid van vrije mensen': 'We kunnen volledige onderhandelingen voeren over de toekomst van Duitsland en China en over bijna alle controversiële punten zolang de heer Chroesjtsjov maar bereid is om te onderhandelen in plaats van te dicteren.'

Op maandag 18 september ontwaakte de president in Hyannis Port om vervolgens te vernemen dat men aannam dat het vliegtuig van Dag Hammarskjöld boven de Kongo was neergestort. Hij zei: 'Het had niet op een slechter moment kunnen gebeuren.' Daarna kwam het bericht dat Hammarskjöld was overleden. Kennedy wist dat het voor Chroesjtsjov nu makkelijker zou worden om de secretaris-generaal van de Verenigde Naties door een driemanschap te vervangen. Kennedy had al aan Rusk gevraagd om Gromyko in de Verenigde Naties aan de tand te voelen over een mogelijkheid om gesprekken te voeren over Berlijn. De volgende dag probeerde de minister van Buitenlandse Zaken Gromyko na een

---

1. Later die maand schreef Rostow naar de president over 'Nkroemahs plannen om vierhonderd kadetten naar de Sovjet-Unie te sturen om ze daar te laten trainen. [...] De Britten hebben al meegeholpen om dit aantal omlaag te brengen, maar toch is het een geweldig mannetje.'

zitting van de Algemene Vergadering aan te klampen, maar de Rus ontsnapte via de lift en verdween in een menigte van verslaggevers. Rusk wilde de indruk vermijden dat hij achter zijn Russische ambtgenoot aanzat, en dus liep hij de andere kant op.

Bohlen regelde voor beide mannen een lunch op donderdag 21 september. Deze vond plaats te midden van de vergane glorie van de Windsor-suite van het Waldorf Towers hotel. De suite was vernoemd naar haar veelvuldig verblijvende gasten, de hertog en hertogin van Windsor. Rusk liet Gromyko weten dat serieuze onderhandelingen over Berlijn 'moeilijk, zo niet onmogelijk [waren], als er zo veel bedreigingen in de lucht hingen. Aan de andere kant staan we meer dan klaar om zakelijke en constructieve gesprekken te voeren. Maar dan zou eerst het klimaat verbeterd moeten worden.'

Hij vervolgde: 'Ons primaire doel is om een halt toe te roepen aan de dreigementen van de Sovjet-Unie ons onze rechten in Berlijn te ontnemen. Amerika zou 'vast en zeker strijden' voor de drie *essential*-rechten zoals die door de president in zijn toespraak van juli naar voren waren gebracht. 'Onze aanwezigheid in West-Berlijn is fundamenteel gezien gebaseerd niet alleen op bezettingsrechten, maar ook op de wil van het volk van die stad. We streven allebei hetzelfde doel na.' Gromyko antwoordde dat het dwaas zou zijn een oorlog om Berlijn te beginnen: 'Ondenkbaar en onnodig.' Na afloop zei Bohlen: 'Het standpunt van de Sovjets zou wel eens echt buigzaam kunnen zijn.'

Tijdens een tweede lunch overhandigde Gromyko aan Rusk een pakje Russische sigaretten, maar zag niet dat deze van het merk Trojka waren. Hij verontschuldigde zich: 'Puur toeval.'

De president bracht het weekeind door in Hyannis Port waar hij samen met Jacqueline zeiltochtjes ondernam en met Sorensen aan zijn toespraak voor de Verenigde Naties werkte. Weekeindgasten die zich bevonden op wat de pers nu het 'Kennedy-terrein' noemde, waren onder anderen de Dominicaanse playboy Porfirio Rubirosa, diens laatste echtgenote en Frank Sinatra.

Het persbureau van het Witte Huis specificeerde dat Sinatra en Rubirosa een bezoek brachten aan Peter Lawford en Edward Kennedy – en niet aan de president. De chauffeur van Joseph Kennedy zag dat Sinatra 'met een menigte jetsetters en *beautiful people*' in zijn kielzog arriveerde voor een 'groot feest [...]. De vrouwen die ze die middag hadden laten aanvoeren, waren volgens mij hoeren.'

Zondagavond stapten de president en Lawford aan boord van een lawaaierig propellervliegtuig van de Amerikaanse luchtmacht met bestemming New York. Vanwege de geluidsoverlast waren Kennedy en Sorensen gedwongen in het gangpad te hurken terwijl ze de bladzijden voor zijn toespraak rangschikten. In het Carlyle-hotel nam de president een ongebruikelijke voorzorgsmaatregel: hij las de toespraak hardop voor zodat Rusk en andere adviseurs kritiek konden leveren.

Salinger was de avond daarvoor al in het Carlyle gearriveerd. Georgi Bolsjakov had hem gebeld en gezegd dat het 'uiterst belangrijk' was dat hij met Charmalov, die zich samen met Gromyko ook in de stad bevond, zou dineren. Salinger stemde toe in een diner met de Rus op zondagavond in diens eigen hotelkamer.

Salinger, de half-Franse, half-joodse perssecretaris van Kennedy, was gulhartig, joviaal, bombastisch en plomp, gek op wijn en cognac, eten, vrouwen, muziek en politiek. Theodore White was van mening dat als Salinger tien tot vijftien jaar ouder was, hij 'burgemeester van elk willekeurig bourgondisch dorp' kon zijn geweest. Robert Pierpoint van CBS herinnerde zich 'dat Salinger zich wat betreft drinken en feesten met de beste – of slechtste – correspondenten kon meten, en dat ook vaak deed'.

Terwijl hij toekeek hoe Nixons woordvoerder Herbert Klein voor de televisie de verkiezingsnederlaag van 1960 toegaf, zei Kennedy: 'Hij komt meer als een *New Frontier*-aanhanger over dan jij.' Later vertelde hij Oleg Cassini dat Salinger 'het lekkerste leventje' van allemaal leek te lijden. 'Hij zit om de week in Parijs, eet in de beste restaurants en rookt Cubaanse sigaren.'

Peter Lisagor van de *Chicago Daily News* herinnerde zich dat Salinger in termen van 'het rond de tafel gaan zitten om met Pierre een gesprek voeren over presidentiële standpunten inzake de NAVO of de nieuwe binnenlandse programma's van de *New Frontier*', hij 'van weinig nut' was. Dit kwam omdat de president voorzichtig was met wat hij zijn woordvoerder vertelde: 'Kennedy voelde vaak aan [...] dat hij zelf de beste persattaché was – hij bepaalt zelf wat openbaar wordt, hoe dit gebeurt en wanneer.'

Salinger werd in 1925 in San Francisco geboren. Zijn vader nam het gezin mee naar Toronto, waar hij als mijningenieur werkte. Later verhuisde het gezin naar Salt Lake City, waar zijn vader vervolgens als een impresario werkte. Zijn zoon studeerde piano, compositieleer, dirigeren en viool. Maar wegens gebrek aan 'vriendjes van mijn leeftijd en omdat ik zelden met een honkbalknuppel had gezwaaid of tegen een voetbal had getrapt', gaf hij op elfjarige leeftijd de hoop op een carrière als violist op. Nadat hij zijn diensttijd als kapitein op een mijnenveger in de Atlantische Oceaan had volbracht en aan de Universiteit van San Francisco was afgestudeerd, werkte hij op de nachtelijke stadsredactie van de *San Francisco Chronicle* en hield hij zich in opdracht van *Collier's* bezig met onthullingen over de *Teamsters*, voordat het blad met Kerstmis 1956 werd opgeheven.

Als werkloze ontving hij twee telefoontjes. Het ene telefoontje was afkomstig van de *Teamsters*, die hem als publiciteitsagent in dienst wilden nemen; het andere kwam van Robert Kennedy, die op dat moment bezig was met het opzetten van zijn Senaatscommissie ter onderzoek van ontoelaatbare praktijken binnen de vakbonden. Op zijn eerste dag werd hij uitgenodigd door Robert voor een diner op Hickory Hill. Salinger viel haast om van verbazing toen zijn verzoek om een glas wijn niet kon worden ingewilligd, omdat Robert geen wijn in huis had. Volgens Salinger was 'Kennedy meer dan verrast' toen hij op zijn beurt naar zijn auto liep en terugkeerde met een fles die hij 'speciaal voor noodgevallen' bij zich had.

Hoewel de twee mannen elkaar nauwelijks kenden, stelde John Kennedy Salinger, op aandringen van Robert, aan als persattaché voor zijn verkiezingscampagne van 1960. Salinger wist het vertrouwen van zowel de kandidaat als het hele persapparaat zo te winnen dat Theodore White later schreef: 'Iedereen die de Kennedy-campagne van 1960 heeft gevolgd, denkt alleen maar met respect en genegenheid aan Salinger terug.'

Na de Varkensbaai werd Salinger het slachtoffer van de plotselinge belangstelling van de president om binnen de regering censuur af te kondigen: 'De media moeten maar begrijpen dat slechts een misrekening genoeg is om een oorlog te ontketenen en dat we zijn betrokken in zaken waarover we gewoon niet kunnen praten.' Het antwoord dat Salinger gaf, zou hij later betreuren en hij zou nooit zo hebben gereageerd als hij meer ervaring op het nationale vlak had gehad: hij kwam met de suggestie voor een presidentiële toespraak die moest handelen over de discipline van de pers over zaken die de nationale veiligheid betroffen.

Tegen uitgevers verklaarde Kennedy dat 'als de pers eerst op een oorlogsverklaring wacht voordat ze zich onderwerpt aan de zelfdiscipline die de oorlogsomstandigheden met zich meebrengen, kan ik alleen maar zeggen dat er geen enkele oorlog is geweest die een grotere bedreiging vormde voor onze veiligheid. [...] Want over de hele wereld worden we tegengewerkt door een monolithische en meedogenloze samenzwering die het voornamelijk moet hebben van een onderhandse uitbreiding van haar invloed.' Redacteuren en columnisten joelden bij wat ze beschouwden als een poging van de president om de schuld van het Varkensbaai-fiasco op de pers af te schuiven.[1]

Bolsjakov volgde de nauwkeurige instructies van Salinger op en bracht Charmalov naar een zij-ingang van het Carlyle. Een veiligheidsagent nam de twee Sovjet-Russen mee naar boven in een lift aan de achterzijde van het gebouw. Salinger opende zijn deur. Charmalov straalde: 'De storm in Berlijn is voorbij.' Salinger leek door de bliksem getroffen: '*Voorbij?*'

Charmalov verzocht Salinger tegen Kennedy te zeggen dat Chroesjtsjov bereid was tot een vroege top en de Amerikaanse voorstellen inzake Berlijn wilde overwegen. Vanwege de 'duidelijke, politieke moeilijkheden' van de Amerikaanse president liet hij het bepalen van het tijdstip over aan Kennedy. Maar er mocht niet te veel tijd verstrijken. Socialistische landen hadden Chroesjtsjov onder druk gezet. Het gevaar van een ingrijpend militair incident in Berlijn was groot. Charmalov liet verder weten dat Chroesjtsjov 'hoopt dat de toespraak van de president voor de Verenigde Naties niet weer een oorlogszuchtig ultimatum wordt zoals op 25 juli. Hij was daar totaal niet gelukkig mee.'

Salinger liet een boodschap voor de president achter. Er werd gezegd dat deze boven in zijn appartement met vrienden dineerde. Op maandagochtend één uur werd hij door Kennedy ontboden. Toen Salinger het appartement betrad, zat de president rechtop in bed, gehuld in een witte pyjama, te lezen en op een niet-aangestoken sigaar te kauwen.

Salinger overhandigde hem de boodschap van Charmalov. De president stond op en staarde uit het raam naar de betoverende skyline van Manhattan: 'Je kunt dit maar op één manier lezen. Als Chroesjtsjov bereid is om naar onze standpunten over Duitsland te luisteren, zal hij niet het regime-Ulbricht erkennen – tenminste, niet dit jaar – en dat is goed nieuws.'

1. Ondanks, of juist dank zij deze reactie probeerde Kennedy het nog eens. In het Oval Office suggereerde hij tegen hoge nieuwsfunctionarissen dat ze iemand moesten aanstellen om in Washington als 'adviseur inzake informatie die van invloed is op de nationale veiligheid' te gaan fungeren. Als nieuwsorganen niet wisten of een verhaal geheimen aan de vijand kon doorspelen, konden ze hun artikelen naar deze adviseur sturen die, nadat hij door respectievelijk het Witte Huis, het ministerie van Buitenlandse Zaken, de CIA of Defensie uitgebreid was ingelicht, uitsluitsel kon geven of het verhaal in kwestie wel of niet afgedrukt kon worden. De aanwezige nieuwsfunctionarissen waren niet onder de indruk. Zoals Salinger later zei: Kennedy besefte 'de zinloosheid van verdere stappen'.

Vervolgens belde hij Rusk, die het ermee eens was dat aangezien Chroesjtsjov zijn boodschap niet op papier had gezet, de president op dezelfde manier moest antwoorden. Kennedy dicteerde een paar zinnen die door Salinger op briefpapier van het Carlyle werden genoteerd. Daarna bekeek hij in het licht van Chroesjtsjovs waarschuwing voor een 'oorlogszuchtige' toespraak zijn speech voor de Verenigde Naties nogmaals. Hij veranderde geen woord.

De volgende ochtend werd dokter Jacobson naar eigen zeggen al vroeg naar de suite van de president geroepen. Hij zag dat het vertrek 'bezaaid lag met halflege glazen en volle asbakken.' Kennedy, nog steeds in ochtendjas, 'begroette me met zo'n hese fluistertoon dat ik hem nauwelijks kon verstaan'. Daarna, zo zei hij, gaf hij de president 'een injectie net onder het strottehoofd [...]. Ik zie het verbaasde gezicht van Kennedy nog voor me toen hij merkte dat hij daarna weer met een normale stem kon praten.'

Jacqueline Kennedy had geen plannen om de toespraak van haar man voor de Verenigde Naties bij te wonen, maar veranderde op de laatste minuut van gedachte. Ze werd niet teleurgesteld. De literaire kwaliteit overtrof de hoge maatstaven van de meeste van Kennedy's presidentiële toespraken.

Zijn toespraak bevatte de aanwijzingen: 'Diepe stem... Langzaam,' en begon met de opmerking dat hoewel Hammarskjöld dood was, de Verenigde Staten leefden. 'De mens moet een einde maken aan alle oorlogen voordat deze een einde aan de mensheid maken. Laten we daarom nu vaststellen dat Dag Hammarskjöld niet voor niets heeft geleefd en niet voor niets is gestorven.'[1] Kennedy beweerde dat de plaats van de overledene beter door één man dan door een driemanschap kon worden opgevuld: 'Zelfs de drie paarden van de trojka hadden niet de beschikking over drie koetsiers die allemaal een andere kant op gingen.' Vandaag de dag 'gaat iedere man, iedere vrouw en ieder kind gebukt onder een nucleair zwaard van Damocles, opgehangen aan de dunste draden die elk moment per ongeluk, door misrekening of door waanzin kunnen worden doorgesneden. De oorlogswapens moeten worden afgeschaft voordat deze ons afschaffen.' Hij zou 'de Sovjet-Unie niet tot een *wapen*wedloop, maar een *vredes*wedloop' uitdagen.

Over Berlijn zei hij: 'We geloven dat een vreedzame overeenkomst, waarbij de vrijheid van West-Berlijn, de aanwezigheid van westerse bondgenoten en een toegang tot de stad wordt gegarandeerd, mogelijk is terwijl tevens de historische en rechtmatige belangen van anderen omtrent een garantie van een Europese veiligheid kunnen worden erkend.'

Kennedy en Sorensen hadden eerst afzonderlijk een toespraak geschreven en daarna de beste gedeelten met elkaar gecombineerd. De afsluiting van zijn toespraak omvatte zinnen die opzettelijk waren bedoeld om op te vallen en daarmee meer nadruk te kunnen geven: 'Wij, die zich in deze zaal bevinden / wij zullen worden herinnerd / als deel van de generatie die deze planeet in een brandstapel heeft veranderd / of als de generatie die haar belofte is nagekomen / "om de komende generaties / van de geseling van de oorlog te bevrijden". /Aan ons de beslissing. / We zullen samen deze planeet redden – dan wel samen in haar vlammen omkomen.'

1. Sorensen parafraseerde deze regel misschien onbewust toen hij op 27 november 1963 de eerste toespraak van Lyndon Johnson voor het Congres voorbereidde.

Om er zeker van te zijn dat deze retoriek niet als een teken van zwakheid zou worden opgevat, verscheen Robert Kennedy de dag voor de toespraak in *Meet the Press*, waar hij waarschuwde dat indien Chroesjtsjov de zaak verkeerd zou inschatten, 'dit tot de vernietiging van de wereld kon leiden. Ik zou willen hopen dat hij de laatste weken tot het besef is gekomen dat onze president het gebruik van kernwapens niet schroomt.'

Terwijl de president zijn toespraak voor de Algemene Vergadering afrondde, vertrokken Bolsjakov en Charmalov naar de hotelkamer van Salinger in het Carlyle, waar de persattaché hen mondeling op de hoogte stelde van Kennedy's antwoord aan Chroesjtsjov. Hij liet weten dat als de Sovjet-Unie klaar was haar verplichtingen inzake Laos na te komen, een top over de veel gecompliceerdere kwestie rond Duitsland wel eens tot een akkoord kon leiden. De president voelde zich 'zeer aangemoedigd' door de bereidheid van de Secretaris-Generaal diens standpunten inzake Duitsland nog eens te herzien.

De president vertrok met zijn gevolg naar Newport, waar de Kennedy's een week op Hammersmith Farm zouden doorbrengen, het zomerhuis aan zee van de moeder en stiefvader van Jacqueline. Bundy stuurde hem per koerier wat 'speciaal inlichtingenmateriaal', afkomstig van Richard Helms van de CIA, en suggereerde dat 'we nu in een adempauze verkeren voordat we [met betrekking tot Berlijn] weer verder onder druk komen te staan'.

Op vrijdagmiddag 29 september onderbrak Salinger een partijtje golf om een telefoontje van Bolsjakov uit New York te ontvangen. De Rus zei dat ze elkaar 'onmiddellijk' moesten ontmoeten. Bolsjakov liet weten dat hij meteen een vliegtuig zou charteren en die avond naar Newport zou vliegen. Salinger verzocht Bolsjakov niets te ondernemen tot nader bericht.

Hij belde vervolgens de president en Rusk, die beiden veronderstelden dat Chroesjtsjov een antwoord op de geheime boodschap van Kennedy klaar had. Met de aanwezigheid van twee dozijn Witte-Huiscorrespondenten in Newport vreesde Salinger dat de plotselinge verschijning van Bolsjakov voor een 'kleine sensatie' zou zorgen. Hij stelde daarom voor om de volgende dag om half vier 's middags een vergadering te beleggen in het Carlyle. Bolsjakov zei: 'Als u wist hoe belangrijk het is wat ik heb, zoudt u me niet zo lang laten wachten.'

De volgende ochtend vloog Salinger naar New York. Rusk vertelde hem dat hij zich afvroeg waarom Gromyko hem tijdens hun ontmoeting eerder die dag al niet van Chroesjtsjovs antwoord op de hoogte had gesteld. Om precies half vier verscheen Bolsjakov op Salingers hotelkamer in het Carlyle. Onder zijn arm hield hij een stapel kranten waartussen een dikke manilla-envelop. Hij opende deze en trok er een bundel bladzijden uit: 'Jij mag het lezen, maar daarna is het alleen bestemd voor de ogen van de president.'

13. 'Geachte mijnheer de president' en 'Geachte mijnheer de Secretaris-Generaal'

Bolsjakov had een Russische en een Engelse versie meegenomen van een zesentwintig pagina's tellende, vertrouwelijke brief die Chroesjtsjov vanuit Pitsoenda naar Kennedy had verzonden. Hij zei dat hij de hele nacht had doorgewerkt aan de Engelse vertaling. De enige Russen in de Verenigde Staten die op de hoogte waren van Chroesjtsjovs brief, waren Bolsjakov zelf en Gromyko. Ambassadeur Mensjikov was niet ingelicht.

Nadat de Rus was vertrokken, belde Salinger naar Newport. Kennedy zei: 'Zorg dat die brief zo snel mogelijk bij Dean Rusk terechtkomt. En breng hem dan naar mij.'

Salinger bracht de brief naar de minister in het Waldorf. Rusk las hem twee maal, maar voelde er niets voor om een overhaast oordeel te geven. Die avond nam hij de brief mee naar Washington en de volgende ochtend verstuurde hij hem weer per koerier naar Salinger in New York. Salinger vloog naar Providence en bezorgde de kostbare envelop bij huize Auchincloss in Newport, waar de president net was teruggekeerd van de zondagsmis.

De aanhef van Chroesjtsjovs officiële schrijven luidde: 'Geachte meneer de president,' en de brief opende met een huiselijke opmerking over zijn verblijf in Pitsoenda met zijn kinderen en kleinkinderen. Hij zei dat hij eerder die zomer, na Kennedy's ontmoeting met zijn schoonzoon, had willen schrijven, maar de verklaringen van de president inzake Berlijn waren zo agressief en uitdagend geweest dat ze hadden geleid tot opeenvolgende militante acties door beide landen, die nu aan banden moesten worden gelegd.

In antwoord op Kennedy's vertrouwelijke boodschap over Laos en Berlijn zei Chroesjtsjov dat hij geen reden zag waarom onderhandelingen, die te goeder trouw werden gevoerd, niet tot een regeling in beide plaatsen zouden kunnen leiden. Hij was bereid om de standpunten die in vijftien jaar Koude Oorlog waren vastgeroest, nog eens te bekijken, mits de president daartoe ook bereid was. Hij was zijn katholieke tegenspeler van dienst met een bijbelse metafoor. De wereld van na de oorlog was als de Ark van Noach. Zowel de 'reinen' als de 'onreinen' wilden dat de ark bleef drijven, wat hun meningsverschillen ook waren.

Als leiders van de twee machtigste naties hadden hij en de president een bijzondere verplichting om een nieuwe oorlog te voorkomen. Het zou nuttig kunnen zijn om een louter informele briefwisseling met elkaar te beginnen, die buiten de Amerikaanse en Russische bureaucratieën om zou verlopen. Zo konden ze beiden hun standpunten verduidelijken zonder dat ze rekening hoefden te houden met de pers en zonder de voor het publiek bestemde propagandistische verklaringen.

Als de president dit zou afwijzen, dan kon hij de brief als niet verzonden beschouwen. In elk geval zou Chroesjtsjov niet openlijk naar de briefwisseling verwijzen. Hij sloot af: 'Met de hoogste achting, N. Chroesjtsjov, voorzitter van de ministerraad van de Unie van Socialistische Sovjetrepublieken.'

In het verleden had Chroesjtsjov gecorrespondeerd met Eisenhower, maar daarbij handelde het vaak om formele documenten.[1] Waarom stuurde hij nu zo'n persoonlijke brief? Op dit hachelijke moment in de geschiedenis was hij wellicht bevreesd de Sovjet-Amerikaanse relatie aan de goedheid van Rusk en Gromyko over te leveren, twee bureaucraten die hij niet vertrouwde. Hij had geprobeerd om via Pearson en Sulzberger openbare en vertrouwelijke boodschappen te sturen naar de president, maar die hadden geen serieuze reactie opgeleverd.

Chroesjtsjov dacht vermoedelijk dat wanneer hij per brief een vruchtbare, persoonlijke verhouding met de president opbouwde, dit bij de criticasters in het Kremlin kon worden aangevoerd als het bewijs voor zijn onmisbaarheid in buitenlandse aangelegenheden. Het zou Kennedy ook meer status verlenen en hij zou er belang bij kunnen hebben om de man die hij kende en met wie hij zaken kon doen, aan de macht te helpen houden. De Secretaris-Generaal dacht dat hoe sterker zijn binnenlandse positie volgens Kennedy zou zijn, des te waarschijnlijker de president zijn, volgens Chroesjtsjov, persoonlijke opvattingen over de Koude Oorlog zou handhaven. En die verschilden niet veel van die van Mansfield, Stevenson en Fulbright.

De Secretaris-Generaal had zijn zorgen voor het Tweeëntwintigste Partijcongres dat in oktober in Moskou zou worden gehouden. Hij wist dat de bijeenkomst stormachtig en onvoorspelbaar kon verlopen en dat de aanwezigen veel harde taal zouden bezigen tegen de Verenigde Staten. Een persoonlijke briefwisseling zou hem in staat stellen in alle rust contact te onderhouden met de president om een escalatie van de vijandschap te voorkomen.

Waarom dan al dit geheimzinnige gedoe? In zijn correspondentie met Eisenhower vond Chroesjtsjov het goed dat de brieven werden bezorgd door Mensjikov en Smirnovski. Maar Foy Kohler vertelde dat iedere keer dat er bij de westelijke vleugel van het Witte Huis een Rus verscheen, 'een compleet legertje journalisten de Amerikaanse regering belegerde, totdat het erin slaagde erachter te komen wat de strekking van de boodschap was'.

In maart 1960 werd Eisenhower gedwongen om de Secretaris-Generaal een telegram te sturen: 'Ik betreur het diep dat de inhoud van onze laatste correspondentie naar de pers is uitgelekt. Ik verzeker u dat ik alle voorzorgsmaatregelen had getroffen om een onthulling van deze zaken te voorkomen.' Hij nam maatregelen om de brieven van Chroesjtsjov voortaan minder opvallend van de am-

---

1. Hoewel het nooit zo persoonlijk werd als de briefwisseling met Kennedy, correspondeerden Chroesjtsjov en zijn voorganger, premier Boelganin, regelmatiger en diepgaander met Eisenhower dan de overlevering wil doen geloven. In de periode van de Geneefse top van 1955 en Boelganins afzetting in 1958 waren er bijvoorbeeld tweeëntwintig brieven tussen Eisenhower en Boelganin. In maart 1960 schreef Chroesjtsjov vóór de topconferentie van Parijs een vertrouwelijke brief aan Eisenhower, waarin hij zijn bezorgdheid uitsprak over de mogelijkheid dat Bonn atoomwapens bezat. De president antwoordde met een oproep voor een kernstopverdrag en andere ontwapeningsmaatregelen: 'U en ik moeten erkennen [...] dat de geheimen van atoomwapenproduktie [...] niet lang verborgen kunnen worden gehouden voor de vele staten die de beschikking hebben over geavanceerde wetenschappelijke en industriële middelen.'

bassade naar het ministerie van Buitenlandse Zaken te laten doorseinen.
De geheimhouding was weer hersteld, maar Chroesjtsjov hield niet van het idee
dat zijn brieven op het bureau van de president onder een of ander verwerpelijke
notitie van de 'Koude-Oorlogstrijders' van het ministerie van Buitenlandse Zaken belandden. Dit probleem zou hij vermijden als hij de brieven meegaf aan
Bolsjakov en aan andere geheime afgezanten. Volgens Chroesjtsjov zou dat
overeenkomen met Kennedy's voorliefde voor geheimhouding en de president
zou zich gevleid voelen dat de Secretaris-Generaal bereid was een kanaal te gebruiken dat hij nooit met zijn voorganger had gebruikt.

Nadat hij Chroesjtsjovs brief had gelezen, belde Kennedy Rusk in Washington.
Ze kwamen overeen Bolsjakov via Salinger te laten weten dat de president vermoedelijk binnen een week zou reageren.
Kennedy achtte een briefwisseling een goed middel om zijn vaak geuite voorkeur aan een openlijke communicatie te verwezenlijken. En het zou een directe
confrontatie over de kwestie-Berlijn kunnen uitstellen of minder waarschijnlijk
maken. Maar hij zag ook de gevaarlijke kant ervan. Een al te negatief antwoord
aan Chroesjtsjov zou een Sovjetactie in Berlijn kunnen versnellen. Als hij uitgesproken positief zou antwoorden, dan kon Chroesjtsjov hem belazeren door de
boodschap stilletjes door te zenden aan de Fransen en Westduitsers om hun het
bewijs in handen te geven dat Kennedy het achter hun rug om op een akkoordje
aanlegde. Als hij uit voorzorg zijn brief zou laten zien aan de westerse bondgenoten, die berucht waren om hun lekken, dan kon Chroesjtsjov hier lucht van
krijgen en woedend voor altijd een eind maken aan hun persoonlijke correspondentie.
De president dicteerde een memo voor zichzelf om 'Bundy en Sorensen de brief
van C te laten analyseren'. Bohlen merkte op dat Kennedy's antwoord 'misschien wel de belangrijkste brief zou zijn die de president ooit zal schrijven'.

Op 4 oktober, de woensdag daarop, ontving Kennedy C.L. Sulzberger boven in
de Oval Room. Hij bedankte hem voor het doorsturen van Chroesjtsjovs boodschap in september over het gebruik van 'informele contacten' voor de oplossing
van de kwestie-Berlijn.
Hij zei dat hij onlangs het westerse 'vredesplan' uit 1959 had bestudeerd. Het
plan stelde vrije verkiezingen voor in de beide Duitslanden. Het 'was duidelijk
niet een serieus plan en wij wisten dat het nooit kon worden geaccepteerd'. Nu
waren de Verenigde Staten in ieder geval serieus. Zonder de inhoud van
Chroesjtsjovs brief te onthullen, zei hij dat de Secretaris-Generaal de laatste tijd
'veel milder' was ten aanzien van Berlijn. In Wenen had hij geen teken van erkenning gegeven dat het prestige van Amerika op het spel stond; 'Nu wel en zijn
houding is minder onwrikbaar.'
Sulzberger vroeg of de top in Wenen nuttig was geweest. 'Ja, nuttig voor mij
omdat ik deze man nu kan inschatten. Je bent altijd geneigd te denken dat in een
persoonlijk gesprek het verstand de overhand heeft, maar nu heb ik hem kunnen
beoordelen. Nu weet ik dat er *geen* behoefte meer is aan een onderhoud. De enige
reden voor nog een ontmoeting zou zijn om de puntjes op de i te zetten voor een
overeenkomst die al eerder is voorbereid.' In het persoonlijke contact had
Chroesjtsjov één groot voordeel: aangezien hij bekendstond als een 'ruwe, harde

man', maakte hij meer indruk op mensen als hij beleefd was. Wat dat laatste betreft, leek hij op Joe McCarthy en Jimmy Hoffa.[1]

Kennedy zei er niet aan te twijfelen dat het Amerikaanse volk naar aanleiding van Berlijn 'bereid was om tot de rand van de oorlog te gaan': 'De kans dat dit zonder oorlog wordt opgelost, is niet al te groot.' Meerdere keren gebruikte hij de woorden: 'Als wij op de knop drukken [...].' Hij zat een beetje schokkerig op zijn stoel te wiebelen toen hij vertelde dat hij verontrust was geweest over de opmerking van Senator Margaret Chase Smith uit Maine en anderen dat hij niet de bereidheid had atoomwapens in te zetten, maar 'ik denk dat we Chroesjtsjov, wat dat betreft, hebben overtuigd'.

Sulzberger herinnerde Kennedy eraan dat Chroesjtsjov hem had verteld dat de situatie in Laos snel zou verbeteren. De president antwoordde dat Chroesjtsjov dit bericht 'verspreidde', maar hij dacht dat de Secretaris-Generaal verwachtte dat Laos 'hem elk moment in de schoot kan vallen'. Het was volstrekt duidelijk hoe de Verenigde Staten zouden vechten voor Berlijn, zo zei hij, maar hoe ze Zuidoost-Azië gingen verdedigen, was minder duidelijk.

Op vrijdagavond 6 oktober kwam Andrej Gromyko naar het Witte Huis. Kennedy zei tegen O'Donnell dat het 'echt de eerste keer sinds Wenen [was] dat ze wilden praten'. Een week eerder had Gromyko Rusk in vertrouwen laten weten dat zijn regering er niet op zou staan om vóór eind 1961 een Duits vredesverdrag te tekenen. Kennedy zei tegen Rusk: 'Het lijkt erop dat de dooi is ingetreden.'

De president had Gromyko voor het eerst ontmoet in 1945 toen hij in San Francisco verslag uitbracht voor de Hearst-kranten over de oprichtingsvergadering van de Verenigde Naties. Hij had Gromyko een beleefde, aangename en goedaardige man gevonden: als hij glimlachte, dan was dat een oprechte glimlach – 'niet zoals onze Russische ambassadeur hier'.

Anderen merkten op dat Gromyko twee eigenschappen van beroemde figuren in zich verenigde: de onverwoestbaarheid van Talleyrand, die politiek de Franse revolutie, Napoleon en de terugkeer van de Bourbons op de troon overleefde; en de bescheidenheid van Tolstoj's Aleksi in *Anna Karenina*, de minister 'die van zichzelf zo weinig prijsgaf dat elke opmerking en elk gebaar dat hij maakte weer raadsels opriep'. Toen iemand hem eens vroeg of hij van zijn ontbijt had genoten, zei hij: 'Misschien.'

Tegen een journalist zei hij ooit: 'Mijn karakter interesseert me niet.' Harriman dacht dat Gromyko 'zichzelf iedere menselijke tekortkoming had afgeleerd'. Een Britse diplomaat had het over zijn 'ongeduld, zijn gebrek aan hartelijkheid en moeilijk te verteren, enigszins macabere gevoel voor humor'. Zijn dochter vertelde dat hij sinds de jaren dertig nauwelijks meer op straat kwam in Moskou: 'Het enige dat hij ziet, is het uitzicht vanuit zijn autoraam.'

---

1. Dit was niet de eerste en ook niet de laatste keer dat Kennedy Chroesjtsjov vergeleek met Hoffa. Tijdens een informele ontmoeting met journalisten zei hij eens: 'In internationale aangelegenheden gaat er niets boven de organisatie en discipline binnen de politiek. [...] De gave van de communisten om de macht te behouden zodra ze die eenmaal vergaard hebben, maakt hen geducht. Hetzelfde geldt hier thuis voor de *Teamsters Union*.' Treffend ook was de vergelijking die de president maakte tussen Chroesjtsjov en McCarthy, ook zo'n grillige man die hem vreselijke politieke problemen had bezorgd.

Gromyko werd geboren in 1909 als de zoon van een vader die hij beschreef als 'half boer, half arbeider', een veteraan van de Russisch-Japanse oorlog. In 1931 vertrok de zoon naar Minsk waar hij lid werd van de Communistische Partij, een medestudente trouwde en marxisme en landbouweconomie studeerde. Eind jaren dertig maakte hij in Moskou snel carrière als leidinggevend onderzoeker op de Academie van Wetenschappen.

Op zijn dertigste werd hij gerekruteerd om de enorme leegte die in de Sovjetdiplomatie was ontstaan, te helpen opvullen. In de lente van 1939 joeg Stalin de zeis door de eerste generatie postrevolutionaire diplomaten; velen werden geëxecuteerd of naar werkkampen gestuurd. Zijn joodse, antifascistische minister van Buitenlandse Zaken, Maksim Litvinov, had in 1933 onderhandelingen gevoerd met Franklin Roosevelt over de eerste Sovjet-Amerikaanse diplomatieke banden. Stalin verving hem door Molotov, die bij zijn benoeming zei: 'Genoeg van dat Litvinov-liberalisme! Ik zal dat wespennest van die smous met wortel en tak uitroeien!'[1]

Toen Stalin en Molotov terugkwamen op hun pact met Hitler en vervolgens snel de alliantie met de Verenigde Staten en Engeland aangingen, hielden Gromyko's zeebenen hem aan de winnende kant van de diplomatieke bureaucratie. Hij werd benoemd tot adviseur in Washington, waar Litvinov als ambassadeur de geallieerde oorlogsmachine aaneen hielp smeden. In 1943, toen Stalin meer vertrouwen kreeg in de overwinning en erop gebrand was om de Sovjetmacht in de wereld van na de oorlog uit te breiden, ontsloeg hij Litvinov en haalde hij Gromyko naar Moskou. Naar men zegt grapten Stalins medewerkers dat Gromyko of naar het westen zou worden verzonden, terug naar Washington, dan wel naar het oosten, richting Siberië.

Op vierendertigjarige leeftijd werd Gromyko ambassadeur in Washington, waar hij de belangen van Stalin behartigde in de naoorlogse politieke constellatie.[2] Tijdens besprekingen over een eventuele oprichting van de Verenigde Naties eiste hij dat elke supermacht een vetorecht zou hebben. Zo zorgde hij er ook voor dat de Sovjet-Unie niet zou worden gedwarsboomd als ze haar gang ging in Oost-Europa. Stalin benoemde hem tot plaatsvervangend minister van Buitenlandse Zaken en tot eerste permanente vertegenwoordiger in de Veiligheidsraad van de Verenigde Naties. Westerse verslaggevers noemden hem '*Mr. Njet*' en '*Grim Grom.*' Hij liep zo vaak de zaal uit dat radiocommentatoren die verslag uitbrachten van Amerikaanse honkbalwedstrijden, iedere keer dat de spelers van het veld afliepen, zeiden dat ze 'een Gromyko-slag' maakten.

1. Molotov zei dit terwijl zijn eigen vrouw Paulina een joodse was. In 1949 werd ze ervan beschuldigd een 'internationale zioniste' te zijn en zonder zichtbaar protest van Molotov naar een werkkamp gestuurd. Molotov wilde zijn reputatie bij Stalin niet in gevaar brengen. De dag dat Stalin in 1953 werd begraven, werd Molotov drieënzestig. Bij het verlaten van het mausoleum vroegen Chroesjtsjov en Malenkov hem wat hij voor cadeau zou willen krijgen. Hij antwoordde: 'Paulina.' Je kunt je afvragen wat ze tegen hem zei toen ze werd vrijgelaten.
2. Stalin adviseerde hem Amerikaanse kerken te bezoeken en naar de preken te luisteren om zijn Engels te verbeteren. De dictator was zelf als seminarist opgeleid door de Russisch-orthodoxe Kerk. Gromyko beging een zeldzame zonde door Stalins bevel niet te gehoorzamen, omdat hij nerveus werd van het idee uit te moeten leggen waarom een atheïstische afgezant uit de Sovjet-Unie een kerk bezocht.

In 1949 kwam Gromyko terug op het ministerie van Buitenlandse Zaken. Molotov was vervangen door de fanatieke anti-Amerikaanse Andrej Vysjinski, die Gromyko verweet dat hij te mild was en dat hij staatsarbeiders en materiaal had gebruikt om zijn datsja te bouwen. Dit was eerder regel dan uitzondering, maar Vysjinski slaagde erin om Gromyko te laten berispen en in 1952 over te hevelen naar Engeland. Het jaar daarop, na Stalins dood, kregen Molotov en Gromyko hun oude functies weer terug.

Molotov was ervan overtuigd dat Chroesjtsjov te veel toegaf aan het Westen en hij probeerde het Oostenrijks Staatsverdrag te blokkeren. Ook verbeterde hij de Russische betrekkingen met Japan en Joegoslavië. In 1956 ontsloeg Chroesjtsjov hem en de nieuwe minister van Buitenlandse Zaken werd Dimitri Sjepilov, een jongeman die op dat moment een bliksemcarrière maakte. Vervolgens verried Sjepilov zijn weldoener door zich achter Molotov en anderen te scharen in de Antipartijcoup. Gromyko was niet van zijn stuk gebracht door deze laatste opschuddingen. In een zeldzame poging gevat over te komen, zei hij ooit: 'Het doet me een beetje denken aan de Bermuda driehoek. Zo af en toe verdwijnt er iemand van ons.'

Als minister van Buitenlandse Zaken paste hij zichzelf aan om Chroesjtsjov net zo te dienen als hij Stalin had gediend. De Secretaris-Generaal plaagde hem door hem een 'saaie bureaucraat' te noemen. Hij zei ooit, in aanwezigheid van Gromyko, tegen een jonge Sovjetdiplomaat: 'Andrej Andrejevitsj is een uitmuntend diplomaat en tacticus [...]. Maar als ideoloog en theoreticus steekt hij wat magertjes af [...]. Toch maken we nog wel wat van hem.'

Gromyko had er een hekel aan om ten overstaan van een ondergeschikte belachelijk gemaakt te worden, maar hij droeg zijn lot in stilzwijgen. Toen Chroesjtsjov in 1960 bij de Verenigde Naties met zijn vuisten op tafel sloeg, deed Gromyko manhaftig hetzelfde. Terwijl hij dat deed, krulden de hoeken van zijn dunne mond als teken van afkeer naar beneden.

Gromyko kwam aan bij de stalinistische suikertaart waarin het ministerie van Buitenlandse Zaken was gehuisvest en nam de privé-lift naar een kantoor op de zevende verdieping. Het bureau en de muren waren kaal op het portret van Lenin na, dat tegenover zijn stoel hing. Een bezoeker van de gezinsflat in Moskou vond het 'zo onpersoonlijk om zo bescheiden te zijn'. Hij ontspande zich met een spelletje schaak tegen zijn geestverwante echtgenote Lidija of met een boek van Tolstoj, Shakespeare, of Twain en de vertrouwelijke archieven van de tsaristische diplomatieke dienst. Thuis liet hij westerse films draaien en, net als Stalin, gaf hij direct commentaar op de acteurs en hun vertolkingen.

Gromyko's ambitie was niet de wereld een ander aanzien te geven, maar politiek overleven. Dit was niet gemakkelijk gezien de subcultuur van de Bermuda driehoek. Hij deinsde terug voor binnenlandse kwesties en dacht ongetwijfeld dat er in de Sovjet-Unie meer politieke carrières waren gebroken door de economie en interne Partijvetes dan door verschuivingen in het buitenlands beleid. Een medewerker merkte op dat Gromyko altijd van onderwerp veranderde zodra een conversatie te persoonlijk of te ideologisch dreigde te worden.

Hij miste het sentimentele idealisme van Chroesjtsjov en Mikojan over de revolutie van 1917 of hun emotionele hang naar het communisme. Toch was Gromyko een voorvechter van het systeem en de verspreiding ervan over de hele wereld. Zijn mening over het kapitalistische Amerika werd bevestigd toen hij in de jaren na de oorlog in New York woonde. In zijn memoires schreef hij later: 'Winst is de meedogenloze filter waardoorheen alles wat met cultuur, kunst of het intellectuele leven in het land heeft te maken, moet lopen. Alleen datgene wat resultaat garandeert op een investering, kan overleven.'

Van de verhoudingen die hij onderhield met de vijf Sovjetleiders die hij uiteindelijk diende, was die met Chroesjtsjov waarschijnlijk de ongelukkigste.[1] De Secretaris-Generaal had ongetwijfeld het vermoeden dat Gromyko zijn trouw aan Stalin en Molotov niet helemaal had opgegeven. Hij wist dat Gromyko onopvallend in de smaak probeerde te vallen bij Brezjnev, die in de toekomst wel eens leider van de Sovjet-Unie kon worden. Als mensen waren Chroesjtsjov en Gromyko als water en vuur.

De Secretaris-Generaal vond dat hij riskante stappen moest wagen als hij de Sovjetbelangen wilde behartigen zonder de economie met gigantische militaire uitgaven te gronde te richten. Gromyko beschouwde veel van Chroesjtsjovs slimme ideeën als die van een amateur die je scherp in de gaten moest houden om ernstige schade aan de Sovjetbelangen te voorkomen. Als Chroesjtsjov ooit het ontslag van Gromyko overwoog, dan dacht hij vermoedelijk dat het niet het verlies waard was van de expertise of de glans van de continuïteit die Gromyko meegaf aan zijn woelige buitenlandse beleid.

Er was niets dat meer op zijn ongeduld met Gromyko leek als dat van Kennedy met Rusk. Kennedy en Chroesjtsjov losten hun probleem op dezelfde manier op. Voor zijn buitenlandse beleid steunde de president steeds meer op het advies van zijn broer, medewerkers van het Witte Huis en andere regeringsgetrouwen. Hij gebruikte Robert Kennedy en anderen als afgezanten om vertrouwelijk te communiceren met de Russen. Chroesjtsjov verliet zich steeds meer op zijn schoonzoon, politieke medewerkers en Mikojan, en liet de directe contacten met de Amerikanen over aan Adzjoebei en anderen.

Gromyko en Rusk scheelden vijf maanden in leeftijd en in de vroege jaren zestig zagen ze het allebei als onderdeel van hun taak om hun theatrale, onervaren en soms wispelturige baas op het juiste spoor te houden. Privé ergerden ze zich allebei aan de bemoeienissen van 'amateurs' als Robert Kennedy en Adzjoebei met het buitenlandse beleid. Het viel sommige diplomaten op dat Gromyko zich beroepsmatig opvallend verwant leek te voelen met zijn Amerikaanse tegenspeler en dat leek een band te scheppen. Toen een Sovjetdiplomaat Rusk een keer lastig viel vanwege een of ander onbelangrijk, technisch aspect, riep Gromyko uit: 'Laat de minister met rust!'

De president ging Gromyko voor naar boven, naar de Oval Room, en liet hem het schitterende uitzicht zien op het Washington-monument en de Potomac aan de overkant van het Truman-balkon. Hij zei: 'Het spijt me dat mevrouw Ken-

---

1. Met uitzondering van Michail Gorbatsjov, die hem als minister van Buitenlandse Zaken ontsloeg en hem na zijn machtsovername een erepost toeschoof: president van de Sovjet-Unie. Een jaar voor zijn dood in juli 1989 trad Gromyko af na een openbare vergadering waar hij als 'te oud' werd bestempeld Gromyko's dood kwam voor hem op een gelukkig tijdstip: net vóór de ineenstorting van de communistische regimes in Oost-Europa, die toch een wezenlijk onderdeel vormden van zijn *raison d'être*.

nedy er niet is. Ze is in Rhode Island met de baby's.'

De minister van Buitenlandse Zaken zat een uur te lezen in een politiek rapport over Berlijn. Kennedy rookte een sigaartje en vond dat er niets nieuws onder de zon was, maar hij dacht wel dat Chroesjtsjov meer bereid was de status-quo te aanvaarden. Hij zei tegen Gromyko dat hij een 'mildere' opstelling bespeurde bij de Sovjets, maar dat dit vreemd genoeg nog niet tot een acceptabel Russisch voorstel voor onderhandelingen over Berlijn had geleid.

Gromyko verwees naar Chroesjtsjovs oude voorstel om West-Berlijn onder internationaal toezicht te plaatsen in ruil voor nauwelijks omschreven toegangs-garanties. Kennedy schudde het hoofd: 'Uw aanbod houdt in dat wij een boom-gaard moeten verruilen voor een appeltje. Zoiets doen wij hier niet in dit land.' Hij stelde voor dat Gromyko in Moskou met Thompson zou gaan praten over een Berlijnse regeling die tot een 'heldere en stabiele verhouding' tussen de twee landen moest leiden.

Gromyko gaf af op de verdiensten van een driemanschap. De president was daarop voorbereid. Op aanraden van een medewerker uit het Congres, een ge-boren Pool, pakte hij een Russisch boek en sloeg een fabel op van de Russische Aesopus, Ivan Krylov:

> *Een zwaan, een snoek en een kreeft namen eens plaats*
> *Voor een zwaar beladen wagen, om deze voort te sleuren;*
> *Toen het moment aanbrak dat het echt moest gebeuren,*
> *Zweetten zij en zwoegden zij, maar de wagen bleef op zijn plek.*

Gromyko reageerde: 'Maar dat zijn dieren. We hebben het hier over mensen.' Kennedy zei: 'Het is een kostelijk boekje. Ik wil het u en de heer Chroesjtsjov als geschenk aanbieden.' Hij gaf zijn gast twee in leer gebonden exemplaren.

Die avond, tijdens een diner voor de Soedanese president, zei Kennedy tegen Lippmann dat hij 'niets' was opgeschoten met Gromyko. Lippmann zei: 'Gro-myko is de meest starre van alle mensen met wie u zaken zult moeten doen.' Kennedy beaamde dat: 'Ik mag hem niet.' Later lekten er nauwkeurige citaten van de bijeenkomst naar de pers en die lieten zien dat de president zich niet erg mild had opgesteld tegenover Gromyko.

Nadat de minister van Buitenlandse Zaken in Londen een tussenstop had ge-maakt voor een ontmoeting met Macmillan, schreef de Britse premier: 'Ik denk dat de Russen naar een uitweg zoeken (net als wij) als hun dat kan lukken zon-der al te veel "gezichtsverlies".'

Tijdens het weekeind van zaterdag 14 oktober bevond Kennedy zich in Hyannis Port en schaafde hij zijn antwoord op Chroesjtsjovs vertrouwelijke brief nog wat bij. Sorensen en Bundy hadden voor hem een ruwe versie opgesteld. Die begon met: 'Geachte meneer de Secretaris-Generaal,' en vervolgde met verwijzingen naar zijn tweede huis, zijn kinderen en hun neefjes en nichtjes: ver weg van Washington kon hij alles in een helderder en rustiger perspectief plaatsen. Hij probeerde hartelijk en hoopgevend te klinken, waarbij hij gebruik maakte van de eerste persoon. Iets waarvan hij zich in toespraken altijd onthield.

Hij verwelkomde het idee van een persoonlijke, informele maar zinvolle uitwis-seling van standpunten in openhartige, realistische en ter zake doende bewoordingen. Het zou een goede aanvulling zijn op de officiële kanalen, maar hij zou de correspondentie toch aan zijn minister van Buitenlandse Zaken willen laten zien. Door hun brieven zouden ze nooit van standpunt veranderen, maar ze zouden ten minste gevrijwaard blijven van de Koude-Oorlogretoriek. Die strijd zou, uiteraard, blijven voortduren, maar zij zouden hun boodschappen alleen direct tot elkaar richten.

Chroesjtsjovs verwijzing naar de Ark van Noach stond hem wel aan: natuurlijk moesten ze samenwerken als ze wilden voorkomen dat ze elkaar zouden vernietigen. Hij was het met Chroesjtsjov eens dat ze een bijzondere verplichting hadden. Persoonlijk waren ze niet verantwoordelijk voor de gebeurtenissen die aan het eind van de Tweede Wereldoorlog hadden geleid tot de huidige situatie in Berlijn, maar zij zouden wel verantwoordelijk worden gesteld als ze er niet op een vreedzame manier mee konden omgaan.

Hij pikte de punten waarmee hij het eens kon zijn uit de brief van Chroesjtsjov, formuleerde sommige opnieuw naar zijn eigen voorkeur, maar hij hield zich niet in: het voorstel om in West-Berlijn Sovjettroepen te stationeren was 'onaanvaardbaar voor de Verenigde Staten en voor de andere twee grote mogendheden die in die stad troepen hebben gelegerd'. Hij sloot af met de hartelijke groeten van zijn gezin aan dat van Chroesjtsjov: met deze brieven, evenals met andere middelen, sprak hij de hoop uit voor een concrete vooruitgang naar een rechtvaardige en duurzame vrede. Dit, zo schreef hij, was hun grootste verantwoordelijkheid en hun grootste kans.

Kennedy's antwoord stond Chroesjtsjov dermate aan dat hij de geheime briefwisseling, die Bundy de 'brieven van de penvrienden' noemde, voortzette. Om de kanalen van het ministerie van Buitenlandse Zaken te vermijden en het idee te benadrukken dat hij de president toegang verschafte tot zijn persoonlijke gedachtenwereld, stuurde Chroesjtsjov zijn latere brieven omringd met hetzelfde mysterieuze sfeertje als bij de eerste. Iemand van de Sovjetambassade ontmoette Robert Kennedy, Sorensen of Salinger op een straathoek of in een café, en liet de manilla-envelop uit een gevouwen krant, die in zijn regenjas stak, glijden.

Bundy overhandigde de president een 'verslag van Charlie Bartlett over zijn onderhoud met Smirnovski. Het is de moeite van het lezen waard, omdat erin staat dat de Sovjets hopen dat u "redelijk" zult zijn. Wees op uw hoede!'

In het onmetelijke, nieuwe, rood-met-gouden Congrespaleis van het Kremlin opende Chroesjtsjov het Tweeëntwintigste Partijcongres van de Sovjet-Russische Communistische Partij met een toespraak van zes uur. Over Gromyko's ontmoeting met Kennedy zei hij: 'Wij horen het verwijt dat iemand probeert een appel te ruilen voor een boomgaard bij het regelen van de kwestie-Berlijn. Deze stijlfiguur mag de schrijvers ervan misschien plezieren, een juist beeld geeft het echter niet.'

De nieuwe nucleaire proefnemingen van de Russen waren 'al behoorlijk ver gevorderd [...]. Wij zullen ze vermoedelijk afronden met de ontploffing van een waterstofbom met een kracht van vijftig miljoen ton TNT.' De Sovjet-Unie was ook in het bezit van een honderd-megatonbom. 'Maar die brengen we niet tot ontploffing. Want ook al zouden we dat doen op de meest afgelegen plek, dan is het nog mogelijk dat we al onze ramen eruit blazen!' Daverend applaus.

'Moge God – zoals ze vroeger zeiden – het verhoeden dat wij ooit worden gedwongen deze bommen boven iemands grondgebied tot ontploffing te brengen. Dat is ons allersterkste verlangen!' Opnieuw daverend applaus.

In een verklaring verzocht het Witte Huis de Russen om de vijftig-megatonbom niet te testen, omdat er dan nog meer radioactieve neerslag zou komen bij wat er 'de afgelopen weken was vrijgekomen'. Er stond ook in dat de Verenigde Staten de 'technische know-how en het materiaal hadden om bommen in de categorie vijftig tot honderd megaton en hoger te produceren'.

De president stoorde zich aan nog een passage in Chroesjtsjovs toespraak: 'Wij denken dat de socialistische strijdkrachten [...] vandaag machtiger en sterker zijn dan de agressieve imperialistische strijdkrachten.' Een Duits vredesverdrag 'moet en zal worden ondertekend', waardoor West-Berlijn een 'vrije, gedemilitariseerde stad' wordt. Dit suggereerde dat het Westen de eisen van Chroesjtsjov inzake Berlijn zou accepteren uit angst voor een verschuiving van het machtsevenwicht in de wereld ten gunste van de Sovjet-Unie.

De week daarvoor was Kennedy tijdens een persconferentie gevraagd naar recente beschuldigingen dat hij de 'sterkte en de geloofwaardigheid van onze strategische kernmacht' niet in stand zou hebben gehouden. Ook zou hij Chroesjtsjov er niet van hebben overtuigd 'dat wij vast besloten zijn om in Berlijn of waar dan ook geweld met geweld te beantwoorden'. De president had gereageerd door een beschrijving te geven van de uitbreiding van de militaire inspanningen sinds januari. Hij ontweek de vraag welke supermacht nu het machtigst was.

Als hij Chroesjtsjov nu zonder protest de vrije hand zou geven met zijn intimidatie van de wereld door het uitvoeren van de krachtigste nucleaire proeven in de geschiedenis, dan zouden de onderhandelingen over Berlijn opgevat kunnen worden als een teken van Amerikaanse zwakte. De geallieerden zouden hun afhankelijkheid van de Verenigde Staten kunnen gaan herzien. Kennedy's Republikeinse tegenstanders zouden niets van hem overlaten.

Tijdens een lunch die herfst in het Witte Huis bracht de venijnige uitgever van de *Dallas Morning News*, E.M. 'Ted' Dealey, een schok teweeg onder de aanwezigen door een uitdaging aan de president voor te lezen: 'Wij zijn in staat Rusland te vernietigen en moeten dit de Sovjetregering duidelijk maken.' Helaas 'zijn u en uw regering een stel stoethaspels'. Wat het land nodig had, was 'een sterke man in het zadel. [...] Veel mensen in Texas en het zuidwesten denken dat u op Carolines driewielertje rondrijdt.'

Met rood aangelopen hoofd brieste Kennedy: 'Het is makkelijker praten over oorlog dan hem ook daadwerkelijk te voeren. Ik ben net zo hard als u bent – en ik ben niet tot president gekozen door met milde uitspraken te komen.'[1]

Sinds februari hadden McNamara en andere figuren rond de president het publiek met enige regelmaat verzekerd dat de Amerikaanse sterkte voor niets en niemand hoefde onderdoen. Deze beloften waren altijd met opzet onnauwkeurig geweest. Net als Eisenhower voelde Kennedy er niets voor de Sovjets uit te dagen tot een omvangrijke opvoering van hun bewapening. Ook kon hij niet met

1. De *News* schreef dat ze in reactie op het verslag over Dealey's woordenwisseling met de president tweeduizend telefoontjes, telegrammen en brieven ontving, waaronder een blijk van waardering van de excentrieke conservatieve magnaat H.L. Hunt, en dat 84 procent het met de krant eens was.

honderd procent zekerheid zeggen wat de Russen nu wel en niet hadden.

Toen McNamara in februari tegen de pers zei dat de *missile gap* in het voordeel was van de Verenigde Staten, vertrouwde hij hoofdzakelijk op gebrekkige satellietfoto's van de Sovjet-Unie. Ze waren vaak donker en vaag. In de lente verzochten westerse inlichtingendiensten hun agent Penkovski om nieuwe gegevens over het Russische rakettenprogramma. Na bestudering van drie microfilmpjes die Penkovski had doorgespeeld en van andere inlichtingenbronnen was de CIA in juni tot de conclusie gekomen dat de Russen vijftig tot honderd operationele lange-afstandsraketten (ICBM's) hadden.

Toen de president in augustus met de kwestie-Berlijn worstelde, vroeg hij de CIA om een nieuwe noodraming. Op 6 september meldde de CIA dat haar schatting van juni te hoog was geweest: in werkelijkheid beschikte de Sovjet-Unie over minder dan vijfendertig operationele lange-afstandsraketten. Een week later liet generaal Lemnitzer Kennedy weten dat het er tien à vijfentwintig waren. Anders dan die van Amerika stonden ze niet in ondergrondse silo's; het lanceren ervan leverde nogal wat problemen op.

Zolang de locaties van de Russische raketten geheim waren, konden ze worden ingezet voor een Pearl-Harborachtige aanval en een tweede vergeldingsaanval op de Verenigde Staten. Maar nu het Pentagon dank zij de satellietbeelden praktisch iedere Russische raket wist te staan, had het systeem slechts beperkte waarde voor een eerste aanval en bijna geen waarde voor een tweede. Inlichtingenchef Rogert Hilsman van het ministerie van Buitenlandse Zaken zei later: 'Het totale intercontinentale rakettensysteem van de Sovjets was in één klap niets meer waard.'

Kennedy wist dat wanneer de Verenigde Staten de inferioriteit van de Russen bekend zouden maken, Chroesjtsjov zijn programma voor lange-afstandsraketten zou kunnen versnellen. Maar de Verenigde Staten konden de Secretaris-Generaal ook laten weten dat zij het absolute vertrouwen hadden in hun eigen superioriteit. Dit kon ervoor zorgen dat Chroesjtsjov minder hooghartig zijn eisen inzake de kwestie-Berlijn zou doordrukken met het gevaar van een oorlog. Chroesjtsjovs openingstoespraak voor het Partijcongres maakte het de president nog eens duidelijk hoe gevaarlijk het was om de Secretaris-Generaal te laten doorgaan met het produceren van publieke visioenen over een Sovjetoverwicht in atoomwapens.

Kennedy besloot de wereld te laten weten wie er als supermacht de toon aangaf, maar dat zou hij niet zelf zeggen: 'Als ik opsta en zulke dingen ga zeggen, dan klinkt het te uitdagend.'

McNamara's plaatsvervanger, Roswell Gilpatric, zou op zaterdag 21 oktober een toespraak houden voor de Kamer van Koophandel in Hot Springs, Virginia. De vijfenvijftigjarige Gilpatric was advocaat op Wall Street, via Hotchkiss en Yale, die gediend had als Trumans tweede secretaris bij de luchtmacht.

Time schreef: 'In vele opzichten is Gilpatric het tegenovergestelde van McNamara – hij houdt van gezelschap en is heel bedreven in de omgang met admiraals, generaals en politici.' Joseph Alsop zei tegen de president dat Gilpatric binnen het Pentagon de rol vervulde van 'hoogst noodzakelijk menselijk smeermiddel'. Kennedy grapte dat Jacqueline hem de 'op één na aantrekkelijkste man' van het Pentagon vond – na McNamara. Zij nodigde Gilpatric, zonder echtgenote, uit voor bescheiden dineetjes in het Witte Huis en ze bezocht zijn boerderij in Maryland. Kennedy zei tegen zijn vrouw: 'Ik denk dat het met je vadercomplex heeft te maken.'

De president, Bundy, Rusk en McNamara werkten samen met Gilpatric aan de tekst voor zijn toespraak. Die zou explicieter dan ooit de reusachtige nucleaire superioriteit van de Verenigde Staten onthullen.

Gilpatric zei jaren later dat het de bedoeling was 'de Sovjet-Unie ervan te overtuigen dat wij bereid waren het op te nemen tegen elke bedreiging in het gebied rondom Berlijn'. Ook wilden ze de Westduitsers en de andere geallieerden overhalen 'om de conventionele strijdkrachten van de alliantie te versterken'. Aan de vooravond van de nieuwe Russische kernproeven en de verwachte besprekingen over Berlijn wilde Kennedy het Amerikaanse volk herinneren aan de militaire macht die onder zijn regering was behouden en versterkt.

Hilsman zei later dat de president besloot de toespraak goed te keuren, maar 'slechts na veel wikken en wegen. Immers, alle betrokkenen erkenden het grote risico dat we namen door de Sovjets te vertellen wat we wisten. Met een waarschuwing vooraf zouden de Sovjets ongetwijfeld hun ICBM-programma versnellen.' Als Chroesjtsjov desalniettemin 'in de waan zou worden gelaten dat wij nog steeds geloofden in de *missile gap*, dan zou hij de wereld naar alle waarschijnlijkheid naar het randje van de oorlog voeren'.

De opdracht voor het opstellen van de toespraak werd gegeven aan Daniel Ellsberg, de jonge strateeg van het Pentagon, die tien jaar na dato de *Pentagon Papers* over Vietnam verspreidde. Ellsberg vroeg Kaysen waarom Kennedy niet in een persoonlijk onderhoud met Chroesjtsjov zei dat hij volledig op de hoogte was van de Russische nucleaire inferioriteit. Hij kon de Secretaris-Generaal de exacte coördinaten sturen van de Russische lange-afstandsraketten in Plesetsk of de kopieën van de satellietfoto's. Kaysen vertelde hem: 'John Kennedy is niet van plan om op zo'n manier met Chroesjtsjov te praten.'

Gilpatric vertelde zijn toehoorders van de Kamer van Koophandel dat de president 'vast besloten was onze strategische macht sterk genoeg te houden om elke opzettelijke atoomaanval op dit land of onze geallieerden te beletten. Een vijandelijke verrassingsaanval kan worden overleefd met adequate wapens die in staat zijn hun defensie te penetreren en hen onaanvaardbaar hoge verliezen toe te brengen.'

Hij somde de conventionele maatregelen op die waren genomen om de kwestie-Berlijn het hoofd te bieden, maar stelde dat het nucleaire machtsevenwicht het 'fundamentele probleem' was: 'Deze natie heeft een nucleaire vergeldingskracht die zo dodelijk is dat elke vijandige stap die haar in werking stelt een zelfdestructieve daad zou zijn.

De Verenigde Staten hebben tegenwoordig honderden bemande lange-afstandsbommenwerpers [...], zes Polaris onderzeeërs, met een totaal van zesennegentig raketten, en tientallen lange-afstandsraketten. Onze aanvalsmacht op de vliegdekschepen en de troepen die op het vasteland zijn gestationeerd, kunnen daar nog eens honderden megatonnen aan toevoegen.

Het totale aantal voertuigen dat atoomwapens kan aanvoeren [...], beloopt in de tienduizenden en uiteraard beschikken we over meer dan een kernkop per voertuig.' Zelfs al zouden de Russen een Pearl-Harborachtige aanval overwegen, dan konden ze nooit de hoop koesteren op een overwinning: 'Onze strijdmacht wordt zo opgesteld en beschermd dat een verrassingsaanval ons niet afdoende kan ontwapenen.

De vernietigingskracht waarover de Verenigde Staten zou kunnen beschikken na een Russische verrassingsaanval op onze strijdkrachten, zou net zo groot zijn als, of misschien zelfs groter dan, de totaal onaangetaste strijdmacht die de vijand bij een eerste aanval tegen de Verenigde Staten kan dreigen in te zetten. Kortom, wij beschikken over een capaciteit voor de tegenaanval die minstens zo uitgebreid is als waar de Russen hun eerste aanval mee kunnen uitvoeren. Daarom zijn wij ervan overtuigd dat de Sovjets geen groot nucleair conflict zullen uitlokken.'

Gilpatric tergde Chroesjtsjov nog wat meer door te laten zien dat de Verenigde Staten op de hoogte waren van de groeiende kloof tussen de Chinezen en de Sovjets: het dreigement met een ontploffing van een vijftig-megatonbom was 'het antwoord van de Sovjet-Unie op de dissonante geluiden die afkomstig zijn van haar dichtbevolkte buurland in het zuiden'.[1]

Rusk gaf de volgende ochtend een televisie-interview om aan te tonen dat Gilpatric niet namens zichzelf had gesproken: 'De heer Chroesjtsjov moet weten dat wij sterk zijn [...]. Als we naar aanleiding van een of ander onderwerp spreken over informatieve gesprekken of contacten met de Sovjetregering, dan bestaat er geen probleem waarbij we ons opeens zwak voelen. Wij zijn niet zwak.'

Toen hem werd gevraagd of de president onlangs niet had erkend dat de Verenigde Staten even sterk waren als de Sovjet-Unie, zei Rusk: 'Nou, ik denk dat wanneer wij het woord gelijk gebruiken, we dan bedoelen dat bij een confrontatie tussen twee supermachten beide partijen in staat zijn bij de ander bijzonder veel schade aan te richten. [...] Maar dat hoeft niet noodzakelijkerwijs te betekenen dat over het geheel genomen de twee gelijk zijn.'

McNamara zei die week: 'Ik denk dat onze kernmacht een paar maal groter is dan die van de Sovjet-Unie.' De Verenigde Staten gaven de geallieerden geheime inlichtingen over Russische spionnen die in het land waren gesignaleerd, dit om het effect van Gilpatrics boodschap te vergroten.

Tijdens een persconferentie verklaarde de president in antwoord op een vraag dat de Verenigde Staten 'met niemand ter wereld [zouden] willen ruilen [...]. Ik heb verklaard dat ik vond dat de Verenigde Staten in een machtige positie verkeerden – meneer Gilpatric zei: "We doen voor niemand onder." Ik zei dat het onze plicht was dat zo te laten. En dat is precies wat wij van plan zijn.'

Christian Herter schreef aan Eisenhower: 'Als de Democraten gedurende de laatste twee jaar hadden gezegd wat de regering nú zegt, wat ze hadden moeten doen, dan [...] zou Chroesjtsjovs huidige houding wel eens heel anders geweest kunnen zijn.' De generaal antwoordde: 'Amen. Ik verbaas me erover hoe de oppositie erin slaagt zonder kleerscheuren haar standpunt te veranderen zonder er ook maar één keer op te worden aangesproken of aan eerdere verklaringen herinnerd te worden.'

1. Zhou Enlai toonde opvallend weinig enthousiasme voor Chroesjtsjovs openingstoespraak op het Partijcongres. Terwijl andere functionarissen de Secretaris-Generaal feliciteerden, liep Zhou hem straal voorbij. Op 21 oktober, na een kranslegging op Stalins graf, vertrok de Chinese leider nog voor Chroesjtsjovs congres was beëindigd uit Moskou. TASS praatte dit goed door te zeggen dat Zhou zich moest voorbereiden op een zitting van zijn eigen Nationale Volkscongres. Maar dat vond pas plaats in maart 1962.

Door Gilpatric te vragen deze toespraak te houden, had Kennedy zijn eigen binnenlands-politieke positie misschien wel verstevigd en de Amerikaanse bondgenoten gerustgesteld, maar hij had ook de positie van Chroesjtsjov in het Kremlin en de wereld op provocerende wijze ondermijnd.

Het gehele binnenlandse en buitenlandse beleid van de Secretaris-Generaal was gebaseerd op het gecreëerde waandenkbeeld van een Russische kernmacht. Nu de wereld te horen kreeg dat de keizer geen kleren droeg, moet Chroesjtsjov gedacht hebben dat de Derde Wereld en misschien zelfs de Russische bondgenoten, voorheen nog zo gebiologeerd door de Sovjetmacht, zich nu van Moskou zouden kunnen afwenden. De Chinezen zouden pochen dat zijn bedriegerij en milde opstelling tegenover het kapitalisme voor eens en voor altijd waren onthuld. Zijn tegenstanders in het Kremlin zouden hem vragen waarom hij ten koste van deze vernederende toestanden zo veel had uitgegeven aan consumptieartikelen en de landbouw.

Chroesjtsjov had de illusie van de Sovjetkracht vooral gecreëerd opdat de Verenigde Staten zijn land als gelijke zouden behandelen. Nu leek Kennedy er opzettelijk voor te hebben gekozen om hem te vernederen – en dat tijdens een Partijcongres waar hij al onder vuur lag van de Chinezen en Sovjetleiders van de hardere lijn.

Hij vroeg zich misschien af of de 'gekken in het Pentagon' nu druk zouden kunnen gaan uitoefenen op een president, die ongerust was over zijn eigen zwakke politieke positie, om het bevel te geven voor een eerste atoomaanval tegen de Sovjet-Unie. Het Kremlin had zich jarenlang zorgen gemaakt over het Amerikaanse verlangen naar een nucleaire 'donderslag bij heldere hemel'. De Russische inlichtingendienst ving ongetwijfeld iets op van het dagdromen in Washington over een Amerikaanse verrassingsaanval. Zelfs wanneer Kennedy het hoofd kon bieden aan zijn generaals, wie kon er dan zeggen dat hij zijn nucleaire voorsprong niet zou benutten door te eisen dat de meningsverschillen van de Koude Oorlog op Amerikaanse voorwaarden moesten worden opgelost?

Om de eerste schade van Gilpatrics toespraak te herstellen, gaf Chroesjtsjov zijn goedkeuring aan het tot ontploffing brengen van een kernlading van dertig me gaton. Twee dagen na de toespraak hoorde de wereld het vernietigende gebulder van de allergrootste explosie die de mens ooit tegen de aarde had ontketend.

De minister van Defensie, Malinovski, liet het Partijcongres weten dat Gilpatric 'een zitting toesprak van de Kamer van Koophandel in Virginia, waarschijnlijk met medeweten van de president, en ons met geweld bedreigde door te zwaaien met de macht van de Verenigde Staten. Wat kunnen we nog zeggen op dit laatste dreigement, op deze verachtelijke toespraak? Slechts één ding: *het dreigement boezemt ons geen angst in!*

Ze bedreigen ons met een gewelddadig antwoord op onze rechtvaardige voorstellen voor een Duits vredesverdrag en de beëindiging van de ongewone situatie in West-Berlijn. [...] Een realistische taxatie van de omstandigheden zou tot de gedachte kunnen leiden dat de imperialisten bezig zijn met de voorbereiding van een nucleaire verrassingsaanval op de Sovjet-Unie en de socialistische landen.'

Malinovski hield vol dat de Amerikaanse aanspraak op nucleaire superioriteit onterecht was: Gilpatrics schatting was gebaseerd op kernkoppen van vijf megaton. De Sovjet-Unie, zo zei hij, had veel kernkoppen van twintig tot vijftig megaton die 'naar elke plek op de aardbol' konden worden gelanceerd. De Amerikanen 'moeten duidelijk grondige correcties aanbrengen' in hun schattingen. Met betrekking tot West-Europa: 'Jullie dwazen moeten begrijpen dat er echt heel erg weinig multi-megaton atoombommen nodig zijn om jullie kleine en dichtbevolkte landen weg te blazen en jullie terstond te doden in jullie schuilplaatsen!'

De ontlading van de dertig-megatonner en Malinovski's harde taal hebben de afgevaardigden op het Partijcongres misschien tijdelijk opgebeurd, maar de bijzonder ernstige problemen die Gilpatric Chroesjtsjov had bezorgd met zijn toespraak, bleven bestaan. Het dwong hem ertoe iets spectaculairs te ondernemen om het wereldbeeld van het nucleaire evenwicht tussen de Sovjet-Unie en de Verenigde Staten te wijzigen.

De dag na de toespraak van Gilpatric reden Allan Lightner, een oudere Amerikaanse burger in West-Berlijn, en zijn echtgenote naar de oostelijke sector door de Friedrichstrasse om een Tsjechoslowaaks theatergezelschap te zien optreden. Bij Checkpoint Charlie weigerden de Oostduitse Vopo's om de Volkswagen van de Lightners toegang te verschaffen tot Oost-Berlijn zonder eerst nauwkeurig hun paspoorten te bekijken. Lightner wierp tegen dat officiële Amerikaanse nummerborden altijd als voldoende identificatie werden beschouwd.

Aangezien de Verenigde Staten de DDR of haar gezag over Oost-Berlijn niet erkenden, eiste Lightner een gesprek met een Sovjetfunctionaris. De Vopo's weigerden. Lightner ging te rade bij Lucius Clay, die nu als Kennedy's persoonlijke vertegenwoordiger in Berlijn woonde.

Toen Clay zijn baan als chef bij de Continental Can Company opgaf, had hij Kennedy's instemming gekregen om rechtstreeks verslag uit te brengen bij de president. 'Ik ben een fan van de president,' zei hij tegen een vriend, 'maar ik kan dat broertje van hem niet uitstaan.' Bundy was bang dat de generaal op een gegeven moment zijn ontslag zou indienen uit protest tegen Kennedy's gematigdheid inzake Berlijn. Hij vond Clay 'geen gemakkelijke. Minstens eenmaal per week stuurde hij een telegram waarin hij zei dat wanneer A, B of C niet zou gebeuren of wanneer de geldende instructie of het voornemen om D en E te ondernemen zou worden doorgezet, hij dan niet voor de gevolgen kon instaan.'

Op bevel van Clay begeleidden Amerikaanse troepen bewapend met geweren de auto van de Lightners naar Oost-Berlijn. Lightner vertelde later dat wanneer de Vopo's dit hadden willen verhinderen, door 'een van ons neer te schieten, dan hadden wij ze allemaal moeten doodschieten. [...] Dan was de hel pas goed losgebroken.'

Chroesjtsjov kan zich in Moskou hebben afgevraagd of deze vertoning van Lightner zo vlak na de toespraak van Gilpatric de voorbode was van nieuwe Amerikaanse agressie over de hele wereld. Hij kon niet geweten hebben dat Lightners stellingname werd geautoriseerd door de vastberaden generaal Clay en niet door het Witte Huis. Toen Kennedy van het incident hoorde, begon hij, zo beweert men, te zeuren: 'We hebben hem daar niet heen gestuurd om de opera in Oost-Berlijn te bezoeken.'

De volgende dag kondigden de Oostduitsers met goedkeuring van de Sovjets aan dat alleen geallieerde mensen in uniform zonder identiteitspapieren toegang kregen tot Oost-Berlijn. Clay belde de president en zei dat er iets moest gebeuren.

Anders zouden de communisten stukjes blijven afknabbelen van de westerse rechten. Kennedy wilde de generaal niet irriteren en zei het ermee eens te zijn. Op woensdagmorgen 25 oktober reden twee jonge agenten van de Amerikaanse militaire politie met een Opel personenwagen, die voorzien was van officiële Amerikaanse nummerborden, door Checkpoint Charlie. Ze weigerden hun paspoorten te laten zien. Toen Vopo's hen tegenhielden, werden ze onder escorte van drie Amerikaanse legerjeeps vol gevechtsklare soldaten Oost-Berlijn binnengeleid. Hiermee tartten ze de Oostduitse verordening.

Langs de grenslijn namen drie voertuigen met bewapende troepen hun posities in. Verder stonden er ook tien Amerikaanse tanks die waren uitgerust met grondschuivers. Alles kon ingezet worden bij een aanval op de Berlijnse Muur. Amerikaanse jeeps begeleidden meer burgervoertuigen in en uit Oost-Berlijn. Het was de belangrijkste communistische nederlaag van na de grensafsluiting.

Op vrijdag reden er tien Russische tanks tot aan de grens, zodat ze recht tegenover die van de Amerikanen stonden op nog geen honderd meter afstand. Dit was de eerste keer in de geschiedenis dat Amerikaanse en Russische tanks tegenover elkaar stonden. De commandant van de Amerikaanse tankeenheid, luitenant-kolonel Thomas Tyree, was bang voor een onverwachte gebeurtenis die aanstoot zou geven tot een openlijk militair conflict met de Russen, 'zoals een nerveuze soldaat die zijn wapen laat afgaan' of 'een tankchauffeur die per ongeluk op zijn gaspedaal trapt, zodat er een tank op hol slaat'.

De president belde Clay in Berlijn. Naar Clay's zeggen kreeg hij tijdens zijn gesprek met Kennedy een papiertje waarop stond dat er nog eens twintig Russische tanks naar de grens waren gereden. Hij zei tegen de president: 'Hieruit blijkt dat ze goed kunnen rekenen. [...] Wij hebben dertig tanks in Berlijn, dus brachten zij er nog eens twintig bij om voor iedere tank van ons ook een tank in te kunnen zetten.' Hij beschouwde dit een bewijs te meer voor het feit dat 'ze niet van plan zijn iets te ondernemen'.

'Nou, daar ben ik blij om,' zei Kennedy. 'Ik weet dat jullie je zenuwen daar de baas zijn gebleven.' Clay antwoordde schaamteloos: 'Meneer de president, over onze zenuwen maken wij ons geen zorgen. Wij maken ons zorgen over die van uw mensen in Washington.'

Zonder het tegen Clay te zeggen had Kennedy via de minister van Justitie aan Bolsjakov laten weten dat hij wilde dat de Russen hun tanks binnen vierentwintig uur terugtrokken. Valentin Falin, de latere Sovjetambassadeur in Bonn, hield jaren later vol dat de Amerikaanse boodschap een voorstel bevatte over een 'zekere flexibiliteit' die de president zou tonen bij een 'produktieve, louter politieke uitwisseling van standpunten' over de kwestie-Berlijn. Dit op voorwaarde dat de Amerikaanse en Russische tanks 'uiteen zouden gaan zonder elkaars prestige te beschadigen'.[1]

1. Een terugkerend patroon in Robert Kennedy's verslag van zijn ontmoetingen met Bolsjakov en andere Russen in zijn gesprekken met historici in 1964 en 1965 is zijn neiging te suggereren dat de Sovjets op cruciale momenten bezweken voor de eenzijdige eisen van hem en de president, zonder de Amerikaanse concessies te noemen die eigenlijk de sleutel tot de oplossing waren. Het duidelijkste voorbeeld is zijn verslag van de onderhandelingen die de Cubaanse rakettencrisis tot een einde brachten; hierin wekte hij de suggestie dat hij en zijn broer hardere onderhandelaars waren dan ze in feite waren. Hiermee demonstreert

Bolsjakov gaf de boodschap van Robert door aan Chroesjtsjov. Adzjoebei verklaarde later dat waar de Sovjetgeneraals zenuwachtig werden van de Amerikaanse tanks, de Secretaris-Generaal rustig bleef. Volgens Chroesjtsjov zelf zei hij tegen zijn commandant in Berlijn dat de Amerikanen 'hun tanks niet kunnen omkeren en terugtrekken zolang wij onze kanonnen op hen gericht hebben. [...] Ik ben er zeker van dat ze een uitweg zoeken, dus laten we die maar geven.'
De volgende ochtend verlieten de Russische tanks de grens. De Verenigde Staten volgden hun voorbeeld. Robert heeft Bolsjakov wellicht een concessie gedaan waardoor de Sovjets hun gezicht konden redden: Amerikaanse burgers werd verzocht om voorlopig uit Oost-Berlijn te blijven.
Falin zei later dat Moskou over informatie beschikte dat Amerikaanse tankofficieren het bevel hadden gekregen 'de Berlijnse Muur te vernietigen'. De Sovjets verdachten Clay ervan een aanval op de Muur voor te staan. Washington was niet bekend met het feit dat de generaal legerplannen had onderzocht om in een Westberlijns bos muren op te trekken om ze vervolgens ter training neer te halen.
Volgens Falin zouden de Sovjets het vuur hebben geopend als er iets tegen de Muur was ondernomen. Dit zou de Verenigde Staten en de Sovjet-Unie 'dichter dan ooit bij een derde wereldoorlog hebben gebracht. [...] Zou het tankgevecht destijds in Berlijn zijn losgebroken – en daar zag het echt naar uit – dan waren de gebeurtenissen naar alle waarschijnlijkheid volledig uit de hand gelopen.'

Chroesjtsjov had gehoopt dat hij op het Tweeëntwintigste Partijcongres de geschiedenis in zou kunnen gaan als de volwaardige opvolger van Marx, Engels en Lenin, en tegen het jaar 1980 als architect van het volledig gerealiseerde communisme. Tegen die tijd zouden Russische sportevenementen, de landsverdediging en andere publieke plechtigheden worden geleid door het spontane initiatief (de spontane ondernemingszin) van de massa. In plaats daarvan moest hij niet alleen het hoofd bieden aan de toespraak van Gilpatric, maar ook aan de Russische, Chinese en Albanese criticasters.
Voor het congres ten einde kwam, probeerde de Secretaris-Generaal zijn positie te versterken door de destalinisatiecampagne, die was begonnen met zijn Geheime Toespraak van 1956, weer nieuw leven in te blazen. Op maandagavond 30 oktober werd het gebalsemde lichaam van de oude dictator uit het monument verwijderd, dat nu niet langer het Lenin-Stalin Grafmonument werd genoemd. Er werden nieuwe plaatsnamen verordonneerd voor de tweeënzestig Stalinski's, zeven Stalino's, twee Stalinsks en één Stalingrad in de Sovjet-Unie.
Op Chroesjtsjov met zijn openingstoespraak na was er onder de sprekers op het Partijcongres bijna geen één die de Berlijnse crisis noemde. Men stapte af van de eisen voor een trojka van de Verenigde Naties; de Sovjets accepteerden de verkiezing van de Birmees Oe Thant tot secretaris-generaal van de Verenigde Na-

Kennedy een extreme variant op Dean Achesons stelling dat geen diplomaat zichzelf herinnert als de op één na beste. Ter verdediging van zijn gedrag moeten we in gedachten houden dat het nog maar kort na de moord op zijn broer was dat Kennedy deze vraaggesprekken afhandelde. Het was in een periode dat sterke emoties hem noopten de historische reputatie van de regering-Kennedy op te poetsen.

ties. Thants aanstelling werd unaniem bekrachtigd.[1]

Tijdens de viering in het Kremlin van de vierenveertigste verjaardag van de Russische revolutie, op dinsdag 7 november, zei Chroesjtsjov tegen verslaggevers dat hij niet 'onbeperkt zou wachten' om de kwestie-Berlijn op te lossen. Maar 'voorlopig schieten Rusland en de Verenigde Staten er weinig mee op om elkaar onder druk te zetten'.

Twee dagen later zei hij tegen de Westduitse ambassadeur, Hans Kroll, dat de betrekkingen tussen hun landen verbeterd moesten worden: 'Een definitieve verzoening tussen het Duitse en Russische volk zou de kroon zijn op mijn levenswerk op het gebied van buitenlands beleid.' Hij probeerde tijd te winnen.

In Washington bracht Bolsjakov bij Robert Kennedy verslag uit over het Partijcongres. De Secretaris-Generaal was de Sovjetregering aan het 'kennedyseren': 'het opnemen van jonge mensen met nieuwe vitaliteit en nieuwe ideeën'. Robert vertelde dit aan de president die moest lachen: 'Wij zouden de Amerikaanse regering eens moeten chroesjtsjoviseren.'

Op 9 en 10 november stuurde Chroesjtsjov nog twee persoonlijke brieven naar de president, een harde boodschap over Berlijn en een milder gestemde over Zuidoost-Azië. Bundy vond de brief over Berlijn een logische 'prijsverhoging voordat de onderhandelingen beginnen'. Bohlen adviseerde de president om het 'een tijdje te laten afkoelen'.

De president was het met hem eens en reageerde alleen op de brief over Zuidoost-Azië: 'Ik ben me bewust van de moeilijkheden waar u en ik voor staan om onze gedachten bevredigend over te brengen. Dit is geen vertaalprobleem, maar een probleem van de context waarin wij luisteren naar en reageren op wat we elkaar te zeggen hebben. U en ik hebben al erkend dat wij geen van beiden elkaar kunnen overtuigen van onze wederzijdse maatschappelijke systemen en algemene levensfilosofieën.

Deze verschillen creëren een geweldige communicatiekloof, omdat taal aan beide zijden niet hetzelfde kan betekenen, tenzij ze verwant is aan een of ander onderliggend gemeenschappelijk doel. Ik kan niet geloven dat die gemeenschappelijke belangen tussen het Sovjet en het Amerikaanse volk niet bestaan. Daarom probeer ik door onze ideologische verschillen heen te dringen om een brug over die kloof te vinden waarop wij onze gedachten kunnen samenbrengen en een manier kunnen vinden om de wereldvrede te beschermen.'

Een akkoord over Laos 'zou mogelijk moeten zijn' als hij en Chroesjtsjov de 'nodige stappen' zouden ondernemen om het land neutraal en onafhankelijk te maken. 'Ik heb u heel eenvoudig en oprecht uitgelegd dat de Verenigde Staten geen nationale aspiraties hebben in Laos, geen behoefte aan militaire bases of een militaire post, of een bondgenoot.'

Kennedy zei dat hij had ingestemd met de formatie van een coalitieregering aangevoerd door prins Souvanna Phouma en bezig was 'het leiderschap van de koninklijke Laotiaanse regering onder druk te zetten om in vertrouwen over deze vraagstukken te onderhandelen'. De tegenspeler, de communistische prins Sou-

---

1. Rusk vertelde Senatoren dat Thant 'een volstrekt betrouwbare man' was. 'In eigen land is hij sterk anticommunistisch, terwijl hij internationaal gezien neutraal is. Verder is hij een buitengewoon integere, ervaren en bekwame man.'

phanouvong, was daarentegen 'consequent op een afstand gebleven van deze besprekingen': 'Ik kan slechts durven hopen dat u, van uw zijde, eveneens uw invloed in dezelfde richting zult aanwenden.'

Chroesjtsjovs brief bevatte ook kritiek op Amerika's transacties met zijn bondgenoot, president Ngo Dinh Diem van Zuid-Vietnam. En verder een verwerping van Kennedy's klachten over Noordvietnamese acties tegen de zuiderburen.

In april 1961, na de Varkensbaai en terwijl Laos naar de conferentietafel werd verwezen, hadden Kennedy's grootste zorgen over Vietnam zich verschoven van hulp aan de verzetsbestrijding naar het zoeken van manieren om te laten zien dat de Amerikaanse bereidheid tot een compromis in Laos niet duidde op een vergelijkbare terugtrekking uit Vietnam.

Robert Kennedy werd geadviseerd dat de beste plek om in Zuidoost-Azië te vechten niet Laos maar Vietnam was. Het land was meer een eenheid, zijn strijdkrachten waren omvangrijker en beter getraind, het lag direct aan zee, de geografische ligging maakte het de Amerikaanse lucht- en zeemacht gemakkelijker. Toen Lyndon Johnson in mei een bezoek bracht aan het gebied, had hij een brief voor Diem bij zich, afkomstig van Kennedy, waarin deze plechtig beloofde dat Amerika bereid was om 'gezamenlijk een krachtige poging te ondernemen om de strijd tegen het communisme te winnen'.

Vlak na het laatste afmattende gesprek over Berlijn met Chroesjtsjov zei de president in Wenen tegen James Reston: 'Nu zitten we met het probleem dat we onze macht geloofwaardig moeten maken en Vietnam lijkt daar de geschikte locatie voor.'

Walt Rostow schreef hem enkele weken later dat Chroesjtsjovs strategie erop gericht was druk uit te oefenen 'aan onze kant van de lijn' om 'een situatie te creëren waarin we alleen kunnen antwoorden met het gevaar voor een atoomoorlog of een escalatie in die richting. Hij krabbelt een beetje terug, wij komen tot een compromis en als je dan alles in aanmerking neemt, zie je dat hij wat naar voren schuift en ons wat naar achteren duwt.'

'In Chroesjtsjovs ogen' was dit 'het allerbelangrijkste van de manoeuvre in Berlijn en binnen afzienbare tijd krijgen wij een "compromis" inzake Vietnam voorgeschoteld, waarin een ontspanning van de guerrillastrijd wordt aangeboden in ruil voor de "neutraliteit" van Vietnam'. Rostow stelde voor in overweging te nemen om Moskou, Peking, Hanoi en de hele wereld te waarschuwen dat 'een uitbreiding van de aanval op Diem zal kunnen leiden tot een directe vergelding' tegen Noord-Vietnam.

Tegen september zorgden de Viet Cong voor militaire nederlagen waardoor het moreel van het regime-Diem tot het nulpunt was gedaald, waarna Diem de Verenigde Staten verzocht om een defensieverdrag. Kennedy stuurde generaal Taylor en Rostow naar Vietnam voor een onderzoek naar de feiten. Zij berichtten dat Saigon kampte met een vertrouwenscrisis. De praktijk van Laos had de Zuidvietnamezen ongerust gemaakt dat de Verenigde Staten niet achter hen zouden staan. De successen van de Viet Cong suggereerden dat de corrupte, impopulaire en inefficiënte regering van Diem de vijand in geen geval weerstand kon bieden.

Taylor en Rostow adviseerden de president zijn goedkeuring te geven aan een Amerikaanse militaire toezegging aan Vietnam, en aan een royale inbreng van

Amerikanen op alle niveaus van de regering in Saigon om haar 'helemaal op-nieuw' te formeren. Taylor stelde voor een speciale eenheid, voornamelijk leger-ingenieurs, naar de Mekong-delta te sturen. Daar had een grote overstroming plaatsgevonden en waren de Viet Cong-guerrilla's op hun sterkst. Hij waar-schuwde dat de eenheid enkele gevechtshandelingen zou moeten uitvoeren en rekening moest houden met slachtoffers.

McNamara en de gezamenlijke stafchefs hadden hun twijfel of achtduizend man de communisten duidelijk konden maken dat 'wij het serieus menen'. Zij zou-den alleen met Taylors voorstel instemmen als de Verenigde Staten plechtig be-loofden Zuid-Vietnam 'met de noodzakelijke militaire actie' te verdedigen, waarbij wel 205.000 grondtroepen nodig waren voor het geval Noord-Vietnam en China zich openlijk zouden mengen in de strijd.

Kennedy vreesde dat het zenden van gevechtstroepen het staakt-het-vuren in Laos zou kunnen verstoren en een escalatie in Vietnam zou kunnen veroorza-ken. Hij zei tegen Schlesinger: 'Het zal net zo gaan als in Berlijn. De troepen zullen binnenmarcheren, de fanfares zullen spelen, de menigte zal juichen en in vier dagen tijd is iedereen het weer vergeten. Vervolgens zullen ze ons zeggen meer troepen te sturen. Het is net als het drinken van een borrel. De invloed van de drank neemt af en je schenkt er nog een in.'

In een gezamenlijk memo waarschuwden Rusk en McNamara de president dat een communistische overwinning in Vietnam de rest van Zuidoost-Azië onge-twijfeld zou bewegen 'tot een volledige verzoening met het communisme, zo niet tot een formele inlijving bij het communistische blok'. Een verlies van Zuid-Vietnam 'zou niet alleen het einde betekenen van de Zuidoostaziatische Ver-dragsorganisatie (ZOAVO), maar zou de geloofwaardigheid van Amerikaanse toezeggingen overal ondermijnen'. Zo'n nederlaag ten tijde van de Berlijnse cri-sis 'zou de bittere controversen binnen de Verenigde Staten stimuleren en door radicale elementen worden aangegrepen om verdeeldheid te zaaien in het land en om de regering dwars te zitten'.

Kennedy gaf zijn goedkeuring aan hun advies Amerikaanse militaire adviseurs naar het Zuiden te sturen. Lemnitzer herinnerde McNamara eraan dat de geza-menlijke stafchefs de oorlog zagen als 'een geplande fase in het communistische tijdschema dat moet leiden tot wereldheerschappij'. Mocht het nieuwe program-ma niet slagen, dan zagen hij en zijn collega's 'geen alternatief' dan Amerikaan-se gevechtseenheden te sturen.

Half oktober, tijdens een lunch met zijn vaders oude vriend, de columnist Ar-thur Krock van de *New York Times*, zei Kennedy dat hij vond dat Amerikaanse troepen niet op het vasteland van Azië thuishoorden. Zeker niet in een land waar de mensen niets gaven om de Koude Oorlog of om vraagstukken als vrij-heid en zelfbeschikkingsrecht. De Verenigde Staten konden zich niet bemoeien met burgerlijke onrust die de guerrilla's veroorzaakten en het was 'moeilijk te bewijzen' dat dit niet op grote schaal het geval was in Vietnam.

Hij trok de volgehouden juistheid van de 'dominotheorie' in twijfel. Deze hield in dat wanneer het ene land ten prooi viel aan het communisme, de andere in de regio ook veroordeeld zouden worden. 'Het zal niet lang meer duren of de Chi-nese communisten beschikken ook over kernwapens. En vanaf dat moment zul-len zij Zuidoost-Azië domineren.' Het was 'een verdomd grote opgave' om tege-lijkertijd Berlijn op te lossen en te zien dat de communisten bezig waren 'buitenlandse agressors van alle kanten aan te moedigen'. Hij zei erover te denken Chroesjtsjov te schrijven en hem dringend te verzoeken deze agressors in Vietnam, Laos en andere landen terug te roepen.

Nu schreef hij de Secretaris-Generaal dat Zuid-Vietnam leed onder 'een besliste poging van buitenaf om de bestaande regering omver te werpen, waarbij gebruik werd gemaakt van infiltratie, wapenleverantie, propaganda, terrorisme en alle gebruikelijke middelen die in dergelijke omstandigheden bij communistische acties werden aangewend. En dit alles werd opgezet en uitgevoerd vanuit Noord-Vietnam.'[1] Dit was 'geheel in strijd' met de Geneefse akkoorden van 1954.

Kennedy verzocht Chroesjtsjov om Noord-Vietnam over te halen de akkoorden na te leven. 'Dit zou een grote daad zijn voor de zaak van de vrede, wat u de essentie van het beleid van het Tweeëntwintigste Partijcongres noemt.' Hij vroeg hem 'te garanderen dat degenen die nauw met u zijn verbonden, Zuid-Vietnam met rust laten'. Als tegenprestatie zouden de Verenigde Staten 'garanderen dat Noord-Vietnam niet het onderwerp zal worden van directe of indirecte agressie. [...] Ik ben de komende dagen weg voor een bezoek aan het westen van ons land en zal bij terugkeer contact met u hebben over andere zaken.'

Eén reden voor Kennedy's spreekbeurten in het westen van het land was het voorbereiden van de Amerikaanse opinie voor de onderhandelingen over Berlijn die volgens hem spoedig zouden plaatsvinden. Opiniepeilingen wezen uit dat afgezien van de kiezers uit het zuiden, de kiezers uit deze regio het felst van alle Amerikanen tegen de besprekingen met Moskou waren.

In een toespraak aan de Universiteit van Washington in Seattle herinnerde Kennedy zijn toehoorders eraan: 'We moeten samenwerken met bepaalde landen waar men geen vrijheid heeft om de zaak van de vrijheid te versterken. [...] We moeten problemen tegemoet treden die zichzelf niet lenen voor gemakkelijke of snelle of duurzame oplossingen. [...] Zolang we weten waaruit onze voornaamste belangen en onze doelstellingen voor de lange termijn bestaan, hebben we niets te vrezen van onderhandelingen. [...]

Met betrekking tot toekomstige gesprekken over Duitsland en Berlijn, bijvoorbeeld, kunnen we aan de ene kant niet onze voorstellen beperken tot een lijst concessies die we bereid zijn te maken. Aan de andere kant kunnen we ook geen voorstellen naar voren schuiven die de veiligheid van vrije Duitsers en Westberlijners compromitteren of hun banden met het Westen in gevaar brengen. [...] Het is een beproeving van onze volwassenheid als natie te accepteren dat onderhandelingen niet een strijd vormen die een overwinning of nederlaag voorspelt.'

Een andere voorzorgsmaatregel die Kennedy voor gesprekken met de Sovjets over de kwestie-Berlijn trof, was de uitnodiging aan Konrad Adenauer om naar

1. Op 15 december beantwoordde Kennedy een brief van president Diem: 'Onze verontwaardiging is gegroeid toen de doelbewuste wreedheden van het communistische programma van moord, ontvoering en buitensporig geweld duidelijk werden. Uw brief onderstreept wat onze eigen informatie overtuigend heeft aangetoond – dat de campagne van geweld en terreur die nu tegen uw volk en uw regering wordt gevoerd, wordt gesteund en geleid van buitenaf door de autoriteiten in Hanoi.'

Washington te komen. De bondskanselier was na de christen-democratische overwinning in september weer herkozen. Hij en zijn ambassadeur in Washington, Wilhelm Grewe, waren enorm verontrust door het idee dat Gromyko en Thompson besprekingen zouden voeren over Berlijn.

CIA-man Robert Amory schaafde een mondelinge briefing bij die de CIA in aanwezigheid van de president repeteerde om Adenauers vrees voor de Sovjet-Unie weg te nemen en een grotere Westduitse deelneming aan de NAVO aan te moedigen. Met behulp van de nieuwe systeemanalysetechnieken van McNamara suggereerde de presentatie dat Sovjetdivisies qua omvang slechts een derde waren van die van de NAVO en derhalve bijna zeker drie maal minder effectief. Volgens Amory toonde dit aan 'dat de Russische legers op de grond in Duitsland en hun potentiële versterkingen niet onoverwinnelijk waren in een conventionele oorlog'.

Op het hoofdkwartier van SHAPE (*Supreme Headquarters Allied Powers Europe*) deed Lemnitzer vertrouwelijk zijn beklag bij generaal Lauris Norstad. Volgens hem was de briefing 'overoptimistisch en in veel gevallen overtrokken'. Hij had een 'behoorlijk pittige woordenwisseling' gehad met de president over het feit dat de briefing geheime informatie bevatte die alles wat Adenauer in het verleden had gezien, 'ver te boven ging'. De briefing overtuigde Franz-Josef Strauss niet. Hij vond haar 'meer ingegeven door wensdromen dan door realiteitszin'.

In een brief van oktober, gericht aan 59 parlementsleden van de Britse Labourpartij, had Chroesjtsjov een Berlijnse schikking voorgesteld die een aantal garanties bevatte: westerse toegang tot West-Berlijn, erkenning van de Oder-Neissegrens en toelating van de beide Duitslanden tot de Verenigde Naties. Hij had tevens een verbod op kernwapens geëist voor de Bondsrepubliek en de DDR, en terugtrekking van militairen uit Midden-Europa.

Tijdens zijn gesprek in het Witte Huis stemde Adenauer toe in Kennedy's eis de status van Berlijn met de Sovjets te bespreken zolang de westerse rechten behouden bleven. Hij verplichtte zich het verzoek van Kennedy in te willigen om Bonns investering in de NAVO van acht naar twaalf divisies te brengen. Als tegenprestatie beloofde Kennedy niet met Chroesjtsjov te onderhandelen over erkenning van de DDR, de Oder-Neissegrens of de neutralisering van Midden-Europa. Maar hij wees Adenauers eis van de hand om binnen de NAVO beslissingsrecht te krijgen op het moment dat een Europese oorlog het punt bereikte van een mogelijk nucleair treffen.

Tijdens hun ontmoeting aan de vooravond van de presidentiële toespraak tot de Verenigde Naties in september had Salinger bij Charmalov geklaagd dat Chroesjtsjov alleen maar Lippmann, Pearson of Sulzberger had hoeven uitnodigen om een enorm Amerikaans publiek voor zich te winnen. Waarom konden de Sovjets niet antwoorden?

Charmalov zei dat het 'een heel slecht moment voor dit verzoek' was: het ministerie van Buitenlandse Zaken had net visa geweigerd aan vijftien Sovjetcorrespondenten. Toen Salinger dit rechtzette, werd er voor Adzjoebei en de regeringskrant *Izvestija* een interview met Kennedy gepland. Dat zou plaatsvinden in Hyannis Port tijdens het *Thanksgiving*-weekeind, de vierde donderdag van november. Adzjoebei zou later zeggen dat zijn schoonvader hem had gevraagd de betrekkingen met de president te verbeteren.

Voordat Adzjoebei naar Hyannis Port vertrok, nodigde Salinger hem en Bolsjakov uit voor een etentje bij hem thuis in Virginia. Nippend van de Armeense cognac die hij van Chroesjtsjov had meegebracht, klaagde Adzjoebei dat zijn schoonvader hem en zijn vrouw in hun vijftienjarige huwelijk nooit een cadeau had gegeven. Toen hij tijdens een jachtpartij met Chroesjtsjov vanwege een blindedarmontsteking met spoed naar het ziekenhuis werd vervoerd, had Chroesjtsjov alleen maar gezegd dat hij hoopte dat het zou meevallen: 'Dat was de enige keer dat hij voor mij persoonlijk belangstelling toonde.'

Salinger wees Adzjoebei's aanbod van de hand om zijn vragen van tevoren in te kijken. De Rus zei: 'Als u mij maar niet de schuld geeft als het niet naar uw zin verloopt.' De avond voor zijn interview met Kennedy at hij in een restaurant van Hyannis. Vanuit een ooghoek keek hij naar iemand aan een ander tafeltje. Ten slotte draaide hij zich om en riep: 'Jij agent!'

Voordat Kennedy's ontmoeting met Adzjoebei in juni in het Oval Office plaatsvond, had de CIA hem verteld dat Adzjoebei 'een aangeboren talent aan een huwelijk met Chroesjtsjovs dochter paarde om de top te bereiken van de Sovjetjournalistiek en [...] een inofficiële, invloedrijke positie in regeringsaangelegenheden. Adzjoebei speelt ook nog een dubbelrol als de tekstschrijver van zijn schoonvaders toespraken en in de afgelopen twee, drie jaar is hij een van de meest betrokken adviseurs van de Secretaris-Generaal geworden, vooral in zaken die betrekking hebben op de Verenigde Staten.'

Hij was 'meedogenloos' en 'zeer overtuigd van zijn eigen positie en van de superioriteit van de Sovjet-Unie'. In 1959, tijdens de reis door Amerika van zijn schoonvader, hadden enkele Amerikanen benadrukt dat hij 'absoluut de allerarrogantste man [was] die ze ooit hadden ontmoet'. Zijn houding ten opzichte van de Verenigde Staten was een 'combinatie van minachting, bewondering met een vleugje jaloezie en de overtuiging van een devote communist dat de kapitalistische wereld gedoemd is'. Tijdens een avond met flink veel drank had Adzjoebei ooit tegen een Amerikaan beweerd: 'Wij zijn zó sterk dat we jullie op deze manier kunnen verpulveren.' Waarna hij de hals van een wijnfles brak.

Thompson meldde dat hij van een Sovjetjood, die als diplomaat onder Litvinov had gediend, had gehoord dat functionarissen van het ministerie van Buitenlandse Zaken klaagden dat ze sinds Adzjoebei's aanstelling als Chroesjtsjovs adviseur voor buitenlandse zaken 'geen stem in het buitenlandse beleid' meer hadden gehad: 'Chroesjtsjov aarzelt om Adzjoebei Partij- of regeringsstatus te verlenen die gepast zou zijn bij zijn raadgevende verantwoordelijkheden. Hij zou zich immers blootstellen aan beschuldigingen van nepotisme.'

Adzjoebei werd in 1924 in Samarkand geboren. Hij groeide op in Moskou voordat hij tijdens de oorlog dienst nam in het Sovjetleger. Daarna studeerde hij journalistiek en literatuur aan de Moskouse Staatsuniversiteit. Daar kreeg hij, wat de Secretaris-Generaal een 'gelukslot uit de loterij'[1] genoemd zou hebben – hij maakte kennis met Chroesjtsjovs dochter Rada en trouwde met haar.

Hij trad in dienst bij de *Komsomolskaja Pravda*, de spreekbuis van de Komsomol (de Communistische Jeugdbond), en met behoorlijk wat steun van Chroesjtsjov

---

1. Zo noemde Chroesjtsjov het onschatbaar nuttige feit dat hij Stalins tweede echtgenote kende toen hij op school zat in de jaren dertig.

werd hij in 1957 hoofdredacteur. Na de dood van Stalin had Chroesjtsjov geëist dat de Sovjetkranten levendiger en origineler moesten worden. Na zijn eerste bezoek aan de Verenigde Staten in 1955 gaf Adzjoebei zijn krant een Amerikaanser uiterlijk met een meer in het oog vallend formaat, meer aandacht voor human interest en ingezonden brieven.

Na keiharde kritiek van de conservatieve oppositie maakte Chroesjtsjov een totale ommezwaai en verklaarde dat originaliteit omwille van de originaliteit geen plaats had binnen de Sovjetjournalistiek. Er kwam een verordening tegen 'sensatiezucht' in de *Komsomolskaja Pravda*. Deze ervaring heeft Adzjoebei misschien geleerd dat het gevaarlijk is slechts van één politieke beschermheer afhankelijk te zijn. In zijn verdere pogingen zijn schoonvader voor zich te winnen, knoopte hij belangrijke en blijvende banden aan met zowel Aleksandr Sjelepin, een Komsomolleider die van 1958 tot 1961 hoofd was van de KGB en later andere machtige posities betrok, als met Sjelepins opvolger bij de KGB, Vladimir Semitsjastny.

In mei 1959 werd Adzjoebei hoofdredacteur van *Izvestija*, lang een van de saaiste Sovjetkranten, een verzameling van bureaucratische decreten onder het Stalinbewind. Hij gaf de krant pittiger koppen, zorgde voor informeel taalgebruik, meer foto's en buitenlands nieuws, een zondagsmagazine met strips en brieven waarin advies werd gevraagd aan Lieve Lilly of waarin van plaatselijke misdrijven verslag werd gedaan. De oplage verdubbelde.

Adzjoebei had Chroesjtsjov kleurendia's laten zien van zijn reis van 1955 door de Verenigde Staten. Hij had de Amerikanen 'enthousiaste mensen' genoemd, die 'zich gemakkelijk laten meeslepen door iets nieuws. Ze gedragen zich als kinderen die vallen voor bijna iedere rage, nu de hoelahoep, dan een nieuwe filmster.' Hun leiders waren 'zwakke, stompzinnige mannen die het volk bedriegen'.

In 1959 begeleidde hij Chroesjtsjov naar Washington, in 1960 naar de Verenigde Naties en in 1961 naar Wenen. Er werd gezegd dat toen de Secretaris-Generaal hoorde dat Adzjoebei iets had met een andere vrouw dan zijn echtgenote, hij alleen maar tegen hem zei wat discreter te zijn.[1] Chroesjtsjov koesterde zich in de openlijke toewijding van de jongeman. Tijdens het Tweeëntwintigste Partijcongres schepte Adzjoebei op over zijn trip naar de Verenigde Naties met de Secretaris-Generaal: 'Het was misschien een schok voor de slappe diplomaten van de westerse wereld, maar het was gewoonweg geweldig om kameraad N.S. Chroesjtsjov, tijdens de zoveelste provocerende toespraak van een westerse diplomaat, zijn schoen te zien uittrekken en ermee op de tafel te zien timmeren.' Adzjoebei was de vleesgeworden Nieuwe Klasse in de Sovjet-Unie. De Engelse

---

1. De CIA vertelde Kennedy, wellicht met gebruikmaking van door de Franse inlichtingendienst doorgeseind materiaal, dat 'de enige keer dat ze het echtpaar Adzjoebei van dichtbij konden bekijken, tijdens hun bezoek aan Parijs was geweest, in november 1959. Het stel had een toer gemaakt langs Les Invalides, het Louvre en de Eiffeltoren. Ze hadden de nachtmis in de Notre-Dame bijgewoond en nachtclubs bezocht in het Quartier Latin en op Montmartre. Verder waren ze in het Lido geweest, dat mevrouw Adzjoebei 'vervelend, niet schokkend' vond en ze hadden een film met Brigitte Bardot gezien, waar ze ook niets aan vond. 'Ze kwam in Parijs aan in een nertsmantel en een nertsbonten hoed; zij en haar echtgenoot logeerden in het Crillon in een suite die, naar men zegt, de onproletarische prijs bedroeg van veertig dollar per dag.'

journalist Edward Crankshaw noemde hem 'een uiterst onbetrouwbare kruising van de "jet set" op zijn alleronsmakelijkst en de ambitieuze, intrigerende politicus: een beschermer van de bijzonder jonge en getalenteerde mens als het hem uitkwam, maar ook onpeilbaar cynisch. Er moeten perioden geweest zijn dat de jonge schrijvers, de jonge schilders, economen en filosofen gelukkiger zouden zijn geweest als Chroesjtsjov niet die schoonzoon in huis had gehad, die van abstracte schilderkunst hield en de problemen van de eigentijdse jeugd begreep; dan hadden ze beter geweten waar ze stonden.'

Op vrijdag 24 november, de dag voordat Kennedy Adzjoebei zou ontvangen, riep hij McNamara en medewerkers van het Witte Huis naar zijn vaders woonkamer in Hyannis Port. Gekleed in een rode overall was Robert Kennedy buiten aan het voetballen met zijn zussen en hun kinderen. De president riep hem naar binnen. Robert sprong over het hek van de veranda, schaarde zich bij de groep en stak wat Carl Kaysen zich herinnerde als een 'geestdriftige toespraak' af over 'de plicht van iedere burger' om een atoomschuilkelder te bouwen: 'De president gooide, metaforisch gezegd, een emmer koud water over hem heen.'
Vervolgens hoorden ze allemaal de laatste betogen over de omvang van Amerika's nieuwe ICBM-macht. McNamara beschouwde het vermogen om twintig tot vijftig procent van de Sovjetmaatschappij te vernietigen voldoende om een Sovjetaanval op de Verenigde Staten te ontmoedigen. Hiervoor zouden ruwweg vierhonderd één-megatonbommen nodig zijn.[1] Kaysen en Wiesner waren het met hem eens, maar om Kennedy te beschermen tegen Congresleden die een gigantische verhoging van de defensieuitgaven wilden, stelden zij een macht van zeshonderd ICBM's voor. Iedereen ging akkoord met het ronde aantal van duizend, dat ook beter te verkopen was aan het Congres.
Sorensen merkte op dat duizend raketten de bewapeningswedloop zouden aanmoedigen. McNamara waarschuwde dat de regering op Capitol Hill 'politiek vermoord' zou worden als Kennedy een kleinere raketmacht zou voorstellen. De president was het ermee eens dat een aantal van duizend 'het beste [was] waar we mee kunnen leven'.[2]

Op zaterdagmorgen bracht Salinger Adzjoebei en Bolsjakov naar dezelfde groep huizen waar de president en zijn mensen die dag daarvoor de vernietiging van

1. McNamara's medewerker Alain Enthoven merkte op dat een toename tot 2400, zoals het geallieerde opperbevel voorstelde, weinig zou toevoegen aan de Amerikaanse vernietigingskracht en 'het puin en de steenbrokken alleen maar alle kanten zou laten opstuiteren'. De voornaamste reden hiervoor was dat bijna de helft van de Sovjetbevolking in een klein aantal grote steden bij elkaar geclusterd zat. Voordat Eisenhower aftrad, had hij negenhonderd Minuteman-raketten aanbevolen, maar hij liet de financiering over aan de nieuwe president. Toen men hem in april 1960 vertelde dat sommigen in het Pentagon een produktiecapaciteit van vierhonderd ICBM's per jaar wensten, had Eisenhower geantwoord: 'Waarom worden we niet helemaal stapelmesjoche om vervolgens een hoeveelheid van tienduizend te plannen?'
2. In januari 1962 schreef Bundy Kennedy's gedachten op voor een lezing voor de staf van de Nationale Veiligheidsraad: 'Om eerlijk te zijn, zouden we met minder ongetwijfeld veilig zijn.' De vraag vanuit het Congres 'voor meer raketten en meer atoomwapens is behoorlijk groot. Ik geloof niet dat zulke gevoelens rationeel kunnen worden verdedigd, maar het is nu eenmaal zo.'

de Sovjet-Unie met ICBM's hadden besproken. In de woonkamer van het bungalowtje van de Kennedy's stelde Jacqueline de twee Russen voor aan Caroline en John, voor wie Adzjoebci een duikelaar had meegenomen: 'Net als bij het Russische volk – kun je het steeds naar beneden duwen, maar het zal altijd overeind komen.'

Terwijl de zon boven de Nantucket Sound naar binnen straalde, schommelde Kennedy in zijn stoel en dronk hij koffie. Adzjoebei en Bolsjakov zaten op een bank tegenover hem.

Adzjoebei begon door Kennedy te herinneren aan zijn 'goede bedoelingen' aan het begin van het jaar om de betrekkingen te verbeteren. De president gaf toe dat de betrekkingen nu 'niet zo bevredigend zijn als ik had gehoopt toen ik dit ambt aanvaardde. [...] Wij willen het volk van de Sovjet-Unie in vrede laten leven.' De 'grote bedreiging van de vrede' was 'die inspanning om het communistische systeem verder op te dringen, van land tot land'.

Adzjoebei klaagde dat de Verenigde Staten zich in regio's over de hele wereld mengden: 'Wij zouden gelukkig zijn wanneer u, meneer de president, zoudt verklaren dat de bemoeienis in Cuba een vergissing was.' Kennedy zei dat het Amerikaanse geschil met Cuba er was vanwege Castro's verzuim om vrije verkiezingen te houden.

Adzjoebei kaatste terug dat toen de bolsjevieken aan de macht kwamen 'de gehele kapitalistische wereld het uitschreeuwde dat [...] er geen vrijheid was in Rusland, maar in vierenveertig jaar werd ons land een grote mogendheid'. De president wierp terug: 'U bent een kranteman en een politicus.' Adzjoebei: 'In ons land is iedere burger politicus, omdat wij zo veel van ons land houden.'

Kennedy zei: 'De Sovjet-Unie leed meer onder de Tweede Wereldoorlog dan welk ander land dan ook. [...] De Verenigde Staten hebben ook geleden, hoewel niet zo zwaar als de Sovjet-Unie, dat is meer dan duidelijk. Mijn broer werd gedood in Europa. Mijn zusters echtgenoot kwam om in Europa. Maar die oorlog is nu voorbij. Wij willen voorkomen dat er in Duitsland weer een oorlog ontstaat.'

Hij zei dat noch hij noch Chroesjtsjov verantwoordelijk was voor de naoorlogse schikkingen inzake Berlijn: 'We hebben werkelijk vijftien jaar vrede gehad in Europa. [...] Niemand weet wat er op de lange termijn zal gebeuren in de wereld, maar we zouden toch ten minste in staat moeten zijn om deze kwestie omtrent Berlijn en Duitsland te regelen.' Niets zou de Amerikanen meer voldoening schenken dan hun twee landen in vrede te zien samenleven: 'Onder het genot van een gestaag groeiende levensstandaard.'

Adzjoebei herinnerde zich later dat Kennedy hem na het interview meenam naar de oceaan: 'Het was erg koud. Hij had me een jas gegeven, maar we waren er verder niet op gekleed en stonden te bibberen. Ik vroeg hem: "U hebt het hier niet koud?" En toen zei hij iets wat ik nooit zal vergeten.'

Volgens Adzjoebei zei de president: 'Toen Stalin en Churchill en Roosevelt hun overwinning boekten, waren ze al behoorlijk oud. [...] De wereld zoals ze die aantroffen was erg in de war en ze wilden haar niet op orde brengen. Ze konden het niet. [...] Maar als wij nu de kans hebben om het te doen, dan moeten we die grijpen. Anders hebben we over twintig jaar een wereld die we niet meer kunnen veranderen.'

Kennedy had de afdeling onderzoek van de veiligheidsdienst, *Protective Research*, opdracht gegeven zijn woonkamer te voorzien van een geheim-opnamesysteem om zichzelf te beschermen voor het geval Adzjoebei hem verkeerd zou citeren. Normaliter zou het seinkorps van het leger zo'n opdracht krijgen, maar hij dacht dat de geheime dienst de klus met minder mensen kon uitvoeren, zodat er ook weinig van op de hoogte zouden zijn.

Toen het zo ver was, plaatste *Protective Research* afluisterapparatuur in de Cabinet Room, de bibliotheek van het Witte Huis, het Oval Office en de telefoon in zijn slaapkamer. De draden liepen naar een Tandberg bandrecorder, die in het souterrain stond. Iedere volgelopen band werd in een effen bruine envelop gestopt, die werd verzegeld en vervolgens naar boven gebracht, waar Evelyn Lincoln haar in een speciale kluis opborg.

Zij en O'Donnell waren klaarblijkelijk de enige stafleden die volledig op de hoogte waren van het systeem.[1] Op een dag zei de president tegen Dave Powers: 'Ik wil dat je op je woorden past, omdat ik je gevloek en gescheld niet nog een keer wil horen.' Powers vroeg O'Donnell: 'Kenny, waar heeft-ie het in godsnaam over?'

Toen Kennedy om het systeem verzocht, gaf hij agenten van de geheime dienst de indruk dat hij 'eventuele afspraken' inzake Amerikaans-Russische betrekkingen wilde 'opnemen'. Maar hij gebruikte het middel voor honderden gesprekken over allerlei onderwerpen.

Net als zijn voorganger, die een meer elementair geheim opnamesysteem had geïnstalleerd en het minder gebruikte, wilde Kennedy deze geheime opnamen misschien gebruiken om politieke tegenstanders ervan te weerhouden hem in verlegenheid te brengen. Na het Varkensbaai-incident hadden functionarissen van het Pentagon en de CIA de pers toegefluisterd dat zij de president het fiasco hadden afgeraden. Opgenomen bewijsmateriaal kon worden gebruikt om zulke mensen nog eens goed te laten nadenken voor ze Kennedy's naam ijdel gebruikten. Het zou hem in staat stellen de uiteindelijke opnamen in zijn eigen voordeel bij te stellen wanneer hij en Sorensen zijn presidentiële memoires schreven.[2]

Kennedy's gebruik van elektronische middelen om zichzelf tegen potentiële tegenstanders te beschermen, breidde zich uit naar het aftappen van telefoons. De telefoon van CIA-man Robert Amory werd afgeluisterd omdat hij verdacht werd van te nauwe contacten met een Oosteuropese geheim agent, voordat hij in 1962 zijn baan opgaf. De militaire correspondenten Hanson Baldwin van de *New York Times* en Lloyd Norman van *Newsweek* werden ook in de gaten gehouden.

Een reden waarom Kennedy zo vrijuit heeft kunnen praten met vrienden bij de pers, was dat hij wellicht heeft geweten wat zij hoorden nog vóór hun redacteuren ervan op de hoogte waren. Bradlee was er jaren later van overtuigd dat zijn telefoons werden afgetapt: 'Mijn god, ze tapten praktisch elke telefoon af in deze

1. Toen jaren later werd onthuld dat president Richard Nixon bandopnames had gemaakt van mensen zonder hun medeweten, zeiden voormalige leden van de regering-Kennedy dat het 'ondenkbaar' was dat hun baas zoiets gedaan zou hebben.
2. Robert Kennedy gebruikte de banden precies op deze manier om zijn heroïsche verhandeling van de rakettencrisis, *Thirteen Days*, te schrijven.

stad.'[1] Volgens Vernon Walters, later onder Nixon de plaatsvervangend directeur van de CIA, behoorden de minister van Justitie en Jacqueline ook onder de
mensen die Kennedy liet afluisteren.

Nadat Adzjoebei was vertrokken, zei de president tegen Salinger: 'Jouw arrogante Russische vriend heeft net zo veel punten gescoord als ik.' Bolsjakov en
Adzjoebei lunchten met Robert Kennedy, die Chroesjtsjovs schoonzoon 'een
harde communist' vond en hem niet mocht. Toen Amerikaanse verslaggevers
vroegen wat de president had gezegd, riep Adzjoebei: 'Abonneer je maar op *Izvestija*!'
Drie dagen later publiceerde *Izvestija* het interview. Het was de eerste keer in de
geschiedenis dat vijf miljoen Russische lezers werden geconfronteerd met de uit-
gewerkte standpunten over de Koude Oorlog van een Amerikaanse president,
inclusief zijn klachten dat de Sovjets 'weinig bereidheid aan de dag leggen om
tot serieuze gesprekken' te komen.[2]
In Washington vertelde de president zijn staf dat het interview de moeite waard
was geweest: 'Al was het alleen maar om hen ervan te overtuigen dat we helemaal niet zo bloeddorstig zijn. Maar voor Chroesjtsjov was het ook een propa-
gandazet. Met zijn toestemming voor het interview heeft hij het argument dat
het Kremlin bang is om het Sovjetvolk de waarheid te laten horen, behoorlijk in
de wind geslagen. [...] Het grootste plusteken is misschien wel dat Chroesjtsjov
niets van zich heeft laten horen. Denken jullie dat hij misschien wat milder aan
het worden is?'

De week daarop stelde Kennedy nog een persoonlijke brief aan Chroesjtsjov op:
'Zoals u weet, had ik een onderhoud met uw schoonzoon [...] in mijn woning in
Hyannis Port, waar ik het *Thanksgiving*-weekeind doorbracht.' Hij was 'vooral
verheugd te horen dat u de zware werkzaamheden van uw Partijcongres in Moskou succesvol hebt doorstaan en dat u in goede gezondheid verkeert'.
In zijn brief van 9 november had de Secretaris-Generaal geklaagd dat een
'agressief' West-Duitsland de naoorlogse territoriale afspraken met geweld ongedaan wilde maken. In feite, zo schreef Kennedy, was West-Duitsland 'het eni-

---

1. Een technicus die Robert Kennedy tijdens de Senaatshoorzittingen over intimidaties
van arbeiders had ontmoet, verklaarde later dat de minister van Justitie hem tijdens een
presidentieel bezoek aan Newport had gevraagd de twintig of dertig telefoons in de grote
zaal van het Witte Huis, waar het perskorps zich altijd bevond, van afluisterapparatuur
te voorzien. Volgens deze man zei Robert dat hij deze klus niet kon toevertrouwen aan de
FBI en gaf hij hem een 'aanzienlijke' contante betaling. Toen de technicus tegen de minister van Justitie zei dat hij in een strafzaak op borgtocht was vrijgelaten, zei Kennedy:
'Probeer zo onopvallend mogelijk te doen en als je in de problemen raakt, bel je mij op dit
nummer en dan regel ik het verder wel.'
2. Er was één wijziging in de tekst. Adzjoebei had in Hyannis Port opgemerkt dat
Chroesjtsjovs Amerikaanse bezoek van 1959 niet 'helemaal bevredigend' was geweest. In
Izvestija corrigeerde Adzjoebei zijn eigen citaat om de Secretaris-Generaal te behoeden
voor enige kritiek: 'De positieve resultaten van die reis werden te gronde gericht en tenietgedaan door de algemeen bekende acties van de toenmalige Amerikaanse regering.'
Salinger grapte later dat hij hetzelfde gedaan zou hebben als de ontvlambare Chroesjtsjov
zijn schoonvader was geweest.

ge land ter wereld waarvan de strijdkrachten geheel onder internationale controle staan'. Het 'begon zich pas in 1955 opnieuw te bewapenen, in een tijd toen het voor de hele wereld volkomen duidelijk was dat het regime in Oost-Duitsland hier al enige tijd mee bezig was'.

Het waren de Sovjets die in 1948 waren weggelopen uit de Berlijnse Controleraad van de Vier Mogendheden. 'Nadat Oost-Berlijn is versmolten met het Oostduitse regime kan de Sovjet-Unie, in alle eerlijkheid, niet protesteren tegen enige [...] status die de westerse mogendheden in Berlijn in het leven wensen te roepen. [...] De afspraken over de uitoefening van onze toegangsrechten zouden echter een geschikt onderwerp zijn voor onderhandelingen.'

Hij waarschuwde: 'Ik moet u vertellen dat wij niet bereid zouden zijn akkoord te gaan met een afstoting van bestaande rechten en hun overdracht aan het Oostduitse regime. Dat moet niet de bevoegdheid krijgen de bestaande rechten omtrent de toegang tussen West-Berlijn en de rest van de wereld te controleren, te beperken of anderszins te belemmeren. [...] Ik ben bang dat het soort inofficiële correspondentie dat wij onderhouden niet de geschikte basis is om een dergelijk gecompliceerd en ernstig probleem aan te pakken. [...] Ik breng u mijn vriendelijke groeten over en hoop dat de volgende keer dat wij contact met elkaar hebben, we wat beter nieuws te bespreken zullen hebben.'

Op zaterdag 9 december hield Chroesjtsjov een toespraak tot vakbondsleden waarin hij terloops verwees naar de pasontvangen persoonlijke brief van Kennedy. Hij wilde 'oprechte' besprekingen over Duitsland, maar 'sommige staatslieden in het Westen zouden minder onderhandelingen willen ter versterking van het bezettingsregime in West-Berlijn'.

Voor het eerst toonde hij in het openbaar zijn vastberadenheid om Gilpatrics beweringen over de Amerikaanse superioriteit te weerleggen. Hij waarschuwde het Westen: 'Dit is de macht die uw macht het hoofd zal bieden – dit is het: u hebt nog niet de beschikking over vijftig- en honderd-megatonbommen, wij wel en zelfs nog meer.' Deze superbommen zouden als het zwaard van Damocles boven de hoofden hangen van 'imperialistische agressors'.[1] Dezelfde Sovjetraketten die kosmonauten in een baan om de aarde brachten, konden iedere plek op het aardoppervlak raken.

Hij klaagde dat het Westen op Sovjetvoorstellen inzake Berlijn had gereageerd met 'oorlogshysterie en een uitbreiding van de bewapeningswedloop. Zij begonnen hun militaire potentieel te vergroten [...] en ons openlijk met oorlog te bedreigen als de Sovjet-Unie een Duits vredesverdrag zou tekenen. *Maar het is onmogelijk om ons te intimideren!'*

Aan het eind van het lange jaar zei Thompson tegen Chroesjtsjov dat hij en zijn gezin met de kerst op skivakantie zouden gaan: of hij de zaken alstublieft even rustig kon houden? De Secretaris-Generaal lachte: 'Jullie zijn het die de zaken hier aanwakkeren.'[2]

---

1. De verwijzing naar het zwaard van Damocles zou hij uit Kennedy's toespraak voor de Verenigde Naties kunnen hebben overgenomen.
2. Thompson kreeg zijn zin niet. De president verzocht hem in Moskou te blijven voor het geval de Russen besloten de besprekingen over Berlijn te beginnen.

Kennedy vloog naar Bogotá en Caracas en had een conferentie met Macmillan op Bermuda. Het eind van het jaar bracht hij door in Palm Beach, waar zijn vader zes dagen voor Kerstmis een beroerte had gehad en als gevolg daarvan nu doofstom en verlamd was geraakt. Robert Kennedy vertelde later dat de president het vaak had over 'hoe graag hij wilde dat mijn vader weer gezond was' als er 'zaken waren waar hij normaliter met mijn vader over zou praten'.

Robert verklaarde later dat zijn broer het jaar 1961 'een bijzonder moeilijk jaar' had gevonden, vanwege Berlijn en 'het feit dat de Russen dachten dat ze met hem konden sollen'. Toen hij zijn broer vroeg hoe het presidentschap hem beviel, antwoordde Kennedy dat het de meest 'fantastische' baan ter wereld zou zijn, 'als de Russen er maar niet waren'. Toen een journalist hem vertelde dat hij een boek wilde schrijven over zijn eerste jaar als president, kaatste hij terug: 'Wie zou er nou een boek over rampen willen lezen?'

Bundy beweerde jaren later dat de president gedurende de vier maanden na de Muur ten opzichte van Chroesjtsjov geen 'nucleaire opdringerigheid' vertoonde die het nieuwe Amerikaanse zelfvertrouwen in zijn nucleaire superioriteit zou exploiteren. In het tankincident van oktober bij Checkpoint Charlie haalde Kennedy met zijn kalme supervisie en teruggetrokken diplomatieke optreden de lont uit het kruitvat zodat het conflict niet tot escalatie had kunnen komen. In de herfst toonde hij een indrukwekkende en groeiende bereidheid om de geallieerden en het Amerikaanse volk ervan te overtuigen dat onderhandelingen over Berlijn in hun belang waren.

Maar zijn afkeer van nucleaire opdringerigheid strekte zich niet uit tot zijn beslissing de toespraak van Gilpatric te autoriseren. Dit was de laatste uiting van Kennedy's vastberadenheid om de manier waarop zijn voorganger zaken deed met de Sovjet-Unie teniet te doen. Toen Eisenhower in 1958 door Chroesjtsjov met een soortgelijk Berlijns ultimatum werd opgescheept, had hij zijn Berlijnse crisis ontzenuwd door te weigeren het Amerikaanse volk te verontrusten.

Hij had geweigerd de conventionele krijgsmacht uit te breiden uit overtuiging dat een oorlog in Europa nooit beperkt zou blijven tot de inzet van grondstrijdkrachten, omdat hij de strategische kernmacht niet wilde ondergraven en om de bewapeningswedloop in bedwang te houden. Hij had geweigerd Chroesjtsjovs openbaar geuite aanspraak op nucleaire superioriteit af te kraken, want anders zou hij de Secretaris-Generaal hebben uitgedaagd tot een gigantische strategische uitbreiding van zijn arsenalen.

Kennedy ontbeerde het aangeboren gevoel van een Eisenhower om buitenlandse beleidscrises te ontzenuwen. Hij genoot niet Eisenhowers reputatie van standvastigheid en opperste bedrevenheid inzake de nationale veiligheid. Net als Truman aan het eind van de jaren veertig wist hij dat hij met het kweken van onrust zijn defensienota's gemakkelijker door het Congres kon loodsen. En als het dan tijd werd voor onderhandelingen, kon hij zich afschermen tegen beschuldigingen dat hij de Sovjetdreiging niet met gepaste ernst had genomen.[1] En ergens in Kennedy's gedachtenwereld was hij ervan overtuigd, zoals hij in *Profiles in Courage* schreef, dat 'grote crises grote mannen voortbrengen'.

1. Dit standpunt kan beïnvloed zijn geweest door de aanzienlijke vertegenwoordiging van oud-leden van de regering-Truman in de directe nabijheid van de president, onder wie Rusk, Gilpatric, Nitze en Acheson.

Zijn hang naar flexibele reacties had hem ertoe gebracht de Russische waarschuwingen van vóór zijn inauguratie van zich af te zetten. Die waarschuwingen hielden in dat de Sovjet-Unie niet 'stil zou zitten' wanneer hij de in zijn verkiezingscampagne beloofde conventionele uitbreiding zou gaan verwezenlijken. In vergelijking met Eisenhower was hij veel onzekerder door het vooruitzicht van een snelle, mogelijk nucleaire, escalatie van een Europees conflict en, anders dan Eisenhower, dacht hij niet dat Chroesjtsjov zou veronderstellen dat hij bereid was kernwapens te gebruiken.

Hij wilde Chroesjtsjov ontdoen van de voordelen die in het verschiet lagen als zijn pogingen de Derde Wereld in te palmen, zouden slagen. De Secretaris-Generaal trachtte dit te verwezenlijken door te suggereren dat de Sovjet-Unie het machtigste land ter wereld was en alleen maar machtiger werd. Kennedy wilde de geallieerden en het Amerikaanse volk ervan overtuigen dat wanneer hij met de Sovjet-Unie onderhandelde, dat vanuit een sterke positie zou zijn. Hij wilde zeker stellen dat Chroesjtsjov niet zou worden aangemoedigd de strijdbijl omtrent Berlijn of andere zaken op te graven door de misvatting dat Kennedy nog steeds door de Sovjets werd wijsgemaakt dat zij ten opzichte van de Verenigde Staten een *missile gap*-voordeel genoten.

Dit waren goede redenen voor Kennedy om Gilpatric toestemming te geven de meest gedetailleerde en uitdagende onthulling van de Amerikaanse strategische macht te presenteren die ooit door een Amerikaanse functionaris was gedaan. Maar zoals latere gebeurtenissen zouden aantonen, waren ze niet goed genoeg. De toespraak was een overtreding van Kennedy's eigen regel dat je een vijand nooit in een gevaarlijke hoek moet drijven.[1] Kennedy dacht nooit diep genoeg na over hoe Chroesjtsjov de toespraak zou kunnen opvatten. Chroesjtsjov vroeg zich vast en zeker af waarom de president had besloten om hem publiekelijk te vernederen door hem met de neus op de Russische inferioriteit te drukken. En dat bovendien tijdens een belangrijk Partijcongres. Was de toespraak de voorbode van een Amerikaanse verrassingsaanval op de Sovjet-Unie?

Chroesjtsjov wist dat de criticasters binnen het Kremlin en het leger nu zouden eisen dat hij zijn weerstand tegen een gigantische militaire uitbreiding moest opgeven. De krachten die in beweging werden gezet door de toespraak van Gilpatric en andere pogingen van Kennedy om superioriteit te demonstreren, dwongen Chroesjtsjov op zoek te gaan naar een snelle, goedkope manier om het nucleaire machtsevenwicht te herstellen, zodat hij echt aanspraak kon maken op de titel van machtigste natie ter wereld. Zoals Chroesjtsjov het zou hebben verwoord, speelde de president van de Verenigde Staten met vuur door Gilpatric toestemming te geven voor diens toespraak.

Chroesjtsjovs Berlijnse crisis bracht hem weinig van de doelstellingen die hij zich begin 1961 had gesteld. Zijn dreigementen en eisen leidden niet tot een westerse onderwerping aan de Russische opstelling inzake Berlijn. Ook voorzagen ze de wereld niet van een melodrama van westerse ontzag voor de Sovjetmacht. In plaats daarvan veroorzaakten ze wat de Secretaris-Generaal nu juist niet wil-

1. In een recensie van Liddell Harts *Deterrent or Defense* uit 1960 prees Kennedy het credo van de auteur: 'Drijf een tegenstander nooit in het nauw, en help hem altijd zijn gezicht te redden. Verplaats jezelf in zijn schoenen – zodat je de dingen vanuit zijn ogen bekijkt.'

de: een hechtere westerse eenheid en grotere vastbeslotenheid; de uitbreiding van de Amerikaanse militaire inspanningen met zes miljard dollar, die zijn eigen plannen om militaire uitgaven te verlagen, uiteen deed spatten; Westduitse toezeggingen de NAVO meer divisies te leveren; Amerikaanse onthulling dat zijn aanspraken op een Russische nucleaire macht op bedrog berustten. Toen Chroesjtsjov, net als in 1959, zijn ultimatum van zes maanden voor een vredesverdrag opschortte, pochten zijn criticasters in het Westen en het Oosten dat hij weer eens loos alarm had geslagen.

Bundy stond versteld van Chroesjtsjovs starheid als onderhandelaar. Hij herinnerde zich dat er op het hoogtepunt van de Berlijnse crisis in het Witte Huis meer belangstelling voor een compromis bestond 'dan Kennedy ooit publiekelijk zou hebben toegegeven'. Eind augustus 1961 stelde Bundy onder vier ogen een verschuiving voor die in wezen neerkwam op aanvaarding van de DDR, de Oder-Neissegrens en een niet-aanvalsverdrag. Jaren later merkte hij op dat als Kennedy 'van dit soort voorstellen van Moskou op de hoogte zou zijn gebracht en een mogelijkheid van herverzekeringen inzake West-Berlijn zou hebben gezien, dan zouden we sterke redenen hebben gehad om Bonn tot concessies te dwingen. Die kans zouden we tien jaar lang niet meer krijgen.'

Geen moment riskeerde Chroesjtsjov een atoomoorlog over Berlijn door de drie Amerikaanse 'essentials' serieus te tarten. Voordat hij het groene licht gaf voor de bouw van de Muur, had hij uit voorzorg twee Sovjetdivisies naar locaties rond Berlijn gedirigeerd om er zeker van te zijn dat Ulbricht de crisis niet zou laten escaleren tot het punt waarop hij er geen controle meer over had.

Twee dagen voor de grensafsluiting uitte hij zowel zijn gebruikelijke dreigementen aan het adres van West-Europa als de herverzekering dat hij het Westen uit balans zou brengen. Tegelijkertijd verklaarde hij dat er geen oorlog zou uitbreken. In oktober trok hij zijn tanks terug van Checkpoint Charlie. Hoe het nucleaire machtsevenwicht er ook uitzag, Chroesjtsjov wist dat een kernoorlog aan beide kanten miljoenen levens zou kosten. Een Duits vredesverdrag bood daar toe onvoldoende aansporing.

Sergej Chroesjtsjov weet nog dat zijn vader gedurende de gehele crisis 'ontspannen' was: 'Alle militaire strijdkrachten waren onder controle van jullie en van ons. En aangezien hij niet van plan was militaire stappen te ondernemen die aanleiding zouden geven tot militaire stappen van jullie kant, geloofde hij dat de kans op een militair treffen minimaal was.' Boerlatski omschreef de Berlijnse crisis jaren later als 'een volgende stap in de Koude Oorlog. [...] Wij presten jullie, jullie presten ons, maar het was niet zo gevaarlijk. Het waren slechts spelletjes – politieke spelletjes. En verder niets.'

Op vrijdag 29 december stuurde Kennedy vanuit Palm Beach een telegram naar Chroesjtsjov waarin hij zei dat 1961 een 'roerig' jaar was geweest: 'Ik hoop van harte dat het komende jaar de fundering voor wereldvrede zal verstevigen en een verbetering zal brengen in de betrekkingen tussen onze landen waar zo veel van afhangt.'

De Secretaris-Generaal antwoordde: 'Tijdens onze ontmoeting in Wenen waren wij het erover eens dat de geschiedenis onze volkeren een grote verantwoordelijkheid oplegt voor de lotsbestemming van de wereld. Het Sovjetvolk bekijkt de toekomst optimistisch. Het hoopt dat onze landen het komende jaar in staat zullen zijn de koers te vinden op weg naar een hechtere samenwerking ten bate van de gehele mensheid. Zoals altijd zal de Sovjet-Unie alles doen wat in haar macht ligt om een duurzame vrede op onze planeet veilig te stellen.'

Het veiligstellen van een duurzame vrede betekende voor Chroesjtsjov dat hij iets dramatisch moest ondernemen om het vernederende beeld om te buigen van de Russische inferioriteit dat Gilpatric twee maanden eerder de wereld had voorgehouden – zeker als hij zijn baan wilde behouden en als gelijkwaardige macht met Kennedy wilde onderhandelen over Berlijn en andere terreinen waar de Koude Oorlog werd uitgevochten. Begin 1962 deed Fidel Castro een dringend verzoek bij Chroesjtsjov iets te ondernemen om hem te helpen een volgende Amerikaanse invasie van Cuba te weerstaan.

14. 'Uw president heeft een zeer ernstige fout gemaakt'

Het oudejaarsfeest in het Kremlin. Terwijl buiten de klokken het nieuwe jaar inluidden, stond Chroesjtsjov op en hief zijn glas: 'Het belangrijkste resultaat van het afgelopen jaar was dat er op bijna de hele planeet geen oorlog werd gevoerd. [...] We zullen er alles aan doen om een nieuwe oorlog in 1962 te voorkomen.' Westerse diplomaten vonden dat de Secretaris-Generaal er 'verre van gezond' uitzag en dat het leek alsof zijn gevolg 'afwezig was en onder grote spanningen verkeerde'. De tekst van zijn toespraak was ongewoon afgezaagd en ontbeerde zijn gebruikelijke improvisaties en grappen. Hij nam de eerste de beste kans waar om te vertrekken en sprak met geen enkele buitenlandse aanwezige.

Het Kremlin verklaarde dat hij last van griep had, maar in Moskou gingen geruchten de ronde dat hij zwaar ziek was of op het punt stond af te treden. Zijn eerste grote toespraak in het nieuwe jaar, op vrijdag 12 januari in Minsk, maakte aan die geruchten geen einde: 'Ik heb inmiddels de pensioengerechtigde leeftijd bereikt en het is uiterst onaangenaam om dan opeens zonder bezigheden te zitten. [...] Voor een man is dit een uitermate pijnlijke kwestie.'

Er werd gezegd dat toen de Secretaris-Generaal in Minsk aan een jachtpartij deelnam, hij door zijn chauffeur op de kaak was gestompt of in de schouder was gestoken. De Italiaanse communistische krant *L'Unità* berichtte over een gerucht dat toen Chroesjtsjov onder een triomfboog van omhooggerichte geweren liep, een van zijn bodyguards zijn geweer omlaagbracht en schoot.[1] Volgens een ander verhaal was zijn jagershut in brand gestoken. Het Russische ministerie van Buitenlandse Zaken nam de voor hem ongebruikelijke stap door deze 'leugenachtige geruchten en nonsens' van de hand te wijzen.

In het Witte Huis werd Kennedy er door Chip Bohlen op gewezen dat Chroesjtsjov zich niet in serieuze moeilijkheden bevond aangezien hij anders nooit het risico zou hebben genomen om Moskou te verlaten. John McCone, het nieuwe hoofd van de CIA, liet de president weten dat Chroesjtsjov geen 'angst voor zijn positie' hoefde te hebben. 'Hij heeft echter wel met collega's te maken die ver beneden zijn rang staan, maar tegelijkertijd meer met hem gemeen hebben dan de bange lakeien die Stalin omringden.'

Samen met zijn adviseurs was McCone van mening dat de kans nu 'ongeveer evenredig' was dat China en de Sovjet-Unie een volledige en openlijke scheiding zouden aanvragen. Vanuit Moskou waarschuwde Llewellyn Thompson dat 'elke aanwijzing dat wij de ruzie willen uitbuiten' Chroesjtsjov ertoe zal dwin-

---

1. Het verhaal in de *L'Unità* zou zijn geïnspireerd door Palmiro Togliatti, de leider van de Italiaanse communisten, van wie bekend was dat hij woedend had gereageerd op Chroesjtsjovs laatste aanvallen op Stalin, Togliatti's held.

gen de zaak weer te helen: 'Hoe minder we in officiële verklaringen naar deze situatie verwijzen, hoe beter.'

Georgi Bolsjakov erkende tegenover Ben Bradlee dat de Sovjet-Unie 'ernstige moeilijkheden' had met China, Albanië en andere radicaal communistische landen. Voor het Westen lag het probleem eenvoudig: 'Jullie weten dat jullie met Chroesjtsjov kunnen leven en dat jullie het met de Albaniërs minder goed zullen vinden.' De manier om Chroesjtsjov te helpen was door een oplossing van de kwestie-Berlijn: 'Geef ons de middelen om ons in vrede te laten voortleven en waarmee we ons kunnen beschermen tegen degenen die ons willen brandmerken met de beschuldiging dat ons beleid voor coëxistentie een trieste flop is, en dat we voor altijd in vrede kunnen voortleven.'

Chroesjtsjov had gehoopt dat het Partijcongres van oktober hem zou helpen zijn vijanden de mond te snoeren en dat hij zijn plannen om geldmiddelen over te hevelen naar de landbouw en consumptieartikelen, zou kunnen doordrukken. Hiermee zou de paradijselijke staat van het volledig gerealiseerde communisme rond 1980 kunnen worden bereikt. In plaats daarvan werd Frol Kozlov, de vicepremier die hij ooit eens zijn opvolger had genoemd, maar die hem nu vanuit de conservatieve hoek had aangevallen, op de op één na hoogste post binnen het Secretariaat benoemd.

Ondanks zijn aanvallen op de persoonlijkheidscultus rond Stalin liet Chroesjtsjov nu meer dan ooit zijn eigen cultus als invloed gelden. De Russische bioscopen vertoonden een documentaire, getiteld *Onze Nikita Sergejevitsj*. Tevens verscheen er een zeer geromantiseerd boek over Chroesjtsjovs jeugdjaren met als titel *Het verhaal van een eerbiedwaardige mijnwerker*. De *New York Times* kwam met een eigen satire op een nieuwe Russische roman die handelde over Siberische landbouwproblemen met Chroesjtsjov in de hoofdrol: 'Succes van roman verzekerd – Chroesjtsjov is de held.'

In januari 1962 werd bevestigd dat de oogst in de door Chroesjtsjovs geliefde Oekraïne de magerste in vijf jaar was. De Sovjetburgers eisten voedsel, auto's en woningen en geen vijftig-megatonbommen. Critici wezen op het contrast tussen zijn grootspraak en zijn realisme. Drie jaar lang dreigen inzake Berlijn waren niet gevolgd door acties.

Nu hij zijn ruzie met China voortzette, kon de Sovjet-Unie het Westen niet meer uitdagen met de gecombineerde macht van meer dan een miljard communisten. Het kleine Albanië had hem getrotseerd. Ondanks al zijn retoriek over de expansie van het wereldcommunisme had slechts één land zich bij het communistische kamp aangesloten in de periode dat Chroesjtsjov aan de macht was, namelijk Cuba – zonder dat de Russen hier de hand in hadden gehad.

Tijdens een kort bezoek aan Washington vertelde Thompson in vertrouwelijke kring aan Senatoren dat het beleid van de Verenigde Staten zich niet moest 'richten op de vraag of Chroesjtsjov als Secretaris-Generaal nu wel of niet gunstig is voor de Verenigde Staten'. Zelfs als ze de positie van de Secretaris-Generaal tegen zijn rivalen wilden versterken, 'weten we niet wat voor acties we kunnen ondernemen. [...] Vooral op binnenlands gebied is Chroesjtsjov de meest belovende omdat hij de meeste moeite doet om zijn land een normaler karakter te geven. [...] Als we ooit gaan proberen met ze samen te leven, moeten ze normaler worden dan dat ze geweest zijn.'

Thompson erkende dat Chroesjtsjov zich bij buitenlandse aangelegenheden voorstander had getoond van 'een aantal behoorlijk gevaarlijke beleidsvormen, vooral inzake Berlijn'. Maar een ieder die van hem de macht zou overnemen, zou jaren nodig hebben om dezelfde mate van autoriteit op te bouwen om tot overeenkomsten met de Verenigde Staten te kunnen komen. Die leider 'zou niet in staat zijn ongestraft de dingen te doen die hij doet'.

Begin 1962 had Theodore White, als onderdeel van een karakterschets van Dean Rusk die hij voor het blad *Life* maakte, een vraaggesprek met de president en diens staf. Kennedy waarschuwde zijn medewerkers dat ze zich tegenover White geenszins in 'afkeurende bewoordingen' over de minister mochten uitlaten.
Toch kon hij het tijdens een informeel gesprek met White niet laten zich te beklagen over Rusk: 'Nooit geeft hij me iets waar ik eens over kan nadenken. Hij zet nooit eens iets op het spel. Je weet nooit wat hij denkt [...]. Neem nou Acheson – een prima advocaat, sarcastisch maar te bitter. Ik zou nooit kunnen werken met een man die zo bitter is.' Rusk was 'kalm, verstandig, overdacht', een 'uitstekende minister als je geen belangstelling hebt voor buitenlandse aangelegenheden – maar die heb ik dus wel'. Het probleem bij het ministerie van Buitenlandse Zaken lag bij de uitvoering: 'Daarom zit Dick Goodwin er. Ze hebben allemaal een ongelooflijke hekel aan hem, maar hij zit ze constant achter de broek.[1]
Bang dat hij zich te kritisch over Rusk had uitgelaten, riep hij White terug voor een nieuw gesprek, maar hij kon wederom niet genoeg lof opbrengen: 'Rusk is meer dan wie ook in het Witte Huis of op het ministerie van Buitenlandse Zaken van al deze problemen op de hoogte – het verbond van vrije volkeren. Maar hij heeft het te druk om Buitenlandse Zaken te runnen. Dat is te begrijpen. McNamara is in staat dingen voor elkaar te krijgen – verplaatst divisies op de kaart – maar Rusks baan maakt het onmogelijk iets voor elkaar te krijgen. Hij heeft een hardere baan.'
Al ten tijde van de Varkensbaai had Kennedy zich in vertrouwelijke kring over Rusk beklaagd: 'Hoe ontsla je een minister van Buitenlandse Zaken die niets uitvoert – niets goeds of slecht?' Een paar maanden later zei hij tegen Oleg Cassini dat hoewel Rusk een geniaal figuur was, 'hij me altijd twintig optics geeft en bij elke afzonderlijke optie zeer overtuigend met *zowel* argumenten *als* tegenargumenten komt'. Toen hij in januari 1962 een beroep deed op Roger Hilsman om het ministerie van Buitenlandse Zaken niet te verlaten, vertelde hij Hilsman dat Rusk 'bepaald geen Dean Acheson' was en dat hij 'niet gelukkig' was met hem, maar dat er weinig aan gedaan kon worden, behalve dan om zelf als minister van Buitenlandse Zaken te blijven optreden.
Uiteindelijk kwam deze presidentiële kritiek ook Rusk zelf ter ore. Het was te voorspellen dat deze trotse en gevoelige man zich gekrenkt voelde over het feit dat zijn opzichtige trouw aan de president niet wederzijds was. Stoïcijns als altijd uitte hij bij niemand enig ongenoegen hierover, maar hij moet zich ongetwijfeld hebben gerealiseerd dat noch Truman, noch Eisenhower er ooit over dacht om

1. In november 1961 werd Goodwin door de president van het Witte Huis overgeplaatst naar het ministerie van Buitenlandse Zaken om er plaatsvervangend assistent-secretaris voor Interamerikaanse Aangelegenheden te worden.

zich tegenover een verslaggever over hun minister van Buitenlandse Zaken te beklagen, of nog erger, over een van diens ondergeschikten.

Kennedy profiteerde van Rusks discretie en bescheidenheid, zijn uitstekende relatie met het Congres en zijn bereidheid om slecht nieuws afkomstig van *Foggy Bottom* (een schertsende naam voor het ministerie van Buitenlandse Zaken en tevens het district waar dit ministerie is gevestigd), aan te kondigen.[1] Maar Rusk was het type niet dat naar de telefoon grijpt; hij bediende zich niet van de verbale telegramstijl, bezat niet de informaliteit, de originaliteit, het ongeduld, de flexibiliteit, de agressiviteit, de bijtende humor, het sociale gemak, fysieke gratie en bijna absolute loyaliteit, eigenschappen die een grote aantrekkingskracht op de president uitoefenden en die andere sleutelfiguren wel bezaten, zoals Bundy en McNamara, die hij nauwelijks kende.[2]

In 1965 klaagde Robert Kennedy tijdens zijn interview met historici dat Rusk 'nooit dingen benutte. Hij kwam nooit met ideeën [...]. Ik denk dat zestig procent van alle nieuwe concepten of plannen van de president afkomstig waren – misschien kwam tachtig procent van de president en het Witte Huis, waarvan zestig procent waarschijnlijk weer van de president zelf [...]. Als we brieven van Chroesjtsjov hadden ontvangen, moest hij ze óf zelf herschrijven, óf ze door iemand uit het Witte Huis laten herschrijven.'

In tegenstelling tot de minister van Justitie en McNamara, die bataljons *New Frontier*-medewerkers binnenhaalden om hun departementen naar de plannen van de president te plooien, vatte Rusk niet alleen zijn rol als Kennedy's uitvoerend functionaris op het ministerie van Buitenlandse Zaken serieus op, maar ook die van voorvechter binnen het permanente ministerie van Buitenlandse Zaken, met name van de Buitenlandse Dienst, waarbij hij er zorg voor droeg dat de behoeften van dit departement in het Witte Huis een onbevooroordeeld gehoor vonden.

Tijdens de eerste jaren van de regering-Eisenhower zag Rusk wat er kon gebeuren wanneer een minister weigerde de Buitenlandse Dienst tegen politieke bemoeizucht te verdedigen: in plaats van weerstand te bieden aan Joseph McCarthy had Foster Dulles de ene diplomaat na de andere voor de wolven gegooid. Als minister probeerde Rusk een van deze slachtoffers, John Paton Davies, een China-deskundige, te rehabiliteren. Robert Kennedy weigerde echter in de zaak tussenbeide te komen en was duidelijk bang dat hij hiermee de president politiek gezien in verlegenheid zou brengen.

1. Hoewel later door bijna iedereen werd aangenomen dat Rusk het enige kabinetslid was dat door Kennedy niet bij zijn voornaam werd aangesproken, gold dit slechts voor de eerste acht maanden van zijn presidentschap. Een transcriptie van een telefoongesprek tussen Kennedy en Rusk uit 1963 bevestigt dat hij door de president 'Dean' werd genoemd. Jaren later merkte Rusk in een brief aan Bohlen op dat mevrouw Kennedy hem tijdens een diner aan het begin van Kennedy's regeerperiode had verteld: 'Weet u, het is zeer opvallend dat u het enige kabinetslid bent dat door mijn man met: "Geachte minister" wordt aangesproken.' Hij schreef dat 'duidelijk uit de context kon worden afgeleid dat ze dit als een compliment beschouwde. [...] Het laatste dat ik me kan voorstellen is dat ik aan hem zou hebben gevraagd: "Zeg Jack, waarom noem je me geen Dean?"'
2. Toen Rusk op latere leeftijd met historici en journalisten over zijn carrière sprak, week zijn taalgebruik bij de diverse interviews nauwelijks af. Een voorbeeld: 'Mijn band met de president was behoorlijk nauw [...]. Maar ik speelde geen Amerikaans voetbal in Hyannis Port en ondernam geen zeiltochtjes op Palm Beach.'

Door dit gedrag lokte Rusk vooral van de kant van de minister van Justitie aanklachten van ontrouw en tegenwerking uit. Jaren later zei hij: 'Voor Robert Kennedy moesten alle regeringsfunctionarissen Kennedy-aanhangers zijn [...]. Soms moest ik met Bobby Kennedy een beetje bakkeleien om toch bepaalde mensen benoemd te krijgen. En dan ging hij soms tot het alleruiterste. McNamara en Bobby werden goeie vrienden. Tussen Bobby en mij is nooit een goede vriendschap ontstaan.'

Rusk klaagde eens tegen de president over de eis van de minister van Justitie dat het ministerie van Buitenlandse Zaken Amerikaanse bedrijven in het buitenland moest verzoeken om demonstraties op te zetten waarin steun werd betuigd aan het buitenlands beleid van de Verenigde Staten. Kennedy liet hem weten: 'Gun Bobby een aandeel in een paar van zulke zaken, want hij interesseert zich hier heel erg voor. Maar als hij je dwarszit, wil ik het meteen van je weten.'

Voor Robert Kennedy, en in stilzwijgender mate zijn broer, werd Rusk een opvallend symbool van de weerstand binnen het ministerie van Buitenlandse Zaken tegen presidentiële doelstellingen. De door Arthur Schlesinger gemaakte aantekeningen voor zijn memoires, getiteld *A Thousand Days*, toonden de wezenlijke manier waarop de minister van Justitie en zijn medestanders Rusk beken:

Hij leefde onder een aanhoudende vrees te kort te schieten en vernederd te worden. [...] Zijn kleurloze geest leek bijna verkrampt en zijn eenzelvige toon en humeur leken ten koste te gaan van zijn innerlijk. [...] Je vroeg je af of de realiteit van wat er zich in de wereld afspeelde, de harde revolutionaire aspiraties, ontwikkelingslanden, ooit het scherm van clichés kon penetreren dat door alle buitenlandse aangelegenheden voor hem in de juiste vorm werd gemodelleerd.

Als hij in zijn monotone *Georgia/Rockefeller Foundation*-stem doorpraatte, leek het alsof de wereld haar realiteit verloor. Alles leek een soort bureaucratische fantasie te worden, een film uit de jaren dertig die 's avonds laat op de televisie wordt vertoond. [...] Zijn publieke houding overschreed het punt van eigendunk nog net niet. Hij wist dat hij de woordvoerder van het establishment was, maar in tegenstelling tot John Foster Dulles wist hij niet zeker of hij ook namens God sprak. Hij hield er een *Foundation*-visie op na: zijn ogen begonnen al te glimmen als hij dacht aan ziekenhuizen, universiteiten en laboratoria die zich welwillend over de wereld verspreiden.

De Sovjet-Unie bekeek hij eerder met een zakelijk vorm van professionele onbuigzaamheid dan een missionaire overtuiging van het kwaad. HET GEDULD – opgebracht met de standvastigheid van iemand in het Witte Huis – wist dat hij geen type was voor losbandige, oneerbiedige en luchtige buien; voor hem was dit allemaal te frivool en te oneerbiedig. Echter, het buitenlands beleid was niet exclusief een zaak voor het ministerie van Buitenlandse Zaken.[1]

1. Toen Arthur Schlesinger senior de aantekeningen van zijn zoon over de visie op Rusk las, was zijn reactie: 'Behoorlijk hard voor zo'n aardige vent!' De vijandigheid van Schlesinger junior jegens Rusk was wederzijds. De laatste klaagde in vertrouwelijke kring dat Schlesinger te academisch en te onervaren was. Hij was ook een beetje 'praatziek': wilde zich te graag bezighouden met de Chinezen en de Russen 'in de oostelijke vleugel met die gezellige minister'. Verder was hij zo onsportief om een medewerker te vertellen dat hij had geweigerd de kwestie-Berlijn in aanwezigheid van Schlesinger met de president te bespreken omdat 'Schlesinger de grootste roddelaar van de stad is'.

Rusks critici werden door Kennedy in bedekte termen aangemoedigd, maar de president liet het niet op een ontslag aankomen. Toen hij aan O'Donnell vroeg of ze niet eens naar iemand 'met wat meer pit' moesten zoeken, antwoordde de medewerker: 'Wilt u iemand als Dean Acheson? Iemand die tegen alles wat u onderneemt in opstand komt en alle Congresleden tegen zich in het harnas jaagt [...] en met de kranten praat?' Kennedy zei: 'Bedankt dat je me hier weer even op gewezen hebt.'

Tegen een vriend liet de president weten dat Rusk 'een geweldige bestuurder is. Hij zit precies op de plek waar ik hem wil hebben.' Tegen rechter Douglas beschreef hij Rusk botweg als 'een goeie boodschappenjongen'. Hij zette het ministerie van Buitenlandse Zaken onder druk door er speurders als Goodwin te posten, Kennedy-aanhangers aan te moedigen om verbonden met gelijkgezinde diplomaten in het hele ministerie te sluiten en zich meer en meer op zijn broer, McNamara, de *special task forces* (de eenheden met speciale opdrachten), Bundy en zijn staf te verlaten inzake buitenland-adviezen.

Rusk maakte zich zorgen over wat hij beschouwde als de gemakkelijke houding van de westelijke vleugel jegens het notuleren en de neiging van de president, zonder dat er iemand van het ministerie van Buitenlandse Zaken bij was, buitenlandse leiders te ontmoeten.[1] Hij kon het niet verdragen als de president naar een functionaris uit het middenkader van zijn departement belde, 'de bureau-ambtenaar de stuipen op het lijf joeg en mijn organisatie in de war bracht'.

Aan boord van een vliegtuig voer hij onder het genot van een whisky-soda uit tegen de niet te tolereren 'bemoeizucht' van 'mensen zonder verantwoordelijkheidsgevoel' die zich onder de stafleden van het Witte Huis bevonden. Zijn omgang met Bundy was beschaafd en hoffelijk maar niet alle stafleden van de Nationale Veiligheidsraad waren zo indirect en gepolijst als hun baas. Rusk zei eens: 'Het is het niet waard minister van Buitenlandse Zaken te zijn als je te maken hebt met een Carl Kaysen op het Witte Huis.'[2] Tegen een assistent zei hij: 'Probeer in godsnaam het Witte Huis onder de duim te houden. Ze zitten hier overal, op elk niveau.'

Chroesjtsjov wist dat Thompson van plan was om halverwege 1962 de ambassade in Moskou te verlaten. In januari lieten Bolsjakov en Smirnovski aan Ben Bradlee en zijn collega Edward Weintal van *Newsweek* tijdens een besloten diner op de Sovjetambassade weten dat ze ervoor zouden zorgen dat Thompson werd vervangen door een 'prominent politicus van het *New Frontier*-type, iemand die bekendstaat als een vriend van JFK, en niet een carrièrediplomaat'. Bolsjakov liet er geen twijfel over bestaan wie hij bedoelde en uitte herhaaldelijk zijn 'bewondering en respect' voor de minister van Justitie.

Deze kreeg later van Bradlee te horen dat er tijdens hun verblijf op de ambassa-

---

1. Dit probleem werd ontdekt door James Reston die in 1962 in de *New York Times* klaagde dat rapporten 'slecht bijgehouden' werden: 'De grote beslissingen van deze regering worden vaak tijdens kleine vertrouwelijke bijeenkomsten genomen, meestal zonder een chronologisch verslag over hoe de bijeenkomst verliep.
2. In november 1961 was Kaysen inmiddels de plaatsvervanger van Bundy geworden. Hij volgde Walt Rostow op die als directeur Beleidsplanning naar het ministerie van Buitenlandse Zaken vertrok.

de 'tegen de saaie achtergrond van de privé-eetkamer van de ambassadeur door mooie serveersters slecht voedsel en goede vodka' werd geserveerd. 'De bijeenkomst werd gekarakteriseerd door gekscherende grappenmakerijen waarbij zowel de gastheer als de gasten in een uitstekend humeur verkeerden.' Er werd 'eindeloos met vodka getoost op *mir i droezjba* [vrede en vriendschap], de *New Frontier*, Caroline enzovoort.'

Bradlee berichtte verder dat de Russen 'groot belang' hechtten aan de benoeming van Thompsons opvolger: 'Ze lijken dit op te willen vatten als aanwijzing omtrent de Amerikaanse bedoelingen jegens Sovjetleider Chroesjtsjov persoonlijk en niet zozeer jegens de Sovjet-Unie. Het was duidelijk dat onze gastheren dachten dat een prominente Amerikaanse ambassadeur het prestige van de heer Chroesjtsjov een duw in de goede richting zou geven.'

Dezelfde maand vertelde Bolsjakov in de bar van het Hay-Adams hotel tegen Salinger dat de Secretaris-Generaal akkoord was gegaan met Salingers voorstel voor een serie Amerikaans-Russische televisiedebatten met president Kennedy. De Russen zouden 'zeer ontvankelijk' zijn als Robert Kennedy als onderdeel van zijn rondreis door de wereld een bezoek aan Moskou zou brengen. De Adzjoebei's bevonden zich in Havana en zouden binnenkort 'Washington aandoen'.

Na een diner ter ere van Igor Strawinski had Salinger rond middernacht een ontmoeting met de president in het Oval Office. Kennedy besloot de Adzjoebei's voor een lunch uit te nodigen, maar sprak zijn veto uit over een reis naar Moskou van zijn broer: 'De pers zou zoiets buitenproportioneel opblazen en het zou bij Buitenlandse Zaken zeker voor een hoop opschudding zorgen.'

Iemand liet de uitnodiging naar de *New York Times* uitlekken. Salinger dacht dat Bolsjakov hier zelf verantwoordelijk voor was om zo Robert te dwingen de uitnodiging te aanvaarden. Toen Salinger Bolsjakov liet weten dat de 'volle agenda' van de minister van Justitie een bezoek uitsloot, vertelde de Rus op zijn beurt tegen verslaggevers dat dit een 'directe belediging aan het adres van de Sovjet-Unie' was. De Kennedy's vatten deze harde reactie op als een teken dat Chroesjtsjov groot belang hechtte aan een bezoek door de broer van de president. Robert schreef de Sovjetleider een sussende brief en ontving daarop een twaalf bladzijden tellend antwoord.

Op dinsdag 30 januari arriveerde Bolsjakov op het Witte Huis samen met Adzjoebei en diens blonde vrouw Rada die een jas van sabelbont droeg. Tijdens de lunch liep de redacteur van de *Izvestija* vooruit op de geruchten over de politieke problemen van zijn schoonvader: Chroesjtsjov had hem laten weten dat als er in 1957 een volksreferendum was gehouden, Molotov vijfennegentig procent van de stemmen zou hebben gekregen en hijzelf maar vijf. Nu zou dat precies andersom zijn geweest. Jacqueline haalde Poesjinka erbij, de hond die Chroesjtsjov haar in Wenen cadeau had gedaan, en er werd koffie geserveerd in de kopjes die Chroesjtsjov haar in Wenen had geschonken.

Kennedy nam Bolsjakov en Adzjoebei mee naar de *Oval Room* en waarschuwde beiden nogmaals tegen een verkeerde inschatting van de Amerikaanse beslissing inzake Berlijn. Tijdens een gedachtenwisseling over Cuba vroeg Adzjoebei of de Verenigde Staten van plan waren het eiland binnen te vallen. De president antwoordde: 'Nee.' Tijdens een persconferentie werd Adzjoebei door Kennedy aan verslaggevers voorgesteld als de man die de 'twee gevaarlijke beroepen van de politiek en journalistiek in zich heeft verenigd'.

Jaren later herinnerde Adzjoebei zich dat tijdens zijn bezoek aan het Witte Huis 'de kleine Caroline naar ons toe kwam gerend. Ze was wakker geworden [...] en ze huilde. Jacqueline nam haar in haar armen, bracht haar naar haar slaapkamer en stopte haar weer onder de wol.' In de kinderkamer hing een Russische pop en een kruisbeeld. Volgens Adzjoebei zei de president: 'Uw schoonvader vertelde dat onze kinderen onder het communisme zouden moeten leven, maar ik geef er de voorkeur aan deze twee voorwerpen boven haar bed te hangen zodat ze zelf kan kiezen – een cadeautje van Chroesjtsjov en een cadeautje van de paus. Laat haar maar beslissen.'

Fidel Castro herinnerde zich later dat de Sovjets hem een kopie van het verslag van Adzjoebei's gesprek met Kennedy overhandigden. In Castro's herinnering had de Amerikaanse president volgehouden dat de toegenomen Sovjetinvloed op Cuba 'niet kon worden getolereerd' en dat Adzjoebei niet moest vergeten dat toen de Russen Hongarije binnenvielen, de Verenigde Staten niet tussenbeide waren gekomen.

Castro nam aan dat Kennedy de Russen verzocht niet tussenbeide te komen wanneer er sprake zou zijn van een grootschalige actie tegen Cuba. Naar eigen zeggen gebruikte hij Adzjoebei's verslag om de Sovjetleiders ervan te overtuigen dat, in tegenstelling tot wat Kennedy beweerde, de Verenigde Staten bezig waren met de voorbereidingen van een nieuwe invasie en dat het afslaan van een dergelijke aanval veel Russische hulp vereiste. Vele jaren later, toen hij terugblikte op de oorsprong van de rakettencrisis, zei Castro: 'Met de kopie van dat verslag begon alles.'[1]

In december had Macmillan op Bermuda aan Kennedy gevraagd of zij samen met Chroesjtsjov niet bij elkaar konden komen en een 'grote, nieuwe poging' moesten ondernemen om de spiraal van de nucleaire-wapenwedloop te doorbreken. De president antwoordde dat het gedrag van de Sovjets erop duidde dat men geen verbod op kernproeven wilde. Hadden de voorbereidingen voor de

1. Misschien al toentertijd, maar in ieder geval later, verwarde Castro het gesprek tussen Kennedy en Adzjoebei met dat van de president en Chroesjtsjov over Cuba tijdens hun topontmoeting in Wenen. Aan het begin van de jaren tachtig zei hij tegen de journalist Tad Szulc, die aan een biografie over Castro werkte, dat 'uit de manier waarop Kennedy zich [in Wenen] uitdrukte, kon worden afgeleid dat hij vond dat hij het recht had de Cubaanse revolutie met behulp van Amerikaanse troepen de kop in te drukken. Hij verwees naar verschillende historische gebeurtenissen [...] en verwees bij die gelegenheid naar Hongarije. Nadat ik informatie over dat gesprek had ontvangen, kwamen we, net als de Sovjets, tot de conclusie dat de Verenigde Staten hun ideeën voor een invasie niet opgaven.'

Volgens Bundy's gelijktijdige herinneringen aan het gesprek met Adzjoebei zei de president niet dat de Cubaanse situatie 'onacceptabel' was, maar slechts dat het voor de Verenigde Staten een zeer moeilijk probleem was. Kennedy zou daarna gezegd hebben dat als Adzjoebei wilde weten hoe belangrijk Cuba voor de Verenigde Staten was, hij Hongarije niet moest vergeten. Bundy zei dat deze opmerking alleen was bedoeld om te laten zien hoe belangrijk Cuba voor de Verenigde Staten was.

laatste serie Russische kernproeven niet vanaf februari 1961 plaatsgevonden? Het probleem was, zo zei hij verder, hoe de zaken er in 1964 voor zouden staan als de Russen kernproeven zouden blijven uitvoeren en het Westen niet. Hij kon zich 'niet veroorloven twee keer beetgenomen te worden'. Hij was 'fanatiek tegenstander van kernproeven', maar vond toch dat Amerika zich op een serie kernproeven moest voorbereiden, tenzij er over Berlijn of de ontwapening sprake was van een serieuze doorbraak.

Hij was ook bezorgd over westerse inlichtingen die meldden dat de Russen vorderingen hadden gemaakt met de ontwikkeling van hun antiraket-raket. In navolging van proeven uit 1958 moesten nieuwe Amerikaanse plannen onder meer uitwijzen of nucleaire drukgolven, hitte en radioactiviteit op grote hoogte in staat waren binnenkomende Sovjetraketten te vernietigen, hun springladingen te neutraliseren of hun geleidingssystemen in de war te brengen.

Kennedy stemde toe in nog een laatste ontwapeningspoging. Als de onderhandelingspoging zou mislukken, ging de Britse premier met Kennedy's verzoek akkoord om op het eiland Christmas, dat de Engelsen op 1600 kilometer ten zuiden van Hawaii bezaten, nucleaire proeven in de atmosfeer uit te voeren.[1]

Begin januari schreef Macmillan naar Kennedy dat als deze vernietigingskracht in handen van 'dictators, reactionairen, revolutionairen en gekken' zou komen, 'dan weet ik zeker dat aan het eind van deze eeuw de grote misdaad zich zal voltrekken, hetzij door vergissing, hetzij door waanzin of dwaasheid. [...] Over het algemeen kan gesteld worden dat mensen geen spijt hebben van de dingen die ze tijdens hun leven hebben gedaan, maar eerder de gemiste kansen betreuren.'

Terwijl Bundy aan een presidentieel antwoord werkte, vroeg Foy Kohler: 'Waarom getroosten we ons al die moeite voor zo'n hysterisch document? [...] We hoeven Macmillans emotionele afperserij toch niet te tolereren?'

Kennedy en Macmillan schreven samen een brief naar Chroesjtsjov: 'Wij drieën moeten ons samen persoonlijk verplichten om ervoor te zorgen dat elke manier wordt aangegrepen om de wapenwedloop te beperken en te doen afnemen.' Voor de Geneefse ontwapeningsconferentie die voor maart stond gepland en waaraan achttien landen zouden deelnemen, zouden de desbetreffende ministers van Buitenlandse Zaken 'er zorg voor moeten dragen dat de ontwapening op een zo breed mogelijk vlak plaatsvindt' en wel 'zo vroeg mogelijk.'

De Russische Secretaris-Generaal antwoordde met de vraag waarom ze zich moesten beperken tot ministers van Buitenlandse Zaken. Regeringsleiders voerden het hoogste gezag. Alle leiders van de achttien landen zouden naar Genève moeten komen: 'Misschien lijkt dit een wat ongebruikelijk idee, maar u zult het ermee eens zijn dat dit gezien de belangrijkheid van dit doel geheel gerechtvaardigd is.' Kennedy liet op zijn beurt weten dat het effectiever was om eerst met de ministers van Buitenlandse Zaken te beginnen. Als er vooruitgang werd geboekt, zou hij 'meer dan bereid zijn' de Sovjetleider in Genève te ontmoeten.

In een twintig bladzijden tellend antwoord schreef Chroesjtsjov dat de houding van de president hem had 'geïrriteerd': 'De richtlijn in mijn leven is om deel te

1. Kennedy wilde geen gebruik maken van het proefgebied in de Nevadawoestijn. Hij was ervan overtuigd dat 'de politieke prijs van een nieuwe, zichtbare paddestoel in de Verenigde Staten' te hoog zou zijn.

kunnen nemen aan het belangrijke werk. [...] Hoe lang kan iemand doorgaan met het uitlokken, bestuderen en verduidelijken van wederzijdse standpunten omtrent onderhandelingen, bijeenkomsten, contacten op verschillende niveaus en eindeloze discussies en disputen?'

Hij beschuldigde Amerika en Engeland ervan 'de bittere smaak' van de hervatting van hun kernproeven alleen maar door middel van een 'gebaar' in de richting van ontwapening te willen verzachten: 'Het leven van de grote Amerikaanse schrijver Hemingway eindigde toen een geweer dat werd schoongemaakt per ongeluk afging. [...] Een dergelijk ongeluk met raketten en kernwapens zou de dood van miljoenen en nog eens miljoenen mensen tot gevolg hebben en er zouden nog veel meer mensen het slachtoffer worden van een langzame dood door radioactieve besmetting.'

Kennedy schreef Chroesjtsjov dat Rusk zijn opvattingen uiterst geloofwaardig kon presenteren. Hij hoopte dat de resultaten in Genève nog vóór juni een topconferentie konden opleveren. Hij vroeg de minister van Justitie aan Bolsjakov door te geven dat aangezien ze voor wat Berlijn betrof in een impasse zaten, hij het noodzakelijk achtte zich te richten op terreinen waarbij een Amerikaans-Russische overeenkomst het snelst mogelijk was – ontwapening en een kernstopverdrag.

In een televisietoespraak op vrijdag 2 maart kondigde de president aan dat tenzij de Sovjets instemden met een kernstopverdrag, de Verenigde Staten in april hun kernproeven zouden hervatten. Tegen Bradlee zei hij: 'Er bestond altijd de mogelijkheid om de hervatting af te breken als we het over Berlijn eens konden worden of als de Russische kernproeven niet veel voorstelden. Terwijl hij informeerde of er binnen de regering nog bezwaren bestonden tegen het besluit, zei hij: 'Ik denk dat als je Adlai bij zijn ballen zou grijpen, hij wel eens zou kunnen protesteren.'

Drie dagen later werd Salinger door een nerveuze Bolsjakov naar de bar van het Hay-Adams hotel geroepen. De Rus liet hem weten dat Moskou het televisiedebat tussen Kennedy en Chroesjtsjov had afgelast. Salinger was woedend. Hij wist dat de president al hard aan zijn eerste script werkte.[1] Bolsjakov zei: 'De fout ligt bij uw president vanwege zijn besluit tot hervatting van de Amerikaanse kernproeven. De Russische bevolking zal het niet begrijpen als haar Secretaris-Generaal zich in deze periode bereid zou verklaren om samen met de Amerikaanse president op de televisie te verschijnen.

Salinger was van plan geweest om Adzjoebei aan het eind van de lente in Moskou op te zoeken. Bolsjakov liet hem weten: 'Dit alles zal niet van invloed zijn op uw bezoek aan Moskou.' Salinger beukte met zijn vuist op tafel: 'Nou en óf dit mijn bezoek zal beïnvloeden. Wat heb je eraan om communicatielijnen te openen als uw mensen zich zo stom gaan gedragen?'

Kennedy droeg Salinger eerst op om Bolsjakov te bellen en zijn reis af te zeggen: 'Je zou eraan kunnen toevoegen dat dit weer een typisch voorbeeld is van hoe moeilijk het voor ons is om überhaupt tot een overeenkomst met de Russen te

1. De president had Sorensen opgedragen een paar Russische woorden te gebruiken, de magische naam van Franklin Roosevelt een paar keer te laten vallen en de Sovjets te vragen zich van Stalins koers af te keren.

komen.' Hierna adviseerde Bohlen een meer gematigde reactie: geef Bolsjakov het advies dat ze de opschorting van het televisiedebat als een gezamenlijke beslissing aankondigen.

De president gaf hiervoor zijn toestemming: 'Maar vertel hem ook dat we zeer geïrriteerd zijn. Wijs hem op de kritiek die we van onze eigen pers te horen hebben gekregen en de grote moeite die we ons hebben getroost om deze overeenkomst in goed vertrouwen te laten slagen. En u zou de nadruk op *in goed vertrouwen* kunnen leggen.'

Kennedy's aankondiging dat hij de Amerikaanse kernproeven zou laten hervatten bereikte Chroesjtsjov aan de vooravond van een belangrijke zitting van het Centraal Comité. De Secretaris-Generaal schreef naar Kennedy: 'Uw militaire medewerkers scheppen openlijk op dat Amerika naar verluidt in staat is de Sovjet-Unie en alle socialistische landen van de aardbol weg te vagen. Aan de andere kant beweert u nu dat de Verenigde Staten kernproeven moeten ondernemen om voor wat betreft de bewapening zogenaamd niet op de Sovjet-Unie achter te raken.'

Een paar dagen later vertelde Bolsjakov tegen Sorensen dat zijn regering zich verplicht voelde enkele harde woorden te laten vallen over de Amerikaanse hervatting, maar dat hun reactie tamelijk bedeesd was geweest: Secretaris-Generaal Chroesjtsjov stond nog steeds op goede voet met de president. Het televisiedebat zou later worden gehouden.[1]

Van het Centraal Comité kreeg Chroesjtsjov nu de zwaarste tegenwerking te verduren sinds hij aan de macht was gekomen. Men belette hem gelden die bestemd waren voor defensie, over te hevelen naar de landbouw. Hierdoor was hij gedwongen de prijs van boter en vlees met respectievelijk vijfentwintig en dertig procent te verhogen. De Sovjetburgers dachten nostalgisch terug aan de laatste jaren onder Stalin toen veel detailhandelsprijzen jaarlijks werden verlaagd. Westerse inlichtingendiensten hoorden dat Chroesjtsjov door de gehele Sovjet-Unie in demonstraties en rellen werd beschimpt.

Gromyko had sinds januari tijdens herhaalde bijeenkomsten op de zevende verdieping van het ministerie van Buitenlandse Zaken aan Thompson laten weten dat de Sovjet-Unie inzake Berlijn geen centimeter zou toegeven. Opnieuw sprak hij zijn veto uit over een internationale *Autobahn* en eiste de plaatsing van Russische troepen in de westelijke sector.

Rusk hoopte persoonlijk dat beide kanten zouden blijven doorpraten en stilzwijgend overeen zouden komen om de stad te laten zoals ze was. Met uitzondering van pesterijen van vliegtuigen die van en naar Berlijn vlogen, was het in de stad zelf vrij rustig. De Sovjets stoorden het westerse handelsverkeer en strooiden grote massa's metaalfolie om de westerse radar in de war te sturen, maar nadat de Verenigde Staten informeel hierover hadden geklaagd, hielden deze verstoringen op. De president was gefrustreerd door de mislukte pogingen van Thompson en Gromyko om vooruitgang te boeken omtrent Berlijn en sneed de zaak aan in een brief aan Chroesjtsjov begin maart. Hierin klaagde hij over de pesterijen aan het adres van het westerse luchtverkeer en herinnerde de Sovjetleider eraan dat Berlijn geen obstakel voor hun 'wezenlijke belangen' vormde.

1. Het debat zou nooit plaatsvinden.

De Russische Secretaris-Generaal antwoordde: 'U, meneer de president, weet net zo min als ik hoe lang de twee Duitse staten die uit de ruïnes van het Derde Rijk zijn voortgekomen, zullen blijven bestaan, als het ooit tot een hereniging komt. [...] Er waren eens twee geiten die op een smalle brug over een ravijn oog in oog met elkaar kwamen te staan. Ze wilden niet voor elkaar opzij gaan en vielen allebei naar beneden. Het waren domme en koppige dieren.'

Chroesjtsjov was bereid Kennedy's voorstel voor een internationale commissie met betrekking tot de toegang tot Berlijn te bespreken, maar alleen 'onder voorwaarde dat de troepen die er nu krachtens de bezetting zijn gelegerd, uit West-Berlijn worden teruggetrokken. [...] Dit alles heeft natuurlijk te maken met de transformatie van West-Berlijn tot een vrije, gedemilitariseerde stad, met het gelijktijdig bereiken van een overeenkomst over een uiteindelijke erkenning en consolidatie van de huidige Duitse grenzen en tevens van andere zaken die u wel bekend zijn.' De president was echter niet bereid om, in ruil voor Chroesjtsjovs vage belofte voor een internationale commissie die zich bezig moest houden met de toegang tot West-Berlijn, de positie van het Westen in Berlijn op te geven en de heerschappij van de Russen in Oost-Europa te erkennen. De marathondiscussies in Moskou en Genève sleepten zich voort. Thompson vertelde tegen Senatoren dat de Russisch-Amerikaanse betrekkingen 'niet meer zo gespannen zijn als een jaar of twee geleden', maar waarschuwde dat Chroesjtsjov en de Sovjets 'de neiging hebben met verrassingen te komen en ze kunnen elk moment een plotselinge koerswijziging inzetten'.

Twee weken nadat in februari astronaut kolonel John Glenn als eerste Amerikaan een ruimtevlucht in een baan om de aarde had gemaakt, schreef Kennedy een brief naar Chroesjtsjov met de suggestie om op ieders grondgebied volgstations voor radiogolven, gezamenlijke communicatieposten, weer- en kaartsatellieten te vestigen: de Amerikanen en de Russen konden misschien gezamenlijk verder gaan met het verkennen van de maan, Mars, Jupiter en Venus. De kosten en risico's waren 'zo groot dat we in goed geweten alle mogelijkheden moeten onderzoeken hoe we deze taken kunnen delen en hoe we de kosten en risico's zo klein mogelijk kunnen houden'.

De Sovjetleider verklaarde zich bereid voor middelzware gesprekken over dit onderwerp, maar dit leidde slechts tot een uitwisseling van meteorologische gegevens en een communicatietest waarbij gebruik werd gemaakt van Amerika's Echo 2-satelliet. Russische medewerking zou gemakkelijker verlopen, zo zei hij, als er overeenstemming kon worden bereikt over ontwapening.

Tijdens deze weken ging de president zoals gebruikelijk weer verder met het opdelen van zijn verschillende levens. Tijdens haar rondreis door Pakistan en India maakte Jacqueline zich zorgen over het welzijn van Sardar, het paard dat haar cadeau was gedaan door Ayub Khan, de president van Pakistan, nadat deze in 1961 een bezoek aan Washington had gebracht. Haar echtgenoot telegrafeerde: DAVE, KENNY, TED, TAZ, McHUGH, EVELYN, BOB, DEAN EN MAC DOEN NIETS ANDERS DAN VOOR SARDAR ZORGEN – MAAK JE GEEN ZORGEN. VEEL LIEFS, JACK.[1]

1. Dit telegram verwees naar Powers, O'Donnell, Sorensen, de medewerker van de presi-

Op donderdag 22 maart vertelde J. Edgar Hoover de president tijdens de lunch dat de FBI op de hoogte was van zijn relatie met Judith Campbell en haar relatie met Sam Giancana. Een paar maanden later kwam Hoover tot de ontdekking dat de relatie was beëindigd.

De dag na zijn lunch met Hoover vloog Kennedy naar Californië, waar hij samen met McNamara een rondleiding kreeg op het *Lawrence Radiation Laboratory* voor kernonderzoek. Hierna vloog hij naar de luchtmachtbasis *Vandenberg* om de lancering van een kruisraket bij te wonen. Ze werden er begroet door de opperbevelhebber van het *Strategic Air Command*, generaal Thomas Power, die zich op de achterbank van de open wagen tussen de president en de minister liet zakken. Terwijl ze onderweg wat kletsten, maakte Powers een verwijzing naar de aanwas van intercontinentale Minuteman-raketten: 'Meneer de president, als we tienduizend van deze raketten hebben –' Kennedy onderbrak hem: 'Bob, we krijgen toch geen *tienduizend* Minutemen, hè?'

Tijdens zijn verblijf in het strandhuis van de Lawfords in Santa Monica reed de president met een speelgoedwagentje rond het zwembad, ondanks het feit dat zijn zus klaagde dat hij het ding 'zou mollen': 'Pat, je gunt de president toch wel een beetje ontspanning?' Boven de schoorsteenmantel hing een poster van de Senaatscampagne voor Edward Kennedy, met daarop de oude slogan van de president: 'Hij kan meer bereiken voor Massachusetts.' Kennedy schrapte de woorden door en schreef er joviaal voor in de plaats: BULLSHIT. De president vertrok datzelfde weekeind naar Palm Springs waar hij Eisenhower en, volgens verscheidene getuigen, ook Marylin Monroe bezocht.

Weer terug in Washington accepteerde hij de geloofsbrieven van Anatoli Dobrynin, de tweeënveertigjarige nieuwe Sovjetambassadeur in de Verenigde Staten. Chroesjtsjov schreef aan de president: 'Ik beveel hem aan en heb er vertrouwen in dat hij de Sovjet-Unie in uw land goed zal vertegenwoordigen.'

De Sovjetleider had in januari Mensjikov eindelijk teruggeroepen en degradeerde hem tot de inhoudloze functie van minister van Buitenlandse Zaken voor de Russische Federatie.[1] Thompson verklaarde dat dit een manier was om 'hem toch een redelijk salaris te kunnen geven zonder dat hij te veel moet doen'. De rest van zijn leven hield Mensjikov zich bezig met uitgebreide verslagen over hoe de Verenigde Staten werden gerund door samenzweringen op Wall Street.

---

dent inzake marinezaken, Tazewell Shepard, zijn medewerker voor de luchtmacht, Godfrey McHugh, Evelyn Lincoln, McNamara, Rusk en Bundy. Tijdens de reis van mevrouw Kennedy stond Nehroe erop de First Lady en haar zus in het vroegere appartement van lady Mountbatten, vrouw van de laatste onderkoning van Brits-Indië en klaarblijkelijk tevens Nehroe's minnares, onder te brengen.

1. Voor zijn vertrek schreef Mensjikov een aantal voor hem karakteristieke, loodzware afscheidsbrieven. Aan Adlai Stevenson: 'Ik neem met me mee mijn zeer oprechte gevoel van hoge achting voor uw indrukwekkende persoonlijkheid en ik zal met plezier aan onze bijeenkomsten en gesprekken terugdenken. Ik vond ze altijd zeer boeiend.' Misschien had hij het idee dat Chroesjtsjov hem zijn post had laten behouden als hij zich in Washington niet zo controversieel had opgesteld: toen Mensjikov aan boord van de *Queen Elizabeth* stapte, zei hij dat Kennedy 'een zeer goede president [was]. Voor wat betreft nationale aangelegenheden laat ik het oordeel aan u over. Hij denkt diep na over de dingen en onderneemt pogingen de vrede te behouden.'

Voor Dobrynin was het Washington van de *New Frontier* sinds zijn eerste periode in Amerika als raadsman op de Russische ambassade van 1952 tot 1955 een heel stuk veranderd: 'Nu praten alle diplomaten opeens als journalisten en praten alle journalisten als diplomaten.'

Dobrynin was de zoon van een architect uit Moskou en was opgeleid tot historicus. Tijdens de Tweede Wereldoorlog diende hij samen met zijn vrouw Irina als vliegtuigmonteur voordat hij met tegenzin naar de Russische diplomatieke dienst werd overgeplaatst. Aan het eind van de jaren vijftig was hij ondersecretaris-generaal bij de Verenigde Naties voordat hij op het Sovjetministerie van Buitenlandse Zaken terugkeerde als hoofd van de Amerika-afdeling. In deze hoedanigheid vergezelde hij Chroesjtsjov naar Wenen.

Thompson wees de president erop dat Chroesjtsjov Dobrynin naar Washington had gestuurd, omdat deze in Rusland de belichaming van 'de nieuwe generatie' vormde en zich dus aan Kennedy kon spiegelen. Tegen Senatoren zei hij: 'Onze contacten met hem zijn ongeveer net zo goed als met andere mensen die we daar hebben. [...] Hij heeft hier lang genoeg gewoond om in te zien hoe we te werk gaan. U kunt in ieder geval met hem op dezelfde golflengte praten.'

Al gauw noemde Bolsjakov Dobrynin 'de beste ambassadeur die we ooit gehad hebben. Hij trekt eropuit en luistert – en niet zoals sommigen van onze diplomaten die achter gesloten ambassadedeuren blijven zitten en elkaar interviewen.' Dit enthousiasme was niet wederzijds. Dobrynin beschouwde Bolsjakov als een symptoom van wat er aan het regime van Mensjikov schortte en had er geen behoefte aan om op dezelfde manier te worden gepasseerd als zijn voorganger. Frank Holeman ontdekte dat de nieuwe ambassadeur 'Bolsjakov wel kon schieten'.

Tijdens een lunch vertelde Dobrynin tegen Salinger dat hij alles over de rol van Bolsjakov als tussenpersoon in de betrekkingen tussen Kennedy en Chroesjtsjov wist: 'Aan dit alles zal nu een eind komen. Alle verdere communicatielijnen van de Secretaris-Generaal naar de president zullen van nu af aan via mij lopen.'[1]

In Washington hervatten Rusk en de nieuwe ambassadeur de besprekingen over Berlijn. De president was optimistisch genoeg om generaal Clay toestemming te geven met pensioen te gaan en hem naar huis te laten terugkeren.

Nadat Rusk in Genève met Gromyko had gesproken over een kernstopverdrag, had hij Kennedy laten weten dat de minister van Buitenlandse Zaken hem 'alle onderhandelingsruimte had ontnomen [...] door te verklaren dat er geen sprake van controles kon zijn'. Hij adviseerde de president om 'door te gaan met de voorbereidingen van een serie proeven die eind april moeten plaatsvinden en elk diplomatiek wonder zullen verhinderen'.

In de nacht van woensdag 25 april brachten de Verenigde Staten in de atmosfeer boven het eiland Christmas voor het eerst sinds 1958 weer een kernlading tot ontploffing. De totale omvang van de zes maanden durende serie proeven, die de naam *Operatie Dominique* had gekregen – en die een totaal van veertig tests besloegen –, lag vanwege de door Kennedy opgelegde restricties op ongeveer twin-

---

1. Over Dobrynin schreef Chroesjtsjov aan Kennedy: 'Wanneer u ook maar iets op een vertrouwelijke manier aan mij wilt doorgeven, kan hij ervoor zorgen dat deze boodschap mij persoonlijk bereikt.'

tig megaton, een tiende van de ladingen die de Russen inmiddels tot ontploffing hadden gebracht.[1]

Life berichtte dat toeristen op Hawaii massaal naar de kernproeven keken: 'De blauwzwarte tropische nacht veranderde plotseling in een felle limoengroene kleur. Het werd nog lichter dan op een gewone middag. Daarna veranderde het groen in citroenroze [...] en ten slotte in een beangstigend bloedrode kleur. Het leek wel alsof iemand een emmer bloed over de hemel had leeggegooid.'

Andrej Sacharov meende dat de Sovjet-Unie 'geen poging onbenut' liet om uit te vinden met welk doel de westerse kernproeven werden gehouden: 'We kregen een keer foto's van bepaalde documenten te zien. [...] Tussen de fotokopieën bevond zich een verschrikkelijk verkreukeld origineel. Ik vroeg waarom dit document zo verkreukeld was en kreeg te horen dat het in een panty verborgen had gezeten.'

In februari 1962 had Robert McNamara de Senaatscommissie voor Buitenlandse Betrekkingen in vertrouwen laten weten dat 'de Amerikaanse kernmacht meer en meer in staat is een verrassingsaanval te overleven'. De helft van alle 1550 Amerikaanse bommenwerpers van het *Strategic Air Command* stond paraat om binnen een kwartier operationeel te kunnen zijn. De Verenigde Staten hadden reeds een paar van hun lanceerterreinen voor intercontinentale raketten ondergronds bewapend en deden nu hetzelfde met een groot aantal andere terreinen. De Polaris-duikboten hadden geen alarmwaarschuwing nodig 'en kunnen hun raketten, die een bereik van twaalfhonderd mijl hebben, vanuit een ondergedoken positie lanceren'.

De Verenigde Staten beschikten 'in geval van een nucleair conflict over een duidelijk militair overwicht [...] zelfs als de Sovjet-Unie als eerste toeslaat. Wat nog belangrijker is, is dat ons overwicht nog steeds groeit en we zijn vastberaden dit vol te houden.' Na een volledig nucleaire aanval zouden de kernmacht en de maatschappelijke en economische structuur van de Sovjet-Unie zo goed als verwoest zijn. Voorts zouden de economische bronnen en de bevolking van de Verenigde Staten en West-Europa 'grote schade ondervinden', maar ze zouden het overleven.

Met de zegen van Kennedy gaf McNamara zijn voordracht over de strategische macht van de Verenigde Staten. McNamara deed dit niet alleen om indruk te maken op de westerse bondgenoten, maar ook om steun te kunnen winnen voor de door de president bevolen uitbreiding van de conventionele bewapening.

---

1. Britse geleerden waren bezorgd dat deze antiraketproeven tot een beschadiging van de Van Allen-stralingsgordels zouden leiden omdat er bij deze proeven veel nieuwe elektronen zouden vrijkomen. Ondanks Amerikaanse geruststellingen bleek één proef in deze serie de Britten gelijk te geven. Seaborg was van mening dat dit 'een ontnuchterend effect zou hebben op iedereen die gelooft dat de atmosfeer rond de aarde een omvangrijke nucleaire uitwisseling zonder schade zal overleven'. Rusks herinnering aan de vergissing van de Amerikaanse geleerden in 1962 hielp hem in 1980 bij het informeren van zijn oppositie tegen Ronald Reagans plan voor een in de ruimte gestationeerd verdedigingsschild tegen intercontinentale raketten: 'Een uitbreiding van de wapenwedloop naar de ruimte is politiek gezien ontvlambaar, militair gezien nutteloos, economisch gezien absurd en vanuit een esthetisch oogpunt weerzinwekkend. Afgezien hiervan is het een geweldig idee.'

Verder kon hij hiermee bij voorbaat beschuldigingen wegnemen dat hij als minister van Defensie te slap was, en kon hij aantonen als Kennedy in 1962 met de Russen over Berlijn zou onderhandelen, hij dit zou doen vanuit een positie van omvangrijk nucleair overwicht. Net als bij de toespraak van Gilpatric van oktober was de toespraak van McNamara vooral bedoeld voor Chroesjtsjov en de Russen. Hij wist dat een belangrijk deel van wat hij zei naar de Russische inlichtingendienst zou uitlekken.

Kennedy en McNamara waren inmiddels redelijk overtuigd dat de president bereid was kernwapens in te zetten bij de verdediging van West-Berlijn. Ze hadden de Sovjetleider harde en nauwkeurige feiten gepresenteerd over wat een kernoorlog zou inhouden. Op deze manier zou het geloof van Chroesjtsjov in zijn eigen retoriek over Russische honderd-megatonbommen en Sovjetkracht worden ondermijnd. Ze bleken het bij het juiste eind te hebben: bijna direct na de toespraak van Gilpatric had Chroesjtsjov de zwaarste druk op Berlijn verminderd.

Om de Russische Secretaris-Generaal niet te veel tegen te werken en de wereld niet te veel angst aan te jagen, had Kennedy het grootste deel van de taak van het verkondigen van het Amerikaanse overwicht aan McNamara, Gilpatric en Nitze overgelaten. Maar tijdens een gesprek met zijn vriend Steward Alsop op een late middag in maart legde hij die voorzichtige houding naast zich neer.

'Zelfs tot 1954 sloeg de balans in luchtsterkte en kernwapens door in ons voordeel. Deze situatie veranderde rond 1958 of 1959 met de komst van de raketten. In de huidige situatie moeten we ons realiseren dat *beide* kanten over deze vernietigende wapens beschikken. [...] We moeten natuurlijk wel op voorhand bereid zijn deze wapens in bepaalde situaties te gebruiken als het erop aankomt – in geval van een duidelijke aanval op West-Europa, bijvoorbeeld. Maar wat belangrijk is, is dat het gebruik van dit soort wapens moet worden beheerst.'

In zijn artikel 'De grote strategie van Kennedy' in de *Saturday Evening Post* van eind maart berichtte Alsop dat de president 'heimelijk afstand had genomen' van de doctrine 'dat de Verenigde Staten nooit als eerste een kernaanval zouden beginnen. [...] Chroesjtsjov *mag* er *niet* zeker van zijn dat de Verenigde Staten nooit als eerste zullen toeslaan als hun vitale belangen worden bedreigd. Zoals Kennedy zelf zegt: "In bepaalde situaties zouden we wel eens het initiatief moeten nemen."'

Chalmers Roberts van de *Washington Post* vroeg aan Bundy of de president ook daadwerkelijk de woorden 'zouden we wel eens het initiatief moeten nemen' had geuit. Bundy ontkende dit niet. Deze passage was op de een of andere manier over het hoofd gezien voordat het Witte Huis het artikel voor publikatie had vrijgegeven.

Zowel Kennedy, Bundy als Salinger hadden het artikel gelezen voordat het werd gepubliceerd. Geen van allen hadden ze erbij stilgestaan dat deze passage kon betekenen dat Kennedy een verrassingsaanval op de Sovjet-Unie overwoog. Tijdens een informele bijeenkomst met verslaggevers op het ministerie van Buitenlandse Zaken probeerde de president nog terug te krabbelen door te zeggen: 'Ik had het niet over een preventieve aanval van onze kant.' Maar het kwaad was al geschied.

Het belangrijkste doel dat de president met dit interview voor ogen had, was om van Westeuropese zijde steun te winnen voor een flexibele respons. Maar het was Chroesjtsjov bij wie Alsops artikel de meeste opschudding veroorzaakte. Nog nooit had hij een Amerikaanse president zo duidelijk horen verwijzen naar het schrikbeeld van een eerste aanval op de Sovjet-Unie.

Meteen na de publikatie van het artikel kondigde het Kremlin een speciale militaire paraatheid af. De *Pravda* verklaarde 'verbluft' te zijn: Kennedy's commentaar betekende dat de Verenigde Staten 'van mening zijn dat ze het recht hebben om als eerste een nucleaire slag toe te brengen om daarmee de aanstichter te zijn van een aanvalsoorlog. [...] We kunnen niet bevatten wat voor binnenstebuiten gekeerde logica de president heeft aangezet om deze onbezonnen en uitdagende verklaring te uiten met betrekking tot een mogelijke preventieve aanval op de Sovjet-Unie.'

Samen met Gilpatrics toespraak en andere beweringen van hoge Amerikaanse functionarissen zorgde Kennedy's toespraak ervoor dat Chroesjtsjov zich nu bijna zeker afvroeg of de president niet onder druk stond van het Pentagon en de rechtervleugel om een eerste aanval op de Sovjet-Unie te ondernemen. Hij wist dat de president op de hoogte was van het feit dat de Verenigde Staten zich waarschijnlijk nooit meer in een dergelijk onbetwist superiore positie zouden bevinden: als ze ooit van plan waren geweest een eerste aanval op te zetten, was dit het geschiktste moment.

Tegelijkertijd wist de Russische Secretaris-Generaal dat hoewel Kennedy zeer gevoelig en onvoorspelbaar was met betrekking tot politieke druk, hij het niet in zijn hoofd zou halen als eerste met een aanval te beginnen. Toch had de president met zijn uitdagende verklaringen over de Amerikaanse macht Chroesjtsjovs politieke problemen ernstig verergerd.

Tot dusver had de Sovjetleider geprobeerd door middel van spectaculaire gebeurtenissen in de ruimte, het aanwakkeren van de angst in de wereld over Berlijn en het testen van vijftig megatonbommen de nucleaire inferioriteit van zijn land te compenseren en weg te moffelen.[1] Nu Kennedy en zijn mannen hem, om wat voor reden dan ook, van zijn politieke dekmantels hadden beroofd, kwam hij voor eens en voor altijd tot de conclusie dat noodoplossingen niet genoeg waren.

Op vrijdag 11 mei arriveerde Salinger in Moskou. Op het vliegveld zei Thompson tegen hem: 'Adzjoebei staat erop om je morgen naar de regeringsdatsja buiten Moskou te brengen. Daar zul je morgen het grootste deel van de dag met Chroesjtsjov doorbrengen.' Tot op dat moment had hij er niet bij stilgestaan dat hij de Russische leider te spreken zou krijgen en stond erop om eerst een telegram naar de president te sturen. Deze liet Salinger weten dat hoofdzaken gemeden moesten worden en dat hij Chroesjtsjov de verzekering moest geven dat zijn standpunten naar Washington overgebracht zouden worden.[2]

1. Georgi Arbatov van het Canada-Amerika-instituut in Moskou hoorde zelfs dat de Sovjet-Unie over 'namaak lanceerterreinen voor raketten' en opblaasbare replica's van onderzeeërs beschikte om zo de Amerikaanse satellieten en spionagevliegtuigen te misleiden.
2. Tijdens het Salingers bezoek aan de Sovjet-Unie moest er elke dag een telegram naar Adenauer in Bonn worden verzonden om deze ervan te verzekeren dat de persattaché van de Amerikaanse president geen geheime onderhandelingen voerde met Chroesjtsjov over de toekomst van Duitsland.

De dag daarna maakte Chroesjtsjov duidelijk dat Salingers bezoek een antwoord was op Kennedy's gastvrijheid tegenover de Adzjoebei's: 'Ik wil de president dank uitbrengen voor het verblijf van mijn dochter op het Witte Huis. Geen enkele andere Amerikaanse president heeft de moed gehad dit te doen.' Vervolgens nam hij zijn gast mee voor een kille boottocht over de Moskva. Daarna gingen ze kleiduiven schieten ('Trek het u niet aan – ik heb generaals onder me die ook niks kunnen raken'), om ten slotte een acht kilometer lange excursie door de bossen te ondernemen ('Om te kunnen lunchen moet je eerst lopen').

Terwijl hij de panamahoed over zijn koude oren trok, noemde hij de namen op van de struiken en bomen die ze op hun pad tegenkwamen: 'Ik weet niet waarom ik mijn tijd verdoe met het opnoemen van al die namen. U weet toch niets van landbouw. [...] Maar dat geeft niet. Stalin wist er ook niks van.' Toen er in zijn vijver geen karper te zien was, mopperde Chroesjtsjov: 'Ze weten zeker niet dat de Secretaris-Generaal bij hun vijver staat.' Meteen daarna dook er een vis op: 'Ze hebben het gehoord.'

Het was Chroesjtsjov die hoofdzaken vermeed, afgezien van een verwijzing naar Adenauer, die hij omschreef als een 'gevaarlijke en seniele oude man', en Kennedy's recente verklaring over het belang van gesprekken over Berlijn, die hij als 'zeer goed' beschouwde. Hij liet Salinger weten dat deze in de datsja van 'gospodin Averell Harriman' zou verblijven. 'Ik mag deze man zeer graag en heb geprobeerd hem in dienst te nemen. Ik zei tegen hem dat als hij naar het Kremlin zou komen en mijn adviseur zou worden, ik hem deze *datsja* zou schenken, maar hij weigerde.'

Na het dessert was het opeens gedaan met de gemoedelijkheid. Chroesjtsjov staarde Salinger boos aan: 'Uw president heeft een zeer ernstige fout gemaakt waarvoor hij zal boeten. [...] Hij heeft gezegd dat uw land als eerste de Bom zal gebruiken. Die oorlogsstoker van een Walsop – is hij nu uw nieuwe minister van Buitenlandse Zaken? Zelfs Eisenhower of Dulles zouden niet met een dergelijke verklaring zijn gekomen. Hij dwingt ons nu onze eigen uitgangspositie te heroverwegen.'

Salinger legde uit dat het Amerikaanse beleid erop gericht was om het gebruik van kernwapens te vermijden, tenzij het Westen het doelwit zou worden van massale communistische agressie. Chroesjtsjov zei: 'Ik heb die verklaring gelezen, maar ik vat de woorden van de president in dat artikel letterlijk op. Er is hier duidelijk sprake van een nieuwe doctrine.' Met opgeheven vinger liet hij weten dat hij hetzelfde beleid zou toepassen op de verdediging van Oost-Duitsland na een vredesovereenkomst. Als westerse troepen de Oostduitse grens overstaken, zou hij onmiddellijk reageren met een nucleaire aanval: 'En ik praat hier over feiten, mijn vriend, geen theorie.'

Hierna klapte Chroesjtsjov in zijn handen en glimlachte: 'Ik ga u nu een officieel staatsgeheim verklappen.' Tijdens de tank-confrontatie bij de Berlijnse Muur in oktober had hij maarschalk Malinovski om raad gevraagd: 'West-Berlijn heeft voor ons geen betekenis, dus droeg ik maarschalk Malinovski op onze tanks een beetje terug te trekken en zich achter gebouwen te verschansen waar de Amerikanen ze niet konden zien. Als we dat doen, zei ik tegen Malinovski, zullen de Amerikaanse tanks zich ook terugtrekken. [...] Wij trokken ons terug, u trok zich terug. Dat is pas strategisch inzicht! [...] Ik heb persoonlijk de opdracht gegeven voor het bouwen van de Muur. Een staat is een staat en moet zijn eigen grenzen kunnen controleren.'

De zon ging snel onder. Chroesjtsjov stond op: 'Kom, gospodin Salinger. Het wordt tijd voor een besloten gesprek.' Gezeten in een prieel dat uitzicht bood over de Moskva, en alleen in gezelschap van een tolk, herhaalde Chroesjtsjov hoe hij was geschrokken van Kennedy's verklaringen over diens nucleaire beleid. Ondanks dit alles 'heeft uw president veel bereikt en heeft hij aangetoond een groot staatsman te zijn.

Laat u uw president alstublieft weten dat ik hem graag tot mijn vrienden reken. [...] Natuurlijk voel ik me totaal niet verwant aan Kennedy. Hij is een enorme kapitalist en ik, als communist, heb een uitgesproken hekel aan kapitalisten. [...] Het is niet verstandig met een oorlog te dreigen. [...] Adenauer zegt zelf dat geen enkele stommeling het waard vindt om oorlog te voeren over West-Berlijn.' De Verenigde Staten hadden Berlijn nodig als 'als een hond vijf poten'.

Hij wist niet hoe de betrekkingen tussen beide landen zouden verlopen. 'De sleutel is in handen van president Kennedy, want hij moet het eerste schot lossen. Weet u, hij was het die zei dat zich een situatie kon voordoen waarbij de Verenigde Staten als eerste een kernaanval zouden beginnen. [...] Nou en? Wij zijn er klaar voor. Maar ik wil u waarschuwen: we zullen niet lang aarzelen met een vergeldingsaanval.'

Tijdens zijn gesprekken met Salinger zei Chroesjtsjov bijna niets over Cuba. Sinds het Varkensbaai-fiasco had Castro zijn macht op het eiland verstevigd. In december 1961 had hij openlijk een 'marxistisch-leninistisch programma' voor Cuba afgekondigd dat was 'aangepast aan de precieze en feitelijke toestand van ons land'.[1]

In april 1962 bracht Bundy de president op de hoogte van 'de laatste schatting' van de CIA. Deze was 'niet bemoedigend'. Het feit dat Castro zijn politieke tegenstanders op uitgebreide schaal liet vermoorden, zijn anti-Amerikanisme en de Russische militaire zendingen hadden hem geholpen de steun, dan wel de berusting, te winnen van een 'aanzienlijk deel' van de Cubaanse bevolking. Van Cubanen die hem in eigen land zouden hebben bevochten, werd nu gezegd dat ze zich in de huidige situatie hadden 'geschikt' omdat ze geen 'haalbaar alternatief' zagen. Castro zond in het geheim wapens en munitie naar communistische revolutionaire bewegingen elders in Latijns-Amerika.

Dezelfde maand kondigde de dictator de eerste viering aan van de Amerikaanse nederlaag in de Varkensbaai. De festiviteiten duurden drie dagen. Na een uitvoering van Coplands *Een portret van Lincoln*, waarschuwde Castro in een toespraak van tweeëneenhalf uur dat indien er nog meer Amerikaanse 'huurlingen' van plan waren Cuba aan te vallen, 'ze maar beter eerst hun testament kunnen opmaken. [...] De nieuwe agressors zullen oog in oog komen te staan met een beter georganiseerde en getrainde troepenmacht [...] en de revolutie heeft zich nog steviger weten te verankeren!'

Net als bij Chroesjtsjov was de borstklopperij van Castro omgekeerd evenredig

---

1. Na deze toespraak schreef Eisenhower aan een vriend dat Castro de Verenigde Staten 'een ondubbelzinnige gelegenheid voor een interventie had gegeven. [...] Castro's toespraak bracht hem duidelijk op één lijn met het Kremlin. Mijns inziens vormde deze toespraak zijn erkenning van Chroesjtsjov als opperheer. [...] Ik vind het vreemd dat dit niet tot een reactie van onze kant heeft geleid.'

aan zijn zorgen. De Cubaanse landbouw stond op instorten. Ondanks zijn zuiveringsoperaties van 1960 en 1961 waren ruwweg drieduizend anti-Castrogezinde guerrillastrijders opnieuw in het Escambray-gebergte opgedoken – dit was tien maal het aantal mannen van Castro zoals die zich voor de revolutie in het Sierra Maestra-gebergte hadden verschanst. Deze nieuwe rebellen vielen niet onder een gezamenlijk leiderschap en er bestonden geen onderlinge verbindingen, maar Raúl, Castro's broer en minister van Defensie, meende dat hierdoor sprake was van een dreiging van een 'tweede burgeroorlog'.

Castro vernam dat Cubaanse communisten samenzweringen tegen hem op touw zetten. Deze samenzweerders hadden oude banden met Moskou en waren door Castro buiten de Cubaanse regering gehouden en werden door hem gekapitteld als 'een leger van getemde en gecoachte revolutionairen'. Deze communisten van de oude garde waren erin geslaagd om Castro als leider van de agrarische hervormingsbeweging aan de kant te zetten en durfden het aan hem openlijk belachelijk te maken. Ze werden hierin gesteund door de Sovjetambassadeur in Havana, Sergej Koerdrjatsev, die bekend stond als een Russische agent die ooit Britse en Amerikaanse inlichtingen over nucleaire aangelegenheden had gestolen.

Al deze problemen waren echter speldeprikken vergeleken met het gevaar dat vanuit Noord-Amerika dreigde. In de lente van 1962 had de Cubaanse inlichtingendienst inmiddels geconcludeerd dat de regering-Kennedy 'alle mogelijke middelen' zou benutten om Castro aan de kant te zetten. Een nieuwe Amerikaanse invasie leek nabij, dit keer met volledig militaire steun.

Terwijl de commissie-Taylor in de late lente van 1961 in het geheim concludeerde dat 'Castro als buurman op lange termijn niet getolereerd kan worden', had Dulles Senatoren vertrouwelijk laten weten dat deze 'bedreiging zo snel mogelijk' moest worden verwijderd. 'Want als hij daar jaar in, jaar uit blijft zitten, vraag ik me ernstig af wat er in het Caribisch gebied en in bredere zin in Latijns-Amerika zal gebeuren.'

De president hoefde niet te worden overgehaald. Castro vormde een symbool van Chroesjtsjovs bewering dat het communisme aan het oprukken was. De Cubaanse leider vormde een bruggehoofd van Russische invloed in Latijns-Amerika en een sluimerend teken van Kennedy's eigen falen in de Varkensbaai. Dean Rusk verwonderde zich erover dat 'deze man met ijskoud water in zijn aderen' over Castro zo 'emotioneel' was. McNamara herinnerde zich dat ze allemaal 'hysterisch' waren.

Robert Kennedy eiste achter gesloten deuren dat 'de verschrikkingen der aarde' tegen de Cubaanse dictator moesten worden ingezet. Eén manier was de diplomatie. Met uitzondering van Mexico slaagden de Verenigde Staten erin andere lidstaten van de Organisatie van Amerikaanse Staten over te halen Cuba uit deze organisatie te stoten waarbij Castro werd afgeschilderd als de vijand van het westelijk halfrond. Tevens werd er een economisch embargo tegen Cuba afgekondigd.

Een andere methode behelsde geheime acties. In november 1961 zei de minister van Justitie in het Witte Huis: 'Mijn idee is om op het eiland door middel van spionage, sabotage en oproer voor opschudding te zorgen waarbij deze operatie vooral door de Cubanen zelf worden geleid.' De president beval het gebruik van 'onze beschikbare middelen om Castro omver te werpen'.

Operatie *Mongoose* werd geboren onder het wettelijk bevel van generaal Edward Lansdale, een specialist op het gebied van verzetsbestrijding met ervaring in Manila en Saigon, waar hij Diem had geholpen met het verstevigen van diens macht. De leiding van de operatie was in handen van Bundy, Taylor, McCone, Lemnitzer, Gilpatric en U. Alexis Johnson van het ministerie van Buitenlandse Zaken. Robert Kennedy fungeerde echter als feitelijke leider en tussenpersoon naar het Oval Office. De streefdatum voor de omverwerping van Castro lang omstreeks oktober 1962.

De hele operatie van het besmetten van de Cubaanse suikerexport, het vervalsen van Cubaans geld en rantsoenboekjes, andere sabotage-ondernemingen, paramilitaire invallen, propaganda, spionage en guerrillastrijd vergde een bedrag van vijftig tot honderd miljoen dollar en een omvangrijk zenuwcentrum, genaamd JM/WAVE. Dit centrum bevond zich op de campus van de Universiteit van Miami. Er werd gezegd dat dit op Langley na de grootste CIA- vestiging ter wereld was.

Amerikaanse inspecteurs voerden het bevel over zo'n drieduizend Cubaanse agenten die zich vanuit valse bedrijven bedienden van grote aantallen vliegtuigen, schepen en speedboten. Vroegere eigenaren van Cubaanse fabrieken, suikerfabrieken, raffinaderijen en mijnen zorgden voor blauwdrukken zodat hun inbeslaggenomen installaties door de CIA konden worden gesaboteerd.[1]

'Bobby was de staalborstel in zijn broers hand,' zo herinnerde zich Helms: 'En voor Cuba was hij spijkerhard.' Toen geheim agenten probeerden de kopermijnen van Matahambre te saboteren, belde de minister van Justitie onophoudelijk naar lagere CIA-functionarissen. Waren ze aangekomen? Hadden ze de mijnen weten te bereiken? Waren ze vernietigd?

Helms was van mening dat het geknal en 'dwaze plannen die het gevolg waren van de druk' waarschijnlijk niet tot een Cubaanse contrarevolutie zouden leiden. De CIA moest toegeven dat Castro na de Varkensbaai een verreikend intern politiek vervolgings- en onderdrukkingsapparaat had weten op te bouwen. Volgens een inschatting van de inlichtingendienst van maart 1962 'zal een toename van de weerstand tegen het regime waarschijnlijk slechts leiden tot een in de hand te houden toename van afzonderlijke sabotagepraktijken of openlijk verzet van een paar wanhopige individuen'. Vanuit het standpunt van Washington vormde de terugval van de Cubaanse economie, waardoor Cubanen misschien geïnspireerd zouden worden tegen hun leider in opstand te komen, zo'n beetje het enige goede nieuws.

Dit impliciete scepticisme om door middel van geheime acties een nieuwe regering in Havana in het zadel te helpen, zou voor de CIA de aanleiding kunnen zijn geweest voor haar herhaaldelijke pogingen Castro te vermoorden. In april 1962 overhandigde *Mongoose*-opperhoofd William Harvey in Miami vier gifpillen aan John Rosclli. Dezelfde maand was het in Havana en Moskou bekend dat Amerikaanse soldaten in het Caribisch gebied trainden voor een invasie van een eiland.

Voor Castro betekenden de verbanning uit de Organisatie van Amerikaanse

---

1. De snelheid en het aantal operaties ontlokte in 1986 een schrijver, die nauwe banden onderhield met de CIA, de opmerking dat John Kennedy de CIA tot meer geheime acties had aangezet dan welke ander president dan ook.

Staten, de economische blokkade, *Mongoose* en de Amerikaanse militaire manoeuvres geen substituut voor de aanvallen van honderdduizenden Amerikaanse troepen waarvoor Kennedy weigerde verantwoording te dragen, maar als de voorbode hiervan: 'We lieten de Sovjet-Unie weten dat we ons zorgen maakten over een directe Amerikaanse invasie op Cuba en dat we ons beraadden over hoe we ons vermogen om een dergelijke aanval te weerstaan, konden vergroten.'

Volgens een van Chroesjtsjovs diplomaten was de Secretaris-Generaal inzake Cuba nog steeds 'een romanticus': 'Hij was er vast van overtuigd [...] dat het socialisme op Cuba en de hele wereld zou zegevieren.' In november 1961 had Castro's zoon Felix, een Cubaanse jonge pionier, een bezoek gebracht aan Moskou. Chroesjtsjov had opgewekt met hem voor foto's geposeerd.
In de lente van 1962 maakte Castro zichzelf inmiddels niet meer zo geliefd. Het was vooral in een periode dat Chroesjtsjov onder sterke druk stond geld te pompen in zijn eigen militaire apparaat en tegelijkertijd het lot van de Sovjetconsument wilde verbeteren, dat Castro's adviseurs problemen hadden om de toenemende honger van de Cubaanse leider naar Russische militaire en economische hulp in overeenstemming te brengen met zijn grillige gedrag en retoriek, zijn grofheid jegens ambassadeur Koedrjatsev, zijn vervolging van oude Cubaanse communisten en andere uitingen van onafhankelijkheid, zoals zijn geflirt met Peking met een in maart ondertekend Chinees-Cubaanse handelsverdrag als tastbaar bewijs.
Op zijn hoede voor een zinloze verplichting Cuba met conventionele wapens te verdedigen, had Chroesjtsjov Castro's pogingen zich bij het Warschaupact te voegen geblokkeerd en in de eerste helft van 1962 had hij de militaire zendingen naar Cuba zelfs gereduceerd.[1] Ondanks of dank zij het verdrag met China ging de Russische Secretaris-Generaal in april akkoord met een toename van de Russische handel met Cuba van 540 naar 750 miljoen dollar, een eufemisme voor economische hulp. Hij gaf gehoor aan Castro's eis Koedrjatsev te ontslaan en voor een Sovjetafgezant te zorgen met wie hij wel kon opschieten.

Die lente was het zowel in het belang van Chroesjtsjov als Castro om elkaar ervan te overtuigen dat een Amerikaanse invasie op Cuba voor de deur stond. Castro hoopte hiermee alle Russische terughoudendheid over hulp aan zijn regime weg te nemen: hoe zou het overkomen als Chroesjtsjov geen opvallende poging zou ondernemen om zich te kunnen blijven vastklampen aan het enige land dat vreedzaam voor het communisme had gekozen, de enige Sovjetbondgenoot op het Amerikaanse continent? De Russen hoopten dat door Castro te waarschuwen voor het gevaar dat vanuit Noord-Amerika dreigde, hij zijn gereserveerdheid over een Russische aantasting van de Cubaanse soevereiniteit en de Russische exploitatie van het eiland voor Sovjetdoeleinden zou laten varen.
De door Moskou en Havana opgezette verdraaiing van inlichtingen diende een

1. In april 1962 liet Thompson Senatoren in vertrouwen weten dat de Russen 'het niet prettig vinden dat Cuba zich tot een marxistisch land heeft uitgeroepen en lid wil worden van de communistische club. Want hierdoor worden ze onderhevig aan geïmpliceerde verantwoordelijkheden die ze niet op zich willen nemen. Het land ligt te ver van Rusland verwijderd en ze weten dat ze deze verantwoordelijkheden niet kunnen nakomen.'

politiek doel en leidde ertoe dat zowel Chroesjtsjov als Castro een noodlottige en onjuiste conclusie trok – namelijk dat Kennedy op het punt stond opdracht te geven voor een grootscheepse invasie van Cuba die misschien honderdduizenden mensenlevens zou gaan kosten.

Net als in april 1961 was de president nu in feite evenmin genegen 'een tweede Hongarije' te ontketenen dat het Amerikaanse aanzien in de wereld zou besmeuren, vooral in Latijns-Amerika. Hij bleef zich zorgen maken dat Chroesjtsjov een omvangrijke invasie van Cuba met een soortgelijke zet in Berlijn zou vergelden. Jaren later zei McNamara: 'Ik kan ondubbelzinnig verklaren dat we *absoluut niet de bedoeling* hadden Cuba binnen te vallen. [...] We hadden inderdaad noodplannen [...] die voor een groot aantal situaties waren ontworpen, maar het was niet de bedoeling van de regering ze ook uit te voeren.'[1]

Er is geen bewijs dat Kennedy of zijn adviseurs genoeg doordrongen waren van het gevaar dat Chroesjtsjov en Castro de Amerikaanse militaire voorbereidingen en de diplomatieke, economische en geheime acties tegen Cuba als een voorloper van een grootscheepse invasie konden opvatten. Terugblikkend gaf McNamara toe: 'Als ik op dat moment de leider van Cuba was geweest, had ik wellicht tot de conclusie kunnen komen dat er een groot risico bestond van een Amerikaanse invasie [...] en hetzelfde geldt voor het geval dat ik een Sovjetleider was.'

Deze gevaarlijke misvatting van Chroesjtsjov en Castro werd nog eens versterkt door wat Bundy de 'openlijke koorddanserij' van Kennedy over Cuba noemde. De Russen en de Cubanen stelden zonder enige twijfel vast dat Kennedy in de periode tussen de Varkensbaai en eind april 1962 nooit een openlijke, ondubbelzinnige verzekering had gegeven dat Amerikaanse troepen Cuba nooit zouden binnenvallen zoals hij de week voor de eerder mislukte invasie had gedaan.

Integendeel, in zijn eerste toespraak na het Varkensbaai-fiasco waarschuwde de president dat als het westelijk halfrond 'door communisten van buitenaf zou worden geïnfiltreerd', hij de 'belangrijkste verplichtingen' van Amerika inzake de eigen veiligheid zou nakomen. Dezelfde week had James Reston na een gesprek met Kennedy in de *New York Times* geschreven dat de belofte van de president om geen gewapende troepen tegen Cuba in te zetten 'aan grenzen was gebonden': 'De grootscheepse militaire hulp van de communistische wereld aan Cuba in de komende weken en maanden zal niet worden getolereerd.'

In maart 1962 antwoordde de president op de vraag wat hij zou kunnen doen als Castro Guantánamo bedreigde: 'We zijn altijd bezorgd over de bescherming van Amerikaans grondgebied waar dan ook en zullen, indien nodig, altijd de juiste stappen ondernemen.' Een bezorgde Cubaanse of Russische luisteraar zou dit hebben kunnen opvatten als een aanwijzing dat de Verenigde Staten de verdediging van Guantánamo (dat ondanks Kennedy's verwijzing wettelijk gezien geen Amerikaans grondgebied was, maar alleen was gepacht) als voorwendsel voor een invasie konden gebruiken.[2]

---

1. In een reactie op McNamara's verklaring in januari 1989, gemaakt tijdens een Russisch-Amerikaans-Cubaanse conferentie over de rakettencrisis, zei Gromyko: 'Meneer McNamara, u zei dat dit niet de bedoeling was. Goed, we accepteren de informatie dat het niet in de bedoeling lag.' Hij maakte duidelijk dat hij er zelfs na zevenentwintig jaar niet in geloofde dat Kennedy nooit een invasie heeft overwogen.
2. Een tegenwicht hiervoor vormde het negatieve antwoord van de president op Adzjoe-

In vertrouwelijke kring waarschuwde de president de leiders van het Congres: 'Zodra de Verenigde Staten stappen ondernemen tegen Cuba, zal Chroesjtsjov de Berlijnse crisis naar een kookpunt brengen, Laos binnenvallen, een aanval tegen Iran of het Midden-Oosten ondernemen.' Maar waarom hield hij dan openlijk de kwellende en uitdagende mogelijkheid van een omvangrijke invasie open? Hij hoopte dat de angst voor een dergelijke stap Chroesjtsjov en Castro van avonturisme ten opzichte van de Verenigde Staten en het westelijk halfrond zou weerhouden. Tevens maakte hij zich in het politiek geladen jaar 1962 steeds meer zorgen over de kwestie-Cuba die met de week ondraaglijker werd.

Zijn enquêteur Louis Harris waarschuwde hem: 'Het merendeel van de publieke opinie geeft de voorkeur aan alles behalve een gewapende interventie.' Een door de *San Francisco Chronicle* gehouden enquête over Cuba die men naar Sorensen had gestuurd, vermeldde dat tweeënzestig procent zijn afkeuring uitsprak over de aanpak van de Cubaanse crisis door de regering-Kennedy. De president had er geen behoefte aan om zichzelf en andere Democraten schade te berokkenen door openlijk definitief af te zien van de mogelijkheid tot een invasie van Cuba.[1]

Voor Chroesjtsjov en zijn collega's was het dus bijna zeker dat de Verenigde Staten nog voor het eind van het jaar een grootschalige invasie van Cuba wilden ondernemen. Ze namen aan dat Kennedy ditmaal geen genoegen zou nemen met een nederlaag – vooral gezien zijn potentiële conventionele overwicht in het Caribisch gebied dat vanwege Berlijn vanaf 1961 was uitgebreid.

Een Amerikaanse invasie die tot de val van Castro zou leiden, zou voor John Foster Dulles de eerste keer betekenen dat zijn oude pleidooi om het tij van de communisten te keren, in vervulling ging. Dit kon van nadelige invloed zijn op de Sovjet-Unie en haar betrekkingen met Oost-Europa, haar strijd met China en haar pogingen alle Niet-Gebonden Landen naar zich toe te trekken. De *Who Lost Cuba*-groepering in Washington zou door een soortgelijke groepering in Moskou worden vervangen. Chroesjtsjov wist dat hij in dat geval de grootste verdachte zou zijn.

Met de toespraak van Gilpatric en andere Amerikaanse verklaringen had Kennedy de nucleaire inferioriteit van de Sovjet-Unie aan de wereld kenbaar gemaakt. Zelf had Chroesjtsjov het idee van de hand gewezen dat een land over slechts een klein aantal kernwapens hoefde te beschikken om agressie af te kunnen slaan en dat geen enkele rationeel denkende leider een vergelding met waterstofbommen op zijn grondgebied zou riskeren. Zijn eigen filosofie was dat hoe meer kernraketten en -bommen een natie bezat, hoe groter de militaire en politieke macht.

bei's vraag van januari 1962 of de Verenigde Staten van plan waren Cuba binnen te vallen. Adzjoebei en zijn collega's vertrouwden meer op Kennedy's waarschuwing dat Adzjoebei Hongarije niet moest vergeten, en op wat zij als Kennedy's verklaring beschouwden: dat een toename van de Russische invloed op Cuba als 'onacceptabel' zou worden beschouwd.
1. Deze benadering van Cuba als een politieke kwestie stond gelijk aan wat Kennedy's vrienden omschreven als de houding van de president tegenover Vietnam in 1964: wacht met een terugtrekking van Amerikaanse troepen tot na het moment dat hij weer veilig herkozen zou zijn.

Dit betekende dat de Sovjet-Unie volgens Chroesjtsjovs eigen normen in groot gevaar verkeerde, vooral in het licht van de aanwijzingen dat de Verenigde Staten misschien tot een eerste aanval konden overgaan. Chroesjtsjov had vaak gezegd dat de macht van de Sovjet-Unie de Niet-Gebonden Landen voor hem zou winnen. Maar wat zou de Derde Wereld doen als de Russische zwakte volledig zou worden onthuld?

Door zijn vier jaar durende, mislukte en opzichtige pogingen om het Westen uit Berlijn te krijgen, dreigde hij nu door de Russische top en de bevolking als een joker te worden beschouwd. Nu Kennedy blijk had gegeven van de kracht en misschien ook de wil om de Sovjet-Unie bij een aanval op Berlijn te vernietigen, voorzag de Secretaris-Generaal dat hij slechts in frustrerende en politiek penibele posities verzeild dreigde te raken.

Zijn frustraties over Cuba, de nucleaire sterkte en Berlijn werden door de rivalen binnen het Kremlin nog eens uitgebuit en verhevigd. Ze beklaagden zich erover dat hij de leninistische ideologie aan het verraden was, de Russische defensie afkneep en de Chinezen en Chinese bondgenoten beduvelde. Deze beschuldigden Chroesjtsjov ervan de droom van het wereldcommunisme van zich afgezet te hebben en stonden op het punt zelf kernwapens te ontwikkelen.

Gedurende zijn hele carrière had Chroesjtsjov, wanneer de kansen zich sterk tegen hem keerden, altijd voor afgewogen risico's gekozen. In 1956 hield hij, hoewel hij wist dat vijfennegentig procent van het Twintigste Partijcongres het niet met hem eens zou zijn, zijn geheime toespraak over Stalin. Tenminste, dat zou zijn medewerker Boerlatski jaren later zeggen. De gok werd een succes: door de krachten van het antistalinisme te ontketenen en zichzelf in de voorhoede te plaatsen, kon hij een grote hoeveelheid aan politieke macht vergaren.

Tijdens de Antipartijcoup, waarbij de hoogste kringen binnen het Kremlin zijn aftreden eisten, had Chroesjtsjov het Centraal Comité gedwongen zich over de zaak te buigen en had hij een overwicht aan steunbetuigers opgetrommeld om een meerderheid te bereiken. In vergelijking met Eisenhower had Chroesjtsjov een veel betere kijk op hoe de wereld over een eerste succes in de ruimte dacht. Hij gebruikte daarom het succes van de Spoetnik om de illusie te wekken dat de Sovjet-Unie de macht had de wereld te domineren. Hoewel hij persoonlijk wist dat de nucleaire kracht van zijn land in grote mate ondergeschikt was, kondigde hij in 1958 toch een ultimatum over Berlijn af en slaagde hij erin de Sovjet-Unie in alle wereldzaken tot gelijkwaardige onderhandelingspartner van het Westen te maken.

Elke keer had hij al zijn inventiviteit nodig gehad om de ogenschijnlijk hopeloze situatie een andere aanblik te geven. Hij had een bijna onbegrensd vertrouwen in zijn eigen superieure sluwheid en durf. Deze eigenschappen waren het gevolg van zijn tijd als mijnwerker, toen nog op weg naar de macht, zijn tijd onder Stalin waarbij hij erin slaagde zowel zijn leven als zijn gezond verstand te behouden, en zijn tijd als leider van de Sovjet-Unie.

Sinds 1956 was hij bij het verslaan van bloeddorstige rivalen binnen het Kremlin, het herroepen van belangrijke stalinistische principes, het voorkomen van rebellie vanuit het leger en de Russische consumenten en het ontwikkelen van oplossingen voor landbouwproblemen de hoogste bestuurders altijd een stap voor geweest en had hij de Moskouse bureaucraten veel macht ontnomen. Hoewel hij in deze jaren op buitenlands gebied een nieuwkomer was, had hij het overgrote deel van de wereld van de militaire superioriteit van de Sovjet-Unie weten te overtuigen zonder hier echt een prijs voor te moeten betalen. Verder had hij het Westen in serieuze onderhandelingen weten te betrekken en had hij Russische successen in de ruimte en afzonderlijke kansen zoals Laos, de Kongo en Cuba benut om zijn beweringen te staven dat de macht en het aanzien van de Sovjet-Unie die van de imperialisten overschaduwde en dat de Amerikaanse economie in 1970 door die van Rusland zou zijn ingehaald.

Ook al zouden 'beter opgeleide' adviseurs hem gewaarschuwd hebben dat hij als antistalinist niet aan de macht kon blijven, of dat het Westen nooit serieuze onderhandelingen zou voeren met een natie zo zwak als de Sovjet-Unie, had hij al deze dingen toch gedaan. Het idee dat hij zoveel vertrouwen moest hebben in zijn macht om zijn politieke ketens met briljante plannen te kunnen breken, was nauwelijks irrationeel te noemen.

In het licht van de nieuwe gevaren die in april 1962 aan de horizon opdoken, was Chroesjtsjovs natuurlijke reactie om nog genialere plannen te beramen die Castro zouden beschermen, die voor een snelle en goedkope dichting van de Russische raketachterstand zouden zorgen, nieuwe westerse concessies inzake Berlijn zouden afdwingen, de Chinese en binnenlandse oppositie konden verblinden, en misschien nog andere beloningen zouden opleveren zoals het Westen te dwingen de militaire bases langs de Sovjetgrenzen op te geven, iets waar de Sovjetleider zich al jaren over opwond.

Die maand had hij samen met Malinovski langs de Zwarte Zee gewandeld. De minister van Defensie merkte op dat de Turkse bases aan de andere kant in staat waren 'in korte tijd al onze steden in het zuiden te vernietigen. [...] Waarom beschikken de Amerikanen over deze mogelijkheid? Ze hebben ons van alle kanten met bases omringd, maar zelf hebben we niet de mogelijkheid en het recht om hetzelfde bij hen te doen!'

Al jaren lang had Chroesjtsjov Amerikaanse bezoekers hierover lastig gevallen. In 1958 klaagde hij tegen Stevenson: 'We zien dat we zijn omsingeld met militaire bases. [...] Hoe kunnen we ons nu anders opstellen tegenover jullie als we door uw bases worden omringd?'

Stevenson had destijds geantwoord dat dit 'defensieve' bases waren '– geen aanvalsbases'. Maar Chroesjtsjov had volgehouden: 'De Amerikanen beschikken over bases in Engeland, Turkije, Griekenland en ik weet niet waar. En ondanks dit alles willen jullie toch dat wij respect tonen. Maar hoe kunnen wij hieraan tegemoetkomen? Hoe zouden de Amerikanen het vinden als de Russen in Mexico of ergens anders militaire bases inrichten? Hoe zoudt u dat vinden?'

Toen Harriman in 1959 een bezoek aan het Kremlin bracht, werd hij geraakt door het kennelijke gevoel van 'vernedering' over de 'nucleaire bases vlak bij de Russische grenzen' waar Chroesjtsjov onder gebukt ging. Het was in augustus 1961, tijdens het bezoek van Drew Pearson aan Pitsoenda, dat de Sovjetleider met zijn vinger naar de Turkse bases aan de andere kant van de Zwarte Zee wees en zich afvroeg of ze 'ons zouden opblazen'.

Op een dag, laat in april, wandelden Mikojan en Chroesjtsjov in de tuin bij hun datsja's vlak bij Moskou. 'Ze hadden een merkwaardige vriendschap,' zei Sergo, de zoon van de vice-Secretaris-Generaal en diens vertrouwelijk medewerker. 'Ze waren vrienden, maar Chroesjtsjov benijdde mijn vader om diens achtergrond en opleiding. Hij zag zichzelf niet als superieur van hem.'

Volgens Sergo vertelde Chroesjtsjov aan Mikojan dat de Verenigde Staten op het punt stonden de Varkensbaai-invasie te herhalen, maar dat Kennedy deze keer niet meer dezelfde vergissingen zou begaan. Zelfs als hij Cuba niet wilde binnenvallen, 'was zijn positie niet sterk genoeg' om het plan af te blazen 'en zou hij zich naar de voorkeur van de CIA schikken'. Chroesjtsjov was 'van mening dat een invasie onvermijdelijk was, grootschalig zou zijn, en in zijn geheel volledig van Amerikaanse troepen gebruik zal maken'.

Zijn oplossing: stuur kernraketten naar Cuba! Sergo herinnerde zich: 'Men dacht dat de aanwezigheid van kernwapens op zich de Amerikanen van hun invasieplannen zou afbrengen. Het zou niet nodig zijn deze raketten af te vuren. [...] De bedoeling was om het plan zeer snel uit te voeren, al in september en oktober, maar de onthulling moest pas plaatsvinden aan de vooravond van de Amerikaanse verkiezingen in november.'

Na de verkiezingen zou Chroesjtsjov Kennedy per brief van de stationering op de hoogte stellen. Hij verwachtte dat de president het nieuws zou accepteren, net als hij gedaan had toen de Amerikanen hun bases in Turkije vestigden.

Deze veronderstellingen toonden de misvatting die de Russische Secretaris-Generaal ten aanzien van Kennedy en de Verenigde Staten aan de dag legde. Hij verwachtte dat een dergelijk grootscheepse operatie acht weken lang voor de Amerikaanse inlichtingendienst geheim kon worden gehouden. Hij geloofde oprecht dat als Kennedy de raketten zou ontdekken, hij wellicht het verontrustende nieuws tot na de verkiezingen van november voor het Amerikaanse volk verborgen zou houden. Daarna zou hij het zich kunnen veroorloven een welwillender houding te tonen.

Deze veronderstellingen waren niet geheel ongegrond. De Secretaris-Generaal voelde dat Kennedy meer door de binnenlandse politiek in beslag werd genomen dan Eisenhower. Hij wist dat de president de verkiezingen van 1962 als een belangrijke kans beschouwde om zijn positie in het Congres te verbeteren.

Hij wist ook dat de president de gewoonte had informatie achter te houden die hij mogelijk schadelijk achtte voor zijn politieke positie. Gedurende de hele Varkensbaai-operatie had hij zijn angst voor een Sovjetvergelding in Berlijn verzwegen. Na de top in Wenen had hij verder Chroesjtsjovs ultimatum voor Berlijn proberen te verbergen totdat voor het Kremlin de maat vol was. Na de Berlijnse Muur was hij er verrassend effectief in geslaagd de aandacht af te leiden van het feit dat de Verenigde Staten Chroesjtsjov en Ulbricht min of meer het groene licht hadden gegeven.

Chroesjtsjov wist dat Moskou en Washington in het verleden ter wederzijds voordeel samen stilzwijgend bepaalde geheimen hadden verzwegen. In 1960 hadden beide landen verdoezeld dat de Verenigde Staten al bijna vier jaar lang in staat waren geweest U-2-spionagevluchten boven de Sovjet-Unie te houden. Tot aan 1961 hadden de Amerikanen de mate van onjuistheid van Chroesjtsjovs grootspraak over de Russische kernmacht niet onthuld.

Uitgaande van de geschiedenis had Chroesjtsjov kunnen verwachten dat als Kennedy de raketten vóór november ontdekte en deze vervolgens zou willen verwijderen, hij misschien Bolsjakov of een of ander geheim kanaal zou benutten om Moskou te verzoeken de raketten weg te halen. Het was bijna zeker dat hij niet vermoedde dat Kennedy een kernoorlog zou riskeren om de raketten uit Cuba te krijgen.[1]

Misschien dacht hij dat Kennedy door dezelfde angst voor een Russische vergelding werd verlamd als tijdens de Varkensbaai-operatie, waarbij een mogelijke vergelding op Berlijn hem ertoe bracht de vernedering van het Varkensbaai-fiasco te accepteren. Als de president geen gebruik had gemaakt van zijn nucleaire overwicht om daarmee zijn eigen voorwaarden inzake Berlijn op te leggen, waar de Amerikanen verdragsverplichtingen hadden, waarom zou hij dit dan nu wel doen? Misschien liep hij ook nu weer de kans door zijn liberale adviseurs vleugellam te worden gemaakt, net als ten tijde van de Varkensbaai.

Ondanks dat Chroesjtsjov al in juli 1960 had laten doorschemeren dat Cuba op een dag wel eens door Russische raketten kon worden verdedigd, was Kennedy sinds de lente van 1962 nog met geen enkele tegenwaarschuwing gekomen. Chroesjtsjov moet hebben aangenomen dat dit verzuim niet per ongeluk was. Daarentegen had Kennedy tijdens de Berlijnse crisis de Sovjet-Unie nauwkeurig omschreven voor welke vitale belangen in Berlijn ze bereid waren een oorlog te riskeren.

De Secretaris-Generaal kan gedacht hebben dat de president de raketten als simpel ter verdediging zou afdoen, of dat Kennedy misschien wel blij zou zijn met Russische raketten op Cuba: het uitblijven van een waarschuwing van Amerikaanse kant betekende een aanmoediging aan het adres van Chroesjtsjov deze raketten te plaatsen als middel om de situatie op Cuba te bekoelen, net zoals hij destijds had laten doorschemeren dat hij er niet tegen zou zijn West-Berlijn van de rest van de stad te isoleren om zo de angel uit de Berlijnse crisis te halen. Dit valt te betwijfelen, maar gezien Chroesjtsjovs vele verkeerde inschattingen van de Amerikaanse politiek is het niet onmogelijk.

Het commentaar van de president tijdens een persconferentie in maart 1962 kan verder aanleiding zijn geweest voor Chroesjtsjovs verwachting dat Kennedy geen ernstige bezwaren tegen de plaatsing van Russische raketten op Cuba zou hebben. Kennedy liet toen weten dat het niet uitmaakte of een raket van dichtbij of van een afstand van achtduizend kilometer werd afgevuurd. Door de gemoedstoestand waarin Chroesjtsjov destijds verkeerde, zou hij gedacht kunnen hebben dat Kennedy bedoelde dat hij niet meer aanstoot zou nemen aan Russische middellange-afstandsraketten die vlak bij de Verenigde Staten waren gestationeerd als aan intercontinentale raketten die in de Sovjet-Unie stonden opgesteld.

1. De omvangrijke Russische investering in de rakettenoperatie suggereert dat Chroesjtsjov verwachtte dat Kennedy inzake de raketten op Cuba niet tot het uiterste zou gaan. Zoals de politicoloog Richard Ned Lebow heeft vastgesteld, waren de voor Cuba bestemde middellange-afstandsraketten kostbare en permanente installaties: als Chroesjtsjov van plan was geweest raketten te verruilen voor Amerikaanse concessies inzake de Koude Oorlog, had hij waarschijnlijk met een beperktere hoeveelheid middellange-afstandsraketten kunnen volstaan. Een dergelijk raketarsenaal, in staat om de staten in het zuidoosten van de Verenigde Staten te treffen, zou minder kwetsbaar en makkelijker te camoufleren zijn geweest.

Als hij de plaatsing van raketten aan de wereld zou presenteren als een gerechtvaardigde poging Cuba tegen de Amerikaanse agressie te beschermen, zo redeneerde Chroesjtsjov, en deze zou vergelijken met de Amerikaanse raketten in Turkije en Italië, die volgens de Amerikanen een defensieve functie hadden, dan kon hij met deze stap de instemming van de rest van de wereld winnen. Hij verzuimde te anticiperen hoe het stilzwijgen en het bedrog waarmee hij de raketten liet plaatsen de mening van de rest van de wereld hierover zou beïnvloeden. Volgens Boerlatski was geheimhouding in de Sovjetpolitiek in de ogen van Chroesjtsjov een normale zaak. De Russische leider realiseerde zich niet hoe woedend Kennedy zou zijn als hij erachter zou komen hoe de Russische garanties tegen de plaatsing van aanvalswapens op Cuba hem uiteindelijk hadden misleid.

Dit was gedeeltelijk de fout van de Amerikaanse president zelf. Toen Bolsjakovs verzekering dat Chroesjtsjov bereid was om tijdens de top in Wenen te praten over een kernstopverdrag onjuist bleek, had Kennedy Bolsjakov niet ter verantwoording geroepen. Nadat Chroesjtsjovs nadrukkelijke verzekering dat hij niet als eerste tot hervatting van kernproeven zou overgaan vervolgens een leugen bleek, had de president hierover niet geklaagd. De Secretaris-Generaal kan hebben aangenomen dat Kennedy dergelijke trucjes beschouwde als een hoofdbestanddeel van de internationale politiek.

Zelfs al had Chroesjtsjov geweten hoe zijn geheimhouding en bedrog tot woede bij Kennedy zou leiden en hoe nadelig de mening van de rest van de wereld zijn zaak zou beïnvloeden, wist hij dat er waarschijnlijk geen andere manier was.

Het was geen onlogische gedachte dat hij net als bij de Berlijnse Muur voelde dat de president politiek gezien beter in staat zou zijn een voldongen feit te accepteren dan een Sovjetverklaring dat Russische kernraketten naar Cuba zouden worden gestuurd.

Volgens Sergo was Mikojan tegen Chroesjtsjovs plan. Hij voorspelde dat de Amerikanen de raketten nooit zouden accepteren. Niet alleen zouden de Amerikanen de raketten ontdekken voordat de president Chroesjtsjovs brief zou ontvangen, maar Castro zou ook protesteren. Dit was omdat hij wist dat de aanwezigheid van raketten op Cuba onmiddellijk een Amerikaanse invasie kon uitlokken.[1]

Sergo geloofde dat 'Chroesjtsjov de reactie van de Amerikanen niet goed overdacht. Hij verwachtte dat als de Amerikanen van de raketten op de hoogte waren gesteld, de Russisch-Amerikaanse betrekkingen zouden verbeteren.' Deze veronderstelling was waarschijnlijk gebaseerd op zijn gedachte dat zodra de Verenigde Staten wisten dat er kernraketten op Cuba waren, de Amerikanen hun, naar zijn eigen zeggen, arrogante superioriteitsgedrag zouden staken.

De vice-Secretaris-Generaal had de indruk dat Chroesjtsjov het met deze op raketten gebaseerde openingszet vooral gemunt had op de verdediging van Cuba en in mindere mate geïnteresseerd was in het herstellen van het machtsevenwicht. Mikojans zoon Sergo zou jaren later zeggen dat de Secretaris-Generaal 'zich zorgen maakte over de mogelijkheid dat iemand in de Verenigde Staten

1. Jaren later zei Sergo: 'Wat dit betreft had hij het bij het verkeerde eind, zoals specialisten het altijd bij het verkeerde eind hebben.'

zou denken dat een overwicht van zeventien staat tot één inhield dat een eerste aanval mogelijk was. [...] Onze ondergeschikte positie was voor ons onacceptabel.'

Sergej Chroesjtsjov herinnerde zich dat de scheve nucleaire balans 'ons leiderschap natuurlijk heel wat hoofdbrekens kostte'. Zijn vader voelde ook 'de beklemming die een grote natie voelt wanneer ze zich omringd ziet door militaire bases waar de vliegtuigen van mogelijke vijanden kunnen opstijgen en vervolgens alle belangrijke centra binnen de Sovjet-Unie kunnen bereiken'.

Sergo Mikojan was van mening dat Chroesjtsjov bij het sturen van de raketten 'slechts twee gedachten had': de verdediging van Cuba en het herstel van het machtsevenwicht. Maar de verdediging van Cuba kwam op de eerste plaats.'

Door in zijn gesprekken met de oude Mikojan de nadruk te leggen op de verdediging van Cuba kan Chroesjtsjov zijn werkelijke beweegredenen hebben verborgen. Hij wist dat Mikojan Castro graag mocht, diens revolutie een warm hart toedroeg en het beste tot een riskant plan kon worden overgehaald door vooral op de verdediging van Cuba te hameren.

Chroesjtsjovs gevoeligheid en persoonlijke aansprakelijkheid voor de nucleaire inferioriteit van de Sovjet-Unie was waarschijnlijk zo groot dat hij zelfs in vertrouwelijke kring deze onderwerpen meed. Zijn hypocrisie en dubbele moraal waren niet zo groot dat hij gemakkelijk kon overschakelen van een publieke toespraak waarin hij opschepte over de sterkte van de Russen (honderd-megatonbommen, raketten die als worstjes van de lopende band kwamen) naar vertrouwelijke gesprekken waarin de harde feiten van de nucleaire zwakte van de Sovjet-Unie centraal stonden.

De ondergeschiktheid van de Sovjet-Unie kan een onderwerp geweest kunnen zijn waarvan Chroesjtsjovs mannen wisten dat ze het niet in zijn aanwezigheid moesten aanroeren. Vanwege zijn training in de stalinistische school van samenzweringen was hij gewend om bepaalde politieke doelen na te streven. Bijvoorbeeld het veranderen van het atoomevenwicht, een onderwerp waarover hij misschien zelfs niet met intieme collega's als Mikojan wilde praten.

Chroesjtsjovs vastberadenheid op te komen voor zijn systeem leidde er soms toe dat hij zelfs onder intimi met orwelliaanse gedachten op de proppen kwam. Hij zou het openlijk erkennen van de militaire inferioriteit van zijn land net zo weinig vaderlandslievend en even defaitistisch kunnen hebben gevonden als de erkenning dat de Russische economie wellicht niet in staat zou zijn die van Amerika omstreeks 1970 voorbij te streven of dat in 1980 de nationale defensie en anere activiteiten wel eens niet zouden voortvloeien uit spontane initiatieven van de bevolking.

Dit was waarschijnlijk de reden waarom Chroesjtsjov Mikojan en andere collega's het rakettenplan niet aanbeval als een beschamende kunstgreep om een Russische raketachterstand weg te werken, iets waaraan hij zelf in hoofdzaak schuldig was, maar hoofdzakelijk als een karakteristieke daad van Russische grootmoedigheid om het kleine revolutionaire Cuba te beschermen tegen de CIA en de agressieve plannen van het Pentagon. Daarnaast diende het plan hoofdzakelijk om het socialistische kamp meer aanzien te geven. Als de stationering van de raketten openbaar werd gemaakt, zou hij zich zeker van deze argumenten bedienen.

Als ondersteuning van een dergelijke bewering lag het in zijn bedoeling tevens een omvangrijk contingent operationele Sovjettroepen van totaal tweeënveertig-duizend man naar Cuba te zenden. Deze zouden de raketbases moeten bescher-men en als struikeldraad voor een Amerikaanse invasie moeten dienen.

Toen hij jaren later zonder hulp van zijn documenten zijn memoires dicteerde, zei Chroesjtsjov dat hij het idee voor het Cubaanse rakettenplan tijdens een reis naar Bulgarije van 14 tot 20 mei, en niet aan het eind van de maand daarvoor, had gekregen. Het gebeurde vlak nadat hij Salinger in Moskou had ontvangen: 'Tijdens mijn verblijf in Bulgarije woelden al deze gedachten de hele tijd door mijn hoofd. Ik ijsbeerde heen en weer en dacht diep na over wat ik moest doen. Ik zei niemand waar ik over dacht. Ik hield mijn kwellende gedachten voor me.' De Secretaris-Generaal herinnerde zich: 'Mijn denkpatroon verliep als volgt: als we in het geheim de raketten stationeren en wanneer ze in parate lanceeropstel-ling vervolgens door de Verenigde Staten werden ontdekt, zouden de Amerika-nen zich wel twee keer bedenken om te pogen onze installaties met militaire mid-delen te elimineren [...]. Als een kwart of een tiende deel van onze raketten een aanval zou overleven – zelfs als er nog maar een of twee grote overbleven –, wa-ren we nog steeds in staat New York te treffen en zou er van New York weinig overblijven. [...] Ik was van mening dat de stationering van raketten op Cuba de Verenigde Staten ervan zou weerhouden om onbezonnen militaire stappen te-gen Castro's regering te ondernemen.'
Chroesjtsjov erkende dat 'afgezien van de bescherming van Cuba, onze raketten het door het Westen genoemde "machtsevenwicht" zouden hebben hersteld'. Hij beweerde dat de verstoring van dit evenwicht was veroorzaakt doordat 'de Amerikanen ons land met militaire bases hadden omsingeld en ons met kernwa-pens bedreigden'.
De toespraken die hij in Bulgarije hield, gaven blijk van de gedachten zoals die door zijn hoofd woelden. Op 16 mei sprak hij in Varna: 'Zou het niet beter zijn als de kusten die plaats bieden aan de militaire bases van de NAVO en aan hun lanceerplatformen werden omgebouwd tot gebieden waar in vreedzaam werd ge-werkt en gebouwd?' Op 19 mei sprak hij in Sofia over Kennedy's verklaring in de *Saturday Evening Post* die handelde over een eerste aanval van Amerika· 'Een ieder die het lef heeft een militair conflict van deze orde van grootte te veroorza-ken, zal te maken krijgen met een vernietigende vergeldingsaanval met de mo-dernste oorlogswapens.'

De volgende dag vloog Chroesjtsjov van Sofia terug naar Moskou. Volgens Gro-myko zei de Sovjetleider tegen hem: 'Ik wil je graag onder vier ogen spreken over een belangrijke zaak.' De minister van Buitenlandse Zaken herinnerde zich dat er verder 'niemand aanwezig was, dus ik wist dat het gesprek wel over iets heel belangrijks moest gaan. Chroesjtsjov hield niet van "afgebakende" ge-sprekken over politieke aangelegenheden. [...] Waar wilde hij dan met me over praten? Ik veronderstelde dat hij een nieuw plan had uitgedacht, dan wel hier-mee bezig was, en dit plan met iemand wilde delen die beroepshalve bij het bui-tenlands beleid betrokken was.'
De Secretaris-Generaal merkte op dat de situatie op Cuba gevaarlijk geworden was: 'Om het eiland als een onafhankelijke staat te kunnen laten voortbestaan, is het van essentieel belang om er een bepaald aantal van onze kernraketten te sta-

tioneren. Alleen dit kan het land nog redden. De mislukte invasiepoging vorig jaar in de Varkensbaai zal Washington niet van een nieuwe poging afhouden. Hoe kijk jij ertegen aan?'

Gromyko dacht even na en antwoordde: 'Als ik eerlijk ben, moet ik zeggen dat een plaatsing van onze raketten op Cuba tot een politieke explosie in de Verenigde Staten zal leiden. Hier ben ik absoluut zeker van en hier moet rekening mee worden gehouden.' Hij vreesde dat Chroesjtsjov door zijn antwoord 'een woedeaanval zou krijgen'. Dit gebeurde niet, maar Gromyko wist dat de Russische leider 'niet van plan was zijn standpunt te wijzigen'.

Chroesjtsjov verklaarde: 'We hebben geen behoefte aan een kernoorlog en zijn niet van plan te vechten.' Deze woorden gaven Gromyko 'een gevoel van opluchting. Zelfs Chroesjtsjovs stem [...] was een beetje milder geworden.' De Secretaris-Generaal besloot deze kwestie aan het Presidium voor te leggen.

De Sovjetleider grapte vaak tegen zijn adviseurs dat de leden van de Opperste Sovjet zo moeilijk hun mond konden houden over geheime bijeenkomsten dat de *Voice of America* de inhoud van zulke besprekingen al een half uur na afloop kon uitzenden. Daarom besloot Chroesjtsjov volgens Sergo Mikojan zijn stationeringsplan aan slechts vijf functionarissen voor te leggen: Mikojan, Kozlov, Malinovski, Gromyko en maarschalk Sergej Birjoezov, een plaatsvervangend minister van Defensie en bevelhebber van de strategische raketmacht. Om het gevaar van openbaarmaking te vermijden, werden zelfs notulisten uitgesloten.

Naar zijn eigen zeggen riep hij na zijn terugkeer uit Bulgarije op tot een geheime bijeenkomst waarin hij 'waarschuwde dat een volgende invasiepoging op Cuba Fidel zou vermorzelen en zei dat wij de enigen waren die een dergelijke ramp konden voorkomen'.

Volgens Sergo Mikojan vroeg Chroesjtsjov aan Malinovski hoeveel tijd de Sovjet-Unie nodig had om een eiland op honderdvijftig kilometer uit de kust met succes binnen te vallen. De maarschalk antwoordde: 'Drie tot vier dagen, misschien een week.' De Secretaris-Generaal redeneerde dat de Amerikanen voor hun actie ongeveer evenveel tijd nodig zouden hebben – niet lang genoeg voor Moskou om het eiland te kunnen verdedigen, zelfs niet door ergens anders vergeldingsacties te ondernemen. Met het sturen van raketten naar Cuba moest Amerika op voorhand van een invasie van Cuba worden afgehouden.

Voor Malinovski zou het geen pretje zijn geweest om de gigantische kosten voor deze operatie uit zijn bestaande defensiebudget te moeten betalen.[1] Verder zou hij niet echt gecharmeerd zijn van het idee om de gevaarlijkste en meest geheime Sovjetwapens naar zo'n vreemd en zeer kwetsbaar land als Cuba te sturen, waar het niet ondenkbaar was dat deze wapens door Amerikanen, dan wel Cubanen konden worden buitgemaakt. Tot nu toe had de Sovjet-Unie nog nooit kernkoppen buiten haar landsgrenzen gebracht. Toch vond Gromyko dat Malinovski's gedrag blijk gaf 'van zijn onvoorwaardelijke steun aan Chroesjtsjovs voorstel'.

De minister van Buitenlandse Zaken herinnerde zich dat Chroesjtsjov 'herhaaldelijk zijn standpunten inzake de hoofdvragen verduidelijkte. Hoe kon Cuba als een soevereine socialistische staat worden behouden? [...] Als deze vragen om

1. Later schatte de CIA de kosten op één miljard dollar.

een zorgvuldige overdenking vroegen, werden ze pas in de daaropvolgende bijeenkomst verder behandeld.'

Volgens Sergej Chroesjtsjov vormden deze besprekingen voor zijn vader 'de gebruikelijke manier om zijn ideeën nog eens te toetsen'. In zijn memoires schreef de Secretaris-Generaal: 'Pas na twee of drie langdurige gesprekken over deze zaak' kwamen hij en zijn collega's tot 'de conclusie dat het het risico waard was'. Gromyko voelde zich opgelucht door Chroesjtsjovs nadrukkelijke eis 'dat de Sovjet-Unie het niet tot een kernconflict mocht en zou laten komen', zoals hij in verscheidene vertrouwelijke gesprekken met leden van de Opperste Sovjet had verklaard.[1] Volgens Gromyko 'sloot niemand natuurlijk het risico van een kernoorlog uit, aangezien we niet op de hoogte waren van Amerika's precieze bedoelingen'.

Volgens Sergo Mikojan kwam zijn vader met een herformulering van diens bezwaren. Chroesjtsjov kwam met het voorstel: 'Laten we maarschalk Birjoezov naar Cuba sturen om te kijken of de raketten zonder medeweten van de Amerikanen kunnen worden gestationeerd. Hij kan tevens mijn brief aan Fidel overhandigen waarin ik om zijn mening zal vragen.'

Aleksandr Aleksejev was zowel agent van de Russische inlichtingendienst als correspondent van het persbureau TASS. Hij beschouwde zichzelf als de eerste Russische burger op het Cuba van na de revolutie die daarbij als informele afgezant onder Castro had gediend. Begin mei werd hij om onduidelijke redenen vanuit Havana naar Moskou geroepen. Mikojan liet hem bij Gromyko binnen: 'Andrej Andrejevitsj, dit is onze nieuwe ambassadeur op Cuba, Aleksejev.' Op deze manier werd Aleksejev op de hoogte gebracht van zijn nieuwe benoeming. Castro was verrukt.

Eind mei werd Aleksejev samen met Gromyko, Malinovski, Birjoezov en Sjaraf Rasjidov, een plaatsvervangend lid van het Presidium, naar Chroesjtsjovs kantoor geroepen. Aleksejev herinnerde zich dat de Secretaris-Generaal 'zeer benieuwd was naar wat Cuba op defensiegebied te bieden had'. Nadat er wat gepraat was, vroeg hij: 'Hoe zou Fidel Castro reageren als we onze raketten op Cuba zouden stationeren?'

Aleksejev wist nog dat deze vraag hem in een 'shocktoestand' bracht, 'want ik kon me niet indenken dat Fidel Castro ooit hiervoor zijn toestemming zou verlenen'. Hij liet de Secretaris-Generaal weten dat Castro 'een dergelijk voorstel nooit zal accepteren omdat hij zijn veiligheid vooral richt op de versterking van de defensie van Cuba, de publieke opinie in Latijns-Amerika en de wereldopinie'.

Malinovski was het hier niet mee eens: 'Hoe kan een socialistisch land de hulp van de Sovjet-Unie afwijzen terwijl Spanje hulp heeft aanvaard?' Chroesjtsjov zei tegen Aleksejev: 'Jullie gaan naar Cuba – kameraad Rasjidov, Birjoezov en jijzelf – en stellen Fidel Castro op de hoogte van onze bezorgdheid.' Volgens

1. Volgens generaal Dimitri Volkogonov, plaatsvervangend hoofd van het directoraat van de gewapende Sovjettroepen in 1989, viel er in een van de schriftelijke opdrachten die aan Malinovski waren overhandigd te lezen: 'De raketten mogen alleen gebruikt worden bij een Amerikaanse aanval, de ontketening van een oorlog, en dan alleen pas na uitdrukkelijk bevel uit Moskou.'

Sergo Mikojan had de Secretaris-Generaal hun gevraagd om uit te zoeken of Castro bereid was de raketten te accepteren en of de stationering en ingebruikneming in het geheim kon gebeuren.

Aleksejev herinnerde zich dat net voordat hij tien dagen later met de twee andere mannen vertrok, hij samen met Gromyko en de leden van het Presidium in het zomerverblijf van Chroesjtsjov werd ontboden: 'Om Cuba te redden, kunnen we slechts het pad bewandelen dat zogezegd de veiligheid van Cuba gelijkstelt aan die van Amerika. Het is logisch dat dit alleen kan gebeuren via onze kernraketten, onze lange-afstandsraketten. Dus probeer dit Fidel aan zijn verstand te brengen.'

Als leider van de delegatie had Rasjidov de hoogste rang van alle Sovjets die Cuba sinds het bezoek van Mikojan in 1960 ooit hadden bezocht. Toch was zijn rang laag genoeg om geen achterdocht te wekken bij de Amerikanen. Omdat hij nog niet officieel als ambassadeur was benoemd, reisde hij mee als adviseur van de Sovjetambassade in Havana.

Na hun aankomst begin juni om, zoals officieel werd verklaard, 'irrigatieproblemen te bestuderen', hadden ze een vertrouwelijke ontmoeting met Fidel en Raúl Castro. Daarbij legden ze het plan van Chroesjtsjov uit om 'de Cubaanse revolutie te redden'. Volgens Aleksejev raakte de Cubaanse leider in gedachten verzonken en zei toen: 'Als dit plan het socialistische kamp kan dienen en de acties van de Amerikaanse imperialisten op het continent kan verhinderen, geloof ik dat we met dit plan akkoord zullen gaan. Maar ik zal pas een definitief antwoord geven nadat ik eerst met mijn naaste kameraden heb overlegd.'

Vervolgens vertrouwde Castro Chroesjtsjovs verzoek toe aan Che Guevara, president Osvaldo Dorticós, de oude Cubaanse communistenleider Blas Roca en Castro's naaste medewerker majoor Emilio Aragones. Men steunde het plan unaniem. 'Maar,' zo herinnerde Aragones zich, 'met ons zessen wisten we zeker dat we dit […] niet zozeer deden ter verdediging van Cuba als wel om de correlatie tussen de krachten van het socialisme en het kapitalisme te veranderen. Dit gold vooral voor Castro. Waarom? Omdat we geloofden dat we de verdediging van Cuba op ons konden nemen zonder tot plaatsing van raketten over te gaan.'

Castro riep de Russen samen met Raúl, Guevara, Dorticós en Blas Roca weer bijeen, en deelde mee: 'Ja, plaats kernraketten op Cuba en ze zullen zowel dienen ter behoud van de Cubaanse revolutie als ter ondersteuning van het socialistische kamp.'

Aleksejev was verbaasd over Castro's instemming: 'Maar Fidel was beter op de hoogte van de situatie met betrekking tot de Verenigde Staten dan wij. […] Hij voegde eraan toe dat hij bereid was het voorstel te accepteren als het wereldsocialisme hier echt bij gediend zou zijn en de Amerikaanse dreiging hierdoor niet alleen op Cuba, maar ook in andere gebieden, andere landen, werd voorkomen.' Sergo Mikojan herinnerde zich: 'Fidel geloofde dat hij het risico aan kon. Hij was altijd bereid tot de laatste soldaat door te vechten, maar wist dat als de Amerikanen al hun macht zouden gebruiken, hij geen schijn van kans zou hebben.'

Terug in Moskou berichtte de delegatie aan Chroesjtsjov dat Castro de raketten zou accepteren. Birjoezov gaf hem de verzekering dat de raketten in het geheim konden worden opgesteld: er waren zelfs gebieden in het Cubaanse gebergte waar de Amerikanen de raketten nooit zouden ontdekken. (De oudere Mikojan bestempelde hem als een 'domkop'.) Malinovski liet weten dat de raketten snel geplaatst konden worden; als de hele operatie voldoende geheim werd gehouden, zouden de raketten nooit gevonden worden.

Aleksejev herinnerde zich dat de Secretaris-Generaal 'dacht dat als we voorzichtig zouden handelen en niet meteen een rits schepen op weg zouden sturen, we op 6 november onze stappen wereldkundig kunnen maken'. Dat was de dag van de Amerikaanse verkiezingen halverwege Kennedy's ambtstermijn.

Later zei Castro dat Chroesjtsjovs voorstel 'ons in het begin verraste. Het gaf ons een geweldige adempauze. [...] Uiteindelijk stemden we toe. In de eerste plaats omdat de Sovjets ons ervan overtuigden dat de Verenigde Staten zich niet door conventionele wapens zouden laten afschrikken, en ten tweede omdat het voor ons onmogelijk was de risico's die de Sovjets bij hun Cubaanse reddingspogingen liepen, niet met hen te delen.' Hij voelde dat hij 'niet het recht had te weigeren'. Het was beter 'een grote crisis te riskeren' dan machteloos een Amerikaanse invasie af te wachten.

Later klaagde Castro dat Chroesjtsjov had verzuimd hem de waarheid te vertellen over de nucleaire inferioriteit van de Sovjet-Unie: 'Het kwam niet in me op om de Sovjets hiernaar te vragen. Ik vond niet dat ik het recht had te vragen: "Luister, hoeveel raketten hebben jullie en hoeveel hebben de Noordamerikanen er, en hoe liggen de verhoudingen?" We gingen er volledig van uit dat zij voor wat betreft hun aandeel van de hele situatie op de hoogte waren.'

Nadat de Russen weer uit Havana waren vertrokken, hees Castro zich in zijn militaire tenue, pakte zijn geweer en vertrok met veel tamtam voor een verblijf van een week in de Sierra Maestra, de bakermat van de revolutie. Aangemoedigd door de geheime kennis omtrent Chroesjtsjovs plan om de volgens hem op handen zijnde Amerikaanse invasie te belemmeren, verklaarde el Líder Máximo: 'Opnieuw heb ik de vlag van de opstand gehesen!'

Mikojans waarschuwingen dat Kennedy de raketten op Cuba niet zou dulden, lieten Chroesjtsjov koud. 'Hij dacht niet verder na over alle mogelijke veranderingen die konden optreden,' zo zei Boerlatski. Net als bij Kennedy en de Varkensbaai had Chroesjtsjov deze operatie geheimgehouden. Hierdoor was hij niet in staat om naar alle adviezen te luisteren waardoor hij zou kunnen hebben ingezien dat de Amerikaanse president wel eens heftig kon reageren.[1]

Chroesjtsjov kan gedacht hebben dat als Kennedy vóór de Congresverkiezingen de raketten zou ontdekken, hij zou doen alsof hij van niets wist. Met dit in het achterhoofd zou hij ook verwacht kunnen hebben dat Kennedy zou doen alsof hij niet op de hoogte was van de plannen voor de Berlijnse Muur om daarmee niet in politieke verlegenheid te worden gebracht. Zelfs als de president het Amerikaanse volk van de raketten op Cuba op de hoogte bracht, zou het hem waarschijnlijk vele weken kosten om een antwoord van de NAVO te arrangeren.

1. Nadat hij met een aantal hoofdmedewerkers had gesproken, klaagde Georgi Arbatov van het Amerika-Canada-Instituut in Moskou dat de raketbesluiten slechts 'in een beperkte kring tot stand waren gekomen. Het plan werd niet van verschillende kanten nauwkeurig onderzocht. Ik denk dat een min of meer grondige analyse een dergelijk plan had verhinderd.'

Chroesjtsjov wist nog dat Kennedy in de zomer van 1961 twee maanden nodig had om een geallieerd antwoord op te stellen op zijn Berlijnse ultimatum.

Chroesjtsjov kan aangenomen hebben dat Kennedy's angst voor een Russische vergelding in Berlijn hem ervan zou weerhouden om met harde acties te reageren. De dreiging van een Russische vergelding had tijdens de Varkensbaai-operatie zo'n grote rol gespeeld dat Kennedy er zelfs een Amerikaanse nederlaag voor over had gehad.

De Secretaris-Generaal was van mening dat hij het recht had raketten naar Cuba te sturen, net zoals de Amerikanen dat in Turkije, Engeland en Italië hadden gedaan. De raketten in deze landen bevonden zich niet in gewapende bunkers en dienden dus slechts voor een eerste aanval. De Amerikanen omschreven deze wapens echter als 'defensief'. De Secretaris-Generaal was van plan deze omschrijving ook op de Cubaanse raketten toe te passen.

Gromyko had bittere herinneringen aan die keer dat hij eens tegen Foster Dulles klaagde dat de Verenigde Staten bezig waren om in het geheim raketbases langs de Sovjetgrens op te zetten. Dulles had toen tegen hem gezegd: 'Zaken die te maken hebben met de vestiging van Amerikaanse militaire bases worden door de Verenigde Staten naar eigen goeddunken beslist en door geen enkel ander land, in overeenkomst met de landen op wier gebied deze bases worden gevestigd.' Volgens Gromyko was Zuid-Korea in het geheim 'volgepropt met kernwapens'.

Chroesjtsjov kan verwacht hebben dat de reactie van de Amerikaanse president op plotselinge en geheimgehouden stationering van raketten op Cuba niet zou afwijken van zijn reactie op de plotselinge en geheime oprichting van de Berlijnse Muur: hij zou zijn verrassing kenbaar maken en bij Moskou een formeel protest indienen. Daarna zou hij het Amerikaanse volk vertellen dat dit voor het Westen geen aanleiding vormde voor een oorlog. Jaren later zei Gromyko: 'Als dit plan niet in het geheim was uitgevoerd, zou het nooit gewerkt hebben.'

De Secretaris-Generaal herinnerde zich hoe Senator Fulbright van tevoren de indruk gewekt leek te hebben dat de Sovjets en Oostduitsers het recht hadden de Berlijnse grens te sluiten. In juni 1961 had Fulbright de Senaat verteld: 'Ik veronderstel dat we ons allemaal wat minder op ons gemak zouden voelen als de Sovjets inderdaad raketten op Cuba stationeerden. Maar ik ben er echter niet zeker van dat ons voortbestaan als natie daarmee aan een beduidend groter gevaar zou worden blootgesteld dan nu het geval is.' Als Chroesjtsjov veronderstelde dat Fulbright hiermee impliciet de mening van Kennedy inzake Berlijn verwoordde, zou hij ook aangenomen kunnen hebben dat dit ook voor Cuba gold.

Als de Secretaris-Generaal nog meer verzekeringen wilde dat Kennedy een harde reactie op de stationering van raketten op Cuba achterwege zou laten, kon hij ook nog kijken naar het falen van de regering-Kennedy om zelfs nog in mei 1962 met een officiële waarschuwing inzake Cuba aan de Sovjet-Unie op de proppen te komen. Na de Varkensbaai-invasie had Chroesjtsjov de president in scherpe bewoordingen laten weten dat hoewel hij niet 'van plan was' een raketbasis op Cuba 'te vestigen', de Verenigde Staten wel degelijk gebieden in andere landen gebruikten voor 'voorbereidingen [...] die zeer zeker een bedreiging vormen voor de veiligheid van de Sovjet-Unie'.

Zelfs op deze overduidelijke aanwijzing had Kennedy niet gereageerd. In de zomer van 1961 had Kennedy aan Chroesjtsjov duidelijk omschreven voor welke belangen rondom Berlijn en Duitsland de Amerikanen een oorlog wilden riskeren. Chroesjtsjovs veronderstelling dat Kennedy's verzuim om tegen kernraketten op Cuba te waarschuwen niet zonder opzet was, hoefde hem niet kwalijk genomen te worden.

Nu Chroesjtsjov voelde dat hij een uitweg uit deze moeilijke situatie had gevonden, verdween zijn gevoel van frustratie. Wat echter bleef, was zijn persoonlijke gevoel van verbijstering en woede op de Verenigde Staten en hun president.
Tijdens dit plechtige moment toonde de Secretaris-Generaal zich nog steeds een 'zeer emotioneel mens', zoals Boerlatski later zou verklaren. Chroesjtsjov kon niet begrijpen waarom Kennedy en zijn mensen hadden besloten hem in verlegenheid te brengen door de Russische militaire inferioriteit aan het licht te brengen en een dreiging van een eerste aanval op te houden. Naast al deze woelige emoties ging hij die late lente van 1962 ook nog eens gebukt onder bijna kinderlijke gevoelens van wrok en wraak.
In zijn memoires trok hij flink van leer: 'Het werd hoog tijd dat Amerika eens leerde hoe het voelt wanneer zijn eigen grondgebied en zijn eigen bevolking worden bedreigd,' zo schreef hij: 'Wij Russen hebben de laatste vijftig jaar drie oorlogen te verduren gehad. [...] Amerika heeft nooit een oorlog op zijn eigen grondgebied hoeven uit te vechten, tenminste niet in de afgelopen vijftig jaar. Het heeft troepen over de oceaan gestuurd om in de laatste twee wereldoorlogen mee te vechten en heeft er een fortuin mee verdiend. Het heeft de Verenigde Staten slechts een paar druppels bloed gekost om miljarden binnen te halen door de rest van de wereld te laten doodbloeden.'
Chroesjtsjov genoot van de gedachte de Amerikanen 'een koekje van eigen deeg te geven': 'Nu zouden ze eens leren hoe het voelt om van alle kanten vijandige raketten op zich gericht te hebben.'

15. 'Niemand zal zelfs in staat zijn weg te rennen'

Eind mei bezocht Chroesjtsjov een concert van Benny Goodman in het sportpaleis van het Rode Leger. Jazz vond hij 'decadent', maar op aandrang van Jane Thompson had hij zijn toestemming gegeven voor een tournee van de *King of Swing* door de Sovjet-Unie. Zittend in zijn loge met de Thompsons en de Adzjoebei's zei hij: 'Ik kwam alleen maar om bier te drinken. Ik begrijp deze muziek niet.' Maar toen Goodmans mooie zangeres, Joya Sherrill, in een laag uitgesneden witte avondjapon opkwam, juichte Chroesjtsjov het hardst.

In de pauze vertrok hij, waarbij hij tegen Jane Thompson zei: 'Het is mij een beetje te veel.' Ze zei: 'Ach, het is de eerste keer dat u het hoort.' Chroesjtsjov zei: 'Het maakt niet uit. Laat ze er maar van genieten.' Adzjoebei verklaarde later dat zijn schoonvader jazz beschouwde als 'een uitvinding van ongecultiveerde mensen. [...] Hoewel hij marxist was en begreep dat zwarten en blanken gelijk zijn, kon hij dat toch nog zeggen.'

Na afloop van het concert gaven de Thompsons een grote receptie in de Amerikaanse ambassade in het Spaso House. Het was een van hun laatste recepties voor hun geplande vertrek in juli. 'Tommy en ik gingen slapen voordat het was afgelopen,' herinnerde Jane zich. 'Het echtpaar Adzjoebei had het nog geweldig naar de zin toen wij vertrokken. Er werd geïmproviseerd met de ramen wijd open. In de twee weken daarop verspreidde de jazz zich over de hele stad. Het was een schitterend slot aan onze tijd in Moskou.'

Op dinsdag 5 juni schreef Kennedy naar Chroesjtsjov: 'Ik stelde het zeer op prijs toen ik zag dat u zo vriendelijk was het concert bij te wonen dat Benny Goodman vorige week in Moskou gaf. Ik kijk zelf uit naar een uitvoering van het Bolsjoiballet bij ons de komende herfst.'

Hij bedankte de Secretaris-Generaal ook 'voor de royale gastvrijheid die u en uw kameraden aan Pierre Salinger boden toen hij in de Sovjet-Unie verbleef. Hij heeft mij een volledig verslag gegeven van zijn bezoek, waarbij hij vooral de nadruk legde op uw generositeit om voor hem zo veel van uw tijd uit te trekken.' Hij erkende 'dat uw vriendelijkheid voor hem deels een vriendschappelijk gebaar naar mij betekende'.

Rusk en Dobrynin waren bezig met onderhandelingen over Berlijn: 'Ik denk dat het op dit moment het beste zal zijn om het gesprek in hun vaardige handen over te laten. Het bericht van de heer Salinger dat ambassadeur Dobrynin uw uitzonderlijke vertrouwen geniet, heeft mij wederom verheugd. Hij heeft zich in Washington reeds een plaats veroverd als een intelligente en vriendelijke vertegenwoordiger van uw regering.'

Terwijl de mannen van Kennedy en Chroesjtsjov in de lente van 1962 in Genève onderhandelden over een 'neutraal en onafhankelijk' Laos onder prins Souvanna Phouma, had de communistische Pathet Lao-beweging haar militaire offensief hervat. 'Ik vrees dat Washington of Moskou hier weinig aan kan doen,' zei Dean Rusk in maart in vertrouwelijke kring. 'Ik heb de indruk dat de Russen graag een overeenkomst sluiten, maar de Chinezen gooien steeds roet in het eten.'

De president had Adzjoebei in januari gewaarschuwd dat de Verenigde Staten zich krachtiger zouden opstellen in Zuidoost-Azië als de communisten zouden doorgaan met het beschermen van strijdkrachten die Zuid-Vietnam aanvielen. Maar diezelfde maand zei hij tegen zijn Nationale Veiligheidsraad dat hij, na 'zorgvuldige afweging van de gevaren' en een 'onderzoek van het aanvoerprobleem' (er was geen zeehaven), had 'besloten zijn handen af te trekken' van Laos. Tijdens een persconferentie in februari had hij, om in Genève een stevige vinger in de pap te houden, ontkend dat dit zo was. Sorensen merkte jaren later op dat Kennedy in de kwestie-Laos 'bluf aan echte vastbeslotenheid paarde [...] en in verhoudingen die hij *niemand* bekend maakte'.

In maart gebruikte hij zijn interview met de *Saturday Evening Post* om inzake Laos een nieuw dreigement te uiten aan het adres van Chroesjtsjov. Met bedrieglijke nonchalance zei hij dat de Secretaris-Generaal zich er net zo bewust van was als hij dat wanneer de Verenigde Staten werden gedwongen tussenbeide te komen in Laos, dit zou kunnen leiden tot gebruik van kernwapens.

Begin mei verbraken prins Souphanouvong en de Pathet Lao met hulp van de Noordvietnamezen de wapenstilstand. Het koninklijke Laotiaanse leger sloeg op de vlucht. De communisten leken op te stomen naar de Thaise grens. Kennedy dacht na over een manier om de Pathet Lao over te halen de wapenstilstand weer in acht te nemen zonder de reactionaire generaal Phoumi Nosavan tot de gedachte te verleiden dat hij een coalitieregering kon tegenhouden en de besprekingen in Genève kon laten mislukken.

Via Thompson in Moskou vroeg Rusk aan Gromyko om 'zijn invloed te gebruiken' binnen de Pathet Lao. George Ball vroeg Dobrynin of de Sovjets de belofte die Chroesjtsjov in Wenen had gedaan om een onafhankelijk en neutraal Laos na te streven, vaarwel hadden gezegd: 'De Verenigde Staten hebben Phoumi goed onder druk gezet. Het is nu te verwachten dat de Sovjet-Unie gezag gaat uitoefenen over de roekeloze acties van Souphanouvong.' Dobrynin bevestigde opnieuw de plechtige belofte van Chroesjtsjov en eiste dat de Amerikanen de 'Boun Oum-Nosavankliek' zouden dwingen te stoppen met hun pogingen een coalitieregering te saboteren.

Op donderdag 10 mei dacht de president na over een beperkt machtsvertoon, waaronder het sturen van een gedeelte van de Zevende Vloot naar de Golf van Thailand. Op het randje van brutaliteit zei generaal Bernard Decker, de stafchef van het leger: 'De vorige lente maakte u wat alarmerende geluiden en toen moest u terugkrabbelen. Nu ben ik gewoon bang dat we weer een gek figuur zullen slaan als u niet bereid bent hiermee door te gaan.'

Die dag bestempelde generaal Eisenhower in Washington ten overstaan van journalisten Kennedy's pogingen voor een coalitieregering in Laos als 'de manier waarop we China kwijtraakten'. Kennedy vroeg McCone om te 'proberen hem weer op het goede spoor te krijgen'. Toen McCone een beroep deed op zijn oude baas, uitte Eisenhower zijn voorkeur aan beperkte stappen. Hij voegde eraan toe dat, tenzij Phoumi's strijdkrachten uit elkaar aan het vallen waren, het een 'bijzonder goeie zet' zou zijn om ze te versterken 'om zo een stevige positie te behouden langs de noordgrens van Zuid-Vietnam – ruwweg de zeventiende breedtecirkel'.[1]

Op zaterdag 12 mei werd de Zevende Vloot eropuit gestuurd. Thompson stuurde een telegram waarin hij zei dat het 'zeer veelzeggend' was dat Chroesjtsjov en Gromyko niet openlijk klaagden: 'De Sovjets moedigen ons bijna aan om te laten zien dat de Pathet Lao een gevaarlijk beleid voert. [...] Ik kan moeilijk geloven dat Chroesjtsjov in een belangrijke zaak als deze zou hebben gezwegen indien de Sovjets van plan waren ons in dit gebied serieus weerstand te bieden.' Volgens hem diende men 'aan te nemen dat de Pathet Lao de zaken niet meer onder controle heeft of dat ze wordt opgehitst door de Chinezen'. Washington zou de Sovjets ook moeten laten weten dat 'we Phoumi nu echt onder druk gaan zetten'.

Vier dagen later, nadat de Verenigde Staten in het geheim Bangkok overhaalden om een verzoek tot bijstand in te dienen, werden twee Amerikaanse luchteskaders, vijfduizend Amerikaanse mariniers en infanteristen, en troepencontingenten uit Engeland, Australië en Nieuw-Zeeland via Thailand naar de grens met Laos overgebracht. Chroesjtsjov klaagde bij een westerse diplomaat dat de president 'een roekeloos spel' speelde.

Rusk stelde voor dat Kennedy een brief zou schrijven aan Chroesjtsjov en stuurde een ruwe tekst naar het Witte Huis.[2] In plaats daarvan vroeg Robert Kennedy aan Georgi Bolsjakov om tegen Chroesjtsjov te zeggen dat de president zich had verlaten op garanties van de Sovjets dat er niet gevochten zou worden en dat de nieuwe actie van de Pathet Lao hem een gevoel van 'oplichterij' had gegeven. Bolsjakov keerde een paar dagen daarna terug met een 'persoonlijke' boodschap

1. De belofte aan McCone om zijn gesprek met Eisenhower geheim te houden, kwam Kennedy na toen hij later die avond Roger Hilsman belde en naar de generaal verwees als 'X': 'McCone praatte met X. Hij wil er troepen heen sturen.' Hij merkte wat bits op dat 'X' hem ooit had verteld dat de koninklijke Laotiaanse strijdkrachten 'een zootje homoseksuelen' waren. Hij voegde eraan toe dat 'politieke' steun van 'X' een beperkt machtsvertoon 'iets minder lastig' zou maken.
2. Hierin stond: 'Als uw beleid hetzelfde blijft als dat u mij voorlegde in Wenen, dan zult u het met mij eens zijn dat een onmiddellijk herstel van een effectief staakt-het-vuren de eerste essentiële stap is. Dit moet worden vergezeld van bevredigende garanties van de zijde die u ondersteunt, dat dit staakt-het-vuren in de toekomst wordt nageleefd en dat het grondgebied dat de agressors de afgelopen week hebben ingenomen weer wordt teruggegeven aan de koninklijke Laotiaanse regering.'
Anders zouden de Verenigde Staten conform hun toezeggingen aan de Laotiaanse royalisten stappen moeten ondernemen: 'Met dit in gedachten heb ik onderdelen van de Amerikaanse Zevende Vloot opgedragen op te stomen naar de Golf van Thailand en ben ik bereid, al naargelang de omstandigheden, aanvullende maatregelen te treffen. Zowel de regering als de bevolking van de Verenigde Staten zullen het eenvoudigweg niet toestaan dat Laos door de strijdkrachten van Souphanouvong onder de voet wordt gelopen. Dit geldt vooral aangezien het algemeen bekend is dat de Sovjet-Unie in een positie verkeert om deze troepen tegen te houden en dientengevolge een vreedzame oplossing mogelijk kan maken.'

van Chroesjtsjov: er zouden geen gewapende acties meer plaatshebben in Laos. De Sovjet-Unie was 'eropuit de hele kwestie vreedzaam op te lossen'. Na overleg met zijn broer meldde de minister van Justitie dat hij 'verheugd [was] met de boodschap'. De Verenigde Staten konden met Souvanna Phouma doen wat ze wilden, maar de Secretaris-Generaal moest 'ook werken met zijn mensen aan de andere kant'.

De Pathet Lao keerde weer terug naar de onderhandelingstafel. Op 12 juni werd er een coalitieregering gevormd met Souvanna als minister-president en Phoumi en prins Souphanouvong als plaatsvervangers.

Chroesjtsjov telegrafeerde naar Kennedy: 'Goed nieuws uit Laos. [...] Er bestaat geen twijfel dat dit het keerpunt kan zijn, niet alleen voor het Laotiaanse volk, maar ook in de versteviging van de vrede in Zuidoost-Azië. [...] Ons wederzijds begrip tijdens onze bijeenkomst in Wenen van juni vorig jaar over steun aan een neutraal en onafhankelijk Laos wordt nu realiteit.' De president antwoordde: 'Ik deel uw opvatting dat de berichten uit Laos bijzonder bemoedigend zijn.'

Een 'Verklaring inzake de neutraliteit van Laos' werd zes weken later in Genève ondertekend. Bolsjakov berichtte Robert Kennedy dat Chroesjtsjov 'bijzonder verheugd was met de overeenkomst in Laos', maar zich ongelukkig voelde over de blijvende aanwezigheid van westerse troepen in Thailand. De Secretaris-Generaal begreep dat deze waren gestuurd voor het geval het tot een treffen in Laos zou komen. Hij hoopte dat het nu mogelijk was de troepen terug te trekken.

Robert nam contact op met zijn broer en vroeg Bolsjakov aan Chroesjtsjov door te geven dat de president binnen tien dagen met de terugtrekking zou beginnen. Chroesjtsjov zond een boodschap terug dat dit 'enorm veel' voor hem betekende.

De Laotiaanse overeenkomst hield niet stand. De Pathet Lao trok zich terug uit de nieuwe regering. De Noordvietnamezen bleven gebruik maken van de Laotiaanse corridor om de Viet Cong-rebellen in Zuid-Vietnam van voorraden te voorzien. Kennedy voerde een geheime CIA-operatie op tegen de twee vijandelijke strijdmachten.

Begin juli stuurde Castro zijn broer Raúl met diens medewerker majoor Aragones naar Moskou. In het geheim overtuigden de Cubanen Chroesjtsjov, Mikojan en Malinovski ervan dat de kernraketten in het kader van een officiële Sovjet-Cubaanse militaire overeenkomst naar Cuba moesten worden overgebracht. Raúl en Malinovski stelden een document op waarin de Russische luchtmacht plechtig beloofde de Cubaanse soevereiniteit en wetten te respecteren. Het pact zou vijf jaar moeten gelden met een optie op verlenging, maar kon worden beëindigd door één van de partijen, waarbij een opzegtermijn van een jaar zou gelden. In dat geval zouden Sovjetinstallaties op Cuba in bezit komen van de Cubaanse regering. Sovjettroepen zouden moeten vertrekken met achterlating van hun uitrusting en oorlogsmateriel.

Volgens Jorge Risquet, die later lid zou worden van het Cubaanse Politburo, stelden de Cubanen Chroesjtsjov voor dat hij in het openbaar bekend zou maken dat de Sovjet-Unie raketten verscheepte naar Cuba: dit was het recht van beide landen. Anders zouden de Verenigde Staten, 'gelokt in een doodlopend steegje, worden geconfronteerd met een voldongen feit en dan zouden ze moeten reageren met een bepaalde mate van geweld [...] als ze zich geplaatst zien voor iets wat kan worden opgevat als een vorm van misleiding, als iets wat op een oneerlijke manier is bewerkstelligd.'

Chroesjtsjov weigerde. Aragones herinnerde zich later dat Chroesjtsjov 'tijd wilde winnen. Hij zei dat er geen moeilijkheden zouden zijn, hij dacht dat dit niet zou gebeuren, dat het niet ontdekt zou worden.'

De Cubanen benadrukten dat indien de Verenigde Staten de raketten ontdekten nog voordat ze gevechtsklaar waren, 'wij een preventieve Amerikaanse aanval konden verwachten met bijzonder ernstige gevolgen voor onszelf en waarbij we niet in staat zouden zijn te reageren'. Chroesjtsjov antwoordde dat hij hen in dat geval nog zou verdedigen en een brief naar Kennedy zou sturen om hem te vertellen wat hij had gedaan.

De Sovjets en de Cubanen kwamen overeen dat het pact zou ingaan vanaf het moment van ondertekening. Chroesjtsjov en Castro konden het, nadat de raketten zouden zijn geïnstalleerd, in het openbaar tekenen tijdens een triomferend bezoek van Chroesjtsjov aan Cuba in november. Toen Castro eind juli het document in handen kreeg, stelde hij zijn eigen voorwoord op. Dit zou worden gepubliceerd op het moment suprême in november wanneer hij Chroesjtsjov in Havana zou verwelkomen.

Op woensdag 4 juli ging Chroesjtsjov naar het Spaso House voor het jaarlijkse tuinfeest ter gelegenheid van de Amerikaanse Onafhankelijkheidsdag. Hij bracht een toost uit op president Kennedy en zei: 'Ik wil de Amerikaanse bevolking feliciteren. Ik spreek de hoop uit voor vrede en succes.' Benny Goodman begroette hem: 'Aha, een nieuwe jazzliefhebber.' De Secretaris-Generaal antwoordde: 'Ik hou niet van Goodman-muziek. Ik hou alleen van *goede* muziek!'

De dag daarop schreef hij de president en eiste een oplossing voor Berlijn. Bolsjakov had Robert Kennedy in juni gewaarschuwd dat een onopgeloste kwestie-Berlijn 'onze betrekkingen gecompliceerder maakt en [...] kansen te over biedt op een gevaarlijke confrontatie. De Sovjet-Unie wil oprecht tot een overeenkomst met de Verenigde Staten komen, die *niet* de primaire belangen of het prestige van beide partijen zou schaden.'

Bolsjakov liet de minister van Justitie weten dat hij Chroesjtsjov op de hoogte had gesteld dat Robert had volgehouden: 'De president en zijn regering zijn realisten die een overeenkomst proberen te sluiten en geen militair conflict met de Sovjet-Unie willen.' Maar als het Westen niet snel stappen ondernam, dan zou de Berlijnse crisis opnieuw ontbranden.

Op dinsdag 17 juli gaf Bundy de president 'een vliegeniersrapport over een incident van een laagvliegend toestel in het Berlijnse luchtruim'. In het Oval Office klaagde Kennedy om zes uur bij Dobrynin over dit pesterijtje.

Hij wees Chroesjtsjovs laatste aanbod voor een regeling van de hand. Die vereiste de verwijdering van geallieerde troepen uit West-Berlijn: dit 'zou ons uit de stad krijgen zonder zelfs maar een beetje geheimhouding. Dit zou een grote aftocht betekenen. Europa zou het vertrouwen in het Amerikaanse leiderschap verliezen. Het zou een grote overwinning worden voor de Sovjet-Unie en een grote nederlaag voor het Westen.'

Dobrynin zei dat de Secretaris-Generaal 'enorm teleurgesteld' zou zijn. Hij vroeg botweg of Kennedy's standpunt was 'gerelateerd aan Duitse belangen of aan Amerikaanse belangen'. De president bleef kalm: 'Er zijn wellicht andere vraagstukken waarvoor wij bereid zouden zijn de Duitsers onder behoorlijk zware druk te zetten, zoals de voorwaarden van het toegangsrecht.' Maar 'onze aanwezigheid in Berlijn' was 'van wezenlijk belang voor iedereen'. Hij dacht dat hij dit wel duidelijk had gemaakt aan Gromyko tijdens hun ontmoeting de afgelopen herfst.

Kennedy herinnerde de afgezant eraan dat 'door de Sovjets gecreëerde spanningen in Berlijn' al tot een toegenomen westerse herbewapening hadden geleid: 'Iedere nieuwe crisis zal een soortgelijk effect hebben.' Hij wees op het meningsverschil met zijn bondgenoten (lees: Frankrijk) over de verspreiding van kernwapens en waarschuwde dat een nieuwe Berlijnse crisis 'alleen maar het gevaar zou vergroten van gevolgen die de Sovjetregering zich niet zou wensen'.

Dobrynin hield vol dat het de westerse troepen in West-Berlijn waren die deze gevaren veroorzaakten. De president antwoordde dat indien de Sovjets begrepen dat de troepen van wezenlijk westers belang waren, dit de beste manier zou zijn om de spanning rond de kwestie-Berlijn te verminderen.

In Genève had Arthur Dean drie dagen eerder tegen journalisten gezegd dat verbeterde nucleaire detectiemethoden de behoefte aan controlelocaties binnen de Sovjet-Unie misschien zouden uitsluiten. Nadat hij zich vreselijk had zitten opwinden over de opmerkingen van Dean in de krant, kwam Rusk met een verklaring dat zich geen wijziging had voorgedaan in het Amerikaanse standpunt. Kennedy was buiten zinnen dat zijn regering in het openbaar zo in de war leek te zijn. Nu vroeg Dobrynin hem wat Dean in gedachten had. De president ontweek de vraag en zei domweg dat wanneer de Sovjets hun kernproeven zouden hervatten, 'Amerikaanse wetenschappers de noodzaak van extra Amerikaanse proefnemingen zouden benadrukken. [...] Het zou helpen wanneer een nieuwe serie Russische proefnemingen slechts korte tijd zou duren.' Dobrynin verklaarde dat aangezien de Amerikanen 'veel meer proeven' hadden uitgevoerd dan zijn regering, de Sovjet-Unie van plan was de kernproeven te hervatten.[1]

Tijdens de zomer van 1962 bereikte de invloed van 's lands minister van Defensie zijn hoogtepunt. Bij zijn ambtsaanvaarding had Robert McNamara zich omringd met jonge mannen 'die slimmer zijn dan ik': Alain Enthoven, Charles Hitch, Adam Yarmolinsky en anderen die hem op de hoogte hadden gebracht omtrent de laatste defensie theorieën die tijdens de laatste jaren van de periode-Eisenhower aan universiteiten en in denktanks tot ontwikkeling waren gekomen. Met zijn witte presidentiële telefoon achter zijn rug zat McNamara in zijn hemdsmouwen voorover gebogen te werken aan zijn tweeëneenhalve meter brede bureau dat van generaal Pershing was geweest. Razend snel las hij het ene document na het andere door en had zo een snelle start gemaakt met het uitvoeren van de opdracht die zowel impliciet als expliciet besloten lag in Kennedy's campagnetoespraken van 1960 – het opbouwen van de Amerikaanse kernmacht, het uitbreiden van de conventionele macht om soepeler te kunnen reageren op bijna-oorlogsprovocaties, en het verminderen van de kostbare rivaliteit door het leger onder toezicht van zijn eigen departement te stellen.

Bij het verdedigen van zijn beleid sprak McNamara altijd heel erg gehaast. 'Hij

1. TASS maakte deze beslissing vier dagen later openbaar.

rent meer dan hij wandelt,' merkte de minister van Landbouw, Orville Freeman, op. Volgens hem rende McNamara zelfs 'de roltrap op en neer'. Generaals, admiraals en Congresleden klaagden erover dat hij zo kort van stof was. McNamara aanvaardde de verklaring van zijn vrouw als mogelijke oorzaak: 'Bob kan dwazen slecht uitstaan.'

Hij was kieskeurig in zijn betrekkingen met de minister van Buitenlandse Zaken om te vermijden dat men de indruk kreeg dat hij zich op het terrein van Rusk begaf ('Ik heb nooit acties ondernomen die betrekking hadden op het buitenlands beleid zonder de volledige instemming van Buitenlandse Zaken'). Maar het lag in zijn aard om een machtsvacuüm op te vullen. Of het nu in een debat achter gesloten deuren was of in het openbaar met zijn meedogenloos welbespraakte tegenhanger uit het Pentagon: Rusk kon niet tegen hem op.

McNamara introduceerde de gewoonte van het uitgeven van een jaarlijkse verslag van honderd of tweehonderd pagina's dik over de huidige politieke doelstellingen en militaire bedreigingen, en hij schreef hoe de Verenigde Staten deze het hoofd wilden bieden. Jaren later zei Foy Kohler: 'Ik probeerde Dean ervan te overtuigen dat wij ieder jaar ons eigen resumé over buitenlandse zaken zouden moeten uitgeven, voordat McNamara met dat van hem kwam. [...] Ik vond dat hij Bob over zich heen liet lopen. [...] Ik vond dat hij meer zijn mannetje had moeten staan.'

Met zijn minachting voor traditionele procedures richtte de president zich steeds vaker tot McNamara voor advies over zaken die niets met defensie hadden te maken. Hij had nog nooit zo'n succesvolle self-made zakenman ontmoet die zo belezen was en in staat bleek het op te nemen tegen academici, Congresleden en de pers. Hij was diep onder de indruk van McNamara's onverzettelijkheid, snelheid van begrip, welbespraaktheid, bekwaamheid, integriteit, zijn gebrek aan politiek jargon en zijn krachtige persoonlijkheid.

Met Douglas Dillon en Robert Kennedy behoorde McNamara tot de enige kabinetsleden die ook in het privé-leven van de president voorkwamen. Jacqueline zei: 'Mannen kunnen zijn seks-appeal niet begrijpen.' Hij onderhield met name nauwe banden met de minister van Justitie die zei: 'Waarom noemt iedereen hem toch "de computer", terwijl al mijn zussen juist naast hem willen zitten bij het eten?'

Uiteraard wist McNamara dat zijn vertrouwde omgang met de Kennedy's zijn publieke invloed zou vergroten. Toch werd hij oprecht tot hen aangetrokken. Door hun onverzettelijkheid, doordachtheid, intellectuele nieuwsgierigheid en sportiviteit, hun steeds vrijzinniger denkbeelden en hun harde werklust. Hij was dankbaar dat hij niet meer tot het milieu behoorde van de anti-intellectuele en onverdraagzame auto-industriëlen en hun echtgenoten die hij vijftien jaar lang had verdragen.

Niemand nam de 'Hickory Hill-seminars' serieuzer dan McNamara. Ze werden georganiseerd door Robert Kennedy en Arthur Schlesinger die de New Frontier-regering en maatschappelijke organisaties uitnodigden om bezoekende academici te ondervragen over onderwerpen die uiteenliepen van presidentiële grandeur tot psychoanalyse.[1] McNamara was niet ongevoelig voor de levensstijl van de

1. Schlesinger noemde zichzelf Assistent van de Decaan en Robert Kennedy de Decaan. In december 1961 bijvoorbeeld schreef hij aan Jacqueline Kennedy's secretaresse over 'de volgende bijeenkomst van de Robert F. Kennedy Academie voor Hoger Onderwijs' die in zijn huis in Georgetown zou worden gehouden: 'Spreker zal zijn: professor A.J. Ayer, filosoof uit Oxford. [...] Wanneer mevrouw K. misschien toevallig het diner wil bijwonen, dan hoef ik nauwelijks te zeggen dat niets ons meer zou verblijden.'

Kennedy's en danste ooit de twist met Jacqueline tijdens een privé-diner in het Witte Huis. Toen een journalist hem vroeg met wie hij graag zat te kletsen of een biertje zat te drinken, zei hij: 'Het echtpaar Kennedy – die mag ik heel graag.'

De president was eerlijk tegen zichzelf door zijn eigen bestuurlijke tekortkomingen toe te geven en hij bewonderde dan ook de snelheid waarmee McNamara het Pentagon efficiënt organiseerde. Hij had respect voor de slagvaardige manier waarop zijn minister zaken deed: anders dan Rusk kwam hij 'binnenzetten met zijn twintig opties en dan zegt hij: "Meneer de president, ik vind dat we dit moeten doen." Daar hou ik van. Dat maakt het werk wat gemakkelijker.' Volgens Kennedy was McNamara 'een van de weinigen in deze stad die, wanneer je hem vraagt of hij iets te zeggen heeft en hij heeft dat niet, gewoon zegt: "Nee." Dat zie je heel zelden tegenwoordig, geloof me.'

McNamara was de belichaming van Kennedy's groeiende overtuiging dat de problemen van de jaren zestig meer vatbaar waren voor 'bestuurlijke' dan voor ideologische oplossingen. In een belangrijke toespraak van juni 1962 op Yale University omschreef de president deze problemen als 'zo gecompliceerd en zo technisch dat slechts een handjevol mensen ze echt begrijpt', waardoor de gemiddelde man zich gedwongen ziet terug te vallen op 'een stel verouderde, zo niet betekenisloze slogans'.

Naarmate de tijd verstreek werd de president zich echter ook hoe langer hoe meer bewust van McNamara's tekortkomingen. O'Donnell, die een hekel aan hem had, waarschuwde Kennedy dat McNamara's onervarenheid de president ooit een keer in problemen zou brengen. Toen de minister in 1963 het Congres voorhield dat de verkoop van enkele raketten aan Canada vooral tot doel had gehad dat een paar Sovjetraketten van Amerikaans grondgebied weg werden gelokt, zei Kennedy in vertrouwelijke kring: 'Iedereen zou zich kandidaat moeten stellen. Dat is het enige dat je hoeft te doen.'

Hoewel Joseph Alsop bewondering had voor de minister van Defensie, raakte hij geïrriteerd toen hij Kennedy hoorde zeggen dat 'wiskundig gezien de kans op een atoomoorlog binnen tien jaar minstens fifty-fifty is'. Alsop. 'Bob had van die ingewikkelde theorieën over de kans dat China de bom zou krijgen [...] die ging tot een verviervoudiging. Een hoop onzin: zo verloopt die kans helemaal niet. Maar de president had die informatie gekregen van McNamara en hij had er niet echt goed over nagedacht. Hij herhaalde het alleen maar.'

De columnist maakte zich ook zorgen over McNamara's zwakke instincten op het gebied van de binnenlandse politiek. Hij schreef aan Kennedy: 'Bob is uw grote ontdekking, maar hij lijkt op mijn oude generaal, [Claire] Chennault,[1] in de laatste oorlog in de zin dat zijn verbazingwekkende kwaliteiten in potentie worden gecompenseerd door enorme hiaten in zijn ervaring. [...] Geef Bob

---

1. Chennault, in de oorlog gelijktijdig opperbevelhebber van de Amerikaanse luchtmacht in China en stafchef van de Chinese luchtmacht, was een dikke vriend van Jiang Kaishek ('een van de grootste mannen ter wereld'), die het squadron van de 'Flying Tigers' had opgericht, dat een indrukwekkend aantal Japanse vliegtuigen neerschoot. In juli 1945 nam hij ontslag na zijn constatering dat zijn militair gezag werd aangetast. Hij gaf de Chinese communisten de schuld van zijn degradatie en werd een steunpilaar van de pro-Jiang 'China-lobby' in de Verenigde Staten.

maar eens een lesje over de noodzaak om openhartig en eerlijk te zijn over zijn problemen met het publiek, en derhalve met mensen in het Congres en in mijn vakgebied. Hij denkt dat wanneer je de zaken goed aanpakt, je vanzelf steun krijgt. Dat is een mooie gedachte, maar de praktijk wijst helaas wel anders uit.' 'Zeg hem dat iedere grote minister publieke steun en vertrouwen moet afdwingen en dat je dat alleen maar kunt krijgen als je de mensen uitlegt wat je van plan bent. [...] Ik schrijf u dit allemaal, omdat ik Bob grote moeilijkheden voorspel, tenzij er preventieve stappen worden genomen. [...] De vijanden die Bob genoodzaakt is te maken, zullen hem uiteindelijk pakken, tenzij hij op de door mij geschetste wijze of op een andere manier in bescherming wordt genomen.'

McNamara werd geboren in 1916 en groeide op in wat werd omschreven als een 'enigszins dichtbevolkt gebied met mensen uit met name de lagere middenklasse' in de noordelijke heuvels van San Francisco. Zijn vader was een in Boston geboren kind van katholieke immigranten uit het Ierse graafschap Cork, zijn moeder was een Schots-Engelse protestantse. Als verkoopmanager van een schoenengroothandel verhuisde de vader zijn gezin in 1924 naar Oakland, waar zijn zoon de kans kreeg de uitstekende middelbare school in de rijke stad Piedmont te bezoeken.
Na Berkeley bezocht hij de Harvard Business School, waar hij ook les gaf in boekhouden. Tijdens de Tweede Wereldoorlog maakte hij als logistiek expert bij het leger gebruik van nieuwe statistische technieken. Aan het eind van de oorlog wilde hij weer terugkeren naar Harvard, maar toen zijn vrouw Margaret polio kreeg, dwongen de doktersrekeningen hem flink geld te verdienen in de zakenwereld. Hij schaarde zich bij een management- en controlegroep van veteranen, bijgenaamd de 'Whiz Kids', die werd ingehuurd door de jonge Henry Ford II om de verouderde en chaotische methoden van Ford Motor Company te reviseren.
McNamara maakte promotie binnen Ford, niet dank zij een gebruikelijke combinatie van bedrijfspolitiek en liefde voor auto's, maar louter vanwege zijn managerskwaliteiten. Hij zei: 'Ik ben het ermee eens dat ik niet die perfecte voeling met het vak bezit die die joviale schouderkloppers wel hebben. Daar kan ik niets aan doen. [...] Ik analyseer gewoon elke situatie met alle middelen die ik tot mijn beschikking heb.'
McNamara vestigde zijn gezin niet in een van de voorsteden, maar in de universiteitsstad Ann Arbor. Hij was slechts in naam een Republikein en schaarde zich bij het Burgers-voor-Michigancomité, dat was geformeerd door George Romney van American Motors om openbare beleidsadviezen te geven. In 1960 werd hij benoemd tot directeur van Ford. Het was de eerste keer dat het bedrijf werd geleid door iemand van buiten de familie. Dat jaar liet hij weten dat hij voor Kennedy zou stemmen, maar op een of andere manier raakte de Kennedy-campagne hier niet van op de hoogte, zodat dit niet kon worden uitgebuit.
Na de verkiezingen schoof Robert Lovett McNamara en nog drie of vier anderen naar voren voor de post in het Pentagon. Als luchtchef voor de burgerluchtvaart was Lovett op de hoogte van zijn logistieke werk tijdens de oorlog. Aangezien de president erop gebrand was aanvaardbare Republikeinse zakenmannen in te huren, was hij opgelucht toen Lovett hem vertelde dat McNamara niet katholiek was. O'Donnell telefoneerde met United Automobile Workers en kreeg

de verzekering dat McNamara 'gematigd progressieve opvattingen' had.

Sargent Shriver vloog naar Detroit en stelde hem een post op Financiën of Defensie voor. McNamara antwoordde dat een ministersbaan voor hem een opoffering betekende van enkele miljoenen dollars, hoewel hij toegaf dat hij reeds meer geld had 'dan ik ooit nodig zal hebben of gebruiken', en dat hij slechts een maand president van de Ford-fabrieken was geweest. Na afloop van het gesprek zei een enthousiaste Shriver: 'Hoeveel auto-industriëlen of kabinetsleden zijn er nog die ook Teilhard de Chardin lezen?'

De volgende dag, tijdens zijn ontmoeting met de aanstaande president in Georgetown, zei McNamara dat hij niet gekwalificeerd was voor Financiën (hij was niet zo eerlijk te zeggen dat hem het idee alleen al vervelend leek), maar werd geboeid door de uitdaging van het Pentagon. Misschien wist hij dat zelfverzekerde leiders onder de indruk raken van zelfverzekerdheid toen hij Kennedy vroeg of hij echt *Profiles in Courage* had geschreven. Kennedy zei van wel, maar dat anderen 'natuurlijk' veel van de research hadden gedaan. Na afloop zei de nieuwe president: 'Ik denk dat hij precies de geschikte man is.'

Toen McNamara weer bij hem op bezoek kwam, had hij een brief bij zich waarin hij erop stond dat hij zelf zijn mensen mocht kiezen, zelf een mening mocht vormen over de bevindingen van de speciale defensie-eenheid die Kennedy had aangesteld, en dat hij direct operationeel en bestuurlijk gezag zou krijgen in de keten die liep van de president naar de militaire leiding. De brief eindigde met de opmerking dat hij bereid was het aanbod te aanvaarden wanneer Kennedy akkoord ging met deze zaken.

Andere presidenten hadden het misschien brutaal gevonden van een aanstaand kabinetslid om zulke schriftelijke eisen te stellen. Maar de president was, net als zijn broer Robert, 'onder de indruk van zijn harde opstelling'.

McNamara leek de belichaming te zijn van de tweestrijd tussen het Ierse en Schotse bloed van zijn ouders. Hij was een emotionele, loyale en gedreven man die hard zijn best deed deze aanvechtingen te bedwingen en te verbergen achter een façade van rationele, zelfverzekerde, apolitieke en superieure doelmatigheid.

Tegen een verslaggever vertelde hij eens: 'Emotie kun je nooit vervangen door ratio. Ik zou graag een plaatsje willen openhouden voor intuïtie, maar niet voor emotie.' Tegen een andere: 'Ik moet nauwkeurig nadenken. Als je het bij het verkeerde eind hebt, is de prijs erg hoog.' De notulen van McNamara's uitlatingen uit de tijd dat hij het Pentagon aanvoerde, zijn overgoten met zulke opmerkingen. Als Kennedy een realist was die zich een briljante vermomming van een romanticus had aangemeten, dan was McNamara – misschien geen romanticus – maar wel een man van intense emoties die streefde naar koel en logisch realisme.[1]

---

1. Dit streven faalde duidelijk in het derde jaar van massale Amerikaanse betrokkenheid bij en de vele slachtoffers in Vietnam. Onder grote druk nam hij uiteindelijk ontslag uit Lyndon Johnsons regering. Een paar van zijn vrienden vertelden een van zijn biografen, Henry Trewhitt, onder vier ogen dat zij bang waren dat McNamara zelfmoord zou plegen. Johnson, tegen die tijd boos over McNamara's bekering inzake Vietnam, liet zich wat lomp uit tegenover intimi dat hij bang was voor 'een tweede Forrestal' (verwijzend naar de eerste minister van Defensie die vanuit een raam van een marinehospitaal in Bethesda zijn dood tegemoet sprong). Twintig jaar later eiste McNamara van interviewers dat ze Vietnam niet ter sprake zouden brengen.

Hij wist dat mannen met een opvallend gebrek aan zelfvertrouwen het als president van Ford of als minister van Defensie niet redden.

In het Witte Huis bepleitte hij zijn beleidslijnen zo krachtig en met absolute overtuiging dat Robert Kennedy, die een grote bewondering voor hem had, ervoor zorgde dat zijn broer ook de tegenargumenten hoorde om alles een beetje in balans te brengen. Robert vond McNamara 'de gevaarlijkste man in het kabinet, omdat hij zo overredend en welbespraakt is'. Iemand anders zei te hopen dat de minister 'het nooit heel erg bij het verkeerde eind had. Stel je eens voor dat Bob iemand tegen het lijf loopt en in een discussie over een vaag onderwerp belandt. Die andere kerel heeft geen schijn van kans.'

James Reston klaagde ooit in de *New York Times*: 'Bij de minister van Defensie gaat het niet om zijn inefficiëntie, maar om zijn gedecideerde efficiëntie om een twijfelachtig beleid aan de man te brengen. [...] Hij is netjes, hij is zelfverzekerd en hij heeft de eerlijkheid van een profeet uit het oude testament, maar toch ontbreekt er iets: iets van persoonlijke twijfel, respect voor menselijke zwakheid, enige kennis van geschiedenis.'

Vanaf de Harvard Business School tot aan het Pentagon was het altijd zijn passie geweest om rationele handelingen te eisen die de gevoeligheid van het systeem voor menselijk falen, toeval en pech zouden verminderen.[1] De verdienste van zijn aanpak was de grotere nauwkeurigheid die deze teweegbracht binnen het Amerikaanse defensiebeleid en landsbestuur. Het zwakke aspect ervan was dat het gespeend was van een vergelijkbaar geraffineerd begrip van de emotionele en schijnbaar irrationele prikkels die het denken en doen bepaalden van een volk als dat van de Vietnamezen[2] of van een staatsman als Nikita Chroesjtsjov.

Die winter overwoog McNamara een belangrijke verschuiving in de Amerikaanse nucleaire strategie: in het geval van een dreigende Russische atoomaanval zouden de Verenigde Staten trachten niet Russische steden maar Russische opslag- en lanceerinstallaties aan te vallen.

Hij hoopte dat een dergelijke strategie bij De Gaulle twijfel zou wegnemen dat de president New York zou opofferen voor Parijs. Zo zouden ook diens eisen voor een Franse nucleaire *force de frappe* worden afgezwakt. In februari verklaarde hij tijdens een toespraak in Chicago: 'We zullen in staat zijn onze vergeldingskracht aan te wenden om de schade aan onszelf en onze bondgenoten te beperken door de bases van onze vijand uit te schakelen voordat hij de tijd heeft gehad een tweede salvo af te vuren.'

Een van zijn medewerkers zei later: 'Hij luisterde naar zijn *Whiz Kids* en nam te vaak kritiekloos hun opmerkingen over. In ieder geval had hij moeten weten dat er na een vijandelijke aanval niet zoiets bestaat als een eerste vergelding op militaire doelen. Als je op raketten gaat schieten, dan heb je het over een eerste aanval.'[3]

---

1. Als minister van Defensie vernam hij met ontzetting dat er bijna niets was gedaan ter voorkoming van een toevallige atoomoorlog. Een van zijn eerste handelingen was het bevel tot installatie van *Permissive Action Links* – PAL's – om niet geautoriseerde raketlanceringen tegen te houden. (Hij gaf ook de opdracht om de Russen zonder veel ophef van deze technologie te voorzien.)

2. Zoals McNamara later erkende.

3. In de jaren tachtig zei McNamara: 'Ik ken niemand die denkt dat indien je vandaag de

In combinatie met Kennedy's opmerkingen over het nemen van 'het initiatief' versterkte McNamara's gepraat over tegenkracht Chroesjtsjovs bezorgdheid dat de Verenigde Staten een preventieve atoomaanval op de Sovjet-Unie in overweging namen. Net als een kind dat zijn rivaal wil overschreeuwen, was hij er nu meer dan ooit op gebrand om de Amerikaanse aanspraken op superioriteit te ontzenuwen.

Op woensdag 11 juli vertelde hij op een 'vredescongres' in Moskou dat Eisenhower en Kennedy ooit 'realistisch' geweest waren toen ze verklaarden dat de Amerikaanse en Sovjetkracht gelijk waren: 'Dat standpunt uitte president Kennedy tijdens onze ontmoeting in Wenen. Maar nu zijn de Amerikaanse leiders begonnen om hun bevolking en bondgenoten in te prenten dat het machtsevenwicht verschoven is ten gunste van de Verenigde Staten. [...] De bedoeling van dit gevaarlijke denkbeeld is het vergroten van [...] een oorlogsdreiging. Maar het is totaal ongegrond.' Hij zei dat de Sovjet-Unie dominanter was dan ooit, niet alleen vanwege haar honderd-megatonbommen, maar ook door een nieuwe antiraket-raket.[1] McNamara's 'monsterlijke voorstel' was 'doordrongen van haat jegens mensen, jegens de mensheid. [...] Zijn er dan geen gewapende strijdkrachten in en nabij de grote steden? Zouden atoombommen die volgens de regels van McNamara in, laten we zeggen, de voorsteden van New York tot ontploffing komen, niet dood en verderf zaaien in die grote stad?'

Verwijzend naar Kennedy zei hij: 'Sommige staatslieden die in een verantwoordelijke positie verkeren, verklaren zelfs in het openbaar dat zij bereid zijn "het initiatief te nemen" in een nucleair conflict met de Sovjet-Unie. [...] Hun redeneertrant is: vooruit met de geit en beginnen met die oorlog, want straks is de situatie misschien veranderd.'

Een paar dagen later pochte Chroesjtsjov tegen Amerikaanse redacteuren dat zijn antiraket-raket zo nauwkeurig was dat hij 'een vlieg in de ruimte kon raken'. De Sovjet-Unie, zo zei hij opschepperig, was 'geen Laos, geen Thailand of een of ander staatje'. Hij voelde zich zonder twijfel aangemoedigd door zijn visioenen van raketten op Cuba toen hij zei: 'Zij die ons bedreigen, zullen alles terugkrijgen wat zij voor ons in petto denken te hebben!'

Toen de president een opvolger moest kiezen voor Thompson, vroeg hij zijn broer of hij geïnteresseerd was in de ambassadeurspost in Moskou. Robert herinnerde hem eraan dat hij 'er tien jaar over had gedaan om zijn Frans op twee-

dag een kernoorlog begint, die beperkt kan blijven. Maar toen was dat onze hoop.' In de jaren tachtig fantaseerde Dean Rusk een keer over een presidentieel telefoontje aan een Sovjetleider na een tegenaanval: 'Een paar minuten geleden lanceerden wij onze raketten, maar ik wil u geruststellen dat we ze alleen maar richten op militaire doelen en daarom hopen wij dat u onze steden met rust laat. [...] O ja, tussen twee haakjes... we moeten dit gesprek kort houden: aangezien Moskou uw centrale commando-en-controlecentrum is, wil ik u de tijd geven om in uw schuilkelder te komen.'

1. McNamara's medewerkers haastten zich de pers te vertellen dat ze Chroesjtsjovs verklaring in twijfel trokken. Toch zei de minister in vertrouwelijke kring dat de Sovjets misschien in staat waren tegen 1965 of 1966 een of andere antiraket-raket te ontwikkelen. In feite weten we nu dat Chroesjtsjovs bewering klopte, maar dat zijn antiraket-raket primitief en onnauwkeurig was.

dejaars niveau te krijgen.' Kennedy zei: 'Je hebt geen Russisch nodig om erheen te gaan.' Maar uiteindelijk concludeerde hij dat zijn broer 'in Washington te hard nodig was'.

Jacqueline stelde John Glenn voor, volgens haar 'de meest beheerste persoon ter wereld. Zelfs Jack, die uiterst beheerst is en, om de wereldproblemen van zich af te schudden, zich gemakkelijk kan ontspannen en kan slapen wanneer hij dat wil, lijkt een onrustige losbol vergeleken met Glenn.' De pers liet proefballonnetjes op voor John Kenneth Galbraith. Daarna keurden de Republikeinen het zenden van een 'socialist' naar Moskou af. Kennedy liet Bradlee weten dat Galbraith het niet zou worden: 'We moeten iemand hebben die Russisch spreekt. Het is heel belangrijk om een beetje te geven en te nemen.'

De buitenlandse dienst knokte er keihard voor de prestigepost te behouden. Hun eenstemmige keuze viel op Foy Kohler. De minister van Justitie zei tegen zijn broer dat hij van Kohler 'de kriebels' kreeg. Hij was niet 'het soort persoon dat iets voor elkaar zou krijgen bij de Russen'.

Kohler behoorde tot het slag stijfhoofdige bureaucraten wier invloed de broers hard probeerden te verminderen. Hij miste de sociale vriendelijkheid waardoor ze zich op voet van gelijkheid voelden staan met andere Sovjetspecialisten als Harriman, Kennan, Bohlen en Thompson. Voordat hij in 1931 bij de diplomatieke dienst kwam, was hij bankbediende geweest in Toledo. Privé zag Kohler Kennedy als een intelligent, maar onervaren public-relationsprodukt en hij vroeg zich af of de Republikeinen misschien informatie over de vrouwen van de president zouden gebruiken om hem in 1964 te verslaan.

Volgens Charles Bartlett concludeerde Kennedy uiteindelijk dat 'wanneer je iemand van buiten de buitenlandse dienst naar landen stuurt waar het er serieus aan toegaat, dan wordt die persoon belazerd door de buitenlandse dienst'. Kohler kreeg de aanstelling.

Tijdens een lunch in juli vroeg Frank Holeman aan Bolsjakov wat de Russen vonden van Kohlers nominatie. Het was zes maanden geleden dat Bolsjakov de Amerikanen had verteld dat Chroesjtsjov graag met een 'bekende vriend' van de president te maken zou krijgen en niet met een carrièrediplomaat. Nu klaagde Bolsjakov dat Foy Kohler 'geen *New Frontier*-man' was.

Hij zei dat hij begin augustus terug naar huis zou gaan voor een zomervakantie. Hij verborg zijn rivaliteit met Dobrynin toen hij eraan toevoegde dat hij eerder naar huis had willen gaan, maar zijn 'goede vriend' de ambassadeur had hem verzocht te blijven. Hij vertelde dat hij en Dobrynin vaak 'over veel zaken' praatten: ze waren het er beiden over eens 'dat de president een verzoening met de Sovjet-Unie wenst'.

Bolsjakov vroeg of Kennedy kon worden overgehaald om een boodschap te sturen naar een geplande ontwapeningsbijeenkomst in Moskou. Holeman antwoordde dat de conferentie 'louter een communistische aangelegenheid' was. Bolsjakov zei dat hij alleen maar een groet wenste. Hij waarschuwde dat wanneer de president een proclamatie van het Congres voor *Captive Nations Week* tekende, dat 'de besprekingen over Berlijn zou kunnen beïnvloeden'.[1]

---

1. Dit was niet de eerste keer dat bekend werd dat Chroesjtsjov bezwaar maakte tegen de resolutie die vanaf 1950 ieder jaar werd ondertekend door een president. Toen Nixon in

Tijdens een receptie in het Kremlin die maand vroeg Nina Chroesjtsjov aan Jane Thompson waarom zij en haar echtgenoot Moskou gingen verlaten. De ambassadeursvrouw herinnerde haar eraan dat ze er al vijf jaar waren geweest: 'De kinderen moeten terug naar Amerikaanse scholen. Ze hebben nooit in hun eigen land gewoond.'

Het is bijna zeker dat mevrouw Chrocsjtsjov op de hoogte was van de raketten die voor Cuba gepland stonden. Ze gaf een veelzeggend teken: *'Ik zou zeggen dat het heel belangrijk is om op dit moment niet van ambassadeur te veranderen.'*

Verbaasd antwoordde mevrouw Thompson: 'Misschien kan mijn man meer doen in Washington dan in Moskou.'

Op woensdagmorgen 25 juli werd Thompson door Chroesjtsjov in het Kremlin ontboden voor een afscheidsgesprek en 's avonds bood hij de afgezant en zijn echtgenote een acht-gangendiner op het gazon bij zijn datsja aan.

Hij benadrukte dat hij voor Berlijn een oplossing wilde en dat hij weer de weg van de coëxistentie wilde volgen: de Sovjet-Unie kon een vreedzame strijd winnen en hij wilde hiermee opschieten. Hij streefde ook naar goede betrekkingen vanwege de Chinezen. Hij was 'echt bevreesd' dat de militairen in de Verenigde Staten op een dag de macht van de Amerikaanse regering zouden overnemen om vervolgens in Berlijn 'echt hun eigen gang te gaan'. Toen ze uit elkaar gingen, zei hij tegen zijn Amerikaanse vriend: 'Ga naar huis en vertel president Kennedy wat ik heb gezegd.'

Thompson was gereed om Bohlen te vervangen als de adviseur van de minister van Buitenlandse Zaken inzake Sovjetaangelegenheden en hij schreef in zijn verslag aan het thuisfront: 'Zelden is er zo'n gebrek aan een algemeen patroon in de Kremlinpolitiek geweest als in het afgelopen half jaar.' Op binnenlands gebied was Chroesjtsjov aan de verliezende hand. Er waren bezuinigingen aangekondigd op het gebied van huisvesting, onderwijs en cultuur De prijzen van vlees en zuivelprodukten stegen met dertig procent. Dit leidde tot rellen in de buurt van Rostov.

Walt Rostow legde de internationale problemen van de Secretaris-Generaal uit in een memo van augustus, genaamd: 'Chroesjtsjov in het nauw'. Hij merkte op dat de Russische leider talmde inzake Berlijn en de Kongo. Zijn Zuidoostaziatische vooruitzichten waren weggespoeld in Laos door Kennedy's toezeggingen aan Zuid-Vietnam. Cuba was geïsoleerd. De Oostduitsers en de Chinezen drongen aan op actie. Door de mythe van de Russische nucleaire superioriteit door te prikken, had het Westen hem gedwongen zijn defensie-uitgaven op te voeren, waardoor de Sovjeteconomie weer een achterstand opliep.

Rostow beweerde dat Chroesjtsjov op zoek moest zijn naar een 'snel succes' dat zijn macht en prestige in Moskou en in de internationale communistische gemeenschap zou versterken. Het moest op een gemakkelijke manier het militaire

1959, een week nadat Eisenhower het document had ondertekend, in Moskou een bezoek bracht aan Chroesjtsjov, brak de Secretaris-Generaal los in een donderpreek. Hij zei dat hij niet kon 'begrijpen waarom uw Congres aan de vooravond van dit belangrijke staatsbezoek een dergelijke resolutie aanneemt. [...] Deze resolutie stinkt. Ze stinkt, net als verse paardestront en er is niets dat erger ruikt.'

machtsevenwicht herstellen, hem macht geven over Berlijn en de mogelijkheid scheppen dat Russische geldmiddelen voortaan konden worden aangewend voor consumptieartikelen. Rostow zei dat de Verenigde Staten wellicht op het punt stonden getuige te zijn van de 'meest riskante onderneming sinds de oorlog'.[1]
Dean Acheson deelde het voorgevoel van Rostow. Hij schreef aan Harry Truman: 'Als ik zo naar JFK kijk, heb ik een merkwaardig en ongerust gevoel dat hij een soort Indiaanse slangenbezweerder is. Hij blaast wat op zijn fluit en onze problemen dansen in trance om hem heen. Ze komen nooit dichterbij, maar trekken zich ook niet terug. Ze verkeren allemaal in een staat van schijnleven, inclusief de bespeler van de fluit, die alleen maar leeft in zijn droom. Op een dag wordt een van die slangen wakker en niemand zal zelfs in staat zijn weg te rennen.'

Chroesjtsjov bracht de maand augustus zonnebadend en zwemmend met zijn kleinkinderen door aan de Zwarte Zee. Hij ging slechts even op en neer naar Moskou om een paar teruggekeerde kosmonauten te verwelkomen.[2] Terwijl hij zich ontspande, kondigde het Kremlin aan dat hij overwoog in de herfst een reis naar New York te maken om de Algemene Vergadering van de Verenigde Naties bij te wonen en Kennedy te ontmoeten. Misschien was de Secretaris-Generaal van plan geweest om vanaf het spreekgestoelte zijn aankondiging van de stationering van raketten op Cuba te doen om vervolgens, vanuit een versterkte positie, met de president te gaan onderhandelen over de dringendste vraagstukken van de Koude Oorlog. Misschien wilde hij toen ook doorvliegen naar Havana, waar hij de nieuwe raketlocaties kon inwijden en het nieuwe pact met Castro kon tekenen.
Chroesjtsjovs onderhandelingen met Kennedy hebben wellicht een afspraak omvat om zeker te stellen dat China en West-Duitsland niet de beschikking zouden krijgen over kernwapens. Eind augustus zei Dobrynin tegen Rusk dat de Sovjets 'mogelijk bereid zijn rond de tafel te gaan zitten om te praten over een overeenkomst die de overdracht van kernwapens aan mogendheden die momenteel nog niet over kernwapens beschikken, zou kunnen tegengaan'.

1. Hij had op bijna alle punten gelijk, behalve de locatie van Chroesjtsjovs gok. Toch zei CIA-man Ray Cline tegen hem: 'Misschien zien we het gebeuren op Cuba.' Na afloop van een privé-gesprek twee maanden later maakte C.L. Sulzberger een aantekening van Rostows bewering dat 'wij *niet* ongerust zijn over Cuba en dat is niet het primaire gevaar'. Rostow had Sulzberger verteld dat 'het, ondanks Rusland, niet viel te ontkennen dat Castro werd uitgeperst'.
2. De timing van de missie, drie weken voor de eerste schepen met kernraketten Cuba bereikten, suggereerde dat Chroesjtsjov weer eens een ruimtespektakel had geënsceneerd om zijn land aan de vooravond van een cruciale wereldgebeurtenis een prestigieuze opkikker te bezorgen. Als dit zijn bedoeling was, dan slaagde hij daarin. Tijdens Kennedy's volgende persconferentie moest de president toegeven: 'We proberen ze in te halen en ik denk dat we daarin aan het einde van dit decennium zullen slagen. Maar nu gaan we nog een tijd tegemoet waarin we zullen achterlopen.' De maand daarop sprak hij in Houston, waar hij probeerde een positievere kant van de Amerikaanse positie te belichten door te zeggen dat de Verenigde Staten veertig of vijfenveertig satellieten in een baan om de aarde hadden gebracht: 'En die waren veel geperfectioneerder en leverden de wereldbevolking veel meer kennis op dan die van de Sovjet-Unie.'

Volgens Chinese documenten stelden de Sovjets diezelfde maand Peking in het geheim op de hoogte van zowel Rusks voorstel tot een overeenkomst die kernmachten verbood wapens en kennis over te dragen aan andere landen, als van het feit dat de Sovjet-Unie ermee akkoord was gegaan. Peking reageerde met Moskou te waarschuwen tegen een inbreuk op Chinese rechten.

Operatie *Mongoose* had niet aan kracht ingeboet. In augustus piekerde de Speciale Eenheid over de vraag wat ze kon doen om in oktober een opstand tegen Castro uit te lokken. Robert Kennedy zei: 'Ik ben ervoor om rustig door te gaan en geen stap terug te zetten.'
McCone waarschuwde dat ze bereid moesten zijn de troepen op Cuba, die waren aangemoedigd om tegen Castro in opstand te komen, op alle noodzakelijke manieren te steunen, inclusief het gebruik van militair geweld. Generaal Taylor was het met hem eens. Rusk toonde zich voorstander van het kweken van onenigheid tussen Castro en Cubaanse communisten van de oude stempel. McNamara maakte zich zorgen over de schade die de Verenigde Staten in de wereld zouden oplopen als hun aandeel bekend zou worden.
Volgens een getuigenverklaring voor het Congres in 1975 besprak de groep ook de 'liquidatie van Castro'. Volgens het relaas van Richard Goodwin zei McNamara: 'De enige manier om van Castro af te komen, is hem te doden [...] en dat meen ik serieus.' Goodwin herinnerde zich dat Robert Kennedy geen bezwaar had. McNamara zei bij zijn getuigenis dat hij zich de woordenwisseling niet kon herinneren.
Taylor vertelde de president die maand dat ze niet moesten proberen het regime van Castro omver te werpen, maar zijn faillissement zien te bewerkstelligen. Kennedy gaf zijn goedkeuring aan een uiterst geheime verordening van donderdag 23 augustus, waarin de onmiddellijke tenuitvoerbrenging van 'Fase B' van *Mongoose* werd geëist – grootschalige propaganda en andere provocaties om de Cubaanse economie schade te berokkenen en onenigheid te creëren tussen de Sovjets en de Cubanen. De CIA besmette Cubaanse suiker die bestemd was voor de Sovjet-Unie. In San Juan werd een vrachtschip tegengehouden. Er werden sabotageteams naar Cuba gestuurd.[1]

---

1. Op 5 september schreef Arthur Schlesinger de president over zijn bezorgdheid over 'inlichtingenrapporten die plannen beschrijven voor een revolte op Cuba de komende weken. [...] Als [...] wij die ondersteunen, dan komen we terecht in een moeilijke oorlog waarin, voor zover we nu kunnen overzien, de meerderheid van de Cubanen (en zeer waarschijnlijk de meerderheid van de hele wereld) zich tegen ons zal keren. [...] Ondersteunen we de revolte niet, dan worden we ervan beschuldigd onze vrienden te verraden en te laten afslachten door een wrede dictatuur. [...] Het nalaten van een Amerikaanse actie op Cuba zou veel erger zijn dan het nalaten van acties in Hongarije in 1956. [...] Het is van levensbelang er zeker van te zijn dat niemand de Cubanen tot onbezonnen actie aanspoort.'
Kennedy schreef Schlesinger een ijskoud antwoord dat leek te zijn opgesteld om alle presidentiële betrokkenheid bij *Mongoose* te verdoezelen. Er stond: 'Ik las uw memorandum over Cuba van 5 september. Ik ben niet op de hoogte van een geplande "revolte op Cuba de komende weken". Wilt u mij de inlichtingenrapporten sturen waarnaar u verwijst? In ieder geval zal ik de zaak bespreken met de CIA.'

Op donderdag 30 augustus scheerde een Amerikaanse U-2 negen minuten lang over het zuidelijke punt van het Russische eiland Sachalin, een belangrijk inlichtingendoel voor de Amerikanen. Het Pentagon liet Rusk weten dat het vliegtuig uit zijn koers was gewaaid. Met het U-2-fiasco van 1960 in gedachten, besloten hij en de president om 'gewoon de waarheid te vertellen om te voorkomen dat de Sovjets het helemaal zouden opblazen'. Ze kwamen met een verklaring.

Terwijl zijn raketten op weg waren naar Cuba, was Chroesjtsjov wat nerveus. Moskou kwam met een protest tegen de schending van het luchtruim door de U-2 in een taal die erg leek op die van de Secretaris-Generaal: 'Wat is dit, een herleving van de gangsterpraktijken van de vorige regering die president Kennedy zelf veroordeelde? Of is het een provocerende handeling van de Amerikaanse militairen die, net als in 1960, een nieuw internationaal conflict willen creëren en de situatie nog eens tot het uiterste willen opstoken?'

Sovjetschepen stoomden op naar Cuba met duizenden gevechtstroepen en met de eerste verborgen onderdelen van de rakettenmacht die bedoeld was voor het eiland – uiteindelijk waren dit vierentwintig middellange-afstandsraketten (*Medium Range Ballistic Missiles*, MRBM's) en zestien lanceerinrichtingen voor middellange-afstandsraketten (*Intermediate Range Ballistic Missiles*, IRBM's), elk uitgerust met een atoomkop en twee raketten.[1]

Het merendeel van de troepen aan boord van de vaartuigen wist niet waarheen en waarom ze vertrokken. Om hen zo lang mogelijk in het ongewisse te laten, hadden hun opperbevelhebbers hen uitgerust met winterkleding en ski's. Enkelen hoorden de waarheid toen ze de Rots van Gibraltar al passeerden.

Aleksandr Aleksejev vertelde later dat maarschalk Birjoezov geloofde dat de raketten ongezien naar Cuba konden worden vervoerd, 'maar helaas wilde ons leger de opdracht snel uitvoeren. In plaats van tien schepen stuurden ze er veel meer. Uiteraard kon iedere dwaas zien dat er iets niet klopte.' Volgens Sergo Mikojan was de vergissing 'typisch Russisch. We moesten het snel doen, dus werden er te veel schepen gebruikt en de Amerikanen namen het waar.'

De CIA had luchtfoto's van de Sovjetschepen die aantoonden dat ze ongebruikelijke kisten op het dek hadden staan en bovenmaatse luiken naar het ruim. De vaartuigen lagen hoog in het water, wat aangaf dat de lading omvangrijk en licht van gewicht was.

Uit rapporten van Cubaanse agenten en vluchtelingen die het JM/WAVE-station van de CIA binnenstroomden, bleek dat de Sovjets bezig waren met de bouw van grond-luchtraketlocaties (SAM) en radar- en communicatiefaciliteiten als onderdeel van een belangrijk luchtverdedigingssysteem. De CIA waarschuwde het Witte Huis dat 'hier duidelijk iets nieuws gebeurt'.

Er was nog nooit zo'n stroom van Sovjetpersoneel en -materieel geweest naar een niet-communistisch land: 'Samen met de opmerkelijke economische toezeg-

---

1. Het bereik van de MRBM's is afwisselend geschat tussen de drie- en achttienhonderd kilometer, de IRBM's tussen de twee- en drieduizend kilometer. Bovenstaande weergave van de omvang van de raketmacht is gebaseerd op de interpretatie die generaal Dimitri Volkogonov gaf van de archieven van het ministerie van Defensie. Cubaanse bronnen in 1991 beweerden dat de macht boven de honderd raketten bedroeg.

gingen die het Sovjetblok de afgelopen maanden aan Cuba heeft gedaan, lopen deze ontwikkelingen uit op de meest uitgebreide campagne die de Sovjet-Unie ooit heeft ondernomen om een niet tot het blok behorend land te versterken.'

Met zijn zakelijke en technische achtergrond en zijn ervaring op defensiegebied kon John McCone niet geloven dat de Sovjets zoiets kostbaars zouden bouwen als een luchtverdedigingssysteem, tenzij ze een uitstekende reden hadden om Amerikaanse spionagevluchten over Cuba te stoppen. Hij concludeerde dat Chroesjtsjov wel eens op het punt zou kunnen staan om kernraketten te plaatsen op Cuba.

McCone schreef zijn vermoedens op in een memo aan de president. Kennedy zag deze waarschuwing in het licht van de felle anticommunistische houding van het CIA-hoofd. Op woensdag 22 augustus waren Kennedy, Rusk en McNamara bijeen in het Witte Huis. Zij betwijfelden het alledrie dat Chroesjtsjov een dergelijk risico zou nemen. Zeven dagen later ontdekte een U-2 twee SAM-terreinen op Cuba, zes andere locaties waar SAM's zouden kunnen worden geïnstalleerd en verder een 'aanzienlijke' hoeveelheid Sovjetpersoneel en torpedoboten voorzien van raketten.

Na nog een paar vluchten liet McCones plaatsvervanger, generaal Marshall Carter, de Senaatscommissie voor Buitenlandse Betrekkingen vertrouwelijk weten dat er een Russisch 'noodplan' was om maar liefst vierentwintig SAM-terreinen te bouwen op Cuba. Vanaf half juli waren er vijfenzestig tot het Sovjetblok behorende schepen ontdekt die op het eiland af koersten: van ruwweg tien stuks was bekend dat ze militair materieel en technici aan boord hadden.

Dean Rusk vertelde de Senatoren dat de Russische opbouw gelijkenis vertoonde met de militaire steun die Moskou verleende aan andere, niet tot het Warschaupact behorende landen, zoals Indonesië, Irak en Egypte. De situatie zou veranderen 'wanneer de Sovjets daar hun eigen militaire basis zouden vestigen – duikbootbasis – of wanneer er op Cuba grond-grondraketten zouden worden geïnstalleerd die een directe bedreiging zouden vormen voor het vasteland van de Verenigde Staten of voor de buren van Cuba in het Caribisch gebied.'

In dat gebied waren mariniers amfibielandingen aan het oefenen om een eilanddictator met de codenaam Ortsac ten val te brengen. De eilanddictator in Havana, wiens naam je andersom spelt, raakte er door deze manoeuvres alleen maar meer van overtuigd dat de Verenigde Staten op het punt stonden binnen te vallen.

In september beweerden Senator Kenneth Keating en anderen dat Chroesjtsjov op Cuba bezig was met de installatie van MRBM's en IRBM's en dat de regering-Kennedy geheim bewijsmateriaal van de opbouw achterhield.[1] In de gang buiten zijn kantoor gaf de Republikein uit New York interviews waarin hij verklaarde dat hij 'een goeie reden [had] om aan te nemen' dat de gebroeders Kennedy zijn kantoor en telefoon lieten afluisteren.

Richard Helms verdacht Keating ervan dat hij alleen maar geruchten verspreidde: 'In die tijd was het gewoon niet gepast dat de inlichtingendienst lekte. [...] Keating waagde vast en zeker een gokje. Heb je het bij het verkeerde eind, dan

1. Met die tweede beschuldiging deelden deze critici wellicht Chroesjtsjovs mening dat de president politiek geen avonturier was.

zeg je gewoon: "Ik ben verkeerd ingelicht. Ongehoord!"' Toen men hem vroeg waar hij dacht dat Keating zijn informatie vandaan had, antwoordde de president: 'Er zijn iets meer dan vijftigduizend Cubaanse vluchtelingen in dit land, die allemaal toeleven naar de dag dat wij een oorlog beginnen met Cuba en die allemaal dit soort uitspraken doen.'

Andere Republikeinen hadden Keatings beschuldigingen niet nodig om zich kwaad te maken over de Sovjetopbouw op Cuba. Richard Nixon en de Senatoren Barry Goldwater, Strom Thurmond uit North-Carolina, John Tower uit Texas en Hugh Scott eisten allemaal dat Kennedy het bevel zou geven tot een blokkade van Cuba om verdere militaire scheepsladingen van de Sovjets tegen te houden. Nixon waarschuwde dat de vijfduizend Sovjettroepen, waarvan ze wisten dat deze zich op Cuba bevonden, een 'duidelijk en aantoonbaar gevaar' vormden voor de Verenigde Staten.[1]

De president verzocht en kreeg toestemming van het Congres om, indien noodzakelijk, 150.000 reservisten op te roepen om de Amerikaanse belangen te verdedigen als antwoord op de Russische opbouw op Cuba. Maar toen hij in september op Rice University in Houston sprak, hielden Cubaanse vluchtelingen borden omhoog waarop te lezen stond: 'De Cubanen herinneren u eraan dat Cuba nog altijd alleen staat en we herinneren u aan uw beloften.' Een vliegtuigje cirkelde in de lucht met een spandoek: BRENG DE MONROE-LEER TEN UITVOER.[2]

Kennedy had eventuele acties naar aanleiding van vraagstukken variërend van burgerrechten en armoede tot China en Vietnam steeds uitgesteld. Hij klaagde erover dat zijn magere overwinningsmarge van 1960 en de machtsverhoudingen binnen het Congres hem in zijn handelen beperkten.[3] De Democraten hadden in de Senaat een meerderheid van 65 tegen 35 zetels en in het Huis van Afgevaardigden van 263 tegen 174. Maar in het Huis van Afgevaardigden werd hij gehinderd door conservatieve comitévoorzitters uit het Zuiden en in de Senaat

1. Nixons op Cuba geboren vriend en Castro-hater Bebe Rebozo stuurde hem een artikel waarin stond dat de president de kwestie-Cuba beschouwde als iets wat boven de politiek stond: 'Ik kan de krant niet meer dan één keer per week lezen – daar kan ik het minstens een week lang mee bezighouden.'
2. De FBI in Houston hoorde van tevoren via een betrouwbare bron van de postende Cubanen en stuurde een telegram naar J. Edgar Hoover. Daarin stond dat ze hadden gehoord dat de demonstranten 'goede mensen, maar fanatiek anti-Castro' waren. Immigratierapporten werden doorgenomen om er zeker van te zijn dat zij geen gevaar vormden voor de president. Op het moment dat Kennedy het stadion binnenkwam, dacht een zeventienjarige jongen de veiligheidsdienst 'uit te testen' door een overtuigende replica van een .45 kaliber Colt automatische revolver uit zijn overhemd te voorschijn te halen. Veiligheidsagenten en rechercheurs van de politie van Houston grepen hem. Iemand van de FBI noteerde: 'Deze jongen werd twee uur lang ondervraagd en na een lange les naar huis gestuurd.'
3. In 1960, voor het eerst deze eeuw, slaagde de partij die in het Witte Huis terugkeerde, er niet in haar macht in het Congres uit te breiden. Kennedy liep sinds de introductie van het tweepartijenstelsel verder achter op de kandidatenlijst voor het Congres dan welke andere verkozen president dan ook. Veel Democraten waren ervan overtuigd dat zij Kennedy meer geholpen hadden dan andersom. Dit leidde niet bepaald tot een grotere populariteit op Capitol Hill.

door een coalitie van Republikeinen en Zuidelijke Democraten. Nu hoopte hij het gebruikelijke patroon om te draaien voor de jaren waarin geen presidents-verkiezingen plaatsvonden. Volgens dat patroon verloor de zittende partij in het Witte Huis normaliter gemiddeld veertig zetels in het Huis van Afgevaardigden en de Senaat.

Nu, bij aanvang van de Congrescampagne van 1962, raakte het protest tegen Cuba de president waar het pijn deed. De *New Republic* stak de draak met de regering-Kennedy door te zeggen dat ze een voorbeeld nam aan de hit van Rodgers en Hammerstein, *The King and I*: 'I hold my head erect / And whistle a happy tune / So no one will suspect / I'm afraid.'

Sinds McCones aanstelling bij de CIA en de dood van zijn geliefde echtgenote, Rosemary, drie maanden daarna, waren hij en Robert en Ethel Kennedy bevriend geraakt. De minister van Justitie: 'Hij mocht Ethel heel erg graag, omdat zij naar hem toeging en bij hem bleef toen zijn vrouw stierf. Hij had dus een bijzondere band met ons. [...] Maar er was iemand die hij nog meer mocht, en dat was John McCone.'
Met zijn bril zonder montuur, zijn witte haar, rozige uiterlijk en zijn driedelige kostuums zag hij eruit als de Republikeinse tycoon, die hij dan ook was. Een medewerker noemde hem 'een beetje een snob en een puritein', het type man dat 'de beste kamer in het beste hotel opeist'. Hij was een Ierse katholiek die in 1958 als Eisenhowers vertegenwoordiger de begrafenis van paus Pius XII had bijgewoond. Hij was het soort katholiek waarvan Kennedy zei dat ze, wanneer het erop aankwam, meer om geld gaven dan om godsdienst.
McCone werd geboren in 1902 in San Francisco in een welgesteld Republikeins gezin en had een ingenieursgraad aan de Universiteit van Californië. Na gewerkt te hebben als klinker, opzichter en manager in de bouw werd hij op eenendertigjarige leeftijd uitvoerend vice-president van de Consolidated Steel Corporation. Hij was mede-oprichter van de Bechtel-McCone-Parsons Corporation die in Amerika en het Midden-Oosten olieraffinaderijen, fabrieken en krachtcentrales ontwierp en bouwde.
Tijdens de oorlog hielp hij bij de oprichting van de Seattle-Tacoma Corporation, die koopvaardijschepen bouwde voor de Verenigde Staten en Groot-Brittannië.[1] Truman gaf hem een aanstelling in een naoorlogse commissie inzake oorlogvoering in de lucht en benoemde hem tot ondersecretaris van de luchtmacht. Toen tien wetenschappers van Cal Tech in 1956 het voorstel van Adlai Stevenson voor een kernstopverdrag goedkeurden, klaagde McCone, een commissaris, dat ze 'in de luren waren gelegd' door Sovjetpropaganda. Hij ontkende de beschuldiging dat hij had geprobeerd de professoren te ontslaan.

1. Ralph Casey van het Algemene Budgetbureau van het Congres hekelde McCone en zijn collega's in een openbaar getuigenis in 1946 als iemand die van de oorlog had geprofiteerd en vierenveertig miljoen dollar had verdiend na een investering van honderdduizend dollar: 'Nooit eerder in de geschiedenis van het Amerikaanse zakenleven, of het nu in oorlogs- of vredestijd was, hebben zo weinig mensen zo veel geld verdiend met zo weinig risico – en allemaal ten koste van de belastingbetalers, niet alleen die van zijn generatie, maar ook van toekomstige generaties.' McCone vocht de cijfers aan en beweerde dat de eerste investering meer dan zeven miljoen dollar was geweest en dat vijfennegentig procent van de opbrengst door de overheid was teruggevorderd.

In 1958 benoemde Eisenhower McCone tot voorzitter van zijn Commissie voor Atoomenergie. Dit was een treffend voorbeeld van zijn geneigdheid om mensen die zijn ambitie niet deelden om tot een ontspanning in de Koude Oorlog te komen, op posities te zetten van waaruit ze zijn doelstellingen konden saboteren. Toen McCone de inspanningen van de president voor een kernstopverdrag aanvocht, zei Eisenhower tegen Christian Herter dat hij hem eraan moest herinneren dat hij 'een uitvoerder en geen beleidsvormer voor buitenlandse zaken' was. Omdat Eisenhower medewerkers die hij zelf had benoemd, niet graag ontsloeg, gaf hij McCone toestemming om de oppositie tegen een kernstop vanuit zijn eigen regering aan te voeren. In het openbaar keurde hij het idee af, hij noemde het een 'nationaal gevaar' en dreigde met aftreden als de stop werd doorgevoerd. Voordat de U-2-affaire Eisenhowers inspanningen voor een kernstopverdrag tenietdeed, klaagde zijn wetenschappelijk adviseur, George Kistiakowsky, in zijn dagboek dat McCone 'de publieke opinie én de Senaat manipuleerde, zodat de president er nog heel veel moeite mee zal krijgen om het verdrag geratificeerd te krijgen'.

In november 1960 stemde McCone voor Nixon, een oude vriend uit Californië, en hij stuurde de verliezer een telegram: 'Laten we vooruitkijken naar 1964.' In de zomer van 1961 hekelde hij de 'Phi Beta Kappas' (oudste academische broederschap in de Verenigde Staten) die zich rond Kennedy schaarden en hij schreef Nixon dat hij 'diep bezorgd' was over het feit dat Chroesjtsjov dacht dat de president geen kernwapens zou gebruiken bij de verdediging van Berlijn.

Als opvolger van Allen Dulles was McCone niet Kennedy's eerste keus. Hij had half serieus overwogen om zijn broer naar Langley te sturen, maar wist dat het nauwelijks geloofwaardig zou zijn om hem de leiding te geven over operaties waarvan op een aanvaardbare manier moest worden ontkend dat de president er weet van had.

Het telefoontje van de president stoorde McCone bij zijn partijtje golf met Nixon in Los Angeles. Kennedy was erop gebrand zich een conservatieve Republikeinse dekmantel aan te meten voor controversiële politieke acties en dacht dat McCone de oppositie zou afbuigen in de richting van zijn voornemen om de omvang en autonomie van de CIA in de nasleep van de Cubaanse mislukking te verminderen.[1]

Als Senator had hij gezien hoe McCone te werk ging op Capitol Hill en hij was onder de indruk geraakt van zijn kennis van de Russische raketmacht. Hij zag hem als een rustige, pientere en trouwe bestuurder die zou garanderen dat geheime operaties ondergeschikt zouden worden gemaakt aan zijn buitenlands beleid en zouden worden 'voorafgegaan door meer planning en minder ruchtbaarheid dan bij de Varkensbaai het geval was geweest'.

Voordat hij de aanstelling van McCone aankondigde, raadpleegde Kennedy bijna niemand van zijn medewerkers uit angst dat ze het plan zouden dwarsbo-

---

1. Net als met Dillon hield Eisenhower niet van het idee dat zijn voormalige functionaris werd gebruikt om Kennedy's doelen een respectabel Republikeins aanzien te geven. Hij schreef McCone: 'Het ochtendnieuws bevat het bericht dat je de functie van CIA-directeur hebt aanvaard. Zoals je weet, was ik hier geen voorstander van, maar ik wil wel dat je weet dat ik je alle goeds toewens op deze post.'

men. O'Donnell was al gepikeerd dat posten als Defensie en Financiën en de ambassadeposten in Londen en Parijs naar mensen waren gegaan die niets te maken hadden met de binnenlandse politieke achterban van de president. Een columnist uit Washington waarschuwde Roger Hilsman: 'McCone is een straatvechter die zich door niets laat tegenhouden.'

Toen McCone eind november 1961 het schitterende, nieuwe en witte CIA-hoofdkwartier van Dulles betrok, verbood hij het gebruik van de huistelefoon die de hoogste functionarissen de mogelijkheid bood om de directeur aan zijn bureau te storen. Ook gaf hij bevel om de deuropening naar het kantoor van zijn pasaangestelde plaatsvervanger, generaal Marshall Carter, 's nachts af te sluiten. (Carter monteerde een namaakhand aan zijn kant van de opnieuw gelambrizeerde muur, zodat het leek of deze was afgesneden door de afsluiting.)
Iedereen die verwachtte dat de nieuwe directeur de leiding zou hebben over de ontbinding van de CIA, kwam daar spoedig op terug. Snel verving McCone de waarnemers die hij had overgenomen van zijn voorganger. De meeste divisiechefs werden ook vervangen. Hij verwierp de aanbeveling van het door de president opnieuw aangestelde bestuur van inlichtingenadviseurs om zijn functie binnen de muren van het Witte Huis uit te voeren. Hij bond de strijd aan met McNamara om invloed te krijgen op spionage door vliegtuigen en satellieten, een betere logistieke ondersteuning en topgeheime gegevens van het Pentagon over Amerikaans strategisch vermogen en plaatsing van troepen.
Toen de inspecteur-generaal van de CIA, Lyman Kirkpatrick, een uiterst kritische beschouwing schreef over de Varkensbaai, vernietigde McCone, naar men zegt, de meeste of alle kopieën en hield hij het origineel in zijn eigen, afgesloten archief waar het geen kwaad kon. Het begin van operatie *Mongoose* vond plaats in de maand dat McCone als CIA-hoofd was begonnen en was een motie van presidentieel vertrouwen aan het adres van de CIA en haar nieuwe directeur.
McCones succes bij het winnen van Kennedy's vertrouwen had veel te maken met de intieme verhouding die hij snel opbouwde met de minister van Justitie. De nieuwe directeur bemoeide zich niet met de rechtstreekse communicatie van Robert met CIA-functionarissen en met geheime medewerkers van het tweede en derde echelon binnen de *Agency*. Als Robert van de plannen van de CIA om Castro te vermoorden op de hoogte was geweest, zou hij misschien wel beter hebben geweten dan McCone in te lichten. Plaatsvervangend-directeur Ray Cline herinnerde zich dat McCone 'zich altijd een verwoed tegenstander toonde van het plan om moord als een geheime CIA-actie in beschouwing te nemen. Om persoonlijke, morele en om politieke redenen was hij tegen een dergelijk plan.'[1]
McCone ontwikkelde nooit het vertrouwen in Kennedy's leiderschap dat Douglas Dillon, een andere Republikein uit het kamp van Eisenhower, wel had gekregen. Zijn achtergrond bij de luchtmacht en de Commissie voor Atoom-

1. Toen tijdens een bijeenkomst van de (Uitgebreide) Speciale Eenheid in augustus 1962 de mogelijkheid werd geopperd om Castro te vermoorden, was McCone er duidelijk tegen. Later vertelde hij McNamara van zijn bezorgdheid dat hij 'geëxcommuniceerd' kon worden als het ooit bekend zou worden dat hij het idee van een moordaanslag had overwogen.

energie maakte hem sceptisch omtrent de bereidheid van de president tot een flexibele respons en een kernstopverdrag.

Anders dan anderen die zich rond Kennedy bevonden, was McCone ervan overtuigd dat minieme veranderingen in het nucleaire evenwicht met de Russen van cruciaal belang waren: een land had geen behoefte aan een minimumaantal kernkoppen en raketten of bommenwerpers alleen maar ter afschrikking. Hoe meer het had, des te sterker zijn militaire en politieke positie. Hij wist zeker dat Chroesjtsjov er ook zo over dacht en hij stond, in tegenstelling tot de andere adviseurs van Kennedy, meer open voor de mogelijkheid dat de Secretaris-Generaal zijn tekort zou willen proberen te corrigeren door kernraketten naar Cuba te sturen.

Eind augustus 1962 trouwde McCone met een weduwe uit Seattle, Theiline Pigott, die een nog groter fortuin in de scheepvaart beheerde dan hij. Ondanks zijn zorgen over raketten op Cuba vertrok hij op huwelijksreis naar Zuid-Frankrijk. Tijdens een stop in Parijs maakte hij tijdens een lunch met Roswell Gilpatric zijn vermoedens kenbaar.

Vanuit zijn bungalowtje in Cap Ferrat, waar hij zijn wittebroodsdagen doorbracht, stuurde McCone iedere paar dagen een telegram naar Langley. Klaarblijkelijk eiste hij nauwkeuriger inschattingen van de mogelijkheid dat de vergroting van het aantal SAM's op Cuba een voorbode vormde van Chroesjtsjovs kernraketten: 'Waarom zouden ze al die SAM's overal op het eiland installeren tenzij ze er iets neerzetten wat ons zorgen kan baren?'[1]

Omdat hij bang was dat McCone gelijk kon hebben, gaf Robert Kennedy toe dat 'als Cuba raketten krijgt van de Sovjet-Unie, dit een belangrijk politiek probleem kan creëren'. Op dinsdag 4 september liet hij Dobrynin op het ministerie van Justitie weten dat de president 'diep bezorgd' was over de hoeveelheid militair materiaal die naar Cuba ging.

1. Het idee dat zijn broer het vooruitziende advies van McCone had genegeerd inzake de meest cruciale kwestie uit het Kennedy-tijdperk, was voor Robert Kennedy een pijnlijke zaak. Dit verklaart wellicht zijn onnauwkeurige relaas in 1965 tijdens zijn gesprekken met historici: 'Voor wat betreft het opschrijven van iets, of het uitwisselen van zijn gedachten met president Kennedy of met wie dan ook: dat deed hij niet. En dat hij zich er zelf niet zo druk over maakte, blijkt wel uit het feit dat hij in diezelfde periode een maand lang op huwelijksreis ging naar Europa. [...] Dus als hij zo bezorgd was en vond dat er iets moest worden gedaan, dan had hij ten eerste de president erover moeten schrijven en ten tweede in die kritische periode niet een maand lang naar Europa moeten gaan. [...] Hij had naar huis toe moeten komen en eraan moeten werken, en niet een brief moeten sturen vanuit Cannes, Frankrijk [sic].'

In *Thirteen Days*, geschreven in 1967 voor publicatie in *McCall's* het jaar daarop en in boekvorm verschenen na zijn dood in 1969, ging Robert zelfs zo ver door te beweren: 'Niet één functionaris binnen de regering had ooit bij president Kennedy de suggestie gewekt dat de Russische opbouw op Cuba ook raketten zou omvatten.'

Latere historici die *Thirteen Days* als het evangelie beschouwden, sloegen geen acht op het feit dat het onder meer was geschreven ter versterking van Robert Kennedy's geloofwaardigheid voor een mogelijk toekomstig presidentschap. In 1968 werd Robert duidelijk door Kenneth O'Donnell berispt voor het feit dat hij in zijn autobiografie met de eer streek betreffende zaken die de president had bewerkstelligd. Robert antwoordde: 'Nou, *hij* zal zich dit jaar niet verkiesbaar stellen, en *ik wel*.'

De ambassadeur zei dat Chroesjtsjov hem had verzocht de president gerust te stellen dat er op Cuba 'geen grond-grondraketten of aanvalsraketten geplaatst' zouden worden. De Sovjetleider zou 'niets ondernemen om de betrekkingen tussen onze landen te verstoren gedurende deze periode voorafgaand aan de verkiezingen.' Hij mocht de president en wilde hem niet in verlegenheid brengen.

Kennedy antwoordde dat Chroesjtsjov 'een bijzonder vreemde manier heeft om zijn waardering te uiten.' Omdat Robert sceptisch was over Dobrynins beloften, haalde hij de president over om met een openbare waarschuwing te komen aan het adres van de Sovjets dat 'zich de ernstigste problemen zouden voordoen' als de Verenigde Staten ooit 'offensieve grond-grondraketten' zouden vinden op Cuba.

Jaren later legde Bundy uit: 'We deden het vanwege de vereisten van de binnenlandse politiek en niet omdat we serieus geloofden dat de Sovjets zoiets dwaas zouden ondernemen als de plaatsing van Russische kernwapens op Cuba.' Bundy zei dat het 'nooit in ons was opgekomen' om eerder te komen met zo'n waarschuwing.

Veel later realiseerde Sorensen zich dat de president met zijn opmerking dat hij een omvangrijke Russische militaire hulpactie aan Cuba wel, maar aanvalsraketten niet zou accepteren, 'hij precies de grens trok waar hij dacht dat de Sovjets niet waren en niet zouden komen. [...] Als wij geweten hadden dat de Sovjets veertig raketten installeerden op Cuba, dan zouden we onder deze hypothese de grens getrokken hebben bij honderd stuks. En dan zouden we met veel poeha gezegd hebben dat we de aanwezigheid van meer dan honderd raketten op Cuba absoluut niet zouden tolereren.'

Kennedy vaardigde om deze reden een waarschuwing uit die te laat kwam om Chroesjtsjovs Cuba-operatie te stoppen en die zo afgebakend omschreven was dat hij zichzelf de kans ontnam om op zijn ontdekking van de raketten met niets minder dan een totale confrontatie met de Sovjet-Unie te reageren. Als de president vijf maanden eerder was geweest met zijn waarschuwing of zichzelf niet zo in de hoek had laten drukken, dan zou de geschiedenis er misschien anders hebben uitgezien.

Dobrynin verzocht Sorensen om een spoedbijeenkomst. Na ruggespraak met Kennedy vertrok de medewerker op donderdag 6 september naar de Sovjetambassade. Tijdens een lunch met Dobrynin twee weken daarvoor had Sorensen getracht ieder Russisch vermoeden te ontzenuwen dat de Congrescampagne de president zou beletten om te reageren op 'enige nieuwe druk inzake Berlijn'.

De ambassadeur zei nu dat zijn verslag van hun lunch een persoonlijke boodschap van Sovjetleider Chroesjtsjov had opgeleverd die hij nu voorlas: 'Voordat de Amerikaanse Congresverkiezingen plaatsvinden, zal niets worden ondernomen dat de internationale situatie zou kunnen bemoeilijken of de spanning in de betrekkingen tussen onze twee landen zou kunnen verergeren [...] tenzij er door de andere partij stappen worden ondernomen die de situatie zouden veranderen.'

Als Chroesjtsjov die herfst naar de Verenigde Staten zou komen, dan 'is dit alleen mogelijk in de tweede helft van november. De Secretaris-Generaal voelt er weinig voor betrokken te raken in uw binnenlandse politiek.' Sorensen antwoordde dat Chroesjtsjovs boodschap 'zowel nietszeggend als te laat' leek. De opbouw op Cuba had 'de spanning in de wereld al doen oplopen en in onze binnenlandse politiek tot onrust geleid'.

Na afloop van de bijeenkomst zei Sorensen tegen Kennedy dat Dobrynin 'mijn verwijzing naar grote aantallen Russische militairen, elektronische installaties en voorbereidende werkzaamheden voor raketplaatsingen tegengesproken noch bevestigd heeft. Hij herhaalde echter een aantal keren dat ze niets nieuws of buitengewoons hadden ondernomen op Cuba [...] en dat hij vasthield aan zijn beloften dat alle stappen een defensief karakter hebben en geen bedreiging vormen voor de veiligheid van de Verenigde Staten.'[1]

Door de president het teken te geven dat de Sovjet-Unie tot na zijn verkiezingen niets zou ondernemen om hem te benadelen, probeerde Chroesjtsjov niet alleen Kennedy te verrassen. Hij heeft de president misschien ook wel aangemoedigd om, wanneer de raketten vóór november ontdekt zouden worden, ze tegenover zijn eigen generaals goed te praten als zijnde een puur defensieve aangelegenheid en om ze voor het publiek te verzwijgen tot na de verkiezingen.

In Pitsoenda verwelkomde Chroesjtsjov de minister van Binnenlandse Zaken, Stewart Udall, die op reis was met een Amerikaanse elektrische-energiedelegatie. Gekleed in een kraagloos, opgesmukt wit overhemd zei de Secretaris-Generaal dat hij president Kennedy spoedig hoopte te ontmoeten, misschien in de Verenigde Staten in november.

Zoals altijd ging zijn hartelijkheid hand in hand met een dreigement: de president moest instemmen met een Berlijnse schikking en de Sovjet-Unie als een gelijkwaardige partner behandelen. Hij moest snel eens op bezoek komen en zeker mevrouw Kennedy meenemen. De Sovjetbevolking zou hem van harte welkom heten. Ze konden samen op berenjacht gaan. Hij gaf Udall een traditionele drinkhoorn en een kist wijn voor de president.[2]

De volgende dag had Chroesjtsjov een ontmoeting met Robert Frost, die Udall op zijn rondreis vergezelde. Bij de inauguratie van Kennedy had het verblindende zonlicht de oude dichter er op memorabele wijze van weerhouden een voorwoord voor te lezen waarin een nieuw 'gouden tijdperk van poëzie en kracht' werd verwelkomd, maar hij was erin geslaagd om 'The Gift Outright' te citeren, dat voor de gelegenheid was aangepast.[3]

In juli 1962 had de president aan Frost gevraagd om de Verenigde Staten te vertegenwoordigen bij een culturele uitwisseling met de Sovjet-Unie. De achtentachtigjarige dichter had geantwoord: 'Echt iets voor u om de kans te grijpen iemand als mij naar de Russen te sturen om met hen te sympathiseren. [...] Een geweldige tijd om in te leven, hè?'

1. Dobrynin zei in wezen hetzelfde tegen Stevenson.
2. De veiligheidsdienst verbood de president van de wijn te drinken. Laboratoria van de FBI onderzochten de wijn op 'drugs die veranderingen in karakter teweeg kunnen brengen' en op 'snel werkende giffen, methylalcohol, cyaankali, aceton en formaldehyde, ongewone resten van metalen en niet-metalen, barbituraten en acid drugs, andere basisdrugs als strychnine, de amfetamines, alkaloïden van opium en andere.' Gevonden werd er niets.
3. Toen Eisenhower nog president was, werd Frost niet uitgenodigd voor een diner op het Witte Huis. Hij zei: 'Weet je waarom ze mij niet uitnodigen? Ze zijn te eerlijk. Ze zijn zo keurig eerlijk dat ze niet net doen alsof ze geïnteresseerd zijn in de dingen die mij interesseren.'

Frost had zich beledigd gevoeld toen hij niet werd gevraagd om Udall naar Pit-soenda te begeleiden, maar toen Chroesjtsjovs uitnodiging kwam, voelde hij zich wat beverig en ziek. Hij vloog naar Sotsji en moest het bed houden in een staatspension. Nadat hij zijn eigen dokter had laten overkomen, kwam Chroesjtsjov langs. Hij pakte een stoel en ging naast het bed van de dichter zitten: hij kon maar beter het doktersadvies opvolgen als hij honderd jaar wilde worden!

Frost deed een dringend verzoek om onbetekenende kibbelpartijtjes te vermijden ten gunste van een 'edele rivaliteit' tussen Rusland en de Verenigde Staten. Toen Frost voorstelde om Berlijn te herenigen, waarschuwde Chroesjtsjov dat Sovjetraketten in minder dan een half uur heel Europa in puin konden gooien. De Verenigde Staten moesten een Duits vredesverdrag tekenen: de president had zelf gezegd dat hij dat wilde, maar het niet kon 'vanwege omstandigheden aan het thuisfront'.

Chroesjtsjov zei dat de Verenigde Staten en West-Europa deden denken aan een spreuk van Tolstoj – te oud en zwak om de liefde te bedrijven, maar nog wel met het verlangen daartoe. Frost gniffelde in zichzelf: dit was misschien wel waar voor hem en de Secretaris-Generaal, maar de Verenigde Staten waren te jong om zich daar zorgen over te maken. Chroesjtsjov hoefde alleen maar met een eenvoudige oplossing voor Berlijn op de proppen te komen en de Verenigde Staten zouden haar accepteren. De Secretaris-Generaal zei: 'U hebt de ziel van een dichter.'

Op een persconferentie in Moskou herinnerde Frost zich, moe van zijn ziekte, de reis en zijn eigen vooroordelen, de opmerking van Chroesjtsjov dat het Westen te zwak was om de liefde te bedrijven. Hij zei er niets over. In plaats daarvan kondigde hij aan dat de Secretaris-Generaal de Amerikanen 'te vrijzinnig om te vechten' had genoemd. Republikeinen namen deze grap snel over om Kennedy in verlegenheid te brengen. In vertrouwelijke kring beet hij van zich af: 'Je kunt niet geloven wat Frost je vertelt. Hij is niet erg betrouwbaar als verslaggever.'

Op dinsdag 11 september reageerde TASS op de waarschuwing van de president voor grond-grondraketten op Cuba: Sovjetraketten waren zo krachtig dat er 'geen behoefte' was om ze in een ander land te stationeren. Het wapentuig dat naar Cuba werd gezonden, 'is uitsluitend ontworpen voor defensieve doeleinden'.

Op zijn persconferentie van woensdag las Kennedy een gerichtere waarschuwing voor. Als de communistische opbouw op Cuba de Amerikaanse veiligheid in gevaar bracht en als Cuba via geweld of via dreiging met geweld een aanval trachtte uit te voeren 'tegen welk land dan ook op dit halfrond' of 'een offensieve militaire basis van belangrijke omvang' voor de Sovjet-Unie werd, dan zouden de Verenigde Staten doen 'wat er gedaan moet worden' om hun eigen veiligheid en die van de bondgenoten te beschermen.

In Moskou vertelde Chroesjtsjov tegen een officiële bezoeker uit Oostenrijk dat de Sovjet-Unie zou vechten tegen iedere Amerikaanse blokkade van Cuba. Zoals de Secretaris-Generaal ongetwijfeld verwachtte, werd de boodschap doorgeseind naar Washington. Kaysen overhandigde de president het bericht met het opschrift: 'Nog meer ruwe taal van Chroesjtsjov.' Bundy adviseerde Kennedy dat hij 'misschien maar eens met harde taal moest terugslaan zowel via de openbare als de vertrouwelijke kanalen.'

Het Sovjetvrachtschip *Omsk* bereikte Cuba op 8 september met zijn geheime lading MRBM's. In de duisternis sleepten Russische chauffeurs, onder de onheilspellend starende blikken van de KGB-bewaking, de eerste ontmantelde lanceerinrichtingen uit Havana.

Een U-2 had op 5 september een scheervlucht gemaakt over Cuba, maar die had geen nieuwe bewijzen opgeleverd van MRBM's of IRBM's.[1] De spionagevliegtuigen hadden langer dan twee jaar ongeveer twee maal per maand over Cuba gevlogen. Amerikaanse satellieten konden geen goede diensten bewijzen, omdat ze niet op Cuba gericht stonden. De *Committee on Overhead Reconnaissance* (COMOR) van de inlichtingendienst verzocht nu om regelmatiger spionagevluchten.

Op 9 september haalden SAM's van het Chinese vasteland een U-2-vliegtuig van Nationalistisch-China neer. Met de soortgelijke SAM's die nu op Cuba werden geïnstalleerd, toonde dit incident aan dat de Amerikanen maar beter iets voorzichtiger konden zijn met hun vluchten over het eiland. Net als met Eisenhower en de U-2-missies over Rusland die van 1956 tot begin 1960 plaatsvonden, werd elke voorgestelde vlucht over Cuba naar Kennedy doorgespeeld.

Op 15 september bracht het Russische vrachtschip *Poltava*, naar wat later bleek, de tweede lading MRBM's. De bouw van de lanceerinrichtingen werd begonnen, maar Washington was niet op de hoogte. Tijdens een U-2-vlucht twee dagen later, die vanwege het slechte weer al negen dagen was uitgesteld, waren de Amerikaanse camera's gehuld in een wolkendek.

Bij JM/WAVE in Miami bleven de rapporten binnenstromen. Een onderagent op Cuba had gezien dat er een raketonderdeel langs zijn huis werd gesleept dat overeenkwam met de beschrijvingen van Russische MRBM's door de CIA, maar dit rapport bereikte Washington niet voor eind september. Honderden andere rapporten berustten voor het grootste deel op geruchten of foutieve waarnemingen.[2]

Op 19 september werd de president in een speciale schatting van de CIA erop gewezen dat Chroesjtsjov van plan zou kunnen zijn om aanvalsraketten te sturen naar Cuba om de Russische ontwrichting van Latijns-Amerika te ondersteunen of om nieuwe stappen tegen Berlijn te ondernemen, maar de kans was klein. De Secretaris-Generaal wist hoe gewelddadig de Verenigde Staten zouden reageren op zo'n ontdekking. Er waren vaak meldingen geweest van de stationering van middellange-afstandsraketten in Polen, Albanië en andere Oostbloklanden: steeds was het loos alarm geweest. Gebruikmakend van het advies van Bohlen en Thompson stelde de schatting dat het een harde beleidslijn van de Sovjets was om kernwapensystemen binnen de Sovjetgrenzen te houden.

McCone had geëist dat de schatting werd herroepen, omdat deze niet in overwe-

---

1. Het vliegtuig keerde echter wel terug met beelden van een MIG-21 supersonisch gevechtstoestel dat geparkeerd stond voor vier scheepscontainers die schijnbaar nog meer MIG's en SAM's bevatten.
2. In een nabeschouwing door de CIA stond later dat van de meer dan tweehonderd rapporten van Cubaanse agenten over Russische aanvalswapens op het eiland er slechts zes nauwkeurig waren. Rusk herinnerde zich dat veel raketten werden aangezien voor SAM's, maar dat niet waren: 'Als je als leek niet bekend bent met raketten en naar een grond-luchtraket kijkt, dan denk je dat je met een behoorlijke raket hebt te maken.'

ging nam hoe sterk de strategische raketten op Cuba Chroesjtsjovs onderhande-lingspositie zouden verbeteren. Zijn eis werd niet ingewilligd. Hij schreef naar Nixon, die zich kandidaat stelde voor het gouverneurschap van Californië: 'We zijn terug in Washington na een bijzonder plezierige reis naar Zuid-Frankrijk en Theiline probeert te wennen aan het leven in de hoofdstad. [...] Ik wens je alle succes toe, Dick, en ik ben overtuigd van jouw overwinning in november.'
Op dinsdag 25 september kondigde Castro aan dat de Sovjets een Cubaanse vis-sershaven zouden bouwen bij Mariel. Republikeinen beweerden dat de haven wellicht een basis kon zijn voor Russische atoomonderzeeërs.

Deels om Kennedy's aandacht af te leiden, ging Chroesjtsjov in deze weken door met hun geheime correspondentie en hij hield vol dat een kernstopverdrag tot de mogelijkheden behoorde. Later, toen Kennedy op de hoogte was van de raket-ten op Cuba, vergeleek de president deze dubbelhartigheid met die van Japanse onderhandelaars in Washington in december 1941, toen Tokio voorbereidingen trof voor de bombardementen op Pearl Harbor.
Eind augustus in Genève stelden de Verenigde Staten en Groot-Brittannië twee ruwe verdragen voor – een uitgebreid verbod, met de eis dat iedere onderteke-naar een controlestation zou krijgen en plaatselijke inspecties op het grondge-bied van de ander kon uitvoeren, en een deelverdrag dat proefnemingen ver-bood, met uitzondering van ondergrondse proeven. Hiervoor was een minder inbreuk makende verificatieclausule nodig.
Op dinsdag 4 september schreef Chroesjtsjov aan Kennedy dat hij bereid was om in de 'nabije toekomst' een beperkt kernstopverdrag te accepteren, zolang het akkoord ook voor Frankrijk zou gelden.
De president antwoordde op 15 september met een vertrouwelijke boodschap die door de minister van Justitie werd bezorgd: 'Ik denk dat we een serieuze poging moeten doen om op tijd een dergelijke overeenkomst uit te werken voor de streefdatum 1 januari 1963. [...] Vervolgens kunnen we het probleem van de voortdurende ondergrondse proeven aanpakken. [...] In uw boodschap hebt u het over de eventuele rol van Frankrijk. [...] Wat dit aangaat, zouden de Ver-enigde Staten in nauw overleg met Frankrijk werken en hopen dat Frankrijk voorstander zou zijn van het verdrag.'
In zijn antwoord van vrijdag 28 september ging Chroesjtsjov akkoord met de streefdatum van nieuwjaarsdag 1963 voor het bereiken van een kernstopver-drag. Hij zal hebben verwacht de zaak in november in de Verenigde Staten met Kennedy te kunnen bespreken, nadat hij zijn succesvolle installatie van raketten op Cuba had onthuld.

Eind september vlogen U-2-vliegtuigen, buiten het bereik van de SAM's, twee maal over het oosten van Cuba, het eilandje Pinos (*Isla de Pinos*) en een deel van westelijk Cuba. Verder waren er missies rondom het hele eiland.
Foto-experts bestudeerden de beelden van de SAM-installaties nauwkeurig en ontdekten hetzelfde trapeziumvormige patroon dat de camera's op de U-2's hadden gevonden rond raketbases in de Sovjet-Unie. Het centrum van deze on-regelmatige vierhoek was San Cristóbal in het westen van Cuba. Twee U-2-vluchten over oostelijk Cuba in de eerste week van oktober leverden geen strate-gische raketten op. De president gaf het bevel voor een gevaarlijke vlucht over

het westen van Cuba, maar de spionagevliegtuigen stonden dagenlang aan de grond wegens slechte weersomstandigheden.

Bolsjakov was met verlof in de Sovjet-Unie. Volgens zijn relaas werd hij door Chroesjtsjov en Mikojan bij hen geroepen. De Secretaris-Generaal verzocht hem president Kennedy te vertellen dat hij een 'man van zijn woord' was en dat men zijn 'woorden kon vertrouwen'. Hij was 'niet verheugd' met het presidentiële verzoek aan het Congres om toestemming te geven voor het oproepen van 150.000 reservisten. De Sovjet-Unie deed slechts wat ze 'absoluut verplicht' was te doen op Cuba. Castro kreeg alleen 'defensieve wapens' toegezonden.

Mikojan mengde zich in het gesprek en vroeg Bolsjakov de president te vertellen dat de Sovjet-Unie alleen 'korte-afstandsraketten voor gebruik tegen vliegtuigen' naar Castro stuurde.

Chroesjtsjov ging door en zei dat de president verteld moest worden dat hij 'in een rustige en gematigde bui' was. Er was geen reden voor de Verenigde Staten om zich zorgen te maken over Cuba. Dit was 'het moment om de temperatuur te laten zakken, de sfeer te ontspannen en niet om spanningen op te voeren'. Hij en zijn collega's waren niet gecharmeerd van het Amerikaanse gepraat over het binnenvallen van Cuba. Bolsjakov moest de president eraan herinneren 'dat hij in Wenen zei dat wij gelijkwaardige landen zijn. Als wij gelijkwaardig zijn, dan moeten we elkaars rechten respecteren.'

Bolsjakov schreef de boodschap in zijn blauwe notitieboekje en vloog terug naar Washington.[1]

De Secretaris-Generaal en Mikojan zullen hun woorden goed hebben afgewogen in hun poging de letterlijke waarheid niet te ontlopen. Naar het inzicht van Chroesjtsjov *gingen* er inderdaad alleen defensieve wapens naar Cuba. Toen Mikojan zei dat Castro alleen korte-afstandswapens kreeg voor gebruik tegen vliegtuigen, had hij kunnen beweren dat hij niet loog: de MRBM's en IRBM's werden naar Cuba verzonden, maar aangezien ze in Russisch bezit bleven, werden ze niet aan Castro gegeven.

Desalniettemin wist Chroesjtsjov ongetwijfeld dat hij Kennedy een boodschap stuurde die de president na verloop van tijd als een opzettelijke leugen zou beschouwen. Misschien heeft hij zichzelf ervan overtuigd dat de president het bedrog zou tolereren als zijnde een diplomatiek middel. Het is denkbaar dat hij

1. Charles Bartlett wist nog dat hij in deze periode in contact werd gebracht met Dobrynins ondergeschikte, Aleksandr Zintsjoek, die hij als 'een heel goede vriend' beschouwde. Tijdens de lunch zei Zintsjoek dat hij net terug was van vakantie in Moskou. Voor zijn vertrek, zo zei hij, had de Secretaris-Generaal hem bij zich geroepen en hem gevraagd of hij een boodschap kon doorgeven aan de president: 'De boodschap hield in dat hij de van de Congresverkiezingen begreep. Hij begreep dat de president daar geheel door in beslag genomen zou worden [...] en wilde hem laten weten dat hij gedurende deze periode niets zou ondernemen dat hem op een of andere manier zou afleiden of hem in moeilijkheden zou brengen.' Bartlett gaf Chroesjtsjovs boodschap door aan de president. Toen hem jaren later werd gevraagd of hij Zintsjoek en Bolsjakov wellicht door elkaar had gehaald, hield hij vol dat hij met Zintsjoek had gesproken. Als dit verhaal van Bartlett klopt, dan zorgde Chroesjtsjov er buitengewoon goed voor dat zijn boodschap bij Kennedy aankwam.

zichzelf aanmoedigde met het idee dat hij Kennedy al eerder zonder kleerscheuren had misleid – met de verzekering dat hij in Wenen serieus zou onderhandelen over een kernstopverdrag en door tijdens de top vol te houden dat de Sovjet-Unie niet als eerste de proefnemingen zou hervatten.

Het is aannemelijker dat hij dacht dat het risico van een schaamteloze leugen aan het adres van de president er misschien toe zou leiden dat de Amerikanen het spoor bijster konden raken inzake zijn Cubaanse avontuur of dat het Kennedy zou aanmoedigen een rakettencrisis uit te stellen tot na de verkiezingen van november.

Het ministerie van Buitenlandse Zaken stuurde het Witte Huis een prozaïsche schets voor een presidentieel bedankbriefje voor de wijn en de drinkhoorn die Chroesjtsjov had meegegeven aan Udall. Bundy noemde de tekst 'belachelijk'. Kennedy besloot helemaal geen brief te sturen.

Hij ging door op Chroesjtsjovs kennelijke belangstelling voor een beperkt kernstopverdrag. Op maandag 8 oktober schreef hij aan de Secretaris-Generaal: 'Ik ben verheugd dat wij op deze manier vertrouwelijk en openhartig met elkaar kunnen blijven communiceren.' Voor hem en Chroesjtsjov lag een beperkt verdrag 'binnen het bereik': 'Ik denk dat we dit moeten vasthouden en moeten kijken of we niet direct tot de schikking kunnen komen die de wereld wil zien en nodig heeft.'

De Newyorkse advocaat James Donovan was onderweg naar Havana om met Castro te onderhandelen over de vrijlating van de meer dan duizend Cubaanse ballingen die na de Varkensbaai-invasie gevangen waren genomen.

In mei 1961 had de dictator aangeboden de gevangenen te ruilen voor een 'herstelbetaling' van vijfhonderd D-8 Super Caterpillar bulldozers. Rond deze tijd zei de president tegen O'Donnell dat hij de nacht daarvoor niet had geslapen: 'Ik dacht aan die kerels in de gevangenis daar op Cuba. Ik ben bereid om elke deal te sluiten met Castro om ze eruit te krijgen.' Hij verzocht Eleanor Roosevelt, Walter Reuther, Milton Eisenhower en George Romney om een geldinzamelingscomité te gaan leiden.

Aangezien de bulldozers, die Castro zo nauwkeurig had beschreven, geschikter waren voor gebruik bij de bouw van vliegvelden en raketbases, bood het comité een alternatief: landbouwtractoren. Het 'Tractoren voor Vrijheid'-comité werd gekapitteld wegens het handelen in mensen, het capituleren voor communistische eisen om losgeld en het schenden van de Logan-wet die privé-interventies in Amerikaanse diplomatie verbood. Politiek commentator William Safire schreef aan Nixon, voor wie hij campagnetoespraken had geschreven: 'Miljoenen voor defensie, maar geen één verdomde stuiver voor eerbetoon.' Het comité werd ontbonden.

Toen Castro's eis voor achtentwintig miljoen dollar werd afgewezen, hield hij in maart 1962 een showproces dat vier dagen in beslag nam. In opdracht van Robert Kennedy haalde Richard Goodwin de Braziliaanse president João Goulart over om tegen Castro te zeggen dat de Amerikanen hun president zouden dwingen tot keiharde acties tegen Cuba als de gevangenen werden geëxecuteerd. De Cubanen veroordeelden de ballingen tot dertig jaar dwangarbeid en verhoogden de losprijs tot tweeënzestig miljoen dollar.[1]

1. In april liet Castro zestig van de zieken en gewonden vrij, waarbij hij aankondigde dat hij zijn vergoeding van 2,9 miljoen dollar op een later tijdstip zou innen.

De minister van Justitie vroeg zich af hoe de Verenigde Staten in staat waren om 'spullen ter waarde van zestig miljoen naar Cuba te sturen, terwijl een deel van de bevolking en een aantal politieke leiders om een invasie van Cuba riep'. Op zijn voorstel werd Donovan ingehuurd om namens het nieuw opgerichte 'Cubaanse-gezinnencomité' met het Castro-regime te onderhandelen. Geldschieters waren onder anderen kardinaal Richard Cushing, Lucius Clay, Lee Radziwill en televisiepresentator Ed Sullivan. Half september had Donovan Castro overgehaald om in plaats van geld geneesmiddelen te accepteren.

In oktober, toen hij inmiddels als Democratisch kandidaat was genomineerd en het opnam tegen Senator Jacob Javits uit New York, arrangeerde Donovan nog een ontmoeting met Castro. Op maandagavond, de achtste, vroeg Bundy aan Richard Helms om Donovan via Robert Kennedy of generaal Carter te laten weten dat 'voordat Donovan zijn handtekening zet, er nog een flinke inspanning moet worden geleverd om de tweeëntwintig Amerikanen in de deal te betrekken'. Dit verwees naar de Amerikaanse burgers in Castro's gevangenissen. Helms antwoordde: 'Begrepen.'

Dean Rusk wees de president erop dat Chroesjtsjov zijn opbouw op Cuba misschien had bedoeld als afleiding voor een nieuwe Russische stap tegen Berlijn. De president stuurde iemand naar het Pentagon voor het grote pakket rampenplannen voor een nieuwe Berlijnse crisis. Zoals Sorensen zich herinnerde, vond hij dat Berlijn 'alle kans [had] om heel erg actueel te worden'.

Op woensdag 10 oktober vroeg een journalist aan Rusk waarom de regering de militaire opbouw op Cuba niet had besproken met de Russen. Rusk antwoordde dat de Russen dan op hun beurt met de kwestie van Amerikaanse kernwapens in Turkije en de steun aan Iran op de proppen zouden komen. Dit waren twee landen langs de Russische grens, te vergelijken met Cuba, dat aan de rand van de Verenigde Staten lag.

Drie dagen later concludeerden de foto-experts van de CIA dat tien reusachtige kisten, die gefotografeerd waren op de dekken van het Sovjetschip *Kasimov* dat zich vlak bij Cuba bevond, precies leken op de kisten met Il-28 lichte atoombommenwerpers die gesignaleerd waren in Egypte en Indonesië. De actieradius van de Il-28 was misschien negenhonderd kilometer – te kort om Atlanta of New Orleans aan te vallen, maar genoeg om Tampa te bereiken, en het toestel kon om deze reden als inzetbaar aanvalswapen tegen de Verenigde Staten worden beschouwd. McCone probeerde Robert Kennedy tevergeefs te bereiken.

Chester Bowles, inmiddels ambassadeur in algemene dienst, stond op het punt te gaan lunchen met Dobrynin toen zijn medewerker, Thomas Hughes, hem op de hoogte bracht van de Il-28-toestellen: 'We kregen hier zojuist het zeer schokkende nieuws dat de Russen inderdaad materiaal naar Cuba aan het verschepen zijn.' Bowles zei tegen Dobrynin: 'Volgens geruchten brengen jullie aanvalswapens over naar Cuba.' Had Dobrynin de waarschuwingen van de president afgelopen september niet gelezen? 'Draai er niet omheen. Als dit waar is, en ik geloof dat het waar is, dan is dit je reinste dwaasheid. [...] Onze betrekkingen komen in ernstige moeilijkheden.'

Dobrynin keek verrast en hield vol dat de geruchten niet op waarheid berustten. Hij was zich 'volkomen bewust' van het risico van een dergelijke zet. Bowles antwoordde dat wanneer Dobrynin het bij het verkeerde eind had, hij niet de eerste of laatste ambassadeur in de geschiedenis zou zijn die door zijn eigen regering werd belazerd.

Dobrynin bracht Chroesjtsjov, die inmiddels terug in Moskou was, vast en zeker op de hoogte van dit gesprek. De Secretaris-Generaal nam ongetwijfeld aan dat wat Bowles tegen Dobrynin had gezegd, van tevoren zorgvuldig was uitgewerkt met Kennedy.

In zijn waarschuwingen van september had Kennedy verwezen naar aanvalswapens van een 'opvallende sterkte'. Aangezien dit waarschijnlijk niet van toepassing kon zijn op de Il-28-toestellen, heeft Chroesjtsjov in de woorden van Bowles misschien gelezen dat de Verenigde Staten de kernraketten die op weg naar Cuba waren, hadden ontdekt. In dat geval zal Chroesjtsjov zich hebben afgevraagd waarom Kennedy's eerste reactie op deze ontdekking alleen maar bestond uit een mild, vertrouwelijk protest, overgebracht door een tweederangs diplomaat van wie bekend was dat hij bij hem geen vertrouwen meer genoot.

Al of niet als reactie op het telegram van Dobrynin gaf Chroesjtsjov zijn troepen opdracht om op te schieten met hun werk op de raketterreinen op Cuba – zelfs voordat de verdedigingswerken voor de SAM's gereed zouden komen. In een hotel in New York ontmoette Gromyko de Cubaanse president, Osvaldo Dorticós, die naar de Amerikaanse hoofdstad was gevlogen om de Algemene Vergadering van de Verenigde Naties bij te wonen. Omdat ze bang waren dat Amerikaanse afluisterapparatuur hun bespreking van de raketten op Cuba zou oppikken, krabbelden ze elkaar boodschappen toe op strookjes papier.

Op zondagmiddag 14 oktober werd Bundy in het programma *Issues and Answers* van ABC geïnterviewd over de militaire opbouw op Cuba. Hij zei dat er 'op dit moment geen bewijsstukken' waren en dat het ook niet aannemelijk was dat de Sovjets en Cubanen zouden proberen om een 'grote aanvalscapaciteit' te installeren.

Hij zei dat de vraag of een stuk geschut nu aanvallend of defensief was, 'een beetje' afhing van 'welke kant je het bekijkt'. MIG-gevechtstoestellen en andere vliegtuigen hadden een 'zeker marginaal vermogen om acties te ondernemen tegen de Verenigde Staten. Maar ik denk dat we de betrekkelijke omvang hier in gedachten moeten houden. [...] Tot nu toe valt alles wat aan Cuba is geleverd, binnen de categorie hulp die de Sovjet-Unie bijvoorbeeld aan Egypte en Indonesië heeft geleverd en ik zou niet verbaasd moeten zijn over soortgelijke aanvullende militaire steun.'

Op het Kremlin gaven Chroesjtsjov en de meeste leden van het Presidium die avond een afscheidsdiner voor de Chinese ambassadeur, Liu Hsiao, die na acht jaar uit Moskou vertrok. De gezant had kort daarvoor aan Peking toevertrouwd dat Chroesjtsjov een ingenieuze 'nieuwe manier' had gevonden om de Berlijnse crisis op te lossen. Buiten in de duisternis vielen de eerste sneeuwvlokken van het seizoen. De Secretaris-Generaal hief het glas op de 'onbreekbare en eeuwige Sovjet-Chinese vriendschap'.

Die avond in New York hield Kennedy op de vierendertigste verdieping van het Carlyle zijn haastig bijeengeroepen vergadering met Adlai Stevenson en dineerde hij met zijn oude maat van Harvard, Congreslid Torbert Macdonald. Daarna, rond middernacht, vloog de *Air Force One* richting Washington waar de beste foto-experts van de regering bezig waren met de opnamen die een U-2-toestel die ochtend van westelijk Cuba had geschoten.

De volgende dag alarmeerden de foto-analisten McCones uitvoerend assistent, Walter Eder, die zijn baas opbelde: 'Datgene waarvan alleen u zei dat het zou gebeuren, is gebeurd.'

16. 'Híj speelt voor God.'

Op dinsdagmiddag 16 oktober schaarden Kennedy en zijn adviseurs zich rondom de tafel in de Cabinet Room en staarden naar de twee dagen oude luchtfoto's van lanceerinstallaties voor MRBM's op Cuba. Ondertussen draaide de geheime bandrecorder van de president en namen in de gordijnen verborgen microfoons alle gesprekken op. De vergrotingen stonden op een standaard voor de open haard. Daarboven hing een portret van George Washington van de hand van George Gilbert Stuart.

Roswell Gilpatric merkte op dat Kennedy 'zeer kortaf, zeer gespannen' was. 'Nog nooit heb ik de president zo volledig geconcentreerd en zo serieus gezien.' Vlak voor de bijeenkomst had Kennedy Bohlen naar zijn kantoor geroepen en hem op de hoogte gebracht van het geheim dat Bundy de president na de lunch in zijn slaapkamer toevertrouwde. Bohlen vond het 'bijna een pure Chroesjtsjov-onderneming'. Hij merkte dat de president 'vast besloten' was dat de raketten Cuba moesten verlaten.

Dean Rusk was maandagavond al op de hoogte gebracht van de raketten op Cuba. Nu zei hij tegen de aanwezigen in de Cabinet Room: 'Niemand van ons had ooit gedacht dat de Russen zo ver zouden gaan. [...] Nu vind ik dat we een reeks van maatregelen in gang moeten zetten om deze raketbasis te elimineren. Ik vind niet dat we stil kunnen blijven zitten. De vraag is alleen, doen we het door middel van een plotselinge, onaangekondigde aanval, of zoiets – of laten we deze crisis zo ver komen dat de andere partij serieus moet overwegen zich gewonnen te geven, of moeten zelfs de Cubanen zelf enige [...] acties ondernemen?'[1]

Tijdens de geheime bijeenkomsten over operatie *Mongoose* had Rusk om geheime acties verzocht om zo een breuk tussen de Russen en de Cubanen te forceren. Nu stelde hij voor Castro via een speciaal kanaal vertrouwelijk te laten weten 'dat Cuba hier tot slachtoffer wordt gemaakt en dat de Russen voorbereidingen treffen om Cuba te vernietigen of te verraden'.

De minister merkte op dat de *New York Times* van maandag had bericht dat de Russen misschien Cuba tegen Berlijn zouden willen ruilen: 'Castro moet hiervan op de hoogte worden gebracht. We moeten Castro laten weten dat [...] de tijd nu gekomen is dat hij de belangen van het Cubaanse volk behartigt – dat hij

---

1. Dit citaat en de citaten die uit de bijeenkomsten in de Cabinet Room van deze datum volgen, zijn afkomstig van transcripties van de geheime banden van de president en van kopieën van de eigenlijke, beschikbare opnamen. In het laatstgenoemde geval zijn de transcripties in enkele gevallen in geringe mate gewijzigd om meer in overeenstemming te komen met de geluidsbanden. De meeste 'eh's en 'hmm's zijn weggelaten.

nu duidelijk met de Sovjet-Unie moet breken en moet verhinderen dat deze raketbasis operationeel wordt.'[1]

Rusk zei dat hij zich 'terdege bewust' was van het feit dat 'er van eenzijdige acties van de Verenigde Staten [...] geen sprake is. Bij deze kwestie zijn de tweeënveertig bondgenoten ten nauwste betrokken. Elke stap die we ondernemen zal het risico van een directe actie waarbij onze andere bondgenoten en krachten in andere delen van de wereld worden betrokken, ernstig vergroten.'

Afgezien van het inlichten van Castro hadden ze nog twee brede alternatieven: 'Ten eerste, een snelle slag. Ten tweede: *zowel* onze bondgenoten *als* de heer Chroesjtsjov attenderen op het feit dat hier een zeer ernstige crisis ontstaat. [...] Het zou kunnen zijn dat meneer Chroesjtsjov dit op dit moment zelf niet helemaal kan begrijpen of wil geloven.' Deze situatie 'zou heel goed tot een algehele oorlog kunnen leiden'. In het licht van Kennedy's waarschuwing van september over aanvalswapens op Cuba, moesten ze 'doen wat er gedaan moet worden'. Maar bovenal moesten ze proberen het probleem in der minne te schikken voordat 'de standpunten te hard worden'.

McNamara zei dat een luchtaanval tegen de raketten moest plaatsvinden voordat de raketten operationeel werden. Als de projectielen zouden worden gelanceerd, 'is het bijna zeker dat aan een deel van de oostkust of in het gebied binnen een cirkel van negenhonderdzestig tot zestienhonderd kilometer vanaf Cuba een chaos zal uitbreken.

Een dergelijke luchtaanval moet zich niet alleen richten op de gestationeerde raketten aldaar, maar ook op de luchthavens, verborgen vliegtuigen en mogelijke opslagplaatsen voor kernmunitie. Er moest worden aangenomen dat de Cubaanse vliegtuigen met kernkoppen waren uitgerust en dat deze in ieder geval over een 'zeer explosief potentieel' beschikten. Deze breed opgezette luchtaanval zou misschien twee- of drieduizend Cubaanse slachtoffers eisen.

McNamara deelde mee dat de gezamenlijke stafchefs graag een paar dagen de tijd wilden hebben om een dergelijke aanval te kunnen voorbereiden. Maar 'als het echt moet, kan de aanval bijna letterlijk binnen een paar uur plaatsvinden. [...] Indien nodig kan de luchtaanval na de eerste dag nog een paar dagen door-

---

1. Iemand schreef een ontwerp voor een ultimatum van vierentwintig uur aan 'Meneer F.C.', waarin stond dat de Sovjets 'puur uit eigenbelang de landen van het westelijk halfrond het recht' hadden gegeven 'een aanval op Cuba te kunnen plannen dat tot de omverwerping van uw regime moet leiden'. Tenzij de Verenigde Staten 'via openbare, dan wel vertrouwelijke kanalen [...] van uw kant garanties kunnen krijgen dat u dit misbruik van Cubaans grondgebied niet accepteert, [...] zullen wij en onze vrienden natuurlijk genoodzaakt zijn stappen te ondernemen.'

In een begeleidend schrijven werd erkend dat het voor Castro 'onwaarschijnlijk [was] dat hij op korte termijn zou wennen aan het idee hulp van de Verenigde Staten te ontvangen om daarmee het hoofd te kunnen bieden aan alle interne onlusten die het gevolg konden zijn van een gunstige reactie van Cuba. Natuurlijk moeten we ons voorbereiden op een vier uur durende televisieverklaring waarin Castro onze benadering onthult, hekelt en afkeurt. Maar het lijkt waarschijnlijk dat hij zich ervan bewust is dat het Sovjetaanbod om Cuba te steunen, niet in onvoorwaardelijke termen is weergegeven en dat zijn binnenlandse positie niet erg sterk is. [...] De communistische elementen die de oude lijn voorstaan, zullen de aanpak van de Verenigde Staten massaal van de hand wijzen. Dit zou tot een serieuze woordenwisseling tussen beide partijen kunnen leiden waarvan wij in theorie groot voordeel kunnen hebben.'

gaan. Vermoedelijk zouden er vóór of tijdens de aanval een aantal politieke discussies plaatsvinden. Hoe dan ook, we zouden klaar staan om na de luchtaanval [...] een invasie over zee en door de lucht te beginnen.'

De optie van een luchtaanval hield ook een mobilisatie van Amerikaanse troepen in. 'Misschien samenvallend met de luchtaanval, of vlak daarna. Laten we zeggen zo'n vijf dagen daarna, afhankelijk van de mogelijke eisen voor een invasie.' De eerste fase kon worden uitgevoerd onder de Cuba-resolutie die door het Congres was aangenomen en die een week geleden door de president was ondertekend. Voor de tweede fase zou een aankondiging van de nationale noodtoestand nodig zijn, net zoals Kennedy in 1961 met Berlijn had overwogen.

De nog maar pas beëdigde voorzitter van de gezamenlijke stafchefs, Maxwell Taylor, zei: 'Als we eenmaal zoveel mogelijk aanvalswapens hebben vernietigd, moeten we [...] voorkomen dat er nieuwe bijkomen. Dit houdt in dat we een zeeblokkade moeten leggen [...] waarbij Guantánamo tegelijkertijd moet worden versterkt en de inwoners moeten worden geëvacueerd.' Daarna moeten 'aanhoudende verkenningsvluchten' worden uitgevoerd. De resultaten van de luchtaanval zouden hen helpen bij het besluit 'wel of niet tot een invasie over te gaan. Ik denk dat dit de zwaarste militaire beslissing van de hele operatie is – een vraag die zeer nauwkeurig in overweging moet worden genomen voordat we voet op die dikke Cubaanse modder zetten.'

Rusk: 'Zelf geloof ik niet dat de kernvraag draait om het vernietigen van een raket voordat *deze* gelanceerd wordt, omdat we in een algehele kernoorlog verwikkeld raken als ze *die* raketten zouden afschieten.' Als Chroesjtsjov een kernoorlog wilde, hoefde hij geen MRBM's vanuit Cuba te lanceren.

Met zijn niet-aflatende vrees voor een onbedoelde kernoorlog merkte McNamara op dat iemand wel eens in staat kon zijn om tegen de wil van het Kremlin toch zijn vinger op de rode knop te leggen: 'We weten niet wat voor verbindingen de Sovjets met deze raketterreinen onderhouden. We weten niet wat voor controle ze over de kernkoppen kunnen uitoefenen.'

De president verbrak zijn stilte: 'Wat is het woord... – de Russen moeten een belangrijke reden hebben dit op te zetten als een... – ze zijn waarschijnlijk ontevreden met hun intercontinentale-rakettensysteem. Wat zou de reden zijn dat ze...' Taylor redeneerde dat de raketten op Cuba als aanvulling konden dienen op het 'tamelijk gebrekkige intercontinentale-rakettensysteem'.

Kennedy: 'Ik zie echt niet in hoe we kunnen voorkomen dat nieuwe raketten per onderzeeër worden aangevoerd. Ik bedoel, als we een blokkade leggen, worden ze met onderzeeërs aangevoerd.'

McNamara: 'Ik denk eerlijk gezegd dat er maar één manier is waarop de aanvoer kan worden verhinderd, en dat is door hun te laten weten dat ze zullen worden uitgeschakeld op het moment dat ze worden aangevoerd. U schakelt ze uit en gaat door met openlijke patrouilles. Daarmee beschikt u over een aanpak om ze uit te schakelen zodra ze worden aangevoerd.'

Rusk: 'Over het waarom van de Sovjets suggereerde de heer McCone een paar weken geleden dat Chroesjtsjov wellicht één ding in gedachten heeft, namelijk dat hij weet dat we over een aanzienlijk nucleair overwicht beschikken.[1] Maar

1. McCone was destijds bezig met de voorbereidingen van de begrafenis van zijn stiefzoon in Seattle, nadat deze bij een ongeluk met een sportwagen om het leven was gekomen.

hij weet ook dat wij minder onder zijn kernarsenaal gebukt gaan dan omge-keerd. Daarnaast hebben we in landen vlak bij de Sovjet-Unie, zoals Turkije, kernwapens opgesteld.'[1]

De president vroeg nu hoeveel raketten Amerika in Turkije bezat. Het ant-woord: ongeveer vijftien IRBM's van het type Jupiter.

Rusk zei dat McCone geloofde dat 'Chroesjtsjov misschien vindt dat het belang-rijk voor ons is om met middellange-afstandsraketten te leren leven. Hij zou dit doen om dat politieke, psychologische feit [...] min of meer in balans te brengen. Ik denk ook dat de kwestie-Berlijn hier veel mee te maken heeft. Voor het eerst begin ik me echt af te vragen of Chroesjtsjovs houding inzake Berlijn strikt ratio-neel is.'

Misschien dachten de Russen dat ze 'Berlijn en Cuba tegen elkaar konden uit-wisselen of [...] ons tot een bepaalde actie op Cuba konden verleiden die voor hen een bescherming vormt om stappen met betrekking tot Berlijn te onderne-men' – net zoals Chroesjtsjov in 1956 de Suezcrisis had benut om de aandacht en de afkeuring van de wereld over zijn invasie van Hongarije af te leiden. 'Maar ik moet zeggen dat ik het, verstandelijk gezien, niet begrijp dat de Sovjets de zaak zo ver hebben laten komen, tenzij ze totaal verkeerd inschatten hoe belangrijk Cuba voor dit land is.'

Met het voordeel van zijn acht jaar diplomatieke ervaring onder Eisenhower waarschuwde Douglas Dillon dat 'maatregelen van de Organisatie van Ameri-kaanse Staten' en 'de NAVO-bondgenoten op voorhand inlichten over een luchtaanval op Cuba' het risico met zich meebracht dat de Russen zich gedwon-gen zouden voelen 'het standpunt in te nemen dat ze bij het minste of geringste een vergeldingsactie moesten ondernemen. Een snelle actie daarentegen met te-gelijkertijd een verklaring die zegt: zo simpel liggen de zaken, zou hun de gele-genheid geven zich in te houden en niets te ondernemen.'

Bundy maakte zich zorgen over de 'protesten die we van onze bondgenoten kun-nen verwachten dat als zij met de Russische MRBM's kunnen leven, waarom wij dan niet?' Hij was ook bezorgd over 'het feit dat de Duitsers zeker van me-ning zullen zijn dat we, vanwege onze bezorgdheid om Cuba, Berlijn in gevaar brengen.'

Rusk: 'En als we tot een snelle aanval overgaan, dan [...] stelt u alle bondgeno-ten [...] aan deze grote gevaren bloot [...] zonder ook maar het geringste over-leg, de kleinste waarschuwing of voorbereiding.'

Kennedy: 'Maar het lijkt mij duidelijk dat een waarschuwing aan hen, een waarschuwing aan iedereen betekent. En ik, ik – je kunt niet halfslachtig gaan aankondigen dat je die raketten binnen de komende vier dagen zult verwijderen. Binnen drie dagen zouden ze wel eens kunnen aankondigen dat ze hun raketten met kernkoppen gaan uitrusten: als wij aanvallen, zullen zij die dingen lance-ren. En wat moeten – wat moeten we dan doen? We moeten die raketten dan met rust laten. Natuurlijk kondigen we dan aan, nou, als ze dat van plan zijn, dat wij met een nucleaire aanval komen.'

De president was er zeer op gebrand 'zo min mensen mogelijk op de hoogte te brengen'. Hij vroeg hoe lang de zaak geheim kon blijven voordat mensen buiten de hoogste regeringskringen op de hoogte zouden zijn.

1. De Secretaris-Generaal had het zelf niet beter kunnen zeggen.

McNamara zei: 'Ik denk dat, als we realistisch zijn, we moeten aannemen dat dit in brede kring bekend wordt en misschien wel in de kranten verschijnt. In ieder geval bij politieke vertegenwoordigers van beide partijen binnen [...] ik denk een week. [...] Ik heb grote twijfel of we dit bijvoorbeeld langer dan een week uit de handen van Congresleden kunnen houden.' Rusk zei: 'Niet later dan donderdag of vrijdag deze week.'

Kennedy waarschuwde de groep dat de actie waartoe uiteindelijk zou worden besloten, 'het best bewaarde' geheim moest blijven. 'Want anders verzieken we de boel grondig.'

Robert Kennedy luisterde naar de discussie over een luchtaanval en had een briefje naar Sorensen doorgeschoven: 'Ik weet nu hoe Tojo zich voelde toen hij Pearl Harbor voorbereidde.' Dit commentaar deed de geschiedenis geweld aan: er was slechts sprake van een zeer oppervlakkige overeenkomst tussen de nietuitgelokte Japanse aanval en een verrassingsaanval op een op Cuba gevestigde aanvalsbasis waartegen de Verenigde Staten de Sovjet-Unie, zij het laat, hadden gewaarschuwd.

De minister van Justitie waarschuwde de groep aanwezigen dat een omvangrijke luchtaanval 'een ongelooflijk groot aantal slachtoffers tot gevolg heeft en dat we hiermee enorm veel kritiek riskeren. [...] Jullie zullen moeten verklaren dat je deze beslissing hebt genomen vanwege de plaatsing van dit soort raketten. Ik denk echter dat het bijna de plicht van de Russen is om dan te zeggen: "Nou, we sturen ze opnieuw, en als jullie dit weer doen [...] doen wij hetzelfde met Turkije, of [...] Iran."'

De president vroeg hoe het Cubaanse volk op een luchtaanval zou reageren. Taylor zei: 'Met grote verwarring en paniek.' McNamara voegde eraan toe: 'Er bestaat een grote mogelijkheid dat je tot een invasie over *moet* gaan. Een luchtaanval zou tot zo'n grote opstand kunnen leiden, dat om een slachting onder – onder – de vrije Cubanen tegen te gaan, we het eiland moeten binnenvallen om – om de orde weer te kunnen herstellen. [...] Het zal waarschijnlijk niet gebeuren, maar het is denkbaar dat een luchtaanval een nationale opstand kan ontketenen.'

Bundy vond dat het 'enorm belangrijk' was dat de luchtaanval 'scherp omlijnd' en zo 'kleinschalig' mogelijk was.

Kennedy zei: 'Het voordeel van het uitschakelen van deze vliegtuigen is dat het ons zal beschermen tegen vergeldingsacties vanuit de lucht. Ik denk dat je moet [...] aannemen dat ze van gewone bommen en niet van atoombommen gebruik zullen maken. Want waarom zouden de Sovjets toestaan dat dergelijke halfslachtige gebeurtenissen tot een kernoorlog zullen leiden?'

Hij keerde weer terug tot de kern van de zaak: 'Ik geloof niet dat we omtrent deze raketten veel bedenktijd hebben. [...] Het kan zijn dat we gewoon – we kunnen ons geen twee weken voorbereidingstijd permitteren. Misschien moeten we gewoon, als we dit zouden beslissen, en doorgaan met onze andere voorbereidingen, gewoon alleen *die dingen* uitschakelen. [...] Daar zou het wel eens op uit kunnen draaien. [...] Want dat zijn we *toch al* van plan.'

'We gaan zeker door met Plan Eén – we gaan die raketten uitschakelen. De vragen die nu resten zijn [...] welke stappen ik als Plan Twee, het plan voor een algehele luchtaanval, moet omschrijven. [...] Nummer Drie is de algehele invasie. We gaan in ieder geval door met Plan Eén, dus het lijkt me dat we niet erg lang

hoeven te wachten. Met – met *die* voorbereidingen moeten we beginnen.'
Bundy was bezorgd dat de president zo snel tot een haastig besluit tot een aanval leek te komen. Behoedzaam zei hij: 'U wilt er zeker van zijn, meneer de president, dat we *definitief tegen* een politieke aanpak hebben beslist.'

Waarom had Kennedy zich zo door de onthulling van de raketten laten verrassen? In de zomer van 1960 en in de periode van de Varkensbaai-operatie had Chroesjtsjov openlijk gewaarschuwd dat raketten konden worden gebruikt ter verdediging van Cuba. Begin 1961 hadden Dean Rusk en Allen Dulles de zaak in vertrouwelijke kring bij de Senaatscommissie voor Buitenlandse Betrekkingen aangekaart. In augustus 1962 had Walt Rostow middels zijn 'Chroesjtsjov-in-het-nauw'-memo een waarschuwing laten horen. John McCone had in augustus en september herhaaldelijk deze mogelijkheid aan de orde gesteld en zei dat als hij Chroesjtsjov was, hij aanvalsraketten naar Cuba zou sturen.
Niettemin accepteerde Kennedy tot omstreeks half oktober 1962 – vreemd genoeg zonder bijna een spoor van zijn gebruikelijke scepsis – het eensgezinde standpunt van zijn Sovjetexperts dat de Secretaris-Generaal zijn zelfopgelegde verbod tegen het stationeren van kernwapens buiten het Sovjetterritorium niet zou verbreken. Eén analist zou later spitsvondig opmerken dat het niet de Kremlindeskundigen waren die zich hadden vergist, maar Chroesjtsjov. Volgens Bundy veronderstelden de president en zijn kring van adviseurs dat Chroesjtsjov 'veel te verstandig was om door middel van kernraketten op Cuba ons op zo'n voor de hand liggende manier te provoceren'.
Later prezen Kennedy's partijgenoten het vermogen van de president om zaken op een onbevooroordeelde manier door de ogen van zijn tegenstanders te bekijken en zijn voorzichtigheid om hen niet in het nauw te drijven. Deze eigenschap was tijdens zijn betrekkingen met Chroesjtsjov vanaf 1961 tot aan het begin van 1962 maar in geringe mate aanwezig geweest. De president was bijna niet in staat in te schatten in hoeverre zijn zinspelingen op Amerikaanse nucleaire superioriteit en een mogelijke eerste aanval bij Chroesjtsjov had geleid tot grote onzekerheid en een gevoel dat hij geen kant meer uit kon.
Bundy herinnerde zich hoe Kennedy en zijn medewerkers in 1962 'geloofden dat we in de totale krachtmeting met de Sovjet-Unie nog steeds in het defensief waren. Wij waren niet degenen die met destabiliserende veranderingen in Berlijn en Zuidoost-Azië dreigden. […] We namen niet aan dat nucleaire superioriteit ons de mogelijkheid tot politieke dwang in handen gaf die Chroesjtsjov als vanzelfsprekend beschouwde.'
In de zomer van 1962 was de president voor McNamara's volharding overstag gegaan dat nucleaire superioriteit weinig uitmaakte zolang een land over voldoende kernkoppen en transportmiddelen beschikte om andere landen daarmee onaanvaardbaar grote schade aan te kunnen richten. Kennedy werd zo door deze redenering gevangen dat hij er niet bij stilstond dat Chroesjtsjov een andere mening toegedaan zou kunnen zijn. Hij maakte korte metten met McCones gedachten dat Chroesjtsjov zowel het motief bezat, als in staat was zijn eigen *missile gap* teniet te doen door MRBM's en IRBM's naar Cuba te sturen.
Het feit dat Kennedy in zijn publieke waarschuwing in september ook grond-grondraketten betrok, toonde niet aan dat hij zijn fout had ingezien, maar dat hij nog steeds aanleiding zag om aan te nemen dat Chroesjtsjov misschien van

plan was dergelijke wapens naar Cuba te zenden, of zich daartoe misschien genoodzaakt zag. Hij vaardigde zijn waarschuwing uit op basis van Robert Kennedy's verwijzing naar het feit dat aanvalswapens 'hier tot een ernstig politiek probleem' konden leiden. Kennedy's waarschuwing had als belangrijkste doel de Republikeinse critici te laten zien dat de Amerikaanse president in staat was om inzake Cuba één lijn te trekken. Wat hij niet wist, was dat dit mosterd na de maaltijd was.

Kennedy besteedde maar weinig aandacht aan hoe zijn waarschuwing de loop van de wereldgeschiedenis kon veranderen. Hij had niet al zijn adviseurs geraadpleegd voordat hij zijn waarschuwing had opgesteld. Ondanks de waarschuwingen van zowel Allen Dulles, Rusk, McCone als de Secretaris-Generaal zelf, bleef de president er zo van overtuigd dat Chroesjtsjov het niet in zijn hoofd zou halen om offensieve wapens op Cuba te stationeren, dat hij ervan uitging dat hij nu een uitdaging presenteerde die hij nooit met geweld zou hoeven te staven.

Als de president deze waarschuwing in maart 1962 had geuit, was het niet zo waarschijnlijk geweest dat Chroesjtsjov deze had getrotseerd, vooral niet gezien zijn toentertijd actuele pessimisme inzake de mogelijkheid van een Amerikaanse eerste aanval. In september kon de Secretaris-Generaal de loop der dingen niet meer veranderen: als deze schande openbaar werd zou hij het middelpunt van spot worden in het Kremlin en het hele communistische blok. Castro zou misschien tegen de wereld hebben geroepen dat de Russen hadden verzuimd hun verdragsverplichtingen omtrent het sturen van raketten na te komen.

Als Kennedy de tijd had genomen om een representatieve selectie van zijn adviseurs bijeen te roepen om de gevaren van het uitvaardigen van een dergelijke waarschuwing te bestuderen, waren deze adviseurs misschien in staat geweest hem ervan te doordringen dat er wellicht middellange-afstandsraketten naar Cuba konden worden verstuurd en hadden ze hem er misschien toe kunnen brengen de verklaring in iets vagere bewoordingen op te stellen

Er kan worden beweerd dat de Amerikanen in de herfst van 1962 en het hete politieke klimaat met betrekking tot Cuba nooit raketten op het eiland zouden hebben getolereerd en dat iedere president hun verwijdering zou hebben geëist. Het probleem van Kennedy's waarschuwing was dat hij hierdoor tot een bepaalde koers werd gedwongen. Met zijn overdreven zekerheid over zijn inschatting van de motieven van Chroesjtsjov en de Sovjets, en in zijn haast zijn binnenlandse politieke zorgen op te lossen, had hij een allesomvattende waarschuwing uitgevaardigd. Hierdoor werden alle presidentiële stappen die, op een kernoorlog na, konden worden ondernomen indien er raketten op Cuba werden ontdekt, van tevoren al uitgesloten.

Op dinsdagmiddag zat Kennedy in het Oval Office in diepe gedachten verzonken over Kohlers telegrammen. De ambassadeur berichtte over diens drie uur durende ontmoeting met Chroesjtsjov. De Secretaris-Generaal had Kohler verzekerd: 'Ik doe er alles aan om niets te ondernemen dat de president tijdens zijn campagne in verlegenheid kan brengen.'

Chroesjtsjov had Kohler laten weten dat hij ten aanzien van Berlijn en Duitsland geen nieuwe stappen zou ondernemen voordat de Amerikaanse verkiezingen van november achter de rug waren. Maar daarna moest er een oplossing voor de Duitse kwestie worden gevonden. Hij overwoog nog steeds om in november een bezoek te brengen aan zowel Kennedy als de Verenigde Naties. Chroesjtsjovs klacht over de in Turkije en Italië gestationeerde Jupiterraketten had Kohler verrast. Het ministerie van Buitenlandse Zaken had hem niet ingelicht over hoe hij het best op zo'n klacht kon reageren, omdat het deze kwestie als onbeduidend beschouwde. Voor Chroesjtsjov lag dit anders. Hij wist bijna zeker dat het bevel over de Jupiters binnen zes dagen aan Turkije zou worden overgedragen.

Om de vrees voor een raketachterstand in het post-Spoetniktijdperk te verlichten, had de NAVO eind 1957 besloten om MRBM's op Europees grondgebied te stationeren. Zestig Thor-raketten waren bestemd voor Engeland, dertig Jupiter-lanceerinrichtingen gingen naar Italië en vijftien naar Turkije.
In juni 1959, nadat Chroesjtsjov tegen Washington over de stationering van deze raketten had geklaagd, liet Eisenhower zijn minister van Defensie, Neil McElroy, vertrouwelijk weten dat hij goede redenen zag om raketten in West-Duitsland, Frankrijk en Engeland te plaatsen. Echter, het stationeren van raketten in Griekenland, vlak bij de Russische grens, om daarmee de Russen uit te dagen, leek hem zeer 'omstreden'.
McElroy herinnerde de president eraan dat Chroesjtsjov had gedreigd 'West-Europa te vernietigen' en dat de geallieerden 'zich door deze dreiging ongerust begonnen te voelen'. Op een dag zouden de MRBM's als onderhandelingsmiddel worden gebruikt. Eisenhower sloot zich weer aan bij de opvatting dat de raketten 'de spanningen tussen ons en de Sovjet-Unie [nauwelijks konden] wegnemen'. Hij was bang dat de Sovjets de opstellingen van raketten op de zuidflank van de NAVO zouden compenseren met de stationering van Sovjetraketten op 'Cuba of in Mexico'.
Ongeveer gelijktijdig met Chroesjtsjovs eerste bezoek aan de Verenigde Staten in 1959 werden de eerste Jupiterraketten naar Turkije verscheept. Karl Harr, een van Eisenhowers medewerkers, wees de president erop dat deze stationering 'in termen van public relations' zeer omzichtig diende te geschieden. Dit vanwege Chroesjtsjovs 'uitgesproken politieke gevoeligheid' voor langs zijn grens opgestelde MRBM's.
De Amerikaanse ICBM's en de vanaf de Polaris-duikboot lanceerbare raketten maakten de Jupiters spoedig overbodig. Dean Rusk kreeg te horen dat Turkse automobilisten de bovengrondse raketten met een luchtbuks konden raken en dat de Jupiters zo verouderd waren dat als ze gelanceerd zouden worden, de Verenigde Staten niet konden voorspellen welke kant ze zouden opvliegen.
De Gezamenlijke Commissie voor Atoomenergie van het Congres toonde zich net als de Russen bezorgd over het idee dat de Amerikaanse controle over de in Turkije gestationeerde raketten wellicht te laks was. In maart 1961 had Kennedy opgedragen de zaak te herzien, maar hij kreeg in juni het advies dat gezien Chroesjtsjovs 'harde opstelling' in Wenen, het terugtrekken van de Jupiters 'als een teken van zwakte kan worden opgevat'. Generaal Norstad waarschuwde hem dat de Turken zich beledigd zouden voelen. De president grapte: 'Wat de Turken willen en nodig hebben, zijn de Amerikaanse loonzakjes die deze raketten met zich meebrengen.'
In augustus 1962 kondigden de Britten aan dat de Thor-raketten geleidelijk zouden worden afgevoerd. (Deze klus had men in december geklaard.) Weer dacht Kennedy diep na over het terugtrekken van de Jupiters, maar wist dat hiervoor

intern NAVO-overleg nodig was. Rostow herinnerde zich: 'Noch het Pentagon, noch het ministerie van Buitenlandse Zaken had diplomatieke vorderingen gemaakt met betrekking tot de terugtrekking van Jupiters uit Turkije en Italië.'

Als de president zich had gerealiseerd dat de raketten in Turkije op 22 oktober ceremonieel aan het Turkse commando werden overgedragen, zou hij dit gebaar als een zoenoffer voor goede betrekkingen met de bondgenoten hebben beschouwd. Hij zou hebben verondersteld dat de vraag wiens eigendom de raketten waren, van weinig betekenis was zolang de Verenigde Staten controle over hun kernkoppen uitoefenden.

Het kan zijn dat Chroesjtsjov nooit heeft geweten dat deze kernkoppen onder stringent Amerikaans beheer bleven. Hij was altijd bang dat een of andere plaatselijke bevelhebber in West-Duitsland, of waar dan ook, misschien in staat zou zijn de vinger aan de rode knop te zetten. De misvatting dat de Turken misschien over de mogelijkheid zouden krijgen om kernraketten tegen de Sovjet-Unie te lanceren, zou ertoe geleid hebben dat hij de verwijdering van Jupiters uit Turkije van hoog belang achtte.

Om half zeven keerden Kennedy en zijn staf terug in de Cabinet Room. McCones plaatsvervanger, generaal Carter, berichtte dat de laatste verkenningsvlucht boven Cuba een 'aantal van zestien, tot mogelijk vierentwintig raketten' liet zien. Er bestond 'hoe dan ook geen bewijs' van de aanwezigheid van kernkoppen, maar dit sloot ook de afwezigheid van zulke wapens niet uit. De Russische lanceerinrichtingen op Cuba konden 'binnen twee weken operationeel zijn' of 'veel eerder', indien het om slechts één lanceerinrichting ging. Eenmaal operationeel 'zouden de raketten met zeer geringe waarschuwing vooraf kunnen worden gelanceerd'.

Rusk bleef trouw aan zijn idee om Castro over te halen om de Sovjetraketten uit Cuba te verwijderen. Hij dacht dat Castro misschien 'met Moskou zou breken als hij wist dat hij levensgevaarlijk klem zat. Nu bedraagt deze kans misschien één op honderd. Maar we zijn hoe dan ook zeer geïnteresseerd in de mogelijkheid van een directe boodschap aan zowel Castro als Chroesjtsjov.'

Als de Verenigde Staten voor het plan van een luchtaanval kozen, 'zouden we, denk ik, een maximale reactie van de communisten in Latijns-Amerika kunnen verwachten'. Ongeveer zes Latijns-Amerikaanse regeringen 'zouden gemakkelijk omvergeworpen kunnen worden'.[1] Na een luchtaanval 'zouden de Sovjets bijna zeker ergens bepaalde vergeldingsacties ondernemen'. Kon Washington een dergelijk plan ondernemen 'zonder onze directe bondgenoten van een dergelijke zaak op de hoogte te stellen die hen aan grote gevaren zou blootstellen'? De Verenigde Staten konden hierdoor wel eens in een geïsoleerde positie raken en de alliantie zien verbrokkelen.'

McNamara was tegenstander van elke vorm van een gesprek met Castro, Chroesjtsjov of leiders van de NAVO voordat er sprake was geweest van een luchtaanval: 'Een gesprek smoort een op handen zijnde militaire actie bijna.' Hij kwam met een nieuwe middenweg: 'een blokkade tegen aanvalswapens die in de toekomst voor Cuba bestemd zijn' en continue verkenningsvluchten boven het eiland.

1. Hij gaf niet aan op welke landen dit betrekking had en hoe dit zou moeten gebeuren.

Hij waarschuwde dat elke vorm van een onmiddellijk militair ingrijpen 'ergens anders in de wereld tot een Russische militaire respons zal leiden'. Een Amerikaanse militaire actie kon een opstand tegen Castro tot gevolg hebben: de kans bestond dat de Verenigde Staten gedwongen zouden worden een 'onbevredigende opstand' te accepteren, net zoals tijdens de Varkensbaai-operatie, of anders het eiland moesten binnenvallen.

Nu nam de president het woord: 'Ik ben het er helemaal mee eens dat er geen twijfel over bestaat dat als we zouden aankondigen dat er bases voor MRBM's worden gebouwd [...] we na mijn verklaring een hoop politieke steun zullen krijgen. En het feit dat we onze wens tot terughoudendheid te kennen hebben gegeven, zou de Sovjet-Unie onder grote druk zetten.'

Hij was het ermee eens dat als de Verenigde Staten het nieuws over de aanwezigheid van raketten op Cuba wereldkundig zouden maken voordat ze tot geweld tegen het eiland zouden overgaan, 'we alle voordelen van een dergelijke aanval verliezen. Want als we de zaak onthullen, is het voor hen [de Sovjets] duidelijk dat we waarschijnlijk iets zullen ondernemen – dat zou ik tenminste *aannemen.*' Hij betwijfelde het of een boodschap aan Castro over de raketten de dictator ertoe zou brengen zich tegen Moskou te keren: 'Ik denk niet dat hij zo te werk gaat.'

Tevens was hij van mening dat een boodschap naar Chroesjtsjov geen zin had. Hij merkte op dat de Secretaris-Generaal duidelijk geen aandacht had besteed aan zijn waarschuwingen van september inzake raketten op Cuba: 'Het lijkt mij dat mijn verklaring voor de pers zo *duidelijk* was over situaties waarbij we *wel* en *geen* stappen zouden ondernemen.[1] Hij moet weten dat we erachter [de plaatsing van de raketten] zullen komen, dus het lijkt mij dat hij gewoon...'

Bundy: 'Dat is natuurlijk de reden waarom hij in zijn berichten aan ons zeer, zeer expliciet heeft laten merken hoe gevaarlijk dit is en dit geldt ook voor de TASS-verklaring [van 11 september] en zijn andere boodschappen.'

Kennedy: 'Inderdaad. Maar hij is – hij is degene die het gevaar gewekt heeft, is het niet?'

Terwijl de bandrecorder van de president doordraaide, gaf hij een gedempte opmerking over Chroesjtsjov die als volgt kan worden geïnterpreteerd: 'Híj is degene die zijn troef uitspeelt en niet wij': *'He's the one playing his card, not us,'* waarbij 'card' als 'cahd' klonk. Hij zou ook gezegd kunnen hebben: 'Híj speelt voor God, wij niet.'

Rusk: 'En zijn verklaring aan Kohler omtrent zijn bezoek en zo. *Totaal hypocriet.*'

McNamara waarschuwde nogmaals dat de Russische projectielen op Cuba 'snel operationeel' konden worden gemaakt. Of het nu zes uur of twee weken was, 'we weten niet hoeveel tijd er al voorbij is'.

Rusk: 'Het zou kunnen dat we het compleet bij het verkeerde eind hebben, maar we hebben nooit *echt* geloofd dat Chroesjtsjov een kernoorlog om Cuba zou beginnen.'

Kennedy: 'We hebben ons duidelijk vergist over wat hij op Cuba probeert te doen. Er bestaat geen twijfel over dat [...] [Niet] veel mensen onder ons het vermoeden hadden dat hij MRBM's op Cuba zou plaatsen.'

Bundy: 'Ja, inderdaad. Behalve John McCone.'

1. Hij bedoelde hier de uitbreiding van het defensieve apparaat op Cuba.

Carter: 'De heer McCone.'

Kennedy: *'Yeah.'*

Nu kwam het moment dat Bundy, voor het eerst die dag in de Cabinet Room, eindelijk de fundamentele vraag in deze kwestie stelde: 'Iets heel anders dan waarover we het tot nu toe hebben gehad – we zitten er volledig in verstrengeld, ik weet het – maar wat is de strategische impact van de MRBM's op Cuba op de positie van de Verenigde Staten? Hoe erg wordt hierdoor de strategische balans verstoord?'

McNamara: 'Mac, dit heb ik in feite vanmiddag aan de stafchefs voorgelegd. En die zeiden: "In zeer grote mate." Mijn eigen mening luidt: *in geen enkel opzicht.*'

Taylor verdedigde de gezamenlijke Stafchefs en zei: 'Ze *kunnen* een zeer grote' – hij corrigeerde zichzelf – 'een *tamelijk* belangrijke toevoeging en versterking vormen voor de slagkracht van de Sovjet-Unie. We hebben geen idee hoe ver ze willen gaan. Belangrijker is dat... het nog veel belangrijker – jullie zijn je daar allemaal van bewust – is voor Cuba, dan voor de Sovjet-Unie.' Hiermee bedoelde hij dat Amerikanen zich onveiliger zouden voelen als ze erachter kwamen dat Sovjetraketten op het westelijk halfrond, op een afstand van ongeveer honderdvijftig kilometer, zouden worden gestationeerd.

Dillon hield zijn mond, maar hij en Paul Nitze beschouwden de Russische raketten op Cuba als een 'belangrijke stap op weg naar nucleaire gelijkheid' voor de Sovjet-Unie. Nitze zei jaren later: 'Niet voor wat betreft de aantallen maar wel voor wat betreft de militaire effectiviteit, want dit biedt voor hen een geweldige mogelijkheid om vanaf die bases een eerste aanval op te zetten. [...] Tussen het bereik van de MRBM's en de IRBM's is er bijna geen plek in de Verenigde Staten die veilig blijft voor deze projectielen.'

Kennedy kwam weer terug op de mogelijkheid dat de raketten reeds operationeel waren: 'Je kunt ze dan niet meer uitschakelen. [...] Dat zou een te grote gok zijn. Daarna gaan ze er luchtmachtbases omheen bouwen en komen er steeds meer. [...] Vervolgens maken ze zich klaar om ons in de kwestie-Berlijn in een hoek te drukken.' Hij sloot zich aan bij McNamara's standpunt dat de nucleaire dreiging van de Sovjet-Unie sinds de stationering van hun raketten op Cuba niet noodzakelijkerwijs was toegenomen: 'Je zou kunnen zeggen dat het toch geen verschil maakt of je nu door een in de Sovjet-Unie gelanceerde ICBM wordt opgeblazen of door een projectiel dat honderdvijftig kilometer hiervandaan wordt gelanceerd. De geografische aspecten zijn hier niet zo belangrijk.'

Taylor: 'We moeten onze eigen raketten op die van hen richten en zo dezelfde on ze figuurlijk net zo onder schot nemen zoals we dat nu ook bij de Sovjet-Unie doen.'

Kennedy merkte op dat als hij de invasie op Cuba van april 1961 had laten slagen, hij niet met deze enorme crisis geconfronteerd zou zijn: 'Daarom toont dit aan dat de Varkensbaai-invasie echt een goede zet was.'

Robert Kennedy zei: 'Het andere probleem zal zich over een jaar in Zuid-Amerika manifesteren. En het feit dat Cubanen nu over *dit soort* dingen beschikken en dan – zeg, je krijgt in Venezuela een of ander probleem. Dan komt Castro en die zegt: "Als jullie je troepen naar dat deel van Venezuela sturen, schieten wij deze raketten af."'

Edwin Martin, onderminister bij Buitenlandse Zaken voor Latijns-Amerika: 'Het is een psychologische kwestie. Voor wat Venezuela betreft, zal het niet zo ver komen.'

McNamara: 'Maar de Verenigde Staten krijgen er wel mee te maken. *Dat* is het 'm nou juist.'

Martin: 'Kijk, het is een psychologische factor, waarbij wij achterover hebben geleund en hun de gelegenheid hebben gegeven dit tegen ons te gebruiken. Zoiets is belangrijker dan een directe dreiging.'

De president was het hiermee eens: 'Vorige maand heb ik gezegd dat we het niet zouden toestaan.' Hiermee doelde hij op het tolereren van aanvalswapens op Cuba. Met een sarcastische lach: 'Afgelopen maand had ik *eigenlijk* moeten zeggen dat we – dat het ons niks kan schelen. Maar toen we zeiden dat we het *niet* zouden accepteren en zij doen het dan toch en wij ondernemen helemaal niets, dan nemen onze risico's toe. [...] Ik denk dat het gewoon een kwestie is van, uiteindelijk is dit net zo goed een politieke worsteling als een militaire.'

Hij taxeerde de keuzemogelijkheden: 'Ik denk niet dat een boodschap aan Castro veel helpt.' Hij stelde voor dat 'vierentwintig uur voordat we iets [met militair geweld] ondernemen', de Verenigde Staten de aanwezigheid van Russische raketten op Cuba wereldkundig moesten maken: 'Dit zou een bevestiging kunnen zijn in de zin van hun aanwezigheid, waarbij iedereen zijn eigen conclusie kon trekken.'

McNamara stond hier niet achter: de raketten zouden al in staat van paraatheid kunnen worden gebracht 'in de tijd die ligt tussen onze *aankondiging* dat we komen en het moment dat we ook *echt* binnenvallen. Dit – zorgt voor een zeer, zeer grote dreiging langs onze kust... Als u wilt toeslaan, moet u dit niet aankondigen.'

Kennedy hervatte de discussie over hoe breed de militaire aanval op Cuba moest worden opgezet: 'Ik vind niet dat we het idee om die raketbases gewoon uit te schakelen aan de kant moeten zetten. [...] Een dergelijk alom bevredigend plan is politiek gezien veel makkelijker te verdedigen en te verklaren dan een algehele aanval die ons – ons binnen de muren van Havana brengt.'

Bundy was het hiermee eens: 'Dit komt overeen met de – politiek gezien, is de straf overeenkomstig de misdaad.' Ze zouden alleen 'dingen ondernemen waarvan wij herhaaldelijk en openlijk hadden laten weten dat wij deze dingen *moeten* doen'.

Kennedy: 'Zodra je acties onderneemt om die vliegvelden te beschieten, krijg je, als je de plek nadert, te maken met een hoop luchtafweergeschut. [...] Ik bedoel, je hebt dan te maken met een veel grotere operatie. Daarom zijn de gevaren van de wereldwijde effecten van grote invloed op de Verenigde Staten, en worden ze nog groter.[1] Ik ben het er zeker mee eens dat als we het alleen over Cuba hebben, je jezelf het beste krachtig kunt opstellen als je erover denkt om deze zaak min of meer onder controle te krijgen.'

Hij vroeg nu waarom de Russen deze raketten, als ze 'geen echte versterking van hun strategische kracht vormen', hadden geplaatst. Chroesjtsjov was inzake Berlijn toch voorzichtig te werk gegaan?

George Ball bracht de aandacht op het proefballonnetje van de Secretaris-Generaal over een bezoek aan New York in november: misschien was het zijn bedoeling geweest om te onthullen dat 'Cuba zich tegen de Verenigde Staten heeft bewapend, of een bezoek mogelijk wilde gebruiken om met betrekking tot Berlijn

---

1. Hierbij bedoelde hij bijna zeker een Russische aanval op Berlijn.

tot een ruil te komen. Misschien zou hij Cuba weer ontwapenen als wij wat van onze belangen in Berlijn zouden opgeven en hiervoor een regeling zouden treffen.'

Bundy: 'Ik denk dat ik nog steeds vast zou houden aan de gedachte dat het niet waarschijnlijk is dat hij Castro van kernkoppen zal voorzien.'

Kennedy: 'Inderdaad, maar wat dan nog? Het is net alsof wij opeens een groot aantal MRBM's in Turkije zouden stationeren. Dat zou verdomd gevaarlijk zijn, denk ik zo.'

Iemand zei: 'Nou, dat *hebben* we gedaan, meneer de president.'

Kennedy: 'Ja, maar dat is vijf jaar geleden... Dat gebeurde tijdens een andere periode.' De president gaf geen blijk van kennis van het feit dat de Jupiters de daaropvolgende week aan Turkije zouden worden overgedragen. Verder roerde niemand dit onderwerp meer aan.

Iemand speculeerde dat Chroesjtsjovs generaals 'hem al anderhalf jaar vertelden dat hij een gouden kans had – mislicp om zijn strategische kracht te versterken'.

Robert Kennedy zei: 'We moeten ook bedenken of er nog een *andere* manier is om hierbij betrokken te raken, via de baai van Guantánamo bijvoorbeeld, of misschien is er wel een bepaald schip dat dat – je weet wel, de *Maine* weer tot zinken te brengen, of zoiets.' Dit was een gevaarlijk voorstel: een doorzichtig voorwendsel gebruiken om zo een militaire actie tegen Cuba te rechtvaardigen, waarvoor de Verenigde Staten genoeg redenen hadden, zou het beeld van Amerika in de wereld niet ten goede komen.[1]

De president herinnerde zich dat hij over twee dagen een ontmoeting met Gromyko zou hebben in het Oval Office. Hij vroeg advies over de vraag 'of we ons verplicht moeten voelen iets tegen *hem* te zeggen waarbij we hem indirect zoiets als een – een ultimatum over deze kwestie moeten geven, of dat we gewoon zonder hem moeten doorgaan'. Dobrynin had tegen de minister van Justitie en tegen anderen gezegd 'dat ze niet van plan waren deze wapens daar te stationeren: óf hij liegt, óf hij weet hier niets van'.

Bundy zei dat hij er 'geen *koekje* om zou verwedden' dat Dobrynin hier iets van afwist.

Kennedy stelde voor dat Robert aan Dobrynin liet weten dat als er aanvalswapens op Cuba werden ontdekt, de Verenigde Staten 'tot acties moesten overgaan'. Misschien zou de Sovjet-Unie hierdoor 'terugkomen op haar besluit. [...] Als ze zich hebben gerealiseerd wat we tijdens de persconferenties hebben gezegd, kan ik hun standpunt niet begrijpen. [...] Ik denk niet dat er rapporten bestaan waaruit blijkt dat dit niet hun eerste directe uitdaging is sinds de Berlijnse blokkade.'

Moedig vertelde Bundy zijn baas wat deze liever niet wilde horen: 'We moeten duidelijk stellen, meneer de president, dat ze deze beslissing naar alle waarschijnlijkheid hebben genomen *voordat* u met uw verklaring kwam.'

McNamara bromde instemmend.

Bundy las de TASS-verklaring van september voor waarin gesteld werd dat de Sovjet-Unie over zo veel krachtige raketten beschikte dat er 'geen behoefte' bestond om deze buiten haar grondgebied te plaatsen.

---

1. Terugblikkend kon Robert dit ook gedacht hebben. In *Thirteen Days* liet hij deze suggestie achterwege.

Kennedy: 'Nou, van welke datum is dat?'

Bundy: '11 september.'

De president bleef verbijsterd over de brutale opstelling van de Russen op Cuba: 'We hebben nog nooit echt een dergelijk geval zoals dit meegemaakt – want ze hebben zich wel teruggetrokken – Chinese communisten in 1958.'[1] Ze bleven uit Laos, stemden in met een staakt-het-vuren aldaar. [...] Ik weet niet genoeg over de Sovjet-Unie, maar als iemand mij een ander voorbeeld van een dergelijke en duidelijke Russische provocatie sinds de Berlijnse blokkade kan geven. Ik zou niet weten wanneer zoiets heeft plaatsgevonden. Want ze hebben zich echt heel voorzichtig opgesteld. [...] Misschien was onze fout dat we ze niet al enige tijd *voor* de zomer hebben gewaarschuwd dat als ze dit zouden doen, wij [zeer zeker] acties zouden ondernemen.'

McNamara zei: 'Ik zal heel eerlijk zijn. Volgens mij bestaat er helemaal geen militair probleem. [...] Dit is een binnenlands politiek probleem. De aankondiging – we hebben niet gezegd dat we erheen zouden gaan [...] en ze zouden vermoorden. We zeiden dat we *iets zouden ondernemen*. Nou, hoe dan? [...] Ten eerste ondernemen we open verkenningsvluchten zodat we weten wat ze aan het doen zijn. [...] Vierentwintig uur per dag, vanaf nu tot in de eeuwigheid. [...] We voorkomen dat er nog meer offensieve wapens op het eiland komen. Met andere woorden, we leggen een blokkade voor aanvalswapens.'

Tevens moesten de Verenigde Staten een 'verklaring ten overstaan van de hele wereld' afleggen, vooral aan het adres van Chroesjtsjov, dat [...] als er aanwijzingen bestaan dat deze raketten tegen dit land worden gelanceerd, wij ons niet alleen tegen Cuba, maar ook direct tot de Sovjet-Unie zullen richten – met een algehele kernaanval. Op dit ogenblik lijkt dit niet echt een aanvaardbaar alternatief, maar wacht maar eens af als je de andere opties overweegt. [...] Zoals ik al heb gesuggereerd, geloof ik niet dat we hier met een militaire kwestie te maken hebben. Het is vooral een binnenlandse, politieke kwestie.'

Ball: 'O ja? Nou, voor wat betreft het Amerikaanse volk betekent actie militaire actie. Punt uit.'

---

1. Dit had betrekking op de crisis in de Straat van Formosa van 1958 toen Communistisch-China via beschietingen en een zeeblokkade de bevoorrading van Quemoy en Matsoe door Nationalistisch-China wilde ondermijnen. Eisenhower had gewaarschuwd dat indien het er naar uitzag dat Quemoy hierdoor verrast zou worden, hij alles zou doen wat nodig was. Hij beval de, wat werd genoemd 'grootste aanvalsmacht van luchtmacht en marine' in de Amerikaanse geschiedenis, koers te zetten naar dit gebied. Het was bekend dat hierbij ook kernwapens waren betrokken. In een brief aan de Amerikaanse president klaagde Chroesjtsjov over de Amerikaanse 'dreigementen en chantage op het gebied van de kernbewapening' maar weerhield zijn land van het ondersteunen van het Chinese avontuur.

In een toespraak in september 1959 had Kennedy gezegd dat een belangrijke les die uit de Formosa-episode kon worden getrokken was dat een kleine machthebber als Jiang Kaishek niet in staat mocht worden gesteld om eenzijdige beslissingen te nemen waarmee de wereld in een wereldoorlog 'werd getrokken' – een les die hij bij de Berlijnse en Cubaanse crisis niet zou vergeten.

Die eerste dag van de rakettencrisis was voor Kennedy niet de eerste keer dat hij de parallellen tussen Formosa 1958 en Cuba 1962 zag. In september hadden de Republikeinen hun eisen voor een resolutie van het Congres over Cuba gebaseerd op een soortgelijk document dat ten tijde van de Formosa-crisis was opgesteld.

Op zijn eigen overtuigende manier kwam McNamara met nog meer vragen: 'Wat denken we dat *Castro* zal doen nadat we die raketten hebben aangevallen? [...] Overleeft hij het als – als politiek leider? Wordt hij afgezet? Hoe heeft Chroesjtsjov het zich kunnen *veroorloven* om *zonder* enige weerlegging tot deze stap over te gaan? Ik denk niet – hij *kan* dit niet zonder enige weerlegging hebben gedaan. [...] Waar? Hoe stellen *wij* ons hierin op? Wat gebeurt er als *wij* ons mobiliseren? Wat voor effect zal dit hebben op de steun van onze *bondgenoten* met betrekking tot Berlijn?'

Gilpatric stelde voor dat iedereen de 'kwetsbare punten van Amerika over de hele wereld' moest bestuderen, 'vooral Berlijn, Iran, Turkije en Korea'. McNamara waarschuwde de vergadering dat als Chroesjtsjov in Berlijn zou terugslaan, 'het gevaar van een ramp zienderogen zal toenemen'.

Het verslag van Kennedy's bijeenkomsten die elke dinsdag in de Cabinet Room werden gehouden, geeft niet echt blijk van de latere beweringen dat dit een president was die de crisis vanaf het begin uitstekend in de hand had.[1] Zelfs als we ervan uitgaan dat hij de gesprekken tussen zijn functionarissen niet wilde verstoren door de bijeenkomst te domineren, deed hij weinig pogingen om, afgezien van het oproepen van vragen en het geven van commentaar, het gesprek in gedisciplineerde banen te leiden. Pas halverwege de avondzitting belandden de gesprekken dank zij Bundy bij de kernvraag of de Russische MRBM's op Cuba een verandering in het Russisch-Amerikaanse machtsevenwicht brachten.

De bijeenkomsten op dinsdag waren het gevolg van Kennedy's onmiddellijke veronderstelling dat de Verenigde Staten 'vast van plan zijn [...] deze raketten – via diplomatieke wegen, dan wel harde stappen 'te verwijderen' met misschien het risico van een kernoorlog. Dit ondanks het feit dat hij tijdens een persconferentie in maart 1962 had gezegd dat er geen 'belangrijk verschil' bestond tussen een 'in dit gebied gestationeerde' kernkop en een projectiel dat zich op een afstand van achtduizend kilometer bevond.

Hoewel de kernraketten op Cuba een positieve bijdrage konden leveren tot de snelheid, kracht en accuratesse van een Russische eerste aanval, had McNamara er vertrouwen in dat ze het gigantische Amerikaanse overwicht in de verste verte niet negatief konden beïnvloeden. Zoals hij jaren later zou zeggen: als Chroesjtsjov in 1962 'dacht dat hij numeriek gezien een achterstand had van ongeveer zeventien staat tot één, denk je dan echt dat die extra tweeënveertig raketten op Cuba met elk één kernkop hem de overtuiging hadden gegeven dat hij zijn kernwapens kon inzetten? Niks daarvan!'

De reden dat de president vond dat hij de raketten moest uitschakelen, was niet omdat hij van mening was dat deze stationering de Monroe-leer schond. Persoonlijk was hij van mening dat deze doctrine internationaal gezien geen betekenis droeg. Hij was echter niet bereid om als eerste president zijn nek uit te steken door openlijk te verklaren dat de Monroe-leer van weinig waarde was.

Toen hem in augustus 1962 werd gevraagd wat de Monroe-leer voor hem bete-

---

1. Historici kregen pas in 1983 de beschikking over de inhoud van het complete verslag van deze besprekingen toen transcripties en kopieën van de geheime banden van de president, nadat er om redenen van nationale veiligheid stukken waren verwijderd, door de *Kennedy Library* werden vrijgegeven.

kende, antwoordde Kennedy dat 'het betekent wat het heeft betekend sinds president Monroe en John Quincy Adams deze leer uiteenzetten, wat neerkomt op het idee dat we ons tegen een vreemde mogendheid zullen keren die haar macht tot aan het westelijke halfrond uitbreidt. [...] Dit is waarom we ons keren tegen [...] wat er nu op Cuba gebeurt.'[1] Toen Kennedy twee weken later van een functionaris van het ministerie van Justitie te horen kreeg dat de doctrine de Verenigde Staten speciale rechten op het westelijk halfrond verschafte, snauwde Kennedy: 'De Monroe-doctrine – wat ís dat?'

Hij maakte zich kwaad over de geheimhouding en de misleidingen waarmee Chroesjtsjov zijn Cuba-operatie op touw had gezet, ondanks de toezeggingen die de Secretaris-Generaal hem sinds begin september zowel openlijk als in vertrouwelijke kring had gedaan.[2] Aan de andere kant was het niet eenvoudig te beweren dat de Russische raketten voor de Verenigde Staten minder acceptabel waren dan de middellange-afstandsraketten van de NAVO dat voor de Russen waren langs hun grens.

Bundy moest de president erop wijzen dat deze zijn waarschuwing had uitgevaardigd, nadat Chroesjtsjov beslist moet hebben tot stationering over te gaan. Kennedy wist nu dat hij met het negeren van McCones herhaalde waarschuwingen dat Chroesjtsjov waarschijnlijk zo'n gok zou wagen, een ernstige fout had begaan. In plaats daarvan had hij het Amerikaanse volk in september een ondubbelzinnige belofte gedaan 'om te doen wat er gedaan moet worden' indien Chroesjtsjov grond-grondraketten op Cuba zou plaatsen.

Hoe anders zouden deze bijeenkomsten in de Cabinet Room zijn verlopen als Kennedy zijn belofte in september nooit had gedaan of in ieder geval anders had geformuleerd. In plaats van te bespreken hoe deze raketten konden worden verwijderd, hadden hij en zijn adviseurs kunnen beraadslagen om de Amerikanen uit te leggen dat ze van de Cubaanse raketten weinig te vrezen hadden.

Als Kennedy gekozen zou hebben voor een aanpak à la Eisenhower, die het Amerikaanse volk tijdens de hysterie rond de Spoetnik en de *missile gap* gerust wist te stellen, zou hij beschuldigingen hebben moeten trotseren dat hij de Sovjetdreiging vanuit een veel te rooskleurige optiek bekeek, vooral omdat Kennedy niet het militaire aanzien van Eisenhower bezat. De Democraten zouden hierdoor de verkiezingen van 1962 hebben kunnen verliezen.

Toch was een dergelijke benadering te verkiezen geweest boven de kafkaeske nachtmerrie die de president nu voor zich zag – het riskeren van een kernoorlog

1. Arthur Krock was van mening dat deze onderschrijving van de Monroe-leer op zich niet voldoende was. Hij beschuldigde de president ervan dat hij deze leer door een 'Kennedy-leer' had vervangen, waarbij de Verenigde Staten alleen stappen zouden ondernemen indien een vreemde mogendheid 'onze vrede en veiligheid in gevaar zou brengen'. Krock had gelijk. Het was weer een bewijs van het buitengewone geluk van de president dat zijn critici er nooit in slaagden hem te dwingen een dergelijke 'Kennedy-leer' te verwoorden en te verdedigen waarbij hij ernstige binnenlandse politieke schade zou hebben opgelopen.
2. Bundy herinnerde zich 'het diepe gevoel dat we allemaal om de tuin waren geleid'. Sorensen vond later dat als de Russen de stationering van de raketten op Cuba hadden aangekondigd, zoals de Verenigde Staten met hun raketten in Turkije hadden gedaan, het Kennedy veel meer moeite zou hebben gekost om de wereldopinie aan zijn kant te krijgen.'

om raketten te kunnen verwijderen die naar zijn eigen mening en naar die van de minister van Defensie de Amerikaanse veiligheid nauwelijks in gevaar brachten.

De klok kon echter niet meer worden teruggedraaid. Kennedy had zijn waarschuwing uitgevaardigd. Net als Chroesjtsjovs beslissing tot plaatsing van de raketten, had hij dezelfde fatale misrekening gemaakt waartegen hij de Secretaris-Generaal in Wenen nog had gewaarschuwd. Hij kon zijn boodschap van september niet zomaar naast zich neerleggen zonder daarmee zijn politieke carrière, alsmede het vertrouwen van de wereld in de Amerikaanse dreigementen en beloften te verpletteren. Later zei hij tegen zijn broer Robert dat als hij geen stappen tegen de raketten had ondernomen, 'ik zou zijn afgezet'.

Woensdag 17 oktober. Na zijn ontmoeting met de Duitse minister van Buitenlandse Zaken, Gerhard Schröder, ging Kennedy zwemmen en vroeg hij aan Dave Powers om met hem mee te rijden naar de St. Matthew's Cathedral: 'Of ben je soms vergeten dat ik deze dag tot nationale gebedsdag heb uitgeroepen?' De vorige dag, nadat hij de Libische kroonprins een lunch had aangeboden, had hij Adlai Stevenson naar de privé-vertrekken meegenomen en hem van het rakettengeheim op de hoogte gebracht. Stevensons gedachten zouden hierbij wel eens naar zijn eerste ontmoeting met Chroesjtsjov in 1958 kunnen zijn afgedwaald. Destijds had de Secretaris-Generaal zijn beklag geuit over de Amerikaanse raketbases in Turkije en Griekenland en zei toen: 'Hoe zouden de Amerikanen het vinden als de Russen raketbases zouden vestigen in Mexico of ergens anders. Hoe zoudt u dat vinden?'

Deze dag overhandigde Stevenson aan Kennedy een handgeschreven brief: 'We moeten voorbereid zijn op de wijdverspreide reactie dat indien wij over raketbases in Turkije en andere gebieden beschikken, de Sovjet-Unie zeker het recht heeft om een raketbasis op Cuba in te richten. Als wij Cuba aanvallen, een bondgenoot van de Sovjet-Unie, is een aanval op de bases van de NAVO dan niet net zo gerechtvaardigd?' De president moest 'duidelijk maken dat over de aanwezigheid van kernraketbases, waar dan ook, *onderhandeld* kan worden voordat we ook maar iets ondernemen'.

Kennedy liet Sorensen de brief lezen en vroeg gemeen: 'Vertel jij me eens aan welke kant hij staat.'

Op zoek naar een tegenwicht voor Stevensons advies riep hij Acheson, McCloy en Robert Lovett bij zich en verzocht hij om de grootste geheimhouding. De aanwezigheid van Acheson gaf de garantie dat de harde lijn binnen de Democraten vertegenwoordigd was en dat de president zich kon verlaten op Achesons fabelachtige geheugen omtrent Berlijn.

De president vroeg Bohlen zijn reis naar Frankrijk, waar hij zijn geloofsbrieven als ambassadeur zou aanbieden, af te zeggen. Bohlen antwoordde dat dit achterdocht zou wekken, tenzij hij 'op het perron een been' zou breken. Om nog maar te zwijgen van De Gaulles lange tenen. In plaats daarvan liet hij een brief aan de president achter waarin hij stelde dat een luchtaanval 'onvermijdelijk tot een oorlog zal leiden'. Een persoonlijke boodschap aan Chroesjtsjov zou de Secretaris-Generaal in staat stellen op een fatsoenlijke manier in te binden.[1]

1. Robert Kennedy, die volledig opging in zijn onfortuinlijke neiging te bepalen wie va-

Die middag vloog Kennedy met zijn oude supporter Abraham Ribicoff naar Connecticut voor een vier uur durende verkiezingstrip. Ribicoff deed nu mee aan de Senaatsverkiezingen om Prescott Bush, die met pensioen ging, te kunnen opvolgen. De president veronderstelde dat als de aanwezigheid van raketten op Cuba werd onthuld, de Republikeinen zouden kraaien dat ze het over Cuba altijd al bij het rechte eind hadden gehad. Medewerkers liet hij vertrouwelijk weten: 'De campagne is voorbij. Door deze affaire hebben we het verknald – we hebben hoe dan ook verloren.'

In het openbaar gaf hij niet het minste blijk van zijn pessimisme. Op het plein van Waterbury, Connecticut, waar hij zijn vorige campagne had beëindigd, zei hij: 'Onze bijeenkomst hier twee jaar geleden om drie uur 's ochtends vormde het hoogtepunt van de campagne van 1960 en we zullen in de laatste week van de campagne voor 1964 weer om drie uur 's ochtends bijeenkomen. [...] Ik wil niet dat de komende twee jaar gekenmerkt zullen worden door een Congres dat door Republikeinen wordt beheerst [...] en waarbij niets gedaan wordt dat gedaan moet worden om dit land vooruit te helpen.'

Het crisisteam van de president kwam in Washington bijeen in de raamloze vergaderruimte van George Ball op het ministerie van Buitenlandse Zaken. Men deed dit om de aandacht af te leiden. Toen Kennedy dinsdag op de hoogte werd gesteld van de aanwezigheid van raketten op Cuba, had hij voor de samenstelling van dit team simpelweg een aantal namen opgedreund die hem toevallig te binnen schoten.

Deze crisisgroep kreeg al gauw de naam *Executive Committee of the National Security Council* – 'Ex Comm', het Uitvoerend Comité van de Nationale Veiligheidsraad. Hierin zaten de president, Rusk, Ball, U. Alexis Johnson, Thompson, Edwin Martin, McNamara, Gilpatric, Nitze, Robert Kennedy, generaal Taylor, hoofd-marineoperaties George Anderson, Sorensen, en ten slotte Bundy. Wanneer ze in de gelegenheid waren, werd het comité nog eens aangevuld door de vice-president, Stevenson, Dillon en McCone of generaal Carter.

Net als bij Berlijn bleek Kennedy beter in staat de rakettencrisis aan te pakken dan deze te vermijden. Net als bij de door hem geselecteerde groep van adviseurs voor systematisch advies over Berlijn, liet Ex Comm een indrukwekkende verscheidenheid aan ervaring en ideologie zien. Deze variëteit was groter dan een vergelijkbare groep onder Eisenhower zou zijn geweest. Zoals de onderzoekers van de rakettencrisis James Blight en David Welch hebben beweerd, was het comité met betrekking tot het Sovjetgedrag ruwweg in twee kampen verdeeld.

Leden zoals Acheson, Nitze, McCone en Dillon, die ten tijde van het Amerikaanse nucleaire monopolie aan de macht waren gekomen, geloofden dat de nucleaire voorsprong van Amerika, net als bij de Berlijnse crises van 1948, 1958 en 1961, Chroesjtsjov zou dwingen akkoord te gaan met de eisen van de president. Anderen, zoals McNamara, Robert Kennedy en Sorensen, die in de jaren van

derlandslievend was en wie niet, zei later dat hij 'geschokt' was dat Bohlen 'ertussenuit kneep' en 'dit land in een crisis' achterliet. Dit was met name unfair omdat Bohlen wist dat hij met het nakomen van zijn verantwoordelijkheden de grootste uitdaging van zijn carrière misliep.

de wederzijdse kwetsbaarheid van de beide landen aan de macht waren gekomen, waren van mening dat bij een luchtaanval op de raketbases Russische militairen het slachtoffer konden worden waardoor alles op het spel kon komen te staan.

Beide kampen konden als bewijs van hun standpunt naar de Berlijnse crisis van 1961 verwijzen. Het Acheson-kamp beweerde dat Chroesjtsjov zelfs in Berlijn, waar hij duidelijk een conventionele meerderheid bezat, gedwongen was zijn ultimatum in te slikken uit vrees voor de gigantische nucleaire voorsprong van de Amerikanen. Het McNamara-kamp daarentegen kon zich beroepen op het succes van Kennedy's beleid inzake Berlijn en daarmee de waarde aantonen van een zorgvuldig berekende en geleidelijke toepassing van geweld als reactie op Chroesjtsjovs provocaties.

Toen Kennedy in september zijn waarschuwing uitvaardigde, had hij zich nooit afgevraagd of MRBM's en IRBM's tot een ernstige verstoring van het nucleaire machtsevenwicht tussen de Verenigde Staten en de Sovjet-Unie konden leiden. Dillon, McCone, Nitze en de gezamenlijke stafchefs vonden dat de Sovjetdreiging door deze raketten ernstig was toegenomen. Ze merkten op dat de Verenigde Staten aan hun zuidflank niet over een waarschuwingssysteem beschikten en dat de nieuwe Sovjetraketten de Russen eerder tot een eerste aanval zouden kunnen verleiden. Een meerderheid binnen Ex Comm schaarde zich achter McNamara's standpunt dat de raketten het nucleaire evenwicht 'geenszins' in gevaar brachten.

Op dinsdag had Kennedy zich zonder veel gewetensonderzoek aangesloten bij McNamara en stelde dat het geen verschil uitmaakte of 'je nu wordt opgeblazen' door een IRBM of een raket die een afstand van achtduizend kilometer heeft moeten afleggen. Later kwam hij tot de overdenking dat het belang van de raketten op Cuba was dat hun aanwezigheid aldaar 'de indruk zou hebben gegeven' het machtsevenwicht te veranderen, waarbij 'de schijn bijdraagt tot de realiteit'.

Volgens Volkogonov had de Sovjet-Unie in 1962 in feite slechts twintig ICBM's gestationeerd en geen vijfendertig of vijftig, zoals McNamara in februari had geschat. Hiermee zouden de voor Cuba bestemde IRBM's en MRBM's dus tot een verviervoudiging hebben kunnen leiden van het aantal kernkoppen dat door de Sovjet-Unie op de Verenigde Staten kon worden afgevuurd.

Aangezien de president zich gedwongen voelde zich hoe dan ook aan zijn waarschuwing van september te houden, was de hele kwestie een puur theoretische. Maar zijn snelle onderkenning van de gedachte dat de raketten op Cuba van weinig militaire betekenis waren, suggereerde, zelfs op dit late tijdstip, dat hij bleef aannemen dat Chroesjtsjov en zijn generaals met betrekking tot de militaire onbeduidendheid van een nucleaire inferioriteit dezelfde onverschilligheid aan de dag legden als hij en McNamara.

Rusk probeerde zijn normale werkschema zo veel mogelijk aan te houden om zo het geheime karakter van de bijeenkomsten te kunnen garanderen. Na de eerste Ex Comm-bijeenkomst beschouwde hij het zijn taak om de groep in te tomen. Met een verwijzing naar Rusks commentaar dat deze 'de rol van de "domme koe"' had gespeeld, zei Robert Kennedy later: 'Ik vond dat een rare omschrijving.' McNamara schikte zich in de constitutionele rol van Rusk en probeerde met wisselend succes zijn eigen leidinggevende instincten te beteugelen.

In afwezigheid van de president werd Robert Kennedy de feitelijke leider van de groep. Zijn optreden gaf zeer sterk de indruk dat iedere groep die zich over een zaak van het grootste nationaal belang buigt, ten minste over één deelnemer zou moeten beschikken die niet voor zijn baan hoeft te vrezen.

Zonder de noodzaak zijn ideeën in verfijnde taal weer te geven of de politieke verscheidenheid in de kamer te respecteren, zorgde hij voor een niet-aflatende intimidatie van de veronderstellingen van zijn collega's. Deze intimidaties droegen bijna het karakter van openbare aanklachten. Zijn talent om voorstellen van alle kanten te bekritiseren zonder zich aan een ideologie te storen, hielp bij het verhinderen van de perikelen rond de Varkensbaai, waarbij niemand de moed had gehad de kastanjes uit het vuur te halen.

Tegelijkertijd bracht zijn aanwezigheid een bepaald ongemak met zich mee. Alle aanwezigen wisten uit ervaring dat alle dingen die Robert ter ore kwamen, naar de president konden worden doorgebriefd, waarbij deze zaken niet altijd even vleiend werden omschreven. Zoals een van de Ex Comm-stafleden zich herinnerde: 'We wisten allemaal dat *Little Brother* ons in de gaten hield en een lijst van ieders standpunt bijhield.'[1]

Verbazend genoeg stelde een aantal Ex Comm-leden voor dit probleem op dezelfde manier aan te pakken 'als we de U-2-affaire van 1960 hadden moeten aanpakken – door in feite te doen alsof ze nooit gebeurd was.' De Verenigde Staten konden doen alsof de plaatsing van de raketten op Cuba 'een vergissing van het Kremlin' was en 'niet overeenkwam met Chroesjtsjovs herhaalde beloften. [...] Door de raketten met gebruik van een paar conventionele bommen onschadelijk te maken, kon de fout weer worden hersteld. Dat zou het einde van de affaire betekenen, waarbij ervan moest worden uitgegaan dat de Sovjets geen behoefte zouden hebben om deze zaak, waarbij ze op heterdaad in een beschamende situatie waren betrapt, op de spits te drijven.'

Het officiële verslag meldt dat 'in de eerste uren van de discussie de meeste stafleden zich achter een dergelijke aanpak schaarden'. Dit was nog voordat duidelijk werd dat 'een luchtaanval, die erop gericht was alle aanvalswapens uit te

---

1. Jaren later beweerde Robert Kennedy tijdens een zijn gesprekken met historici dat Rusk, zijn belangrijkste vijand binnen de regering, 'zowel mentaal als geestelijk op instorten staat'. Het is zo goed als onmogelijk om bewijzen voor deze beschuldiging te vinden. Rusk zelf ontkende. Historici die vertrouwen op de terugblikkende gesprekken van Robert Kennedy, moeten zich goed realiseren tot op welke hoogte zijn herinneringen werden gekleurd door een scala van loyaliteiten en antipathieën. Toen Robert Kennedy in 1965 dit interview gaf, hij was toen inmiddels Senator voor New York, stonden hij en Rusk niet langer argwanend tegenover elkaar, maar waren ze openlijk elkaars politieke vijanden geworden.

Na zijn pensionering was Rusk niet afkerig om het Kennedy op zijn eigen rustige manier betaald te zetten. In een interview met de schrijver van dit boek zei hij dat Robert 'in de periode van de Cuba-crisis helemaal niet zo veel invloed had. Zijn aandeel is ietwat overschat. Dat boek, *Thirteen Days*, liet een behoorlijk emotionele geladenheid zien. Maar dit waren Bobby's eigen emoties. Dit was een van zijn eerste ervaringen op dit gebied. Gelukkig stelden president Kennedy en andere belangrijke adviseurs zich in deze periode heel bedaard op.'

schakelen, een omvangrijke operatie was, en geen actie die in enkele minuten met enkele bommen kon worden voltooid'.

Sorensen, die de maand daarvoor nog met een maagzweer in het ziekenhuis was opgenomen, maakte een lijst van de opties: 'Politieke stappen, druk uitoefenen en waarschuwing, gevolgd door een militaire aanval in geval van onbevredigend resultaat. [...] Een militaire verrassingsaanval zonder waarschuwing, druk of acties vooraf, vergezeld van boodschappen die duidelijk de beperkte omvang van deze actie laten zien. [...] Politieke stappen, druk en waarschuwing, gevolgd door een totale zeeblokkade. [...] Omvangrijke invasie om "Cuba van Castro te ontdoen".'

Hij noteerde zomaar een paar geschilpunten: Zou Moskou bereid of in staat zijn de Russische of Cubaanse bevelhebbers ervan te weerhouden de raketten naar de Verenigde Staten af te schieten? Zouden de Russen met een 'gelijksoortige' aanval op in Turkije en Italië gestationeerde Amerikaanse raketten dreigen? Of zouden ze 'Berlijn of andere gebieden aanvallen'? Wat voor invloed zou een luchtaanval op het lot van de gevangengenomen ballingen van de Varkensbaai-invasiemacht hebben?

Die avond werden Sorensen en de minister van Justitie door de president op National Airport begroet. Op weg naar het Witte Huis overtuigde Robert zijn broer van het idee Ex Comm een tijdje op zichzelf te laten functioneren: de aanwezigheid van de president zou ertoe kunnen leiden dat de anderen zich slechts 'achter de persoonlijke opvattingen van de president zullen scharen'.

De president toonde zich verbaasd dat de crisis nog steeds geheim was gebleven. Wetend dat Kennedy de avond daarvoor in Georgetown had gedineerd, grapte Sorensen: 'Afgezien van uw gesprek met Joe Alsop is ons niets bekend over een lek.' Met een vlaag van woede die de innerlijke spanningen van de president verried, zei Kennedy dat hij bij Alsop geen woord over de raketten had laten vallen.

Op donderdagochtend 18 oktober riep de president de leden van Ex Comm om tien over elf In het Cabinet Room bijeen. Sorensen liet weten dat de minister van Buitenlandse Zaken de voorkeur gaf aan een 'chirurgische' luchtaanval zonder waarschuwing vooraf. Dit plan werd afgekeurd 'door de diplomaten (Bohlen, Thompson, waarschijnlijk ook Martin), die volhouden dat politieke stappen vooraf essentieel zijn, [...] en door de militaire tak (McNamara, Taylor, McCone), die volhouden dat een luchtaanval door de voorstanders van een blokkade niet kan worden beperkt [...], en door de voorstanders van een blokkade'.

Hij meldde verder dat Bohlen een boodschap had achtergelaten waarin hij zei de voorkeur te hebben gegeven aan 'een snelle boodschap aan Chroesjtsjov waarbij we na zijn reactie zullen besluiten of we tot een luchtaanval of een blokkade zullen overgaan'. Dit plan werd door alle blokkade-aanhangers gesteund, maar ondervond weerstand van generaal Taylor, 'tenzij het besluit tot blokkade al genomen was'.

Thompson waarschuwde dat als een luchtaanval duizenden Russische doden tot gevolg zou hebben, Chroesjtsjov 'het bevel tot een Russische tegenactie' zou kunnen geven. Een dergelijke actie zou zich tegen de Turkse raketten of Berlijn kunnen richten wat 'uiteindelijk, zo niet onmiddellijk tot een kernoorlog zou leiden'. Als er voor een luchtaanval zou worden gekozen, moest men de Secretaris-

Generaal in de gelegenheid stellen 'zich over zijn stappen te beraden' zodat 'zijn raadgevers de kans krijgen hem van advies te voorzien'. De president wist hoe goed Thompson op de hoogte was van Chroesjtsjovs denktrant en voelde zich niet genegen de gezant te bekritiseren dat deze de komst van de raketten niet had kunnen voorspellen. Thompsons standpunt had een grote uitwerking op hem.

Iemand vroeg wat de Verenigde Staten zouden doen als Chroesjtsjov de raketten in Turkije zou aanvallen. Val de thuisbases van de Russische aanvalsraketten aan, zei iemand anders. Bij een latere bijeenkomst vroeg iemand: 'Wat gaat er met ons gebeuren als Chroesjtsjov Berlijn wegvaagt?' Kennedy antwoordde: 'In de derde wereldoorlog.'

Sorensen werkte aan een mogelijke televisietoespraak die de president na een luchtaanval zou moeten geven. Zijn eerste opzet begon met: 'Deze ochtend heb ik met grote aarzeling de gewapende strijdkrachten opdracht gegeven de aanwas van kernwapens op Cuba te vernietigen.' De aanval moest aantonen dat de Verenigde Staten 'de vrijheid met alle beschikbare middelen zullen verdedigen. Dit geldt zowel voor Cuba als voor andere delen in de wereld. Ik verwijs met name naar Berlijn.' Het Amerikaanse volk moest 'kalm blijven, zijn dagelijkse werkzaamheden voortzetten, vertrouwen hebben in de wetenschap dat onze vrijheidslievende natie niet toestaat dat haar vrijheid wordt ondermijnd.'

Sorensen voelde zich aangetrokken door Bohlens voorstel om een persoonlijke boodschap naar Chroesjtsjov te sturen.[1] Hij werkte aan een 'waterdichte brief' die namens Kennedy door een hooggeplaatste Amerikaanse afgezant aan Chroesjtsjov overhandigd kon worden.

De boodschap ving aan met de mededeling dat de Verenigde Staten voor het eerst sinds Korea werden geconfronteerd met een gebeurtenis waarbij ze de 'onontkoombare verplichting' hadden met geweld te reageren: 'Dientengevolge heeft deze brief tot doel u mede te delen dat [...] ik geen andere keuze heb dan om passende militaire stappen tegen het eiland Cuba te ondernemen.'

Als Chroesjtsjov de bezorger van de brief de verzekering kon geven dat hij zijn aanvalswapens op Cuba zou verwijderen, zou de president het gebruik van geweld kunnen tegengaan. Mocht de Secretaris-Generaal naar New York komen, dan zou Kennedy 'u graag willen ontmoeten' en 'andere problemen op de agenda willen bespreken waaronder, indien u dat wilt, de NAVO-bases in Turkije en Italië waarnaar u tijdens het gesprek met ambassadeur Kohler verwees, maar die in de ogen van de geschiedenis, het internationale recht of de wereldopinie geenszins met de huidige situatie te vergelijken zijn.'

---

1. Adlai Stevenson dacht er net zo over. In zijn boodschap van woensdag had hij de president geschreven dat het '*praten* met C' via een geheim afgezant 'een veel grotere kans zou bieden zijn motieven en doelstellingen uit de doeken te doen dan een communicatie via de "gebruikelijke kanalen"'. Hij adviseerde Kennedy hierna om in diens eerste openlijke melding van de op Cuba gestationeerde raketten geen mededelingen te doen over een op handen zijnde aanval: 'Want een aanval zal zonder enige twijfel elders tot Russische vergeldingsacties leiden – Turkije, Berlijn enzovoort – Het is van zeer groot belang dat een zo groot mogelijk deel van de wereld aan onze kant staat. Het riskeren of ontketenen van een kernoorlog zal in het gunstigste geval verdeeldheid zaaien en het oordeel van de geschiedenis valt zelden samen met de spanningen van het moment.'

Sorensen las zijn opzet nog eens door en was niet tevreden: 'Hoe vaak ik ook naar een topontmoeting, naar vredelievende bedoelingen en naar vorige waarschuwingen en beloftes verwees,' de brief 'bevatte nog steeds het soort ultimatum dat geen enkele grootmacht kon accepteren'. Hij liet Ex Comm weten dat een brief aan Chroesjtsjov met de mededeling: 'Deze boodschapper blijft net zo lang in deze kamer totdat u ons een antwoord geeft,' een 'belachelijk' idee was.

Donderdagmiddag zei Thompson dat de kans dat de Sovjetschepen bij een blokkade rechtsomkeert zouden maken of inspecties zouden toestaan, 'groot maar niet zeker' was. Het kon zijn dat de Verenigde Staten gedwongen zouden worden eerst op de schepen te schieten.
Rusk stelde voor dat als de Russen dinsdag nog steeds met de raketten bezig waren, de Verenigde Staten aan Groot-Brittannië, Frankrijk, West-Duitsland, Italië en Turkije moesten laten weten dat ze deze raketten met geweld zouden verwijderen. Als de Amerikaanse luchtmacht de aanval op Cuba zou inzetten, zouden de Sovjets tegen een mogelijke vergelding worden gewaarschuwd: 'Als we dat niet doen, gaan we jammerend ten onder. Misschien is het beter om met één grote klap ten onder te gaan.'
Na een beetje zwemmen en wat uurtjes in de privé-vertrekken te hebben vertoefd, had Kennedy een gesprek met Acheson in het Oval Office. De ervaren medewerker was ongeduldig met de gang van zaken binnen Ex Comm. Hij bestempelde het comité als 'stuurloos en een verspilling van tijd' en vond dat men 'in herhaling van zetten' verviel. Het bereiken van een op de heersende opvattingen gebaseerde besluitvorming was niet de manier waarop Truman te werk was gegaan. Toen de president de aanval op Pearl Harbor als illustratie gebruikte om de problemen van een luchtaanval te beschrijven, zei Acheson dat hij hiermee de clichés van zijn broer aan het herhalen was.

Gromyko werd die dag om vijf uur in het Oval Office verwacht. Rusk en Thompson raadden de president aan Gromyko niet de U-2-foto's van de raketten te laten zien en hun verwijdering te eisen. Hierdoor zou het initiatief bij Chroesjtsjov komen te liggen. Het Amerikaanse beleid was nog steeds onduidelijk. Thompson zei later: 'Het is net als wanneer je erachter komt dat je vrouw vreemd gaat. Misschien weet ze dat je hiervan op de hoogte bent, maar als je haar dit vertelt, wordt de zaak anders. Dan kun je je maar beter goed voorbereiden, want dan gaat er iets gebeuren.'
Bundy adviseerde Kennedy dat als Gromyko uit eigen beweging over de raketten begon, 'u hem waarschijnlijk eerst moet aanhoren voordat u antwoord geeft. Maar tegelijkertijd moet u er klaar voor zijn om hem af te kappen wanneer hij directe dreigementen wil uiten.'
Toen Dobrynin, Gromyko en hun tolk Viktor Soechodrev arriveerden, bood de president hun de crèmekleurige sofa aan, rechts van zijn schommelstoel. Rusk en Thompson zaten op de sofa tegenover de Russen. Andere aanwezigen waren Vladimir Semjonov, plaatsvervangend minister van Buitenlandse Zaken voor Duitse Aangelegenheden, Martin Hillenbrand van de Speciale Eenheid in Berlijn en Aleksandr Akalovski, de tolk die de president in Wenen had begeleid.
Gromyko gaf een opsomming van de Russische klaagzang omtrent Berlijn: als men er na de verkiezingen van november niet in zou slagen Berlijn tot een 'vrije

stad' te maken, was de Sovjet-Unie gedwongen – *gedwongen*, herhaalde hij – een Duits vredesverdrag te tekenen. Kennedy antwoordde op zijn beurt met het Amerikaanse standaardcommentaar: de Verenigde Staten waren altijd bereid tot het voeren van onderhandelingen over Berlijn, maar de westerse troepen waren van essentieel belang voor de vrijheid en het voortbestaan van de stad.

Gromyko zei dat Chroesjtsjov van plan was om eind november na de verkiezingen een bezoek aan de Algemene Vergadering van de Verenigde Naties te brengen. Hij was van mening dat een bezoek aan de president van nut zou zijn. Kennedy liet weten dat hij graag met Chroesjtsjov wilde praten, maar dat hij niet over Berlijn wilde onderhandelen. Er waren nog andere vredelievende naties die belang hadden bij de toekomst van de stad. Een dergelijke ontmoeting moest niet via een van tevoren vastgestelde agenda verlopen.

Toen de Russische minister van Buitenlandse Zaken kenbaar maakte dat hij het onderwerp op de Cubaanse raketten wilde brengen, vroegen de aanwezige Amerikanen zich af of hij op het punt stond de stationering van de raketten te onthullen. Hij deed dit niet. In plaats daarvan klaagde hij over de 'anti-Cubacampagne' van de Amerikanen. Met het sturen van Cubaanse ballingen om de scheepvaart van het eiland te ondermijnen, maakten de Verenigde Staten zich schuldig aan 'piraterij op volle zee'. Klaarblijkelijk wilden de Amerikanen heel Cuba afsluiten.

Al deze dingen, zo zei hij, konden alleen maar tot grote rampspoed voor de mensheid leiden. De Sovjet-Unie kon niet lijdzaam toezien wanneer er met agressie werd gedreigd en een oorlog aan de horizon opdoemde. Cuba behoorde toe aan de Cubanen en niet aan de Verenigde Staten. Cuba was een 'baby die tegen een reus opkijkt' – voor niemand een bedreiging. Had Castro niet herhaaldelijk zijn verlangen naar vrede geuit?

Gromyko zei dat hij wist dat de president openhartigheid waardeerde. Dit was niet de negentiende eeuw, 'toen de wereld nog in koloniën was verdeeld [...] en de slachtoffers van de agressie pas weken na een aanval konden worden gehoord'. De door het Congres aangenomen resolutie die de president in staat stelde honderdvijftigduizend reservisten op te roepen, had 'geen militaire betekenis'. De komst van moderne wapens had dit allemaal veranderd.

Gromyko haalde aantekeningen te voorschijn die hij na zijn beraadslagingen met Chroesjtsjov zorgvuldig had opgesteld. Hij zei dat hem 'was opgedragen om duidelijk te maken' dat de Russische hulp aan Cuba 'geenszins offensief was'. Ze 'diende slechts ter aanvulling van de verdedigingscapaciteiten van Cuba. [...] Als dit niet het geval zou zijn geweest, had de Sovjetregering zich nooit met een dergelijke hulpverlening ingelaten.'

Onaangedaan vroeg Kennedy om een exemplaar van zijn waarschuwing van september tegen de aanvalswapens op Cuba en las een sleutelpassage voor. Rusk zag dat terwijl Gromyko zijn gezicht in de plooi hield, dat van Soechodrev verbleekte. De president zei later tegen O'Donnell: 'Ik brandde van verlangen om hem met onze bewijzen te confronteren. In feite heb ik hem verteld dat er maar beter geen ballistische raketten op Cuba ontdekt konden worden, waarop hij tegen me zei dat een dergelijk idee nooit bij Chroesjtsjov was opgekomen. Het was ongelooflijk om daar te zitten en al die leugens over zijn lippen te horen komen.'

Gromyko beweerde later dat hij niet had gelogen. Twee maanden later hield hij vol dat de raketten op Cuba wel degelijk alleen ter verdediging waren bedoeld en dat hij Kennedy nooit iets over kernraketten had verteld. In 1989 zei hij kort voor zijn dood: 'Waarom ik er niet over begonnen ben? Omdat president Kennedy – ik weet niet precies wat zijn concrete gedachtenlijn over deze zaak was – mij er niet naar vroeg. Het woord "kernraket" paste niet in het gesprek. Als hij ernaar gevraagd had, zou ik hem een antwoord hebben gegeven.'

Gromyko herinnerde zich dat indien Kennedy hem over de Cubaanse raketten aan de tand had gevoeld, hij opdracht had gekregen te verklaren dat de Sovjet-Unie op Cuba bezig was met de stationering van 'een klein aantal raketten van een defensief type' dat 'voor niemand ooit een bedreiging' zou vormen. Als de president hierover zijn ongenoegen zou uitspreken, dan moest Gromyko een heimelijke diplomatie aanbevelen.[1]

Volgens een veel later verslag van Gromyko waarschuwde hij de president dat als de situatie op Cuba of in andere gebieden tot een omvangrijke oorlog zouden leiden, de Sovjet-Unie 'niet werkeloos zou blijven toezien'. Hij wees Kennedy op diens antwoord dat hij 'niet van plan was Cuba aan te vallen' en verder had laten weten dat hij 'die gelederen in toom houdt waarin zich voorstanders van een invasie bevinden. [...] Ik probeer stappen te voorkomen die tot een oorlog kunnen leiden.'

Voordat Gromyko weer afscheid nam, herinnerde Kennedy hem aan wat hij in Wenen tegen Chroesjtsjov had gezegd: de Verenigde Staten waren een groot land. Net als de Sovjet-Unie. De geschiedenis zou een oordeel vellen over hun onderlinge concurrentie. Ondertussen moest hij noch de Secretaris-Generaal 'stappen ondernemen die tot een confrontatie tussen onze beide landen konden leiden'. Sinds zijn inauguratie had hij geprobeerd de Amerikaans-Russische betrekkingen 'bij te stellen'. Laos was 'een succes – tot nu toe', maar dit gold niet voor Duitsland of West-Berlijn. Gezien Chroesjtsjovs inzicht in de werkwijze van de Verenigde Staten, waren de dingen die sinds juli op Cuba hadden plaatsgevonden, 'onverklaarbaar'.

Gromyko vond dat de president 'nerveus' was, 'hoewel hij dit niet probeerde te tonen'. Toen beide partijen om twaalf voor half acht weer uiteengingen, zei de president: 'Ik hoop dat u vaker een bezoek aan het Witte Huis zult brengen.'

Meteen nadat Gromyko vertrokken was, betreurde Kennedy zijn besluit om niet over de raketten op Cuba te praten. Hij kan hebben gevreesd dat zijn politieke vijanden hem ervan zouden beschuldigen dat hij zich, net als na afloop van de Weense top, te terughoudend had opgesteld om zijn Russische gesprekspartner met de feiten te confronteren.[2] Rusk en Thompson verzekerden hem dat hij de juiste beslissing had genomen.

De president was inmiddels ook teruggekomen van zijn enthousiaste reactie op

1. Alhoewel Gromyko dit niet zei, zou deze verklaring de Russen meer tijd hebben gegeven de raketoperaties snel te voltooien.
2. Ondanks Kennedy's veel geuite verontwaardiging over lekken, was hijzelf er de oorzaak van dat delen van de tekst van zijn gesprekken met Gromyko eind oktober naar de pers uitlekten. Een functionaris van het ministerie van Buitenlandse Zaken stond toe dat Max Frankel van de *New York Times* delen uit de transcriptie woord voor woord kon overnemen om 'Gromyko's bedrog' aan te tonen.

het plan voor een topontmoeting met Chroesjtsjov in november – vooral als de Secretaris-Generaal zo'n gelegenheid zou aangrijpen om met zijn raketten op Cuba te zwaaien en de Verenigde Staten te bedreigen. Jaren later zei Rusk dat het idee dat president Kennedy en Chroesjtsjov zich op het hoogtepunt van de rakettencrisis in één en dezelfde kamer zouden bevinden, 'de rillingen over mijn rug' bezorgde. Thompson maakte de vergissing van de president ongedaan door Dobrynin te vertellen dat een topontmoeting in de huidige toestand 'ongepast' was.

Robert Lovett zag dat de president schuimbekte bij de wetenschap dat Gromyko hem 'meer schaamteloze leugens heeft verteld dan ik ooit in zo'n korte tijd heb gehoord'. Lovett sprak zich uit voor een Cubaanse blokkade die eventueel werd gevolgd door een geleidelijke opvoering van de druk tegen de Sovjet-Unie: 'We zouden onszelf belachelijk maken als we een voorhamer zouden pakken om een vlieg dood te slaan. [...] We kunnen het tempo van de strijd altijd opvoeren, maar zodra we de strijd aangaan, is het bijna onmogelijk het tempo weer omlaag te brengen.'

Robert Kennedy kwam vanuit de rozentuin binnenlopen en stelde gerichte vragen over een blokkade, maar Lovett zag dat de broers het met elkaar zo goed als eens waren over een 'relatief milde en niet erg bloeddorstige eerste stap'.

Tijdens een formeel diner op de zevende verdieping van het ministerie van Buitenlandse Zaken hief Gromyko een glas Canadese rode wijn en zei: 'Op de president.' Rusk reageerde met een toost op Chroesjtsjov. Later zei Chroesjtsjov dat Gromyko naar Moskou berichtte dat de minister van Buitenlandse Zaken zwaar had zitten drinken: 'Ik heb hem nog nooit zo meegemaakt. Hij was zichzelf niet.'[1]

Een verdieping lager vond een bijeenkomst van Ex Comm plaats. De heersende opvatting ontwikkelde zich in de richting van een zeeblokkade, gevolgd door een geleidelijke respons. Deze aanpak werd door de groep nu aangeduid met het eufemisme 'quarantaine', in navolging van Franklin Roosevelts toespraak uit 1937, getiteld *'Quarantine-the-aggressor'*: 'Plaats de aggressor in quarantaine.' McNamara redeneerde dat een quarantaine andere opties niet zou uitsluiten. Dit in tegenstelling tot een luchtaanval. Een stemming leverde zes voorstanders van een luchtaanval en elf van een quarantaine op.

Om tien uur vertrokken de uitgeputte mannen naar het Witte Huis. Negen stafleden propten zich in de limousine van Robert Kennedy om zo niet in een stoet van auto's te hoeven vertrekken, iets wat de aandacht zou trekken. Sorensen had het gevoel alsof er sinds de ontdekking van de raketten een maand was verstreken.

1. De juistheid van Chroesjtsjovs geheugen wordt in twijfel getrokken door het feit dat hij in dezelfde passage van zijn memoires ook beweerde dat Rusk Gromyko over de U-2-foto's vertelde en tegen de Rus zei: 'We weten alles.' Het is mogelijk dat Gromyko de Amerikaanse minister van Buitenlandse Zaken expres als aangeschoten beschreef om zo Chroesjtsjovs laatdunkende houding over het gebrek aan Amerikaanse wilskracht kracht bij te zetten. De minister van Buitenlandse Zaken dronk alcohol, maar er bestaat geen bewijs dat een van de diplomaten voor de Buitenlandse Dienst hem ooit onder invloed had gezien.

Boven, in de Oval Room, bleek dat naar aanleiding van de door Kennedy gestelde vragen de steun voor een quarantaine geleidelijk groter was geworden. Hoewel de president zijn uiteindelijke stappen nog niet had vastgesteld, vroeg hij Sorensen om voor hem voor maandagavond een televisietoespraak te regelen. Voor het geval de pers voortijdig lucht zou krijgen van het raketgeheim, kon de timing van de toespraak nog worden aangepast.

Vrijdagochtend 19 oktober. Voordat de president vertrok voor een verkiezingscampagne, vertelden Rusk, Bundy en de gezamenlijke stafchefs hem dat ze nu voorstanders waren van een luchtaanval. Hierna vroeg Kennedy aan de minister van Justitie en Sorensen Ex Comm op één lijn te trekken: 'Als er moeilijkheden zijn, bel me dan. Ik zal mijn trip dan afzeggen en terugkomen om met ze te praten.' Sorensen merkte dat hij ongeduldig was en het 'een beetje weerzinwekkend' leek te vinden dat mensen nog steeds van gedachten veranderden – vooral Bundy, met wie hij doorgaans zo gemakkelijk samenwerkte.

Little Brother had de ogen en oren weer gespitst. Later beklaagde hij zich erover dat Bundy eerst 'instemde met een luchtaanval, om vervolgens voor een blokkade te stemmen, om daarna helemaal niets te willen ondernemen omdat anders de situatie in Berlijn verstoord zou worden, om uiteindelijk de mensen te vertegenwoordigen die voor een luchtaanval waren – en een verrassingsaanval zonder waarschuwing vooraf, naar het model van Pearl Harbor'. Sorensen herinnerde zich dat het 'niet een van Bundy's beste weken' was en dat de president 'hier niet gelukkig mee was'.

Kennedy zou met zijn Ierse eis tot loyaliteit verwacht kunnen hebben dat Bundy zich realiseerde dat hij nadrukkelijk de kant van een quarantaine opging en dus moest proberen de gezamenlijke stafchefs achter zich te scharen. De president werkte zorgvuldig aan zijn reeks consultaties met de gezamenlijke stafchefs om zo elke toekomstige beschuldiging dat hij verzuimd had bekwaam militair advies in te winnen, uit te sluiten. Bundy vond vast en zeker dat zijn relatie met Kennedy zo goed was dat hij niet alleen de luxe genoot, maar ook de plicht had de president zijn beste oordeel te geven.

Die ochtend liet hij Ex Comm weten dat hij de president voor diens vertrek had gesproken. Zelf sprak hij zich nu uit voor 'beslissende stappen, met als pluspunt het verrassingselement en de mogelijkheid de wereld met een voldongen feit te confronteren'. Sorensen liet weten dat het niet eerlijk tegenover de president was om een zaak waarover donderdagavond al was beslist, nu in heroverweging te nemen. Maar Robert Kennedy hield vol dat de affaire van zo'n vitaal belang was dat men nog steeds vrij moest kunnen praten.

Acheson herhaalde bijna letterlijk zijn advies ten tijde van de Berlijnse crisis en zei dat Chroesjtsjov de Verenigde Staten aan een onherroepelijke test van wilskracht had onderworpen: hoe eerder de confrontatie, hoe beter. Taylor zei dat het wat betreft een luchtaanval 'nu of nooit' was. Als ze op zondagochtend wilden aanvallen, moest de beslissing nu meteen worden genomen. McNamara zei dat hoewel hij opdracht tot de voorbereidingen zou geven, geen voorstander van een luchtaanval was.

Met een flauw lachje zei de minister van Justitie dat ook hij die ochtend met de president had gesproken. Het zou voor John Kennedy zeer moeilijk zijn het startsein tot een luchtaanval te geven. Al honderdvijfenzeventig jaar lang hadden de Verenigde Staten laten zien dat ze geen land waren dat geniepige aanvallen deed. Duizenden Cubanen en Russen zouden zonder waarschuwing vooraf sterven. Het was beter om voor stappen te kiezen waarbij de Sovjets de ruimte hadden zich uit hun 'te sterk afgelegen positie op Cuba' terug te trekken.

Douglas Dillon herinnerde zich: 'Terwijl hij dit zei, voelde ik dat we ons op een echt keerpunt in de geschiedenis bevonden. [...] Ik wist toen dat we geen aanval zonder waarschuwing vooraf moesten beginnen. [...] Met uitzondering van één of twee stafleden was iedereen binnen Ex Comm van Bobs redenatie overtuigd.' We hoeven niet naar het redenaarstalent van de minister van Justitie te kijken om te kunnen concluderen dat er nog een andere reden was waarom zijn argumenten zo zwaar wogen: bijna iedereen wist namens wie hij sprak.[1]

Die avond bekeek Bundy nieuwe luchtfoto's van Cuba. Men had hem verteld dat een aantal MRBM's klaarblijkelijk operationeel was. Hij belde O'Donnell, die met de president in het Sheraton-Blackstone hotel in Chicago verbleef: de toestand was 'zo hachelijk dat ik denk dat hij wel terug naar huis wil komen'. Het nieuws over de moeilijkheden op Cuba verspreidde zich. Salinger, die nog niet van de raketten op de hoogte was gesteld, hoorde dat Carleton Kent van de *Chicago Sun-Times* en de columnisten Robert Allen en Paul Scott op het punt stonden om verslag uit te brengen van op handen zijnde Amerikaanse militaire acties tegen Cuba. Kennedy vroeg hem tegen Kent te zeggen dat 'we geen aanval tegen Cuba van plan zijn'. Hij vroeg McNamara om met Allen en Scott te gaan praten. De minister van Defensie droeg zijn woordvoerder op om een verslag in de *Miami Herald* over operationele grond-grondraketten op Cuba te ontkennen.

Weer op krachten gekomen door zijn eerste warme maaltijd in dagen die hem door een hostess uit Washington op een afgedekt bord was voorgezet, bleef Sorensen tot zaterdagochtend drie uur wakker om aan een opzet voor Kennedy's televisietoespraak te werken. Dit was nadat hij de toespraken van Woodrow Wilson en Franklin Roosevelt had bestudeerd waarin ze het Congres hadden verzocht de beide wereldoorlogen uit te roepen.

Zaterdag 20 oktober. Op het kasteelachtige paleis Spiridonovka, de officiële residentie van de Russische minister van Buitenlandse Zaken in Moskou, had Foy Kohler een lunch met Frol Kozlov. Men had de ambassadeur verteld dat hoewel Kozlov kritiek had op bepaalde onderdelen van Chroesjtsjovs programma voor het Tweeëntwintigste Partijcongres, hij nog steeds de meest waarschijnlijke opvolger van Chroesjtsjov was: Kohler moest hem zien te leren kennen. Kozlov arriveerde pas laat en volgens Kohlers politieke raadsman, Richard Davies, gedroeg hij zich 'zeer lomp'. 'Hij hing met zijn ellebogen op de tafel, at als een varken en dronk als een vis. Hij raakte straalbezopen – op een nare manier. [...] Kozlov deed geen enkele moeite. [...] Kohler probeerde alles om hem in een gesprek te betrekken. Zijn antwoorden waren kortaf.'

1. Naar aanleiding van een diner op Hickory Hill met andere *New Frontier*-functionarissen waar het verplicht was te bidden voor het eten, verbaasde John Kenneth Galbraith zich erover dat 'zo veel levenslange heidenen zich nu opeens zo vroom moeten voordoen wanneer ze zich in het huis van de minister van Justitie van de Verenigde Staten bevinden die tevens de broer van de president is'.

Kohler en Davies vatten het boerse gedrag van Kozlov op als een opzettelijke 'belediging jegens de Verenigde Staten'. Als de twee van de raketten op Cuba op de hoogte waren geweest, hadden ze zichzelf misschien afgevraagd of Kozlov de Sovjet-Unie nu wellicht als zo'n sterke macht beschouwde dat hij openlijk zijn instinctieve vijandigheid tegenover de Amerikanen kon tonen.

In Chicago verklaarde Salinger dat de president last had van een verkoudheid en weer naar Washington zou terugkeren. Om vijf over half twee 's middags landde Kennedy per helikopter op de *South Grounds* van het Witte Huis. Hij staarde stil uit het raampje, met de hand aan zijn kin. Hij liep het Oval Office binnen, keek vervolgens Sorensens opzet voor zijn televisietoespraak door, zwom terwijl hij met de minister van Justitie sprak en riep om half drie boven in de Oval Room de Nationale Veiligheidsraad bijeen.[1]

De CIA beschouwde vier lanceerinrichtingen voor MRBM's operationeel: deze raketten konden waarschijnlijk binnen acht uur na een Russisch besluit tot een aanval worden afgevuurd. Verder waren er nog twee raketbases voor IRBM's waargenomen: de ene kon binnen zes weken operationeel zijn, de andere binnen acht tot tien weken. Amerikaanse spionagevliegtuigen hadden ook tweeëntwintig Il-28-bommenwerpers aangetroffen (waarvan er slechts één in geassembleerde staat verkeerde), verder waren er nog negenendertig MIG-21-jagers (waarvan er vijfendertig waren uitgepakt) en vierentwintig SAM-raketten waargenomen.[2]

Robert Kennedy probeerde zijn broer de strookjes van de stemming onder de stafleden van Ex Comm te overhandigen. Maar in geval van een bijeenkomst met de gezamenlijke stafchefs hield de president het risico in het achterhoofd van binnenlandse politieke beschuldigingen als zijn aanpak van de crisis zou falen. 'Ik wil die stemstrookjes niet zien. Misschien heb ik voor het verkeerde beleid gekozen en dan hebben de mensen die gelijk hebben alles zwart op wit staan.'

McCone waarschuwde dat als het Kremlin erachter zou komen dat de Verenigde Staten de raketten hadden ontdekt, de Sovjets wel eens zouden kunnen aannemen dat Amerika zich op een oorlog voorbereidde en tot een onmiddellijke kernaanval zou overgaan. Op zijn gebruikelijke wijze gaf Rusk een opsomming van de voordelen van zowel een luchtaanval als een quarantaine. Hij overhandigde de president een handgeschreven steunbetuiging voor een quarantaine die Kennedy las en weer teruggaf.

McNamara beweerde dat de Russen ergens anders met een vergeldingsactie zouden komen – waarschijnlijk in Berlijn –, wat de Verenigde Staten ook zou-

1. Sorensen maakte aantekeningen: 'De Sovjets zullen waarschijnlijk in staat zijn naar één of meer Amerikaanse verklaringen uit het verleden te verwijzen waarin werd gezegd dat de structuur van onze bases, inclusief raketbases, een duidelijke defensieve grondslag had. Heb geen idee hoe dit in de verklaring kan worden aangepakt, maar misschien kunnen we zeggen dat deze verklaringen in het licht van de toen algemeen bekende feiten niet tot een meerduidige interpretatie konden leiden omtrent het onderscheid tussen aanvals- versus defensieve wapens.'
2. In 1989 zei generaal Volkogonov naar eigen zeggen dat het Sovjetministerie van Defensie een arsenaal had gepland van tweeënveertig Il-28-ers, tweeënveertig MIG-21-ers en vierentwintig SAM-batterijen, met daarnaast nog eens twaalf torpedoboten die over raketten en batterijen kruisraketten konden beschikken.

den doen. Ze zouden in geval van een luchtaanval niet voorbij kunnen gaan aan de duizenden Russische doden: 'De Verenigde Staten zouden de greep op de situatie kunnen verliezen, wat tot een algehele oorlog zou kunnen leiden.' Een quarantaine was de enige militaire weg die strookte met Amerika's leiderschap binnen de Vrije Wereld. Ze zouden de raketten alleen weg kunnen krijgen als ze bereid waren tot een tegenaanbod: misschien de 'terugtrekking van de Amerikaanse strategische raketten uit Turkije en Italië en een mogelijke overeenkomst om ons gebruik van Guantánamo in te dammen tot een gespecificeerde, beperkte periode'.

Taylor waarschuwde dat de raketten spoedig zouden zijn gecamoufleerd en daardoor bijna onwaarneembaar zouden worden. Gilpatric zei: 'Waar het op neerkomt, meneer de president, is dat we hier te maken hebben met een keuze tussen beperkte stappen en onbeperkte acties, en dat de meesten van ons hier aanwezig vinden dat het beter is om met beperkte stappen te beginnen.'

De president liet daarop weten dat hij voordat hij zijn uiteindelijke besluit zou nemen, eerst met specialisten wilde praten om er zeker van te zijn dat een chirurgische luchtaanval absoluut onmogelijk was. Anders konden ze aannemen dat hij tot een quarantaine zou besluiten. Hij voorspelde dat de 'binnenlandse politieke druk' na zijn televisietoespraak 'enorm' zou zijn.

Verder zei hij dat hij verwachtte dat de Sovjets inzake Berlijn verdere stappen zouden ondernemen, maar dat dit ongeacht zijn eigen maatregelen toch wel zou gebeuren. Misschien leidde dit Amerikaans machtsvertoon er wel toe dat de Russen twee keer zouden nadenken voordat ze stappen tegen Berlijn zouden ondernemen. Hij concludeerde dat 'nietsdoen het slechtste alternatief van allemaal zal zijn'. Als de raketten op Cuba bleven, zouden zowel Castro als Chroesjtsjov in staat lijken de wereld naar hun hand te zetten. Met de gevangenen van de Varkensbaai nog steeds opgesloten in Cubaanse cellen kon Castro straffeloos honderd Amerikanen per dag executeren.'

Intussen was Adlai Stevenson uit New York overgevlogen. De vorige avond had hij een collega laten weten dat hij 'omwille van de geschiedenis zou eisen om nog één laatste poging te ondernemen om een confrontatie uit de weg te gaan. [...] Ik vecht ervoor om klaar te staan [...] en dan als de gesmeerde bliksem naar de Verenigde Naties en de Organisatie van Amerikaanse Staten (OAS).'

In 1960 was Stevenson de populairste Democraat van het land. Nu had hij een functie die hij beneden zijn waardigheid achtte onder een president die hij 'koud en genadeloos' vond. Aan een vriendin schreef hij dat hij sliep 'met de hulp van God en Seconal'. Drie maal schreef hij een andere vriendin een gedicht waarbij hij de laatste regel had onderstreept: *De mensheid kan maar weinig realiteit verdragen.'*

Kennedy wist dat Stevenson, mogelijk met uitzondering van de vice-president, de enige binnen zijn regering was die over een serieuze onafhankelijke politieke basis beschikte. Hij wist dat de oude gouverneur van Illinois, die twee maal afgevaardigde voor de Democraten was geweest, bij veel Democraten veel geliefder was dan hijzelf. Zolang Stevenson populair bleef, zou hij in staat zijn van binnenuit een gematigd progressieve druk op de president uit te voeren, vooral waar het ging om het buitenlands beleid. Als hij ooit onder protest zou aftreden[1],

1. Deze overweging maakte hij ook in 1963 tegenover president Lyndon Johnson ten tijde van Vietnam en kort voor zijn dood.

kon hij met behulp van zijn dominante vleugel binnen zijn eigen partij de steun voor Kennedy ernstig in gevaar brengen.

Terwijl de president opzichtig zijn ambassadeur bij de Verenigde Naties raadpleegde, zocht hij tegelijkertijd naar middelen om Stevenson te ondermijnen en diens nationale achterban voor zichzelf te winnen. Hij hoopte dat het aanzien van Stevenson rond 1965 inmiddels zo afgenomen zou zijn, dat hij hem zonder veel moeite op de ambassadeurspost in Londen zou kunnen benoemen, waar zijn invloed op een tweede regering-Kennedy te verwaarlozen zou zijn.

Jaren later herinnerde Bundy de relatie tussen de president en Stevenson als een 'lang en verward verhaal'. De problemen tussen de twee mannen gingen in ieder geval terug tot Chicago 1956. Sorensen liet toen aan Stevensons stafleden weten dat Kennedy graag vice-president wilde worden. Stevenson zei toen: 'Ik mag Jack Kennedy, bewonder hem, maar hij is te jong en daarnaast heb je nog zijn vader en zijn geloof.' De functie werd voor iedereen opengesteld. Het jaar 1956 was het jaar dat Robert Kennedy meedeed aan de campagne van Stevenson en na afloop tegen zijn broer vertelde dat Stevenson 'gewoon geen man van daden' was.

In 1960 was Kennedy's houding tegenover Stevenson inmiddels definitief verzuurd. In mei, nadat hij de voorverkiezingen in de staat Oregon had gewonnen, had hij besloten Stevenson, toen gouverneur, op diens boerderij in Libertyville, Illinois te bezoeken. Hij had gehoord dat Stevenson door Lyndon Johnson was uitgenodigd 'om eropuit te trekken en wat stemmen te ronselen' tegen Kennedy, waarbij hij gezegd zou hebben: 'We zullen die snotneus eventjes een paar dingetjes bijbrengen.' Voordat hij naar Libertyville vertrok, zei hij tegen zijn medewerker Hy Raskin: 'Ik ga eens uitvinden of hij Johnsons spelletje om mij te stoppen, meespeelt. [...] Als hij minister van Buitenlandse Zaken wil worden, kan hij maar beter proberen deze post ook te verdienen.'

Kennedy liet Stevenson weten: 'Lyndon is een chronische leugenaar. [...] Hij heeft me al jaren lang allerlei beloften gedaan en is er niet één nagekomen. De enige manier waarop de Texaan een lesje kon worden geleerd, was door hem te verslaan: 'De vuile klootzak heeft alleen maar oog voor macht.' Stevenson gaf geen kik.

Nadat ze uit Chicago waren opgestegen zei Kennedy tegen Charles Bartlett: 'Nou, ik heb één ding geleerd vandaag, en dat is dat Adlai Stevenson nooit mijn minister van Buitenlandse Zaken zal worden. Ik ben gewend het deksel op mijn neus te krijgen. Per dag vraag ik zo'n honderd mensen of ze me willen steunen en krijg ik van ongeveer negenentachtig mensen te horen dat ze liever nog even willen wachten om te kijken hoe de zaak zich zal ontwikkelen.' Dit gold niet voor Stevenson. 'Hij zei tegen me: "Jack, ik zal je nog niet openlijk steunen. Ik hou me nog even in [...], want op die manier kan ik als een brug tussen jou en Lyndon Johnson dienen.'

Kennedy lachte bitter: 'Ik geloof niet dat Adlai zich realiseert dat Lyndon Johnson denkt dat hij gek is. [...] Als hij echt zo'n goede diplomaat is, was hij wel met iets beters gekomen dan dit.'[1]

---

1. Kennedy had gelijk. Johnson sprak over die 'vetzak van een Stevenson' die hij omschreef als 'het type dat zelfs moet gaan zitten als hij moet pissen', waaruit Schlesinger concludeerde dat Johnson dacht dat Stevenson homofiel was. Na de ontmoeting in

Na de bijeenkomst belde Stevenson George Ball, zijn oude collega-advocaat uit Chicago: 'Kennedy gedroeg zich net zoals zijn oude heer. Hij zei tegen me: "Kijk, ik heb hier de stemmen voor mijn nominatie, en als jij me niet wilt steunen, zal ik je helemaal moeten onderschijten." [...] Ik had die klootzak de deur moeten wijzen, maar eerlijk gezegd was ik door deze Ierse uitlatingen uit de goot behoorlijk geschokt en verward. Het was behoorlijk goedkoop allemaal.' In een brief aan Schlesinger werd Kennedy door Stevenson bestempeld als 'zeer zelfverzekerd en veel meedogenlozer en bloeddorstiger dan ik me hem uit het verleden herinnerde'.

Bang voor op het Partijcongres geplande pro-Stevensondemonstraties, gaf Kennedy hem nog een kans zich in de karavaan te voegen. Hij deed dit in zijn nominatietoespraak van juli. Stevenson antwoordde dat hij zich 'te midden van al deze machten een hulpeloze pion' voelde. Kennedy pleegde heiligschennis: 'Als hij niet weet hoe hij de zaak moet aanpakken, heeft hij hier niets te zoeken.'

Het weekeinde voor de stemming balde John Kennedy zijn vuist en zei tegen een van Stevensons medewerkers: 'Volgens mij is je baas getikt.' Voordat hij zich omdraaide, voegde hij er nog aan toe: 'Je krijgt vierentwintig uur de tijd.' Robert Kennedy herinnerde zich dat Stevenson 'niet in staat was te bepalen wat hij nou wilde. Hij wilde wel een nominatie, maar was niet bereid ervoor te vechten. Hij wilde de deur naar een ministerspost openhouden.'

Stevenson heeft nooit begrepen hoe diep hij zich van de Kennedy's had vervreemd. Hij zei later: 'Het kwam nooit in me op dat ik geen minister van Buitenlandse Zaken zou worden.' De aanstaande president bood hem drie posten aan: een op Justitie, een op de ambassade in Londen en een bij de Verenigde Naties, met de mededeling dat hij 'vooral' hoopte dat Stevenson voor de laatste zou kiezen. Geschokt, gekrenkt en verontwaardigd liet Stevenson zijn collega-advocaat Newton Minow weten: 'Ik neem dit niet [...] ik ga op dezelfde weg door – toespraken, artikelen.' Minow: 'Je staat straks ook nog op drie regels van pagina zesenveertig van de *New York Times*.'

George Ball herinnerde zich: 'We bleven op tot twee uur in de ochtend, dronken cognac en praatten hierover. Ik vertelde hem dat hij buiig was en zichzelf niet uit het openbare leven kon terugtrekken. [...] Dit was een nieuwe regering. [...] Niemand wist nog hoe deze zich uiteindelijk zou ontwikkelen. Ik drukte hem op het hart zich niet als een Agamemnon op te stellen. [...] Hij was altijd enorm in staat een drama voor zichzelf te maken. [...] Wat mij altijd zo fascineerde aan Adlai, was dat hij zo gemakkelijk van zichzelf dacht dat hij, heen en weer bewegend op de golven van de politiek, een groot historisch figuur was. Ik denk dat hij heel vaak rondliep met Abraham Lincoln in zijn gedachten.'

In Georgetown zei Stevenson tegen de aanstaande president dat hij een post bij de Verenigde Naties niet kon accepteren zolang hij niet wist wie minister van

Libertyville zei Joseph Kennedy tegen Raskin: 'Ik heb Jack gewaarschuwd dat het tijdverspilling zou zijn, omdat Stevenson het type is dat normaal gezien meteen zijn steun zou hebben aangeboden als het duidelijk was dat Jack aan kop liep. Jack heeft alle moeite voor niets gedaan. Het enige dat hij te horen kreeg, waren wat dubbelzinnige opmerkingen. Gelukkig zullen we ook zonder Stevenson winnen. Ik zou hem als minister van Buitenlandse Zaken toch niet vertrouwd hebben. Het nemen van een beslissing duurt bij hem veel te lang.'

Buitenlandse Zaken ging worden. Kennedy zei: 'Ik ben je baas. Je kunt direct met mij communiceren.' Hij nam Stevenson mee naar de trappen voor zijn ambtswoning en kondigde voor de verzamelde pers zijn aanbod aan voor een post bij de Verenigde Naties. De gouverneur zei dat hij graag wilde bespreken hoe deze post meer gewicht kon krijgen. Verslaggevers vroegen: 'Moeten we hieruit opmaken dat u dit aanbod niet accepteert?' Stevenson zei dat zijn antwoord afhing van verdere gesprekken met de nieuwe president, 'waarvan ik hoop dat deze spoedig zullen plaatsvinden'.

'Ik hoop vóór midden volgende week,' zei Kennedy die zich weer naar binnen begaf. Robert Kennedy herinnerde dat zijn broer 'geschokt' en 'duidelijk furieus' was dat Stevenson hun gemarchandeer openbaar had gemaakt. Hij was zo woedend dat hij 'het aanbod bijna introk'.

Niet bereid om op pagina zesenveertig van de *Times* terecht te komen gebruikte de gouverneur de weinige onderhandelingstroeven die hij nog bezat. Na verscheidene dagen van telefonische gesprekken met Kennedy en Rusk had hij slechts de schijn kunnen wekken van een missie bij de Verenigde Staten die in New York het buitenlands beleid uitstippelde. Zoals George Ball zei: 'De geschiedenis had hem ingehaald.'

In 1961 deed Kennedy nog alle moeite om het Stevenson naar de zin te maken. Als hij niet zo bezorgd was geweest dat de gouverneur zou kunnen aftreden, had hij misschien militaire acties ondernomen waardoor de Varkensbaai-operatie een minder grote klucht zou zijn geworden.

Tijdens het tweede jaar van zijn ambtstermijn maakte Kennedy zich als gevolg van zijn verstevigde positie en de ene na de andere crisis steeds minder druk om Stevenson. Hoewel Rusk in 1960 zijn steun had betuigd aan Stevensons kandidatuur voor het presidentschap, liet hij nu vertrouwelijk weten dat hij de afgezant bij de Verenigde Naties nooit diens verslechterde positie onder ogen wilde brengen anders 'zou hij binnen vijf minuten na het begin van de onderhandelingen al op dat punt aanbelanden'.[1]

Harlan Cleveland, onderminister bij de Verenigde Naties, merkte op: 'Kennedy was pragmatisch, Stevenson was meer geïnteresseerd in de lange termijn en de economische kant. Kennedy was helemaal niet geïnteresseerd in de lange termijn. Hij was geïnteresseerd in wat hij de volgende week moest doen.'

Robert Kennedy zei: 'Ik hou niet van het woord "hard", maar hij was precies het tegenovergestelde. Hij had geen realistische kijk op de wereld, zelfs niet op zichzelf. [...] Stevenson bezat een prachtige redeneertrant, maar als hij bij zijn kernpunt aanbelandde, ging hij weer een andere kant op. [...] Hij zat altijd maar te zeuren. [...] Jack sprak vaak over hem – dat Stevenson zo'n blok aan zijn been was.' De First Lady was erg gesteld op Stevenson en ging met hem naar theatervoorstellingen in New York. Ze gaf vertrouwelijk toe dat Jack 'niet samen met hem in dezelfde kamer kan zitten'.

Kennedy moedigde haar aan om de vriendschap met de gouverneur voort te zet-

---

1. Tijdens Stevensons ambtsperiode bij de Verenigde Naties sloeg Rusk acht op diens gevoeligheden door geen kansen te benutten om voor de Algemene Vergadering te spreken, iets wat ministers van Buitenlandse Zaken gewoonlijk wel doen. Hij zei dat Stevenson in het kader van zijn wereldstatus de vrije hand moest krijgen in New York.

ten. Voor zijn verjaardag maakte ze een aquarel en na een bezoek aan de Verenigde Naties schreef ze hem dat 'de hele sfeer in dat gebouw zo beladen is met verborgen gedachten, spanning en opwinding. [...] Ik heb ontzettend geboft dat ik de kans had Oe Thant te ontmoeten – en ik was dol op hem, maar ik ben niet wispelturig.' Na een diner in het Witte Huis nam ze Stevenson in vertrouwen over haar huwelijksrelaties. Hij vond de manier waarop dit gebeurde 'hoogst indiscreet'.

Kennedy zei tegen een vriend: 'Kijk, Stevenson heeft de twee zwaarste klappen te verduren gekregen die je maar kunt oplopen. Hij werd tweemaal als presidentskandidaat verslagen.' George Ball herinnerde zich dat hij tijdens problemen in de Kongo eens naar Kennedy was gegaan ('deze bevond zich naakt in de massagekamer van het Witte Huis'). De president vroeg Ball om Stevenson in New York te bellen terwijl hij meeluisterde. Na afloop zei hij: 'Kijk George, hij leeft in een microkosmos die totaal verschillend is van de realiteit waarin we hier leven. Wees dus wat minder hard tegen hem.'

Bij andere gelegenheden legde de president zijn eigen vijandigheid aan de dag van de jongere man die weet dat hij nooit de goedkeuring zal winnen van de oudere man die hij heeft onttroond. Zijn omgang met Stevenson kwam nauw overeen met de mengeling van doordachtheid, vermoeidheid en wreedheid waarmee hij Lyndon Johnson behandelde – en min of meer om dezelfde redenen.

Tegen vrienden vertelde Kennedy dat ondanks Stevensons grote reputatie als intellectueel, hij meer boeken in een week las dan Stevenson in een jaar. (Hierin had hij waarschijnlijk gelijk.) George Smathers was van mening dat Stevenson 'voor Kennedy gewoon niet mannelijk genoeg was'. De president vroeg Jacqueline hoe het toch kwam dat zoveel vrouwen op Adlai waren gesteld en vroeg zich hardop af of Stevenson biseksueel was: hij had hem in New York eens in een Turks bad gezien en betwijfelde of hij gezien zijn mannelijkheid een 'behoorlijke rivaal' zou zijn. Tegen een verslaggever zei hij eens dat hij en Bobby op een keer met plezier 'keken hoeveel centimeter de oude Adlai hem nog omhoog kon krijgen'.

Oleg Cassini beweerde dat hij nooit die ene bewolkte dag in Newport zou vergeten toen de president Stevenson opdroeg om per helikopter naar de stad te komen. Toen Kennedy werd gewezen op de dreigende lucht, zei hij volgens Cassini: 'Hij wordt luchtziek, prima.' Nadat Stevenson 'lijkbleek' was gearriveerd, liet de president hem aan dek van zijn boot plaatsnemen die zich op dat moment in woelig vaarwater bevond. De gouverneur probeerde 'tevergeefs in de wind en regen niet te bibberen'.

Nadat Kennedy hem weer aan boord van de door de storm geteisterde helikopter had gebracht, zei Cassini: 'Meneer de president, dit is echt een wrede en ongebruikelijke straf.' Volgens Cassini antwoordde Kennedy hierop: 'Dat kan hij wel gebruiken, goed voor zijn gezondheid.'

Zo nu en dan probeerde Stevenson zijn macht in Washington uit te breiden, waarbij hij merkte dat een 'verstandig politicus' zich nooit te ver uit de buurt van een microfoon moet begeven. In december 1961 vertelde hij Kennedy dat hij erover dacht om zich kandidaat te stellen voor de Senaat en daarom behoefte had aan 'veel meer autonomie en gezag dan in het verleden'. Hij deed dit zoals een ongehuwde vrouw haar minnaar door middel van het wapperen met een huwelijksaanzoek van een rivaal tot een huwelijk probeert te dwingen.

Het plan werkte niet. 'Ik begrijp die man niet, en heb hem nooit begrepen,' zei Kennedy daarna tegen Kaysen. 'Hij praat over de post van Senator voor Illinois – nou, als hij dat wil, wens ik hem sterkte. Maar ik begrijp niet waarom hij bij een van de honderd wil horen. [...] Ik weet dat hij kwaad is, omdat ik hem nooit een ministerspost heb gegeven – maar waarom heeft hij me nooit om die post gevraagd?' Hij weigerde aan Stevensons verzoek gehoor te geven om met een verklaring te komen waarin hij hem vroeg zijn post bij de Verenigde Naties aan te houden.

De gouverneur zou nooit vergeten dat hij bij de inauguratie het enige kabinetslid was dat geen limousine tot zijn beschikking had en verweet dit de 'Ierse maffia' onder Kennedy's stafleden. Hij vitte op de president: 'Die jongeman, die zegt nooit: "Alstublieft," hij zegt nooit: "Dank u wel," hij vraagt nooit om dingen, hij eist ze.' Hij werd 'misselijk' van de 'inhaligheid' van de Kennedy's. Toen Peter Lawford aankondigde dat hij Stevensons campagnetekorten aanvulde, was hij gepikeerd.

Hij verving macht door de voorwaarden voor macht. Ball zag hoe hij zichzelf omringde met 'van die rijke vrouwen, die vreemde harem. [...] Ze gaven hem het beste eten van New York – hij ging naar alle theaterpremières. [...] Hij wist dat hij een nepleven leidde, de Verenigde Naties, afgesloten van de werkelijkheid van de politiek, te midden van de onechte, niet-aflatende aanbidding van vrouwen. [...] Ze zorgden voor hem [...]. Hij dacht erover de Verenigde Naties te verlaten, maar kon geen enkele kant op.'

Robert Kennedy herinnerde zich dat zijn broer Stevenson graag 'shockeerde' en hem 'van gesprekstof voor met zijn vriendinnen wilde voorzien'. Toen Stevenson Kennedy in Hyannis Port de les las over ontwapening, toonde hij zich 'met afschuw vervuld' nadat Kennedy hem had laten weten dat het idee van ontwapening slechts 'propaganda' was.

Gedurende deze jaren vertelde Stevenson tegen een van zijn vriendinnen dat hij slecht sliep, 'en als ik dan eindelijk in slaap val, heb ik de verschrikkelijkste dromen' – nachtmerries over de ondergang van de wereld, 'de dood van de mensheid, het einde van het leven op deze planeet'.

Nu, in de Oval Room, liet Stevenson weten dat de televisietoespraak van de president over Cuba een onderhandelingsvoorstel met de Sovjet-Unie moest bevatten: zodra de raketten waren verdwenen, konden de Verenigde Staten misschien bereidheid tonen de 'demilitarisatie' van Cuba ter discussie te stellen, zowel met betrekking tot Russische installaties als de Amerikaanse basis in Guantánamo. Misschien moesten ze overwegen de Jupiterraketten uit Turkije en Italië terug te trekken. Voordat het tot een escalatie kwam, had McNamara ook al een dergelijk voorstel gedaan, maar had dit niet als een aanbod beschouwd. Sorensen zei dat het niet de 'Verenigde Staten, maar de Sovjets zijn die in de beklaagdenbank horen'. Dillon en McCone klaagden dat als de Verenigde Staten met concessies zouden komen, ze Chroesjtsjovs acties hiermee zouden legitimeren en hem zo een gemakkelijke overwinning zouden bezorgen.

De president zei dat ze in deze fase niet konden overwegen Guantánamo op te geven: dat zou de suggestie wekken 'dat we ons zo hebben laten afschrikken, dat we onze uitgangspunten opzij hebben geschoven'. Als het moment daar was, zouden de Verenigde Staten zich bereid moeten tonen hun strategische raketten uit Turkije en Italië terug te trekken als de Sovjets dit onderwerp zouden aanroeren. Stevenson gaf het niet op: 'Bied aan om dergelijke bases op te geven om de Sovjets ertoe te brengen hun strategische raketten te verwijderen.' Kennedy liet nadrukkelijk weten dat 'er over onze bases in Turkije en Italië niet onderhandeld wordt'.

Na de bijeenkomst klaagde Robert, gezeten op het Trumanbalkon, tegen de president dat Stevenson 'niet sterk of hard genoeg was om ons in een tijd als deze bij de Verenigde Naties te vertegenwoordigen'. Ze moesten 'iemand anders zoeken'. De president antwoordde dat hoewel Stevenson misschien 'te ver ging met zijn suggestie om Guantánamo op te geven', maar dat hij 'genoeg kracht en moed' had getoond om 'het gevaar te lopen dat hij voor een "appeaser" zou worden uitgemaakt'.

Die avond zei Stevenson tegen O'Donnell: 'Ik weet dat de meeste van die jongens me na wat ik vandaag heb gezegd, waarschijnlijk voor de rest van mijn leven als een lafaard zullen beschouwen, maar misschien is er in die kamer wel behoefte aan een lafaard als we over een kernoorlog praten.'

Bundy kreeg te horen dat de *New York Times* een tamelijk nauwkeurig verslag had samengesteld van de crisis die nu op het punt stond los te barsten. Kennedy belde James Reston: hij was bezig met een toespraak voor maandag. Als de *Times* het verslag zou publiceren, dan kan hij 'wel eens met een ultimatum vanuit Moskou worden geconfronteerd' voordat hij zelf de gelegenheid had te spreken. Reston ondernam acties om het verhaal achter te houden.

Voordat hij uit Chicago vertrok, had de president Jacqueline in Glen Ora gebeld en haar gevraagd met Caroline en John naar het Witte Huis te komen zodat het gezin ingeval van een plotselinge noodtoestand bij elkaar zou zijn. Tijdens een zwempartij met Dave Powers, zaterdagavond, gebruikte hij dezelfde woorden die hij tijdens zijn vlucht naar Londen na afloop van de top in Wenen had geuit: 'Als we alleen aan onszelf hoefden te denken, was het een eenvoudige zaak geweest, maar ik moet steeds denken aan al die kinderen wier levens zouden worden weggevaagd.'

Zondagochtend 21 oktober. Met een vleugje herfst in de lucht en met een lage zon leek het alsof Washington er nog nooit zo mooi had bijgelegen. Boven, in de Oval Room zorgde de president voor een ontbijt voor de Ex Comm-leden. McNamara herinnerde zich dat Kennedy een stemming onder de aanwezigen hield. Hij merkte dat het merendeel van de groep, negen tegen zeven, nu voorstander was van een luchtaanval.

Na de ochtendmis keerde de president weer terug naar het vertrek om vragen te kunnen stellen aan generaal Taylor en generaal Walt Sweeney, de bevelhebber van de tactische luchtstrijdkrachten die het bevel zou voeren over een mogelijke luchtaanval op Cuba. In het gunstigste geval kon negentig procent van alle raketten worden vernietigd. Aangezien slechts dertig van de veronderstelde achtenveertig raketten waren waargenomen, zouden er niet minder dan eenentwintig een aanval doorstaan. McNamara en de twee generaals lieten weten dat een eerste aanval door honderden aanvalsvluchten moest worden gevolgd. Dit zou bijna onvermijdelijk tot een grootscheepse invasie van Cuba leiden.

Na op Hickory Hill wat te hebben paardgereden, arriveerde Robert Kennedy, nog steeds in zijn ruitersuniform, in de Oval Room. Hij zei dat ze eerst met een quarantaine moesten beginnen en daarna 'het beste ervan te hopen'. McCone liet weten dat als het plan niet lukte, ze tot een luchtaanval en een invasie moesten overgaan.

De president stemde in. Rusk zei later: 'Het is niet dat we niet *dachten* dat Chroesjtsjov een blokkade met een kernaanval zou beantwoorden, we *wisten* het gewoon niet.' De crisis kon maanden gaan duren, ook al besloot de president niet tot een blokkade over te gaan. Robert Kennedy verwachtte een 'zeer, zeer moeilijke winter'.

Vanaf het moment dat de president van de raketten op de hoogte was gesteld, had hij ervoor gezorgd dat hij en de leden van Ex Comm de gelegenheid hadden om zes dagen lang het probleem in alle rust van alle kanten te onderzoeken. Dit zou een gevolg kunnen zijn geweest van wat hij tijdens de Berlijnse crisis had geleerd. Een andere president zou misschien overhaaster hebben gereageerd. De tijd die Kennedy zich gunde, zou een gunstige uitwerking hebben: als hij gedwongen zou zijn geweest om binnen enkele uren met een beslissing te komen, had hij waarschijnlijk voor een luchtaanval gekozen.

Bij deze aangelegenheid werd de president ook nog eens geholpen door zijn behoefte aan geheimhouding en zijn uitstekend gevoel voor het zo effectief mogelijk verpakken van buitenlands-beleidsbeslissingen. Vanaf het begin wist hij dat de wereld verontwaardigd zou zijn dat de Verenigde Staten een kernoorlog overwogen om daarmee raketten te verwijderen die niet gevaarlijker waren dan die langs de Russische grens, tenzij zowel de raketten op Cuba als de Amerikaanse respons op een doordachte manier zouden worden aangekondigd. Een andere president zou er misschien niet op hebben toegezien dat de Sovjets, de *New York Times*, of CBS niet als eerste de stationering van de raketten op een manier openbaar zouden maken die de steun van het publiek voor zijn acties zou ondermijnen.

Het zes dagen durende rustige overleg was een gift die geen enkele Amerikaanse president zich in een soortgelijke situatie waarschijnlijk ooit nog zal kunnen veroorloven. Als deze rakettencrisis zich in de politieke en journalistieke cultuur van dertig jaar later had voorgedaan, zou een Amerikaans satellietstation misschien zelf de raketten hebben ontdekt. Ze zouden hun ontdekking wellicht al een paar uur nadat de president van de raketten op de hoogte was gesteld, wereldkundig hebben gemaakt.

De leiders van de Amerikaanse bondgenoten zouden in het kielzog van de onthulling misschien hebben geëist dat er geen stappen werden ondernomen en hebben opgemerkt dat de raketten geen grotere bedreiging vormden dan die waar West-Europa al jarenlang mee te maken had. Republikeinse campagnevoerders zouden hebben geëist dat de president zijn waarschuwing van september nakwam door een luchtaanval en een invasie af te kondigen. Anderen zouden zich afvragen hoeveel weken hij al van de raketten op de hoogte was geweest en of hij geprobeerd had dit hachelijke feit tot na de verkiezingen van november verborgen te houden.

Het zou voor Kennedy moeilijk zijn geweest om te midden van deze luidruchtige opwinding de steun voor gematigde acties te blijven behouden. Zijn voorkeur voor minder ingrijpende stappen dan een luchtaanval-plus-invasie had ertoe kunnen leiden dat hij in de oververhitte binnenlandse sfeer voor 'appeaser' zou worden uitgemaakt.

Op zondagmiddag riep de president zijn Nationale Veiligheidsraad bijeen in de Oval Room. Rusk berichtte dat het ministerie van Buitenlandse Zaken bezig was met het opstellen van brieven aan drieënveertig regeringsleiders en zich boog over resoluties van de Verenigde Naties en de Organisatie van Amerikaanse Staten, van een afkondiging van een blokkade en van een lijst van voorzorgsmaatregelen die wereldwijd door Amerikaanse ambassades tegen rellen en demonstraties moesten worden getroffen. Admiraal Anderson liet weten: 'Meneer de president, de marine zal u niet teleurstellen.'
Nadat de Sovjets in 1949 hun eerste atoombom tot ontploffing hadden gebracht, waren de Amerikaanse planningsdeskundigen op het gebied van de defensie begonnen met het opstellen van evacuatieplannen voor de president en zijn functionarissen. Een berg in Virginia, genaamd Mount Weather, werd door technici van het legerkorps omgebouwd tot een gigantische geheime schuilplaats. Als een kernaanval onvermijdelijk leek, dienden de president, andere topleiders en hun gezinnen zich per helikopter naar de berg te haasten.
Dean Rusk vond het plan 'psychologisch gezien belachelijk': na een nucleaire confrontatie met de Russen zou de president of de minister van Buitenlandse Zaken 'door de eerste de beste bende van verkleumde overlevenden aan de dichtstbijzijnde boomtak worden opgehangen'. Hoe dan ook, Kennedy werd eraan herinnerd de zaak met zijn vrouw te bespreken.

In het verdoezelen van haar invloed op haar echtgenoot en zijn relaties met andere politici werd Jacqueline Bouvier Kennedy geholpen door haar kritische blik op kunst, meubels en kleding, haar ontwijkende gedrag in het openbaar en haar weigering politieke meningen te ventileren. Ze zei: 'Ik geloof dat ik het beste voor de afleiding kon zorgen. Jack hield zich de hele dag alleen maar met politiek bezig. Als hij thuis zou komen om opnieuw een vuist op tafel te zien, hoe had hij zich dan moeten ontspannen?'
Als ze hem iets vroeg over Laos of een andere crisis waar de kranten mee vol stonden, zei hij vaak tegen haar: 'God, meid, ik heb de hele dag al vragen moeten beantwoorden. Vraag maar of Bundy je de telegrammen wil laten zien.' Later herinnerde ze zich dat ze de telegrammen las totdat ze 'depressief' werd van de rits problemen die aan haar voorbijtrokken. Nadat Kennedy een opvallend hooghartige brief van De Gaulle had ontvangen, schreef Bundy haar: 'Ik ben me bewust van uw verzoek u niet met officiële zaken te vermoeien, maar voor wat dit betreft, weet ik dat de president er van harte mee instemt u deze brief te laten zien.' Ze bedankte hem voor het laten zien van deze 'schat'.
Arthur Schlesinger stuurde haar een 'geestdriftig artikel' uit een Londense krant waarin de president als een nieuwe Hendrik de Vijfde werd geprezen. Ze schreef terug: 'Dat artikel in de *Telegraph* is ongelooflijk! Kun je dat stuk over Hendrik de Vijfde niet vertalen en naar De Gaulle sturen?'
Jacquelines levenshouding was meer op esthetische uitgangspunten gebaseerd dan op intellectuele of morele principes. Ze beschouwde de internationale aangelegenheden als een vorm van toneel (hoewel dit niet gold voor de binnenlandse

politiek) en beschouwde haar man in politieke termen als een held die zich in een historisch schouwspel begeeft. Ze herinnerde zich dat ze opgroeide met de gedachte dat de politiek iets was voor 'vieze oude mannen die op Onafhankelijkheidsdag wat stonden te schreeuwen', en dat de geschiedenis iets was 'wat verbitterde oude mannen opschreven'. Daarna had ze zich gerealiseerd dat 'voor Jack de geschiedenis boordevol met helden zat' – De ridders van de Ronde Tafel, Melbourne en de hoofdfiguren in *Profiles in Courage*. In de lente van 1960 had ze gezien dat hij *The King Must Die* van Mary Renault las.

Het artikel in de *Telegraph* was niet de eerste keer geweest dat ze zich bewust was geworden van de overeenkomsten tussen Hendrik de Vijfde en haar echtgenoot. Aan de vooravond van het bezoek van de groothertogin van Luxemburg aan het Witte Huis, vroeg de First Lady aan Basil Rathbone de *St. Crispin Day speech* uit het stuk van Shakespeare voor te dragen. De acteur betwijfelde of een toespraak die handelde over het vermoorden van koningen voor een hertogin wel geschikt was.

Ze schreef Rathbone dat *Hendrik de Vijfde* een van de favoriete stukken van de president was, 'met al zijn mooie dromen over het leiderschap of het leiden naar de overwinning die in zijn ziel verscholen liggen'. Ze schreef verder dat het stuk 'me aan hem doet denken, hoewel ik niet denk dat hij dit weet!' Ze beweerde dat 'van alle toespraken die je raken en stimuleren om je extra in te spannen – opofferen, vechten, of sterven – dit dé toespraak is. De enige persoon voor wie ik wil dat deze toespraak niet bestemd is, is Chroesjtsjov, aangezien we ons niet door dezelfde doelstellingen met elkaar verbonden voelen[1] – maar het kleine Luxemburg. […] We streven vandaag de dag allemaal naar dezelfde mooie dingen.'

Op vrijdagavond 22 november 1963 vroeg ze aan de minister van Justitie: 'Waar loopt de lijn tussen geschiedenis en drama?'

Het gevoel voor drama en de intense stijl waarmee men zich later Kennedy's periode in het Witte Huis herinnerde, vormde de bijdrage van Jacqueline. Voordat hun huwelijk in 1953 plaatsvond, had het huispersoneel genoeg aan één kookplaatje als Kennedy een dineetje gaf. Een tijd vormde de whisky die Joseph Kennedy stuurde de enige drank in zijn woning in Georgetown. Een collega herinnerde zich een Kennedy-maaltijd 'waarbij we kip aten en we voor, tijdens en na het eten whisky dronken'. Een collega merkte op dat hij slechts vier winterpakken droeg.

Nadat Kennedy in 1952 in de Senaat gekozen was, drong Joseph Kennedy er bij zijn zoon op aan naar een vrouw uit te kijken. Hij maakte zich zorgen dat zijn zoon, net als Stevenson, misschien het slachtoffer van een geruchtencampagne zou worden dat hij homoseksueel was. Kennedy senior vertelde zijn vriendin Dorothy Schiff, uitgever van de *New York Post*. 'We dachten eerst aan Grace Kelly, maar ze had te veel Hollywoodallure.' Hij was verrukt toen hij zag dat zijn zoon haast zette achter zijn hofmakerij aan het adres van Jacqueline Bouvier.

Haar gave om de carrière van haar echtgenoot met romantiek te doorspekken, werd tijdens hun eerste huwelijksjaren danig op de proef gesteld. Dit was te wij

1. De First Lady was niet ongevoelig voor de heldhaftige retoriek uit de school van Kennedy en Sorensen.

ten aan zijn niet-aflatende politieke tournees en zijn ononderbroken jacht op andere vrouwen. Maar het huwelijk hield stand. Na de Partijconventie in Los Angeles schilderde ze een portret van hem als een heldhaftig terugkerende, in napoleontische kledij gestoken veldheer. Daarna, in november, bracht ze alleen een stem uit op haar man: 'Ik wilde de zaak niet verzwakken door op anderen te stemmen.'

Nadat ze haar entree in het Witte Huis had gemaakt, was ze ontsteld over het 'Statler Hilton'-achtige interieur van de Eisenhowers. Daarnaast was ze 'doodsbang' voor alle ogen die haar nu zouden aanstaren en voor de medewerkers die 'het Witte Huis overspoelden met hun dictafoons in de aanslag'. Ben Bradlee vond haar 'nerveus en angstig' toen ze hoorde dat hij een dagboek bijhield. Stafleden kregen te horen: 'Mevrouw Kennedy verzoekt u alle briefjes en memoranda die u van haar ontvangt, te bewaren. [...] Ze zal deze aan het eind van de komende regeringsperiode terugvragen voor haar dossiers en bibliotheek.'[1]

Aan het eind van de jaren vijftig was ze bang geweest dat ze voor haar echtgenoot een politiek risico zou betekenen en dat iedereen haar als een snob uit Newport met wijd uitstaand haar zou beschouwen die Franse kleding droeg en een hekel aan politiek had: 'O Jack, ik vind het zo vervelend voor je dat ik zo'n trut ben.' Hij vertelde haar dat hij van haar hield zoals ze was. In het Witte Huis was Kennedy zelf nog het meest verrast over haar alom aanwezige afbeelding op de voorpagina's van allerlei bladen, de grote menigten van bewonderaars en het geroep om 'Jackie!' wanneer ze samen met haar man in het openbaar verscheen. Ze hielp het vage gevoel van sociale en culturele minderwaardigheid van haar klassebewuste echtgenoot te verzachten: in november 1963 moedigde hij haar aan 'die goedkope Texaanse mokkels' eens te laten zien wat goede smaak was.

Verwijzend naar de neiging van haar echtgenoot zijn relaties met mensen in hokjes onder te brengen, zei Jacqueline: 'Ik hoorde in het hokje voor geluk.' Zij bracht hem wat bij over tekenkunst en Franse meubels; toen ze zich op de achttiende-eeuwse Franse geschiedenis stortte, nam hij het boek van haar over en las over de minnaressen van Lodewijk de Veertiende nog voordat zij hiertoe de gelegenheid had gehad.

Het leven in het Witte Huis bracht een vorm van regelmaat in het leven met elkaar. Tijdens de jaren dat Kennedy campagne voerde om het presidentschap, was er van een dergelijke regelmaat geen sprake geweest. Om zijn aandacht af te

1. Toen ze in 1965 een eerste versie van Arthur Schlesingers *A Thousand Days* las, smeekte ze hem 'mij zoveel mogelijk uit het boek te schrappen' en 'alle dingen waarvan ik vind dat ze te persoonlijk zijn', te verwijderen. '*Dat* zijn de enige dingen die voor JFK nog privé kunnen blijven – met al die schrijvers – zal er geen stukje van zijn leven overblijven waar de wereld geen weet van heeft. Maar de wereld heeft niet het recht op zijn privé-leven met mij – ik deelde al die kamers met hem – en niet met de lezers van het Boek van de Maand en ik wil niet dat al die lui – met de kinderen – nu door die kamers snuffelen – zelfs niet in het bad. Haal die passages er alsjeblieft uit.'

Toen Schlesinger openlijk werd aangevallen vanwege persoonlijk materiaal dat in de voorpublikatie van het boek in *Life* verscheen, antwoordde hij: 'Dit zijn precies die intieme details die lezers en critici graag willen lezen als ik – of iedere andere geschiedkundige – deze dingen bij het schrijven van een boek over president Jackson of president Roosevelt zou zijn tegengekomen.'

leiden, organiseerde ze kleine etentjes. Soms draaide ze platen zoals Jimmy Deans versie van 'PT-109' die ze schitterend vond, of *Camelot* van Lerner en Loewe, waarna er soms gedanst kon worden. De president verdween daarna naar zijn slaapkamer. Daar ging hij verder met zijn werkzaamheden en verscheen dan vervolgens weer op tijd om afscheid van zijn gasten te nemen.

Toch ging het huwelijk gebukt onder spanningen die het gevolg waren van een president die niet bereid was andere vrouwen op te geven, en een First Lady die niet bereid was om als binnenlandse politieke boodschapper te fungeren. Lem Billings herinnerde zich Kennedy's irritaties over het koopgedrag van zijn vrouw: 'Hij hield er gewoon niet van geld aan kleine dingen uit te geven. Hij had een grote neiging gigantisch veel geld in zijn carrière te pompen. Dat ging van dik hout zaagt men planken. Toen hij stierf, was hij door al zijn contanten heen.'

Vaak vertrok mevrouw Kennedy in haar eentje naar Glen Ora, New York, Hyannis Port en Europa. Toen haar man haar overhaalde om in november een campagnetrip door Texas te maken, zou dit de eerste keer sinds de inauguratie worden dat ze zich westelijker dan Virginia zou begeven. In dezelfde periode was ze al een aantal malen in het buitenland geweest.[1]

Galbraith vond dat Jacqueline 'altijd een scherpzinniger kijk op de mensen rondom het presidentschap had dan haar echtgenoot en dat zij vertrouwde op de waarheid terwijl Kennedy meer tot liefdadigheid neigde'. Galbraith vond dat 'ze zich uitzonderlijk veel bezighield met kleding en aanverwante dingen die met stijl te maken hadden'. Over generaal Lemnitzer zei ze bijvoorbeeld: 'We hadden allemaal een hoge dunk van hem totdat hij de fout beging om op een zaterdagochtend op het Witte Huis te arriveren in een sportjasje.'[2]

In een dankbrief aan Roswell Gilpatric voor een dichtbundel schreef ze dat een dergelijk attent cadeau niet van iemand als 'Antonio Celebrezze of Dean Rusk' afkomstig kon zijn.[3]

De hoge dunk van de president voor mannen als Gilpatric, McNamara, Dillon, Bundy, Schlesinger en Galbraith werd verstevigd door het feit dat ze voldeden aan de esthetische eisen van de First Lady. Haar genegenheid voor Stevenson of haar verwijzingen naar O'Donnell als 'de wolfshond', lieten hem koud. Kennedy maande zijn vrouw echter haar afkeur voor bepaalde politieke figuren voor zich te houden, zelfs tegen hem, omdat dit van invloed zou zijn op haar gedrag jegens deze personen.

1. Toen de Amerikanen in augustus 1962 werd gevraagd hun meningen over hun First Lady te geven, bleek dat men voor wat betreft de negatieve kant vond dat ze 'te vaak op reis gaat en haar familie achterlaat'.
2. Het is niet moeilijk in te denken hoe ze persoonlijk over de esthetische aanwezigheid van *New Frontier*-man Lyndon Johnson gedacht moet hebben. Deze werd in mei 1962 door Arthur Miller tijdens een diner in het Witte Huis aangetroffen in een 'blauw gekreukt overhemd'. Johnson 'liet bijna demonstratief zijn minachting voor het gebeuren blijken en stond met een opgetrokken knie en zijn schoen tegen de onberispelijke lambrizering gedrukt, als een slenteraar voor een dorpswinkeltje uitvoerig zijn nagels met een vijltje schoon te maken'.
3. Anthony Celebrezze, voormalig burgemeester van Cleveland, volgde in juli 1962 Ribicoff op als minister van Gezondheid, Onderwijs en Welzijn.

Gilpatric herinnerde zich dat 'ze me allerlei vragen stelde over het Pentagon, over de machtstroom. Ze had haar man allerlei namen van mensen uit het Pentagon horen noemen en wilde weten wat voor macht deze mensen bezaten, of ze voornamelijk werden gedreven door ambitie of door hun loyaliteit aan de president. Wat voor haar het meest gold, was in hoeverre ze te vertrouwen waren. [...] Ze was zeer, zeer scherpzinnig.'

Jacquelines kennis van Frans, Spaans en Italiaans, haar oog voor geschiedenis en haar gemakkelijke omgang met buitenlandse politieke figuren (die vlotter verliep dan met hun Amerikaanse ambtsgenoten) hielp de diplomatie van de president te versoepelen. In vertrouwelijke kring werd gezegd dat ze met buitengewoon goede imitaties van tientallen wereldleiders kon komen die ze had ontmoet: Adenauer, de sjah, koningin Frederika van Griekenland en Soekarno, die tijdens zijn bezoek aan Washington met het verdachte voorstel kwam om haar zonder haar echtgenoot voor een bezoek aan Indonesië uit te nodigen.

Ze vertelde de president dat ze hoopte dat, voordat ze het Witte Huis weer zouden verlaten, iemand aan haar zou vragen wie ze het grootste staatshoofd vond dat ze ooit had ontmoet: 'En dat is niet De Gaulle of Nehroe of Macmillan of wie dan ook. Het wordt Lleras Camargo uit Colombia.' Dit was een karakteristieke keuze: toen de Kennedy's in december 1961 een bezoek aan Columbia brachten, had president Alberto Lleras Camargo haar trots een rondleiding door zijn paleis gegeven, een museum van de Colombiaanse geschiedenis dat haar inspireerde bij haar opknapbeurt van het Witte Huis.

Ze schakelde de hulp in van Schlesinger en Goodwin om Aboe Simbel en andere Egyptische monumenten die door de nieuwe Aswan-dam werden bedreigd, te redden. Ze probeerden geld van het Congres los te krijgen en organiseerden een Toetanchamon-tentoonstelling in de *National Gallery*. Het gunstige effect van Kennedy's inspanningen op de betrekkingen met Gamal Abd-el Nasser had geen positieve uitwerking op zijn populariteit bij joodse kiezers. Schlesinger schreef aan de First Lady dat de financiële en technische problemen waren opgelost, maar 'wat overblijft, zijn de politieke problemen waarmee de president te maken zal krijgen'.

De politieke interesses van Jacqueline reikten verder dan Bogotá en de Nijl. McNamara was van mening dat Kennedy haar 'bij zo veel mogelijk aangelegenheden' raadpleegde – ik bedoel niet in de zin van lange en pijnlijke discussies. Maar ze was zeer zeker geïnformeerd over wat er allemaal gebeurde en ze uitte haar standpunten over bijna alles.' Generaal Clifton zei: 'Ze adviseerde zijn stafleden niet, ze adviseerde hem. Daarom was niemand hiervan op de hoogte.' David Ormsby-Gore herinnerde zich dat Jacqueline boeken en achtergrondartikelen over politieke gebeurtenissen uit de *Library of Congress* liet komen om deze vervolgens aan haar man te geven – 'haar manier om hem aan te moedigen zijn gedachten en problemen met haar te delen'. Ormsby-Gore zei dat hij hoorde hoe Jacqueline de president meermalen op het hart drukte om de betrekkingen met de Sovjet-Unie weer te normaliseren.

Terwijl hij zich beraadde over de raketten op Cuba, verbaasde hij haar door haar 's middags te bellen met het verzoek hem tijdens een wandeling in de rozentuin van het Witte Huis te vergezellen. 'Hij deelde met haar de mogelijke verschrikkingen die konden gebeuren,' zei Charles Spalding. 'Als een dergelijke situatie eerder in hun huwelijk was voorgevallen, denk ik niet dat hij haar had gebeld. Maar de dingen begonnen zijn hoofd op hol te brengen.'

Aan het begin van de presidentiële ambtstermijn van haar echtgenoot plande ze een bezoek aan de schuilkelder van het Witte Huis die tijdens de Tweede Wereldoorlog was gebouwd en zich op vier verdiepingen beneden de vloer bevond. Toen de deur werd geopend, sprong een klein legertje mannen van het seinkorps in de houding. Ze keek even naar binnen en verdween weer snel. 'Verbazingwekkend! Ik had nooit gedacht zoveel menselijkheid aan te treffen! Ik dacht dat het een hele grote ruimte zou zijn die we als indoor-recreatiezaal voor de kinderen konden gebruiken. Ik had zelfs plannen om er een basketbalzaal in te bouwen.'

Nu vroeg de president zijn vrouw of ze naar de grote kunstmatige grot in de bergen wilde gaan, die als schuilplaats voor de regering moest dienen. Met haar onfeilbaar gevoel voor zowel geschiedenis als drama liet ze hem weten dat als er een kernoorlog zou uitbreken, ze er de voorkeur aan zou geven naar het Oval Office te komen om die dingen die zouden komen samen met hem door te maken.

17. 'Het moment waarvan we hoopten dat het nooit zou komen'

Op maandag 22 oktober zat Hale Boggs, de fractievoorzitter van de Democraten in het Huis van Afgevaardigden, te vissen in de Golf van Mexico. Plotseling werd er vanuit de lucht een fles in het water gegooid: 'Bel telefooncentrale 18, Washington. Dringende boodschap van de president.' De luchtmacht vloog met bijna de snelheid van het geluid de Republikeinse leider van het Huis van Afgevaardigden, Charles Halleck, van Indiana naar Washington. Andere Congresleiders staakten hun verkiezingscampagnes en pochten dat de president hun advies nodig had.

Dean Acheson vloog naar een basis van het geallieerde opperbevel ten noorden van Londen om David Bruce in te lichten. Bruce haalde een fles Schotse whisky te voorschijn waaruit ze allebei dronken. Acheson liet een CIA-agent achter om Bruce te helpen bij de presentatie van de U-2-beelden aan Harold Macmillan. Nadat hij naar de foto's had zitten staren, zei de premier: 'Nu zullen de Amerikanen zich realiseren wat wij hier in Engeland al die afgelopen jaren hebben meegemaakt.' Hij kon niet weten dat Chroesjtsjov bijna precies hetzelfde had gezegd voordat hij de raketten naar Cuba stuurde.

Acheson vloog door naar Parijs en glipte het Elysée binnen om Charles de Gaulle op de hoogte te brengen. De Fransman vroeg of hij gekomen was om hem te informeren of te raadplegen. Acheson zei: 'We moeten hier heel duidelijk over zijn. Ik ben gekomen om u te informeren over een beslissing die hij heeft genomen.' De Franse president zei dat hij de foto's niet hoefde te zien: een 'grote mogendheid' ondernam geen stappen als er 'enige twijfel over het bewijsmateriaal' was.

In Gettysburg kreeg Eisenhower een telefoontje van Kennedy, die hem vertelde over de toespraak die voor die avond gepland stond. De generaal antwoordde dat hij zonder 'alle achtergrondkennis uit archieven en verbindingen en internationale gesprekken' geen advies kon bieden, maar dat hij zijn steun zou geven aan iedere beslissing van de regering.

De president zei te hopen dat prominente Republikeinen de crisis niet tot 'een partijpolitieke kwestie' zouden maken. Eisenhower was 'er zeker van dat zij dat niet zullen doen'.

In Moskou werd kolonel Oleg Penkovski gearresteerd. Hij had anderhalf jaar lang duizenden bladzijden van topgeheime Sovjetdocumenten doorgespeeld aan de Engelse en Amerikaanse inlichtingendiensten. Richard Helms zei later: 'Ik kan me nog heel goed herinneren dat er een vergadering gepland stond met Penkovski. We hoorden steeds maar niets en ik begon me daar echt vreselijk zorgen over te maken, dus ging ik naar McCone. [...] Ik stormde bij hem naar binnen en zei: "Volgens mij ziet het ernaar uit dat we Penkovski kwijt zijn."'

Dat de Russen de westerse agent juist nu moesten arresteren, na hem maanden lang in de gaten te hebben gehouden, kwam niet als een verrassing. Tijdens het rakettenconflict kon het Kremlin het zich niet veroorloven om een verrader op een plek te houden waar hij het Sovjetdoel meer schade kon berokkenen. McCone beschouwde de arrestatie strikt als een bedrijfskwestie binnen de inlichtingendienst en sprak er niet over met zijn collega's bij Ex Comm.

Als Penkovski een jaar eerder was gearresteerd, dan zouden de Amerikanen niet in staat zijn geweest om zo snel vast te stellen dat de U-2-foto's MRBM's en IRBM's lieten zien. Zonder de informatie die Penkovski naar het Westen smokkelde, zo herinnerde Helms zich, 'zou de president voor een uiterst moeilijke beslissing hebben gestaan, omdat hij niet wist of hij enkele dagen kon wachten. Misschien waren ze wel direct lanceerbaar. Hoe moet hij dat verdomme te weten komen? De inlichtingendienst gaf hem de tijd die hij nodig had.'[1]

Op maandagmiddag wandelde Robert Kennedy met zijn jas over zijn schouder van zijn ministerie naar het Witte Huis voor een vergadering van de Nationale Veiligheidsraad die om drie uur zou beginnen. De voorafgaande week had hij het zo druk gehad dat toen een medewerker binnenkwam met documenten die de minister van Justitie moest ondertekenen, hij hem erop moest attenderen dat zich 'een menselijk wezen in de kamer' bevond. De medewerker zei: 'Er is hier iets veranderd.' Kennedy antwoordde: 'Ik ben ouder geworden.'

Na een korte zwempartij en lunch met Jacqueline kwam de president de Cabinet Room binnen. Hij vertelde zijn mannen dat een blokkade 'een bijzonder moeilijke weg' zou gaan worden, 'en we zullen nooit weten of dit de juiste weg is. [...] Een luchtaanval is verlokkelijk en tot gisterochtend had ik daar nog hoop op.' Zolang ze niet er zeker van konden zijn dat alle raketten zouden worden vernietigd, zou een blokkade 'veel minder waarschijnlijk een nucleaire reactie uitlokken'.

Het plaatsen van raketten buiten de Sovjet-Unie was een 'drastische wijziging' in het Sovjetbeleid. Als hij geen stappen ondernam tegen de raketten, dan zouden de Russen kunnen denken dat hij dat ergens anders, met name in Berlijn, ook niet zou doen. 'Het zou tot ernstige problemen leiden in Latijns Amerika, waar men het idee zou krijgen dat het machtsevenwicht op dit halfrond zich in ons nadeel keerde en dat de Russen zich onder onze neus konden laten gelden.' Er was 'een groot verschil' tussen de raketten op Cuba en die in Turkije en Italië: 'Die van ons zijn bedoeld om het machtsevenwicht in Europa te herstellen. [...] Maar wat er op Cuba gebeurt, is iets heel anders – een provocerende veran-

---

1. Raymond Garthoff, een van de CIA-mannen die Penkovski's vangst analyseerden, schreef in 1987 dat een geheime CIA-functionaris die met deze zaak was belast, hem in 1962 vertelde dat Penkovski bij zijn arrestatie een vooraf afgesproken telefonisch signaal had verzonden naar zijn westerse collega's om hen te waarschuwen voor een dreigende Sovjetaanval: 'Gelukkig besloten zijn westerse inlichtingenagenten op operationeel niveau, na dit dilemma van grote verantwoordelijkheid te hebben afgewogen, geen geloof te hechten aan Penkovski's signaal en ze onderdrukten het. Zelfs de hoge echelons bij de CIA werden niet op de hoogte gesteld van Penkovski's provocerende afscheid.' Garthoff schreef dat hij het bericht niet kon bevestigen, maar geloofde dat het waar was. In 1988 vertelde Helms de schrijver van dit boek dat hij sceptischer was.

dering in de kritieke status-quo op dit halfrond. [...] De absolute geheimzinnigheid van deze operatie en de pogingen om die geheimzinnigheid te bewaren, zelfs door Chroesjtsjov persoonlijk, stellen ons voor een duidelijk gevaar dat we niet kunnen negeren. [...] De volgende zet is aan de Russen.'

Fidel Castro verklaarde later dat hij werd gealarmeerd door de 'ontwikkelingen in Washington, de bijeenkomst, de speciale vergaderingen. [...] We begrepen instinctief dat er iets stond te gebeuren. We roken het.'
Die middag mobiliseerde hij 270.000 Cubanen ter voorbereiding op de Noordamerikaanse invasie die volgens hem ieder moment kon beginnen. Zijn chef-staf van het leger, Sergio del Valle, schatte dat er aan hun kant meer dan honderdduizend slachtoffers zouden vallen. Maar hij benadrukte dat het Cubaanse volk 'bereid is te sterven voor de revolutie'. Zij waren 'volkomen vastberaden om tot de laatste man te vechten'.

Om half zes opende Kennedy de vergadering met zeventien Congresleiders. Tegen Everett Dirksen uit Illinois, voorzitter van de Republikeinse Senaatsfractie, zei hij: 'Vanavond word je herkozen.' Dirksen wist dat toen de president naar Washington was teruggeroepen hij een speech had gehouden voor zijn tegenstander: 'Dat was een aardige speech die u hield voor Sid Yates in Chicago. Jammer dat u daar die verkoudheid opliep.'
Aan de opgewekte sfeer kwam abrupt een einde toen Kennedy de aanwezigheid van raketten op Cuba bekendmaakte: 'Wel verdraaid, dat grenst aan mijn staat,' riep George Smathers uit. 'Daar wisten we helemaal niets van!'
In tegenstelling tot zijn collega's was Senator Richard Russell al op de hoogte van de raketten. Voordat hij naar Georgia was vertrokken, had hij het Witte Huis verzocht om informatie over Cuba. Bundy had de president gewaarschuwd dat het 'erg slecht voor hem [zou zijn] om met een onvolledig beeld naar huis terug te gaan nadat hij om een briefing heeft verzocht'. De president liet Lyndon Johnson het geheim aan zijn oude vriend toevertrouwen tijdens een autoritje langs de Potomac.
Nu, terwijl Kennedy zijn quarantaineplan beschreef, krabbelde Russell: 'Chroesjtsjov meent wat hij zegt – wij zijn bang.' Toen de president stil viel, zei Russell dat hij zijn hart wilde luchten. Een blokkade was een 'halve maatregel. [...] Als we de communisten hier ongestraft hun gang laten gaan, dan maken ze het ons de rest van ons leven heel lastig.' Waarom konden ze 'Cuba [niet] binnenvallen, de raketten daar weghalen en tegelijkertijd de heer Castro verwijderen en een nieuwe, een andere regering installeren?'
Johnson was het er duidelijk mee eens, maar durfde zich er niet openlijk voor uit te spreken. Robert Kennedy merkte dat de vice-president 'kwaad met zijn hoofd schudde' toen zijn broer de quarantainemaatregel verdedigde.
De president stond perplex toen Fulbright verklaarde dat een blokkade de verkeerde beslissing was. Volgens hem was een invasie 'minder provocerend en zou die minder snel tot een oorlog met Rusland leiden'.
Kennedy deed zijn uiterste best zijn woede te beheersen, keek naar zijn buik en trommelde op zijn armleuning. Hij zei tegen Fulbright: 'Jij bent voorstander van een *invasie* van Cuba? Jij en Senator *Russell*? [...] Afgelopen dinsdag was ik zelf ook voor een luchtaanval of een invasie, maar na nog eens vier dagen van

438

zorgvuldig overleg, kwamen we tot de conclusie dat dit als eerste stap niet de verstandigste maatregel was. Als u meer tijd zou hebben om erover na te denken, zoudt u ook tot die conclusie komen.'

Naast de twee Democratische Senatoren die openlijk van mening verschilden, klaagden anderen dat de quarantaine te langzaam en onbeduidend was ten opzichte van de omvang van het gevaar. Sommigen zeiden dat ze de president publiekelijk zouden steunen, maar alleen omdat dit een gevaarlijke tijd was. Een paar seconden praatte iedereen door elkaar. Dirksen en Halleck vertelden de president dat ze hem zouden steunen, maar net als De Gavile stonden ze erop dat uit de notulen zou blijken dat ze op de hoogte waren gesteld en niet geraadpleegd.

Kennedy wandelde met O'Donnell terug naar de privé-vertrekken om zich om te kleden voor zijn toespraak. Hij dreef de spot met de Congresleiders en zei met een hoog stemmetje: 'Ach natuurlijk steunen wij u, meneer de president. Maar [...] als het verkeerd loopt, slaan we u de hersens in.' Later zei hij: 'Het probleem is dat wanneer je een groepje Senatoren bijeenroept, ze altijd worden gedomineerd door degene die zich het hardst en het sterkst opstelt. [...] Nadat Russell zijn zegje had gedaan, wilde niemand met hem in discussie.'

Dean Rusk betreurde het dat hij vooraf niet minstens een paar leiders had geraadpleegd: 'Als je de Congresleiders twee of drie uur voor een belangrijke toespraak bij elkaar zet [...] die een belangrijke crisis zou veroorzaken, dan is de enige vraag die je hun nog kan stellen: "Bent u bereid uw land te steunen in geval van een crisis?"'

De meeste leiders hadden geen aanmerkingen op Kennedy's ongerustheid over lekken, maar de bittere herinnering aan het feit dat ze gedurende de eerste week van de rakettencrisis genegeerd werden, kan een invloed zijn geweest die leidde tot de *War Powers Act*. Deze werd in 1973 door het Congres tot wet verheven om meer gezag te krijgen over de besluitvorming in tijden van buitenlandse crises.[1]

Terwijl de president voor zijn televisieoptreden een blauw overhemd aantrok, merkte Sorensen dat hij door zijn ruzie met de Congresleden vermoeider leek dan in de week dat hij zich het hoofd moest breken over Cuba. Kennedy zei: 'Als ze deze baan willen, dan bekijken ze het maar. Van mij mogen ze. Ik beleef er geen lol meer aan.'

Er kwam een boodschap van Harold Macmillan waarin deze de president waarschuwde voor Sovjetrepresailles tegen Berlijn en de 'zwakkere delen van het defensiesysteem van de Vrije Wereld'.

Rusk ontbood Dobrynin op het ministerie van Buitenlandse Zaken en overhandigde hem een kopie van de presidentiële toespraak. De ambassadeur was door zijn regering niet op de hoogte gesteld van de raketten en zei: 'Dit wordt verschrikkelijk.'[2]

1. Gerald Ford, die tot de Congresleiders behoorde die niet werden geraadpleegd in die eerste week van de rakettencrisis, zei in 1990: 'Degenen onder ons die onder de oude regels functioneerden, denken dat die beter waren dan waar we vandaag de dag mee te maken hebben.' Als president vond Ford dat de *War Powers Act* moest worden afgeschaft.
2. Tijdens een conferentie over de rakettencrisis in Moskou in januari 1989, waar Amerikaanse, Russische en Cubaanse functionarissen en wetenschappers aanwezig waren, merkte Dobrynin op dat hij niet op de hoogte was gesteld. Gromyko zei: 'Wat, Anatoli Fjodorovitsj, bedoelt u dat ik u, de ambassadeur, niet over de raketten op Cuba heb verteld?'
Dobrynin: 'Nee, u hebt het me niet verteld.'
Gromyko: 'Nou, dan moet het wel een heel groot geheim geweest zijn!' [Gelach]

Rusk merkte dat 'Dobrynin tijdens ons gesprek tien jaar ouder leek te worden. Het had werkelijk een fysiek effect op hem, omdat hij zich realiseerde dat dit een ernstige crisis zou worden. Ik hield hem niet te lang op, omdat ik wilde dat hij het zou doorseinen naar Moskou.'

Toen Dobrynin uit het ministerie van Buitenlandse Zaken te voorschijn kwam, zag een verslaggever dat hij 'een asgrauw gezicht had en er zichtbaar geschokt uitzag'. Toen hem werd gevraagd of een crisis op uitbreken stond, antwoordde hij: 'Wat denkt u?' Hij zwaaide met de manilla-envelop van Rusk en liet zich in zijn limousine zakken.

In Moskou ontving Kohler een telegram van Rusk: 'De volgende boodschap van de president moet een uur voordat de president zijn toespraak houdt worden afgegeven bij het ministerie van Buitenlandse Zaken om aan Chroesjtsjov te worden overgedragen.'

Kennedy's boodschap was voor het grootste gedeelte opgesteld door Thompson en opende niet met het gebruikelijke: 'Geachte meneer de Secretaris-Generaal,' maar slechts met het onhoffelijke: 'Meneer.' Hij had geschreven dat zijn grootste zorg was geweest dat Chroesjtsjovs regering de Amerikaanse wilskracht niet zou begrijpen: 'Ik heb niet verondersteld dat u of welke andere verstandige man dan ook de wereld, in dit atoomtijdperk, opzettelijk in een oorlog zou verwikkelen. Het is glashelder dat niet één land een dergelijke oorlog zou kunnen winnen en dat het alleen maar zou ontaarden in catastrofale gevolgen voor de gehele wereld, inclusief de agressor.'

Sinds de Weense top had hij gewaarschuwd dat de Verenigde Staten 'elke handeling van uw kant die het bestaande, algemene machtsevenwicht in de wereld in belangrijke mate zou verstoren, niet konden tolereren'. Nu was hij 'vastbesloten' om de bedreiging op Cuba weg te nemen: 'Tegelijkertijd wil ik naar voren brengen dat de stappen die wij ondernemen de hoogst noodzakelijke zijn. [...] Ik hoop dat uw regering zich onthoudt van enigerlei stappen die deze toch al ernstige crisis zouden verbreden of verdiepen en dat wij kunnen overeenkomen weer op het pad van vreedzame onderhandelingen verder te gaan.'

De ambtenaren van het Sovjetministerie van Buitenlandse Zaken sliepen niet meer de hele dag uit en werkten niet langer de hele nacht door, zoals ze ooit hadden gedaan om gelijk op te lopen met Stalin. Lang voor zonsopgang bracht Richard Davies die dinsdag volgens afspraak de boodschap van de president tot aan de grote, dubbele glazen deuren van het ministerie van Buitenlandse Zaken. Geschrokken zei een jonge Russische officier: 'U hebt vast slecht nieuws voor ons.' Davies zei: 'Dat moeten jullie zelf bepalen.'

Om vijf voor zeven 's avonds wandelde Kennedy langs Salinger en andere medewerkers, journalisten, lampen, camera's en kabels naar zijn scheepsbureau dat bedekt was met canvas en afplaktape. Ingesnoerd in zijn korset liet hij zich mechanisch met een kaarsrechte rug op twee kussens zakken. Zijn gezicht was magerder dan anders, met donkere kringen rond de ogen en diepe rimpels in zijn voorhoofd.

Om zeven uur liep Evelyn Lincoln met een haarborstel naar hem toe. Toen de televisieomroeper begon te spreken, gebaarde hij haar opzij te gaan. De president tuurde in de lens van de camera, vervolgens naar beneden op zijn tekst en

begon aan wellicht de belangrijkste toespraak van de Koude Oorlog:
'Goedenavond, medeburgers. Deze regering heeft, zoals beloofd, het strengste toezicht gehouden over de Russische militaire opbouw op het eiland Cuba. In de afgelopen weken hebben we onmiskenbaar bewijsmateriaal verzameld waaruit blijkt dat er op dit ingesloten eiland momenteel een reeks terreinen voor aanvalsraketten in voorbereiding is.' Hun doel: een 'nucleaire aanvalsmacht tegen het westelijk halfrond'.

De Verenigde Staten hadden middellange-afstandsraketten ontdekt die 'het vermogen hebben Washington D.C., het Panamakanaal, Mexico-Stad of iedere andere grote stad in het zuidoosten van de Verenigde Staten, in Midden-Amerika of in het Caribische gebied aan te vallen'. Andere, nog in aanbouw zijnde, bases leken te zijn ontworpen om middellange-afstandsraketten te stationeren die doelen 'in het noorden tot aan de Hudsonbaai, Canada en in het zuiden tot aan Lima, Peru' konden vernietigen.

Dit was 'een uitgesproken bedreiging voor de vrede en veiligheid van alle Amerikaanse staten', die in strijd was met de traditie, het Pact van Rio van 1947[1], de september-resolutie van het Congres, het Handvest van de Verenigde Naties en zijn persoonlijke publiekelijke waarschuwingen van 4 en 13 september.[2]

De omvang van de opbouw bewees 'dat de Sovjets al enkele maanden met de planning bezig zijn geweest'. Vorige maand nog had de Sovjetregering verklaard dat ze 'geen behoefte' had haar raketten buiten de Sovjet-Unie te stationeren. 'Die verklaring was *vals*.' Op donderdag had Gromyko 'mij in mijn kantoor verteld dat hij de opdracht had gekregen om nog eens duidelijk te maken dat de Sovjethulp aan Cuba – en ik citeer – "uitsluitend tot doel heeft een bijdrage te leveren tot de defensiecapaciteit van Cuba". [...] Die verklaring was ook *vals*.'[3]

Geen natie kon deze 'welbewuste misleiding en agressieve dreigementen' tolereren. 'Kernwapens zijn zo verwoestend en ballistische raketten zijn zo snel, dat iedere belangrijk toegenomen kans op gebruik ervan of iedere onverwachte verandering in hun opstelling beschouwd zou kunnen worden als een ondubbelzinnige bedreiging van de vrede.' Jarenlang hadden de Verenigde Staten en de Sovjet-Unie 'de hachelijke status-quo die garandeerde dat deze wapens bij afwezigheid van een vitale uitdaging niet gebruikt zouden worden' niet verstoord. Er waren nooit Amerikaanse raketten verzonden naar een ander land 'onder een dekmantel van geheimzinnigheid en misleiding'.

1. Het Interamerikaanse Verdrag van Wederzijdse Steun van 1947 verenigde de Verenigde Staten met Latijns-Amerikaanse landen in gemeenschappelijk belang tegen agressie, inclusief 'een agressieve daad die geen gewapende aanval is'.
2. Het toevoegen van verwijzingen naar traditie, het Pact van Rio en het Handvest van de Verenigde Naties hielp de publieke aandacht af te leiden van het feit dat de president zijn eerste waarschuwing voor aanvalsraketten op Cuba niet eerder dan in september had geuit.
3. Sorensen had profijt gehad van Roosevelts boodschap aan het Congres waarin hij na Pearl Harbor verzocht om een oorlogsverklaring. Roosevelt zei: 'De afstand van Hawaii naar Japan bewijst dat de aanval vele dagen of zelfs weken geleden met voorbedachten rade was beraamd. In de tussenliggende periode heeft de Japanse regering met opzet getracht de Verenigde Staten te misleiden met valse verklaringen en uitingen van hoop op voortdurende vrede.'

Maar deze 'geheime, snelle en uitzonderlijke opbouw', in een regio 'waarvan algemeen bekend is dat ze een speciale en historische relatie onderhoudt met de Verenigde Staten', deze 'plotselinge, in het geniep genomen beslissing om voor het eerst buiten de Sovjet-Unie strategische wapens te stationeren', was 'een opzettelijk provocerende en ongerechtvaardigde verandering in de status-quo die ons land niet kan toestaan als we willen dat vriend of vijand in de toekomst vertrouwen blijft houden in onze moed of onze beloften'. Amerika's 'onwrikbare doelstelling' moest zijn het gebruik van de raketten te voorkomen en hun verwijdering van dit halfrond zeker te stellen.

Kennedy kondigde zijn '*eerste*' stappen aan. (In zijn officiële tekst stond het woord gecursiveerd.) 'Om deze offensieve opbouw te stoppen, wordt een strikte quarantaine ingesteld op alle scheepszendingen van militaire aanvalsinstallaties naar Cuba. Alle soorten schepen met bestemming Cuba die afkomstig zijn van ongeacht welke natie of haven, worden teruggestuurd als blijkt dat hun lading offensieve wapens bevat.'[1]

Cuba zou nog 'strenger onder toezicht' komen te staan. Mocht de militaire opbouw doorgaan, dan 'heb ik de strijdkrachten opgedragen zich op het ergste voor te bereiden'.[2] Iedere raket die vanaf Cuba zou worden afgevuurd richting een land op het betreffende halfrond, zou 'een volledige vergeldingsactie tegen de Sovjet-Unie' teweegbrengen. Guantánamo zou worden versterkt. De Verenigde Staten zouden verzoeken indienen om onmiddellijk de vergaderingen van de Organisatie van Amerikaanse Staten en de Verenigde Naties bijeen te roepen.

'Ik doe een beroep op Secretaris-Generaal Chroesjtsjov om deze geheime, roekeloze en provocerende bedreiging van de wereldvrede en van de stabiele betrekkingen tussen onze landen een halt toe te roepen en deze te verwijderen. Ik doe verder een beroep op hem om deze koers van wereldheerschappij op te geven en zich te scharen in een historische poging om de levensgevaarlijke wapenwedloop te beëindigen en de geschiedenis van de mensheid te veranderen.'[3]

1. Een passage die geschrapt is uit de definitieve tekst die Sorensen op 20 oktober opstelde, luidt: 'Ik wil duidelijk stellen dat deze blokkade niet alleen de voltooiing van de huidige offensieve opbouw op Cuba zal verhinderen. Het zal de Sovjet-Unie ook dwingen te kiezen tussen ofwel het bevechten van de Amerikaanse marine in Amerikaanse wateren, ofwel het opzeggen van haar verplichtingen jegens de heer Castro.'
2. Douglas Dillon had een vergeefse poging ondernomen om hier een regelrecht dreigement in te lassen: 'Tenzij op staande voet wordt afgezien van offensieve militaire voorbereidingen, zal een militaire actie nodig zijn om ze te elimineren.'
3. In Sorensens ruwe tekst van 20 oktober verzocht Kennedy Chroesjtsjov om een topconferentie, ogenschijnlijk om de raketten te bespreken: 'Ik verzoek Secretaris-Generaal Chroesjtsjov, die binnenkort naar New York komt voor de Algemene Vergadering van de Verenigde Naties, om bij de eerste gelegenheid een ontmoeting met mij te hebben met betrekking tot deze provocerende bedreiging van de wereldvrede. [...] Maar we zullen niet onderhandelen met een geweer tegen ons hoofd – een geweer dat zowel onschuldige Cubanen als Amerikanen in gevaar brengt. Ons gezegde luidt: "Onderhandelingen ja, intimidatie nee."'
Dillon had een aanvullende passage aanbevolen die uiting gaf aan de persoonlijke teleurstelling van de president in Chroesjtsjov, met als leidraad diens eigen verklaringen aan het adres van Eisenhower ten tijde van de U-2-episode. Dillon adviseerde: 'Op dit mo-

'Hij heeft nu de gelegenheid om de wereld van de afgrond van vernietiging te redden door terug te keren naar de woorden van zijn eigen regering dat ze geen *behoefte* heeft om buiten haar eigen grondgebied raketten te installeren en door deze wapens uit Cuba terug te trekken. Verder moet hij zich onthouden van iedere maatregel die de huidige crisis kan verbreden of verdiepen en meezoeken naar vreedzame en permanente oplossingen.' De president waarschuwde voor alle 'vijandige stappen' daar waar de Verenigde Staten verplichtingen hadden – met name tegen 'de moedige bevolking van West-Berlijn'.

Hij liet blijken hoe lang hij dacht dat de rakettencrisis zou gaan duren toen hij waarschuwde dat 'vele maanden van opoffering en zelfdiscipline in het verschiet liggen. [...] Ons doel is niet het zegevieren van de macht, maar de rechtvaardiging van het recht. [...] Zo God het wil, zal dat doel worden bereikt.¹ Dank u wel en goedenavond.'

Om dertien minuten voor half acht doofden de lampen. Kennedy zei: 'Nou, dat is het dan, tenzij die klootzak alles in de war stuurt.'

Jaren later zei Bundy: 'We voelden ons in ieder geval niet zo goed als die speech klonk.' Achteraf gezien vroeg hij zich af of de taal die de president had gebezigd niet hoogdravend, pretentieus en uitermate enerverend was geweest.²

De toespraak was hoogstwaarschijnlijk de meest verontrustende die ooit door een Amerikaanse president was gehouden. Ze vertoonde overeenkomsten met het taalgebruik en het metrum van Franklin Roosevelts boodschap na Pearl Harbor. Deze was echter bedoeld geweest om de Amerikaanse bevolking gerust te stellen. Die van Kennedy diende om haar angst aan te jagen. Roosevelts boodschap was geschreven om de Amerikanen opnieuw te verzekeren dat de oorlog gewonnen zou worden. Zelfs zonder die toespraak had Pearl Harbor er al voor gezorgd dat het land als één man achter de oorlogsinspanning stond. Kennedy wist dat de raketten op Cuba geen aanleiding gaven tot zo'n ondubbelzinnige uitleg als de aanval op Hawaii.

Ontleend aan de retorische traditie van zijn eerste *State of the Union* was Kennedy's toespraak opgesteld om de aandacht af te leiden van zijn persoonlijke opvatting dat de raketten het Russische militaire gevaar niet serieus vergrootten en van het feit dat hij Chroesjtsjov veel te laat had gewaarschuwd tegen de raketten.³ Hij wist dat een minder onheilspellende toespraak niet zo succesvol zou zijn

ment moet er geen definitieve beslissing worden genomen omtrent een ontmoeting tussen de president en C. bij de Verenigde Naties als hij komt. Hij zou wel eens kunnen weigeren hem te ontmoeten. Mijn oorspronkelijke gedachte ging uit naar een ontmoeting met C. *nadat* we de bases hadden verwijderd, wat iets heel anders is dan een gesprek *voor* zo'n actie waarbij raketten op onze kelen gericht staan.'

1. Sorensens ruwe versie van 20 oktober meldde botweg: 'Ik zeg u derhalve dat die raketten op Cuba op een dag weg zullen zijn – en er zullen geen andere voor in de plaats komen.' De president heeft het wellicht verstandiger gevonden om niet met zo'n ondubbelzinnige verklaring te komen die later gebruikt zou kunnen worden door zijn politieke tegenstanders in eigen land.

2. Hoewel Bundy ook zei dat hij 'niet één openbaar document uit het atoomtijdperk [kende] dat oprechter verslag deed van een belangrijke koers door een president en van de redenen voor zijn keuze'.

3. In de toespraak verwees Kennedy naar zijn waarschuwingen van september, maar hij legde het accent op de schending van de veiligheid van het halfrond, het Pact van Rio,

geweest bij het verkrijgen van steun van de Amerikanen en in het verlagen van de 'binnenlandse politieke druk' die hij verwachtte nadat bekend werd dat Keating toch gelijk had gehad over de raketten op Cuba.

In de 'oorlogskamer' van het Pentagon gloeiden spookachtige gekleurde lampjes op de uitgestrekte muurkaart op. Ze gaven aan dat bevelhebbers overal ter wereld Kennedy's bevel opvolgden om voor het eerst sinds de Koreaanse oorlog alle belangrijke Amerikaanse onderdelen in staat van paraatheid te brengen.

Een officiële Cubaanse woordvoerder noemde de blokkade 'niet alleen een oorlogsdaad, maar een uitdaging voor tragische wereldgebeurtenissen'. Bijna iedere belangrijke Britse krant vroeg zich af of de president niet te sterk reageerde: de Britse Eilanden lagen al jaren lang in het schootsveld van de Russische middellange-afstandsraketten. De pacifistische Britse filosoof Bertrand Russell stuurde aan Kennedy een telegram: 'Uw maatregel wanhopig […] geen denkbare rechtvaardiging.' Hij stuurde Chroesjtsjov ook een telegram: 'Uw voortdurende geduld is onze enige hoop.'[1]

De meeste Amerikanen schaarden zich achter hun president. Eugene Patterson schreef in de *Atlanta Constitution*: 'We zijn nu beland bij een directe confrontatie die de zelfbeheersing van Amerika op de proef zal stellen.' *Time* voorspelde dat Kennedy's 'vastberadenheid een van de doorslaggevende ogenblikken van de twintigste eeuw' kon blijken te zijn.

Ondanks zijn persoonlijke verzet tegen de blokkade schreef Richard Russell aan een kiezer dat 'alle goede Amerikanen van plan zijn onze opperbevelhebber te steunen'. De oude diplomaat Adolf Berle, die samen met Franklin Roosevelt de invasie van Polen en Pearl Harbor had meegemaakt, schreef in zijn dagboek: 'God, sta ons allen bij.'

Barry Goldwater noemde Kennedy's maatregel 'welkom maar laat'. Hugh Scott klaagde dat niets van wat de president had gezegd 'de vijfduizend Russen en een half miljoen ton militaire voorraden van Cuba' zouden verwijderen.[2] De Republikeinse voorzitter, William Miller, verzocht de Amerikanen te 'bidden' dat Kennedy niet zou worden geleid door 'dezelfde bedeesdheid en besluiteloosheid die de Varkensbaai tot mislukken doemde'. De Harvard *Crimson*, waarvoor Kennedy ooit artikelen had geschreven, klaagde over zijn 'krankzinnige afwijzing' van diplomatieke stappen.

Kenneth Keating verklaarde dat de presidentiële toespraak 'Cuba uit de politieke sfeer genomen' had. Richard Nixon zag zijn campagne in Californië in rook opgaan: 'Nu wist ik hoe Stevenson zich moet hebben gevoeld toen de Suezcrisis en de Hongaarse opstand uitbraken vlak voor de verkiezingen in 1956.'

Amerikaanse traditites, de Congresresolutie over Cuba, het Handvest van de Verenigde Naties en Chroesjtsjovs en Gromyko's 'welbewuste misleiding' en gebruik van een 'deken van geheimzinnigheid'. Hij merkte op dat Amerikanen zich hadden 'aangepast' aan de Russische intercontinentale raketten en aan raketten die vanaf zee werden gelanceerd, maar dat de raketten op Cuba het 'reeds duidelijk aanwezige gevaar' vergrootten.

1. Kennedy antwoordde dat Russell zijn aandacht 'beter op de inbreker kon richten in plaats van op degenen die de inbreker betrapten'.
2. Hoe zou Scott hebben gereageerd als hij geweten had dat er meer dan veertigduizend Russen op Cuba waren?

Een schoolmeisje uit Massachusetts schreef aan een vriendin: 'Kun jij het je voorstellen? Nooit meer Kerstmis, Thanksgiving, Pasen, een verjaardag, dansfeest of zelfs Halloween. [...] We zijn gewoon te jong om te sterven.'[1]

Iemand uit Georgia schreef aan Kennedy: 'Godzijdank lijkt u eindelijk de goede richting in te slaan. [...] Waar ik niets van begrijp, is uw schijnbare verbolgenheid dat Chroesjtsjov heeft gelogen tegen u. [...] Nou, verder verbaast niemand zich over hem. [...] Het moet toch wel een bijzonder bittere gedachte voor u zijn om zich nu te realiseren dat deze militaire opbouw op Cuba niet mogelijk was geweest als u de Cubaanse invasie bij de Varkensbaai niet had laten mislukken. Ach, misschien zult u nu iets leren en luisteren, voordat het voor altijd te laat is.' In Madison Square Garden stonden achtduizend leden van de Conservatieve Partij de president uit te jouwen en te brullen: 'Vecht! Vecht! Vecht!'

In Moskou was Chroesjtsjov verbaasd en kwaad. Volgens Mikojans zoon, Sergo, was de eerste opwelling van de Secretaris-Generaal het bevel te geven voor een bestorming van de blokkadegrens en tot opvoering van het werk aan de raketbases. De vice-premier waarschuwde hem voor overhaaste stappen.

Op dinsdag om tien over drie 's middags, Moskouse tijd, ontbood Koeznetsov Kohler op het ministerie van Buitenlandse Zaken en overhandigde hem een brief van Chroesjtsjov aan Kennedy. Hij beschimpte de quarantaine als een 'ernstige bedreiging van de vrede' en een 'grove schending' van het Handvest van de Verenigde Naties. De 'vrijheid van scheepvaart op volle zee' werd geschonden. De 'wapens die zich nu op Cuba bevinden, zijn, ongeacht de categorie waartoe ze behoren, uitsluitend bedoeld voor defensieve doeleinden om de Cubaanse Republiek te beveiligen tegen aanvallen door een agressor'. De president moest zijn maatregelen 'intrekken'.

Koeznetsov overhandigde Kohler ook een kopie van een officiële Sovjetverklaring die Radio Moskou om vier uur zou uitzenden. Hierin werd de Sovjetbevolking op de hoogte gesteld van het feit dat Kennedy een 'zeeblokkade' opwierp tegen Cuba en dat de Amerikaanse strijdkrachten 'gevechtsklaar' werden gemaakt, maar er werd niet gezegd dat deze maatregelen een reactie waren op de installatie van Sovjetraketten op Cuba.

Chroesjtsjov wilde wellicht de installatie van de raketten verborgen houden voor zijn volk om te voorkomen dat het verontwaardigd zou zijn ingeval de raketten zouden moeten worden verwijderd. Het verzwijgen van de raketten hielp Moskou ook bij het afschilderen van de presidentiële maatregelen als pure agressie.

Zowel Chroesjtsjovs brief als zijn verklaring toonden aan waarom hij in het openbaar en in vertrouwelijke kring zo voorzichtig was geweest om de opbouw op Cuba een defensief karakter te geven. Tegen de latere opinie in dat hij zich nooit had voorbereid op de mogelijkheid dat de president de raketten zou kunnen ontdekken en dit zou aankondigen voordat hij dat zelf deed, had hij waarschijnlijk verondersteld dat hij nu kon beweren dat Amerika brute kracht gebruikte om 'het kleine Cuba' te ontdoen van hetzelfde soort landsverdediging

---

1. Frazier Cheston, president van de *National Association for Mental Health*, gaf Amerikaanse ouders het advies de crisis niet te verbergen voor hun kinderen: 'Volwassenen kunnen een beeld schetsen van vrijheid en goed versus slavernij en kwaad, en ze kunnen uitleggen dat geen inspanning te groot is om de weg van de vrijheid te beschermen.'

dat het Westen had geleverd aan de Turken en Italianen: laat de wereld Kennedy aanwijzen als de schender en hem dwingen de blokkade op te geven.

In tijden van Koude-Oorlogconflicten als de Suezcrisis, de U-2-affaire en de Varkensbaai had Chroesjtsjov alleen toegegeven aan zijn voorliefde voor pittige retoriek als er weinig kans was dat de situatie tot aan het randje van een atoomoorlog kon komen. Uit het ontbreken in beide Sovjetboodschappen van provocerend taalgebruik en persoonlijke aanvallen op Kennedy (hoewel Kennedy's dreigement van vergelding voor een atoomaanval in de verklaring 'hypocrisie' werd genoemd) bleek dat de Secretaris-Generaal de situatie beheersbaar probeerde te houden.

Beide documenten schilderden de maatregelen van de president in de eerste plaats af als een probleem tussen de Verenigde Staten en Cuba. Misschien dachten de Russen dat indien ze later zouden moeten terugkrabbelen, dit met veel minder gezichtsverlies gepaard zou gaan onder het verzinsel van het oplossen van een conflict tussen de Verenigde Staten en een derde land – niet eens een land dat tot het Warschaupact behoorde – dan dat het leek alsof ze zich moesten terugtrekken uit een regelrechte confrontatie tussen de beide grootmachten.

Het Sovjetblok kondigde een militair alarm af, maar dit hield hoofdzakelijk gematigde en symbolische maatregelen in zoals het terugroepen van afzwaaiers en het intrekken van verloven. Sovjetstrijdkrachten werden niet gehergroepeerd of in verhoogde staat van paraatheid gebracht. Het ministerie van Buitenlandse Zaken wees het Witte Huis erop dat 'de Russische reactie tot nu toe een hoge mate van voorzichtigheid suggereert en impliceert dat de Sovjet-Unie wellicht uit voorzorg de achterdeur openhoudt om het gevaar van een algemene oorlog naar aanleiding van Cuba af te wenden'.

Op dinsdagavond verscheen Chroesjtsjov voor het eerst sinds de bekendwording van de rakettencrisis in het openbaar. Samen met Mikojan, Kozlov, Brezjnev en Roemeense gasten woonde hij een Amerikaanse uitvoering bij van *Boris Godoenov*, met Jerome Hines in de hoofdrol, in het Bolsjoi-theater. (Je kunt je afvragen wat er door het hoofd van de Secretaris-Generaal ging toen een edelman op het podium, die Chroesjtsjov heette, door boeren werd gegrepen en geslagen terwijl de anarchie zich verspreidde over Rusland.)

Als de Secretaris-Generaal de crisis had willen opstoken, dan zou hij een dergelijke Amerikaanse uitvoering hebben geboycot. Hij bezocht de voorstelling niet alleen, hij ging na afloop ook naar achteren waar hij een glas champagne hief en Mikojan een toost uitbracht op de cultuur en Amerikaanse vrouwen.

Die avond verklaarde Radio Moskou dat terwijl de Amerikaanse blokkade 'een piratendaad' was en 'een ongekende schending van het internationale recht', de Sovjetregering de Verenigde Staten kon verzekeren 'dat niet één enkele atoombom de Verenigde Staten zal treffen, tenzij er agressie wordt gepleegd'. Maar het werk aan de raketbases vorderde nog steeds gestadig. Sovjetschepen stoomden nog altijd op richting Cuba.

Kennedy ontwaakte dinsdagochtend in Washington. Hij was opgelucht dat de Sovjets geen bombardementen hadden uitgevoerd op de Jupiters in Turkije en Italië en de Dardanellen niet hadden afgegrendeld of de *Autobahn* hadden afgesloten.

446

Hij was diep ongerust geweest dat Chroesjtsjov Berlijn zou 'afsluiten'. Het stond in zijn geheugen gegrift dat Westberlijners een Russische blokkade nauwelijks langer konden overleven dan de Cubanen dat konden onder die van de Verenigde Staten. Weken later vond Ben Bradlee hem geobsedeerd door de vraag waarom Chroesjtsjov Berlijn niet afsloot, zoals hij in Wenen had gedreigd: de Secretaris-Generaal had 'het steeds maar weer gezegd. En waarom deed hij het niet?' Bundy was later van mening dat Kennedy en anderen 'die bang waren voor vergeldingsmaatregelen in Berlijn, te veel te rade gingen bij onze eigen zorgen en te weinig aandacht schonken aan het geduld dat de Sovjets hadden getoond'. Bundy geloofde dat de Berlijnse crisis een demonstratie was geweest van 'Chroesjtsjovs onwil om een oorlog te riskeren'.[1]

Toen de president een vergadering belegde met Ex Comm, waarschuwde McCone dat wanneer de Russen een soortgelijke blokkade rond West-Berlijn zouden opwerpen, de Westberlijners wellicht sneller zouden zwichten voor de druk dan de Cubanen.[2] Toch bespeurde Robert Kennedy 'een zekere lichtvaardigheid [...] beslist geen opgewektheid, maar misschien een gevoel van ontspanning. Wij hadden de eerste zet gedaan, het viel allemaal mee en we leefden nog.' Iedereen was het ermee eens dat als een van de U-2's, die herhaaldelijk foto-opnamen boven Cuba maakten, zou worden neergehaald, Amerikaanse bommenwerpers en gevechtstoestellen vervolgens een SAM-basis zouden moeten vernietigen, maar alleen na een duidelijk bevel van de president. Kennedy verzocht McNamara zich voor te bereiden op eventueel gebruik van geweld tegen Cuba: 'Ik wil geen tijd verspillen met voorbereidingen.'

De president en Rusk hadden gevreesd dat de OAS de blokkade niet zou goedkeuren, omdat er een twee derde meerderheid voor nodig was. Zonder deze sanctie zouden de Verenigde Staten het veel moeilijker krijgen om zich te verdedigen tegen de Sovjetbeschuldigingen van piraterij. Maar om kwart voor vijf in de middag gaven alle twintig leden hun goedkeuring.

1. Naast andere beweringen in zijn memoires stelde Chroesjtsjov: 'De Amerikanen wisten dat als er op Cuba Russisch bloed zou vloeien, er ongetwijfeld ook Amerikaans bloed zou vloeien in Duitsland.' We kunnen niet weten of dit al dan niet studeerkamergepoch was.
2. De CIA vond het onwaarschijnlijk dat Castro in een paar maanden ten val zou zijn gebracht, zelfs wanneer de Verenigde Staten alle scheepsladingen, met uitzondering van voedsel of medicijnen, zouden tegenhouden: 'Er zou veel verwarring en ontwrichting van het openbare leven ontstaan, maar [...] het regime zou naar alle waarschijnlijkheid in staat zijn een economische chaos te voorkomen en de bevolking te voorzien van haar basisbehoeften.' Terwijl Castro's economie tot stilstand kwam, kon de dictator ongetwijfeld de controle behouden door een nog groter beroep te doen op zijn geheime politie, die door de Sovjets werd getraind, en door het volk op te hitsen tegen de Noordamerikanen. Anti-Castrorevolutionairen binnen Cuba hadden weinig kans om stappen tegen hem te ondernemen, tenzij ze bewijzen zagen voor een op handen zijnde Amerikaanse invasie.
Mocht Chroesjtsjov beslissen tot een blokkade van West-Berlijn, zo voorspelde de CIA, dan zou de sector genoeg voedsel, brandstof, medicijnen en industriële grondstoffen hebben om te overleven en mensen aan het werk te houden voor een periode van vier tot zes maanden. Het was een psychologisch probleem: 'Een volledige en onbetwiste blokkade zou de Westberlijners binnen enkele weken van alle hoop beroven.' Zelfs al zouden de Verenigde Staten, net als in 1948, een luchtbrug op touw zetten, dan 'zou het moreel snel achteruitgaan bij gebrek aan een redelijke hoop op een Amerikaanse doorbraak van de blokkade'.

Ex Comm kwam om zes uur bij elkaar. De president keurde het door George Ball geschreven antwoord op Chroesjtsjovs brief goed: 'Ik hoop dat u onmiddellijk de noodzakelijke instructies zult versturen naar uw schepen om de voorwaarden van de quarantaine in acht te kunnen nemen [...] ze zal op 24 oktober om 14.00 uur Greenwich-tijd van kracht worden.' Bundy had er een laatste zin bij gekrabbeld: 'Wij zijn niet van plan uw opmars onder vuur te nemen' – maar hij schrapte deze.

De blokkade moest worden samengesteld uit zestien torpedojagers, drie kruisers, een vliegdekschip dat onderzeeërs kon bestrijden, en zes kleinere schepen die voor allerlei doeleinden konden worden ingezet. Verder werden er nog honderdvijftig in reserve gehouden. Aangezien aardolie, petroleum en smeerolie voorlopig nog niet van Cuba mocht worden geweerd, zouden alle Sovjettankers worden doorgelaten.

Kennedy zei dat wanneer een vaartuig weigerde te stoppen voor de blokkadegrens, de marine moest proberen te voorkomen dat het schip zou zinken en Sovjettroepen zouden sterven: schiet op het roer of de scheepsschroef. McNamara merkte op dat de marine een vijandig schip naar Jacksonville of Charleston kon slepen in plaats van aan boord te gaan.

De president was bang dat ze 'zich al deze inspanning [zouden] getroosten om er vervolgens achter te komen dat er babyvoeding aan boord is'. Hij beval de marine de hoogste prioriteit te geven aan het opsporen van Sovjetonderzeeërs die het Caribisch gebied binnenglipten en aan de bescherming van Amerikaanse vliegdek- en andere schepen.

's Avonds om zes minuten over zeven tekende hij gespannen het officiële document voor de quarantaine. Terwijl de flitslampjes ploften en spookachtige schaduwen op de muren van het Oval Office wierpen, moest de president tot drie keer toe vragen wat voor dag het was. Journalisten zagen dat hij niet zo'n weloverwogen kledingkeuze had gemaakt als anders. Een kant van zijn kraag stak uit over de revers; de pochet in zijn borstzak was niet zo gevouwen dat de initialen JFK zichtbaar waren. Iemand dacht dat Kennedy er voor de eerste keer in zijn leven ouder uitzag dan hij was.

Normaliter ondertekende de president een wetsontwerp met talrijke pennen, die hij dan uitdeelde aan de indieners. Deze keer tekende hij met één pen. Tot zijn kleine gehoor zei hij: 'Morgen zijn we allemaal een stuk wijzer.'

Na afloop keerde hij weer terug naar zijn eeuwige zorg: 'Het grote gevaar en risico van dit alles is een misrekening, een beoordelingsfout.' Onlangs had hij Barbara Tuchmans best-seller, *The Guns of August*, gelezen. Dit boek gaat over de onjuiste veronderstellingen die tot de eerste wereldoorlog hebben geleid. Hij was ervan overtuigd dat noch de Verenigde Staten, noch de Sovjet-Unie naar aanleiding van Cuba een directe confrontatie wensten, maar hij vreesde dat onbegrip en trots de twee supermachten in een oorlog zouden kunnen slepen.

Tijdens een receptie die avond op de Sovjetambassade verklaarde een Russische militair attaché luidkeels dat Russische kapiteins, die afstevenden op Cuba, te horen hadden gekregen dat ze de Amerikaanse blokkade moesten trotseren: 'Als het is verordonneerd dat die mannen moeten sterven, dan zullen ze hun orders opvolgen en op koers blijven, of tot zinken worden gebracht.' Dit werd gezegd binnen gehoorsafstand van buitenlandse gasten, die het zeker zouden doorgeven aan westerse inlichtingendiensten.[1]

Om half tien diezelfde avond bezocht Robert Kennedy Dobrynin in diens appartement op de derde verdieping van de Sovjetambassade. Dobrynin verklaarde later: 'Kennedy zei dat hij alleen kwam om wat van gedachten te wisselen met mij, over de bezorgdheid over onze betrekkingen in verband met [...] de Cubaanse crisis.' De minister van Justitie noemde de verklaring van de attaché. Dobrynin zei: 'Hij is degene die weet wat de marine gaat doen, ik niet.'

Robert herinnerde de ambassadeur eraan dat hij hem begin september had verzekerd dat de Russen niet van plan waren aanvalsraketten te plaatsen op Cuba. De president had op grond van deze en andere vergelijkbare verzekeringen een 'veel minder agressief standpunt' ingenomen dan mensen als Senator Keating en had 'de Amerikaanse bevolking verzekerd dat er geen reden tot bezorgdheid was' over Cuba.

De president had gedacht dat hij 'een bijzonder nuttige persoonlijke relatie met meneer Chroesjtsjov' had opgebouwd waarbij sprake was van 'wederzijds vertrouwen en geloof tussen hen waarop we konden rekenen'. Door atoomraketten naar Cuba te smokkelen, hadden de Sovjetleiders zich 'hypocriet, misleidend en onbetrouwbaar' getoond.

Dobrynin antwoordde dat Chroesjtsjov hem had meegedeeld dat er op Cuba geen sprake was van dergelijke raketten. Voor zover hij wist, waren die er nog steeds niet. Hij vroeg waarom de president tijdens zijn ontmoeting met Gromyko de week daarvoor niet naar de raketten had gevraagd: 'Hij zou een geschikt antwoord op die vraag hebben gekregen.' Kennedy reageerde met de vraag waarom Gromyko die informatie niet uit zichzelf aan de president had gegeven. Welke orders waren er aan de Sovjetschepen gegeven voor het moment waarop ze de blokkadegrens zouden bereiken?

Dobrynin vertelde dat Sovjetkapiteins 'een opdracht hebben om hun koers naar Cuba voort te zetten'. De maatregel van president Kennedy 'is in strijd met het internationale recht'. Sovjetschepen waren 'in internationale wateren' en hadden 'geen reden om zich ondergeschikt te maken aan een willekeurige beslissing van de president of een ander land'. Dobrynin merkte dat zijn antwoord 'Kennedy een beetje nerveus maakte'.

De minister van Justitie zei: 'Onze militaire schepen hebben een opdracht van president Kennedy om ze te onderscheppen.' Dobrynin kaatste de bal terug: 'De onze hebben de opdracht door te varen.' Kennedy zei: 'Ik weet niet hoe dit zal eindigen.'

Dobrynin stuurde Moskou een telegram over het gesprek. Later verklaarde hij: 'Al mijn telegrammen waren gecodeerd. [...] Van *Western Union* kwam een neger naar onze ambassade gefietst. We overhandigden hem de telegrammen. En hij reed met grote snelheid – wij probeerden hem tot spoed aan te zetten – terug naar *Western Union*, waar het telegram doorgeseind werd naar Moskou. [...] Dit was een zenuwslopende ervaring. We zaten ons daar af te vragen of hij snel genoeg zou zijn om de belangrijke mededeling af te geven.'

1. De CIA bracht de ochtend daarop verslag uit bij de president over de opmerking van de attaché. Ze maakten ook melding van het feit dat zowel de directeur van TASS, die een bezoek bracht aan Hiroshima, als een tweederangs lid van de Sovjetdelegatie bij de Verenigde Naties binnen gehoorsafstand van westerse figuren soortgelijke opmerkingen hadden gemaakt.

De maharadja van Jaipur en zijn vrouw, die Jacqueline Kennedy overvloedig hadden onthaald in India, zouden in het Witte Huis logeren en op dinsdagavond worden gefêteerd op een privé-diner dansant.

De president had geen zin om gezellig te gaan zitten babbelen en eten terwijl de halve wereld in brand stond. In plaats daarvan werden de gasten uit Jaipur ondergebracht in Blair House. Het dansfeest werd omgezet in een bescheiden diner om de buitenlandse gasten, die te laat hoorden van de annulering om hun plannen nog te wijzigen, van dienst te zijn. De knappe echtgenote van de maharadja had pas een zetel behaald in het Indiase parlement via de kandidatenlijst van Swatantra ('*Goldwater*'). Kennedy plaagde haar: 'Ik hoor dat u de Barry Goldwater van India bent.' Hij toostte op haar politieke debuut, maar wist zijn oude vriend uit Londen, J.J. 'Jakie' Astor, niet tot een reactie te bewegen.

Na de maaltijd zat hij met David Ormsby-Gore in de grote, centrale hal van de privé-vertrekken. Als achterkleinzoon van lord Salisbury was Ormsby-Gore een neef van Kathleen Kennedy's echtgenoot, lord Hartington. Als vooruitstrevend parlementslid voor de Conservatieve Partij en minister van Buitenlandse Zaken had hij zich geconcentreerd op kernproeven en ontwapening.

Na de verkiezingen van 1960 vertelde de aanstaande president hem dat hij als ambassadeur naar Washington moest komen. Toen hij in maart 1961 van Key West naar Washington vloog, nam hij de zaak op met Macmillan. Toen de afspraak gemaakt was, schreef Ormsby-Gore naar Kennedy: 'Ik moet u laten weten hoe bevoorrecht ik me voel om naar het geweldigste land ter wereld te worden uitgezonden in een tijd dat het onder uw stimulerende leiderschap staat.' Hij was ervan 'overtuigd' dat ze de loop van de geschiedenis konden ombuigen 'ten gunste van ons en dat het communisme richting een fataal verval kan worden gemanoeuvreerd'.

Koningin Elizabeth II sloeg de nieuwe afgezant voor zijn vertrek tot ridder. In de lente van 1962 schreef ze de president dat 'iedereen hier een hoge dunk' had van Ormsby-Gore: het was 'voortreffelijk nieuws dat hij en Cissie zich onderscheiden in Washington'.

De Ormsby-Gores waren regelmatige gasten van de Kennedy's in Hyannis Port, Glen Ora, Newport en Palm Beach. De president zei: 'Ik vertrouw David zoals ik mijn eigen kabinet zou vertrouwen.' Hij moest lachen toen zijn Britse vriend een opmerking van Salisbury aanhaalde dat het uitvoeren van buitenlands beleid in een democratie leek op bridgen met 'een stel mensen die achter je stoel staan en je luidkeels adviseren welke kaart je moet spelen'.

Soms werd de relatie te nauw. In mei 1962 zei Ormsby-Gore tegen de president dat Macmillan inzake de Kongo 'het standpunt van een struisvogel' innam en dat de Engelse onderhandelaar, lord Dundee, 'een dwaas' was. Na afloop van een bespreking in juli 1962 beloofde hij Kennedy om 'acht te slaan op uw laatste advies om bij het bespreken van onze nucleaire zaken uit te gaan van *onze* belangen, in plaats van die van u'.

Toen de Britse premier Edward Kennedy zomaar met diens overwinning in Massachusetts in de voorverkiezingen voor de Senaat feliciteerde, schreef Ormsby-Gore naar de president dat Macmillans 'bijna onbegrijpelijke boodschap geheel buiten de orde' was. Er zou 'heel wat stof opwaaien als het bestaan van de boodschap zou uitlekken'.

Ondanks zijn vriendschap met Kennedy had de ambassadeur op maandagavond naar Macmillan doorgeseind dat hij niet kon geloven dat de raketten 'die zo ver-'op Cuba stonden, 'de Verenigde Staten voor enige belangrijke militaire drei-ging' stelden. Nu waarschuwde hij de president dat veel Engelsen zich afvroegen of het bewijsmateriaal van de U-2, dat de directe aanleiding was voor de crisis, niet vervalst was: konden de foto's niet worden vrijgegeven? De Labour-partij-leider Hugh Gaitskell had zelfs gesproken over de 'zogenaamde raketten' op Cuba.

Salinger en David Bruce hadden dezelfde redenering gemaakt, maar het verzoek van Ormsby-Gore werd ingewilligd: Kennedy liet een map met U-2-foto's ko-men. Terwijl de andere gasten na het diner een drankje kregen geserveerd, zochten hij en zijn Engelse vriend de opvallendste afdrukken uit. Hij beval ze de volgende dag vrij te geven.

Robert Kennedy arriveerde. Hij zag er somber en onverzorgd uit en bracht ver-slag uit van zijn ontmoeting met Dobrynin. Pratend in mitrailleurachtige salvo's en met samengeknepen ogen vroeg de president zich hardop af of hij het voorstel moest doen tot een onmiddellijke top met Chroesjtsjov. Vervolgens dacht hij nog eens na: net als met Berlijn moest Chroesjtsjov er voor eventuele onderhandelin-gen eerst van worden overtuigd dat de president vastbesloten was om de raket-ten uit Cuba te krijgen. Voordat een topconferentie zou plaatsvinden – en dat moest wel degelijk gebeuren – wilde hij meer troeven in handen hebben.

Ormsby-Gore herinnerde hem eraan dat de Amerikaanse marine de blokkade-grens had vastgesteld op achthonderd mijl: een Sovjetschip zou waarschijnlijk binnen enkele uren na aanvang van de blokkade onderschept moeten worden. Chroesjtsjov stond voor een paar moeilijke beslissingen. Het werd met het uur gemakkelijker voor hem om zich op elegante wijze terug te trekken. Waarom schoven ze de blokkadegrens niet wat meer richting Cuba, zodat ze de Russen wat meer tijd konden geven?

Kennedy belde met McNamara en droeg hem op om de blokkade terug te bren-gen tot een vijfhonderd-mijlszone vanaf Cuba. Dit ondanks emotionele protes-ten van de marine.

De president en Ex Comm handelden in de voorzichtige veronderstelling dat er op Cuba kernkoppen waren, maar de Amerikaanse inlichtingendienst beschikte niet over overtuigend bewijsmateriaal dat deze wapens ook werkelijk waren aan-gekomen.[1]

Volgens Sovjetgeneraal Dimitri Volkogonov hadden twintig kernkoppen het ei-land eind september of begin oktober daadwerkelijk bereikt. Er waren nog eens

1. McNamara merkte tijdens een briefing van de pers na afloop van Kennedy's toespraak van 22 oktober op: 'Kernkoppen zijn van zo'n omvang dat er uitermate weinig kans is dat ze ooit worden ontdekt door de middelen die onze inlichtingendienst ter beschikking staan. Ik denk echter dat het bijna onvoorstelbaar is dat er raketten zouden zijn [...] zon-der de bijbehorende kernkoppen.'

De volgende dag liet de CIA aan de president weten: 'Hoewel we de aanwezigheid van kernkoppen niet kunnen bevestigen, blijkt uit fotomateriaal dat er gebouwd wordt aan verscheidene terreinen, waarvan wij vermoeden dat ze bedoeld zijn als nucleaire opslag-plaatsen.' En op 24 oktober: 'Nucleaire opslagplaatsen worden klaarblijkelijk op grond van één lanceerterrein per rakettenregiment gebouwd.'

twintig stuks aan boord van de *Poltava*, die half september op Cuba arriveerde, terugkeerde naar Odessa en weer richting het eiland koers zette.[1]
Volkogonov herinnerde zich dat de Sovjets de twintig kernkoppen op 'ruime afstand' hielden van de MRBM's om het risico te verkleinen dat een of andere dwaas een nucleaire conflict kon beginnen. Mocht Chroesjtsjov het bevel geven om de raketten gereed te maken voor oorlog, dan zou het vier uur duren om ze op het doel te richten en nog een kwartier voor het aftellen.[2]

Op woensdag, voor zonsopgang, bracht Richard Davies een lijst met quarantainevoorschriften naar het Sovjetministerie van Buitenlandse Zaken. Toen hij op een bovenverdieping uit de lift stapte, zag hij een Rus met een gasmasker op voorbijsnellen. Hij was ervan overtuigd dat dit toneelstukje voor hem in scène was gezet.
Hij liet Sovjetdiplomaten weten dat als de Amerikanen toestemming kregen om schepen in Leningrad, Odessa of Vladivostok te inspecteren voordat de luiken werden gesloten en geen smokkelwaar bevatten, dan zouden ze met schriftelijke garantie de Amerikaanse blokkadegrens passeren. Later verklaarde hij: 'Dit was je reinste onbeschaamdheid. Ze lieten ons in die plaatsen natuurlijk nooit toe.'
Toch hadden de ambtenaren duidelijk de opdracht gekregen niets te ondernemen dat de crisis ook maar enigszins zou kunnen verslechteren. Davies merkte dat 'in enorme tegenstelling tot de gebruikelijke stroeve en lompe behandeling' ze nu 'overdreven beleefd' waren en hem vroegen: 'Hoe gaat het met de kinderen? [...] Bevalt het u in ons land?'
Foy Kohler besloot zijn kennismakingsafspraken met Sovjetfunctionarissen te laten doorgaan. Tot zijn verbazing waren er geen afzeggingen.
Russische fabrieken en boerderijen hielden 'spontane' demonstraties tegen de Verenigde Staten. In Moskou gebruikte een menigte mensen zakspiegeltjes om het zonlicht te weerkaatsen in de gezichten van het personeel binnen de Amerikaanse ambassade. De Russen schreeuwden: 'Handen af van Cuba!' Ze gooiden stenen naar de ramen en deukten Kohlers Cadillac. Voor hun veiligheid liet de ambassadeur Amerikaanse kinderen naar het Spaso House overbrengen.

Chroesjtsjov wilde Kennedy een nieuwe boodschap sturen. Als Thompson was aangebleven als ambassadeur, dan zou hij hem waarschijnlijk hebben laten komen. Hij vond Kohler een bureaucraat die een bijdrage had geleverd tot de agressiviteit van de president inzake Berlijn. Nu beproefde de Secretaris-Generaal zijn geluk via een ander kanaal.
William Knox, directeur van Westinghouse Electric International Company,

---

1. Amerikaanse inlichtingen beschikten blijkbaar over onverifieerbare informatie op het moment dat de kernkoppen in Odessa aan boord van de *Poltava* werden gebracht en dat het op de Atlantische Oceaan naar een verzamelplaats voer waar drie onderzeeërs van de Noordelijke Vloot van de Sovjet-Unie lagen te wachten.
2. De raketten waren blijkbaar niet uitgevoerd met het PAL-systeem (*Permissive-Action-Link*) dat de Verenigde Staten introduceerden om te voorkomen dat iemand anders dan de president toestemming gaf voor het scherp stellen van hun kernkoppen. McNamara herinnerde zich later nog zijn ongerustheid dat tijdens de crisis op Cuba 'een of andere tweederangs luitenant een atoomoorlog kon beginnen'.

was in Moskou om te onderhandelen over octrooien. Hij had Chroesjtsjov in 1960 in New York ontmoet. Op woensdag werd hem na de lunch verteld dat de Secretaris-Generaal hem binnen het uur wilde spreken. Toen hij bij het Kremlin aankwam, zag hij dat Chroesjtsjov 'erg vermoeid' was.

Chroesjtsjov zei dat maandag een 'bijzonder zwarte dag' was geweest. Voor de toespraak van de president hadden Rusk en Gromyko 'praktisch overeenstemming' bereikt over kernproeven en de kwestie-Berlijn. Ondanks zijn vele problemen met Eisenhower geloofde hij dat de kwestie-Cuba op een veel 'volwassener' manier zou zijn aangepakt als de generaal nog steeds in het Witte Huis had gezeten. Hij moest er niet aan denken dat president Kennedy's aanpak van Cuba in verband stond met de Congresverkiezingen.

De Secretaris-Generaal kwam terug op zijn jammerklacht uit 1960 toen hij zei dat één reden waarom het onderhandelen met deze president zo moeilijk was, zijn jonge leeftijd was: 'Hoe kan ik nou onderhandelen met een man die jonger is dan mijn zoon?' Kennedy had zich ingelaten met een 'zeer, zeer gevaarlijk' beleid. Hij waarschuwde dat wanneer Amerikaanse marineschepen een ongewapend Russisch koopvaardijschip zouden aanhouden en doorzoeken, Sovjetonderzeeërs ze tot zinken zouden brengen.

Hij gaf zijn eigen definitie van offensieve en defensieve wapens: 'Als ik op deze manier een pistool op u richt om u aan te vallen, dan is het pistool een offensief wapen. Maar als ik het richt om te voorkomen dat u mij neerschiet, dan is het defensief, niet waar?' De Verenigde Staten beweerden dat hun Turkse bases defensief waren, maar wat was het bereik van de raketten die daar stonden?

Voor de eerste keer hoorden westerse oren Chroesjtsjov toegeven dat er grond-grondraketten en kernkoppen op Cuba waren.[1] De Cubanen, zo zei hij, waren 'bijzonder emotionele' mensen. De raketten zouden nooit worden afgevuurd, behalve op zijn bevel.

Hij vertelde een van zijn favoriete verhalen over de man die moeilijke tijden beleefde en zich genoodzaakt zag te moeten leven met een geit. Hij haatte de lucht, maar raakte eraan gewend. Nou, de Russen hadden in Turkije, Griekenland, Italië en andere NAVO-landen met geiten geleefd. Nu hadden de Amerikanen zelf een geit op Cuba. 'Daar zijn jullie niet gelukkig mee [...] maar jullie zullen ermee leren leven.' Hij zei dat hij stond te popelen om president Kennedy te ontmoeten. Tijdens een topconferentie, 'zonder lawaaiige toestanden', konden ze een paar van hun problemen oplossen.[2]

1. Hij zei dit waarschijnlijk om de Russische positie te versterken, niet wetende dat Kennedy handelde in de veronderstelling dat er niet alleen raketten waren maar ook kernkoppen.
2. Chroesjtsjovs raadsmannen hebben wellicht notitie genomen van Kennedy's opmerking tijdens een persconferentie in februari 1962: 'Als zich een belangrijke crisis zou voordoen die ons allemaal in een oorlog dreigt te verwikkelen, dan zou er behoefte kunnen bestaan aan een topontmoeting.' Chroesjtsjov liet Knox weten dat hij vrij was om de pers te zeggen wat hij wilde, maar Knox was zwijgzaam. Toen hij op donderdag terugkwam in New York, beweerde Robert Komer, staflid van de Nationale Veiligheidsraad, dat 'gezien [de] mogelijkheid dat deze man ergens van op de hoogte is, we meer aandacht aan hem zouden moeten schenken dan de gebruikelijke CIA-routine [officiële ondervraging]. Waarschijnlijk voor propagandadoeleinden te gebruiken.' Knox werd ondervraagd door Buitenlandse Zaken en de CIA, die de resultaten doorstuurde naar de president.

In een open antwoord op Bertrand Russells telegram diezelfde dag zei Chroesjts-jov dat een top mogelijkerwijs 'het gevaar van het ontketenen van een thermo-nucleaire oorlog wegneemt. [...] Als de Amerikanen tot agressie overgaan, dan zal zo'n ontmoeting al onmogelijk en nutteloos worden.'

De Secretaris-Generaal deed zijn aanbod van een top waarschijnlijk in de hoop dat Kennedy, bij een gunstige reactie, de plannen voor een blokkade en mogelij-ke militaire acties zou kunnen uitstellen. Chroesjtsjov kon de raketten in gereed-heid brengen, meer kernkoppen naar Cuba versturen en de president ontmoeten in een sterk verbeterde onderhandelingspositie.

's Nachts maakte de *Poltava*, met haar geheime voorraad van twintig kernkop-pen, rechtsomkeert voordat de blokkadegrens werd bereikt. Andere Sovjetsche-pen, waarvan de luiken groot genoeg waren om plaats te bieden aan grote raket-ten, deden dat ook. Chroesjtsjov moet wel hebben gevreesd dat de Verenigde Staten de schepen zouden onderscheppen, doorzoeken en hun kostbare lading confisqueren. Maar de *Joeri Gagarin* en de *Komiles* bleven, geëscorteerd door on-derzeeërs, koers zetten richting Cuba.

Op woensdagochtend, voorafgaand aan de vergadering van tien uur met Ex Comm in de Cabinet Room, zei de president tegen zijn broer: 'Het ziet er echt slecht uit, hè?' McNamara liet het gezelschap weten dat de *Komiles* en de *Gagarin* de vijfhonderd-mijlsgrens van de blokkade naderden. Als ze niet zouden stop-pen, dan moesten de Verenigde Staten ze onderscheppen of anders verklaren dat de blokkade werd afgezwakt. Later schreef Robert Kennedy: 'Dit was het moment waarop we ons hadden voorbereid en waarvan we hoopten dat het nooit zou komen.'

McNamara meldde dat zich tussen de twee schepen een Sovjetonderzeeër had bewogen. De *Essex* had opdracht gekregen hem naar de oppervlakte te seinen om zich te identificeren. Als het schip weigerde, dan zou de *Essex* hem met diepte-bommen en kleine explosieven naar de oppervlakte dwingen. Later schreef de minister van Justitie: 'Stond de wereld aan het randje van een holocaust? Was het onze fout? Een vergissing? Was er nog iets wat zou moeten worden onderno-men? Of wat niet was gedaan?'

De president hield een hand voor zijn mond. De andere opende hij en maakte hij tot een vuist. Hij en zijn broer zaten elkaar aan te staren over de kabinetsta-fel. Robert schreef: 'Het was bijna net alsof er niemand anders was en hij niet langer de president was. [...] Ik dacht aan de tijd dat hij ziek was en bijna stierf, aan de tijd dat hij zijn kind verloor, dat hij hoorde dat onze oudste broer was omgekomen en aan persoonlijke momenten van spanning en pijn.'

De president vroeg: 'Is er niet een of andere manier waarop we onze eerste con-frontatie met een Russische onderzeeër kunnen vermijden? Bijna alles is beter dan dit!'

'Nee, onze schepen lopen te veel gevaar,' antwoordde McNamara. 'Onze bevel-hebbers hebben de opdracht gekregen om vijandelijkheden te vermijden als dat mogelijk is, maar hierop moeten we voorbereid zijn en dit is wat we moeten ver-wachten.'

'We moeten verwachten dat ze Berlijn zullen dichtgooien,' zei Kennedy. 'Tref daar de laatste voorbereidingen voor.' De minister van Justitie had het gevoel alsof 'we aan de rand van de afgrond stonden... Dit was het Uur U, niet volgende week... niet over acht uur "om Chroesjtsjov nog een boodschap te kunnen sturen, zodat hij misschien eindelijk zal begrijpen"... Wat konden we nu zeggen – wat konden we doen?'

Om vijf voor half elf 's ochtends kreeg McCone een briefje overhandigd. Hij zei: 'Meneer de president, we hebben een voorlopig bericht dat lijkt aan te geven dat enkele Russische schepen zijn stil komen te liggen.' Om twee over half elf zei hij: 'Het bericht klopt, meneer de president. Zes schepen die op weg waren naar Cuba en de blokkadegrens hadden bereikt, zijn gestopt of hebben rechtsomkeert gemaakt richting de Sovjet-Unie.'
Ex Comm vernam dat de twintig Russische schepen die de grens het dichtst hadden genaderd, waren gestopt of omgekeerd. De president beval dat 'wanneer de schepen de opdracht hebben om te draaien, wij ze alle gelegenheid willen geven om dat te doen. Neem onmiddellijk contact op met de *Essex* en zeg hun niets te ondernemen, maar de Russische schepen een kans moeten geven om terug te keren. We moeten snel handelen, omdat de tijd verstrijkt.'
Rusk stootte Bundy zachtjes aan. Met zijn scherpe retoriek, die hij nooit in het openbaar bezigde, mompelde hij: 'We staan oog in oog met elkaar en ik geloof dat die andere knaap even met de ogen knipperde.'
Dit werd al snel de beroemdste uitspraak tijdens de rakettencrisis, maar Rusk vergiste zich. Chroesjtsjov was tot de beslissing gekomen de blokkade niet uit te testen met schepen die wapens aan boord hadden. Dit gaf de zekerheid dat gevoelige Russische militaire technologie niet in handen van de Amerikanen zou vallen en het zou de president de tijd geven om zijn voorstel voor een top in overweging te nemen.
Op basis van informatie uit Sovjetbronnen waarover we nu beschikken, betekende dit dat niet meer dan tweeënveertig van de tachtig geplande raketten en niet meer dan twintig van de geplande veertig kernkoppen op Cuba aankwamen. Kennelijk bereikte niet één van de tweeëndertig geplande IRBM's het eiland.
De beslissing van de Sovjetleider kan hoge binnenlandse uitgaven hebben gevergd. De Sovjets werden er later zozeer door in verlegenheid gebracht, dat er jarenlang geen Sovjetbevelhebber was die toegaf dat de schepen ooit waren omgekeerd. Zelfs in zijn memoires kon Chroesjtsjov de waarheid zo slecht verdragen dat hij beweerde dat zijn schepen 'rechtdoor' waren gevaren.
Zonder de negenendertig uur die hem waren geschonken alvorens de blokkade inging, was Chroesjtsjov misschien niet van mening veranderd. Dit was een bewijs dat de president verstandig had gehandeld door zijn eerste reactie niet te laten beginnen met een onomkeerbare luchtaanval, maar met gematigder pressiemiddelen die Chroesjtsjov de kans gaven nog eens goed na te denken over zijn maatregel.

Om zes uur die avond liep Kennedy de trap af naar de Situation Room in het souterrain van de westelijke vleugel. Hij had met Harold Macmillan afgesproken om met hem om zeven uur telefonisch overleg te plegen.
Die middag had Ormsby-Gore in het Witte Huis tegen Bundy gezegd dat 'als er geen oorlog komt', de premier een 'Kennedy-Chroesjtsjovoproep' tot een ontwapeningsconferentie wilde voorstellen die, en dat kwam niet ongelegen, Mac-

millan tot voornaamste deelnemer zou maken.[1] Voorafgaand aan zo'n ontmoeting 'zou er een rustpauze moeten zijn, wat betekent geen wapeninvoer en geen blokkade'.

Nadat hij het voorstel van zijn premier had overgebracht, ontzenuwde Ormsby-Gore het. Hij zei tegen Bundy dat het 'geen goed idee [was], omdat beide partijen te ver van elkaar verwijderd zijn en omdat het de Fransen geen ruimte laat'. De president 'moet het de premier heel duidelijk maken dat dit geen aanvaardbaar standpunt is en dat de Verenigde Staten hun blokkade niet kunnen intrekken zonder uitzicht op verwijdering van de raketten'.

Tijdens hun gesprek om zeven uur vroeg Macmillan aan Kennedy of de terugkeer van de Sovjetschepen die ochtend betekende dat Chroesjtsjov nu 'een beetje bang' was.

De president zei: 'De schepen die terugkeren zijn degene waarvan wij dachten dat ze offensief militair materiaal aan boord zouden kunnen hebben, dus ze wilden waarschijnlijk niet dat wij die spullen in handen krijgen.' Van andere Sovjetschepen werd nu gezegd dat ze de blokkadegrens naderden. 'In de komende twaalf uur moeten we te weten komen of ze zullen zwichten of doorzocht moeten worden.'

Georgi Bolsjakov had getracht de boodschap van Chroesjtsjov en Mikojan dat de Russische opbouw op Cuba puur defensief van karakter was, af te leveren. Volgens Robert Kennedy weigerde hij hem te ontmoeten. Na de toespraak van de president op maandagavond riep de minister van Justitie Charles Bartlett bij zich: 'Zorg dat je Georgi te pakken krijgt en vertel hem hoe hij ons heeft verraden en hoe verschrikkelijk teleurgesteld we zijn.'

Bartlett had Bolsjakov nooit gemogen: 'Hij was een laf ventje, een komisch, stoer kereltje, kon zich honderdvijftig keer opdrukken [...] een primitieveling.' Maar op dinsdagmiddag belde hij de Rus: 'Georgi, de minister van Justitie is erg teleurgesteld in jou.' Bartlett herinnerde zich: 'Vijf minuten later kreeg ik een telefoontje van Bobby, die duidelijk de lijn had laten afluisteren en zei: "Dat deed je niet bepaald subtiel. Ik hoop dat je een beetje subtieler kunt zijn."'

Op woensdag lunchte Bartlett, op verzoek van Bolsjakov, met de Rus. Hij vond hem 'in de war en tobberig'. Bolsjakov trok zijn blauwe notitieboekje te voorschijn en las hem de aantekeningen van zijn ontmoeting met Chroesjtsjov en Mikojan voor. Hij zei tegen Bartlett dat hij 'niet kon geloven' dat er grond-grondraketten op Cuba waren. Hij waarschuwde dat Sovjetschepen 'door de blokkade kwamen'.

Op de hoogte gebracht door de minister van Justitie liet Bartlett hem twee U-2-opnamen zien van de MRBM's op Cuba. Toen Bolsjakov probeerde te beweren dat het alleen maar SAM's waren, vroeg Bartlett hem bij zijn militair attaché te informeren of Rusland beschikte over SAM's die langer waren dan vijftien meter. Hij zei tegen hem dat de plannen om deze raketten op te stellen al aan het

---

1. De premier kan beïnvloed zijn geweest door het verzoek dat Labourleider Hugh Gaitskell dinsdags bij Macmillan had ingediend om naar Washington te vliegen om het bevel tot de blokkade met Kennedy te bespreken. De schaduwminister van Buitenlandse Zaken, Harold Wilson, zei dezelfde dag voor de televisie dat de president het probleem eerst had moeten voorleggen aan de Verenigde Naties.

begin van de zomer moesten zijn gestart. Bolsjakov gaf toe dat als de zaken zouden zijn zoals ze leken, hij door zijn eigen regering was bedrogen.[1]

Uren na zijn ontmoeting met Bolsjakov dineerde Bartlett in het Witte Huis met de president, diens vrouw en een kleine groep gasten, onder wie Robert Kennedy en zijn vrouw, de Radziwills en Oleg Cassini. Bartlett stelde voor de terugkeer van de Russische schepen die ochtend te vieren.

De president weigerde: 'Er valt in dit vroege stadium niets te vieren in dit spel.' Bundy kwam tijdens het diner af en toe binnenwippen om te zeggen dat de Sovjetschepen nog steeds wegbleven van de blokkadegrens. Kennedy zei: 'Nou, we hebben nog altijd een kans van een op vijf om in een oorlog met Rusland verwikkeld te raken.'

Om tien voor elf die avond, toen de gasten al naar huis waren, ging de presidentiële telefoon over. Er werd hem een nieuwe brief van Chroesjtsjov voorgelezen:

> Stelt u zich eens voor, meneer de president, dat wij u de voorwaarden van een ultimatum hadden gepresenteerd die u ons hebt gepresenteerd met uw maatregel. Hoe zoudt u hierop hebben gereageerd? [...] Wie heeft u gevraagd dit te doen? [...] U, meneer de president, bent niet bezig een quarantaine in te stellen. U bent bezig een ultimatum te vervroegen en ons te bedreigen met geweld, tenzij wij ons ondergeschikt maken aan uw eisen.
>
> Denk nog eens na over wat u zegt! [...] U doet niet langer een beroep op het gezonde verstand, maar wilt ons intimideren. [...] En dit alles niet alleen uit haat jegens de Cubaanse bevolking, maar ook om redenen die te maken hebben met de verkiezingscampagne in de Verenigde Staten van Amerika. [...] De maatregelen die de Verenigde Staten van Amerika tegen Cuba nemen, zijn je reinste banditisme of, zo u wilt, de dwaasheid van het gedegenereerde imperialisme.
>
> Helaas kan deze dwaasheid leiden tot een ernstig lijden van volkeren van alle landen, niet in het minst de Amerikaanse bevolking, aangezien de Verenigde Staten van Amerika hun onaantastbaarheid sinds de komst van moderne wapensystemen volledig zijn kwijtgeraakt. [...] Als iemand had getracht u dit soort voorwaarden op te leggen, dan zoudt u ze hebben afgewezen. En ook wij zeggen – neen. [...] Wij zullen niet slechts toekijken bij de piratenacties van Amerikaanse schepen die zich in de vrije wateren afspelen. Wij zullen worden gedwongen maatregelen te nemen die wij noodzakelijk en geschikt achten om onze rechten te beschermen.

1. Documentatie van Bolsjakovs onthulling aan Robert Kennedy in oktober 1962 is, net als bij al hun ontmoetingen, onvolledig. Sorensens biografie, *Kennedy*, van 1965 en Arthur Schlesingers *Robert Kennedy and His Times* van 1978 melden dat Bolsjakov terugkeerde met een boodschap van Chroesjtsjov, maar niet dat hij er daadwerkelijk in slaagde deze bij Robert af te geven. Andere bronnen komen met de onaannemelijke bewering dat Bolsjakov de boodschap aan Kennedy gaf, maar dat dit de minister van Justitie zo kwaad had gemaakt dat hij weigerde haar door te sturen naar het Oval Office.

In een artikel uit 1989 in het Sovjetblad *Novoje vremje* beweerde Bolsjakov dat hij de boodschap persoonlijk op 6 oktober 1962 aan Robert Kennedy overhandigde: 'In tegenstelling tot onze vorige ontmoetingen droeg mijn gastheer een formeel donker kostuum en zijn weerspannige wilde haardos was netjes in een scheiding gekamd. Hij had een onbewogen gezicht. [...] Robert handelde zonder omhaal en formeel. Alles was bedoeld om onze ontmoeting een officieel karakter te geven.' Volgens Bolsjakov lunchte hij de dag daarop met Charles Bartlett, die hem liet weten dat de president Chroesjtsjovs boodschap 'schriftelijk en gedetailleerd' wilde ontvangen. Deze herinnering was in ieder geval onnauwkeurig: Bartlett wist pas vanaf 22 oktober van de raketten, net als de rest van de wereld.

Chroesjtsjov kan met deze boodschap de bedoeling hebben gehad om de president schrik aan te jagen, zodat hij zou ingaan op zijn verzoek voor een topontmoeting. Anders zou de Sovjet-Unie de quarantaine schenden en wie kon weten wat er daarna zou kunnen gebeuren?

Het was de grofste brief gericht aan een Amerikaanse president van ongeacht welke Sovjetleider sinds Stalin. Vooral de suggestie dat Kennedy de wereld tot aan het randje van een oorlog had gebracht om de Democraten een goed figuur te laten slaan bij de Congresverkiezingen, was nogal lomp. De uitdaging 'Wie heeft u gevraagd dit te doen?' suggereerde dat Kennedy een verlegen jongeman was die door de Koude-Oorloghitsers in het ministerie van Buitenlandse Zaken, het Pentagon en de CIA, de Rockefellers, Morgans en Du Ponts, was gedwongen de quarantaine in te stellen.

De president belde Bartlett thuis op. 'Je zult geïnteresseerd zijn te weten dat ik een telegram heb van onze vriend, die zegt dat die schepen hun bestemming bereiken. Ze bereiken morgen hun bestemming.'

Kennedy noteerde de hoofdpunten voor een antwoord aan Chroesjtsjov in een klein schrijfblok van het Witte Huis. Ze werden tot een formele reactie bijgeschaafd met bijdragen van Sorensen, Bundy, Rusk, Ball, Gilpatric en Thompson. Om kwart voor twee 's nachts werd het naar de Sovjetambassade gebracht. De president herinnerde Chroesjtsjov eraan dat hij na ontvangst van de 'meest expliciete beloften van uw regering en haar vertegenwoordigers, zowel in het openbaar als in vertrouwelijke kring, stellig [had] gehoord wat u niet hebt ontkend – namelijk dat al die in het openbaar gedane beloften vals waren en dat uw militairen onlangs waren begonnen met de installatie van een reeks raketbases op Cuba'. Hij hoopte dat de Secretaris-Generaal de 'verslechtering in onze betrekkingen' zou herstellen.

Op woensdagmiddag had Stevenson de president telefonisch gewaarschuwd dat de secretaris-generaal van de Verenigde Naties, Oe Thant, het voorstel zou doen om de blokkade en de wapentransporten twee tot drie weken op te schorten.

Kennedy klaagde dat dit de Verenigde Staten zou dwingen de quarantaine op te heffen terwijl de Sovjet-Unie alleen maar hoefde te beloven dat er geen wapens meer verscheept zouden worden naar Cuba. Het werk aan de installatie van de raketten die al op het eiland waren, zou doorgaan. Kon Thant niet tot donderdag wachten? Stevenson zei: 'Hij is van plan het voorstel vanavond te doen en ik denk dat we snel moeten antwoorden.'

Op woensdagavond deed secretaris-generaal Thant zijn voorstel met twee identieke brieven aan Kennedy en Chroesjtsjov. George Ball vroeg Stevenson een brief van de president met diens afwijzing af te geven bij Thant. Stevenson weigerde dit. Hij stelde dat Kennedy ten minste bereid moest zijn om erover te praten.

Ball zei tegen hem dat hij genoodzaakt was de president te vragen om Stevenson te overreden. Toen hij rond middernacht de privé-vertrekken in het Witte Huis belde, had Kennedy net de felle nieuwe boodschap van Chroesjtsjov ontvangen. Ball herinnerde hem eraan dat Amerikaanse en Russische schepen elkaar binnen enkele uren konden gaan beschieten: misschien kon Thant worden overgehaald om met de Russen te bemiddelen 'om hun schepen voor anker te laten gaan tot de zaken er beter voorstonden'. Dit zou Chroesjtsjov 'een openlijk excuus [kunnen geven] om te doen wat hij waarschijnlijk toch al zou willen doen'. De president was het ermee eens dat proberen geen kwaad kon.

Met dit mandaat belde Ball naar Stevenson en vroeg hem het idee voor te leggen aan Thant. Het eerste ogenblik maakte Stevenson bezwaar, omdat hij niet genegen was Thants nachtrust te verstoren.[1] Ball drong nog wat aan, waarna hij beloofde zijn best te doen. Om tien voor half een in de nacht belde hij Ball om te zeggen dat Thant akkoord was gegaan om zo'n verzoek uit te vaardigen, maar aangezien de verbindingen 's nachts gebrekkig waren, zou hij tot de morgen wachten.

Donderdag 25 oktober. Tijdens de vergadering van Ex Comm die morgen meldde McCone dat Gromyko de dag daarvoor in Oost-Berlijn een openbare verklaring inzake Berlijn had afgelegd. Dit was de eerste verklaring door een hoge Sovjetfunctionaris sinds maandag: ze 'bevatte geen teken van een vergeldingsmaatregel tegen de westerse positie in Berlijn'.

De Sovjets waren nog altijd bezig de werkzaamheden aan de raketten op te voeren. De CIA beschouwde twee MRBM-terreinen nu operationeel. Drie andere zouden waarschijnlijk vandaag gereedkomen, een zesde omstreeks 28 oktober. De inlichtingendienst vermoedde dat drie IRBM-bases op 1 december operationeel zouden zijn, en nog eens twee op 15 december. Alle vierentwintig SAM-bases werden voltooid geacht.

Om kwart over zeven 's ochtends bereikte de tanker *Boekarest* als eerste Sovjetschip de blokkadegrens. Hoewel tankers werden uitgesloten van de quarantaine hadden sommige Ex Comm-leden geëist dat het schip werd gestopt en dat men aan boord ging zodat Chroesjtsjov zich niet zou 'vergissen in onze wilskracht of bedoelingen'.

De Amerikaanse torpedojager *Gearing* daagde de tanker uit met een knipperlicht. Hij antwoordde: 'Mijn naam is *Boekarest*, Sovjetschip van de Zwarte Zee, op weg naar Cuba.' Kennedy had geen zin om Chroesjtsjov op de huid te zitten en liet de *Boekarest* daarom passeren, maar hij gaf wel opdracht het schip te laten volgen door Amerikaanse oorlogsschepen om het later eventueel te onderschep-

---

1. Dit was niet de eerste keer dat de Kennedy's Stevenson geblokkeerd zagen door zijn negentiende-eeuwse manier van doen. Toen Martin Luther King tijdens de campagne van 1960 gevangen werd gezet, had Stevenson de broers tot razernij gebracht toen hij weigerde te voldoen aan hun verzoek om de vrouw van de voorvechter van burgerrechten te bellen om hun ongerustheid te uiten. Hij zei dat hij en mevrouw King 'nooit aan elkaar waren voorgesteld'.
Ball suggereerde jaren later dat Stevensons omgang met Thant werd beïnvloed door zijn raciale opvattingen: 'Hij dacht dat hij een Birmaan was en net zo snobistisch en rassenbewust kon zijn als ieder ander mens. Ik herinner me dat we jaren geleden samen langs de [Chicago] Loop wandelden en dat er een paar zwarten in een auto voorbijreden die naar ons toeterden, en dan zei Stevenson: "Ik vind niet dat we die roetmoppen moeten vrijlaten." Het was een grapje, maar hij had veel van een snob in zich.' In zijn hoedanigheid van Birmaanse omroep-en-informatiesecretaris had Thant Stevenson voor het eerst ontmoet in Birma, net na diens nederlaag van 1952. Thant vond hem 'een bijzonder fatsoenlijke en beschaafde heer met grote idealen'.

pen.[1] Hij vond dat hij uiteindelijk met het tegenhouden van een schip zou moeten laten zien dat het de Amerikanen menens was. Hij beval voorbereidingen te treffen voor een onderschepping van een 'geschikt' schip van het Sovjetblok op vrijdag.

Rusk had in het hele land vertrouwelijke briefings inzake Cuba gearrangeerd voor Congresleden en Senatoren. Voordat de vergadering met Ex Comm was afgelopen, meldde Salinger dat het Republikeinse Congreslid James Van Zandt, die Senatorkandidaat was voor Pennsylvania, na een briefing in New York razend naar buiten was gekomen en journalisten had verteld dat Kennedy de *Boekarest* de blokkade had laten passeren.

De president had het voorval zo mooi mogelijk willen formuleren voor het publiek. Hij riep: 'Wat is daar verdómme aan de hand?' Toen Roger Hilsman opbelde om het uit te leggen, zo vertelde hij later, gaf Kennedy hem een 'flinke veeg uit de pan die de lijnen deed knetteren, en toen ik eindelijk mocht ophangen, was mijn moreel bijzonder laag'.

Een paar minuten later belde Bundy naar Hilsman: 'Ik was in de kamer toen de president jou – eh – sprak, en ik wilde je alleen maar even laten weten dat het ons allemaal is overkomen.'

Om kwart over een 's middags rondde Kennedy zijn onderhandelingen over een antwoord aan Oe Thant met Stevenson af. Voor zonsopgang had hij Stevenson een kopie gestuurd van Chroesjtsjovs nieuwe dreigbrief, deels om de gezant bij de Verenigde Naties wat respect bij te brengen voor de druk waaronder hij functioneerde.

De laatste versie van de presidentiële boodschap aan Thant, vrijgegeven om elf minuten voor half drie in de middag, zei dat zolang de rakettencrisis kon worden opgelost door de verwijdering van aanvalswapens van Cuba, Stevenson bereid zou zijn tot 'voorbereidende besprekingen om te bepalen of bevredigende overeenkomsten gegarandeerd kunnen worden'. Zoals Kennedy had verwacht, had Chroesjtsjov onvoorwaardelijk met Thants voorstel van woensdagnacht ingestemd.

Om vier voor half drie schreef Thant naar Chroesjtsjov om hem te vragen om Sovjetgaranties dat schepen die op weg waren naar Cuba, voor beperkte tijd zouden wegblijven van de blokkadezone, zodat bekeken kon worden of de besprekingen over een oplossing voor de crisis konden beginnen. In een bericht aan Kennedy verzocht hij om de belofte dat alle Amerikaanse schepen in het Caribisch gebied zouden proberen om 'de komende dagen confrontaties met Russische schepen te vermijden'.

Stevenson begaf zich naar de vergaderzaal van de Veiligheidsraad. Hij wist niet dat de Sovjetambassadeur, Valerian Zorin, al maandenlang geestelijk aan het aftakelen was. Arkadi Sjevtsjenko kon zich herinneren dat Zorin tijdens besloten vergaderingen 'wel eens stilviel om vervolgens versuft naar ons op te kijken en zei: "In welk jaar leven we?"'

Misschien onder invloed van zijn ziekte of door gebrekkige communicatie met het ministerie van Buitenlandse Zaken had Zorin het voorstel van Thant voor

---

1. McCone maakte later bekend dat de Cubanen feest hadden gevierd nadat ze hadden vernomen dat de *Boekarest* was doorgelaten.

een stilstand afgewezen op bijna hetzelfde moment dat Chroesjtsjov dit in Moskou aanvaardde. Die middag, een volle dag nadat Chroesjtsjov tegenover William Knox had verklaard dat er grond-grondraketten en kernkoppen op Cuba waren, bleef Zorin voor de Veiligheidsraad beweren dat geen van dergelijke raketten op Cuba waren en dat het bewijsmateriaal van de Amerikaanse U-2 'nep' was.

Die ochtend had de columnist William S. White het aftreden van Stevenson geëist, zodat Kennedy zichzelf kon bevrijden van 'inofficiële experts die de angst voor het communisme op Cuba op een zelfingenomen manier belachelijk maakten'. De *Chicago Tribune*, die Stevenson al aanviel sinds zijn tijd in Springfield, protesteerde krachtig tegen '*wobblies*' (leden van de *Industrial Workers of the World*) in de Verenigde Naties wier 'ingebakken neiging' het was 'ons over te geven aan de Sovjet-Unie'.

Het was Stevenson een groot genoegen zijn karakter te tonen, vooral na zijn worstelingen met Ex Comm op zaterdag en met Kennedy na middernacht, en hij greep de gelegenheid nu met beide handen aan: 'Ontkent u, ambassadeur Zorin, dat de Sovjet-Unie op Cuba middellange-afstandsraketten en bases heeft geplaatst en bezig is te plaatsen? [...] Wacht niet op de vertaling! *Ja* of *nee?*'

Zorin: 'Ik zit niet in een Amerikaanse rechtbank, meneer, en ik ben niet van plan een vraag te beantwoorden die mij gesteld wordt zoals een openbare aanklager dat doet...'

Stevenson: 'U zit op dit moment in de rechtbank van de wereldopinie en u kunt ja of nee antwoorden. U hebt het bestaan van die zaken ontkend en ik wil weten of ik u goed begrepen heb.'

Zorin: 'Gaat u alstublieft door met uw verklaring. [...] U zult uw antwoord te zijner tijd ontvangen. Maakt u zich geen zorgen.'

Stevenson: 'Ik ben bereid om tot sint-juttemis op mijn antwoord te wachten als u dat wilt. En ik ben ook bereid om in deze ruimte het bewijs te presenteren.'[1]

De president zag de woordenwisseling op de televisie: 'Ik heb nooit geweten dat Adlai het in zich had. Erg jammer dat hij tijdens de campagne van 1956 niet meer van dit soort vuurwerk heeft laten zien.' Republikeinse vrienden uit Illinois die nooit op Stevenson hadden gestemd, zeiden nu tegen hem: 'Dat heb je schitterend gedaan bij de Verenigde Naties.' Zijn kennis Jane Dick vond dat hij 'op iemand leek die ergens van verlost was. Hij was heel erg uitgelaten – barst maar – hij dacht dat hij een enorme gok had gemaakt, en het was hem gelukt'.

Al snel realiseerde Stevenson zich het harde feit dat zijn strijdlustige confrontatie met een Sovjetrus een van de momenten zou zijn waar de toekomstige generaties hem om zouden herinneren. Hij zou tegenstrijdiger gevoelens over de woordenwisseling hebben gehad als hij geweten had dat zijn overwinning er een was op een zieke man.

Jaren later zei Sorensen dat hoewel Kennedy Stevensons prestatie 'bijzonder

1. Stevensons plaatsvervanger, Francis Plimpton, verklaarde dat Stevenson nadat hij tijdens de Varkensbaai-crisis het vervalste bewijsmateriaal tot zijn schaamte had vrijgegeven (een actie waarvoor Kennedy hem 'mijn officiële leugenaar' noemde), nu 'aarzelde' om de U-2 opnamen van de raketten op Cuba te laten zien: 'Er was veel overredingskracht voor nodig om hem zo ver te krijgen. Hij moest ervan worden overtuigd dat het oké was.'

goed' vond, het 'logisch gezien geen hout sneed. Het enige waar we niet toe bereid waren, was te wachten tot sint-juttemis. We wilden dat de Sovjets snel iets ondernamen.'

De president schreef Oe Thant een brief en beloofde plechtig tijdens de voorbereidende besprekingen een confrontatie met Sovjetschepen te vermijden als de Russen akkoord zouden gaan weg te blijven van de blokkadezone: dit was 'een zaak van de grootste urgentie'. Het werk aan de raketten ging door en bepaalde 'Sovjetschepen stomen op Cuba en het onderscheppingsgebied af'.

Gedurende de drie dagen na zijn televisietoespraak was Kennedy's crisisbeleid bijna vlekkeloos verlopen. Om de Secretaris-Generaal extra tijd te gunnen, verdroeg hij kritiek van politieke tegenstanders en de gezamenlijke stafchefs op het verkleinen van de blokkadezone. Hij had alles in het werk gesteld om een licht ontvlambaar Amerikaans-Russisch incident op zee te vermijden.

Toen hij te laat arriveerde voor de vergadering van vijf uur met Ex Comm, zei hij dat ze een gevaarlijk incident moesten vermijden tot na het moment dat ze hoorden of Chroesjtsjov het voorstel van Thant had aanvaard om Sovjetschepen op afstand te houden van de blokkadegrens. Ondanks militair verzet gaf Kennedy het bevel de *Boekarest* door te laten varen naar Cuba: Chroesjtsjov moest niet tot 'onbezonnen actie' worden gedwongen. 'Geef hem tijd om na te denken. Ik wil hem niet in een hoek drukken waar hij niet meer uit kan ontsnappen.'

Het Oostduitse schip *Völkerfreundschaft*, met vijftienhonderd passagiers aan boord, naderde de blokkadegrens. Bundy wees de president erop dat het tegenhouden van het schip niet in tegenspraak zou zijn met zijn brief aan Thant, aangezien het niet onder Sovjetvlag voer. McNamara waarschuwde dat als ze het schip zouden bestoken of rammen, passagiers zouden verwonden en vervolgens geen raketten aan boord zouden vinden, de hele wereld zich zou afvragen waarom 'we Sovjetschepen de blokkade laten passeren en een Oostduits schip tegenhouden'. Na een stevige discussie besloot Kennedy het schip doorgang te verlenen.

Rusk meldde dat Thant gedurende de volgende twee of drie dagen afzonderlijke gesprekken zou voeren met Zorin en Stevenson 'om een oplossing voor de crisis te zoeken of, als dat onmogelijk blijkt, een basis te verschaffen voor latere maatregelen, na niet in staat te zijn geweest over een schikking te onderhandelen'. Deze besprekingen 'moeten tot een minimumaantal dagen worden beperkt, omdat de IRBM-bases op Cuba operationeel worden en de Il-28-bommenwerpers snel vliegklaar zullen zijn'. Ze moesten binnenkort beslissen of de Russen 'zich voorbereiden op een gesprek' of 'zich klaarmaken voor een aanval'.

De president voegde straalvliegtuig- en raketbrandstof toe aan de lijst van verboden goederen. Hij gaf toestemming voor nachtelijke spionagevluchten waarbij piloten laag over de grond scheerden en lichtspoormunitie op de IRBM-bases gooiden. McNamara zei dat de nachtvluchten een 'psychologisch effect' zouden hebben en zouden helpen 'het publiek te overtuigen dat we de druk op de Russen opvoeren'. De president gaf de marine opdracht de zes onderzeeërs, waarvan bekend was dat ze zich in de buurt van Cuba bevonden, te volgen: ze moesten worden getreiterd en in tegenwoordigheid van Amerikaanse oorlogsschepen naar de oppervlakte worden gedwongen.

Robert Kennedy herinnerde zijn collega's eraan dat 'vijftien schepen zijn omgedraaid en dat is een indrukwekkende maatregel die de Russen hebben genomen'. De Verenigde Staten moesten 'duidelijk aangeven dat wij het menen, maar we moeten nu wel een directe confrontatie vermijden'. Later zouden ze nog kunnen beslissen 'dat het beter is een confrontatie met de Russen te vermijden door een van hun schepen tot stoppen te dwingen en te reageren door de reeds aanwezige raketten op Cuba aan te vallen'.

De president waarschuwde: 'We moeten snel tot actie overgaan, omdat de werkzaamheden aan de raketbases nog steeds doorgaan en we moeten heel snel de vastberadenheid die we tot nu toe hebben getoond, bevestigen. [...] Morgen weten we wat het Russische antwoord is op Oe Thants voorstel.' Als Chroesjtsjov het zou afslaan, dan zouden de Verenigde Staten hun 'volgende belangrijke zet' moeten overdenken. Bundy omschreef wat die volgende zet zou zijn: 'De blokkade uitbreiden of de raketten verwijderen met een luchtaanval.'

18. 'Ik zie niet in hoe we een succesvolle oorlog zullen voeren'

Op vrijdag 26 oktober werd de Amerikaanse blokkade om zeven uur 's ochtends voor het eerst ten uitvoer gebracht. De vrachtvaarder *Maroekla* werd door de Amerikaanse torpedobootjager *Joseph P. Kennedy, Jr.*, het schip waar Robert Kennedy in 1946 op had gediend, gesignaleerd.

De *Maroekla* voer onder Panamese vlag, stond geregistreerd in Libanon en voer onder Russische contract. Een groep marine-inspecteurs bestudeerde de ladingsbrief, keek door een scheepssluik, verzekerde zich ervan dat zich geen smokkelwaar aan boord bevond, en stond het schip toe zijn reis te vervolgen. De president zei tegen Salinger: 'De pers zal ons nooit geloven als we ontkennen dat we de *Kennedy* tegen de *Maroekla* hebben ingezet om de familie wat meer publiciteit te bezorgen.'

Stevenson, weer terug uit New York om die ochtend om tien uur een bijeenkomst van Ex Comm te kunnen bijwonen, voorspelde dat de Russen de Verenigde Staten zouden vragen de territoriale integriteit van Cuba te bewaren en de Jupiters uit Turkije te verwijderen. Dit in ruil voor het verwijderen van de raketten. McCone was het niet eens met Stevensons vergelijking tussen de raketten op Cuba en die in Turkije: de raketten op Cuba waren 'gericht op ons hart en zorgen voor een hevige ondermijning van onze verplichtingen aan de Vrije Wereld'.

Kennedy was tot de conclusie gekomen dat een quarantaine alleen niet werkte: de enige manier om de raketten kwijt te raken, zou door middel van een 'invasie of een ruil' zijn. Verwijzend naar een Braziliaans voorstel voor een atoomvrije zone en een territoriale garantie voor alle Latijns-Amerikaanse staten, vroeg hij of de Verenigde Staten 'zichzelf konden verplichten Cuba niet binnen te vallen'. McCone wilde niet stilzwijgend goedkeuring verlenen aan een 'continuering van Castro's macht op Cuba. Zelfs als de Russische raketten worden verwijderd, zal Castro, als hij de touwtjes nog in handen heeft, zich in een uitstekende positie bevinden om Latijns-Amerika met het communisme kennis te laten maken.'[1]

Iemand kwam met een aangepast voorstel dat dateerde uit de eerste week van de crisis: vraag de Braziliaanse ambassadeur om Castro erop te wijzen dat hij door de Sovjet-Unie werd gebruikt en dat iedere oplossing van deze crisis tot de val

---

1. McCones redenering vond in 1991 weerklank tijdens de vijf maanden die hun hoogtepunt bereikten in de Perzische-Golfoorlog: adviseurs van president George Bush stelden voor om niet alleen de Iraakse bezetting van Koeweit ongedaan te maken, maar om tevens geweld te gebruiken om Saddam Hoessein de macht te ontnemen waardoor hij niet meer in staat zou zijn het Midden-Oosten te domineren.

van zijn regering, zo niet zijn dood, zou leiden. Had de president niet laten weten dat er over twee dingen met Castro niet kon worden onderhandeld – namelijk militaire banden met Moskou en agressie tegen Latijns-Amerika?

Kennedy betwijfelde het of het plan enig effect zou hebben. Aangezien het werktempo op de raketbases was opgevoerd, zei Kennedy dat hij de besprekingen in New York achtenveertig uur de tijd wilde gunnen om te slagen. Als de gesprekken mislukten, zou hij uit drie hoofdalternatieven moeten kiezen.

Het eerste alternatief was onderhandelen. Walt Rostow zei: 'De Sovjets proberen nu heel duidelijk tot onderhandelingen te komen waarbij ze ofwel vasthouden aan wat ze op Cuba bezitten (om deze in de toekomst via geheime levering van vitale onderdelen, waaronder kernkoppen, verder uit te bouwen), ofwel de raketten inruilen tegen westers spul, met name de Turkse en Italiaanse raketten.'

Een tweede optie: laat de blokkade ook gelden voor petroleum, olie en smeerolie (POS). Dit zou de Cubaanse economie 'stagneren en hun militaire capaciteiten radicaal beperken', zo meldde het ministerie van Buitenlandse Zaken. 'Het regime en de bevolking zouden na zes maanden worden geconfronteerd met een totale instorting van de economie.' Dit zou de Verenigde Staten 'tijd geven om tot een resolutie te komen die zonder gezichtsverlies gepaard gaat' en aantonen dat Amerika 'geen enkele verdienste van de Vrije Wereld niet tot inzet van onderhandelingen [zou] maken, behalve de blokkade zelf'.

De derde optie: een luchtaanval. Men had Kennedy gewaarschuwd dat een dergelijke aanval 'Chroesjtsjov zal kunnen dwingen om met een heftige reactie te komen die tot een bepaald type oorlog zou kunnen leiden'. De Secretaris-Generaal 'zou geen raket vanaf Cuba lanceren, tenzij hij op andere gronden bereid is tot een oorlog'. Een 'gepaste tegenstoot' lag meer voor de hand – misschien door middel van een aanval op een van de raketbases in Turkije. Maar wie wist waartoe een dergelijke actie zou leiden?

De vorige dag had de vice-president de directeur-hoofdredacteur van de *Dallas Morning News*, Jack Krueger, gebeld en zich politiek gecompromitteerd door te onthullen wat hij in de Cabinet Room had gehoord: 'De kans dat we Cuba aanvallen, is fifty-fifty en als jij zorgt dat je hier een van je mensen hebt, zorg ik ervoor dat hij met de eerste persvlucht meegaat.'

Als de Kennedy's erachter waren dat de vice-president bezig was om op dit hoogst gevaarlijke moment regeringsgeheimen door te spelen om zo zijn eigen wegzakkende politieke status in Texas op te vijzelen, zouden ze ziedend zijn geweest. Robert Kennedy liet zich al geringschattend genoeg uit over de rol die Johnson in de crisisraad had gespeeld: later klaagde hij dat Johnson 'het gevoel had dat we ons te zwak opstelden', maar 'hij maakte nooit duidelijk wat *hij* zou doen'.[1]

---

1. Zelfs het aantal bijeenkomsten van Ex Comm dat Johnson bijwoonde, vormde een geschilpunt met Robert Kennedy. In oktober 1964 vertelde Johnson tijdens zijn presidentscampagne tegen een gehoor in Los Angeles: 'Ik heb president Kennedy tijdens de Cubacrisis in achtendertig verschillende bijeenkomsten ontmoet en we hebben het samen tot de laatste uren volgehouden. Chroesjtsjov had zijn raketten op dit land gericht en kon San Francisco en Los Angeles compleet van de bodem wegvagen. [...] Ik zag de generaals met

465

De president legde uit dat Johnson waarschijnlijk werd beïnvloed door militante makkers binnen het Congres. Lachend overwogen de broers anderen op Capitol Hill te vragen hem te telefoneren en tegen hem te vitten dat 'de regering zich als een oorlogszuchtige partij gedraagt'. Daarna konden ze zien of de vice-president zijn standpunten veranderde.

In later jaren klaagde Johnson dat er 'niet één man was die minder over de gang van zaken in het Congres wist dan John Kennedy. [...] Toen hij nog jong was, was hij altijd voor een lang weekend naar Boston of Florida. [...] Hij was het type van de collegeloper. Hij had geen band met het Congres, onderhield zich niet met Congresleden. En het Congres vond hem een speler die niet wist waar de bal was.'[1] Volgens Robert Kennedy liet de nieuwe Democratische presidentskandidaat zich in augustus 1960 verrassen, om de tuin leiden of chanteren, waarna hij genoegen moest nemen met een kandidaat voor de tweede plaats die hij eigenlijk niet wilde. Volgens Robert was zijn broer van plan geweest Senator Stuart Symington uit Missouri te kiezen.[2] Maar toen Johnson zijn pro forma aanbod accepteerde, kon of wilde Kennedy niet de politieke moed opbrengen dit aanbod weer in te trekken.

al hun sterren de kamer binnenkomen en de admiraals met hun tressen en de minister van Buitenlandse Zaken met al zijn diplomatieke ervaring. Ik luisterde naar al hun woorden. Ik ben nog nooit van huis vertrokken in de zekerheid dat ik 's avonds in de gelegenheid zou zijn Lady Bird en haar dochters weer te zien.'
Vier maanden later hekelde Robert Kennedy tijdens een interview met historici de opschepperij van Johnson: 'Bij de echt belangrijke bijeenkomsten was hij nooit aanwezig. [...] Ik geloof dat hij wel bij de eerste bijeenkomst aanwezig was. Daarna vertrok hij naar Hawaii, want ze wilden niet [...] de illusie wekken dat er een crisis voor de deur stond. Op de momenten dat de belangrijke beslissingen werden genomen, was hij in geen velden of wegen te bekennen.'
Kennedy hield vol dat Johnson zich pas na zaterdag 27 oktober weer op de bijeenkomsten meldde. De vice-president keerde, om precies te zijn, op zaterdag 20 oktober terug van zijn spreekbeurttournee en woonde tussen 22 oktober, de dag van de toespraak van de president, en 29 maart 1963, de dag waarop Ex Comm werd opgeheven, alle tweeënveertig bijeenkomsten bij, met uitzondering van vijf bijeenkomsten eind december en begin november.
1. Hij zei dit in 1965 tegen William Leuchtenburg, de *New Deal*-historicus. Johnson vervolgde zijn beklag door te beweren dat toen Kennedy het Witte Huis betrad, hij 'alleen maar beschikte over wat overgebleven programma's van Roosevelt, Truman en Eisenhower' en dat de president 'naar mijn smaak iets te conservatief' was. Johnson zei dit zonder twijfel om meer krediet te kweken bij Leuchtenburg, maar deze uitspraken lieten ook duidelijk zijn persoonlijke ongeduld zien inzake Kennedy's terughoudendheid om voorstellen over binnenlandse hervormingswetten te presenteren die vervolgens door het Congres zouden worden afgekeurd.
2. Symington was zo overtuigd dat hij de kandidaat voor het vice-presidentschap zou worden, dat hij zijn vriend Clayton Fritchey opdroeg alvast de toespraak voor zijn ambtsaanvaarding op te stellen. Later zei Robert Kennedy tegen Charles Bartlett: 'Ik hoor dat je redacteur kwaad op je is omdat je dacht dat Stu Symington de genomineerde zou worden. [...] Nou, je kunt tegen hem zeggen dat ik dat ook dacht.' Tegen *New Dealer* James Rowe zei hij: 'Vind je dit geen verschrikkelijke fout? Vind je ook niet dat het beter voor de kandidatenlijst zou zijn geweest als Symington tot kandidaat was benoemd?'

Die dag zei hij tegen zijn medewerker Hy Raskin: 'Lyndon Johnson heeft me gedwongen zijn naam te laten vallen. Weet je, we hebben nooit overwogen Lyndon te kiezen, maar [...] hij en Sam Rayburn [...] wezen me erop dat er tussen nu en de verkiezingen zonder twijfel een bijeenkomst van het Congres zal plaatsvinden. Als Lyndon geen kandidaat voor het vice-presidentschap was geworden, dan had ik op de nodige moeilijkheden kunnen rekenen. Er was geen tijd de zaak uit te zoeken of te bepraten. [...] Nixon zal ons al genoeg problemen bezorgen. Het heeft geen zin nog meer van die Texaanse klootzakken in huis te halen.'

De broers beloofden elkaar nooit te onthullen dat Johnson niet hun eerste keus was geweest. In de stijl van zijn vader concentreerde Kennedy zich meteen op de pluspunten van Johnsons benoeming. Hij herinnerde zichzelf eraan dat 'het presidentschap geen zin zou hebben' als Johnson als leider van de meerderheid zou aanblijven. Robert liet zijn broer weten dat Johnson vanuit de Senaat Kennedy 'continu' zou 'naaien'. Tijdens de retourvlucht naar Boston zei Kennedy tegen verslaggevers: 'Kijk naar de staten die ik misschien voor me kan winnen.' Er bestaat geen dossier waaruit blijkt dat hij tegenover Johnson of anderen ooit vertrouwelijk heeft toegegeven dat hij het presidentschap te danken had aan het feit dat de naam Johnson op de kandidatenlijst prijkte: als hij met een niet-zuiderling de verkiezingsstrijd was ingegaan, zou hij grote moeilijkheden hebben ondervonden om kritische zuidelijke staten te heroveren die in 1952 en 1956 voor Eisenhower hadden gekozen.[1] Zoals Bradlee opmerkte: 'LBJ's eenvoudige verschijning leek hem dwars te zitten. Hij komt niet echt indrukwekkend over, maar het is niet anders.'

Voor Johnson betekende het vice-presidentschap zonder twijfel een manier om zijn opgeplakte zuidelijke label van zich af te schudden en om politieke verbintenissen aan te gaan die hem zouden helpen bij de verkiezingen in 1968. Na de Varkensbaai, toen Kennedy somber aangaf misschien al na één ambtstermijn af te treden, liet Lem Billings hem weten dat 'alle handelingen' van Johnson waren gericht op een toekomstige verkiezingscampagne. Kennedy zei dat als Johnson genomineerd werd, hij hem meer steun zou geven dan 'Nixon van Eisenhower kreeg'. Jacqueline wees hem erop dat hij haar had gezegd dat Johnson over een slecht oordeelvermogen beschikte. Hij zei daarop dat Johnson 'over vier jaar beter aan de eisen voor het presidentschap zal voldoen dan nu het geval is'.

Ten tijde van Kennedy's inauguratie had Johnson de nieuwe president een document overhandigd waarin hij afstand deed van het ongeëvenaarde gezag binnen het Uitvoerend College van de Democratische Senaatsfractie. De president slaagde erin te vergeten wat hij met het document had gedaan. Johnson had aan Democratische Senatoren gevraagd hem voorzitter te laten blijven van de Democratische fractie. Dit werd afgewezen. Kennedy vond dat 'toen ze Lyndon niet bij die fractievergaderingen wilden betrekken, alle kracht uit hem verdween'. De nieuwe vice-president maakte er een gewoonte van een beetje rond het bureau van Evelyn Lincoln rond te hangen om te kijken of de president er was. Kennedy vroeg: 'Wat moet die man hier op kantoor?'

---

1. Na de verkiezingen schreef Nixon in een scherpe brief aan Henry Cabot Lodge dat hij, 'in tegenstelling tot de gekozen president, altijd trots was om samen met mijn *running mate* in alle staten van het land te verschijnen'.

Met de rituele aankondiging dat Johnson de 'meest invloedrijke vice-president' in de geschiedenis zou worden, gaf de president het startsein voor hun werkrelatie. Hij stuurde van tevoren opgestelde teksten voor belangrijke toespraken naar Johnson en vertelde zijn kabinetsleden: 'Ga met je problemen naar Johnson, of kom bij mij.' Zijn pogingen de politieke status van de vice-president te ondermijnen, hadden veel te maken met zijn mislukte pogingen bij wetsontwerpen van Johnsons onovertroffen lobbykwaliteiten bij Senatoren en Congresleden gebruik te maken.[1]

Kennedy zette hem aan het hoofd van een aantal commissies op het gebied van de ruimtevaart en gelijke rechten, stuurde hem op buitenlandse reizen en luisterde naar zijn (gerechtvaardigde) klachten over zijn slechte behandeling en het feit dat hij belachelijk werd gemaakt door de stafleden van het Witte Huis, waarbij hij O'Donnell naar het Oval Office riep om hem in aanwezigheid van Johnson als de aangewezen zondebok te berispen. Later liet Robert Kennedy nadrukkelijk weten dat de president zich ontevreden toonde met Johnsons werk inzake de gelijke rechten en dat hij zei: 'Die man is niet in staat deze commissie te leiden. Kun je je iets ergers voorstellen dan die man aan het hoofd van de Verenigde Staten van Amerika?'

Toch gaf zelfs de minister van Justitie toe dat Johnson 'zeer loyaal' was en 'zich nooit negatief over de president uitliet'. Toen Kennedy hoorde over de brieven die Johnson naar de tachtigjarige Senator uit Arizona had geschreven en vroom om 'nog eens twintig Carl Haydens' vroeg, zei hij dat hij tientallen van die brieven ontving, 'maar van mij wil hij er maar één'. Johnsons behoedzaamheid kwam zowel voort uit een oprechte trouw, als de angst dat hij weinig kans op eennominatie bij de Democraten zou maken als de president hem in 1968 actief tegenstand zou bieden.

In 1962 was het Evelyn Lincoln inmiddels opgevallen dat Johnsons naam 'steeds minder vaak voorkwam op de belangrijke lijsten van genodigden voor plannings- en beleidsbijeenkomsten in het Witte Huis'. Als Kennedy dingen zei zoals: 'We zijn vandaag weer geen stap verder gekomen – Lyndon bleef maar aan het woord,' kwam Johnson dit te weten en vertelde hij tegen zijn naaste vrienden: 'President Kennedy heeft me gevraagd deze bijeenkomsten van de Nationale Veiligheidsraad bij te wonen op voorwaarde dat ik niet mijn mening uit.' In 1961 bracht hij totaal meer dan tien uur privé met de president door. In 1963 was dit aantal uren tot twee teruggelopen.

Tegen Charles Bartlett zei Kennedy: 'Als je op iets opwindends of iets zeer belangrijks stuit, denk je er gewoon niet aan om mensen te bellen die de telegrammen niet hebben gelezen. [...] En Lyndon heeft de telegrammen niet gelezen.'

In zijn tweede jaar als president beschouwde Kennedy Johnson en Stevenson niet zozeer als verstarde Democraten voor wie hij nog steeds moest knielen, maar vooral als mannen die op het politieke vlak waren gestruikeld en die nu afhankelijk waren geworden van zijn goodwill.

Tegen Bobby Baker, voormalig rechterhand van Johnson, zei hij (volgens Ba-

---

1. Na de verkiezingen van 1960 had Johnson tegen een verslaggever van de *New York Times* gezegd dat hij verwachtte als Kennedy's 'puinruimer' voor binnenlandse aangelegenheden te dienen en dat hij er zeker van was dat zijn kennis van de gang van zaken in het Congres een 'aanzienlijke steun' zou zijn 'bij het laten aannemen van nieuwe wetten'.

ker): 'Ik weet dat hij zich als vice-president niet gelukkig voelt. Het is een stront-baan, de ergste klotebaan die ik me kan voorstellen. [...] Ik kijk naar hem tijdens onze bijeenkomsten in de Cabinet Room [...] maar hij is zo voorzichtig, hij zegt weinig en komt ook nauwelijks met belangrijke bijdragen. Ik *weet* dat hij uit loya-liteit tegenover mij zijn intuïtie onderdrukt, maar het zou helpen als hij voor zijn mening zou uitkomen.'

Toen Baker de boodschap aan Johnson doorgaf, zei deze: 'Als ik met de rege-ringsploeg en met al die stafleden van het Witte Huis om me heen ook maar één woord kritiek spui [...] zullen ze verkondigen dat ik een verdomde verrader ben. [...] O, zeker, Jack Kennedy is zo attent en behoedzaam als hij maar zijn kan, maar ik weet dat die snotneus van zijn broer het op me heeft gemunt, net zoals die hoogdravende lui van Harvard. Als ik ze maar genoeg touw geef, zullen ze me eraan ophangen.' In latere jaren zou Johnson over zijn vice-presidentschap zeggen: 'Ik verafschuwde elke minuut.'

Al jaren lang had hij gezocht naar manieren om de *Dallas Morning News* binnen zijn kamp te lokken. De uitgever van de krant, E.M. Dealey, die de president in diens gezicht had beledigd als een man die 'op Carolines driewielertje rijdt', be-keek Johnson met net zo veel wantrouwen als waarmee hij Kennedy beschimpte. Nu droeg Johnson Jack Krueger per telefoon op om een van zijn verslaggevers zich te laten 'inchecken in het Washington Hotel. Bel niet naar mijn kantoor. Zorg gewoon dat je klaarstaat. Hij krijgt daarna te horen wat er verder gaat ge-beuren.' Johnson waarschuwde: 'Wie je ook stuurt, vertel hem dat hij maar be-ter niet uit de school kan klappen over waarom hij daar zit. [...] Tenminste, als hij zijn ballen graag heel wil houden.' Krueger stuurde verslaggever Hugh Ay-nesworth. Deze checkte in het Washington Hotel in en wachtte tot zijn telefoon zou overgaan.[1]

John Scali, nog maar kort de nieuwe diplomatieke correspondent voor ABC, zat op vrijdag achter zijn bureau op het ministerie van Buitenlandse Zaken en nut-tigde zijn lunch, toen hij werd gebeld door Aleksandr Fomin, raadsman van de Sovjetambassade: 'Het is uiterst belangrijk. We zien elkaar over tien minuten in het Occidental.'

Fomin was de Sovjetfunctionaris die via Robert Estabrook van de *Washington Post* in maart 1961 een boodschap aan het Witte Huis had laten overbrengen. Doordat Bolsjakov was gebruikt om de Kennedy's omtrent de raketten te mislei-den, was hij als verbindingsman naar de Kennedy's minder bruikbaar gewor-den. Hierdoor kreeg Fomin de kans een opening te creëren.

Volgens Scali hadden hij en Fomin sinds hun eerste gezamenlijke diner in het restaurant van Duke Zeibert in de herfst van 1961 zeven keer met elkaar ge-luncht. De Rus had hem verteld dat hij nieuw was in Washington en graag de weg wilde leren kennen. Scali vond hem 'een rustige, redelijke en intelligente

1. Johnsons gunst had duidelijk resultaat. Een redactioneel artikel in de *Morning News* van net na de rakettencrisis merkte op dat de vice-president 'een van de voorstanders van een standvastige houding jegens Castro en de communisten' was geweest en 'dat vaststaat dat hij op een discrete maar effectieve manier in de recente kritieke periode naar dit doel heeft gewerkt'.

man die, als dit nodig bleek, niet aarzelde van de geijkte communistische lijn af te stappen'. Van de Amerikaanse inlichtingendienst had hij vernomen dat Fomin een kolonel bij de KGB was die tot taak had de Russische inlichtingenoperaties in de Verenigde Staten te reorganiseren.

Volgens Fomin hadden hij en Scali maandag met elkaar geluncht, enkele uren voordat de president zijn toespraak hield. Nu, in het Occidental restaurant, zei Fomin, nadat de bestellingen waren genoteerd: 'De oorlog lijkt op het punt van uitbreken te staan. Er moet iets worden gedaan om de situatie te redden.' Scali: 'Nou, dat had u zich beter kunnen bedenken voordat u de raketten op Cuba plaatste.'

Fomin leunde over de tafel: 'Misschien kunnen we een manier vinden om deze crisis op te lossen. [...] Hoe staat u tegenover een voorstel waarbij we beloven onze raketten onder toezicht van de Verenigde Naties te zullen verwijderen en de heer Chroesjtsjov zal verklaren nooit meer zulke aanvalswapens op Cuba te zullen plaatsen? Zou de president van de Verenigde Staten bereid zijn om dan openlijk te beloven Cuba niet binnen te vallen?' Als Stevenson een dergelijke regeling bij de Verenigde Naties zou voorstellen, dan zou Zorin, zo zei hij, in een dergelijk voorstel geïnteresseerd zijn.

Scali antwoordde dat hij niet wist of Kennedy zo'n belofte zou doen. Fomin zei: 'U moet dat onmiddellijk van uw hooggeplaatste vrienden op het ministerie van Buitenlandse Zaken zien uit te vinden.' Scali haastte zich terug naar het ministerie van Buitenlandse Zaken, typte een verslag van het gesprek uit en ging ermee naar Roger Hilsman.

Scali en de andere Amerikanen die van Fomins aanpak op de hoogte werden gesteld, namen aan dat deze actie door Chroesjtsjov was opgezet. In 1989 zei Fomin dat hij op eigen houtje had geopereerd, hoewel het gesprek wel aan Dobrynin was gerapporteerd, die op zijn beurt Moskou kan hebben ingelicht. Inmiddels liet zijn geheugen Fomin in de steek: de verstreken tijd kan hieraan debet zijn geweest.

Nadat Scali over zijn rendez-vous met Fomin in 1964 verslag had gedaan in het blad *Family Weekly*, kreeg Charles Bartlett van zijn vriend Aleksandr Zintsjoek van de Sovjetambassade te horen dat het verhaal van Scali 'uit de duim gezogen' was, en dat Fomin 'op eigen houtje' had geopereerd. Zoals Bartlett zich herinnerde: 'Ik denk dat de achterliggende gedachte was dat Scali [...] misschien meer in de affaire zag dan dat er eigenlijk aan de hand was, en dat hij probeerde wat publiciteit te krijgen.' In 1991 hield Georgi Kornjenko vol dat Fomin inderdaad op zichzelf opereerde en dat de KGB en anderen op de Sovjetambassade in Washington bezig waren alle beschikbare contacten met Amerikanen te bewerken om zo een uitweg voor de crisis te vinden.

Bijna tegelijkertijd kwam Oe Thant in New York bij Stevenson met min of meer hetzelfde voorstel dat Fomin aan Scali had gedaan. Kennedy had totaal geen idee of dit plan afkomstig was van Chroesjtsjov of dat het gewoon iets was wat de secretaris-generaal van de Verenigde Naties had verzonnen. Dean Rusk herinnerde zich dat 'de president nooit de indruk had dat hij iets concreets bij de hand had'.

Verscheidene jaren later onthulde Thant aan de minister van Buitenlandse Zaken dat de bron van het voorstel bij een Sovjetfunctionaris lag. Zoals Rusk zich herinnerde: 'Oe Thant noemde diens naam. We wisten dat het iemand van de KGB was. [...] Oe Thant zei dat Gromyko ervan afwist. Als we dit hadden geweten, was de zaak in een heel ander licht komen te staan.'[1]

Als de latere bewering van Kornjenko onjuist was en de KGB werd gebruikt om in New York en Washington identieke geheime voorstellen in te dienen, kon daaruit worden afgeleid dat Chroesjtsjov terugkeerde naar zijn geprefereerde methode om een confrontatie met de Verenigde Staten te bezweren – het sturen van een geheim agent die tot taak had met een voorstel te komen waarover de Secretaris-Generaal geen openlijke verantwoording wilde afleggen.

In Moskou boden Foy en Phyllis Kohler de romanschrijver Irving Stone een lunch aan in het Spaso House. Russische studenten gooiden stenen door de ramen: 'Gewoonlijk hadden ze het op het eigenlijke ambassadegebouw voorzien,' herinnerde Kohler zich. 'Het is daarna nooit meer voorgekomen.'

Om twaalf over half vijf 's middags arriveerde een Russische koerier buiten adem op de ambassade. Hij had een lange brief voor Kennedy bij zich die met paarse inkt was ondertekend met: 'N. Chroesjtsjov.' Richard Davies stond verbaasd: doorgaans werden de medewerkers op de ambassade gevraagd dergelijke documenten op het ministerie van Buitenlandse Zaken af te halen. De koerier zei tegen hem: 'Mijn verontschuldigingen dat de brief niet is verzegeld, maar ik kom regelrecht van het Kremlin. Mij was opgedragen meteen hierheen te gaan en niet de moeite te nemen om eerst op het ministerie langs te gaan voor een zegel.'

Terwijl hij de brief bestudeerde, zag Davies nog andere bewijzen dat de Secretaris-Generaal haast had gehad: 'Het was een rommeltje. De correcties waren met dezelfde inkt uitgevoerd en hadden hetzelfde handschrift als de handtekening. [...] Sommige woorden waren doorgestreept, en andere weer tussengevoegd.' Net als bij alle andere brieven die afkomstig waren van de Secretaris-Generaal werd deze opgedeeld aan verschillende ambassadefunctionarissen om de Engelse vertaling zo snel mogelijk klaar te hebben. Kohler stuurde een telegram naar Washington met de mededeling dat ze hier wel eens met een 'doorbraak' te maken konden hebben.

Al de hele week voelde de president zich geïrriteerd door de telexvertragingen vanuit Moskou. De nieuwe brief kwam pas om zes uur plaatselijke tijd aan in Washington, acht uur nadat Davies de brief in ontvangst had genomen. Rusk riep Ball, McNamara, Robert Kennedy, Bundy, Thompson en anderen naar zijn kantoor. De mannen schaarden zich rond de telex en lazen de brief regel voor regel door terwijl de brief langzaam maar zeker uit het apparaat rolde:

> Ik zou denken dat de kennelijke voortzetting van de uitwisseling van meningen over zo'n grote afstand, zelfs in de vorm van geheime brieven, weinig zal toevoegen aan wat beide partijen elkaar al hebben laten weten. [...] Ik zie, meneer de president, dat u niet geheel vrij bent van bezorgdheid over het lot van de wereld. [...]
> We moeten ons niet overgeven aan valse hoop en triviale gevoelens, of het nu om

---

1. Volgens Rusk waren Dobrynin en Zorin niet op de hoogte gesteld.

ophanden zijnde verkiezingen in wat voor land dan ook gaat.[1] [...] Als er inderdaad een oorlog zou uitbreken, zouden wij niet in staat zijn deze te stoppen. [...] Ik
heb aan twee oorlogen deelgenomen en ik weet dat oorlogen pas zijn afgelopen nadat ze eerst door steden en dorpen zijn geraasd en overal dood en verderf hebben
gezaaid.

In naam van de Sovjetregering en het Sovjetvolk verzeker ik u dat uw conclusies
met betrekking tot aanvalswapens op Cuba op geen enkele grond zijn gebaseerd.
[...] U bent een man van het leger en ik hoop dat u mij zult begrijpen. Laten we,
bijvoorbeeld, eens een gewoon kanon nemen. Wat voor soort wapen is dit – een offensief of een defensief wapen? Een kanon is een defensief wapen als dit ter verdediging langs grenzen of van een versterkt gebied staat opgesteld. Maar wanneer
men de benodigde troepen nog eens gaat uitbreiden met artillerie, worden diezelfde kanonnen offensieve wapens, want ze zijn dan bedoeld om de weg vrij te maken
voor de aanvallende infanteristen. Dit alles is ook van toepassing op kernwapens.
[...]

U vergist zich als u denkt dat al onze wapens op Cuba bedoeld zijn voor een aanval. Maar laten we geen ruzie maken. Het zal duidelijk zijn dat ik er niet in zal slagen u te overtuigen. Maar ik zeg u – u, meneer de president, bent een man van het
leger en moet dit dus begrijpen – kan iemand die op zijn gebied over grote hoeveelheden effectieve raketten voor verschillende afstanden beschikt, aanvallen als hij
slechts over deze middelen kan beschikken? Deze raketten vormen een middel tot
uitroeiing en vernietiging. Maar met deze raketten kunnen geen aanvallen worden
uitgevoerd – zelfs niet met kernraketten met een kracht van honderd megaton: alleen mensen, troepen kunnen aanvallen. Zonder mensen kunnen wapens, hoe
krachtig ook, geen aanvalswapens zijn.

Hoe is het dan mogelijk dat iemand met zo'n totaal onjuiste interpretatie op de
proppen komt zoals u nu doet, en verklaart dat bepaalde wapens op Cuba bestemd
zijn voor een aanval? Alle daar opgestelde wapens hebben een defensief karakter,
kan ik u verzekeren. Zij staan alleen opgesteld ter verdediging van Cuba en zijn
daar op verzoek van de Cubaanse regering gestationeerd. U beweert echter dat we
hier met aanvalswapens te maken hebben.

Meneer de president, denkt u nu werkelijk serieus dat Cuba in staat is de Verenigde Staten aan te vallen en dat we zelfs in staat zijn om u samen met Cuba vanaf
Cubaans grondgebied aan te vallen?. [...] Heeft de militaire strategie zo'n nieuwe
wending gekregen dat een aanval nu mogelijk wordt? Ik zeg met opzet 'aanval' en
geen 'vernietiging', want het zijn de barbaren – mensen die hun verstand hebben
verloren – die vernietigen. [...]

U kunt ons met wantrouwen bekijken, maar u kunt er in ieder geval op vertrouwen [...] dat we over gezond verstand beschikken en dat we ons maar al te goed
realiseren dat als we u zouden aanvallen, u op dezelfde manier zult reageren. [...]
Mijn gesprek met u in Wenen geeft mij hiertoe aanleiding. Dit toont aan dat we
normale mensen zijn en dat we de situatie volledig begrijpen en op haar juiste
waarde inschatten. Hoe kunnen we ons daarom de onjuiste acties permitteren die
u ons toedicht? Alleen gekken of mensen met zelfmoordneigingen die eerst de wereld willen laten wegrotten en vernietigen voordat ze zelf sterven, zouden dit doen.
Wij willen echter leven en zijn geenszins van plan uw land te vernietigen. Wij willen iets heel anders: we willen op een vreedzame manier met uw land concurreren.

---

1. Deze herhaalde en niet bepaald geraffineerde beschuldiging dat Kennedy zijn acties
met een schuin oog naar de Congresverkiezingen had opgezet, toonde zowel Chroesjtsjovs onbevangenheid als zijn onbegrip voor de motieven van de president en zijn overtuiging dat de president zich politiek gezien in een zwakke positie bevond.

We ruziën met u, we verschillen van opvatting over ideologieën en hebben econo-mische vragen die niet op een militaire manier, maar door middel van vreedzame concurrentie moeten worden opgelost. [...]

U hebt nu piraatachtige stappen ondernomen zoals die in de middeleeuwen wer-den toegepast, waarbij schepen in internationale wateren werden aangevallen. [...] Het is duidelijk dat onze schepen zich spoedig binnen de zone zullen bevinden waar uw marine patrouilleert. Ik kan u verzekeren dat deze schepen, nu op weg naar Cuba, de meest onschuldige, vreedzame lading bevatten. Denkt u nu echt dat we ons alleen maar bezighouden met verplaatsingen van zogenaamde offensie-ve wapens, atoom- en waterstofbommen? Hoewel uw militaire staf misschien zal denken dat dit wapens van een speciale soort zijn, kan ik u verzekeren dat het hier slechts om de gewoonste, meest vreedzame goederen handelt. Laten we er daar-om, meneer de president, voor zorgen dat we de zaken vanuit een verstandig oog-punt bekijken. Ik verzeker u dat zich op deze schepen die Cuba als bestemming hebben, totaal geen wapens bevinden. De wapens die nodig zijn voor de verdedi-ging van Cuba bevinden zich daar al. [...]

Ik weet niet of u mij begrijpt of gelooft. Maar ik zou graag willen dat u in uzelf ge-looft en het met me eens bent dat we ons niet door gevoelens moeten laten leiden. Het is noodzakelijk dat we deze beheersen. [...] Laten we onze betrekkingen nor-maliseren. [...] We hebben een verzoek ontvangen van Oe Thant. [...] Zijn voor-stellen komen hierop neer: wij mogen gedurende een bepaalde tijd waarin onder-handelingen worden gevoerd, van onze kant geen wapens van welk type dan ook naar Cuba transporteren, [...] en de andere partij mag geen piraatachtige acties ondernemen tegen schepen die zich op volle zee bevinden. [...] Dit zou een uitweg uit de huidige situatie kunnen betekenen, waarbij de mensen een kans zouden krij-gen om weer rustig te ademen.

U wilde weten [...] wat de aanleiding is geweest voor de levering van wapens aan Cuba. U hebt deze vraag inmiddels aanhangig gemaakt bij onze minister van Bui-tenlandse Zaken. Meneer de president, ik zal u eerlijk vertellen wat de aanleiding is geweest. We voelden ons gegriefd door het feit – ik heb dit in Wenen al aange-roerd – dat er een landing plaatsvond op Cuba, dat er een aanval op het eiland werd gepleegd waardoor vele Cubanen vroegtijdig het leven hebben gelaten. U hebt mij zelf verteld dat deze onderneming een vergissing is geweest. Ik respecteer-de deze verklaring. U herhaalde deze een aantal keren, waarbij u liet zien dat niet iedereen die een hoge positie bekleedt, zijn vergissingen zo makkelijk toegeeft als u had gedaan. Ik waardeer deze openhartigheid. Voor wat mijzelf betreft, heb ik u verteld dat ook wij over dergelijke moed beschikken. Ook wij hebben die fouten toegegeven die gedurende de geschiedenis van onze staat zijn gemaakt. Deze fou-ten zijn niet alleen toegegeven, maar ook scherp veroordeeld. Als u echt met de vrede en het welzijn van uw volk bent begaan – en dit is de verantwoordelijkheid die u als president hebt – dan ben ik, als voorzitter van de ministerraad, begaan met mijn volk. Bovendien moet het behoud van de wereldvrede ons gezamenlijk doel zijn. Want als er onder de huidige omstandigheden een oorlog zou uitbreken, dan zou deze een wereldomvattende vernietigingskracht en wreedheid bezitten.

Waarom hebben we Cuba militaire en economische hulp geboden? [...] Toen Rusland nog een achtergesteld land was, ontketende ons volk een revolutie. We werden aangevallen [...] door vele landen. De Verenigde Staten namen aan dit avontuur ook deel. Generaal Graves, die destijds het Amerikaanse expeditieleger aanvoerde, heeft er een compleet boek over geschreven. Hij gaf zijn boek de titel: *The American Adventure in Siberia*.[1] We weten hoe moeilijk het is om tot een revolutie

---

1. In zijn boek *America's Siberian Adventure: 1918-1920* (Jonathan Cape, New York, 1931)

te komen en een land op nieuwe grondvesten op te bouwen. We sympathiseren van harte met Cuba en de Cubaanse bevolking.

U hebt eens ontkend dat de Verenigde Staten bezig waren met de voorbereidingen van een invasie. Maar u verklaarde toen tevens dat u met de Cubaanse contrarevolutie sympathiseerde. U liet weten dat u hen steunde en dat u zoudt helpen bij het realiseren van hun plannen tegen de huidige Cubaanse regering. Het is tevens voor niemand een geheim dat Cuba nog steeds onder de al aanwezige dreiging van een gewapende aanval en agressie gebukt gaat. Slechts deze reden zette ons aan om gehoor te geven aan het Cubaanse verzoek om hulp bij de versterking van zijn defensieve vermogen.

Als de president en de regering van de Verenigde Staten de verzekering zouden geven dat Amerika zelf niet zal deelnemen aan een aanval op Cuba en andere landen van een dergelijke actie zal weerhouden en u uw vloot terugtrekt, zou dit tot onmiddellijke veranderingen leiden. Ik spreek hier niet namens Fidel Castro. Maar ik denk wel dat hij waarschijnlijk tot demobilisatie zal overgaan en een beroep op zijn volk zal doen weer vreedzaam aan het werk te gaan. [...]

Bewapening leidt alleen maar tot rampzalige gevolgen. Een toename van het wapenarsenaal schaadt de economie en wanneer je dit gebruikt, vernietig je mensen aan beide zijde. [...] Als mensen zich niet op hun gezond verstand verlaten, zullen ze uiteindelijk in conflict raken, net als blinde mollen. Zo begint de wederzijdse uitroeiing.

Laten we daarom de wijsheid tonen zoals die leiders betaamt. Ik stel het volgende voor: wij verklaren van onze kant dat onze schepen met bestemming Cuba niet over een lading met een militair karakter zullen beschikken. U verklaart dat de Verenigde Staten Cuba niet met hun troepen zullen binnenvallen en dat u geen steun zult verlenen aan strijdmachten die wellicht van plan zijn een invasie op Cuba uit te voeren. Op deze manier zou de noodzaak van de aanwezigheid van onze militaire specialisten op Cuba verdwijnen.

Meneer de president, ik verzoek u zorgvuldig na te denken wat de gevolgen zullen zijn van de agressieve, piraatachtige stappen die u hebt verklaard te willen ondernemen in internationale wateren. U weet zelf dat niet één verstandig mens hiermee akkoord kan gaan. [...] Als u hiermee de eerste aanzet tot de ontketening van een oorlog had willen geven, dan zal het duidelijk zijn dat ons niets anders rest dan op uw uitdaging in te gaan.

beschrijft generaal-majoor William Graves hoe hij het opperbevel voerde over de beperkte expeditie van Amerikaanse troepen die door Woodrow Wilson in juli 1918 naar Siberië waren gestuurd. Als antwoord op verzoeken van Engeland, Frankrijk en Japan hoopten de Verenigde Staten elke nieuwe Russische regering te steunen die, in tegenstelling tot Lenin, bereid was de Duitsers te bevechten. In zijn boek concludeerde Graves dat de Verenigde Staten door het zenden van deze expeditie 'deelgenoot was van de pogingen de Sovjets omver te werpen' en dat 'de verscheidene regeringen die aan deze interventie deelnemen, weinig eer in deze onderneming stellen. Wie kan hen ongelijk geven?'

Het was niet bepaald de eerste keer dat Chroesjtsjov een Amerikaan naar dit boek verwees. Hij was er altijd op gebrand Amerikaanse bezoekers te laten zien hoe de Verenigde Staten van plan waren geweest de Russische revolutie de kop in te drukken. Op de zaterdagmiddag van zijn ontmoeting met Kennedy in Wenen merkte de Secretaris-Generaal op: 'De geschiedenis achter revoluties is zeer leerzaam. Tijdens de Russische revolutie stonden de revolutionairen erg zwak en vond er een contrarevolutie plaats. [...] Zelfs de Verenigde Staten kwamen tussenbeide.' Hij vervolgde met de mededeling dat hij 'een boek van een Amerikaanse kolonel, getiteld *U.S. Adventure in Siberia* had gelezen. Ondanks alles slaagde de revolutie omdat de mensen aan de kant van de opstand stonden.'

Indien u uw zelfbeheersing nog niet hebt verloren en nog verstandig genoeg bent te bedenken waartoe zoiets kan leiden, meneer de president, moeten we met elkaar de knoop van een oorlogsdreiging niet aantrekken. Want hoe harder er getrokken wordt, hoe strakker deze zal komen te zitten zodat degene die de knoop heeft gelegd, niet meer in staat zal zijn hem los te maken. [...] Laat ons niet alleen zorgen dat de krachten aan beide uiteinden zich versoepelen. Laat ons tevens stappen ondernemen deze knoop te ontrafelen.

Dit, meneer de president, zijn mijn gedachten over deze affaire die, als u zich hierin kunt vinden, een eind aan deze spanningen kunnen maken die alle volkeren verontrusten. Deze gedachten worden beheerst door het oprechte verlangen [...] de dreiging van een oorlog weg te nemen.

Toen deze brief, vertaald en wel, in vier delen arriveerde, werd hij door de diplomaten aan een uiterst nauwkeurig onderzoek onderworpen. Thompson verdacht Chroesjtsjov ervan de brief zonder goedkeuring van de Presidium of het ministerie van Buitenlandse Zaken te hebben verzonden. Hij wist dat Chroesjtsjov dergelijke boodschappen doorgaans niet dicteerde: hij sprak tegenover zijn collega's en iemand maakte dan aantekeningen van zijn ideeën.

Volgens Thompson had de brief 'alle kenmerken van een door Chroesjtsjov persoonlijk gedicteerde boodschap – en waarschijnlijk heeft dit plaatsgevonden onder omstandigheden waarin niemand in staat was veranderingen aan te brengen of de boodschap bij te schaven. Ik denk dat hij duidelijk [...] onder aanzienlijke spanningen gebukt ging.'[1]

De essentiële punten in de brief waren, hoewel veelbelovend, nauwelijks acceptabel voor de Verenigde Staten. In ruil voor de belofte van de president Cuba niet binnen te vallen en zijn blokkade te verzachten, bood Chroesjtsjov gesprekken aan en beloofde hij de aanvoer van wapens naar Cuba te staken. Net als bij hun eerdere voorstellen gaf dit de Russen de tijd het aantal raketten volledig te maken en deze, zoals Chroesjtsjov wist, met al op Cuba aanwezige kernkoppen uit te rusten.

Rusk vond dat de brief erop duidde dat de Secretaris-Generaal een 'verstoorde' indruk maakte en bezig leek te zijn 'een uitweg' te vinden uit zijn hachelijke situatie. Ball was het hiermee eens: het was 'duidelijk een *cri de coeur* van Chroesjtsjov'. Hij voelde hoe Chroesjtsjovs 'angst in elke alinea' gevangen zat. Robert Kennedy was het ermee eens dat de brief 'misschien de aanzet tot een of ander akkoord' bevatte. Dean Acheson vond de tekst 'verwarrend en bijna melodramatisch': Chroesjtsjov was 'óf dronken, óf bang'. Hij vond tevens dat zijn collega's 'de affaire te graag ongedaan willen maken. Zolang we bij Chroesjtsjov de duimschroeven konden aanleggen, moesten we deze elke dag een beetje meer aandraaien.'

Rusk, ingelicht over Scali's gesprek met Fomin, nam de verslaggever mee naar het Witte Huis. Toen Salinger Scali buiten het Oval Office zag, dacht hij dat de verslaggever het Witte Huis was binnengeslopen om te proberen een exclusief

1. Drie maanden later liet Rusk vertrouwelijk aan Senatoren weten: 'Uit wat ze ons sindsdien hebben verteld, leiden we af dat de brief door hem persoonlijk was geschreven en gestuurd, zonder algemene toestemming van hooggeplaatste functionarissen in de Sovjet-Unie.'

interview met de president te regelen. Rusk zei: 'Het is oké, Pierre, ik heb hem hierheen gebracht.'

Kennedy wilde het verhaal van Scali uit de eerste hand horen. Hij wilde hem tevens in staat stellen Fomin te vertellen dat hij het hoogste advies binnen zijn regering had gewonnen. Kennedy en Rusk werkten vanuit de veronderstelling, die wellicht een verkeerde kon zijn, dat Fomin als agent van Chroesjtsjov opereerde, net als Bolsjakov zeventien maanden lang had gedaan. De president vroeg Scali weer een gesprek met de Russische raadsman te regelen: 'Maar gebruik niet mijn naam. Dat is tegen de regels. [...] Vertel hun dat de hoogste autoriteit binnen de regering een positieve reactie heeft laten horen.'

Om vijf over half acht 's avonds ontmoette Scali Fomin in het Sheraton Park hotel. In Scali's zak bevond zich een handgeschreven brief van Rusk: Scali moest laten weten dat hij 'redenen' had 'te geloven' dat de Verenigde Staten 'serieuze mogelijkheden' zagen in het aanbod van Fomin, maar dat de tijd 'drong'. Toen Scali dit onder de koffie aan Fomin meedeelde, vroeg Fomin hem twee maal om de verzekering dat dit bericht afkomstig was uit de hoogste Amerikaanse kringen. Scali zei: 'Als ik hierover op dit kritieke moment zou liegen [...] zou ik de meest onverantwoordelijke persoon ter wereld zijn.'

Fomin zei dat aangezien beide landen klaarblijkelijk overeen waren gekomen de Verenigde Naties toe te staan Cubaanse bases te inspecteren, waarom de Verenigde Naties dan niet meteen gevraagd de Amerikaanse bases in Florida en het Caribisch gebied te inspecteren om ervoor te zorgen dat de Amerikaanse invasiemacht werd opgeheven? Scali liet scherp weten dat Fomin nu met iets heel nieuws op de proppen kwam. Fomin haalde zijn schouders op: hij was maar 'een klein radertje' en stelde alleen maar een vraag. Scali liet weten dat hij slechts een verslaggever was. Politiek gezien zou een dergelijk plan het de president moeilijk maken. Deze stond immers onder druk Cuba meteen binnen te vallen.

Volgens Scali zei Fomin hierop: 'Goed, ik beloof deze boodschap meteen door te spelen naar de hoogste Sovjetleiders en tegelijkertijd naar de heer Zorin bij de Verenigde Naties.'

Chroesjtsjovs brief toonde aan dat hij zich ervan bewust was dat Kennedy's blokkade werkte en nog kon worden aangescherpt. Tot zijn verbazing was de president erin geslaagd de steun van de Organisatie van Amerikaanse Staten, de Verenigde Naties en bijna alle naties van de wereld te winnen.

Hij was niet bereid de mogelijk nucleaire risico's op zich te nemen die het gevolg konden zijn van een tegenblokkade van West-Berlijn. Hij wist dat de conventionele strijdmacht van de Verenigde Staten in het Caribisch gebied zo superieur was dat de Sovjet-Unie en Cuba niet hoefden te hopen dat ze in staat zouden zijn de invasie op Cuba, die er voor hun gevoel zeker ging komen, te weerstaan.

Als de brief van Chroesjtsjov op tijd in Washington was gearriveerd, had Kennedy deze als basis voor een akkoord kunnen gebruiken. In plaats daarvan betekenden de telexvertragingen dat hij niet in staat was Chroesjtsjov op vrijdagavond een antwoord te geven.

Nadat Kennedy de brief had gelezen, gaf hij deze aan O'Donnell, die zich door de brief 'diep getroffen' voelde. Sorensen vond de brief 'lang, omslachtig, vol tegenstrijdigheden, maar in essentie lijkt hij de kiem voor een redelijk akkoord te bevatten'.

Om tien uur die avond hield de president een bijeenkomst van Ex Comm in de Cabinet Room. De tien dagen van aanhoudende druk hadden noch zijn gevoel voor humor, noch zijn libido aangetast. Aan het eind van de tweede week van de crisis zag hij dat een van de secretaresses van het ministerie van Handel naar het Witte Huis was overgeplaatst om te helpen bij de toegenomen werklast. Op gedempte toon zei hij tegen McNamara: 'Zorg dat je haar naam krijgt. We kunnen vanavond misschien een kernoorlog afwenden.'[1]

Rusk en Thompson vonden het een vage brief. Hij ging over verklaringen door anderen, – de president zou geen invasie ondernemen en Castro zou demobiliseren – maar hij bevatte geen uitspraak omtrent het terugtrekken van de raketten of de gelegenheid tot verificatie. Toch kon het, in combinatie met het voorstel van Fomin, tot een acceptabel akkoord leiden. George Ball herinnerde zich dat de meeste aanwezigen in de kamer vonden dat Chroesjtsjovs brief 'de opklaring biedt waar we op hebben gewacht'.

Net als Kennedy had Chroesjtsjov zich de hele week zorgen gemaakt over de vele uren die zijn boodschappen nodig hadden om de Atlantische Oceaan over te steken. Charmalov, nu hoofd van de Russische omroep, werd opgedragen om via Radio Moskou een nieuwe boodschap naar Kennedy te sturen. *Izvestija*-medewerker Melor Stoeroea kreeg ook de opdracht een kopie van de brief af te drukken. Hij keek door een kier van de deur in Chroesjtsjovs kantoor waar de Secretaris-Generaal in een discussie met zijn generaals was verwikkeld. Het viel Stoeroea op dat Chroesjtsjov 'de kalmste en de verstandigste van het gezelschap' was.[2]

Chroesjtsjov dicteerde zijn boodschap, liet deze uittypen en corrigeerde de ruwe versie. Kopieën werden in enveloppen verzegeld en aan Charmalov en Stoeroea overhandigd. Volgens de *Izvestija*-medewerker sprongen alle stoplichten tijdens zijn route vanaf het Kremlin naar zijn kantoor op het Poesjkinplein telkens op het juiste moment op groen. Hij vroeg zich af wat er in de envelop zat. Bevatte de nieuwe boodschap van de Secretaris-Generaal een aankondiging van 'oorlog of vrede'?

Op zaterdagochtend trad Robert Kennedy om tien uur de bijeenkomst van Ex Comm in Washington 'in behoorlijk ongeruste staat' binnen. Hij had zojuist een rapport van J. Edgar Hoover gelezen waarin stond dat er aanwijzingen waren dat Sovjetdiplomaten in New York voorbereidingen troffen om alle vertrou-

1. Richard Goodwin had tijdens een presidentieel bezoek aan Costa Rica in maart 1963 een soortgelijke ervaring. In een hotelkamer op een van de hogere verdiepingen gebaarde Kennedy hem naar het raam te komen en zei: 'Kijk eens naar beneden, Dick... nee, daar bij die auto's. Dat is me nog eens een vrouw... Waarom ga je niet...' Volgens Goodwin stierf Kennedy's stem weg en was hij niet meer in staat uit te vinden wat de president hem had willen vragen. In zijn memoires grapte hij: 'Misschien wilde hij wat veranderingen aanbrengen in zijn toespraak van de volgende dag.'
2. Paul Ghali van de *Chicago Daily News* berichtte later op basis van 'diplomatieke rapporten die Parijs hadden bereikt', dat toen Chroesjtsjov het vooruitzicht op onderhandelingen en terugtrekking van de raketten aansneed, Malinovski luidkeels klaagde dat de Secretaris Generaal met een 'domme' en 'zinloze' stap 'de hele structuur van de Russische militaire defensie in de war' stuurde.

welijke documenten te vernietigen.[1] De CIA berichtte dat een Russische tanker, de *Grozny*, zich van zijn zusterschepen had losgemaakt en in de richting van de blokkadegrens koerste.

Toen de Ex Comm-bijeenkomst begon (in Moskou was het vijf uur in de middag), zond Radio Moskou de nieuwe boodschap van Chroesjtsjov aan Kennedy uit:

> U wilt de veiligheid van uw land verzekeren, en dat is te begrijpen. Maar hetzelfde geldt voor Cuba. [...] Hoe moeten wij, de Sovjet-Unie, uw stappen inschatten? Deze manifesteren zich als uw omsingeling van de Sovjet-Unie met militaire bases, uw omsingeling van onze bondgenoten met militaire bases, uw letterlijke omsingeling van ons land met militaire bases en uw stationering van raketten. [...] U hebt raketten in Engeland en Italië opgesteld en ze op ons gericht. Uw raketten staan ook in Turkije opgesteld.
>
> Cuba baart u zorgen. U zegt dit, omdat het eiland op honderdvijftig kilometer voor de Amerikaanse kust is gelegen. Maar Turkije ligt tegen onze grens aan. Onze grenswachten patrouilleren heen en weer en houden elkaar in de gaten. Denkt u dat u het recht hebt de veiligheid voor uw eigen land en daarbij de verwijdering van in uw ogen offensieve wapens op te eisen, maar tegelijkertijd ons hetzelfde recht hiertoe te ontzeggen?
>
> In Turkije hebt u allesvernietigende wapens, die u defensief noemt, letterlijk op onze stoep opgesteld. Hoe valt een erkenning van onze gelijkwaardigheid wat betreft militaire potentieel te rijmen met zulke ongelijke betrekkingen tussen deze twee grote naties? [...]
>
> Het is een goede zaak, meneer de president, dat u hebt ingestemd met ontmoetingen tussen onze vertegenwoordigers om, klaarblijkelijk via de bemiddeling van [...] secretaris-generaal Oe Thant, gesprekken te beginnen. [...] Ik denk dat het conflict snel is op te lossen, en dat de situatie snel te normaliseren is. Daarom doe ik het volgende voorstel:
>
> Wij zijn bereid de in uw ogen offensieve wapens op Cuba te verwijderen. [...] Uw vertegenwoordigers zullen van uw kant een verklaring opstellen die erop neerkomt dat de Verenigde Staten [...] met het oog op het ongemak en de bezorgdheid van de kant van de Sovjet-Unie, hun overeenkomstige wapens uit Turkije zullen verwijderen. Laten wij overeenstemming bereiken over de tijdsduur die hiervoor nodig is. [...] Vertegenwoordigers van de Veiligheidsraad van de Verenigde Naties zouden ter plekke op de naleving van de beloften kunnen toezien. Daarbij is het natuurlijk noodzakelijk dat de regeringen van Cuba en Turkije deze vertegenwoordigers toestaan hun land te betreden. [...]
>
> Met het oog op genoegdoening, hoop en vertrouwen van de bevolking van Cuba en Turkije zullen we binnen het kader van de Veiligheidsraad een verklaring opstellen die erop neerkomt dat de Sovjetregering plechtig belooft de [...] soevereiniteit van Turkije te respecteren, zijn interne aangelegenheden ongemoeid te laten, het land niet binnen te vallen, ons eigen grondgebied niet ter voorbereiding van een dergelijke invasie te gebruiken, en landen die, ofwel vanaf Russisch, of vanaf grondgebied van staten die aan Turkije grenzen, agressie tegen Turkije willen plegen, daarvan te weerhouden.

1. Jaren later ontkende Dobrynin dat officiële documenten waren verbrand, maar hij gaf toe dat er voorbereidingen waren getroffen voor rampenplannen. De Sovjets die zich in New York bevonden, konden van plan zijn geweest de Amerikanen schrik aan te jagen door de indruk te wekken dat ze zich gespannen voorbereidden op een naderende oorlog. Het hele voorval leek erg op de gasmaskerscène voor Richard Davies toen deze het ministerie van Buitenlandse Zaken in Moskou bezocht.

De Verenigde Staten zullen dan een zelfde verklaring afleggen [...] inzake Cuba. Met een dergelijke verklaring moeten de Verenigde Staten te kennen geven dat zij de onschendbaarheid van Cuba's grenzen en zijn soevereiniteit zullen respecteren, moeten ze plechtig beloven zich niet in zijn interne aangelegenheden te mengen, het land zelf niet binnen te vallen of hun grondgebied ten dienste van een dergelijke invasie te stellen, en moeten ook andere landen die, ofwel vanaf Amerikaans grondgebied, dan wel vanuit Cubaanse buurlanden, wellicht van plan zijn agressie jegens Cuba te plegen, van dergelijke plannen worden weerhouden. Natuurlijk moeten we het met u over een bepaalde tijdlimiet eens zien te worden. Laten we daarom over een dergelijke periode overeenstemming bereiken, maar dan zonder onnodige vertragingen – laten we zeggen, binnen twee of drie weken, en niet langer dan een maand.

De wapens op Cuba waarover u spreekt en die u zorgen baren, bevinden zich in handen van Russische officieren. Hiermee is het gevaar van een onbedoelde lancering die de Verenigde Staten schade kan berokkenen, uitgesloten. Deze wapens zijn op verzoek van de Cubaanse regering aldaar gestationeerd en hebben alleen een defensieve taak. Indien er van een invasie op Cuba, dan wel een aanval op de Sovjet-Unie of een van onze bondgenoten geen sprake is, zal het duidelijk zijn dat deze wapens voor niemand een bedreiging vormen, of zullen vormen. Ze dienen niet voor een aanval.

De gehele wereld verkeert nu in spanning en verwacht verstandige maatregelen. [...] Een aankondiging van onze overeenkomst zal bij alle volkeren tot grote vreugde leiden. [...] Het zou een goed begin kunnen zijn, maar vooral ook een overeenkomst inzake een kernstopverdrag kunnen vergemakkelijken. [...] Onze beide standpunten over deze zaak wijken nauwelijks van elkaar af. Dit alles zou mogelijk een goede stimulans zijn om verder te zoeken naar wederzijds acceptabele overeenkomsten inzake controversiële kwesties. [...] Meneer de president, dit zijn mijn voorstellen.

Waarom verhoogde Chroesjtsjov plotseling de inzet? Zijn persoonlijke brief van vrijdagavond bevatte nog geen verwijzing naar de Turkse raketten, maar slechts een Amerikaanse belofte Cuba niet binnen te vallen.

In 1991 suggereerden Georgi Kornjenko en andere Russen dat de Secretaris-Generaal er die vrijdagavond van overtuigd was dat een Amerikaanse invasie op Cuba voor de deur stond en dat hij, om snel tot een akkoord te kunnen komen, zijn eis tot verwijdering van de Turkse raketten liet vallen. Ze beweerden dat hij de volgende dag, omringd door zijn generaals, de kans op een dergelijke aanval geringer achtte en daarom deze eis in zijn tweede brief opnam.

Op zaterdagochtend, een paar minuten na tienen, kreeg Kennedy een samenvatting van Chroesjtsjovs tweede boodschap overhandigd die hij hardop voorlas: 'Secretaris-Generaal Chroesjtsjov liet president Kennedy weten [...] dat hij de aanvalsraketten uit Cuba zou terugtrekken als de Verenigde Staten hun raketten uit Turkije verwijderden.' Kennedy zei: 'Dat stond niet in de brief [van vrijdag] die we hebben ontvangen, hè?'[1]

---

1. Ook nu weer had de president zijn verborgen bandrecorder aangezet. Deze en hieropvolgende citaten uit de Ex Comm-bijeenkomst van 27 oktober zijn letterlijk overgenomen van de bandopnamen.

Bundy:'Het is een vreemde zaak, meneer de president. Als hij na zijn lange brief aan u en een nadrukkelijk toezegging van zijn raadsman [Fomin] zijn eisen pas gisteravond heeft veranderd en van een puur Cubaanse context heeft voorzien, dan denk ik... dat er niets op onze houding kan worden aangemerkt als we dezelfde lijn aanhouden... Ik zou als antwoord hebben: "Ik geef er de voorkeur aan me over uw... interessante voorstellen van gisteravond te buigen."' Met 'gisteravond' verwees Bundy naar Chroesjtsjovs brief van vrijdag.

Kennedy waarschuwde Ex Comm dat de Verenigde Staten in een 'onverdedigbare positie' zouden belanden als ze Chroesjtsjovs eis tot verwijdering van de Turkse raketten zouden afwijzen. Hij merkte op dat de Verenigde Staten het jaar daarvoor hadden 'geprobeerd de raketten te verwijderen omdat ze militair gezien niet nuttig zijn. Elk rationeel denkend persoon' zou het inwilligen van de eis inzake de Turkse raketten 'als een zeer eerlijke ruil opvatten'. Indien de Verenigde Staten zouden weigeren, 'denk ik dat jullie grote moeilijkheden zullen ondervinden om duidelijk te maken waarom we tot vijandige militaire acties op Cuba overgaan. [...] Ik denk dat we hier in een zeer moeilijk parket terecht zijn gekomen.'

De president klaagde tegen de leden van Ex Comm dat de wijze waarop Chroesjtsjov zijn nieuwe eis kenbaar had gemaakt, 'voor uiterste spanning en verlegenheid' had gezorgd. 'Het is niet hetzelfde als bij een vertrouwelijk voorstel waarbij we een kans hadden gehad om met de Turken te onderhandelen. Hij heeft zijn eis op zo'n manier kenbaar gemaakt, dat de Turken vast en zeker zullen laten weten niet akkoord te willen gaan.'

McNamara: 'Hoe kunnen we nu onderhandelen met iemand die zijn eisen al verandert voordat we zelfs een kans voor een reactie krijgen, en die zelfs openlijk de voorstellen aankondigt voordat wij deze ontvangen hebben?'

Bundy zei: 'Ik stel het volgende scenario voor... We laten Chroesjtsjov vertrouwelijk het volgende weten: "Kijk, uw openlijke verklaring is zeer gevaarlijk, want hierdoor wordt een onmiddellijke discussie van uw vertrouwelijke voorstel onmogelijk gemaakt en zijn wij genoodzaakt snel verder te gaan met de dingen die we in gedachten hebben."' Hiermee doelde Bundy op militaire acties tegen Cuba.

Hij stelde voor Chroesjtsjov een boodschap te sturen, 'bijvoorbeeld via Fomin'. Die tekst van gisteravond [Chroesjtsjovs brief van vrijdag] zag er behoorlijk goed uit. *Dit hier is*, in deze fase, *gewoon onmogelijk*, en de tijd dringt... Als ze willen dat de kwestie-Cuba niet escaleert, dan moeten ze wel met iets komen wat beter is dan de openlijke verklaring die we *hier* hebben.'

De president oefende druk uit op zijn mannen om voorstanders te kweken voor onderhandelingen over Turkije. Het 'beste uitgangspunt op dit moment', zo zei hij, was Chroesjtsjov te laten weten dat de Verenigde Staten 'graag' met hem over de Turkse raketten 'van gedachten willen wisselen – zodra we over een positieve aanwijzing beschikken dat zij hun activiteiten op Cuba hebben gestaakt'. Bundy waarschuwde dat 'als we onze mensen binnen de NAVO en al onze bondgenoten de indruk geven alsof wij met deze ruil akkoord willen gaan, dan zijn we pas *echt* in moeilijkheden'. Het mondiale vertrouwen in de Verenigde Staten zou 'radicaal worden ondermijnd'.

Kennedy: 'Ja, maar... als we dit voorstel zomaar van de hand wijzen en vervolgens militaire stappen tegen Cuba moeten ondernemen, zullen we ook met een dergelijke ondermijning te maken krijgen.' Hij erkende dat de bondgenoten zich tegenstander van een Cuba-voor-Turkijeruil zouden verklaren: 'Ze realiseren zich niet dat we binnen twee of drie dagen in een militaire aanval kunnen zijn verwikkeld die op zijn beurt misschien tot de inname van Berlijn of een aanval tegen Turkije kan leiden.

En dan zullen ze zeggen: "Godallemachtig, we hadden dat voorstel moeten accepteren." [...] Waar we mee te maken zullen krijgen, is dit: omdat we weigeren onze raketten uit Turkije te halen, moeten we misschien een inval op, of een grootscheepse aanval tegen Cuba ondernemen, waardoor we *Berlijn* zouden kunnen verliezen. Dat is wat me zorgen baart.' Hij concludeerde: 'We zullen onze wapens uit Turkije moeten halen.'

Thompson verklaarde zich tegenstander van zo'n onmiddellijke ruil: 'Waar het Chroesjtsjov om gaat is, denk ik, te kunnen zeggen: "Ik redde Cuba, ik verhinderde een invasie."' Voor wat betreft 'die Turkse kwestie', die kon later worden besproken.

Robert Kennedy ondersteunde Bundy's advies om op Chroesjtsjovs aanbod van vrijdag te reageren en de boodschap van zaterdag te negeren. Dit plan zou later bekend worden als de 'Trollope-manoeuvre', genoemd naar de list waarbij een nog ongehuwde vrouw een opmerking van haar minnaar opvat als een huwelijksaanzoek. De minister van Justitie adviseerde zijn broer om Chroesjtsjov gewoon te vertellen dat hij 'een aanbod deed, wij accepteren dat aanbod en het is stom om de NAVO er nu bij te halen'.[1]

De president betwijfelde of het idee zou werken: 'We kunnen het proberen, maar dat hij erop terug zal komen, dat weet ik zeker.'

Bij een eerdere gelegenheid waarop de kwestie van de Turkse raketten binnen Ex Comm aan de orde was geweest, had de president nadrukkelijk laten weten dat er 'niet over onze bases in Italië en Turkije valt te onderhandelen'. Tijdens de eerste week van de rakettencrisis had een aantal Ex Comm-stafleden volgehouden dat een van de basisprincipes van dit nucleaire tijdperk was dat kernraketten openlijk, en niet in probleemgebieden zoals Berlijn, Iran, Laos, of Cuba moesten worden gestationeerd. Sommigen vreesden dat Chroesjtsjov, als tegenprestatie voor het ontmantelen van de raketten op Cuba, zou eisen dat een team van de Verenigde Naties naar 'alle raketinstallaties over de hele wereld' moest worden gezonden en dat er 'belangrijke onderhandelingen' over alle buitenlandse bases moesten plaatsvinden.

Op maandagavond, nadat Kennedy zijn toespraak had gehouden, hadden verslaggevers aan McNamara om achtergrondinformatie gevraagd over de vraag waarom de Turkse raketten niet voor die op Cuba konden worden ingeruild. Hij gaf een misleidend antwoord: 'Als we kijken naar de bevoorrading van dergelijke wapens in naties die te maken hebben met een aanvalsdreiging – en als we de

---

1. Vooral tijdens zijn verkiezingscampagne van 1968 streek Robert met de eer als de bedenker van dit idee. McNamara, inmiddels president van de Wereldbank, maakte een reclamespot voor de presidentskandidaat waarin hij Robert Kennedy prees voor zijn geniale optreden tijdens de Cubacrisis waarbij hij de president adviseerde de eerdere brief met de gunstiger inhoud te beantwoorden. De hoffelijke Bundy ondernam geen pogingen hun geheugens eens op de proef te stellen.

ondubbelzinnige en afgekondigde aanvalsdreiging vergelijken met de bewapening van Cuba, een land dat zich duidelijk niet onder een dreiging bevond van een kernaanval of een aanval van dit land, zien we dat er tussen beide situaties geen overeenkomst bestaat.'[1]

Rostow en William Tyler deden op dinsdag bij Rusk het voorstel om de Verenigde Staten de Turkse regering op zachte toon over te laten halen het arsenaal IRBM's langzaamaan af te laten vloeien ten voordele van de duikboten die toch al voor het oostelijk deel van de Middellandse Zee waren gepland, en met de Sovjets akkoord te gaan geen MRBM's in het Caribisch gebied of het Midden-Oosten te stationeren. Op deze manier zouden de Westeuropese leiders inzien dat Washington de crisis niet benutte om de handen van Europa af te trekken, maar om hun lange-termijnbelangen na te komen.

In zijn maandagse column had Walter Lippmann een parallel getrokken tussen de situatie in Turkije en Cuba: 'Als we Cuba met geweld binnenvallen, moeten we erop voorbereid zijn dat zich in of rond Turkije, dan wel ergens langs de Russische grenzen, iets zal gaan afspelen.'

Op donderdag stelde hij een ruil voor: 'Het enige land dat echt met Cuba kan worden vergeleken is Turkije. Dit is het enige land waar vlak bij de Russische grens strategische wapens staan opgesteld. [...] De Russische basis op Cuba is niet te verdedigen en die in Turkije is zo goed als verouderd. Deze twee bases kunnen zonder aantasting van het machtsevenwicht worden ontmanteld.'

Toen Chroesjtsjovs adviseurs deze column lazen, waren ze er bijna zeker van dat het Witte Huis de aanzet voor de inhoud had gegeven. Aangezien Kennedy altijd klaagde, dacht Chroesjtsjov dat Lippmann in diens column namens de president sprak. Dit was geen onlogische gedachte: toen Lippmann in april 1961 de Secretaris-Generaal had ontmoet, had hij een vertrouwelijk voorstel inzake Berlijn op zak waarvan Chroesjtsjov dacht dat het van Kennedy afkomstig was. Het kan zijn dat de Russen niet hebben geweten dat Lippmann na mei 1961, toen hij de *New Frontier* bekritiseerde als 'de regering-Eisenhower, maar dan dertig jaar jonger', minder toegang tot de president had dan anderen zoals Reston behielden.

Er bestaat geen bewijs dat Kennedy Lippmann verzocht zijn proefballonnetje op te laten. Het was een natuurlijk uitvloeisel van zijn maandagse column. Het valt te betwijfelen of de president of zijn adviseurs de toespraak van maandag zouden hebben ondermijnd door zelfs voordat een blokkade werd afgekondigd, een compromis voor te stellen.

Hoe dan ook, nadat Lippmann op donderdag zijn voorstel had gepresenteerd, kan Kennedy gedacht hebben dat het handig zou zijn Chroesjtsjovs aandacht op een onderhandelingsroute te vestigen die naar het einde van de crisis kon leiden. Als hij de Secretaris-Generaal van een dergelijke koers had willen afhouden, had hij gemakkelijk Salinger opdracht kunnen geven een verklaring uit te geven

1. In 1989 gaf McNamara in Moskou aan Gromyko en andere Russische functionarissen toe dat hij kon begrijpen dat de Sovjet-Unie de Jupiterraketten in Turkije 'als teken van agressie had kunnen beschouwd'. Hij merkte op dat 'er ook acties van uw kant waren waarbij wij hetzelfde voelden', zoals de opbouw van een kolossale superioriteit van de conventionele Sovjetstrijdmacht in Europa.

waarbij de Verenigde Staten niet akkoord konden gaan met de voorstellen voor een Turkije-voor-Cubaruil, zoals die in de publiciteit waren gekomen. Wetend dat Chroesjtsjov misschien zou aannemen dat Lippmann namens Kennedy de ruil voorstelde, liet de president de column voor zich spreken.

De president betwijfelde het of dit wel zou werken: 'We kunnen het proberen, maar hij komt er weer mee op de proppen, dat weet ik zeker.'

Nu, zaterdag na de lunch, kwam Kennedy met aantekeningen voor een nieuwe brief aan Chroesjtsjov en dicteerde deze aan Evelyn Lincoln. Deze vond dat 'de spanning nu ondraaglijk was geworden'.

Ondertussen vloog een U-2-spionagevliegtuig, dat duidelijk tijdens een routine nucleaire detectievlucht bezig was luchtmonsters te nemen, al dolend over het Tsjoechotski schiereiland het Siberische luchtruim binnen. Achtervolgd door Russische gevechtsvliegtuigen bereikte het veilig Alaska. De locatie van de schending van het luchtruim gaf de Sovjets voldoende verzekering dat het hier niet om een verkenningsvlucht ging die aan de vooravond van een Amerikaanse verrassingsaanval plaatsvond.

Chroesjtsjov kan zich hebben afgevraagd of dit een opzettelijke en provocerende uiting van Amerikaanse superioriteit was geweest, net als de actie waarover hij bij Kennedy vlak na diens inauguratie had geklaagd. Het lijkt waarschijnlijker dat hij snel tot de conclusie kwam dat het inderdaad per ongeluk was gebeurd. Deze gebeurtenis kan hem meer bewust hebben gemaakt van het feit dat hoe langer de rakettencrisis duurde, hoe groter het gevaar werd dat zich meer ongelukken zouden voordoen die tot een confrontatie tussen de twee grootmachten konden leiden.

Toen de president over het ongeluk te horen kreeg, merkte hij op dat hij had bevolen zulke vluchten te staken. Met een gespannen grinnik zei hij: 'Er is altijd wel weer een of andere klootzak die het niet begrepen heeft.'[1]

Tijdens de middagbijeenkomst van Ex Comm zeiden de gezamenlijke stafchefs tegen Kennedy dat de tijd voor een grootscheepse luchtaanval en invasie op Cuba nu gekomen was: de actie moest 'niet later dan maandagochtend de 29ste van start gaan, tenzij er in de tussentijd sprake is van een onweerlegbaar bewijs dat de aanvalswapens worden ontmanteld en niet meer in operationele staat verkeren'.

Dit pleidooi werd onderbroken door een bulletin: een van de U-2's was boven Cuba neergehaald.[2] Die dinsdag hadden de leden van Ex Comm besloten dat als een spionagevliegtuig boven het eiland onder vuur zou worden genomen, het *Tactical Air Command* een vergeldingsaanval zou ondernemen op een op Cuba gestationeerd lanceerterrein van een Russische SAM-raket. Een dergelijke aanval zou binnen twee uur na een presidentieel bevel kunnen plaatsvinden.

1. Dit was een van Kennedy's cliché-uitlatingen. Tegen zijn vriend Bill Lawrence, bijvoorbeeld, had hij hetzelfde gezegd (waarbij hij 'son of a bitch' door 'bastard' had vervangen). Dit gebeurde nadat hij deze verslaggever van de *New York Times* op de avond voor de inauguratie met een bolhoed, in plaats van een hoge hoed zag staan.
2. De gedode piloot, majoor Rudolph Anderson, was degene die op zondag 14 oktober de bewuste foto's had gemaakt waarmee de Verenigde Staten werden geattendeerd op de aanwezigheid van raketten op Cuba.

De president, die van tevoren was geïnformeerd over het feit dat alle SAM-bases op Cuba onder Russisch commando stonden, nam aan dat de vernietiging van de U-2 een opzettelijke daad van de Sovjets was: 'Dit is een behoorlijke escalatie van hun kant, niet waar?'

'Ja, precies,' zei McNamara. Hij vervolgde: 'Ik denk dat we een luchtaanval op Cuba nog tot woensdag of donderdag kunnen uitstellen, maar *alleen* als we onze verkenningsvluchten voortzetten en [...] op alles vuren wat het op verkennings-vliegtuigen heeft voorzien, en alleen als we in deze tussenperiode in de blokkade volharden.'

Kennedy zei: 'We kunnen toch moeilijk weer een U-2 sturen. En dan morgen weer iemand laten verongelukken?' Generaal Taylor was het hiermee eens: 'We moeten hier zeker mee wachten tot we een vergeldingsactie ondernemen en we moeten zeggen dat als ze weer op een van onze vliegtuigen vuren, we met alle geweld zullen terugslaan.'

De specifieke opdracht tot het neerschieten van de U-2 was echter niet van Chroesjtsjov of wie dan ook in Moskou afkomstig geweest. Aleksejev herinnerde zich dat hij jaren later te horen kreeg dat de Sovjets op Cuba op zaterdagochtend een Amerikaans vliegtuig hadden onderschept dat over het oostelijk deel van het eiland vloog.

Volgens Aleksejev had het Sovjetcommando 'geen direct verbod' uitgevaardigd tegen het onder vuur nemen van een Amerikaans vliegtuig. Twee plaatsvervan-gende Sovjetbevelhebbers hadden twintig minuten de tijd gehad om over een onderschepping te beslissen. Nadat ze er niet in waren geslaagd hun superieur te bereiken, besloten ze op eigen verantwoording op het toestel te schieten. Een SA-2-raket, gelanceerd vanaf een batterij nabij de Cubaanse havenstad Banes, onderschepte Andersons vliegtuig met een voltreffer.[1]

Sergej Chroesjtsjov herinnerde zich dat toen de Secretaris-Generaal van de neergehaalde U-2 op de hoogte werd gesteld, hij 'erg geschrokken was en het als een grote fout van onze kant beschouwde'. Net als bij de schending van het Sov-jetluchtruim boven het Tsjoechotski schiereiland, leek het erop dat beide leiders steeds minder grip op de crisis kregen. Sergej herinnerde zich de vrees van zijn vader 'als die van een man die twee oorlogen heeft meegemaakt en die weet wat er kan gebeuren in situaties waarbij troepen gespannen raken en zich op korte

---

1. Bijna dertig jaar lang bestond er onzekerheid over wie de U-2 had onderschept. Carlos Franqui, een kameraad van Castro die later het land verliet, beweerde in 1981 dat Castro naar de Sovjetbasis op Pinar del Río vertrok 'met de bedoeling' een incident te veroorza-ken om te kunnen zien of 'er nu wel of geen oorlog op til was'. Toen er een U-2 op de ra-dar verscheen, vroeg hij de Sovjets hoe een aanvallend vliegtuig kon worden neergescho-ten. Hij drukte op de cruciale knop: 'het vliegtuig stortte onder grote consternatie van de generaals neer.' Dit verhaal komt qua stijl en nauwkeurigheid overeen met dat van Geor-ge Washington die de kerseboom omhakte. Castro heeft Havana tijdens de crisis echter nooit verlaten. In 1985 zei hij: 'Ik heb niet de eer gehad het spionagevliegtuig neer te schieten.'

De dag na het ongeluk schreef Castro naar Chroesjtsjov: 'Als we het risico van een verras-singsaanval hadden willen vermijden, hadden we onze artillerie bevel tot vuren moeten geven. De Sovjetbevelhebbers kunnen u aanvullende informatie over het neergehaalde toestel geven.'

afstand van elkaar bevinden', en dat men door 'een onverwacht besluit, een onverwacht schot [...] de situatie niet meer zou kunnen beheersen'.[1]

Malinovski stuurde onmiddellijk een stevige berisping naar de Sovjettroepen op Cuba: het neerhalen van het vliegtuig was een 'overhaaste' reactie geweest, terwijl 'een overeenkomst ter voorkoming van een invasie op Cuba binnen bereik lag'.

Het nieuws van de neergehaalde U-2 werd door de Cubanen met wilde festiviteiten ontvangen. Een aantal mensen binnen de Cubaanse top vreesde dat de crisis door dit voorval zou worden verergerd. Maar, zoals de Cubaanse functionaris Jorge Risquet zich herinnerde: 'We juichten de actie toe en waren erg opgewonden. En de bevolking was verrukt dat zoiets had kunnen gebeuren, want hierdoor zagen ze dat ze niet geheel machteloos waren.'

Zaterdag, tegen het eind van de middag, zei McNamara in de Cabinet Room dat hij Chroesjtsjovs brief van vrijdag nog eens had herlezen: 'Mijn God!... *Op dit contract* zou ik nooit een transactie baseren... er staat geen enkel aanbod in. Lees die brief maar eens goed. Hij stelde niet voor die raketten te verwijderen... Het zijn twaalf bladzijden vol met – met niks... en *voordat* we die verdomde brief hadden uitgelezen, veranderde de hele toestand weer.' Hiermee bedoelde hij Chroesjtsjovs boodschap van zaterdag. 'Veranderde *totaal*. Dit alles leidt bij mij tot de conclusie dat *de kans groot is* dat er geen snelle ondertekening plaats zal vinden.'

McCone: 'Ik zou hem een dreigende brief sturen. Ik zou zeggen: "U heeft openlijk een aanbod gedaan [op vrijdag]. Wij accepteren dat aanbod. Maar u hebt vandaag een vliegtuig neergehaald voordat wij maar de kans hadden u een brief te sturen, ondanks het feit dat *u wist* dat wij openlijk hadden verklaard ongewapende vliegtuigen op verkenning te sturen. Nu laten we u één ding weten, meneer Chroesjtsjov. We zullen ongewapende vliegtuigen boven Cuba laten vliegen. Indien een toestel onder vuur wordt genomen, zullen we de [offensieve] raketinstallaties uitschakelen, daar kunt u zeker van zijn."'

Lyndon Johnson vroeg om een verklaring waarom Chroesjtsjov zijn eisen van de ene op de andere dag had opgeschroefd. Thompson antwoordde dat de Secretaris-Generaal waarschijnlijk door collega's was overstemd of door de openlijke suggesties van Walter Lippmann en Bruno Kreisky, de Oostenrijkse minister van Buitenlandse Zaken, tot de gedachte was verleid dat de crisis door middel van een Cuba-voor-Turkijeruil kon worden beëindigd.

Thompson kende zijn man: 'We moeten meer druk uitoefenen. Ik denk dat ze van gedachten zullen veranderen als we aanhoudende en harde acties ondernemen – het aanhouden van hun schepen of het uitschakelen van een SAM-basis. Hierdoor zal een aantal Russen sterven.' Hij gaf de voorkeur aan de vernietiging van een SAM-basis, zonder waarschuwing vooraf, 'want ik denk niet dat het aan te bevelen is om een ultimatum te stellen'.

Met een uitdrukking die later tijdens zijn eigen lange strijd in Vietnam ingeburgerd zou raken, zei de vice-president: 'Jullie oorloghitsers zouden de koppen bij elkaar moeten steken!'

Thompson verklaarde: 'We staan hier duidelijk voor een keuze... Of we kiezen voor de beslissing Cuba aan te vallen... óf we proberen Chroesjtsjov weer op het

1. Tijdens de tankconfrontatie in de Friedrichstrasse in Berlijn van oktober 1961 had Chroesjtsjov ook een soortgelijke vrees geuit.

pad van de vreedzame oplossing te brengen. In dat geval moeten we geen enkele aanwijzing geven dat we bereid zijn akkoord te gaan met dat voorstel met betrekking tot Turkije... Ik heb het idee... dat ze opeens gedacht hebben dat ze hun eisen konden opschroeven. Ze hebben de inzet en hun acties verhoogd.'

'En ik denk dat we ze weer tot de orde moeten roepen door onze eigen acties op te voeren en ze weer op dat andere spoor te brengen, zonder Turkije daarbij te noemen... We moeten hem onder druk houden en hem weer op de gedachtengang brengen waar hij zich de vorige avond bevond. Die boodschap hing als los zand aan elkaar en toonde aan dat ze daarginds behoorlijk bezorgd waren. En door het artikel van Lippmann en misschien de toespraak van Kreisky hebben ze gedacht dat er meer te halen viel.'

Bundy herinnerde zich dat de president nu gedreven werd door hoop die Chroesjtsjov in zijn brief van vrijdag had gegeven, door woede over zijn bemoeilijkte positie, door de vrees dat toekomstige incidenten zoals de U-2 boven Siberië en het neerhalen van Anderson de twee grootmachten in een toevallige confrontatie zouden meeslepen, vooral aangezien de gezamenlijke stafchefs hun eisen voor een luchtaanval-plus-invasie versterkten.

Kennedy sprak zijn veto uit over een vergelding voor het neerhalen van de U-2. Tegen Thompson zei hij: 'Nou, ik denk dat... ik gewoon [tegen Chroesjtsjov] zeg: "*Natuurlijk* moeten we proberen de gedachtengang te volgen die u voorstaat." [...] Maar het lijkt me dat we over die Turkse raketten *wel* een gesprek met de NAVO moeten hebben.'[1]

Hij concludeerde: 'We kunnen Cuba niet echt binnenvallen met alle inspanningen van dien en de tijd die daarmee gemoeid is, als we die raketten kunnen verwijderen door dezelfde afspraak over die in Turkije te maken. Als dit een onderdeel van de boodschap vormt, dan zie ik niet in hoe we een succesvolle oorlog kunnen voeren.'

John Scali, die door Rusk was gevraagd een bezoek aan Fomin te brengen, nam de Rus mee naar een lege balzaal in het Statler Hilton en eiste opheldering over de vraag waarom Chroesjtsjov de Turkse raketten bij de onderhandelingen had betrokken. Volgens Scali zei de nerveuze Fomin dat de Secretaris-Generaal de boodschap van gisteren misschien te laat had ontvangen. Fomin wees hem erop dat het Lippmann was geweest die een Cuba-voor-Turkijeruil had voorgesteld. Scali zei: 'Dat kan me niet schelen [...] of het nou Walter Lippmann was of Cleopatra. We zijn absoluut vastberaden die raketten uit Cuba weg te krijgen.

1. De inlichtingendienst van het ministerie van Buitenlandse Zaken had er inmiddels op gewezen dat als er sprake zou zijn van een Cuba-voor-Turkijeruil, dit door Turkije, Iran en andere bondgenoten kon worden opgevat als 'een mogelijke eerste stap tot het terugtrekken van de Verenigde Staten uit Europa [...] misschien een aanwijzing dat de Verenigde Staten zich, met name in Berlijn, niet tegen een Russische dreiging te weer willen stellen'. Turkije zou de concessie beschouwen als een 'stap om belangrijke verdedigingsinstallaties van Turkije op te geven in ruil voor een grotere mate van stabiliteit voor het vasteland van Amerika'. Russische oproepen om de tijd van Kemal Atatürk weer te doen herleven en goede betrekkingen met Moskou te hervatten, 'zouden nu op grotere steun kunnen rekenen dan in het verleden'. In zijn reactie op Chroesjtsjovs openlijke boodschap van die dag, had de Turkse minister van Buitenlandse Zaken reeds verklaard dat 'er geen sprake' was dat zijn land de bases zou opheffen.

486

Een Amerikaanse invasie op Cuba is slechts een paar uur van ons verwijderd.'[1]

Met het oog op de snelheid en beïnvloeding van de wereldopinie besloot Kennedy zijn volgende brief aan Chroesjtsjov te publiceren. Zaterdagmiddag laat werkte hij met Rusk, Ball en Thompson aan een opzet. In de brief klaagde hij dat Chroesjtsjov Europese bases in de discussie had betrokken terwijl men op Cuba 'koortsachtig' bezig was de raketbases te voltooien: 'De tijd dringt, meneer de Secretaris-Generaal. [...] Het werk aan deze bases moet onmiddellijk worden gestopt en er moeten binnen enkele dagen afspraken worden gemaakt over hun ontmanteling. Anders zal ik genoodzaakt zijn verdere stappen te ondernemen om onze veiligheid te waarborgen.'

Robert Kennedy klaagde dat deze taal te negatief was. De president zei: 'Als je zo heftig bezwaar maakt, waarom stel je er dan zelf niet een op?' De minister van Justitie nam Sorensen mee naar een andere kamer en kwam terug met een nieuwe versie.

Nadat er nog meer veranderingen waren aangebracht, gaf Kennedy uiteindelijk zijn goedkeuring aan de tekst.[2] In de brief liet de president aan Chroesjtsjov weten dat hij zijn mensen in New York had opgedragen om met Oe Thant en de Sovjets te gaan praten over 'een permanente oplossing voor de kwestie-Cuba volgens de lijnen zoals u die in uw brief van 26 oktober uiteen heeft gezet'.

De Secretaris-Generaal zou onder toezicht van de Verenigde Naties met de ontmanteling akkoord gaan en alle wapens op Cuba die 'zich lenen voor aanvallend gebruik' verwijderen en deze uit de buurt van het eiland houden. Hierop zou de president reageren met het opheffen van de blokkade en 'garanties' bieden 'tegen een invasie van Cuba'. Hij had 'er vertrouwen in' dat andere landen op het halfrond hetzelfde zouden doen.

Gebruikmakend van de 'Trollope-manoeuvre' ging Kennedy in deze brief, in navolging van Bundy's oorspronkelijke suggestie, geheel voorbij aan Chroesjtsjovs boodschap van zaterdag. Er werd niet over Turkse raketten gesproken Kennedy wilde zich niet vastleggen op schriftelijke concessies inzake Turkije. Het uiterste waartoe hij bereid was, was te zeggen dat de beëindiging van de crisis 'ons in staat zal stellen te werken naar een meer algemeen voorstel omtrent "andere vormen van bewapening", zoals u in uw tweede brief voorstelt. [...] Indien [...] u bereid bent een détente te bespreken die van invloed kan zijn op zowel de NAVO als het Warschaupact, zijn we zeker bereid elk realistisch voorstel met onze bondgenoten te bespreken.'[3]

1. Net als bij de eerdere gesprekken tussen Fomin en Scali heeft men dit gesprek omschreven als een uiterst belangrijk moment in de crisis. Met het oog op de lange vertragingen tijdens de verzending van boodschappen naar Moskou, zelfs via de KGB, beweerde Georgi Kornjenko in 1991 dat Fomins verslag van dit gesprek Chroesjtsjov niet op tijd kon hebben bereikt om zijn volgende zet te beïnvloeden.
2. De president had een passage geschrapt die luidde: 'Terwijl ik met de voorbereidingen voor deze brief bezig was, werd ik geconfronteerd met uw publieke boodschap waarin u NAVO-bases in verband brengt met Cuba. Eerlijkheidshalve moet ik u zeggen dat dit niet de manier is om tot een vermijding van een nabije crisis te komen.'
3. Deze passage, waarin hij zei dat hij bereid was om aan Chroesjtsjovs eis van zaterdag inzake de verwijdering van de raketten in Turkije te voldoen, was het uiterste dat de president bereid was in het openbaar te verklaren.

Na afloop van de middagbijeenkomst van Ex Comm had de vice-president aan George Ball gevraagd waarom de Verenigde Staten niet bereid waren de Turkse raketten voor die van Cuba op te geven. Ball antwoordde dat stafleden van Ex Comm de week daarvoor tot de conclusie waren gekomen dat een dergelijke overeenkomst 'misschien acceptabel' zou zijn als Berlijn hiermee 'kan worden gered': in plaats van raketten kon de NAVO Turkije nu verdedigen 'door Polaris-duikboten naar het gebied te sturen'.

De president vroeg aan Thompson een kopie van deze brief aan Dobrynin te sturen en hem de inhoud te verklaren. Thompson zei: 'Nee dat is niet goed. U moet een persoonlijke boodschap sturen.' Dit betekende dat de minister van Justitie deze klus moest klaren. Zoals Jane Thompson zich herinnerde, werd de broer van de president door Thompson 'onderwezen' in 'elke tegenzet die Dobrynin kon ondernemen'.

Voordat zijn broer vertrok, werd hij door de president samen met Rusk, Bundy, McNamara en Sorensen meegenomen naar het Oval Office. Tegen Robert zei hij: 'Zeg hem dat als we maandag nog geen antwoord hebben, we militaire stappen tegen Cuba zullen ondernemen.' In aanwezigheid van de vier andere naaste adviseurs vroeg hij Robert om Dobrynin tevens een andere mondelinge boodschap over te brengen: de Turkse raketten mochten geen obstakel vormen tussen oorlog en vrede.

Sorensen herinnerde zich dat de president 'inzag dat het de Secretaris-Generaal ongetwijfeld kon helpen als hij omtrent de verwijdering van de raketten op Cuba tegelijkertijd tegen zijn collega's binnen het Presidium kon zeggen: "En we hebben de verzekering gekregen dat de raketten in Turkije zullen worden verwijderd."'[1]

Om kwart voor acht 's avonds, een kwartier voordat de brief van de president openbaar werd gemaakt, arriveerde Dobrynin op het ministerie van Justitie. Robert Kennedy overhandigde hem een kopie van de brief aan Chroesjtsjov en waarschuwde dat als er nog meer Amerikaanse vliegtuigen boven Cuba werden neergehaald, de Verenigde Staten met vergeldingsacties zouden komen. Volgens een memo dat hij kort daarna dicteerde, vertelde hij Dobrynin: 'We moesten morgen een toezegging tot ontmanteling hebben. Dit was geen ultimatum, zei ik, maar gewoon een feitelijke verklaring.'[2]

1. In 1989 kwam Sorensen met een 'bekentenis': 'Ik was de redacteur van *Thirteen Days*, het boek van Robert Kennedy. Het was in feite een dagboek over die dertien dagen. En in dit dagboek werd expliciet vermeld dat dit een deel van de overeenkomst was. Maar tegelijkertijd was dit zelfs voor de Amerikanen nog een geheim, behalve dan voor ons zessen die bij die bijeenkomst aanwezig waren geweest. Dus ik ben zelf zo vrij geweest deze passage uit het boek te schrappen.'
2. Lang voordat het *glasnost*-tijdperk zich aandiende, beweerde Anatoli, de zoon van Gromyko, dat de minister van Justitie hieraan toevoegde dat 'indien er een oorlog uitbreekt, miljoenen Amerikanen zullen sterven'. Hij deed deze bewering in *President Kennedy's 1036 Days*, een boek dat meer propaganda bevatte dan geschiedkundige feiten. De Verenigde Staten 'proberen dit te vermijden. [...] Elke vertraging bij het vinden van een uitweg uit deze crisis ging gepaard met groot gevaar.' De jongere Gromyko schreef ook dat Kennedy tegen de oude Dobrynin had gezegd dat 'het Pentagon', vanwege het neerhalen van de U-2, 'een grote druk op zijn broer uitoefende. [...] Hij sloot de mogelijkheid niet uit dat de situatie uit de hand kon lopen en tot onherstelbare consequenties kon leiden.'

Naar eigen zeggen vertelde hij Dobrynin dat zodra de Sovjet-Unie met de ontmanteling akkoord ging, en 'indien Cuba en Castro hun subversieve activiteiten in andere landen van Centraal- en Latijns-Amerika zouden staken, we zouden instemmen met het behoud van de vrede in het Caribisch gebied en een invasie vanaf Amerikaans grondgebied niet zouden toestaan.'

Daarna zei hij dat de president bereid was de Turkse raketten tot onderdeel van een overeenkomst te maken[1]: 'Maar dit kan niet tot onderdeel van een eisenpakket dienen om als zodanig openbaar te worden gemaakt. [...] Voor zover het een NAVO-besluit betreft, moet een dergelijke overeenkomst voldoen aan de standaardprocedures omtrent de besluitvorming binnen de NAVO. Anders zou de president een ongebruikelijke actie ondernemen. Hij zou tevens de kans lopen ter verantwoording te worden geroepen vanwege een alleen door hemzelf genomen besluit.'

Volgens Kennedy vertelde hij Dobrynin dat 'er geen sprake kon zijn van een mate van quid pro quo. [...] Het was aan de NAVO om het besluit te nemen. Ik zei dat het voor de NAVO compleet onmogelijk zou zijn om onder de huidige dreigende houding van de Sovjet-Unie een dergelijke stap te nemen.' Maar na vier of vijf maanden, 'zo zei ik, was ik er zeker van dat er omtrent deze zaken een bevredigend besluit kon worden genomen'. Hij voegde eraan toe dat als de Sovjets probeerden publiekelijk de eer van de verwijdering van de Turkse raketten voor zich op te eisen, de afspraak meteen zou worden verbroken.

Volgens Dobrynin waarschuwde Kennedy hem dat andere Amerikanen die in Washington ontmoetingen hadden met de Russen (hij doelde hier waarschijnlijk op de gesprekken tussen Scali en Fomin en misschien die tussen Bartlett met Zintsjoek en Bolsjakov) 'niet de standpunten van het Witte Huis vertegenwoordigen'. Dobrynin had alleen met hem te maken.

Naar Dobrynins eigen zeggen nam Kennedy afscheid met de woorden: 'De tijd wacht niet. Ze mag ons niet ontglippen.' Jaren later zei hij dat de minister van Justitie 'geen ultimatum presenteerde. [...] Maar hij uitte inderdaad wel herhaaldelijk de wens om Chroesjtsjov het verzoek van de president over te brengen dat, indien mogelijk, deze graag op zondag een antwoord wilde.'

De ambassadeur stelde een telegram op dat bestemd was voor Chroesjtsjov en Gromyko. Hij vreesde waarschijnlijk dat de Western Union-koerier op de fiets de boodschap niet op tijd zou kunnen overbrengen.

Toen Robert op de tweede verdieping van het Witte Huis uit de lift stapte, zat zijn broer samen met Dave Powers aan een maaltijd van gegrilde kip. De president vroeg: 'Hoe ging het op de ambassade?' Robert meldde dat Dobrynin de voorkeur aan een ontmoeting op het ministerie van Justitie had gegeven. Nadat de president het verslag van het gesprek had aangehoord, was hij van mening dat de kans op een beëindiging van de crisis omstreeks het eind van het weekeind 'op zijn best een gok' was.

Toen de leden van Ex Comm op zaterdagavond om negen uur weer bijeenkwamen, gaf de president zijn goedkeuring aan een oproep aan vierentwintig squa-

1. Recente Sovjetverslagen, waaronder Chroesjtsjovs memoires die niet voor 1990 werden gepubliceerd, suggereren dat Kennedy ook de IRBM's in Italië bij de onderhandelingen betrok.

drons van reservisten: als Amerikaanse vliegtuigen op zondag boven Cuba zouden worden aangevallen en de gesprekken in New York tot niets zouden leiden, moesten de Verenigde Staten de SAM-bases op Cuba 'uitschakelen'. Hij merkte op dat de *Grozny* de blokkadegrens naderde. Stevenson zou Thant moeten vragen de Russen aan hun belofte te herinneren hun schepen tijdens de gesprekken bij de Verenigde Naties uit Cubaanse wateren te houden.

Robert, die de concessie van zijn broer inzake de Turkse raketten verborgen hield, zei dat de Verenigde Staten tijdens de voor zondag geplande NAVO-bespreking niet naar de Turkse raketten moest verwijzen: als de Sovjet-Unie 'met gedachten omtrent Turkije rondliep of hierop zou aansturen, zijn we bereid om tot een overeenkomst te komen – als ik een van hen was, zou ik daartoe aanzetten en me daarna op Italië richten, met het idee dat, nou, als ze toch al bezig waren, ze nog wel een stap verder konden gaan. Als de Verenigde Staten zich hierin *hard* [zouden] opstellen,' zou Moskou de crisis misschien 'in de trant van hun eerder gedane aanbod' oplossen.

McNamara was diep pessimistisch. Hij zei: 'Ik denk... Bobby... dat we voor twee dingen moeten zorgen – een regering voor Cuba, want ik denk dat we er een nodig zullen hebben... en ten tweede plannen over hoe we op de houding van de Sovjet-Unie in Europa moeten reageren, want je kan er donder op zeggen dat ze daar wat van plan zijn.' Iemand kwam met de duistere grap: 'Misschien kunnen we Bobby burgemeester van Havana maken!'

Tegen middernacht werd de bijeenkomst geschorst. De president regelde dat de plannen voor een luchtaanval de volgende ochtend nog eens bekeken konden worden: 'Nu kan het beide kanten opgaan.' Met Powers ging hij naar de bioscoop van het Witte Huis en keek naar Audrey Hepburn, een van zijn favoriete actrices, in *Roman Holiday*.

Klaarblijkelijk wisten alleen Rusk en de Kennedy's dat de president nog een extra voorzorgsmaatregel had getroffen. Nadat Robert voor zijn afspraak met Dobrynin was vertrokken, had Kennedy vertrouwelijk met zijn minister van Buitenlandse Zaken afgesproken dat als Chroesjtsjov niet voor maandag akkoord ging met zowel de voorstellen in de nieuwe brief van de president alsmede Roberts geheime verzekeringen inzake Turkije, Oe Thant in alle stilte zou worden aangezet om een Turkije-voor-Cubaruil voor te stellen. Daarna zou Kennedy dit aanbod openlijk accepteren.

Rusk liet zijn vriend Andrew Cordier roepen, die rector van de School voor Internationale Betrekkingen aan de Columbia University was en die als Hammarskjölds puinruimer had gefungeerd. De president kende hem niet. Rusk dicteerde een verklaring die door secretaris-generaal Thant moest worden ingediend en vroeg Cordier deze aan Thant te overhandigen, 'maar pas nadat wij hiertoe het teken hebben gegeven'.

In 1987 zei Rusk dat hij voelde dat Kennedy bereid zou zijn geweest de Cordierzet op maandag uit te proberen 'voordat we troepen naar Cuba zouden sturen, want een landing van deze troepen [...] zou vanuit Sovjetoogpunt een grootscheepse escalatie betekenen'.

Vrijdag werd Aleksejev in Havana door Castro gewaarschuwd dat de Verenigde Staten op het punt stonden Cuba aan te vallen. Volgens Aleksejev vroeg de 'bevreesde' Cubaanse leider hem mee te nemen naar de schuilkelder onder de Sovjetambassade.

Met hulp van Alcksejev schreef Castro een geheime brief aan Chroesjtsjov waarin hij binnen de komende vierentwintig tot tweeënzeventig uur een Amerikaanse luchtaanval of invasie voorspelde. Het moreel van de Cubaanse bevolking was 'zeer hoog en men zal de agressors heldhaftig tegemoet treden'. Maar als de Verenigde Staten erin slaagden Cuba te bezetten, dan zou een gebrek aan beteugeling van een dergelijke agressie 'rampzalige gevolgen voor de mensheid' hebben. Castro smeekte Chroesjtsjov de 'imperialisten' te weerhouden 'de kans te grijpen als eerste de aanval in een kernoorlog te openen'. Dit zou 'een daad van zelfverdediging' zijn, want er zou 'geen andere oplossing' zijn, 'hoe hard dit ook mag lijken'.

Jaren later namen Aleksejev en Aragones het op voor Castro door te zeggen dat hij slechts tot een standvastige houding tegen de Verenigde Staten opriep. Chroesjtsjov zag de boodschap echter anders: hij veronderstelde dat Castro hem dwong 'de invasie op voorhand te verhinderen en een kernaanval op de Verenigde Staten te ondernemen'.[1] Voor hem was dit een extra teken dat aangaf dat hij en Kennedy het gevaar liepen hun grip op de crisis te verliezen.

Zaterdagavond was Chroesjtsjov inmiddels banger dan ooit dat het Pentagon zijn grip, die volgens de Secretaris-Generaal nu al sterk was, op de besluitvorming van de president zou verstevigen. In juli had hij Thompson verteld over zijn verdenking dat het gevaar bestond dat generaals de macht van de Amerikaanse regering wilden overnemen. Hij bevond zich in een politieke cultuur waar dergelijke dingen ook inderdaad gebeurden. Toen Dobrynin een telegram naar Moskou stuurde met daarin Kennedy's commentaar dat het Pentagon grote druk op zijn broer uitoefende om een luchtaanval te beginnen, was het duidelijk dat Chroesjtsjov de inhoud opvatte als een teken dat de president gevaar liep te worden afgezet.[2]

1. De openlijke onthulling van Castro's eis toonde zelfs vier jaar na het begin van de *glasnost* de politieke verdraaiingen van de Sovjetgeschiedschrijving. Tijdens de pauzes tussen de vergadersessies van de Russisch-Amerikaans-Cubaanse conferentie van januari 1989 in Moskou over de rakettencrisis vertelde een deelnemer aan de *New York Times* dat Castro de Secretaris-Generaal had verzocht om een kernaanval op de Verenigde Staten. De *Times* publiceerde dit verhaal. Aangezien Michail Gorbatsjov op het punt stond te vertrekken voor een moeilijk bezoek aan Castro in Havana, kan de Sovjetregering van mening zijn geweest dat de Cubaanse leider in verlegenheid zou worden gebracht als dit verhaal in de openbare verslagen terechtkwam. Men had duidelijk geprobeerd Sergej Chroesjtsjov over te halen dit verhaal publiekelijk te ontkennen, wat hij dan ook deed.
De citaten uit de correspondentie tussen Castro en Chroesjtsjov in de voorgaande tekst en hoofdstuk 19 zijn afkomstig uit een artikel in de uitgave van november 1990 *Le Monde*, geschreven door Jean-Edern Hallier. Castro overhandigde Hallier kopieën van zijn correspondentie met Chroesjtsjov over de rakettencrisis om zichzelf te kunnen verdedigen tegen beschuldigingen dat hij de Secretaris-Generaal roekeloos tot een kernoorlog had willen aanzetten.
2. In zijn memoires schreef Chroesjtsjov dat Dobrynin telegrafeerde dat Robert Kennedy had gehuild en hem had gewaarschuwd: 'Als deze situatie nog langer voortduurt, bestaat het gevaar dat de president door de militairen wordt afgezet. Het Amerikaanse leger zou de beheersing kunnen verliezen.' Deze herinnering geeft ons waarschijnlijk eerder een beeld van Chroesjtsjovs eigen bezorgdheid, dan van de realiteit.

Aleksejevs telegram vanuit Havana kan nog eens de vrees van de Secretaris-Generaal voor een onmiddellijke invasie hebben versterkt waarbij vele Russen en Cubanen de dood zouden vinden. Castro's eis tot lancering van de raketten, alsmede het neerhalen van piloot Anderson, verscherpten Chroesjtsjovs, en ook Kennedy's, angst dat naarmate de politieke en militaire situatie paniekeriger werd, de kans toenam dat beide landen per ongeluk in een oorlog verzeild raakten.

Zondagochtend 28 oktober. Chroesjtsjov ontwaakte in zijn datsja buiten Moskou. Hij schreef een antwoord op Kennedy's brief van zaterdagavond. Een nerveuze boodschapper bracht de brief snel naar Radio Moskou.
Gromyko herinnerde zich: 'Voor ons begon de tijd te dringen. We moesten vertragingen als gevolg van vertragingen voorkomen. [...] We moesten de fundamentele kwestie kracht bijzetten – de versteviging van Cuba als een onafhankelijke socialistische staat.'
In Washington ontwaakten Kennedy en zijn mannen op een prachtige herfstmorgen. George Ball zag bij het betreden van het Witte Huis hoe de *South Grounds* in het vergulde licht baadden en zei tegen McNamara: 'Het doet me denken aan dat schilderij van Georgia O'Keeffe waarop een roos uit een osseschedel groeit.'
Een paar minuten voor negen, Amerikaanse tijd, kondigde Radio Moskou de uitzending aan van een belangrijke boodschap die om negen uur zou beginnen. Veel Ex Comm-leden die niet van de Cordier-zet op de hoogte waren, verkeerden in de veronderstelling dat als Chroesjtsjov Kennedy's aanbod van zaterdagavond zou moeten afwijzen, de president voor dinsdagochtend een luchtaanval op Cuba zou afkondigen.[1]

---

1. William Smith, de persoonlijke assistent van Maxwell Taylor, merkte in 1989 op dat 'elke dag die zonder Amerikaanse militaire acties voorbijging, een dag was waarop die raketten steeds operationeler werden'. Hij was van mening dat het voor de president erg moeilijk zou zijn geweest nog langer de militaire druk voor een luchtaanval te weerstaan.
McNamara hield vol dat hij de president geadviseerd zou hebben een luchtaanval-plus-invasie uit te stellen: 'Het zou een bloedige strijd zijn geworden, waarbij de Cubaanse en Sovjettroepen een zware nederlaag met vele doden zouden hebben geleden. Het is onwaarschijnlijk dat de Russen niet met een militaire reactie zouden zijn gekomen.' Volgens een door Raymond Garthoff genoteerde schatting zou het aantal gedode Amerikanen bij een grootscheepse invasie van Cuba niet minder dan twintigduizend bedragen.
McNamara was van mening dat Kennedy 'vastbesloten was de raketten te verwijderen', maar 'zonder de gigantische risico's te lopen die volgens mij inherent aan een militaire operatie waren. En niemand wist hoe zoiets zou zijn afgelopen. Niemand.' McNamara geloofde dat de president de blokkade zou hebben verscherpt door deze ook voor olie en andere noodzakelijke grondstoffen te laten gelden en/of zich op de Cordier-truc zou hebben gericht: 'Ik ben niet bereid te zeggen waartoe een dergelijke aanpak geleid zou hebben indien de raketten na een week, twee weken, of een maand nog niet waren verwijderd.' Sorensen was het hiermee eens, en merkte op dat Kennedy 'geen dictator' was, dat hij 'onder druk van de militairen' stond en dat één man alleen niet in staat is eeuwig weerstand te bieden aan het opkomende tij'.

Om negen uur, Amerikaanse tijd, begon een nieuwslezer van Radio Moskou Chroesjtsjovs brief aan Kennedy voor te lezen, de tiende boodschap tussen de twee mannen sinds het begin van de rakettencrisis:[1]

> Ik heb uw boodschap van 27 oktober ontvangen. Ik uit mijn tevredenheid en wil u danken voor het gevoel van juiste verhoudingen dat u ten toon hebt gespreid en voor uw erkenning van de verantwoordelijkheid voor het behoud van de wereld-vrede die nu op uw schouders rust. Ik begrijp uw bezorgdheid en die van het Ame-rikaanse volk ten aanzien van het feit dat de als offensief omschreven wapens in-derdaad zeer krachtig zijn. [...]
> Om het conflict dat een bedreiging voor de wereldvrede vormt zo snel mogelijk op te lossen [...] heeft de Sovjetregering, als aanvulling op eerder gedane instructies om verdere werkzaamheden aan constructieterreinen voor militaire wapens te sta-ken, een bevel uitgevaardigd tot ontmanteling van de wapens die door u als offen-sief worden omschreven en zullen deze raketten in kratten naar de Sovjet-Unie worden teruggezonden. [...]

'Bevel tot ontmanteling... in kratten terug.' Tijdens zijn ontbijt in de mess van het Witte Huis kreeg Bundy de eerste opnamen van Chroesjtsjovs boodschap over-handigd. Dol van vreugde stormde hij het vertrek uit en riep de president. De man die Kennedy als eerste op de rakettencrisis attent had gemaakt, was nu in de gelegenheid de president in te lichten dat alles weer veilig leek te zijn.
Bundy herinnerde zich: 'Het was een schitterende ochtend die opeens nog mooi-er was geworden. En nadat we erover hadden gepraat, kon ik merken dat hij de-zelfde ervaring had. [...] We vonden allemaal dat de wereld er een stuk beter op was geworden.'
Op Amerikaanse luisterposten over de hele wereld bleven Chroesjtsjovs woor-den uit de luidsprekers schetteren:

> Meneer de president. [...] Ik respecteer en vertrouw op uw verklaring in uw bood-schap [...] dat er niet alleen voor wat betreft de Verenigde Staten, maar ook voor andere landen van het westelijk halfrond geen sprake van een aanval op, of invasie van Cuba sprake zal zijn. [...] Daarmee verdwijnen de motieven die ons aanzetten tot het sturen van dergelijke hulp aan Cuba. [...]
> We zijn bereid een overeenkomst te sluiten die de Verenigde Naties in staat stelt vertegenwoordigers toezicht te geven op de naleving van de ontmanteling. Dus, in het licht van de door u gedane verzekeringen en onze instructies voor de ontmante-ling is aan alle voorwaarden voldaan om het huidige conflict te beëindigen. [...]

Dean Rusk belde het nieuws door naar Robert Kennedy, die met zijn dochters een paardenshow bijwoonde. Don Wilson, die in verband met ziekte van Mur-row, hoofd van het *United States Information Agency*, als diens plaatsvervanger fun-geerde, herinnerde zich: 'Ik wilde tegelijk lachen, schreeuwen en dansen.' Op het ministerie van Buitenlandse Zaken schaarden Harriman, Thompson, Edwin

---

1. Chroesjtsjov was klaarblijkelijk zo begaan met een snel antwoord op Kennedy's brief van zaterdagavond (en waarschijnlijk ook op Roberts verzoek aan Dobrynin voor een snelle reactie) dat hij ook nu weer zijn antwoord via de radio bekendmaakte. Jaren later schreef Aleksejev dat men al met het uitzenden van de boodschap was begonnen terwijl het redigeren van de slotpassages nog niet voltooid was.

Martin en William Tyler zich rondom het oude televisietoestel van Kohler en keken naar de wedstrijd tussen de New York Giants en de Washington Redskins.

Intussen ging Chroesjtsjovs boodschap verder:

> Ik zou graag willen reageren op wat u zei over een détente tussen de NAVO en de landen van het Warschaupact. [...] Sinds de oktoberrevolutie heeft ons volk enorme successen behaald. [...] Men wil [...] zijn verdere ontwikkeling op de weg naar vrede en maatschappelijke vooruitgang voortzetten. [...]
> Aangezien wij de verschrikkelijke oorlog tegen Hitler hebben meegemaakt, hechten wij waarschijnlijk meer waarde aan het begrip vrede dan andere volkeren. De Sovjetbevolking zal voor elke komende beproeving echter niet terugdeinzen. [...] Mochten de provocateurs een oorlog ontketenen, dan zullen ze niet aan de ernstige gevolgen ontkomen. We vertrouwen echter dat het verstand zal zegevieren, dat er geen sprake van een oorlog zal zijn en dat de vrede en veiligheid wordt verzekerd!

Bundy liep naar de privé-vertrekken om de president, die op het punt stond naar de mis van tien uur in de St. Stephenskathedraal te vertrekken, volledig verslag uit te brengen. Tegen Dave Powers zei Kennedy: 'Ik voel me herboren. Wist je dat we voor dinsdag een luchtaanval hadden gepland? Goddank is het allemaal voorbij.'

Om elf uur had Dobrynin op het ministerie van Justitie een ontmoeting met Robert Kennedy. Met een glimlach zei de Rus dat alles op zijn pootjes terechtkwam; namens Chroesjtsjov stuurde hij de president 'zijn beste wensen'.

Toen de president na de mis in het Witte Huis terugkeerde, liep hij met verende tred de Cabinet Room binnen. Sorensen vond dat hij 'van alle kanten straalde'. McNamara meldde dat de *Grozny* zaterdagavond vlak voor de blokkade rechtsomkeert had gemaakt. Kennedy beval de marine om provocerende acties van Cubaanse ballingen, die het conflict misschien opnieuw zouden doen oplaaien, te beëindigen.

Rusk verklaarde dat alle leden van Ex Comm een bijdrage hadden geleverd tot de uiteindelijke 'zeer gunstige beëindiging' van de rakettencrisis. Bundy onderbrak hem met de mededeling dat iedereen wist wie de haviken en wie de duiven waren; vandaag was de dag van de duiven.

De president waarschuwde hen voorzichtig te zijn in hun mededelingen aan de pers: 'Chroesjtsjov heeft al genoeg stof gehapt. Laten we het niet onder zijn neus wrijven.'[1] Voor wat betreft de nationale euforie, 'die duurt hoogstens een week'.

Na afloop van de bijeenkomst herinnerde hij zich dat Abraham Lincoln, kort na diens grootste overwinning, was vermoord. Tegen zijn broer zei Kennedy: 'Op deze avond moet ik naar de schouwburg.' Robert liet weten: 'Als jij gaat, wil ik met je mee.'

---

1. Tijdens een informele persconferentie zei Rusk tegen verslaggevers: 'Als u hierover schrijft, spiegel het dan niet af als een enorme capitulatie van de Russen. [...] We hebben er geen behoefte aan om met een hoop gekraai de situatie verder te compliceren. [...] Het is nog te vroeg om te zeggen dat het conflict achter de rug is.' Als getuige van het verschil tussen de journalistiek van 1962 en die van een later tijdperk hielden de meeste verslaggevers zich aan dit verzoek.

In de overlevering van de rakettencrisis werd deze laatste opmerking gezien als het bewijs van Robert Kennedy's loyaliteit aan zijn broer. Zoals hij echter in een voor zijn dossier bedoeld memo uitlegde, verwees deze opmerking in feite naar zijn walging bij de gedachte aan Lyndon Johnson als president. Hij was immers getuige geweest van Johnsons 'onvermogen' om tijdens alle gesprekken die gehouden waren 'een bijdrage van enige betekenis' te leveren.

Nadat de vice-president de berichten rond Chroesjtsjovs boodschap had vernomen, had hij Hugh Aynesworth van de *Dallas Morning News* gevraagd naar The Elms te komen, het statige huis in Washington dat hij van de 'hostess' Perle Mesta had gekocht, compleet met muzak, Texaanse schilderijen en zwembad. Terwijl hij en Lady Bird zich, gekleed in badjas, ontspanden, praatte hij met Aynesworth. Met tegenzin gaf Johnson zijn baas een compliment: 'Hij speelt verdomd goed poker. Dat moet ik hem nageven.'

Toen Aleksejev in Havana Chroesjtsjovs boodschap vernam, voelde hij zich 'de ongelukkigste man op aarde, aangezien ik me kon indenken wat de reactie van Fidel Castro zou zijn'. De Secretaris-Generaal was er zo op gebrand geweest de crisis snel te beëindigen dat hij niet de tijd had genomen om eerst Castro van zijn plannen op de hoogte te stellen. De Cubaanse leider had het nieuws van de overeenkomst ongetwijfeld via de radio te horen gekregen.

Chroesjtsjov schreef hem: 'We zijn zojuist klaargekomen met de voorbereiding van ons antwoord op de boodschap aan de president. Ik zal u niet van de inhoud op de hoogte stellen, aangezien u de boodschap via de raio zult vernemen. [...] In dit stadium van de crisis zouden we u willen adviseren uw gevoelens niet de overhand te gunnen.' Castro moest niet nog eens een Amerikaans vliegtuig neerhalen: 'Het conflict loopt nu ten einde – met voor u een gunstige afloop, aangezien iedere invasie op Cuba hiermee wordt uitgesloten. De dwaze militaristen van het Pentagon willen de overeenkomst duidelijk ondermijnen en u tot acties aanzetten die tegen u kunnen worden gebruikt. Wij doen een beroep op u hun niet een dergelijk excuus in handen te geven.'

Castro schopte tegen een muur en verpletterde een spiegel. Hij schold de Secretaris-Generaal uit voor 'klootzak... een vuilak... een lul', een leider 'zonder *cojones*' en later als een '*maricón*' (flikker). Hij weigerde Aleksejevs wanhopige telefoontjes te beantwoorden.

In Miami riepen de Cubaanse ballingen dat ze waren verraden: Kennedy's aanbod om geen invasie te beginnen, betekende 'voor ons een nieuwe Varkensbaai. [...] We voelen ons nu net als de Hongaren.'

De Sovjetburgers hadden verbluft naar Chroesjtsjovs boodschap geluisterd. Zowel de Sovjetpers, -televisie als -radio had zich de hele week al aangepast aan de ernst van de crisis. Nu vernamen ze dat hun leider tot ontmanteling van raketten op Cuba overging waarvan het bestaan al de hele week als een 'Amerikaans verzinsel' was afgedaan. En waarom had de Secretaris-Generaal Kennedy de gelegenheid gegeven de eis tot verwijdering van de Turkse raketten naast zich neer te leggen?

Uitgeputte Stafleden van het Witte Huis hadden zich buiten het Oval Office verzameld om de president aan boord van de *Marine One* te zien gaan. Hij vertrok naar Glen Ora voor een triomfantelijke lunch met Jacqueline, de kinderen en

Lem Billings. Na afloop keerde hij terug naar het Witte Huis en verleende zijn goedkeuring aan een door Thompson opgesteld antwoord aan Chroesjtsjov dat om vijf over half vijf 's middags aan de pers werd vrijgegeven.

In deze reactie liet Kennedy weten dat hij hun briefwisseling van het afgelopen weekeind beschouwde als 'plechtige beloften' die 'meteen moeten worden nagekomen. Ik hoop dat de noodzakelijke maatregelen onmiddellijk door de Verenigde Naties kunnen worden bekrachtigd, zoals u in uw boodschap al aangeeft, zodat de Verenigde Staten op hun beurt de blokkade kunnen beëindigen.'[1] Nu moesten de leiders zich wenden tot de problemen van de proliferatie van kernwapens en tot de 'grote inspanning' van een kernstopverdrag: 'Misschien kunnen we nu, terwijl het gevaar wegebt, gezamenlijk echte vooruitgang boeken op dit cruciale gebied.'

De president wilde voorkomen dat deze breekbare overeenkomst bekritiseerd zou worden. Hij vroeg McNamara en Gilpatric de gezamenlijke stafchefs naar de Cabinet Room te laten komen. Hij vertelde de stafchefs: 'Ik wil u van mijn bewondering blijk geven en u laten weten dat ik tijdens deze zeer, zeer moeilijke periode zeer veel baat heb gevonden bij uw adviezen, uw raad en uw gedrag.'

Admiraal Anderson riep: 'We zijn beetgenomen!' Generaal Curtis LeMay, stafchef voor de luchtmacht, sloeg met zijn vuist op tafel: 'Dit is de grootste nederlaag in onze geschiedenis, meneer de president. [...] *We moeten vandaag nog aanvallen!*' McNamara keek naar Kennedy en zag dat de president 'totaal van streek' was. 'Hij reageerde stotterend.'

De president liet Schlesinger weten dat gedurende de laatste week van de verkiezingscampagne de Republikeinen 'ons [misschien] zullen aanvallen op grond van het feit dat we de kans hadden van Castro af te komen, maar dat we in plaats daarvan hem de garantie hebben gegeven voor het uitblijven van een invasie. Ik zal McNamara om een schatting vragen van het aantal doden dat een dergelijke invasie tot gevolg zou hebben gehad. [...] De militaire staf bestaat uit gekken. Ze waren vastbesloten dit te doen. We hebben geluk gehad dat McNamara daar zit.'

Kennedy riep de Congresleiders naar het Witte Huis. Hoewel hij anderen had verzocht niet te pochen, verklaarde hij zelf: 'We hebben een geweldige overwinning behaald. [...] We hebben een van de grote crises van de mensheid tot een goed einde weten te brengen. [...] Er zal er nog een komen – namelijk op het moment dat de Chinezen over de waterstofbom beschikken.'

---

1. De eerdere versie was specifieker: 'Ik hoop dat de Verenigde Naties meteen in staat zullen zijn de vereiste stappen te ondernemen om de noodzaak tot toezicht op Cubaans grondgebied van onze kant overbodig te maken. U hebt stappen ondernomen om de door mij als offensief betitelde wapens te verwijderen en ik heb u de verzekering gegeven dat er geen aanvallen op Cuba worden ondernomen.'

19. 'Nu hebben we onze handen vrij'

Op maandag 29 oktober bracht Dobrynin aan Robert Kennedy een nieuwe, persoonlijke brief van Chroesjtsjov voor de president waarin hun geheime akkoord over de Turkse raketten werd uitgespeld. Misschien probeerde de Secretaris-Generaal zich te verdedigen tegen beschuldigingen van zijn generaals dat hij een kat in de zak had gekocht.[1]

Volgens het relaas van Dobrynin vertelde Robert hem dat het voor de Verenigde Staten 'bijzonder moeilijk' zou zijn om de brief te accepteren, aangezien een terugtrekking van de Turkse raketten niet alleen door de Verenigde Staten moest worden bekrachtigd maar ook door de NAVO. Dit zou tijd kosten. Uit naam van de president herhaalde hij zijn belofte dat de raketten binnen vier tot vijf maanden weg zouden zijn.

De volgende dag liet Robert aan Dobrynin weten dat hij en de president die nacht zijn brief hadden bestudeerd. Er kon 'geen quid pro quo' zijn. In de discussiepunten voor dit gesprek had hij geschreven: 'Neem uw brief terug – Neem hem opnieuw in overweging en als u het nodig vindt brieven te schrijven, dan zullen wij er ook een schrijven waaraan u niet veel plezier zult beleven. Mocht u ook enig document publiceren waarin iets staat over een overeenkomst, dan gaat die overeenkomst niet door en ook als dat na afloop gebeurt, zal dat de betrekkingen beïnvloeden.'

Hij verzekerde Dobrynin dat de Turkse raketten spoedig zouden zijn verwijderd, maar dat het 'belangrijk [was] dit niet bekend te maken', omdat het dan zou lijken alsof hij en de president 'het Amerikaanse publiek een leugen voorhouden'. Volgens Dobrynin handelde Chroesjtsjovs boodschap ook over de kwestie-Guantánamo, wat Kennedy vlug van de tafel veegde.[2]

De ambassadeur nam de brief terug, maar Chroesjtsjovs dertien uur durende poging er een gunstiger akkoord uit te slepen had het vertrouwen tussen hem en de Kennedy's nog een extra klap toegediend. Toen Dobrynin Robert verzekerde dat zijn regering de geheime correspondentie tussen Chroesjtsjov en de president over de rakettencrisis niet zou publiceren, antwoordde de minister van Justitie: 'Eerlijk gezegd vertelde u me ook dat uw regering nooit van plan was raketten te plaatsen op Cuba.'

1. De Russische radio deed die dag een beroep op de regering-Kennedy om aandacht te schenken aan 'de verstandige eis van het volk' en 'haar kernraketten uit Turkije te verwijderen'.
2. Walt Rostow waarschuwde Bundy op 31 oktober dat de Russen de kwesties van Turkije en Guantánamo 'weer naar voren brachten – op niveaus die formele diplomatie ontbeerden'.

Het presidentiële verbod op openbare claims van een overwinning op Chroesjtsjov was minstens ten dele gebaseerd op zijn angst dat de Secretaris-Generaal, indien hij werd uitgedaagd, misschien bekend zou maken dat het eigenlijk helemaal niet zo'n Amerikaanse overwinning was geweest.

Hij herinnerde zich hoe zijn eigen vader en anderen in 1940 Franklin Roosevelt
hadden beledigd door te verklaren dat FDR een 'geheime deal' had gesloten met
Churchill om de Verenigde Staten bij de oorlog in Europa te betrekken. Als
Congreslid had Kennedy zelf Roosevelts geheime diplomatie op Jalta aangevallen. Als de Amerikanen erachter zouden komen dat hij Chroesjtsjov een geheime concessie had toegezegd om de crisis te beëindigen, dan zou de president bijzonder ernstige schade hebben kunnen lijden.

Hij wist dat Chroesjtsjov veel te winnen had met een onthulling van zijn geheime concessie. De Secretaris-Generaal zou niet alleen meer als overwinnaar uit
de crisis te voorschijn komen, maar als de NAVO zou horen dat de president de
eenzijdige belofte had gedaan om de Turkse raketten weg te halen, dan zou de
waarde van andere Amerikaanse toezeggingen zijn gedevalueerd. Het zou hebben aangetoond dat de Sovjet-Unie in deze confrontatie niet de enige supermacht was die een kleine bondgenoot hardhandig had aangepakt in het belang
van de wereldvrede.

Vandaar dat Kennedy de rapportage over de crisis scherp in het oog hield. Toen
Salinger werd gevraagd hoeveel brieven Kennedy gedurende de dertien dagen
met Chroesjtsjov had uitgewisseld, reageerde de persattaché in opdracht van de
president met een nietszeggend antwoord: 'Nou, u bent op de hoogte van de
brieven waarover we iets gezegd hebben.' Toen men aandrong, zei hij: 'Ik blijf
bij mijn antwoord.'

De columnist Rowland Evans hoorde ervan en schreef vervolgens over
Chroesjtsjovs emotionele brief van vrijdag. De president gaf Salinger opdracht
officieel te ontkennen dat de brief was 'geschreven door een geagiteerde of over-
spannen man'. Hij was zo razend over Evans' verhaal dat hij zelf speurwerk verrichtte om uit te vinden waar het lek zat. Toen hij hoorde dat Evans' bron mogelijkerwijs een Franse diplomaat was geweest met wie Evans bij Steward Alsop
thuis had gedineerd, gaf hij William Tyler opdracht om ambassadeur Alphand
op de hoogte te brengen van de mening van de president dat 'de verantwoordelijkheid voor het lek berust bij een lid van de Franse ambassadestaf'.

Alphand zei tegen Tyler dat hij zijn kopie van Chroesjtsjovs brief slechts aan één
persoon had laten zien: zijn raadsman, Jean-Claude Winckler. De volgende dag
bekende Winckler tegenover Tyler dat hij bij het diner van Alsop de Fransman
in kwestie was geweest: hij had het over een 'eigenaardige' brief van Chroesjtsjov gehad. Een brief met een 'enorm opgewonden en gespannen' karakter, maar
toen Evans op details had aangedrongen, had hij 'geweigerd erover te praten'.

Kennedy eiste dat alle uitstaande kopieën van zijn correspondentie met
Chroesjtsjov werden teruggehaald. Hij liet Ex Comm, dat zijn vergaderingen
hervatte, weten: 'Jullie zullen allemaal worden omringd door de pers. Ze willen
de zaak allemaal vanuit hun eigen invalshoek bekijken.' De 'enige informatiebronnen over de Cubaanse situatie', moeten Bundy en Sorensen zijn: 'We moeten op onze eigen manier informatie beschikbaar maken voor de pers in plaats
van deze uit te laten lekken.'

Net als met Wenen en zijn ontmoetingen met Gromyko bracht de president deze uitspraak geheel op eigen wijze ten uitvoer. Een paar dagen later liet hij Walter Lippmann geflatteerde fragmenten zien uit zijn crisiscorrespondentie met Chroesjtsjov. Net zoals hij publiekelijk de verantwoordelijkheid op zich nam voor de Varkensbaai en tegelijkertijd Eisenhower, de gezamenlijke stafchefs en de CIA in besloten kring de schuld gaf, zag Kennedy er nu van af zich in het openbaar te verkneukelen over de crisis terwijl hij er in kleinere kring voor zorgde dat het werd erkend als een triomf van zijn staatsmanskunst.

Toen Bartlett hem om een officieel interview over de crisis verzocht, weigerde hij: 'Ik zou mezelf toch alleen maar lof toezwaaien. Het heeft geen zin om mezelf steeds schouderklopjes te geven.'

Maar zijn informele gesprekken met Bartlett, Lippmann, Sulzberger en Bradlee, en de gebruikelijke, vakkundig uitgevoerde lekken door de staf van het Witte Huis garandeerden dat de Amerikanen zouden weten wie de rakettencrisis had gewonnen. Toen de president zijn confrontatie met Chroesjtsjov met enkele naaste vrienden besprak, zei hij bescheiden: 'Ik sneed zijn ballen af.'[1]

Joeri Zjoekov, redacteur van de redactie buitenland van de *Pravda*, haastte zich van *Phillips Academy* in Andover, Massachusetts, waar hij een *Ford Foundation*-conferentie over Amerikaans-Russische betrekkingen had bijgewoond, naar Washington. Het was bekend dat hij een nauwe band onderhield met Chroesjtsjov en daarom zou Zjoekov voorafgaand aan de Sovjet-Amerikaanse onderhandelingen als diens verkenner functioneren om de losse eindjes van de overeenkomst met Kennedy inzake Cuba aan elkaar te breien.

Hij maakte afspraken met Thompson, James Reston en andere Amerikanen. Rusk zei tegen de president: 'Ik denk dat Zjoekov mij niet tot de hoogste kringen rekent. Hij heeft mij niet gevraagd om een onderhoud.' Tijdens de lunch werd Zjoekov er door Salinger op gewezen dat hooggeplaatste Russen 'opzettelijk gelogen' hadden tegen Kennedy: als de toezeggingen van Chroesjtsjov betreffende Cuba niet snel werden uitgevoerd, dan werd een nieuwe crisis 'onvermijdelijk'. Zjoekov schudde zijn hoofd: 'Als uw president zijn standpunt zou opgeven, dan zou dat Secretaris-Generaal Chroesjtsjov in een uiterst moeilijk parket met Castro plaatsen.' Wat te zeggen van een topontmoeting die de overeenkomsten inzake Cuba zou bekrachtigen en andere problemen zou regelen? Salinger gaf zijn 'persoonlijke' mening dat zo'n ontmoeting 'ongelegen' zou zijn, tenzij vaststond dat er belangrijke resultaten zouden worden geboekt. Zjoekov verzekerde hem dat Chroesjtsjov Berlijn niet op korte termijn zou heropenen: 'Wij willen dit probleem niet zonder uw medewerking oplossen.'

De Sovjet-Unie was op zondag begonnen met de ontmanteling van de raketbases, zelfs nog voordat de president had gereageerd op Chroesjtsjovs openbare brief. Met pneumatische boren werden de lanceerplatformen afgebroken. Raketten werden geladen in schepen die koers zouden zetten naar de Zwarte en Baltische Zeeën. Toen Amerikaanse spionagevliegtuigen over de schepen vlogen

---

1. Tegen Hugh Sidey zei hij zelfs: 'Het land genoot nogal van de Cubaanse blokkade. Het was opwindend, het was een afleiding, er heerste een gevoel dat we iets deden.' Hij haastte zich wel eraan toe te voegen dat 'het wel eens een heel ander verhaal geweest zou zijn als er duizenden gesneuveld waren in een lange strijd'.

die naar de Sovjet-Unie voeren, stonden de Russische bemanningsleden opgewekt te zwaaien, waarbij ze zeildoeken wegtrokken die de raketten hadden bedekt.

Gefrustreerd als hij was, probeerde Castro alles wat om hem heen gebeurde te dwarsbomen. Op zondag, twee uur nadat de brief van Chroesjtsjov was uitgezonden, had hij zijn eigen eisen op tafel gegooid: de Verenigde Staten moesten de militaire en economische blokkade van Cuba opheffen, hun subversieve activiteiten en schendingen van zowel het Cubaanse luchtruim als de territoriale wateren staken, en zich terugtrekken uit Guantánamo. Hij dreigde met het neerhalen van de Amerikaanse vliegtuigen die over zijn eiland scheerden om de Russische terugtrekking te fotograferen: 'Wie Cuba wil komen inspecteren, moet in slagorde komen!'

Oe Thant vloog naar Havana. Castro droeg zijn gevechtstenue en een groot pistool, en begon ten overstaan van Thant zijn twee uur durende tirade tegen de Verenigde Staten. Thant beloofde dat de garantie van Washington dat er geen invasie zou plaatsvinden van kracht zou worden als een team van de Verenigde Naties toestemming kreeg om de Russische aanvalsbases te inspecteren. Castro wees het voorstel van de hand en noemde het 'de zoveelste poging om ons land te vernederen'.

Castro verklaarde: 'Cuba wil niet een pion zijn op het schaakbord van de wereld. [...] Ik kan niet akkoord gaan met Chroesjtsjov die Kennedy belooft om zijn raketten terug te trekken zonder zich ook maar een beetje te storen aan de onontbeerlijke goedkeuring van de Cubaanse regering.' Chroesjtsjovs daad was 'immoreel': 'Zo gedragen vrienden zich niet!' In demonstraties werd in Havana gezongen op het ritme van de conga's: 'Nikita, Nikita / Alles wat je geeft / Mag niet worden afgenomen!'

Chroesjtsjov schreef Castro vertrouwelijk dat hij wist dat sommige Cubanen 'er de voorkeur aan zouden hebben gegeven dat de raketten niet werden teruggetrokken. [...] Als politieke figuren en staatsmannen zijn wij echter de leiders van de massa's en de massa's weten niet alles. [...] Daarom moeten wij de weg wijzen.'

Zonder een of andere overeenkomst met de Verenigde Staten 'zou er ongetwijfeld een oorlog zijn uitgebroken die miljoenen slachtoffers had geëist en de overlevenden zouden de leiders de schuld geven voor het nalaten van de noodzakelijke stappen om die oorlog te voorkomen'. De Secretaris-Generaal merkte op dat er in Castro's telegram van zaterdag 27 oktober stond: 'Het was slechts een kwestie van tijd – vierentwintig of tweeënzeventig uur. Nadat we dat alarmerende telegram van u hadden ontvangen, hechtten we, wetende hoe moedig u bent, enorm veel geloof aan uw waarschuwing. Vormde dat niet de reden om ons tot u te wenden?'

Castro had in zijn telegram geëist dat de Sovjet-Unie 'de eerste moet zijn die een atoomaanval uitvoert op het grondgebied van de vijand. U weet heel goed waartoe zo'n actie ons zou hebben geleid. Het zou geen eenvoudige aanslag zijn geweest, maar het begin van een wereldomvattende atoomoorlog.' Als de raketten vanaf Cuba zouden zijn afgevuurd, 'dan zouden de Verenigde Staten enorme verliezen hebben geleden, maar ook de Sovjet-Unie en alle socialistische staten zouden geweldig getroffen zijn. [...] Het Cubaanse volk zou heroïsch zijn omgekomen.

Als we strijden tegen het imperialisme, dan is het [...] om tijdens de strijd de verliezen zo veel mogelijk te beperken en na afloop zo veel mogelijk te winnen om het communisme tot triomferende hoogtepunten te brengen. [...] De maatregelen die wij hebben gebruikt, hebben ons in staat gesteld het doel te bereiken waarnaar we streefden toen we besloten de raketten naar Cuba te sturen. We zijn erin geslaagd om een overeenkomst van de Verenigde Staten te krijgen die zegt dat zij Cuba niet zullen binnenvallen en dit ook niet toestaat aan hun Latijns-Amerikaanse bondgenoten. Dat hebben wij allemaal bereikt zonder een atoomoorlog.'

Castro schreef aan Chroesjtsjov: 'Wij wisten, zonder enige twijfel, dat we zouden zijn uitgeroeid in geval van een atoomoorlog. Toch bracht dat ons er niet toe u te verzoeken de raketten te verwijderen. En we vroegen u evenmin de zaak op te geven. [...] Kameraad Chroesjtsjov, ik suggereerde niet dat de Sovjet-Unie de agressor zou worden door als eerste aan te vallen. [...] Dat zou immoreel en ongepast van mij zijn geweest. Ik stelde voor dat wij zouden terugslaan en de imperialisten zouden vernietigen als zij Cuba en de Sovjetstrijdkrachten die ons op Cuba voor een buitenlandse aanval beschermen, zouden aanvallen.'

'Iedereen heeft zijn eigen mening. Ik denk dat het Pentagon vanwege zijn gevaarlijke karakter het motief en de wil kon hebben om een preventieve aanval in te zetten. [...] Kameraad Chroesjtsjov, ik blijf bij mijn standpunt. [...] Ik kan alleen maar wensen dat ik het bij het verkeerde eind zou kunnen hebben en hopen dat u het goed doet. Het gaat niet alleen om een paar Cubanen, zoals sommigen u wellicht hebben verteld, maar om velen van hen die in deze tijden een onbeschrijflijke hoeveelheid verbittering en verdriet doormaken. Er wordt al gesproken over een nieuwe invasie door de imperialisten, het bewijs dat hun beloften een kort leven hebben en onbetrouwbaar zijn.'

Chroesjtsjov voelde zich diep gekwetst door het meningsverschil met de protégé die hij 'bijna als een zoon' beschouwde. Hij was bijna in tranen toen hij een Cubaanse diplomaat vertelde: 'Ik kan niet slapen vanwege Fidel.'

Hij wist dat de hele overeenkomst waardeloos kon worden als Castro de inspecties op Cuba, zoals die gespecificeerd stonden in zijn briefwisseling met Kennedy, zou blokkeren: de Verenigde Staten konden zichzelf bevrijd verklaren van hun belofte Cuba niet binnen te vallen. De Secretaris-Generaal was ook bezorgd dat Castro's luidruchtige klachten over verraad andere van de Sovjet-Unie afhankelijke landen aan het weifelen zouden brengen en voer zou zijn voor Chroesjtsjovs eigen vijanden in het Kremlin en Peking. Hij stuurde Mikojan naar Havana.

Geen Sovjetleider stond zo dicht bij Castro als Anastas Ivanovitsj Mikojan, die in 1960 de eerste hooggeplaatste Sovjetleider was die een bezoek bracht aan Castro. De doorgaans onbewogen Armeniër kon zijn enthousiasme voor de jonge revolutionair niet bedwingen. Tegen Rusk zei hij ooit: 'Jullie Amerikanen moeten begrijpen wat Cuba betekent voor oude bolsjevieken als wij. Wij hebben ons hele leven al gewacht op een land dat het communisme invoert zonder inzet van het Rode Leger. Op Cuba is het gebeurd en we voelen ons weer piepjong.'

Geboren in 1895 was Mikojan sinds 1935 volwaardig lid geweest van het staatspresidium. Veel langer dan Chroesjtsjov of wie dan ook. Er werd gezegd dat wanneer Rusland weer een tsaristisch regime zou krijgen, de nieuwe monarch

zou mompelen: 'Nou Anastas, wat moet ik doen?' Stalin noemde hem een 'han-
delsgenie': hij was de man die de eskimotaarten naar de Sovjet-Unie haalde.
Chroesjtsjov vertelde later dat Mikojan tijdens de Russische inval in Hongarije
'uit protest dreigde zichzelf iets aan te doen'.
Hij zei ooit tegen Mikojan dat hij de pech had een generatie te laat te zijn geboren: anders zou hij een fortuin hebben gemaakt. In 1957 was de Armeniër het
enige lid binnen Stalins oude kring die weerstand bood aan de Antipartijgroep,
een riskante onderneming waarvoor Chroesjtsjov hem eeuwig dankbaar was.[1]
Harriman was onder de indruk van hoe regelmatig de Secretaris-Generaal het
had over 'Anastas en ik', wat bijna suggereerde dat Mikojan een van beide mannen van het tweemanschap was.
Onderweg naar Havana maakte Mikojan een tussenstop in New York voor een
diner met Koeznetsov en Stevenson. Hij waarschuwde hen dat Castro de grondinspecties van Russische militaire bases op Cuba misschien niet zou accepteren.
Bij aankomst in de Cubaanse hoofdstad verklaarde hij: 'Het Sovjetvolk is met lichaam en ziel verbonden met Cuba.' Tijdens zijn tweede dag van besprekingen
met Castro stierf Mikojans veertigjarige echtgenote in Moskou. Deze missie was
zo belangrijk dat hij niet terugkeerde voor haar begrafenis.
Mikojan vond de Cubaanse leider knorrig en afstandelijk. Castro liet hem weten
dat hij niet kon volstaan met een verontschuldiging voor Chroesjtsjovs onbeschaamdheid: hij moest het Cubaanse volk zijn excuses aanbieden. Toen Mikojan uitleg kwam geven in Cubaanse vergaderzalen, werd hij, naar men beweert,
bekogeld met rot fruit.[2]
De Amerikaanse inlichtingendienst ving signalen op dat Castro zelfs zou kunnen
proberen om de Russen van Cuba te verjagen. De minister van Buitenlandse
Zaken deelde enkele Senatoren in vertrouwen mee dat de Verenigde Staten een
'Hongarije-achtige actie op dit halfrond' niet zouden accepteren en 'onmiddellijk iets zouden moeten ondernemen' als Sovjettroepen het vuur zouden openen
op Cubanen.

Rusk liet Ex Comm weten dat ze geen 'goed contract met Chroesjtsjov' hadden.
Een uitwisseling van brieven was niet hetzelfde als een officieel verdrag: de Verenigde Staten moesten 'ieder woord in hun boodschappen op een weegschaal
leggen en zo gunstig mogelijk uitleggen'.
Kennedy zei tegen Sorensen dat het 'makkelijk [zou zijn] om nationale steun te
krijgen voor het weghalen van de raketten', maar 'veel moeilijker' om die te bewaren tot aan de uiteindelijke overeenkomst. Robert Kennedy herinnerde zijn
broer eraan dat Stevenson tijdens de crisis 'zo verward, zo zorgelijk' had gele-

1. Chroesjtsjov deelde de Joegoslavische gezant in Moskou in vertrouwen mee dat Mikojan ten tijde van de Antipartijcoup zijn toespraak had geschreven voor het Centraal Comité, zodat hij deze aan de loop der gebeurtenissen kon aanpassen als het tij zich tegen
Chroesjtsjov leek te keren.
2. Ondanks dit alles volhardden Mikojan en zijn zoon Sergo, die hem op zijn reizen van
1960 en 1962 begeleidde, in hun enthousiasme voor Castro. In een gesprek dat de auteur
in 1989 voerde met Sergo Mikojan, die andere tekortkomingen in het buitenlandse beleid
van de Sovjets met nadruk bekritiseerde, weigerde hij toe te geven dat de dertig jaar van
Castro's bewind het eiland niet veel goeds hadden gebracht.

ken. Om sterker te staan in de onderhandelingen met Zorin en de plaatsvervangend minister van Buitenlandse Zaken, Koeznetsov, stuurde de president de Republikein John McCloy met Stevenson mee naar de Verenigde Naties. Om Stevenson dit slechte nieuws te brengen, stuurde Kennedy Gilpatric en George Ball, die niet verbaasd was dat 'Stevenson zich verdrukt voelde en daardoor jaloers was'.[1]

Op dinsdag 30 oktober lunchte Stevenson in New York met Koeznetsov, die hij in 1958 al eens in Moskou had ontmoet. De Rus smeerde hem stroop om de mond door te zeggen dat hij alle boeken van Stevenson had gelezen. In overeenstemming met de boodschap die Zjoekov verspreidde onder iedereen die maar wilde luisteren, zei hij dat hij hoopte niet alleen 'de kwestie-Cuba af te wikkelen', maar dat hij ook een 'algemene verkenning van uitstaande kwesties' wilde voeren, waaronder militaire bases overal ter wereld. Tevens wilde hij de vooruitzichten voor een top tussen Kennedy en Chroesjtsjov aftasten.

Dit zou in het belang van de Secretaris-Generaal zijn geweest: hij wist dat Stevenson een sympathieker onderhandelingspartner zou zijn dan de harde jonge mannen van de New Frontier. De mogelijkheid van meer omvattende besprekingen met Stevenson in het middelpunt klonk de ambassadeur bij de Verenigde Naties als muziek in de oren. Hij berichtte snel naar Washington dat Koeznetsov 'buitengewoon hartelijk' was geweest en er 'erg op gebrand' was het hele scala van problemen tussen hun landen te bespreken.

Kennedy was met afschuw vervuld. Niet alleen door het idee dat Stevenson de onderhandelingen over de Amerikaans-Russische betrekkingen heropende, maar ook door Koeznetsovs verwijzing naar militaire bases overal ter wereld, wat hem bijna zeker ongerust maakte dat de Sovjets opnieuw een poging ondernamen om openlijk een verband te leggen tussen de raketten op Cuba en in Turkije.

Stevenson was niet op de hoogte van Robert Kennedy's geheime garanties aan Dobrynin. De president had geen zin hem informatie te verschaffen die hij op een dag zou kunnen gebruiken om binnen Ex Comm zijn argumenten te staven voor een Turkije-voor-Cubaruil: mocht Stevenson ooit belachelijk worden gemaakt om zijn milde opstelling tijdens de rakettencrisis, dan zou de verleiding wel eens onweerstaanbaar groot kunnen zijn om te laten doorschemeren dat de definitieve overeenkomst van de president met Chroesjtsjov precies was wat hij oorspronkelijk had voorgesteld. Kennedy gaf Stevenson per telegram de opdracht zich te beperken tot het afhandelen van de Cubacrisis.

Koeznetsov was ongerust over Castro's dreigement de Amerikaanse verkenningsvliegtuigen boven Cuba aan te vallen. Omdat hij wist dat door het neerhalen van een vliegtuig de crisis opnieuw kon losbranden, verzocht hij de Amerika-

1. De oude Stevenson-aanhanger Arthur Schlesinger herinnerde zich dat toen McCloy en Arthur Dean in 1961 naar de Verenigde Naties gingen om zich met Stevenson te gaan verdiepen in de kernproeven- en ontwapeningsproblematiek, de gouverneur had geprobeerd hen te negeren: 'Ze zaten op de bovenste verdieping van het gebouw, geïrriteerd. Stevenson nodigde ze niet eens uit voor vergaderingen. [...] Ik bracht hun kladjes en vernam hun stomme reacties. [...] Voor hun nutteloze bijdragen hadden McCloy en Dean uren nodig.'

nen dringend zich te beperken tot de periferie van Cuba. De president weigerde, maar als voorzorgsmaatregel keurde hij de missies een voor een goed.[1]

McCone waarschuwde Ex Comm dat hoewel de raketten Cuba verlieten, 'klaarblijkelijk allerlei andere militaire vestigingen worden opgebouwd, inclusief communicatiecentra en mogelijkerwijs zelfs een duikbootbasis'. De montage van bommenwerpers van het type Il-28 ging door.[2]

Op zondag 28 oktober had Kennedy, met Chroesjtsjovs opwindende brief nog vers in het geheugen, Ex Comm gemaand zich niet 'blind te staren op de Il-28-bommenwerpers'. Maar de Il-28'ers konden offensief worden ingezet. Nu vroeg hij Stevenson om Koeznetsov te laten weten dat de bommenwerpers van het type Il-28 moesten worden verwijderd. De Rus antwoordde dat dit een 'nieuw punt' was dat niet werd vermeld in de briefwisseling tussen Kennedy en Chroesjtsjov.

Thompson gaf de president het advies om Chroesjtsjov iets te geven 'wat hij aan zijn collega's in het Kremlin kan laten zien'. Op zaterdagavond 3 november werd Robert Kennedy naar de Sovjetambassade gestuurd.

Dobrynin onderhield zich met het Bolsjoi-ballet en stelde de minister van Justitie voor aan de beeldschone prima ballerina Maja Plisetskaja, die zei: 'U en ik zijn op dezelfde dag van hetzelfde jaar geboren' – 20 november 1925. Kennedy kuste haar en beloofde haar een cadeau te sturen. Privé vertelde hij Dobrynin dat als de Sovjet-Unie begon met het verwijderen van de Il-28-toestellen en ze binnen dertig dagen weg zouden zijn, 'wij onmiddellijk bereid zouden zijn de opheffing van de quarantaine aan te kondigen'.

De volgende dag zei McCloy tijdens de lunch op zijn buitenverblijf in Stamford, Connecticut, tegen Koeznetsov: 'U weet wat wij willen [...] namelijk de eliminatie van Cuba als Sovjetmilitaire basis op dit halfrond. [...] Wij vinden dat u Castro onder zware druk moet zetten om een geschikte inspectie mogelijk te maken.'[3]

Op dinsdag 6 november overhandigde Dobrynin aan Kennedy een brief van Chroesjtsjov waarin deze de eis van de president betreffende de Il-28'ers van de hand wees. Robert had, wat hij later noemde, 'het akeligste gesprek dat ik ooit

1. Ex Comm was het erover eens dat wanneer een U-2-toestel vanaf een SAM-basis op Cuba werd aangevallen, 'we hoogstwaarschijnlijk moeten aannemen dat dit een doelbewuste Sovjetbeslissing is'. De Verenigde Staten zouden de SAM-basis met een luchtaanval bestoken en tegelijkertijd zou Kennedy een boodschap sturen aan Chroesjtsjov met de uitleg van 'de absolute noodzaak van voortdurende luchtverkenningen'. Als een U-2 werd neergehaald, dan zouden de Verenigde Staten de hiervoor verantwoordelijke SAM-basis vernietigen, 'voor een tweede maal contact opnemen met Moskou en uiteindelijk, bij gebrek aan bevredigende garanties, de rest van het SAM-systeem [op Cuba] elimineren'.
2. De CIA nam aan dat de Sovjets tweeënveertig Il-28-bommenwerpers naar Cuba hadden verzonden, waarvan er zeven waren geassembleerd. We weten nu dat er slechts twaalf daadwerkelijk waren afgeleverd, waarvan er drie bestemd waren voor de Cubaanse luchtmacht en nog uit hun kisten moesten worden gehaald.
3. McCloy was zich niet bewust van Kennedy's geheime concessie toen hij Koeznetsov ook waarschuwde niet de Turkse raketten bij de onderhandelingen te betrekken.: 'Deze houden geen verband met het Caribisch gebied of het westelijk halfrond.'

heb gevoerd met Dobrynin'. Na afloop zei hij tegen zijn broer dat hij de ambassadeur misschien te vaak had ontmoet: die ongedwongenheid maakte 'verklaringen die ik op kritieke momenten deed minder effectief'.

De president stuurde Stevenson en McCloy een boos telegram dat de Sovjets hun gebruikelijke koers leken te volgen 'waarin afspraken worden ontweken, geheimhouding een controle voorkomt, overeenkomsten opnieuw worden geïnterpreteerd en waarin de Sovjetregering op een of andere manier probeert juist dat beleid aan te houden en naar voren te brengen dat het ogenschijnlijk heeft beloofd op te geven'.

Kennedy schreef aan Chroesjtsjov dat hij 'verbaasd' was over zijn beschuldiging dat hij de Il-28'ers gebruikte om de situatie te 'compliceren'. Zijn brief van 27 oktober had betrekking op alle wapens die voor offensief gebruik konden worden ingezet. Hij had 'geen zin om u moeilijkheden te bezorgen'. Maar de Secretaris-Generaal moest begrijpen dat de installatie van raketten op Cuba een 'ernstige en gevaarlijke schok' was geweest.

Niet alleen was het 'een bedreiging van de algehele veiligheid op dit halfrond, maar het was, in bredere zin, een gevaarlijke poging om de wereldomvattende status-quo te wijzigen. [...] Uw regering gaf ons herhaaldelijk garanties van wat zij *niet* deed [...] en ze bleken onnauwkeurig.'

Het was nu van 'vitaal belang' om 'opnieuw enige mate van vertrouwen op te bouwen in de communicatie tussen ons beiden'. Het vraagstuk van controle op Cuba kon 'wel degelijk bijzonder ernstig worden'. Koeznetsov en McCloy hadden 'gesproken alsof dit probleem geheel en al moest worden opgelost door het Castro-regime'. Maar dit was een 'uitdrukkelijke voorwaarde' van hun briefwisseling. 'De behoefte aan deze controle is, ik vind het jammer om dit te moeten zeggen, op overtuigende wijze aangetoond door wat er in de maanden september en oktober op Cuba is gebeurd.'

De president liet Ex Comm weten dat de situatie 'op zeer korte termijn gevaarlijk' kon worden. Een eerdere versie van zijn brief was afgesloten met een dreigement aan het adres van Chroesjtsjov met 'hernieuwde actie van onze kant'.

Die dag stemden de Amerikanen tijdens de verkiezingen halverwege Kennedy's presidentiële ambtstermijn. Kennedy bracht zijn stem uit op Beacon Hill in Boston, vloog per helikopter naar Hyannis Port om op bezoek te gaan bij zijn vader en keerde toen terug naar het Witte Huis, waar hij samen met Jacqueline de uitslagen bekeek in de Oval Room.

Uit een opiniepeiling bleek dat de rakettencrisis ervoor had gezorgd dat meer Amerikanen met het beleid van de president instemden, een stijging van 66 naar 74 procent. Eind oktober had Harriman geklaagd dat de Republikeinen al bezig waren de steun van de president te 'ondermijnen'. Congreslid Thomas Curtis uit Missouri beweerde dat de crisis was 'opgezet met het oog op de verkiezingen'. Barry Goldwater verklaarde dat de presidentiële belofte dat er geen invasie van Cuba zou plaatsvinden, 'Castro en het communisme [had] opgesloten in Latijns-Amerika en dat hij de sleutel tot hun verwijdering [had] weggegooid'.

Kennedy hervatte zijn campagne niet. Hij wist dat het verdedigen van zijn aanpak van de crisis de beste manier was om zijn partij te helpen. Cubaanse ballingen kwamen met de beschuldiging dat de Sovjets hun kernraketten niet hadden verwijderd, maar ze hadden verstopt in Cubaanse grotten. Hij verzocht Ex

Comm met ontkenningen te komen voor 'aangewezen' nieuwsredacteuren.[1]
Het Witte Huis probeerde de ballingen ervan te weerhouden radiozendtijd te kopen.

Nadat de president op het NBC-programma *Today* zag hoe een balling zijn hart uitstortte, gaf hij een bevel dat 'onze functionarissen binnen vierentwintig uur iedere Cubaanse vluchteling gaan ondervragen die verklaringen aflegde over wapens die naar Cuba gingen. De vluchtelingen proberen natuurlijk hun verhaal aan te dikken in een poging ons zo ver te krijgen dat we een invasie uitvoeren.'

Kennedy wist dat een onverwacht bezoek van een FBI-agent niet alleen informatie zou kunnen opleveren, maar de mensen een enorme angst zou inboezemen voor de gevaren van het irriteren van de regering. Robert Kennedy wist nog dat staalmagnaten in april van dat jaar hun belofte hadden gebroken om de staalprijzen niet te verhogen: 'Ik gaf de FBI opdracht ze allemaal te ondervragen – de volgende dag hun kantoren binnen te stappen.' Sommige vraaggesprekken vonden 's nachts bij de mensen thuis plaats.[2]

De klop op de deur had de staalmannen gelouterd. Men zou zich kunnen voorstellen wat het effect zou zijn op vluchtelingen met een onbepaalde immigrantenstatus wier misdrijf bestond uit hun verbolgenheid dat de president hun land voor altijd zou kunnen toevertrouwen aan Fidel Castro.

Kennedy liet Ex Comm weten dat hij niet zeker wist in hoeverre hij het publiek op de hoogte moest brengen van zijn ongerustheid over Chroesjtsjovs getreuzel met de Il-28'ers. Vier dagen voor de verkiezingen, toen hij het land berichtte dat de raketten werden verwijderd, had hij met geen woord gerept over de bommenwerpers. Ingeval de Sovjets weigerden ze terug te trekken, wilde hij niet het risico lopen dat zou blijken dat zijn pogingen om de crisis te beëindigen op een mislukking waren uitgelopen.

Bij de verkiezingen van 1962 kwamen er meer Amerikanen opdagen dan voor ieder ander jaar zonder presidentsverkiezingen in de afgelopen veertig jaar. De Democraten wonnen vier zetels in de Senaat en leden een nettoverlies van

---

1. Toen de *Washington Evening Star* de beweringen over de grotten op de voorpagina publiceerde, verzocht Kennedy McCloy om eens met de redacteuren van de *Star* te gaan praten en hen over te halen 'zulke verhalen te checken bij de regering voordat ze deze afdrukken'.
2. Later zei Robert Kennedy dat het besluit om de vraaggesprekken 's nachts te laten plaatsvinden, 'een beslissing van de FBI was. [...] én ze bespraken het niet met mij, én ik wist zelfs niet wie ze ondervroegen'. William Sullivan van de FBI gaf toe dat 'wij degenen waren die de beslissing namen om 's nachts te ondervragen, niet Kennedy'. Douglas Dillon herinnerde zich Roberts vermoedens 'dat dit soort dingen met opzet zou kunnen zijn ondernomen door Edgar Hoover om hem in verlegenheid te brengen'. Zelfs toen Lyndon Johnson vice-president was, gebruikte hij dezelfde techniek om zijn vijanden uit hun evenwicht te brengen. Twee maanden na Kennedy's krachtmeting met de staalindustrie, toen een redacteur uit Pecos, Texas, en de uitgever van *Farm and Ranch* een onderzoek verrichtten naar zijn betrekkingen met de sjacheraar Billy Sol Estes, vroeg hij Hoover, zijn oude vriend en buurman in Washington, om agenten te sturen om hen te ondervragen. Hoover beloofde om 'er meteen mee te beginnen', maar trok een grens toen Johnson hem vroeg hetzelfde te doen met een Congreslid uit Florida dat hem wilde afzetten.

slechts twee in het Huis van Afgevaardigden. Hiermee was het de beste vertoning in verkiezingen halverwege een presidentstermijn van om het even welke partij die sinds 1934 het Witte Huis bewoonde. De politieke overlevering wil dat dit door de rakettencrisis kwam. Na zijn verlies in Californië klaagde Nixon dat 'de kwestie-Cuba' hem ervan had weerhouden 'onze boodschap te laten doordringen'.[1]

In feite is het moeilijk om één enkele verkiezingsstrijd te vinden waarin de crisis voor een andere uitkomst zorgde. Uit opiniepeilingen bleek dat het landbouwbeleid, de burgerrechten en andere binnenlandse kwesties voor de kiezers zwaarder wogen dan Cuba. De crisis was ongetwijfeld een stimulans voor veel campagnevoerders die al een ambt bekleedden. Congreslid Curtis herinnerde zich dat Cuba 'voor alle functionarissen die zich kandidaat stelden voor de verkiezingen, een steun in de rug was: we waren belangrijk'.

Kennedy was opgetogen over de glans die zijn partij toevoegde aan zijn politieke imago, doordat deze zich niets aantrok van electorale tradities, maar hij vond dat hij zich op Capitol Hill 'bijna op het punt [bevond] waar we de afgelopen twee jaar waren'. Vooruitkijkend naar wat hij hoopte dat een verpletterende herverkiezing zou worden, zei hij tegen vrienden: 'Wacht maar tot 1964.'

Aleksandr Zintsjoek overhandigde Charles Bartlett een nieuwe vertrouwelijke boodschap, waarover Bartlett de president inlichtte: 'Het zou een vergissing zijn om Rusland nu te veel onder druk te zetten. [...] Hij denkt dat het hun beleid is om de zaak zo snel mogelijk op te helderen.'[2] Chroesjtsjov schreef de president vier persoonlijke brieven waarin hij zei te weigeren de bommenwerpers terug te trekken voordat de blokkade werd opgeheven.[3]

Op woensdag 14 november liet Kennedy Macmillan telefonisch weten: 'We slagen er wellicht in de [Il-28-]bommenwerpers weg te krijgen, maar ze willen dat wij de blokkade opheffen, de vluchten staken, en controles organiseren in zowel Florida als op Cuba. [...] We zouden kunnen zeggen dat de hele afspraak niet doorgaat, om vervolgens onze niet-aanvalsbelofte in te trekken en ze gewoon aan te vallen.' De premier zei: 'Je moet niet aan hem toegeven.'

De gezamenlijke stafchefs adviseerden Kennedy dat als Chroesjtsjov de Il-28'ers niet weghaalde, de blokkade moest worden verscherpt en moest gaan gelden voor aardolie, benzine en smeerolie. Als dit mislukte, 'dan moeten we bereid zijn ze uit te schakelen met een luchtaanval'.

1. Nixon ging door met zijn scherpzinnige overpeinzing dat Kennedy en Chroesjtsjov een geheime 'afspraak richting de NAVO en het Warschaupact' hebben kunnen gemaakt om de crisis op te lossen.

2. Zintsjoeks boodschap moet uit een voortreffelijke bron zijn gekomen. Bartlett gaf de rest van het gesprek door aan Kennedy: 'De kennelijke rechtvaardiging [...] niet de reden – voor de achterbakse invoer van de raketten naar Cuba moet het Turkse voorval zijn, dat ondanks hun harde protesten heeft plaatsgevonden. En in Turkije werden kaarten gepubliceerd die de doelen in de Sovjet-Unie lieten zien. Chroesjtsjov werd kennelijk gemotiveerd toe te stemmen in het Cubaanse avontuur door een verlangen u te laten weten hoe het voelt om die dingen op je af te zien komen.'

3. Op het moment van schrijven wordt de inhoud van Kennedy's brief van 15 november en van Chroesjtsjovs brieven van 6, 12, 14 en 15 november nog altijd geheimgehouden door de Amerikaanse en Sovjetregeringen.

In zijn aandacht voor de Il-28'ers had Kennedy zich laten afleiden van twee andere elementen van Russische aanvalswapens. In zijn brief van 7 november had hij Chroesjtsjov laten weten dat hij het 'grootste belang' hechtte aan diens beloften van 16 oktober aan Kohler dat er op Cuba geen basis zou komen voor Russische onderzeeërs, maar blijkbaar liet hij de zaak rusten.

Op verzoek van de president klaagde McCloy bij Koeznetsov over de Sovjetregimenten op het eiland, maar kennelijk nam Kennedy genoegen met Sovjetgaranties dat het militaire personeel, dat betrokken was bij de aanvalssystemen op Cuba, zou worden teruggetrokken.[1] Zijn nalatigheid om op te helderen hoe veel Sovjets Cuba zouden verlaten, zou hem later nog parten gaan spelen.

Op zondag 18 november speelden McCloy en Koeznetsov Russisch biljart en lunchten ze in het Russische toevluchtsoord in Locust Valley op Long Island. Tijdens de koffie zei McCloy tegen zijn gastheer dat de verwijdering van de Il-28'ers 'niet eeuwig kan worden uitgesteld'.

Hij zei dat het aanbod van de president om de blokkade op te heffen, voor hem 'heel moeilijk' was geweest aangezien hij het land had verteld dat hij dit niet zou doen voordat werd gegarandeerd dat de Verenigde Naties waarnemingen zouden verrichten: 'Wij proberen noch de Cubanen uit te hongeren, noch koel te reageren op constructieve stappen die de Sovjet-Unie onderneemt.'

McCloy stelde hem een ultimatum. Kennedy's volgende persconferentie zou dinsdag om zes uur plaatsvinden: als de Sovjets tegen die tijd niet zouden beloven de Il-28'ers terug te trekken, dan zou het 'in twijfel worden getrokken of wij met de Sovjet-Unie eigenlijk wel een overeenkomst hebben' over Cuba. Als het Il-28-probleem werd geregeld, dan zouden de Verenigde Staten 'onze plechtige verklaring bij de Verenigde Naties afleggen' Cuba niet binnen te vallen en zouden we 'onze goede diensten aanwenden om andere landen op het westelijk halfrond tot hetzelfde standpunt te bewegen, waarbij we ervan uitgaan dat Cuba tegen hen geen agressieve daden onderneemt'.

Koeznetsov antwoordde: 'Maakt u de situatie alstublieft niet meer gecompliceerd door eindeloze grondinspecties te eisen. Het zou onmogelijk zijn om heel Cuba af te struinen en iedere steen om te draaien, iedere grot en badkamer te doorzoeken om te bepalen of daar nog kernwapens aanwezig zijn.'

McCloy zei: 'Wij zijn er net zo hard op uit als de Sovjet-Unie om deze kwestie af te ronden, want er is een aantal zaken dat we zouden moeten bespreken om te voorkomen dat deze situatie weer de kop opsteekt. Vandaag zijn het Cuba en de combinatie van deze bebaarde figuur die dictator van Cuba is en een zekere misrekening door de Sovjet-Unie die ons bijna in een oorlog stortten. Morgen kan het weer iets anders zijn.'

Op maandagmiddag 19 november bracht Robert Kennedy Bolsjakov ervan op de hoogte dat de Verenigde Staten hun lage verkenningsvluchten over Cuba

---

1. Zoals Raymond Garthoff heeft opgemerkt, zou Kennedy van dat militaire personeel nog een heel groot punt hebben moeten maken als hij had geweten dat het in feite om tweeënveertigduizend man handelde, van wie er velen niets te maken hadden met de offensieve wapens. Zijn waarschuwing van september aan het adres van Chroesjtsjov was met duidelijk inbegrip van 'elke georganiseerde strijdmacht op Cuba'.

hadden gestaakt, maar dat ze zouden worden hervat als de Il-28'ers niet werden verwijderd. En hoe de confrontatie zou kunnen escaleren als Castro een Amerikaans toestel zou neerhalen, wist niemand. Hij zei dat hij vóór Kennedy's persconferentie een antwoord moest hebben.

De Kennedy's ondersteunden hun ultimatum met een nog groter dreigement. Diezelfde dag stuurde de president de NAVO-leiders een voorstel dat als de Il-28'ers niet direct werden teruggetrokken, de Verenigde Staten ze dan wellicht met een luchtaanval zouden moeten vernietigen. Dit bericht werd zodanig doorgeseind dat het gemakkelijk kon worden onderschept door de Sovjet-Unie.

Een ander signaal aan Chroesjtsjov en Castro is misschien de vernietiging van een Cubaanse fabriek geweest. Dit gebeurde half november door een sabotageteam van Cubaanse ballingen, dat werd gestuurd door de Verenigde Staten. De president had opdracht gegeven geheime acties tegen Cuba te annuleren. Een woedende Robert Kennedy hoorde dat er toch drie commandoteams heen waren gestuurd. De ontploffing van de fabriek heeft de Sovjets en de Cubanen er wellicht aan herinnerd dat de Amerikanen in staat en van plan waren om het Castro-regime voortdurend te bestoken, tenzij het Cubaanse probleem naar hun tevredenheid werd geregeld.

In Havana had Castro Mikojan gewaarschuwd. 'Als je ook maar iets toegeeft aan de Amerikanen, zullen ze onmiddellijk om meer vragen, en nog meer, en ze zullen van geen ophouden weten. [...] Laat de imperialisten barsten!' In Aragones' herinnering antwoordde Mikojan met een 'lange, verwarrende uiteenzetting over de Sovjet-Cubaanse vriendschap, over de omverwerping van de tsaren en over van alles en nog wat [...]. Het was heel verwarrend en surrealistisch.'

Na dagenlange onderhandelingen, toen Mikojan aan Castro vroeg om de impasse met de Verenigde Staten te doorbreken door zijn toestemming te geven voor de verwijdering van de Il-28'ers, ontplofte de Cubaanse leider. Volgens Aragones leunde hij vervolgens achterover, wuifde met zijn hand en riep: 'Ach, laat die vliegtuigen barsten!'

In de veronderstelling dat de drie voor de Cubaanse luchtmacht bestemde bommenwerpers formeel nog niet waren overgedragen, wist hij dat het moeilijk zou zijn de Russen ervan te weerhouden ze terug te halen. Maar hij had de macht zijn veto uit te spreken over controles op zijn eiland door buitenstaanders en die gebruikte hij dan ook.

Op dinsdag 20 november verscheen Dobrynin op het ministerie van Justitie: 'Ik heb een verjaarscadeau voor u.' Het was een nieuwe brief van Chroesjtsjov, waarin hij klaagde dat de president in hun correspondentie van oktober geen 'enkele verwijzing naar bommenwerpers' had opgenomen. Bommenwerpers van het type Il-28 waren verouderd en 'kunnen niet worden geclassificeerd als offensieve wapens'. Maar ze zouden binnen dertig dagen weg zijn in ruil voor de opheffing van de blokkade.

Robert merkte op dat Chroesjtsjovs brief 'nogal wanordelijk' was. Dobrynin vertelde hem dat Chroesjtsjov zulke brieven dicteerde terwijl hij door de kamer wandelde en dan keek hij nooit op naar de stenotypiste.

De president concludeerde dat Castro aan de eisen had toegegeven vanwege de lawaaierige, lage spionagevluchten van de Amerikanen boven Cuba: hij 'kon het ons niet toestaan om voor onbepaalde tijd iedere dag uitgebreide vluchten uit te voeren op zestig meter hoogte boven zijn eiland. En toch wist hij dat als hij een van onze toestellen zou neerhalen, dit tot een veel ernstiger vergeldings-maatregel tegen hem zou leiden.'

In de namiddag kwam Bolsjakov naar het kantoor van de minister van Justitie waar ze cocktails dronken en naar de persconferentie van de president op de tele-visie keken. De president kondigde de verwijdering van de Il-28'ers en de blok-kade aan: 'Als we op Cuba slagen, dan zouden we kunnen verwachten dat er in een aantal andere spanningsgebieden de dooi intreedt. [...] Ik denk dat dit een bijzonder kritieke periode is.'

Bolsjakov vertelde Robert Kennedy dat de presidentiële verklaring 'heel goed' was geweest. Kennedy belde Maja Plisetskaja in Boston op en spoorde zijn Rus-sische vriend aan om voor haar 'Lang zal ze leven' te zingen.

De president hief onmiddellijk de blokkade op, beëindigde het luchtalarm voor het Commando Strategische Luchtdoelen en gaf opdracht voor de demobilisatie van alle voor de rakettencrisis opgeroepen reservisten van de luchtmacht. Hij stuurde telegrammen naar Macmillan, De Gaulle en Adenauer: 'Het lijkt erop dat Chroesjtsjov bij dit tweede keerpunt in de Cubaanse crisis opnieuw voor de veiliger koers heeft gekozen.'

De volgende dag schreef Kennedy aan de Secretaris-Generaal: 'Ik ben verheugd geweest met de ontvangst van uw brief van 20 november die mij gisteren op tijd bereikte. Zoals u gezien zult hebben, kon ik op grond van uw welkome belofte dat de bommenwerpers van het type Il-28 binnen een maand verwijderd zullen zijn, het opheffen van onze blokkade direct aankondigen op mijn persconferen-tie.'

Hij betreurde het 'dat u er niet in bent geslaagd de heer Castro over te halen een geschikte vorm van inspectie of controle op Cuba toe te staan en dat wij dienten-gevolge moeten blijven vertrouwen op onze eigen informatiemiddelen. Maar zo-als ik gisteren zei, hoeft er geen vrees te bestaan voor een invasie van Cuba zo-lang de zaken zich in hun huidige gunstige koers ontwikkelen.'

Chroesjtsjov kon de betekenis van de laatste tien woorden van de president niet missen. Aangezien Castro de inspectie op Cuba, zoals gespecificeerd in hun briefwisseling van oktober, had geweigerd, had Kennedy afgezien van een offi-ciële belofte Cuba niet binnen te vallen. Bij zijn persconferentie had hij slechts gezegd: 'Wat ons betreft zal er vrede zijn in het Caribisch gebied als alle offen-sieve wapens, onder geschikte controle en waarborgen, verwijderd zijn van Cuba en in de toekomst van dit halfrond worden gehouden, en als Cuba niet wordt gebruikt voor de export van agressieve communistische bedoelingen.'

Op vrijdagmorgen 23 november, de dag na Thanksgiving, riep de president een vergadering van Ex Comm bijeen in Hyannis Port. Onder de aanwezigen waren Rusk, McNamara, de minister van Justitie, Taylor, McCloy, Ball, Gilpatric, Sorensen en Bundy. De Russen drongen bij hem aan op een officieel document waarin de overeenkomst van Kennedy en Chroesjtsjov betreffende Cuba was vastgelegd die kon worden geregistreerd bij de Verenigde Naties.

Ze stelden een ontwerp-tekst op waarin stond dat de Verenigde Staten bereid waren 'garanties te geven dat er geen invasie kwam', zolang er op Cuba geen of-fensieve wapens waren. Zonder de overeengekomen controle en andere waarborgen zou zo'n belofte alleen van kracht blijven als Cuba zich niet verzette tegen andere middelen waarmee 'bevredigende informatie' werd ingewonnen – namelijk verkenningsvluchten. De Verenigde Staten zouden het Pact van Rio en het Handvest van de Verenigde Naties in acht blijven nemen.

Kennedy droeg McCloy op om Koeznetsov mee te delen dat dit 'het maximale [was] dat we kunnen doen', aangezien de Cubanen controle door de Verenigde Naties hadden geweigerd. Hij wilde geen 'lang en vruchteloos gekibbel' met de Russen over het document: 'Sommige van die verschillen zullen misschien, als alles goed gaat, met de tijd vervagen.'

Luchtfoto's toonden aan dat de Il-28-bommenwerpers binnen twee weken na Chroesjtsjovs belofte van Cuba waren verwijderd. In New York deed Koeznetsov een dringend verzoek aan McCloy om de zinsnede over het inwinnen van 'bevredigende informatie' te schrappen. Hij waarschuwde dat Castro zich er enorm kwaad om zou maken. McCloy wees het verzoek van de hand.

De hele maand december probeerden de Amerikanen en de Russen in New York en Kennedy en Chroesjtsjov in hun correspondentie een akkoord te bereiken over een gezamenlijke verklaring die de rakettencrisis zou regelen. Ze slaagden er niet in. De volgende maand vroegen Stevenson en Koeznetsov gezamenlijk aan Oe Thant om de kwestie van de agenda van de Veiligheidsraad te schrappen.

De president stond toe dat zijn verklaring van 20 november bleef gelden als zijn laatste uiting betreffende de regeling. Zoals Sorensen het zich herinnerde, zou Kennedy 'de voorkeur hebben gegeven aan een nettere oplossing, maar de manier waarop het nu verliep was eigenlijk prima. We konden onze vluchten over het eiland voortzetten en Chroesjtsjov kreeg geen "niet-invalsbelofte".'[1]

Chroesjtsjov beweerde later dat zijn grote tactische zet met de raketten hem bracht wat hij de hele tijd al wilde – een Amerikaanse belofte dat Cuba niet zou worden binnengevallen. Eind jaren zestig schreef hij in zijn memoires: 'Voor de eerste keer in de geschiedenis – werd [het] Amerikaanse imperialistische beest gedwongen een stekelvarken te slikken, met stekels en al. En dat stekelvarken zit nog steeds in zijn maag, onverteerd. [...] Ik ben trots op wat we deden.'

Dit was een poging om een misser van de zonnigste kant te bekijken. De miljard

1. Hoewel de overeenkomst inzake Cuba tussen Kennedy en Chroesjtsjov nooit in een verdrag werd geformaliseerd, behandelden latere presidenten en Sovjetleiders haar bijna als een verdrag. In 1970, nadat de Verenigde Staten bij de Baai van Cienfuegos op Cuba een in aanbouw zijnde Russische duikbootbasis hadden ontdekt, bestudeerde Henry Kissinger, Richard Nixons Nationale-Veiligheidsadviseur, de notulen uit 1962 en vertelde de president dat de overeenkomst 'nooit formeel vastgelegd' was.

Ondanks de dubbelzinnigheid van de afspraak tussen Kennedy en Chroesjtsjov over duikbootbases handelde Kissinger alsof onderzeeërs evenzeer verboden waren op Cuba als lange-afstandsraketten of bommenwerpers. Hij liet de Sovjetzaakgelastigde, Joeli Vorontsov, weten dat de Verenigde Staten de afspraak als een bindend verdrag beschouwden. Verheugd dat hij de afspraak kon herbevestigen voor Castro, die zich ongerust maakte over Nixons invasieplannen, antwoordde Vorontsov dat de Sovjets haar ook 'nog volledig van kracht' achtten. TASS ontkende dat de Sovjet-Unie bezig was met de bouw van een duikbootbasis op Cuba en bevestigde de toezegging om de afspraak van 1962 in acht te nemen.

dollar bestemd voor het verplaatsen van tachtig MRBM's en IRBM's, bijbehorende uitrustingen en troepen van en naar Cuba was een hoge prijs voor een niet-aanvalsbelofte die bovendien op ieder moment kon worden herroepen. Landen die mogelijkerwijs van de Sovjet-Unie afhankelijk zouden worden, hoorden de woeste scheldpartijen van Castro nog nagalmen en stelden hun verwachtingen wat lager aangaande Moskou's ijver hen tegen een Amerikaanse bedreiging in bescherming te nemen.

De manoeuvre deed niets ter ondersteuning van Chroesjtsjovs ambitie om de Sovjetpositie in het nucleaire machtsevenwicht te verbeteren. Een groot deel van de wereld zag in zijn haast om de raketten terug te trekken het harde bewijs voor de nucleaire zwakte van de Sovjets. Net als met de ultimatums in Berlijn in 1958 en 1961 had hij de Verenigde Staten uitgedaagd en gefaald. De ontmantelde raketten en Il-28-bommenwerpers die van Cuba wegvoeren, bleken de definitieve afwijzing te zijn van de stelling in zijn toespraak over bevrijdingsoorlogen dat het kapitalisme op zijn retour was.

In 1989 zei Gromyko dat 'de wereld beter af zou zijn geweest' als Chroesjtsjov de raketten niet naar Cuba had gestuurd. Georgi Arbatov van het Amerika-Canada-Instituut herinnerde zich de episode als een 'vernedering': 'Alleen al het feit dat de raketten moesten worden teruggetrokken, en bepaald niet onder de fraaiste voorwaarden, bewijst dat het een vergissing was.'

Chroesjtsjov had zich veel moeite getroost om steun te krijgen in het Presidium voor de stationering van raketten op Cuba. Hij ontdekte echter dat je bij een overwinning wel duizend vrienden kon hebben, maar dat een nederlaag slechts één man wordt aangerekend. Veel Sovjetpolitici zagen de tactische zet als een voorbeeld van de 'onbezonnen plannenmakerij' waarvoor hij later zou worden afgezet.

De Secretaris-Generaal had ooit verklaard dat een bescheiden, krachtige en minimale strategische raketmacht die West-Europa en het Amerikaanse continent kon vernietigen, genoeg zou zijn om het Westen in bedwang te houden: Kennedy had in Wenen erkend dat hun twee landen nucleair gelijkwaardig waren.

Voor deze benadering was de rakettencrisis[1] de doodsklok. Ze suggereerde dat Chroesjtsjovs beleid van nucleaire chantage te gevaarlijk was. Ze leverde zijn politieke tegenstanders een tweede grote overwinning op na die van juli 1961, toen de Secretaris-Generaal zich genoodzaakt zag zijn massale troepenvermindering te herroepen en de defensie-uitgaven te verhogen om zo te reageren op Kennedy's defensieopbouw en om militaire steun te kopen voor zijn Berlijnse krachtmeting.

In de zomer van 1961 en de herfst van 1962 verklaarde het Sovjetleger dat als de Amerikaanse atoommacht Kennedy in staat had gesteld om Chroesjtsjovs beweringen over de Sovjetkracht te dwarsbomen, de Sovjet-Unie dan de geldmiddelen moest investeren om volledig te kunnen wedijveren met de Verenigde Staten. Tijdens hun lunch in Stamford uitte Koeznetsov de algemeen bekende waarschuwing tegen McCloy: 'Jullie Amerikanen zullen nooit in staat zijn ons dit nog een keer aan te doen.'

1. Of de 'Caribische crisis', zoals de Russen haar tot de dag van vandaag noemen, waarbij ze niet de nadruk leggen op de Russische offensieve wapens, maar op de Amerikaanse dreiging van agressie in het Caribisch gebied.

Dinsdag 30 januari 1962. Chroesjtsjovs schoonzoon Aleksej Adzjoebei en zijn echtgenote Rada komen aan bij het Witte Huis voor een lunch met de Kennedy's. Jaren later, na de rakettencrisis, zei Fidel Castro dat met deze ontmoeting 'alles was begonnen'.

Links: minister van Defensie Robert McNamara, wiens publieke verklaringen in het voorjaar van 1962 de Sovjets kennelijk op het idee brachten dat de Verenigde Staten wel eens een preventieve atoomaanval op de Sovjet-Unie aan het plannen konden zijn.

Onder: Fidel Castro (*tweede van rechts*) in april 1962 bij een massabijeenkomst in Havana. In deze tijd waarschuwde hij Chroesjtsjov en de Sovjets dat de Verenigde Staten op het punt stonden Cuba binnen te vallen. Vierde van rechts staat majoor Rolando Cubela, bij de CIA bekend als AM LASH, die in 1963 akkoord ging met CIA-plannen om Castro te vermoorden.

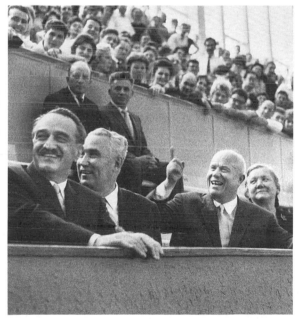

Boven: Chroesjtsjov met zijn adviseurs in het Kremlin. Vastbesloten om een Amerikaanse invasie van Cuba te verijdelen en de wereld een demonstratie te geven van Ruslands nucleaire macht, besluit hij in april 1962 MRBM's en IRBM's naar het eiland over te brengen.

Rechts: in de wetenschap dat hij zich uit een hachelijke politieke situatie heeft weten te redden, bezoekt een opgewekte Chroesjtsjov samen met Mikojan, Kozlov en Nina Petrovna in mei 1962 een concert van Benny Goodman in Moskou.

Chroesjtsjov zijn kalmte te bewaren door een Amerikaanse uitvoering van *Boris Godoenov* bij te wonen, samen met (*links*) Brezjnev, drie Roemeense functionarissen en Mikojan.

November 1962. De raketten verlaten Cuba.

Mikojan komt aan in Havana om de woedende Castro tot bedaren te brengen. Hij wordt vergezeld door medewerkers, onder wie zijn zoon Sergo (*boven aan de trap*).

December 1962. *Boven:* in het NBC-programma *Today* verdedigt een verbolgen Adlai Stevenson zich tegen anonieme beschuldigingen uit de regering-Kennedy dat hij 'een München wilde'. *Onder:* in de Orange Bowl reiken zo'n duizend mensen die bij de invasie in de Varkensbaai gevangenen waren genomen en later waren vrijgekocht, Kennedy hun brigadevlag aan. Hij belooft deze in een 'vrij Havana' terug te geven. (Dertien jaar later namen brigadeveteranen de vlag terug.)

Boven: in januari 1963 arriveert Chroesjtsjov in Oost-Berlijn en brengt een bezooek aan de Muur; hij geeft te kennen dat hij geen nieuwe Berlijnse crisis wil. Derde van rechts staat de Oostduitse Partijleider Walter Ulbricht. *Links:* in maart 1963 arresteren Amerikaanse agenten verbannen commando's om te voorkomen dat hun provocerende acties tegen Cuba tot een nieuwe rakettencrisis leiden.

Kennedy in West-Berlijn, juni 1963. De president rijdt langs de menigte samen met burgemeester Willy Brandt en Konrad Adenauer, werpt voor het eerst een blik op de Berlijnse Muur en verzekert de mensenmassa dat bij een eventuele hereniging van Duitsland 'de mensen van West-Berlijn de nuchtere voldoening kunnen smaken dat zij in de frontlinie hebben gezeten'.

Juli 1963. Tijdens de onderhandelingen voor het kernstopverdrag in Moskou bezoekt Chroesjtsjov een atletiekwedstrijd met Averell Harriman en de Amerikaanse ambassadeur Foy Kohler.
Links zit Brezjnev.

In augustus in het Kremlin, vlak voor de ondertekening van het verdrag: Chroesjtsjov, Gromyko en Dobrynin (*zittend vierde van links*) ontvangen een Amerikaanse delegatie onder wie de Senatoren Leverett Saltonstall en J. William Fulbright, Kohler en Dean Rusk.

Op bezoek bij Chroesjtsjovs landgoed in Pitsoenda aan de Zwarte Zee. Rusk maakt samen met zijn gastheer een wandeling en keurt het water van diens geliefde binnen-buitenbad.

Boven: in september 1963 is de president verrast door de publieke steun voor het beperkte kernstopverdrag in Salt Lake City, waar hij misschien zijn felste anticommunistische toespraak van zijn verkiezingscampagne van 1960 had gehouden.

Rechts: de Amerikaanse ambassadeur Henry Cabot Lodge op bezoek bij de Zuidvietnamese president Ngo Dinh Diem in Saigon; tegelijkertijd steunt hij de couppoging dic tot de moord op Diem zal leiden.

De president houdt een toespraak in de open lucht bij Fort Worth, vrijdagmorgen 22 november 1963.

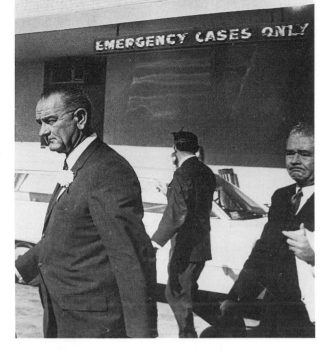

Rechts: Lyndon Johnson, inmiddels president, verlaat het Parkland Memorial Hospital in Dallas en vraagt zich af of er een samenzwering gaande is om alle hoge functionarissen van de Amerikaanse regering te vermoorden.

Onder: Robert en Jacqueline Kennedy bij luchtmachtbasis Andrews, diezelfde avond.

Boven: na met een speciale nachttrein uit Kiev naar Moskou te zijn gereisd tekent Chroesjtsjov het condoléanceregister voor Kennedy in het Spaso House, zaterdag 23 november 1963. Achter hem staan Gromyko en Kohler.

Rechts: bang dat de Sovjet verantwoordelijk zal word steld voor de moord, pass Mikojan de kist met het st overschot van de vermoor president en de eeuwige v de Nationale Begraafplaa lington, maandag 25 nov 1963.

Boven: tien dagen na de moord op Kennedy wandelt een nog altijd verbijsterde Chroesjtsjov door een besneeuwd bos buiten Moskou met de Finse president Urho Kekkonen.

Onder: in april 1964 zet Leonid Brezjnev de zeventig jaar geworden Chroesjtsjov in de bloemetjes terwijl hij in het geheim plannen smeedt om hem af te zetten en misschien zelfs te vermoorden.

Chroesjtsjov voelde er weinig voor om zijn vorige voornemen – het oplossen van de meest nijpende Koude-Oorlogproblemen – te laten stranden. Zijn confrontatie met nucleair gevaar in de rakettencrisis verhoogde zijn interesse voor een kernstopverdrag en een periode van Sovjet-Amerikaanse ontspanning. Strijdlustiger Sovjetambtenaren en militaire functionarissen verwelkomden zo'n periode van rust als een noodmaatregel tot het zegevierende moment dat de Sovjet-Unie vanuit een nucleair gelijkwaardige of, nog beter, superieure positie kon concurreren met de Verenigde Staten.

Tijdens zijn leven ontkwam Kennedy praktisch aan de kritiek op zijn beleid dat Chroesjtsjov ertoe bracht raketten naar Cuba te sturen en op het feit dat hij pas voor de raketten waarschuwde toen die het eiland al bereikten. Niet één journalist vroeg de president ooit naar deze missers. Kennedy zou aan de vooravond van zijn herverkiezingscampagne wel eens heel erg in verlegenheid kunnen zijn gebracht als het Congres in 1963 op dezelfde manier de oorzaken van de crisis had onderzocht, als het had gedaan met Pearl Harbor.[1]
Opgelucht door het vreedzame einde van de crisis accepteerde het grootste deel van de Amerikaanse pers en het publiek gretig de officiële lezing van de gebeurtenissen in Kennedy's toespraak van 22 oktober – dat Chroesjtsjov een 'heimelijke, roekeloze en provocerende' daad had verricht, terwijl hij zich volledig bewust was van het feit dat hij de wereld naar de 'afgrond van vernietiging' leidde. Net als met de Berlijnse Muur zorgden het verlangen van het publiek om in hun president te geloven en de aanwezige public-relationstalenten in het Witte Huis van Kennedy ervoor dat de serieuze aandacht van de Amerikanen in die tijd – en van veel historici later – werd afgeleid van zijn schuld in de rakettencrisis. Een latere president, die ten aanzien van de daden en motieven van Amerikaanse leiders in een cynischer tijdperk zou dienen, zou niet zo fortuinlijk zijn geweest.
Achteraf gezien is het duidelijker dat indien Kennedy Chroesjtsjov niet had geprovoceerd door steeds weer de Amerikaanse nucleaire superioriteit te verkondigen, steeds weer zelf of via zijn functionarissen met uitlatingen komend waardoor de Russen een Amerikaanse aanval vreesden, en herhaaldelijk door middel van operatie Mongoose en militaire voorbereidingen suggererend dat de Verenigde Staten het eiland in 1962 zouden kunnen binnenvallen, het dan te betwijfelen is of Chroesjtsjov zich verplicht zou hebben gevoeld om dit enorme risico op Cuba te nemen.
Chroesjtsjov zou bijna zeker zijn ontmoedigd als de president de Sovjetmotieven voldoende had doorgrond om in maart 1962 de waarschuwing te geven die hij pas in september gaf. De belangen zouden zijn verhoogd tot één primair belang waarvoor de Verenigde Staten hadden aangekondigd bereid te zijn een atoomoorlog te beginnen.

Aan het eind van de jaren zeventig bestond er een niet te verwaarlozen minderheid die er vast van overtuigd was dat de Amerikaanse president niet de winnaar was in de rakettencrisis. Senator Daniel Patrick Moynihan, die onder Kennedy

---

1. Net als na afloop van de Varkensbaai verhinderde de regering-Kennedy dat zulke hoorzittingen werden gehouden.

onderminister van Arbeid was geweest, klaagde in 1977 dat Chroesjtsjov met het sturen van raketten naar Cuba erop had moeten rekenen 'een hoop moeilijkheden met de Verenigde Staten te krijgen – en echte moeilijkheden. Het enige dat gebeurde was: [...] "Oké, jullie kunnen daar permanent je eigen mannetje krijgen."'

In 1982 vroeg de columnist George Will: 'Waarom moet Finland ervoor waken zijn Sovjetburen niet te beledigen terwijl Cuba revolutionaire en expeditietroepen exporteert naar dit halfrond en Afrika? Omdat de Verenigde Staten, die de macht en het recht aan hun zijde hadden, in 1962 nalieten het enige noemenswaardige succes te behalen – het verbreken van de Russische militaire relatie met Cuba.'

Veel critici hebben zich beklaagd over wat zij beschouwen als Kennedy's belofte om Cuba niet binnen te vallen. Grondige bestudering van de overeenkomst wekt de suggestie dat de president zo'n ondubbelzinnige toezegging met opzet zou hebben kunnen vermeden. Toen hij in een eerste versie van zijn brief van 27 oktober Chroesjtsjov aanbood 'bindende garanties om de territoriale integriteit en politieke onafhankelijkheid van Cuba te respecteren', streepte Kennedy dit door en bood alleen 'niet-aanvalsbeloften' aan. De nieuwe woordkeuze zou Mongoose-achtige aanvallen op het eiland niet uitsluiten.

Hij zwakte zijn niet-aanvals-'beloften' ook af door zijn aanbod van 27 oktober af te laten hangen van 'effectieve afspraken van de Verenigde Naties'. Hij kan zich van tevoren hebben gerealiseerd dat Castro nooit toestemming zou geven voor plaatselijke controles. Zelfs als Castro dat deed, dan konden de grondteams informatie vergaren die nuttig zou zijn bij geheime Amerikaanse acties tegen Cuba.

In zijn brief van 28 oktober probeerde Chroesjtsjov het bod van de president te verbeteren door te verwijzen naar 'uw verklaring [...] dat er geen aanval of invasie zou plaatsvinden op Cuba'. Kennedy had de Secretaris-Generaal door. In zijn antwoord aan Chroesjtsjov zei hij alleen maar dat hij zich zou houden aan wat hij op zaterdag had geschreven.

In zijn verklaring tijdens de persconferentie van 20 november scherpte de president zijn voorwaarden aan: er zou alleen 'vrede in het Caribisch gebied' komen als er geen offensieve wapens meer op Cuba waren, als er 'adequate controle- en beveiligingsmaatregelen' werden getroffen, *en* als er 'geen verspreiding van revolutionaire denkbeelden' vanuit Cuba plaatsvond *en* als Cuba het Pact van Rio en het Handvest van de Verenigde Naties niet schond.[1]

Deze aanvullende voorwaarden, die weinig publiciteit kregen, hadden tot gevolg dat Kennedy's niet-aanvalsbeloften werden geneutraliseerd. Hij wist dat het Handvest van de Verenigde Naties en het Pact van Rio zo dubbelzinnig waren dat het voor de Verenigde Staten niet moeilijk zou zijn om, als dat op een gegeven moment nodig was, te verklaren dat Cuba ze had geschonden en vervolgens tot een invasie over te gaan.[2] En tegen het eind van november wist hij dat de

---

1. In een eerdere versie voegde hij hieraan toe dat de Verenigde Staten hadden 'afgezien van verdere militaire acties tegen de communistische opbouw op Cuba, maar we zijn klaar voor welke actie er ook nodig zou kunnen zijn'.

2. Het is mogelijk dat Kennedy de nieuwe voorwaarden onder druk van de gezamenlijke stafchefs heeft opgelegd. Die raadden de president op 16 november aan dat 'iedere garan-

kans op 'adequate controle- en beveiligingsmaatregelen' (omschreven met een soortgelijke en ongetwijfeld opzettelijke dubbelzinnigheid) bijna nul was.

Om deze reden moet men concluderen dat de president zijn niet-aanvalsbelofte opzettelijk ondergroef om verdere Amerikaanse pogingen Castro's regime ten val te brengen, inclusief een invasie, niet uit te sluiten. Hier benutte hij zijn uitzonderlijke vermogen om via een publiek optreden de aandacht van de wereld af te leiden van het feit dat hij het in deze kwestie had gewonnen van Chroesjtsjov. In november 1962, toen hij net weer op de hoogte was gebracht van de bloedige prijs van grootschalig militair geweld tegen Cuba, voelde Kennedy er nog minder voor om het eiland binnen te vallen dan voor de rakettencrisis. Maar hij werd nog steeds in de war gebracht door de gedachten aan de binnenlandse en buitenlandse politieke gevolgen van het feit dat hij met Castro moest zien te leven tot het moment dat hij in 1969 het Witte Huis zou verlaten. Vooral als de kritiek op zijn overeenkomst zo meedogenloos zou worden dat het zijn herverkiezing in gevaar bracht, wilde hij het Amerikaanse volk waarschijnlijk kunnen verzekeren dat de overeenkomst hem niet verplichtte om Castro voor altijd te tolereren.

In de nasleep van de rakettencrisis legde hij nooit in het openbaar uit dat Chroesjtsjov geen garantie had gekregen dat er geen Amerikaanse invasie of aanval op Cuba zou plaatsvinden. Een belangrijke reden hiervoor was ongetwijfeld de vrees van de president dat Chroesjtsjov Kennedy's geheime deal inzake Turkije zou kunnen onthullen als zijn terugtocht uit Cuba te pijnlijk zou lijken. De president verkreeg kennelijk ook geen openlijke Russische belofte dat Cuba niet zou worden gebruikt voor een verspreiding van revolutionaire denkbeelden over heel Latijns-Amerika. Uit de ruwe versie van zijn brief aan Chroesjtsjov van 27 oktober schrapte hij een eis voor 'bindende garanties' van Cuba 'dat het niet door middel van militaire agressie of ondermijning zou proberen zich te mengen in de aangelegenheden van andere Amerikaanse staten'. Robert Kennedy sprak die eis wel duidelijk uit toen hij die zaterdagavond een ontmoeting had met Dobrynin.

Uit het bewijsmateriaal dat nu voorhanden is, blijkt niet dat Chroesjtsjov aan de eis tegemoetkwam of dat de president de kwestie bij de Russen weer serieus aanroerde. Op zijn persconferentie van 20 november nam hij het nalaten door Cuba van verspreiding van de revolutie op in zijn voorwaarden voor vrede.[1] Het opnemen van deze voorwaarde in wat hij bedoelde als een definitieve verklaring van de crisisovereenkomst, suggereerde dat Kennedy meer had ondernomen dan hij

---

tie aan Castro moet worden gedekt door voorwaarden die onze verplichtingen onder het Pact van Rio beschermen en een verband leggen tussen de duur van de garanties, en het goede gedrag van Castro en diens toestemming voor luchtverkenningen'. In een document van 12 november van Ex Comm staat: 'Als de Cubanen zouden beginnen [...] onrust te stoken op het westelijk halfrond, dan was het duidelijk dat de Organisatie van Amerikaanse Staten op grond van het Pact van Rio eventueel noodzakelijke stappen zou moeten ondernemen, tot en met een invasie aan toe.'

1. Op 11 december benadrukte Rusk de boodschap door McCloy een telegram te sturen waarin hem werd gevraagd de Russen eraan te helpen herinneren dat 'als Cuba nieuwe daden van agressie ondernam, men dan niet kon verwachten dat de Verenigde Staten en andere Amerikaanse republieken zich in hun handelen lieten beperken door niet-aanvalsbeloften'.

echt had gedaan om zeker te stellen dat de Sovjets Cuba niet zouden gebruiken als een basis van waaruit ze het westelijk halfrond communistisch gingen maken. Op de korte termijn versterkte dit zijn pogingen om de Amerikanen ervan te overtuigen dat de rakettencrisis een overwinning was. Op de lange termijn betekende het dat iedere keer dat er iets werd onthuld dat kon worden opgevat als een nieuw bewijs van revolutionaire ondermijning van Latijns-Amerika – geheime wapendepots, vervalste documenten, gesaboteerde staalfabrieken – de president gedwongen zou worden om een zich steeds luider roerende binnenlandse oppositie uit te leggen waarom hij niet van plan was het akkoord met Chroesjtsjov kracht bij te zetten door Cuba binnen te vallen.

Kennedy's opvolgers betaalden de prijs voor zijn poging de kwestie te verdoezelen. In de jaren zeventig en tachtig, toen de Sovjet-Unie Cuba als uitvalsbasis gebruikte voor de verspreiding van het communisme in Nicaragua, El Salvador en andere Latijns-Amerikaanse landen, moesten deze presidenten klachten van het Amerikaanse publiek dat de Sovjets de overeenkomst tussen Kennedy en Chroesjtsjov hadden geschonden, zien te ontwijken.

Latere critici zeiden dat Kennedy in november had moeten dreigen met een verscherping van de blokkade of een invasie van Cuba om zo voor de Verenigde Staten een gunstiger overeenkomst te bereiken. Als antwoord heeft Bundy verstandig opgemerkt dat de president de blokkade alleen maar had opgelegd om de offensieve wapens van Cuba verwijderd te krijgen: als hij had geprobeerd om de blokkade ook te verruilen voor een Russische belofte van goed gedrag in het Caribisch gebied of de totale verwijdering van de Russische militaire aanwezigheid op Cuba, 'dan zouden we in binnen- en buitenland spoedig zijn geconfronteerd met een razendsnelle vermindering van steun'.[1]

Kennedy's behandeling van de rakettencrisis bracht hem dus noch de overwinning noch de nederlaag. Hij realiseerde enkel zijn voornaamste doel: het herstel van de status-quo-ante op Cuba, niets meer en niets minder. Chroesjtsjov had beloofd dat de Sovjet-Unie geen offensieve wapens naar het eiland zou sturen, maar het belang van deze belofte werd snel verminderd toen de Sovjets hun onderzeese macht in de westelijke Atlantische Oceaan en het Caribische gebied verbeterden en potentieel offensieve wapens zoals de MIG-23-gevechtsbommenwerper, die snel kon worden aangepast om kernwapens te vervoeren, op Cuba installeerden.[2]

De voornaamste strekking van Kennedy's erg voorwaardelijke niet-aanvalsbelofte was niet om Kennedy of een van zijn opvolgers te verbieden Cuba binnen te vallen, maar deze president ertoe te dwingen de wereld uit te leggen waarom een invasie geen schending zou zijn van de afspraak tussen Kennedy en Chroesjtsjov.

De overwinning die Kennedy wel boekte, was die op de Amerikaanse opinie. In een compacter en voor het grote publiek begrijpelijker drama dan de abstracties

1. Bundy, die vlak voor de crisis de bommenwerpers van het type Il-28 op Cuba acceptabel had genoemd, vond dat de eis die de president in november stelde om de bommenwerpers te verwijderen, 'op het randje was van wat verstandig was'.
2. Na de ontdekking in 1978 en 1982 van de leveranties van MIG-23-toestellen aan Cuba bepaalde het ministerie van Buitenlandse Zaken dat ze, zoals toentertijd was geformuleerd, de overeenkomst tussen Kennedy en Chroesjtsjov niet schonden.

van Berlijn leek hij Chroesjtsjov de handschoen toe te werpen en te winnen. Een Amerikaanse functionaris noemde de rakettencrisis 'het Gettysburg van de Koude Oorlog'. Onbewust van de verantwoordelijkheid van hun president voor het uitlokken van de crisis vatten de meeste Amerikanen dit in 1962 op als een demonstratie van standvastigheid en beheersing van Koude-Oorlogstaatsmanskunst die de vroegere vrees verdrong dat Kennedy ten tijde van de confrontaties bij de Varkensbaai, Laos, Wenen en Berlijn te mild en onervaren was geweest. Richard Rovere schreef in de *New Yorker* dat Kennedy 'misschien de grootste persoonlijke diplomatieke overwinning van alle presidenten in onze geschiedenis' had behaald. *Newsweek* berichtte dat Kennedy's gedrag in de crisis 'de Amerikanen een diep vertrouwen heeft gegeven in de beheersing van hun president en het team dat hij achter zich had'. De oerconservatieve columnist George Sokolsky zei dat Kennedy had 'bereikt dat de "slappe" periode in onze geschiedenis voorbij is'.

De president werd niet langer zo opgejaagd door het gevaar te worden beschuldigd van het bedrijven van 'appeasement'. In december 1962 waren zijn populariteitscijfers en Congresmeerderheid weinig gunstiger dan die voor de eerste eenentwintig maanden van zijn ambtstermijn. Maar in het spoor van de bijna eensgezinde algemene goedkeuring had Kennedy politiek gezien veel meer zelfvertrouwen om het soort ontspanning met de Sovjet-Unie na te streven waarmee hij in januari 1961 al had willen beginnen.

Een verbetering in de betrekkingen zou ook het risico verkleinen dat een andere confrontatie dan de rakettencrisis spiraalsgewijs zou leiden tot een atoomoorlog. Tijdens een diner in het Witte Huis herinnerde de president Ben Bradlee eraan dat één verkeerde stap op Cuba 'ons allemaal rond deze tafel en onze kinderen' had kunnen uitroeien.

Op 1 december publiceerde de *Saturday Evening Post* een nabeschouwing op de rakettencrisis door Charles Bartlett en Stewart Alsop. Wat volop in het nieuws kwam, was een ondoordachte opmerking van een 'niet-bewonderende' functionaris dat tijdens de beslissende Ex Comm-vergadering van 20 oktober, 'Adlai een München wilde. Hij wilde de Turkse, Italiaans en Britse raketbases ruilen voor de Cubaanse bases.'[1]

De kop in *New York Daily News* schreeuwde: ADLAI TEN ONDER IN PACIFISTISCH STANDPUNT INZAKE CUBA. Diep gekwetst was Stevenson ervan overtuigd dat Kennedy aan de bron had gestaan van dit artikel en dit misschien had gedaan om zijn ontslag te forceren. De president schreef hem dat hij 'de Cubaanse crisis of een van de betrokken gebeurtenissen met *niet één* journalist besprak'.[2]

1. In feite had Stevenson Groot-Brittannië niet genoemd.
2. Bartlett zei dat iemand hem tijdens zijn grondige onderzoek voor het artikel een tip gaf over Stevensons manier van optreden. Hij liet het door Ex Comm-leden bevestigen: 'De meesten van hen mochten Adlai Stevenson niet en dat wilden ze graag bevestigen.' Robert Pierpoint van CBS meldde dat Bundy de 'niet-bewonderende' functionaris was: 'In Washington is het algemeen bekend dat Bundy, een Republikein, geen vriend is van Stevenson.' Bundy ontkende dit. George Ball dacht dat het Nitze was. Anderen verdachten Acheson. Ball stond verbaasd dat zo veel functionarissen informatie aan Alsop en Bartlett doorspeelden na het bevel van de president 'dat van iedereen werd verwacht dit met niemand te bespreken'.

Dit was niet waar. Tijdens zijn research voor het artikel had Bartlett Kennedy verteld hoe Stevenson Kennedy was afgevallen toen ze samen dineerden. Zoals Bartlett het zich herinnerde, leek de president 'niet al te geïrriteerd dat dit aan het licht was gekomen', zowel met de bedoeling om Stevensons voorstel in de historische notulen opgenomen te krijgen als omdat het hem 'behoorlijk geschokt' had. Kennedy verzocht een verwijzing naar Sorensen als een Ex Comm-'duif' te schrappen, zodat critici die wisten dat hij zich tijdens de Tweede Wereldoorlog bij de conscriptie als non-combattant had opgegeven, niet boven op hem zouden springen. Voor Stevenson deed hij zo'n verzoek niet.

De president wist dat als de pers een Turkije-voor-Cubaruil als een of ander wild pacifistisch idee behandelde, het publiek minder snel geneigd zou kunnen zijn te vermoeden dat dit exact de manier was waarop hij zijn confrontatie met Chroesjtsjov in het geheim had beëindigd. Pas in 1987, toen Kennedy's bereidheid om een nauwkeurig bepaalde Turkije-voor-Cubaruil in overweging te nemen uiteindelijk via Andrew Cordier openbaar werd, volgde er een lichte rehabilitatie van Stevenson. Richard Harwood schreef in de *Washington Post*: 'Het lijkt er nu op dat Stevenson ten tijde van de crisis niet de enige "duif" in het Witte Huis was.'

Een week nadat het artikel van Alsop en Bartlett verscheen, introduceerde Stevenson Kennedy bij een groot diner in avondkleding. Hij klonk en zag er gedrogeerd uit: 'Dames en heren / de auteu-eur, / de produce-ent, / de regisseu-eur / en de ster / van meneer Chroesjtsjovs nieuwste dramahit in Moskou, / "Op weg naar Cuba overkwam mij iets grappigs": / de president van de Verenigde Staten.'

De aanwezigen brulden. In overeenstemming met zijn plechtige belofte om zich in het openbaar niet te verkneukelen over de rakettencrisis onderdrukte hij ternauwernood een glimlach. Toen hij de katheder bereikte, negeerde hij zijn ambassadeur bij de Verenigde Naties. George Ball merkte op dat Stevenson na de consternatie die het artikel van Alsop en Bartlett teweegbracht, 'plichtmatig zijn toespraken afstak, maar met een gevoel in zijn hart dat het de wereld niet meer uitmaakte of hij omviel en een hartaanval had'.

In de tweede week van de crisis had Kennedy tegen Ormsby-Gore gezegd: 'Een wereld met grote hoeveelheden kernwapens is onmogelijk te besturen. We moeten echt proberen vorderingen te maken met ontwapening als we door deze crisis heen komen [...], want dit is gewoon te veel.'

Zijn rendez-vous met het onheil scherpte ook Chroesjtsjovs belangstelling voor het beheersen van kernwapens. Nadat de kritische fase van de crisis voorbij was, liet Zjoekov aan Harriman weten dat Cuba had aangetoond dat een atoomoorlog 'ondenkbaar' was. Ze moesten 'proberen een akkoord over kernproeven te bereiken'. Een kernstopverdrag zou beide kampen in staat stellen hun defensie-uitgaven te verlagen en 'zich te concentreren op economische concurrentie'.

Harriman vroeg hem naar China. Zjoekov antwoordde dat er niet veel tijd was, maar als Washington en Moskou een kernstopverdrag overeenkwamen, 'dan zou de wereldopinie andere naties, inclusief China, ertoe dwingen akkoord te gaan'.

Rostow waarschuwde Bundy dat de Sovjets het, na hun falen om het nucleaire evenwicht met de raketten op Cuba te herstellen, nu met andere middelen zouden proberen, zoals kernwapens in de ruimte en een drastisch versneld ICBM-programma. De Verenigde Staten moesten proberen 'in Moskou de invloed van diegenen die zouden kunnen beweren dat de enige realistische weg naar Russische veiligheid via gecontroleerde wapenbeheersing verloopt, tot het uiterste vergroten'.

Op 30 oktober sprak Arthur Dean in New York met Koeznetsov over een kernstopverdrag. Eind november, toen Mikojan een tussenstop maakte in Washington, vertelde hij Kennedy dat ze 'moeten overgaan op een puntsgewijze onderhandeling over alle uitstaande vraagstukken'. De Russen wachtten op 'constructieve voorstellen van de Verenigde Staten' inzake Berlijn. Bundy zei later tegen de president: 'Ik vermoed dat hij wel eens behoorlijk lang zal moeten wachten.' Op dinsdag 11 december schreef Chroesjtsjov aan Kennedy een negen pagina's tellende brief over Cuba en Berlijn.[1] Hij beloofde de impasse betreffende het kernstopverdrag te doorbreken.

Na de rakettencrisis had Peking de Secretaris-Generaal gekapitteld om zijn 'avonturisme' en 'capitulatie'. Voor de Opperste Sovjet riposteerde Chroesjtsjov dat de Chinezen eerder capituleerden dan hij: tolereerden zij niet die 'stinkende' koloniale enclaves, Hongkong en Macao, zo vlak bij hun eigen land? Als ze aandacht hadden geschonken aan de 'schreeuwlelijken', dan 'zouden we een wereldoorlog zijn begonnen. [...] Ons uitgestrekte land had dat natuurlijk kunnen weerstaan, maar tientallen en tientallen miljoenen mensen zouden zijn omgekomen! En Cuba zou gewoonweg hebben opgehouden te bestaan.' Voor de eerste keer hadden de Amerikanen de 'verschroeiende adem van een nucleaire oorlog op hun eigen drempel' gevoeld.

'Ze begonnen zich te realiseren dat als er een wereldoorlog uitbrak, deze niet ergens aan de andere kant van de oceaan zou plaatsvinden – in Europa of Azië – maar overal, inclusief de Verenigde Staten, en miljoenen Amerikanen ellende en dood zou bezorgen.' De Amerikaanse verkiezingen hadden deze nieuwe nederigheid aangetoond. 'De Amerikaanse bevolking wees sommige van de agressievere politici af en de eerste onder hen was zo'n oorlogsstoker als Nixon.'[2]

Terwijl hij de tekst las, belde Kennedy Arthur Schlesinger op en las hem twee bijzonder goed geformuleerde zinnen[3] voor, waarna hij zei: 'Chroesjtsjov heeft beslist een paar goeie tekstschrijvers.' Schlesinger antwoordde dat ze voor hem net zulke goede teksten konden schrijven als hij ook maar toespraken van twee uur hield.

In antwoord op Chroesjtsjovs laatste brief schreef de president: 'We zijn beland bij de laatste fase van de kwestie-Cuba tussen ons, waarvan de regeling beteke-

1. De inhoud van dit schrijven is nog altijd geheim.
2. Een verslag van de westerse inlichtingendienst vermeldde dat vijfendertig tot veertig hooggeplaatste militaire officieren die lid waren van de Opperste Sovjet, de zitting boycotten uit protest tegen Chroesjtsjovs afhandeling van de rakettencrisis.
3. Deze waren: 'Op het hoogtepunt van de gebeurtenissen rond Cuba begon er een brandlucht in de lucht te hangen,' en: 'Die militaristen die snoeven dat ze onderzeeërs met Polaris-raketten en, zoals zij zeggen, andere verrassingen hebben voor de Sovjet-Unie, zouden er goed aan doen te bedenken dat wij ook niet in lemen hutten leven.' Eén schrijver van de toespraken was Fjodor Boerlatski.

nis zal hebben voor onze toekomstige betrekkingen en voor ons vermogen om andere problemen te overwinnen. Ik wil u bedanken voor uw uiting van waardering van het begrip en flexibiliteit die wij hebben getracht te tonen.'

In een verwijzing naar hun 'vertrouwelijke kanalen' schreef hij: 'Ik heb voor u niet verborgen gehouden dat het voor mij een serieuze teleurstelling was dat deze kanalen vóór het begin van de crisis van kort geleden gevaarlijk misleidende informatie hebben overgebracht.' Een Sovjetdiplomaat had tevens gebruik gemaakt van 'een vertegenwoordiger van een particuliere televisie-omroep als een kanaal naar ons. Dit is altijd onverstandig in ons land, waar mensen van de pers vaak op een later tijdstip per se willen publiceren wat ze vertrouwelijk gehoord kunnen hebben.'[1]

Kennedy legde uit: 'De concurrentie om nieuws te vergaren is hevig in dit land. Een aantal van de concurrenten is geen groot bewonderaar van mijn regering en misschien is zelfs een nog groter aantal u niet bepaald vriendelijk gezind. [...] Het zou een enorme vergissing zijn te denken dat wat er in kranten en bladen verschijnt, noodzakelijkerwijs iets te maken heeft met het beleid en de doelstellingen van deze regering.'

Hij keek vooruit naar 'uw vertrouwelijke brief en voorstellen betreffende een kernstop en ik denk dat er alle reden is om aan dit probleem te blijven werken. Ik hoop dat u in uw boodschap over dit onderwerp mij zult vertellen wat u denkt van het standpunt van de mensen in Peking over deze kwestie.'

Op woensdag 19 december antwoordde Chroesjtsjov: 'Nu hebben we onze handen vrij om ons geconcentreerd bezig te houden met andere dringende internationale zaken.' De tijd was gekomen om 'voor eens en voor altijd een eind te maken' aan de kernproeven.

'Meneer de president, u en uw afgevaardigden wijzen erop dat u zonder ten minste een minimum aantal controlepunten niet in staat zult zijn de Amerikaanse Senaat over te halen om een overeenkomst te bekrachtigen. [...] Nou, als dit de enige moeilijkheid is [...], wij zijn bereid u halverwege tegemoet te komen.' Hij merkte dat Arthur Dean tegen Koeznetsov had gezegd dat jaarlijks twee tot vier controles op Sovjetgrondgebied voldoende zouden zijn. Om 'de impasse te doorbreken' bood hij 'twee tot drie controles per jaar aan die uitgevoerd konden worden op het grondgebied van elk van de atoommachten in de seismische gebieden waar enkele verdachte aardtrillingen zouden kunnen voorkomen'.

Kennedy was verblijd met Chroesjtsjovs brief, maar een beetje in de war door de verwijzing naar twee tot vier controles als zijnde voldoende. Dean ontkende dit tegen Koeznetsov gezegd te hebben. Stafleden in het Witte Huis klaagden dat Dean de reputatie had onduidelijk te zijn.[2]

1. Deze verwijzing naar John Scali kan speciaal zijn ingegeven door het lek naar Scali, duidelijk gemanipuleerd door de Russen, van Chroesjtsjovs brief van 20 november aan Kennedy. Het wekte de suggestie dat de president zijn gedachtenwisselingen met Chroesjtsjov via tussenpersonen als Bolsjakov tot in de eeuwigheid als geheim aangemerkt wilde zien. Zijn zorg dat de Sovjets zijn concessie inzake de Turkse raketten zouden onthullen, kan opnieuw zijn gewekt.

2. Warren Heckrotte, een van de Amerikaanse onderhandelaars in Genève voor het kernstopverdrag, zei later dat hij en de meeste van zijn collega's vonden dat Koeznetsovs verslag aan Chroesjtsjov 'een juiste beoordeling [was geweest] van wat hij dacht dat hem was verteld'.

Chroesjtsjov kan de conversatie hebben verward met Jerome Wiesners voorstel van oktober aan een Sovjetwetenschapper, Jevgeni Federov, dat een aanbod van drie of vier controles per jaar voor de Sovjets één manier zou zijn om de impasse in de kernstoponderhandelingen te doorbreken: Kennedy zou er zeven of acht kunnen voorstellen en ze konden het verschil delen.

De president schreef Chroesjtsjov dat voor wat de controle ter plaatse betrof, 'het erop lijkt dat er een misverstand bestaat. [...] Ambassadeur Dean informeert mij dat het enige aantal dat hij in zijn besprekingen met plaatsvervangend minister Koeznetsov noemde een getal tussen acht en tien was.' Dit was een 'aanzienlijke vermindering', aangezien de Verenigde Staten 'eerder op een aantal tussen twaalf en twintig hadden gestaan'. Hij had gehoopt dat de Sovjet-Unie met een 'gelijkwaardige' concessie zou komen.

Chroesjtsjov was woedend over Kennedy's afwijzing van zijn voorstel voor een kernstopverdrag dat volgens hem zo'n beetje op Amerikaanse voorwaarden was gebaseerd. Zoals Thompson zei, vond de Secretaris-Generaal 'waarschijnlijk dat het welbewust was gedaan'.

Nadat de Amerikaanse pers had vastgesteld dat hij was gebruikt om de president te misleiden over de raketten op Cuba, werd Georgi Bolsjakov plots naar Moskou teruggeroepen. De minister van Justitie wilde iets voor hem doen, maar wilde niet dat hij gezien werd terwijl hij de Rus fêteerde van wie nu algemeen bekend was dat hij was gestuurd om zijn broer op het verkeerde been te zetten. Hij haalde Bartlett over om Bolsjakov bij hem thuis een afscheidslunch aan te bieden.

Een Sovjetdiplomaat stond op van tafel en hield een lange toespraak waarin hij de leugens van zijn land over de raketten terzijde schoof als een 'misverstand'. Robert nam Bolsjakov even apart en vroeg hem waarom hij het niet had opgenomen voor een inwoner van de Sovjet-Unie. Bolsjakov zei: '*Hij* weet niet wat *ik* weet.'

Hij keerde naar Moskou terug als omroepbaas van het persagentschap Novosti. De minister van Justitie stuurde hem een handgeschreven briefje: 'Er is nog steeds vrede, ook al bent u al weer meer dan twee maanden weg uit de Verenigde Staten. Ik had het niet voor mogelijk gehouden. [...] Ik hoop dat u al uw communistische vrienden vertelt wat voor aardige mensen wij hier zijn – en dat ze u geloven. [...]

Doe mijn vriendin Maja de hartelijke groeten. Waarom springen jullie twee niet in een van die gloednieuwe, luxueuze straalvliegtuigen en vliegen jullie niet hierheen om ons te ontmoeten? Zij zou kunnen dansen, ik zingen en u zou een toespraak kunnen houden. De beste wensen van uw vriend, Bob.'

De president sloot het jaar af met een vliegreis naar Palm Beach. Op zaterdag 29 december werden hij en Jacqueline in een open witte auto naar het Orange Bowl sportterrein in Miami gereden. Daar verwelkomden veertigduizend Amerikaanse en Cubaanse ballingen de overlevende veteranen van de Varkensbaai uit Cubaanse gevangenissen.

Toen de bijeenkomst werd aangekondigd, hadden Rusk en Bundy zich tegen een presidentieel optreden uitgesproken. O'Donnell waarschuwde Kennedy: 'Het zal lijken alsof u van plan bent ze in een volgende invasie van Cuba te steunen.' Maar de minister van Justitie zei dat de aanwezigheid van zijn broer diens schuldgevoel over de Varkensbaai zou helpen verzachten.

Zelfs tijdens de rakettencrisis was Robert de mannen niet vergeten. Bij de voorbereidingen van een mogelijke invasie van Cuba vroeg hij brigadeleiders of ze gereed waren om in Havana te landen, een nieuwe regering te installeren en de 1113 gevangenen vrij te laten. Eind november werd hem verteld dat als de mannen niet snel gered zouden worden, hij 'lijken [zou] bevrijden'. Beide Kennedy's trokken zich het lot van de veteranen erg aan en wisten dat als ze in groten getale zouden sterven, de roep om met militaire acties tegen Castro in te grijpen weer luid zou worden. Hierdoor zouden vlak na het moeizaam bereikte akkoord met Chroesjtsjov de nog verse wonden van de kwestie-Cuba weer worden opengereten.

Om aan Castro's eisen te voldoen haalde de minister van Justitie fabrikanten over om 44 miljoen dollar aan geneesmiddelen, babyvoeding, medicijnen en apparatuur voor chirurgen, tandartsen en veeartsen toe te zeggen.[1] Het ministerie van Landbouw schonk negen miljoen dollar aan melkpoeder. Castro vertraagde de vrijlating van de gevangenen totdat de nog onbetaalde 2,9 miljoen dollar losgeld van april ook was betaald. Robert wendde zich tot kardinaal Cushing die snel één miljoen dollar bij elkaar kreeg van 'Latijns-Amerikaanse vrienden' aan wie hij binnen drie maanden terugbetaling beloofde. Lucius Clay hielp de rest bij elkaar te krijgen.

Er is nooit een lijst vrijgegeven van geldschieters. Het is niet onwaarschijnlijk dat de familie Kennedy iets van het geld heeft geschonken. Kennedy's campagnemedewerker voor de verkiezingen van 1960, Hy Raskin, begreep dat een ander 'zeer aanzienlijk' bedrag afkomstig was van '*Jake the Barber*' Factor, een rijke Democraat uit Californië die gevangen had gezeten voor een aandelenzwendel. Factors gratieverzoek bij de president was ten overstaan van de gebroeders Kennedy gehouden door gouverneur Pat Brown. De Kennedy's hadden het afgewezen. Raskin herinnerde zich dat Kennedy later van gedachten veranderde en gratie verleende.

Op kerstavond waren de laatste gevangenen per vliegtuig onderweg naar Miami. De minister van Justitie zei: 'Oké... en wat doen we met Hoffa?'

In de Orange Bowl zei Jacqueline in het Spaans tegen de mannen dat zij hoopte dat haar zoon net zo moedig zou worden. Cubanen huilden en riepen: '*Guerra! Guerra! Guerra!*' Pepe San Roman, de brigadecommandant, overhandigde de president het vaandel dat drie dagen lang had gewapperd op de plek waar de invasie had plaatsgevonden: 'Wij geven het tijdelijk bij u in bewaring.'

Kennedy ontvouwde het vaandel en riep: 'Ik kan u verzekeren dat deze vlag in een vrij Havana aan deze brigade zal worden teruggegeven!'[2]

---

1. Dit was niet allemaal onbaatzuchtigheid. Er werden astronomische winsten in het vooruitzicht gesteld door onmiddellijke belastingbepalingen die bedrijven in staat stelden de prijzen voor de detailhandel te verlagen.

2. Nadat hij van deze uitdaging op de hoogte was gebracht, klaagde Castro tegenover een menigte dat Kennedy te veel had gedronken: 'Nog nooit verlaagde een president zo de waardigheid van zijn positie! Deze man handelde als een ordinaire piratenleider en vrijbuiter toen hij deze lafaards ontmoette en vervolgens zei dat hun vlag naar een vrij Havana zou terugkeren. [...] Die samenzweerder van een Kennedy moet eens uit dromenland ontwaken. Wij *zijn* vrij, meneer Kennedy!' In 1975 eisten verbitterde leden van de brigade, die zich verraden voelden door Kennedy en zijn opvolgers, de teruggave van de vlag uit de *John F. Kennedy Presidential Library*. Dat geschiedde.

De tekst van de toespraak werd aan Chroesjtsjov overhandigd. Een formele belofte om Cuba niet aan te vallen, was hem onthouden en hij was nog altijd nijdig over wat hij zag als Kennedy's bedriegerij inzake de kernstop. Daarnaast spande hij zich in om tekenen te vinden van Kennedy's voornemen om munt te slaan uit de rakettencrisis. Met dit alles in gedachten kan de Secretaris-Generaal zich hebben afgevraagd of deze uitdaging een of andere nieuwe poging voorspelde om het regime van Castro omver te werpen.

Op oudejaarsavond schreef hij aan de president: 'Het jaar 1962, dat nu deel gaat uitmaken van de geschiedenis, was vol van gebeurtenissen waarvan de noodlottige ontwikkeling kon worden afgewend, dank zij het feit dat beide partijen een verstandige benadering ten toon spreidden en een compromis bereikten.'

In Washington verklaarde Dobrynin dat de kans op betere betrekkingen met de Verenigde Staten nu groter was dan op ieder ander moment sinds de lang vervlogen lente van 1960.

20. 'De vredestoespraak'

In januari 1963 lichtte Kennedy in de Cabinet Room zijn Nationale Veiligheids-raad in over zijn correspondentie met Chroesjtsjov betreffende het kernstopver-drag. Een verdrag dat alleen zou gelden voor de Verenigde Staten en de Sovjet-Unie, zou van 'beperkte waarde' zijn, maar 'als het helpt om te voorkomen dat de Chinese communisten beschikking krijgen over een volledig nucleair arse-naal, dan is het dat wel waard'.

De president maakte zich zorgen over de euforische verhalen aan het begin van het jaar dat de Verenigde Staten de opmars van de Sovjetmacht in 1962 een halt hadden toegeroepen. Tijdens een informele bijeenkomst vertelde hij de pers dat Chroesjtsjov duidelijk was gemaakt dat Amerika op bepaalde punten voor niets zou terugschrikken. Chroesjtsjov zou zich in de toekomst nog wel een keer be-denken voordat hij aan riskante ondernemingen zoals Cuba zou beginnen, maar hij was nog steeds toegewijd aan het idee van wereldwijd communisme.

Tijdens het zwemmen zei Kennedy tegen Dave Powers: 'Het is niet zo erg als het had kunnen zijn. [...] Ik hoef me alleen maar zorgen te maken over Ber-lijn, Cuba, Vietnam, Laos en de NAVO.' Arthur Schlesinger schreef aan So-rensen: 'Voor wat de Koude Oorlog betreft zitten we op dit moment in een tussenfase.'

Op woensdag 9 januari ontving Kennedy weer een brief van Chroesjtsjov over kernproeven. Ondanks de woede van de Secretaris-Generaal over de verwarring die was ontstaan over de verificatie, stemde hij toe om twee van de grondstations te verplaatsen indien de Sovjets zouden worden betrokken bij de beslissing waar dergelijke installaties in de Verenigde Staten zouden worden geplaatst.

De CIA gaf de president een boodschap van een Sovjetfunctionaris dat er 'geen enkele kans' was dat het aanbod van Chroesjtsjov van twee tot vier controleloca-ties werd verhoogd. Sinds de rakettencrisis en de verkiezingen van november ge-noot Kennedy 'grote persoonlijke macht en prestige en hij kan het zich daarom veroorloven het Congres te omzeilen'.

De president stelde een nieuwe serie ondergrondse kernproeven in Nevada uit om de onderhandelaars over het kernstopverdrag in New York de kans te geven elkaars standpunten af te tasten. Nadat het overleg had gefaald, gaf hij toestem-ming voor de proeven en besloot hij in zijn eentje dat zes inspecties 'ons absolute minimum' zouden zijn. Hij vertelde Rusk en McNamara dat een kernstopver-drag het gevecht met het Congres niet waard zou zijn, tenzij het de proliferatie van kernwapens naar andere naties, en in het bijzonder China, zou tegenhouden. Het hoofd van de Amerikaanse onderhandelaars, William Foster, vertelde Koeznetsov in Genève dat de Amerikanen de zeven plaatselijke inspecties per jaar zouden accepteren als de Sovjets de Amerikaanse voorstellen voor de inspectieprocedure zouden aannemen.

Foy Kohler deed per telegram vanuit Moskou zijn beklag over het feit dat hij niet op de hoogte werd gehouden van de onderhandelingen over het kernstopverdrag. 'Ik was lelijk in het nadeel toen ik gisteravond Gromyko ontmoette op een Indonesische receptie.' Nadat hij had overlegd met Kennedy, telegrafeerde Rusk beleefd aan de ambassadeur dat hij zich met zijn eigen zaken moest bemoeien. Als hij Sovjetfunctionarissen ontmoette, diende hij te zwijgen over Cuba of Berlijn, maar hij was vrij om 'de hoop te uiten dat de huidige onderhandelingen over het kernstopverdrag zouden slagen'.

Kohler liep met behoedzame tred door de ambassade in Moskou. Tijdens de weekeinden werd er een net gespannen in de balzaal van het Spaso House en speelde hij badminton met zijn vrouw of met leden van het personeel. Toen hij naar Moskou vertrok, had Rusk hem eraan herinnerd dat hij op 'ons belangrijkste nucleaire doelwit' zou zitten. 'Als dat zo is, dan hoop ik dat jullie niet missen,' antwoordde Kohler.

Kohler, geboren in 1908, kwam bij de diplomatieke dienst nadat hij zijn diploma had behaald aan de Ohio State University. Aan het einde van de jaren veertig was hij voor het eerst in Moskou gedetacheerd, onder ambassadeur Walter Bedell Smith, Eisenhowers stafchef gedurende de oorlog. In de wetenschap dat de Sovjets hun telefoons afluisterden, belde Kohler zijn baas en zei dat er een telegram was aangekomen waarin hij werd verzocht om Molotov te spreken over deze-en-gene zaak. 'Waarover?' vroeg de zure ambassadeur. Tegen de tijd dat Smith op het ministerie van Buitenlandse Zaken arriveerde, wist Molotov al precies waarvoor hij kwam.

Kohlers vrouw Phyllis haalde een Engelstalige editie te voorschijn van de brieven geschreven door de markies van Custine over zijn reizen in Rusland in 1839. Haar stilzwijgende suggestie dat hun regering even tiranniek was als die van tsaar Nicolaas I, bleef bij de Sovjets niet onopgemerkt.

In 1952 kwam er bijna een einde aan Kohlers carrière. Terwijl hij samen met zijn vrouw, na een diner in Washington, met hoge snelheid om twee uur 's nachts naar huis reed, verloor hij de macht over het stuur en reed hij een telefoonpaal omver. Kohler werd gearresteerd wegens rijden onder invloed. In zijn auto vond de politie geheime documenten die nooit uit het ministerie van Buitenlandse Zaken hadden mogen worden meegenomen. De sensatiebladen in Washington bliezen het geheel op tot een klein schandaal.

Kohler had echter niet voor niets jarenlang relaties opgebouwd binnen de Buitenlandse Dienst. Hij werd een maand geschorst zonder salaris en verbannen naar Ankara, waar hij meewerkte aan het opzetten van de Russischtalige nieuwsdienst van de *Voice of America* en van afluisterstations langs de Sovjetgrens. In 1959 kwam hij terug naar Washington als onderminister van Buitenlandse Zaken voor Europa en de Sovjet-Unie.

De Kohlers hadden John Kennedy voor het eerst ontmoet in Athene aan het eind van de jaren dertig toen de zoon van de Londense ambassadeur in de stad kwam en zij werden aangewezen om hem een lunch aan te bieden en de plaatselijke bezienswaardigheden te laten zien in een auto van de ambassade. Na de verkiezingen van 1960 veronderstelde Kohler dat hij te veel werd vereenzelvigd met Eisenhower om zijn baan te kunnen behouden. De aanstaande president vond het echter zinvol om een hooggeplaatste functionaris, die betrokken was geweest bij de Berlijnse crisis ten tijde van Eisenhower, op het ministerie van Buitenlandse Zaken te handhaven.

Kohler wist dat, in de strijd van de Kennedy's om de Buitenlandse Dienst weer in het gareel te krijgen, de president beschaafde betrekkingen onderhield met de diplomaten en dat zijn broer hun de wet voorschreef. Kohler heeft Robert Kennedy maar één keer onder vier ogen ontmoet: voor het bespreken van de geheime regeringsplannen voor het schaduwen en het eventuele werven van Sovjetfunctionarissen in Washington. Maar zoals hij zich herinnerde van de tijd van de Berlijnse crisis, 'zat Bobby aan de overkant van de tafel en keek me aan met zijn koude, blauwe ogen, alsof hij wilde zeggen: jij schoft, als je mijn broer ooit in de kou zet, steek ik je neer.'

Net als John Foster Dulles was Kohler ervan overtuigd dat Chroesjtsjov gevaarlijker was dan Stalin. Stalin was een cynische, voorzichtige realist geweest, maar Chroesjtsjov was een ware gelovige van het communisme en een gokker. De Sovjets waren teleurgesteld dat Kennedy hun verzoeken had genegeerd om hun iemand te sturen die dicht bij Kennedy stond. Ging Dulles, nu Kohler in Moskou was, het buitenlandse beleid vanuit zijn graf voeren?

De Senaat bevestigde zijn aanstelling nadat hij vragen had beantwoord over het oude incident waarbij hij dronken achter het stuur had gezeten. 'Zulke fouten maak ik geen tweede keer.' Rusk vertelde de echtgenote van een diplomaat dat hij geen 'kruisverhoor' wilde, maar dat hij erachter wilde komen of Kohler een drankprobleem had. Toen Kohler naar het Oval Office ging voor een kort afscheid, vlak voor Kennedy's gebruikelijke duik in het zwembad om één uur, gaf de president hem geen specifieke instructies en geen persoonlijke boodschap voor Chroesjtsjov mee.

Kohler stond erop te weten welke geheime operaties de CIA uitvoerde vanuit zijn ambassade. 'Dat was normaal voor iedere zichzelf respecterende ambassadeur.' Tijdens een briefing in Langley hoorde hij dat de Verenigde Staten microfoons hadden geplaatst in de limousines van Chroesjtsjov en andere belangrijke Sovjetfunctionarissen. Dit leverde geen belangrijke geheimen op – de Sovjets waren zich maar al te goed bewust van veiligheidsoverwegingen – maar het leverde wel wat Kohler noemde 'opwindend materiaal' over de persoonlijke relaties van degenen die Rusland regeerden.

Eenmaal in Moskou was de nieuwe ambassadeur verbaasd 'een heel andere Sovjet-Unie' te zien dan die in Stalins dagen, met veel meer bewegingsvrijheid. Hij nam aan dat de Sovjetwerknemers in het Spaso House nog steeds in dienst waren van de KGB. Soms gaf hij hun een kopie van de lijst met genodigden. 'Zodat ze niet zo vervloekt veel tijd verspilden om erachter te komen wie de gasten zouden zijn.'

In januari 1963 probeerden de Sovjets de wachtmeester te ronselen die verantwoordelijk was voor het vrijgezellenkwartier van de Amerikaanse ambassade. Vier agenten namen hem mee naar een bureau van de militija, waar ze hem ervan beschuldigden dat hij met een Russisch dienstmeisje had geslapen en dat hij haar veertig roebel had gegeven voor een abortus. Volgens de oude gewoonte lieten ze hem foto's zien van hem, samen met de vrouw. Omdat hij zich altijd 'goed' had gedragen ten opzichte van de Sovjet-Unie, was men bereid de zaak te vergeten.

Kohler liet de wachtmeester direct per vliegtuig uit Moskou vertrekken. De president las zijn telegrammen over het incident, maar was niet in de stemming om de verstandhouding met de Sovjets te verknoeien door op zijn strepen te gaan staan. Het voorval werd nooit gepubliceerd en is een van de vele geheimen die de twee regeringen delen.

Na zijn falen op Cuba moest Chroesjtsjov een nieuwe aanval afweren op zijn leiderschap door tegenstanders in Moskou en Peking. In februari week de Sovjetregering af van haar beleid dat leidde tot een openlijke breuk met de Chinezen, die nu werden uitgenodigd voor een verzoeningsbijeenkomst 'op ieder gewenst niveau en op ieder gewenst moment'.[1]

Die maand braken de Sovjets hun onderhandelingen met het Westen over een kernstopverdrag, het Chinese bête noir, af. De pers in de Sovjet-Unie verscherpte haar anti-Amerikaanse propaganda. Kohler telegrafeerde aan Rusk dat er geen vooruitgang over de proeven zou zijn tot de Sovjetleiding 'een besluit neemt over de behandeling van de "Chicoms" en dat ook uitvoert'.

Chroesjtsjovs binnenlandse vijanden remden zijn antistalinistische campagne af. Avantgardistische muziek, kunst en literatuur werden openlijk betiteld als een bedreiging voor de nationale veiligheid van de Sovjet-Unie. Chroesjtsjov had zich met deze nieuwe campagne verenigd, omdat hij er in al zijn bekrompenheid van uitging dat hij meer steun kon krijgen voor belangrijkere kwesties. Tijdens een besloten bijeenkomst in december met vierhonderd schrijvers en kunstenaars had hij abstracte schilders gehekeld (een 'zootje pederasten' dat 'niet voor het vaderland wil sterven') en haalde het Russische spreekwoord aan dat bochels door het graf recht worden gemaakt.

Leonid Iljitsjov van het Centraal Comité kwam naar voren om Jevtoesjenko's gedicht 'Babi Jar', waarin de schrijver zijn afkeuring uitspreekt over het antisemitisme, te hekelen. Toen hij stelde dat er in de Sovjet-Unie geen antisemitisme bestond, brulden de kunstenaars en schrijvers het uit van het lachen. Chroesjtsjov wilde niet worden overtroefd en zei: 'Te veel joden aan de macht veroorzaakt altijd problemen. Dat is wat er in 1956 in Hongarije gebeurde. En wij moesten daar de rommel gaan opruimen.'[2]

1. De boodschap zei verder dat de Chinezen hun verschillen in 'de strijd tegen het imperialisme' niet 'moesten overschatten'. Er werd niet gesproken over de 'strijd voor de vrede' en 'het voorkomen van een atoomoorlog', kreten die vanaf 1960 normaal gesproken in een dergelijke boodschap werden opgenomen. Bundy adviseerde Kennedy dat de boodschap 'het doorlezen waard kon zijn'. Op 9 februari zei Chroesjtsjov: 'We zullen altijd bevriend blijven met de Chinezen.' Dit kwam ongeveer overeen met zijn verklaring uit 1957, onder soortgelijke druk, dat 'wij allen stalinisten zijn'.
2. De CIA gaf Bundy een verslag van de bijeenkomst. Bundy vond het 'fascinerend'. Hij vroeg aan Kennedy 'of we geen reden konden vinden om de rest van de wereld op de hoogte te stellen van Chroesjtsjovs antisemitisme'. Richard Helms vroeg de president om toestemming om een artikel in een tijdschrift te plaatsen waarin 'de godsdienstvervolging in de Sovjet-Unie' aan de kaak werd gesteld, met daarin ook informatie over de vervolging van evangelische christenen en de gedwongen overplaatsing van joodse kinderen naar kostscholen. 'In onze onderhandelingen met de schrijver en uitgever zou het recht

Het Kremlin stond ook afwijzend tegenover de pogingen van de Secretaris-Generaal om de economie te decentraliseren, de defensie-industrie te beperken en de fondsen voor de landbouw uit te breiden. Belangrijke economische posten werden bekleed door mensen van wie men dacht dat ze zijn tegenstanders waren. De Franse Kremlinspecialist Michel Tatu noemde het 'Chroesjtsjovs overgave'.

In februari, gedurende zijn 'campagne' voor herverkiezing in de Opperste Sovjet, leek de Secretaris-Generaal aan het eind van zijn Latijn. 'U weet allemaal hoe oud ik binnenkort word.[1] Ik dank u allen dat u hier bent gekomen om mij op te vrolijken.' Hij waarschuwde dat 'enorme' sommen geld moesten worden besteed aan 'militaire macht'. Als defensie niet voldoende voedsel en woningen zou krijgen, dan dienden de stemgerechtigde Sovjetburgers dit te 'veroordelen als een misdaad'.

Kohler telegrafeerde naar Washington dat Chroesjtsjov er 'lusteloos en somber' had uitgezien. Hij had 'de gedachte aan het maken van onuitvoerbare beloften' afgezworen, hetgeen de ambassadeur beschouwde als 'onbewuste zelfkritiek'.

De opiniepeilingen hadden als uitkomst dat de Amerikanen Cuba en Castro nog steeds beschouwden als de belangrijkste problemen voor hun land. De meeste Republikeinen waren het niet eens met de wijze waarop Kennedy de zaak aanpakte. De Republikeinse voorzitter in Houston, George Bush, eiste dat Kennedy 'de moed zou verzamelen' om Cuba aan te vallen.

Senator Keating beloofde om 'mijn hoed op te eten' op de trappen van het Capitool als de president kon bewijzen dat alle offensieve wapens weg waren. Kennedy vroeg McCone om een 'diepgaande inspectie die het gehele eiland zou beslaan'. De CIA-topman herinnerde hem eraan dat het onmogelijk is om 'een ontkenning te bewijzen'.

Nadat de inspectie was voltooid, gaf McNamara een briefing van twee uur over de resultaten. Deze briefing werd live uitgezonden door alle drie de Amerikaanse televisiemaatschappijen. Gebruik makend van foto's die waren genomen met U-2's en laag vliegende luchtmacht- en marinevliegtuigen, verklaarde hij dat alle raketten en bommenwerpers van het type Il-28 weg waren. Over Keating zei hij: 'Ik heb geen hoed en ik hoop dat hij er wel een heeft, want hij zal er een moeten opeten op basis van de bewijzen die wij vandaag hebben gepresenteerd.'

Keating liet zijn opmerking betreffende de offensieve wapens varen en sprak zijn afkeuring uit over het 'forse aantal Sovjettroepen en militaire apparatuur' dat zich nog steeds op het eiland bevond. Eisenhower schreef aan McCone dat de Sovjets duidelijk 'van plan waren om van Cuba een veel indrukwekkender militaire macht te maken dan enig ander land in Latijns-Amerika'. Goldwater eiste dat de president 'alles in het werk zou stellen om van dit gezwel af te komen. Als dat oorlog betekent, dan moet het maar oorlog betekenen.'

Kennedy's adviseurs schatten dat er aan het einde van de rakettencrisis ongeveer tweeëntwintigduizend Sovjetmilitairen, technici en ander personeel op Cuba waren: als Chroesjtsjov zijn belofte zou houden om diegenen terug te trek-

---

op goedkeuring van de inhoud van het voorgestelde artikel berusten bij de CIA.' Kennedy stemde toe omdat hij ervan uitging dat, zoals generaal Clifton aan Helms vertelde, 'het de Sovjet-Unie niet al te zeer zal opstangen'.

1. In april zou hij negenenzestig worden.

ken die betrokken waren bij de offensieve wapens, dan zouden er nog ongeveer zeventienduizend overblijven. (We weten nu dat er aan het einde van de crisis ongeveer tweeënveertigduizend Russen op Cuba waren, en dus misschien wel zevenendertigduizend in februari 1963).

In zijn brief van 6 november aan Chroesjtsjov had de president aan Chroesjtsjov gevraagd om de vier versterkte Sovjetregimenten uit Cuba terug te trekken. In zijn brief, die op 20 november werd bezorgd, had de Secretaris-Generaal beloofd om de Sovjettroepen 'te zijner tijd' uit Cuba terug te trekken. Kennedy drong niet verder aan met de vraag hoeveel Sovjets op het eiland zouden achterblijven. Bundy's commentaar hierop was: 'We tilden niet al te zwaar aan een beperkt aantal Russische grondtroepen.'

Tijdens een persconferentie op woensdag 7 februari werd de president gevraagd: 'Laat u ze daar gewoon blijven?' Hij antwoordde dat 'het aantal troepen waar we het hier over hebben' geen 'militaire bedreiging' vormde en hij merkte op dat Chroesjtsjov had beloofd ze te zijner tijd terug te trekken. 'Hij heeft geen precieze datum gegeven en daarom doen we ons best om een bevredigender definitie te krijgen.'

Tijdens een diner met Ben Bradlee en zijn vrouw zei Kennedy dat een troepenmacht van zeventienduizend Sovjets op zich één ding was, maar dat het er heel anders uitzag als men wist dat er een Amerikaanse troepenmacht van zevenentwintigduizend in Turkije was gestationeerd, aan de grens met de Sovjet-Unie. Hij waarschuwde de *Newsweek*-vertegenwoordiger dit nieuws niet te publiceren. 'Politiek gezien is het niet verstandig om Chroesjtsjovs problemen in dit licht te bezien.'

Voorafgaand aan een ander bescheiden diner diezelfde maand klaagde de president tegen Bradlee, Theodore White en Harry Labouisse, de ambassadeur in Griekenland, dat hij 'een pak slaag' kreeg naar aanleiding van de kwestie van de Sovjettroepen: al snel zou Cuba het China uit Trumans tijd zijn. 'Kun je je voorstellen dat de Russen zich terugtrekken en dat ze het niet als een overwinning beschouwen? Het zou ons nooit worden toegestaan om zo terug te krabbelen. Als wij dat deden, kun je je wel voorstellen hoe het Congres en de pers daarop zouden reageren.' En over de Republikeinen klaagde hij: 'Heb je ooit zo'n verrotte partij gezien?'

Om redenen die de rest van de gasten onduidelijk bleven, bracht het gesprek over Cuba Kennedy ertoe om wederom over Turkije te praten. Labouisse herinnerde hem aan een Nike-Zeus-programma van de NAVO dat net op Kreta was gestart. Wacht maar tot de Russen dat als een nieuwe Amerikaanse raketbasis hebben beschreven. Geërgerd trok Kennedy een kaart te voorschijn en krabbelde daar een notitie op. Bradlee zei dat de werkdag erop zat, en dat hij het kalm aan moest doen. De president antwoordde: 'Als er iets verkeerd gaat, krijg ik de schuld. [...] Waarom hebben we die raketten in godsnaam nodig?'

Kennedy's hernieuwde belangstelling voor het verwijderen van de Sovjettroepen uit Cuba was meer gebaseerd op politieke motieven dan op nationale veiligheid. De CIA bracht naar voren dat ze misschien het positieve effect zouden hebben dat 'Castro's avonturisme' in bedwang werd gehouden. Robert Kennedy zei vertrouwelijk dat hij 'liever zag dat de Russen de SAM-bases beheerden dan dat de Cubanen het zouden doen'.

De minister van Justitie en Rusk vertelden Dobrynin dat de Amerikaanse bevolking bezorgd was dat de Sovjettroepen op Cuba werden gebruikt om een eiland-'fort' te bouwen dat werd afgeschermd door SAM-raketten. Op maandag 18 februari gaf Dobrynin hun Chroesjtsjovs belofte dat hij binnen een maand nog enkele duizenden troepen zou terugtrekken.

Half maart kon de president aankondigen dat nog eens vierduizend Russen Cuba hadden verlaten. Tenzij er belangrijke wijzigingen binnen de Sovjetstrategie zouden plaatsvinden, zo vertelde hij zijn adviseurs, zou Cuba in 1964 niet meer van belang zijn. Zelfs de slimste politicus kon een kwestie die door het publiek opzij was geschoven, slechts met de grootste moeite nieuw leven inblazen.

Maar in april bracht Hanson Baldwin een verslag uit in de *New York Times* dat 'sommige veiligheidsexperts' geloofden dat er waarschijnlijk nog dertig- tot veertigduizend Sovjets op het eiland waren. Baldwins bronnen waren waarschijnlijk functionarissen die ontevreden waren over de poging van de regering om de kwestie te bagatelliseren.[1]

De president was razend en wilde weten wie er met Baldwin had gepraat. McCones assistent, Walter Elder, rapporteerde aan Bundy dat 'geen enkele hooggeplaatste CIA-functionaris Baldwin de laatste tijd privé heeft gezien'. (De belangrijkste woorden zijn hier waarschijnlijk 'hooggeplaatste' en 'privé'.)

De dag nadat Baldwins verhaal was gepubliceerd, vertelde Richard Nixon het Amerikaanse Genootschap van Hoofdredacteuren: 'We hebben geblunderd met een invasie, Castro betaald voor de gevangenen en daarna hebben we de Sovjets het pachtrecht gegeven in onze achtertuin. [...] We mogen niet langer wachten met de uiteindelijke beslissing om al het nodige in het werk te stellen om het Russische bruggehoofd daar op het strand op te doeken.'

Richard Rovere schreef in de *New Yorker* dat er vrijwel geen twijfel mogelijk was dat 'Cuba de belangrijkste kwestie zal zijn in de Amerikaanse politiek tussen nu en de volgende verkiezingen'.

Chroesjtsjov verbleef vanaf maart in Pitsoenda waar hij, zoals Michel Tatu observeerde, 'meer en meer uit de gratie leek te zijn'. Evenals gedurende het Tweeëntwintigste Partijcongres was het duidelijk dat de leider van zijn tegenstanders Frol Kozlov was.

Kozlov werd geboren in 1908, als kind van arme boeren, en beschouwde zichzelf graag als een 'thuisloze wees'. Hij had een opleiding tot metaalkundig ingenieur gevolgd en was actief geweest als Partijleider van een staalbedrijf en in het Centraal Comité in Moskou gedurende de oorlog. Kozlov verborg zijn ambitie onder een keurige Leningradse houding. Een Britse diplomaat zei over hem: 'Hij is waarschijnlijk de enige burger in de Sovjet-Unie die button-down-overhemden draagt.' Ooit was hij een protégé van Malenkov en een van de weinige hooggeplaatste Sovjetfunctionarissen die Chroesjtsjov in 1957 te hulp waren gekomen.

De Secretaris-Generaal maakte hem vice-premier, samen met Mikojan, waarna hij diende als secretaris van het Centraal Comité. In 1959 vertelde hij aan Harriman dat Kozlov de meest waarschijnlijke kandidaat was voor zijn opvolging. 'Ondanks zijn witte haar, waar de dames weg van zijn, is Kozlov jong, een ho-

---

1. Het bewijs van de Sovjets, vele jaren later, liet natuurlijk zien dat deze andersdenkenden gelijk hadden.

peloze communist. Wanneer wij sterven, kunnen we in vrede rusten omdat we weten dat Kozlov Lenins werk zal voortzetten. […] Ik beveel hem aan. Hij is bescheiden en niet zo bruut als wij.'

Thompson telegrafeerde naar huis dat als Kozlov ooit aan de macht zou komen, hij die macht niet lang zou houden: Chroesjtsjov had hem waarschijnlijk uitgekozen 'als een stroman terwijl de strijd om de macht achter de schermen zou plaatsvinden'.

Ondanks de zo goed als zekere goedkeuring van de Secretaris-Generaal had hij een positie ter rechterzijde van Chroesjtsjov veroverd. In april 1963 raakte zijn neostalinistische politieke programma van hogere militaire uitgaven, verzoening met Peking tegen iedere prijs, zelfs ten koste van betrekkingen met Verenigde Staten, en de omkering van Chroesjtsjovs alleenheerschappij in zwang.

Op woensdag 3 april bracht Dobrynin in Washington het nieuwe harde standpunt van zijn land onder woorden toen hij Robert Kennedy een vernietigende aanklacht over het Amerikaanse buitenlands beleid overhandigde. Kennedy las het en zei dat het 'zo beledigend en onbeleefd' was dat hij het niet aan de president zou geven. Als Dobrynin 'zo'n boodschap wilde afleveren', diende hij 'naar het ministerie van Buitenlandse Zaken te gaan en niet meer met mij te praten'. Dobrynin stak het papier weer naar hem uit en zei: 'Pak aan!'

Kennedy weigerde. Dobrynin volgde zijn raad op en ging naar het ministerie van Buitenlandse Zaken. Hun ruzie is waarschijnlijk de aanleiding geweest voor, zoals Jacqueline vertelde, het 'woedende' telefoongesprek dat de minister van Justitie 's avonds laat met het Kremlin voerde. Hij probeerde waarschijnlijk Bolsjakov te bereiken, maar kreeg geen gehoor.

Hierna heeft de broer van de president nooit meer gefungeerd als tussenpersoon met de Sovjet-Unie. Hij vertelde: 'Dat was werkelijk het einde van onze relatie.' Hij raakte steeds meer betrokken bij de toenemende beroering over burgerrechten, bleef de president nog wel adviseren over zaken betreffende de Sovjet-Unie, maar gaf het grootste deel van zijn Sovjetportefeuille op.

Diezelfde week verzond Chroesjtsjov voor het eerst in drie maanden een persoonlijke brief aan de president. Daarin stelde hij de Sovjettroepen op Cuba aan de orde en beklaagde hij zich over het Amerikaanse standpunt inzake locatie-inspecties.

Een week later stuurde de president een drie pagina tellend antwoord.[1] Tegen Bohlen, die voor een kort bezoek uit Parijs over was, zei hij: 'Ik zou niet weten waarom ik Chroesjtsjov ooit nog eens moet ontmoeten. Voor mij valt er niets bij te winnen. Maar ik ben blij dat ik hem een keer heb getroffen. Het was vooral voor mij zeer nuttig.'

Begin april verschenen in Moskou acht volledige leden van het Presidium gezamenlijk zonder Chroesjtsjov in het openbaar bij de nadrukkelijke ontvangst van een groep Franse communisten.

Dat was voor het eerst sinds de dood van Stalin dat zo veel hoge functionarissen in het openbaar verschenen in afwezigheid van de Secretaris-Generaal. Specula-

1. Beide brieven worden nog steeds door de Amerikaanse en Sovjetregering achtergehouden.

ties deden de ronde dat Kozlov van de gelegenheid gebruik had gemaakt om de vergadering van het Presidium bijeen te roepen om stappen tegen Chroesjtsjov te ondernemen.

Op woensdag 10 april kondigde de *Pravda* een vergadering van het Centraal Comité voor mei aan waarin 'huidige ideologische taken' zouden worden onderzocht. Kozlov zou deze vergadering bijeen hebben geroepen toen de Secretaris-Generaal er niet was, en daarmee stuurde hij diens plannen in het honderd. Er gingen geruchten dat Chroesjtsjov tijdens de vergadering in mei tot aftreden zou worden gedwongen.

Nog geen vierentwintig uur na de aankondiging van de *Pravda* werd Kozlov getroffen door een bijna fatale attaque. Anderen spreken over een hartaanval. Wat voor aanval het ook geweest is, hij was zo ernstig dat Kozlov voorgoed van het politieke toneel in de Sovjet-Unie verdween. Tweeëntwintig maanden later kwam hij te overlijden. [1]

Met het vertrek van Kozlov van het politieke toneel verdwenen de scherpe kantjes van het Sovjetbeleid met betrekking tot de Verenigde Staten als sneeuw voor de zon. De *Pravda* publiceerde een artikel uit de *Washington Post* waarin het 'oprechte streven' naar vrede werd toegejuicht. *Kommoenist* publiceerde een 'verloren' document van Lenin waarin concessies aan de 'bourgeois machten' incidenteel werden toegestaan als die de economische ontwikkeling van de Sovjet-Unie ten goede kwamen.

1. Als Kozlov niet uitgerekend op dat moment door een aanval was getroffen, dan is het goed voorstelbaar dat Chroesjtsjov van zijn post was verwijderd zodat Kozlov de Sovjet-Unie een neostalinistisch tijdperk had kunnen binnenloodsen waarin hij de Chinezen het hof kon maken en de confrontatie met de Amerikanen opnieuw kon aangaan. Vanuit de gesloten Sovjetsamenleving in 1963 hebben we geen concrete bewijzen dat er kwade opzet in het spel was. Kozlov had inderdaad al eerder problemen met zijn kransslagader gehad, het ergst in april 1961. In Moskou ging één gerucht waarin werd beweerd dat Chroesjtsjov en Kozlov op de avond van 10 april een enerverend telefoongesprek met elkaar hadden dat de oorzaak was van Kozlovs attaque.

De Sovjetleider die het meeste baat had bij Kozlovs vertrek, was uiteraard Chroesjtsjov. De Secretaris-Generaal schrok er nauwelijks voor terug om zijn tegenstanders om het leven te brengen ten gunste van zijn eigen politieke carrière. In de jaren dertig en veertig was hij tot over zijn oren betrokken bij massa-executies in de Oekraïne en Polen. Zoals hij ooit aan Llewellyn Thompson vertelde, zouden hij en zijn collega's wel eens verantwoordelijk kunnen zijn geweest voor de dood van Stalin, doordat ze hem na zijn attaque de juiste medische hulp hebben onthouden. Later dat jaar was Chroesjtsjov maar wat blij met de moord op het hoofd van de geheime dienst, Lavrenti Beria. In 1956 schrok hij er niet voor terug dertigduizend Hongaren te laten afslachten.

Leonid Brezjnev had bijna even veel te winnen. (In deze periode heeft hij wellicht een samenzwering tegen Chroesjtsjovs leven geleid. Zie hoofdstuk 24) De uitschakeling van Kozlov stelde hem in staat om Kozlovs baan als algemeen supervisor van het Partij-apparaat over te nemen en tegelijkertijd Sovjetpresident te blijven. Velen gingen er nu van uit dat hij nu de aangewezen kandidaat was om Chroesjtsjov op te volgen, ondanks dat Kozlovs taken aan zowel Brezjnev als Nikolaj Podgorny waren toegewezen. Chroesjtsjov wilde niet toelaten dat opnieuw één persoon zich in de positie van belangrijkste erfgenaam en potentiële uitdager zou kunnen manoeuvreren. Voor westerse inlichtingendiensten was het niet duidelijk wie van beiden, Brezjnev of Podgorny, hoger op de politieke ladder stond.

Op vrijdag 12 april, binnen twee dagen na Kozlovs uitschakeling, ontving Chroesjtsjov de redacteur van de *Saturday Review*, een oude voorvechter van détente, Norman Cousins, in Pitsoenda. Voor het vertrek van Cousins had Kennedy hem verteld dat Chroesjtsjov zonder twijfel oprecht geloofde 'dat de Verenigde Staten hun aanbod van drie inspecties wilden intrekken. Maar hij heeft het bij het verkeerde eind.'

Misschien kon Cousins de Secretaris-Generaal ervan overtuigen dat het een eerlijk misverstand was geweest. 'Ik wil echt een kernstopverdrag.' Rusk voegde daaraan toe dat de Verenigde Staten hun eis van acht inspecties niet konden verminderen.[1] Misschien was het mogelijk om de Russische en Amerikaanse onderhandelaars alle andere problemen te laten oplossen en om dan, tijdens een ontmoeting van Chroesjtsjov en Kennedy, hen dit laatste detail uit te laten werken. Toen Cousins en zijn twee dochters op Chroesjtsjovs landgoed aankwamen, stond de Secretaris-Generaal in de oprit met een grote grijze gleufhoed op en in een groenbruine cape van tweed. Terwijl de meisjes in het zwembad doken, zaten Cousins en hij op het aangrenzende, met glas afgesloten terras. Cousins wist niets van het drama tussen Chroesjtsjov en Kozlov maar merkte dat, anders dan in december, toen hij de Secretaris-Generaal in Moskou had bezocht, Chroesjtsjov 'terneergeslagen zelfs teruggetrokken' en 'onder grote druk' leek te staan.

De Secretaris-Generaal boog zich voorover en zei: 'Als de Verenigde Staten echt een verdrag willen, had dat er al kunnen zijn. [...] Wij wilden een verdrag en de Verenigde Staten zeiden dat het onmogelijk zou zijn zonder inspecties. Dus stemden we toe, maar jullie veranderden weer van gedachten.'

Cousins deed verslag van het standpunt van de president. Chroesjtsjov zei: 'Een misverstand?' Hij haalde de verzekering aan die Wiesner had gegeven, 'dat de Verenigde Staten bereid waren om verder te gaan op basis van een paar inspecties per jaar. Ambassadeur Dean had Chroesjtsjov hetzelfde verteld.' Na Cuba was er voor beide landen een 'wezenlijke kans' geweest om de vrede te bevorderen. Hij had gedacht dat ze dicht bij een overeenkomst waren over kernproeven. Hij had de ministerraad overgehaald om twee of drie inspecties toe te staan. Kennedy had hem 'voor gek' gezet.

Cousins zei: 'De president zou het vraagstuk van de inspecties graag voor het laatst bewaren, zodat u dit probleem gezamenlijk kunt oplossen.'

Chroesjtsjov schudde het hoofd. 'Om verschillende redenen kan ik niet naar Washington komen, en ik neem aan dat de president op dit moment gegronde redenen heeft om niet naar Moskou te komen. [...][2] Als jullie van drie naar acht kunnen gaan, dan kunnen wij van drie naar nul gaan.' Zijn wetenschappers en generaals drongen aan op een nieuwe serie kernproeven. 'Ik denk dat ik maar besluit om die toe te staan.'

Cousins zei: 'Uw laatste antwoord is dat u waarschijnlijk weer zult beginnen met kernproeven. [...] Dit maakt het onmogelijk dat andere landen kunnen worden overgehaald om geen testen te doen. [...] Afgelopen zomer heeft een Sovjetafgevaardigde de president verteld dat er geen raketbases zouden worden geïn-

---

1. Dit was nadat Kennedy zijn minister van Buitenlandse Zaken had verteld dat zes inspecties het 'absolute minimum' zouden zijn.
2. Na zijn nipte ontsnapping was hij misschien bang om de Sovjet-Unie op dat moment te verlaten. De Antipartijcoup had plaatsgevonden terwijl hij in het buitenland was.

stalleerd op Cuba. Misschien kan er worden gezegd dat dat ook een misverstand was. [...] Misschien kan het ene misverstand het andere opheffen.'

Chroesjtsjov zei: 'U wilt dat ik geloof dat president Kennedy te goeder trouw handelt? Goed, ik geloof dat president Kennedy te goeder trouw handelt. [...] U wilt dat ik alle misverstanden terzijde schuif en opnieuw begin? Goed, ik zal een nieuw begin maken. [...] En wij zullen jullie iets geven wat jullie niet echt nodig hebben. Wij zullen jullie inspecties op ons grondgebied toestaan om jullie ervan te overtuigen dat we jullie niet bedriegen. Wij doen ons aanbod, jullie nemen het aan en er zullen geen kernproeven meer plaatsvinden. Klaar. Als de president echt een verdrag wil, hier is het.'

Cousins zei: 'De president heeft al een heel eind toegegeven op de oorspronkelijke tweeëntwintig inspecties, maar hij weet niet hoe hij helemaal tot drie kan zakken. De Senaat zou het niet accepteren.'

Chroesjtsjov trok een horloge uit zijn borstzakje te voorschijn en speelde ermee. 'Ik kan en zal niet teruggaan naar de ministerraad om haar te vragen zich weer te voegen naar de eisen van de Verenigde Staten. Waarom ben ik altijd degene die de problemen van de ander moet begrijpen? Misschien wordt het tijd dat die ander wat begrip opbrengt voor mijn positie.'

Op maandag 22 april ging Cousins naar het Oval Office. Kennedy vroeg hem of Chroesjtsjovs 'huis aan de Zwarte Zee' inderdaad 'net zo mooi was als iedereen zei'. Toen de redacteur hun partijtje badminton beschreef, zei de president: 'Dat klinkt alsof hij in goede conditie is.' Cousins vertelde hem over de druk die op Chroesjtsjov werd uitgeoefend om een hard standpunt in te nemen inzake de kernproeven.

Kennedy antwoordde dat de CIA hem hetzelfde had verteld. 'De ironie van de hele situatie is dat Chroesjtsjov en ik ongeveer in een zelfde positie zitten ten opzichte van onze regeringen. Hij zou een atoomoorlog graag voorkomen, maar staat onder zware druk van de voorstanders van een harde lijn. [...] Ik heb soortgelijke problemen. [...] De haviken in de Sovjet-Unie en in de Verenigde Staten voeden elkaar, allebei de kanten gebruiken de acties van de ander om hun eigen positie te rechtvaardigen.'

De president had begrip voor Chroesjtsjovs problemen, maar kon het aantal inspecties niet 'reduceren. Zoals de zaken er nu voorstaan, is het waarschijnlijk erg moeilijk om het verdrag door de Senaat goedgekeurd te krijgen, zelfs al geven de Sovjets ons alles waar we om hebben gevraagd.'

In september, toen de twee partijen op een dood punt in de onderhandelingen over kernproeven leken te zijn aangeland, had Bundy aan Kennedy geschreven: 'Ik geloof dat het tijd wordt eens een gewiekste, hooggeplaatste bezoeker naar Moskou te sturen, en mijn kandidaat zou Harriman zijn.'

Nu werd die suggestie nieuw leven ingeblazen. Harriman bezocht Chroesjtsjov eind april als speciaal afgezant van de president. Voor de eenenzeventigjarige was het de bekroning van zijn pogingen om zich weer terug te vechten naar het centrum van Amerikaans-Russische aangelegenheden.[1]

1. Diezelfde maand vertrok de laatste Jupiterraket uit Turkije. De NAVO had in januari 1963 officieel besloten om de IRBM's weg te halen uit Turkije en Italië en ze te vervangen door tien Polaris-onderzeeërs. Jaren later vertelde McNamara dat hij aan het einde van de rakettencrisis 'direct terugging naar het Pentagon en beval de raketten terug te trekken, te slopen en te fotograferen zodat ik zelf kon zien dat ze waren vernietigd'.

Harriman, geboren in 1891, was de zoon van Edward H. Harriman, de Union Pacific Railroad-tycoon die een fortuin van meer dan zeventig miljoen dollar vergaarde. Na zijn opleiding in Groton en aan Yale combineerde de jongeman terloops bankieren met serieus polospelen. In 1924, toen de jonge Sovjet-Unie op zoek was naar buitenlands kapitaal, bemachtigde hij een mangaanconcessie. Toen die minder interessant werd, onderhandelde hij over een nieuwe franchise met Lev Trotski.

Harrimans liberale oudere zuster Mary en gouverneur Al Smith introduceerden hem bij de Democratische Partij. In 1940 ging hij als een overheidsambtenaar met een symbolisch salaris naar Washington om de capaciteit van de Amerikaanse spoorwegen te vergroten, ter voorbereiding op de oorlog. Hij haalde Harry Hopkins over om hem zijn tas te laten dragen tijdens zijn beroemde bezoek aan Churchill in januari 1941. Franklin Roosevelt stelde hem aan als 'expediteur' van hulp aan Groot-Brittannië.

In augustus van dat jaar bezochten Harriman en Churchills minister van Bevoorrading, lord Beaverbrook, Stalin om te praten over hulp aan de Sovjet-Unie. De dictator beschuldigde hen ervan dat ze hoopten dat Hitler het Sovjet-regime omver zou werpen en vervolgens alles uit de overeenkomst zou halen wat hij eruit kon halen. Een grijnzende Litvinov zei: 'Nu zullen wij de oorlog winnen!' In de traditie van Roosevelts staatsmanschap passeerde Harriman de Amerikaanse ambassadeur in Moskou, Laurence Steinhardt, en beklaagde zich bij Stalin over de geringe kwaliteit van de afgevaardigden van hun beider landen.

In 1943 nam Harriman de ambassade in Moskou over. Met de grootste tegenzin bracht zijn assistent, George Kennan, 's morgens de telegrammen in het Spaso House, waar Harriman in een donkere slaapkamer zat te werken in een zijden ochtendjas en roodleren slippers.

De Russen, die de Amerikaanse hulp niet meer zo dringend nodig hadden, werden al strijdlustiger. In maart 1945, in Warm Springs, sloeg Roosevelt met zijn vuist op zijn rolstoel: 'Averell heeft gelijk. Met Stalin kunnen we geen zaken doen.'

Onder Truman was Harriman ambassadeur in Londen, minister van Handel, en medewerker voor Buitenlandse Zaken op het Witte Huis. In 1954 overwon hij zijn houterige retoriek en zijn onverschilligheid ten opzichte van binnenlandse kwesties en werd hij verkozen tot gouverneur van New York. Met Trumans steun stelde hij zich in 1956 tevergeefs beschikbaar voor de Democratische nominatie. Nelson Rockefeller versloeg hem voor herverkiezing en om zich weer te herstellen plande hij een reis naar de Sovjet-Unie.

Hij vroeg Llewellyn Thompson per brief om de Russen te vertellen 'dat ik graag naar de Sovjet-Unie zal komen als ik Chroesjtsjov kan ontmoeten'.[1] In juni 1959

1. Thompson antwoordde dat hij kort geleden Mikojan, die 'verschrikkelijk dronken' was, nog had gezien, en hij had gezegd dat hij, hoewel hij een hekel had aan Harriman, zijn dochter Kathy wel leuk had gevonden. Tijdens de oorlog, gedurende besprekingen over een leen-pachtverzoek, had Mikojan zich 'geërgerd' aan Harrimans volharding over het feit dat hij wilde weten waar de hulp door de Russen voor zou worden gebruikt. Mikojan had gezegd dat Harrimans dochter, Kathy, daarentegen 'de enige vrouw was die hij ooit had gekend, die kon drinken als een man zonder merkbare gevolgen'.

arriveerde Harriman in Moskou, ogenschijnlijk als een speciale verslaggever voor *Life*.

Zoals hij ook deed met andere Amerikaanse leiders die niet in het Koude-Oorlogdogma waren vastgeroest, stemde Chroesjtsjov toe in een audiëntie waaraan hij veel bekendheid gaf om zodoende zijn politieke positie te versterken. In september van dat jaar gaf hij Harriman nog een steuntje in de rug door hem toe te staan om gastheer te zijn voor zijn beroemde ontmoeting, in New York, met de Amerikaanse heersende klasse.

Harrimans steun voor Kennedy in 1960 was niet om sentimentele redenen. Hij had de jonge man voor het eerst ontmoet in 1945, tijdens de conferentie van de Verenigde Naties in San Francisco. Met zijn karakteristieke vooruitziende blik nodigde hij hem uit voor een drankje. Maar zijn houding ten opzichte van de kandidaat werd beïnvloed door zijn oude antipathie jegens Joseph Kennedy en het feit dat de zoon had gefaald om tegen Joseph McCarthy op te treden.

Omdat hij zich zorgen maakte over een katholieke kandidaat schreef Harriman aan Galbraith: 'Er zal niet hetzelfde haatdragende gepraat zijn als in 1928, maar wat gebeurt er als ze in dat stemhokje staan en hun geloof (of vooroordelen) laten spreken?' Toen hij over Kennedy's succes in de voorverkiezingen van West Virginia hoorde, zei hij tegen zijn vrouw, Marie: 'Het is gewoon stuitend. [...] Ze hebben hun geld gebruikt om zich in te kopen. Ze hebben de verkiezingen gewoon gekocht.'

Net als andere zuinige, rijke mannen in de politiek wilde hij dat mensen hem wilden om wie hij was, niet om zijn geld. Maar begin oktober lieten de Kennedy's, via een tussenpersoon, weten dat ze een bijdrage van vijfendertigduizend dollar verwachtten voor de herfstcampagne. Om zijn kansen op terugkeer in de regering niet in gevaar te brengen, trok hij zijn chequeboekje.

Na de verkiezingen schreef hij aan Kennedy: 'Uw overwinning was groots, hoewel het in sommige staten op het nippertje was. [...] Ik ben blij dat u in New York een goede, solide meerderheid hebt behaald van meer dan vierhonderdduizend (net niet de half miljoen die ik had voorspeld).' Hij hield de president goed op de hoogte van zijn ontmoetingen in november met hooggeplaatste Russen en van de boodschappen van Chroesjtsjov.

Kennedy zag Harriman echter vooral als een rijke, koppige, lichtelijk dove, oude man, een mislukt politicus en misschien als te zacht voor de Russen. Toen James MacGregor Burns in 1959 eens nadacht over wie er misschien diplomatieke sleutelposities in zouden nemen in een regering-Kennedy, zei Sorensen tegen hem dat het feit dat Harriman op die lijst stond 'ver gezocht' was. Robert Kennedy vroeg aan Harrimans vrienden Galbraith en Schlesinger: 'Weten jullie zeker dat het geven van een baan aan Averell niet een daad zou zijn van pure sympathie?'[1]

Het beste dat de nieuwe president te bieden had, was een vaag omschreven functie als 'reizend ambassadeur'. Harriman zei in april 1961 tegen een vriend: 'Ik ben nog niet doorgedrongen tot de kern van deze regering. [...] Onder Roose-

---

1. Een notitie van Robert Kennedy van voor de inauguratie getuigde van Harrimans afstand tot de kern van de nieuwe regering: 'Mijn privé-telefoonnummer is nu EL 6-6174. Ik hoop dat u in de gelegenheid zult zijn mij eens te bellen en langs te komen voor een etentje. Hartelijk dank voor al uw vriendelijkheid gedurende het afgelopen jaar.'

velt ben ik heel bescheiden begonnen en heb ik me een weg naar de top gebaand. Dat ben ik nu weer van plan.'[1]

Tot vrijwel ieders verbazing bleek hij gelijk gehad te hebben. Onder de indruk van zijn successen in de kwestie-Laos promoveerde Kennedy hem in november 1961 tot onderminister van Buitenlandse Zaken voor het Verre Oosten. Harriman zei: 'Verdomme. Ik had gehoopt dat het Europa zou worden.' Diezelfde maand, toen Chroesjtsjov hem feliciteerde met zijn zeventigste verjaardag, zei Harriman dat als de Secretaris-Generaal het met de Amerikanen eens zou worden over Laos, dit hem 'de vrijheid zou geven om aan andere situaties te werken'. In 1962 schreef hij aan Beaverbrook: 'Het weinige werk dat ik doe, schijnt me goed te doen.'

Hij kanaliseerde zijn rusteloosheid in sporadische aanvallen op de duurzame bureaucratie en eisen voor 'nieuw bloed', hetgeen hem nog populairder maakte bij de gebroeders Kennedy. In april 1963 werd hij onderminister voor Politieke Aangelegenheden, de nummer drie op het ministerie van Buitenlandse Zaken. Na zijn beëdiging zei hij in besloten kring: 'Het is hier doods, doods, doods. Ik wil hier weer wat van die vechtlust uit vroeger tijden terugbrengen.'

Jacqueline Kennedy schreef aan Marie Harriman: 'Is het niet geweldig voor Averell – iedereen is er zo blij mee. Nu hij meer regeringsfuncties heeft bekleed dan John Quincy Adams, geloof ik dat we zijn portret maar in de Green Room moeten hangen.'

Ondanks deze come-back leken de Kennedy's hem op een afstand te willen houden van zijn grote liefde. De president raadpleegde hem hoofdzakelijk over Chroesjtsjov en Sovjetzaken voor de top in Wenen, omdat zijn zuster Eunice hem het mes op de keel had gezet. Gedurende de Berlijnse crisis werden Harrimans argumenten om eerst diplomatieke middelen te proberen alvorens tanks de *Autobahn* op te sturen, genegeerd. Tijdens de rakettencrisis werd zijn mening niet eens gevraagd. Hij was gedwongen om Schlesinger te bellen in de hoop Kennedy zo advies te geven.[2]

Omdat de president altijd erg onder de indruk was van snelheid, heeft hij misschien de fout gemaakt om Harrimans slechte gehoor en zijn trage spraak voor domheid aan te zien, wat hij aanvaardbaar beschouwde voor onderhandelingen, maar niet voor het opstellen van een beleid. Vóór oktober 1962 is hij misschien ook voorzichtig geweest met het raadplegen van iemand die er bekend om stond nauwe banden met de Russen te hebben.

Nadat hij zijn sporen had verdiend in de rakettencrisis kon Kennedy het zich veroorloven om Harriman in te zetten voor de Sovjet-Unie. Hij wist dat Kohler

1. Hij ging onvoorzichtig verder met te zeggen dat Kennedy een fout had gemaakt door Bundy aan te stellen: als Republikein zou hij zich gewoon niet vrij genoeg voelen om Eisenhowers fouten te bekritiseren. Hij zei dat de president ook een fout had gemaakt door uitdrukking te geven aan zijn twijfel over de vraag of het Amerikaanse of het communistische stelsel als uiteindelijke overwinnaar te voorschijn zou komen. Dit mocht aanvaardbaar zijn in de binnenlandse politiek, maar in het buitenland vond het een 'betreurenswaardige weerklank'.
2. Zijn advies was dat Chroesjtsjov zich niet gedroeg als iemand die een oorlog wilde: 'Als we alleen ons standpunt maar verharden, zullen we hem dwingen tegenmaatregelen te nemen. We moeten Chroesjtsjov een uitweg bieden.'

niet een bijzondere hang had naar verbeterde betrekkingen en dat Chroesjtsjov hem niet erg mocht. Net zoals Roosevelt speciale afgezanten had gezonden om Joseph Kennedy te omzeilen, stuurde de president Harriman naar Moskou. Hij schreef aan Chroesjtsjov: 'U en uw collega's kennen hem goed en ik verwacht veel van zijn gesprekken met u.'

Gedurende het vroege voorjaar hadden Kennedy en Chroesjtsjov via Dobrynin en het ministerie van Buitenlandse Zaken tegen elkaar geklaagd over Laos. De Sovjetambassadeur merkte op dat Amerikaanse troepen en vliegtuigen, samen met 'aanhangers van Jiang Kaishek', nog steeds in Laos opereerden. Dit was in strijd met de Geneefse overeenkomst.

De president antwoordde dat de Noordvietnamezen het pact schonden door 'grote aantallen' troepen Laos in te sturen, van waaruit zij zich in de 'binnenlandse aangelegenheden' van Zuid-Vietnam mengden. Hij zei dat alle Amerikaanse manschappen, op een paar diplomatieke functionarissen na, voor de overeengekomen deadline van oktober 1962 zouden zijn teruggetrokken.[1]

Chroesjtsjov vertelde Harriman dat de verslechtering in Laos onplezierig was voor de Sovjets, die 'zeer beperkte' mogelijkheden hadden om de situatie te beïnvloeden. Harriman herinnerde hem eraan dat de Verenigde Staten generaal Phoumi's arm hadden omgedraaid om hem de overeenkomst van 1962 te laten aanvaarden. Chroesjtsjov antwoordde: 'In Rusland is de uitdrukking dat je iets anders omdraait.' Lachend gaf Harriman toe dat 'Phoumi waarschijnlijk eerder zou hebben toegegeven als Amerika de Russische methode had toegepast'.

Harriman vertelde Chroesjtsjov dat niets Kennedy meer plezier zou doen dan het verminderen van de spanningen overal ter wereld. 'De president beschouwt Laos als een symbool. [...] Als we in deze zaak niet kunnen samenwerken, hoe kunnen we op andere gebieden dan wel samenwerken?' Hij zei dat de Verenigde Staten het 'onomstotelijke bewijs' hadden dat de Viet Minh in Laos opereerde. De Secretaris-Generaal vroeg: 'Bent u een gelovig man?' Harriman antwoordde dat zijn grootvader dominee was geweest. Chroesjtsjov vroeg: 'Bent u bereid om op de bijbel te zweren dat de Viet Minh daar is?' Harriman stemde toe: 'Zou meneer Gromyko op de bijbel willen zweren dat de troepen van Jiang Kaishek daar zijn?'

Chroesjtsjov herinnerde hem eraan dat Gromyko niet gelovig was, maar dat misschien in plaats van de bijbel een exemplaar van *Das Kapital* zou kunnen worden gebruikt of 'zweren bij de baard van Karl Marx. Laten we ieder een miljoen dollar verwedden of de Viet Minh er al dan niet is. U bezit vele miljoenen en zult het dus niet erg vinden om daar één van te verliezen.'

1. De enige Amerikaanse vliegtuigen in Laos, zei hij, waren daar omdat Souvanna Phouma had 'verzocht om bevoorrading per vliegtuig', met 'voedsel, kleding, medicijnen en andere noodzakelijke goederen', voor mensen die daar, vanwege 'de onbuigzaamheid en aanvallen' van de Pathet Lao, op andere wijze niet aan konden komen. Wat betreft de vermeende aanhangers van Jiang Kaishek: dat waren 'kleine, onafhankelijke groepjes van voormalige Chinese nationalistische troepen die de afgelegen gebieden van de grenzen tussen Birma, Thailand en Laos doorkruisten en die betrokken waren bij verschillende soorten handel'.

Harriman zei dat hij er best een miljoen dollar voor over had om de Viet Minh uit Laos weg te krijgen. Hij vertelde Chroesjtsjov dat hij, toen hij ambassadeur in Moskou was, in ditzelfde kantoor met Stalin had gepraat over de Polen. Stalin had toen uitgeroepen: 'De Polen! De Polen! Hebt u geen ander gespreksonderwerp dan de Polen? Ze hebben nooit iets anders gedaan dan moeilijkheden veroorzaken en daar zullen ze wel altijd mee doorgaan.' Hij zei dat hij vermoedde dat de Secretaris-Generaal hetzelfde dacht over de Laotianen.

Chroesjtsjov reageerde door het onderwerp Duitsland ter sprake te brengen. Harriman zei: 'Duitsland? Kunt u niet over iets anders praten? De president maakt zich zorgen over Cuba.' Chroesjtsjov maakte Kennedy's bezorgdheid over Sovjettroepen op Cuba belachelijk en somde een lijst landen op waar de Verenigde Staten troepen hadden gestationeerd. Voor de zoveelste keer waarschuwde hij dat de raketten zouden vliegen en de tanks zouden branden als het Westen zou proberen de DDR te binnen te vallen nadat een vredesverdrag was getekend. Volgens Harriman lachte hij en zei: 'Ik weet dat u veel te verstandig bent om een oorlog te willen.' De Secretaris-Generaal zei: 'U hebt gelijk.'

Harriman ging verder. 'We willen ons wederzijdse belang verdedigen, maar Cuba is een typisch voorbeeld. Er zijn vele domme stemmen in de Verenigde Staten die roepen om snelle actie. De president heeft hulp nodig om deze emoties onder controle te houden. We zouden het zeer waarderen als u hem zoudt kunnen helpen [...] als u dit kunt doen zonder schade aan te richten aan uw nationale belangen. U moet weten dat de president bereid is om u persoonlijk te helpen, op voorwaarde dat het onze nationale belangen niet schaadt.' Hij zei dat hij een 'heel belangrijk voorstel wilde doen'.

Chroesjtsjov sloeg op de tafel. 'Voor de dag ermee!'

'Kom tot overeenstemming over het kernstopverdrag. Dat zou u in staat stellen om meer van uw middelen aan te wenden voor civiele produktie.' Harriman stelde voor dat Berlijn 'in de koelkast zou worden gestopt': 'Waarom willen de Sovjets niet verder met belangrijke kwesties zoals het kernstopverdrag?'

De Secretaris-Generaal zei dat hij en zijn kameraden Harriman enorm respecteerden. 'We zouden graag terugkeren naar de betrekkingen zoals die waren toen u hier was gedetacheerd. [...] Ik zal u dus een voorstel doen.' Waarom kon het kernstopverdrag niet worden gecombineerd met een Duitse overeenkomst? Harriman antwoordde dat de Verenigde Staten niet 'een kat in de zak' konden kopen, maar dat ze 'altijd bereid waren om te praten over het kernstopverdrag en de Duitse overeenkomst'.

Glimlachend zei Chroesjtsjov dat Harriman 'een oude diplomaat was' die precies wist 'hoe hij moest praten zonder iets te zeggen'.

Begin mei schreef Georgi Bolsjakov aan Robert Kennedy dat, waar hij ook sprak, 'iedereen graag een antwoord wil op de vraag of we in vrede met jullie kunnen leven. En iedereen die ik heb ontmoet, heeft maar één antwoord: het kan niet alleen, het moet. [...] Net als vroeger werk ik voor het persagentschap Novosti en doe ik verslag over de *New Frontiers* op de televisie. Mijn vrienden noemen me lachend "Telstar". Anastasia [...] bedankt jullie beiden voor het cadeau.'[1]

1. De vijfendertig pond wegende Amerikaanse Telstar communicatiesatelliet was in juli 1962 gelanceerd en had de eerste live televisie-uitzending tussen Noord-Amerika en Europa doorgescind. De Kennedy's hadden mevrouw Bolsjakov een paar schoenen gestuurd.

'Groeten en de beste wensen van Maja [Plisetskaja]. Wij zouden ook graag weer eens bij elkaar komen. [...] We hopen dat we weer een kans krijgen om elkaar te zien, met elkaar te praten, samen te zingen en, voor degenen die het kunnen, te dansen.¹ Onze hartelijke groeten aan Ethel en uw grote familie. We waren verheugd toen we hoorden dat er gezinsuitbreiding op komst is en zullen daarom graag een of meer *Matroesjka* sturen voor het nieuwe gezinslid.'

Bolsjakov voegde daar een ontnuchterende opmerking aan toe. 'Wees ervan verzekerd, Robert, dat wij ons best doen om de vrede te bewaren. Om eerlijk te zijn, hoopten we dat uw broer iets zou kunnen doen, maar die hoop neemt nu af.'

Vanaf de vorige herfst hadden Alpha 66, Commandos L-66 en andere ongebonden radicale groepen van bannelingen bliksemaanvallen uitgevoerd op Cubaanse installaties. Opererend vanuit Florida en de Bahama's vuurden ze ook torpedo's af op Russische en Cubaanse schepen. Eind maart klaagde de Sovjetregering dat de Amerikaanse 'aanmoediging van dergelijke acties' de overeenkomst van de rakettencrisis geweld aandeed.

Rusk vertelde aan Kennedy dat 'de aanvallen onze betrekkingen met de Sovjet-Unie konden compliceren zonder enig voordeel voor ons'. 'Als de betrekkingen op de tocht moeten worden gezet, dan is het beter dat wij dat doen.' De president keurde een verklaring goed dat de Verenigde Staten 'alle noodzakelijke stappen zouden ondernemen' om de aanvallen vanaf hun grondgebied te stoppen. Bannelingen werden aangehouden en speedboten werden in beslag genomen. Nelson Rockefeller zei tegen de pers dat hij hoopte dat Kennedy deze beslissing niet had genomen als een '"appeasement-gebaar" naar de Sovjets'. Maar 'welke andere reden' kon er dan zijn?'

De nieuwe permanente commissie voor Cuba van de Nationale Veiligheidsraad, de opvolger van Ex Comm, overwoog wat Bundy de 'geleidelijke ontwikkeling van een of andere schikking met Castro' noemde. In april kondigde de Cubaanse leider aan dat de 'Amerikaanse beperking op de aanvallen van de bannelingen' een 'goede stap in de richting van een schikking' was.

Castro was nog steeds kwaad op de Russen. Nadat Chroesjtsjov had gehoord dat hij zo ver was gegaan om een ontmoeting met Chinese functionarissen te organiseren, nodigde hij Castro uit naar de Sovjet-Unie en gaf hem het warmste welkom dat een buitenlandse leider ooit heeft gehad. Gedurende zijn veertigdaagse bezoek inspecteerde Castro de Noordelijke Vloot en raketbases van de Sovjets, overzag hij de 1 mei-parade vanaf het Leninmausoleum en bracht hij vele uren door met Chroesjtsjov in het Kremlin en in Pitsoenda. In Kiev werd een weelderige blondine opgetrommeld op wie zijn oog was gevallen.

In de verdediging van zijn aanpak van de rakettencrisis merkte de Secretaris-Generaal op dat Stalin nooit het risico zou hebben genomen om raketten te sturen om het eiland te beschermen. Volgens Chroesjtsjov vertelde hij Castro niets over Kennedy's geheime concessie inzake de Turkse raketten, omdat de president 'me had gevraagd het geheim te houden'. Hij verhoogde de subsidies voor Cubaanse suiker en beloofde de Cubaanse communisten van de oude garde, die

1. Dit was een verwijzing naar Roberts opmerking in november tegen de Bolsjoi-dansers dat hij de two-step niet kende.

Castro zoveel problemen hadden bezorgd, te vergeten. Tegen het einde van zijn reis prees Castro de Russen openlijk voor het riskeren van 'een barre oorlog ter verdediging van ons kleine land. [...] *Dat* is communisme!'

In april voorspelde de CIA aan Kennedy dat de Sovjet-Unie 'een vorm van militaire aanwezigheid zou handhaven' op Cuba. 'Een soort valstrik om een invasie door de Verenigde Staten te voorkomen.' Volgens de CIA zouden de Sovjets hun aandacht richten op de ondermijning van Latijns-Amerika. 'Er bestaat een grote kans dat Castro's positie op Cuba binnen een jaar sterker zal zijn dan dat ze nu is en dat de communisten in Latijns-Amerika iets van hun tijdens de rakettencrisis verloren terrein terugwinnen.'

De president wist dat revolutionaire aanhangers van Castro over het hele halfrond niet alleen de westerse veiligheid in gevaar konden brengen, maar dat ze hem ernstige politieke problemen konden bezorgen voor zijn herverkiezing – in het bijzonder omdat hij in november de verkeerde indruk had gewekt dat zijn Cubaanse overeenkomst een verbod op Cubaanse subversieve acties in Latijns-Amerika bevatte.

Tijdens een Ex Comm-vergadering in november had Kennedy gevraagd om een lange-termijnplan om 'Castro onder druk te houden en andere regeringen in het Caribisch gebied te ondersteunen'. Hij wist dat hij zich met nieuwe geheime Amerikaanse acties tegen Castro op binnenlands gebied de nodige problemen op de hals zou halen en dat hij zijn ambities voor het halfrond zou moeten temperen.

Bundy waarschuwde dat 'zinvol georganiseerde sabotage nog steeds niet makkelijk te realiseren was'. Toch zei Robert Kennedy in mei tegen de permanente commissie dat de Verenigde Staten 'iets moeten ondernemen tegen Castro, zelfs als we ervan overtuigd zijn dat onze acties hem niet ten val zullen brengen'. De volgende maand keurde de president een nieuw CIA-programma goed om Cubaanse krachtcentrales, olieraffinaderijen, opslagfaciliteiten, fabrieken, spoorwegen en autowegen te saboteren.

Kennedy en Macmillan maakten zich zorgen dat ze in tijdnood kwamen als ze een kernstopverdrag wilden bereiken waarmee ze kernwapens uit de handen konden houden van China en andere landen. Ze stuurden Chroesjtsjov een gezamenlijke brief waarin ze stelden dat het verschil tussen zijn voorstel van drie inspecties en dat van hem van zeven inspecties 'niet onoplosbaar hoefde te zijn'. Op de automatische seismische stations leken hun verschillen 'tamelijk beperkt'. De president en de Secretaris-Generaal waren bereid om 'zeer hooggeplaatste afgevaardigden te sturen die gemachtigd waren om namens ons te spreken en in Moskou direct met u te overleggen'. Ze hoopten de kwestie 'dicht genoeg bij een uiteindelijke oplossing te brengen zodat het mogelijk wordt om aan een ontmoeting van ons drieën te denken waarop een uiteindelijke overeenkomst definitief gemaakt zou kunnen worden'.

Op woensdag 8 mei schreef Chroesjtsjov aan Kennedy dat hij de voorstellen van de president betreffende een kernstopverdrag uit zijn hoofd kende 'net zoals we vroeger het "Onze Vader" leerden'. Hij had al toegestemd in twee of drie inspecties om hem met zijn Senaat te helpen. Hiervoor was hij beloond met westers gemarchandeer over aantallen en voorwaarden.

Deed de president alleen maar net alsof, om binnenlandse politieke redenen? Als er geen echte hoop op een overeenkomst was, dan had de Sovjet-Unie geen andere keus dan haar veiligheid te versterken. Desalniettemin was de Sovjet-Unie bereid om 'uw hooggeplaatste afgevaardigden' te ontvangen.

Chroesjtsjovs antwoord was deels zo scherp vanwege zijn oprechte irritatie en deels vanwege zijn binnenlandse zorgen. Hij dacht dat Kennedy hem al een keer had misleid over een kernstopverdrag. Na zijn politieke conflict met Kozlov zou hij zich ervan verzekeren dat zijn woorden niet weer op schrift zouden worden gesteld zodat de president hem weer 'voor gek' kon zetten tegenover zijn collega's.

In Washington deelde Dobrynin vertrouwelijk mee dat de Secretaris-Generaal bereid was om zich flexibeler op te stellen. Hij zei tegen Wiesner dat er te veel openbare discussies waren geweest over cijfers: vijf of zes inspecties 'waren misschien aanvaardbaar geweest als de zaken anders waren gelopen'. Hij zei tegen Chester Bowles dat het 'tragisch zou zijn' als ze nu niet tot overeenstemming konden komen over een kernstopverdrag en 'dat de breuk nog vele jaren zichtbaar zou blijven'. Misschien was het mogelijk om overeenstemming te bereiken over een 'totaal aantal' inspecties – 'bijvoorbeeld vijfentwintig of zevenentwintig over een periode van vijf jaar'.

Kennedy en Macmillan stelden voor dat hun bijzondere afgezanten tegen het einde van juni of begin juli zouden arriveren. De Secretaris-Generaal stemde toe, maar was ongeduldig en maakte zich zorgen dat de diplomatieke bureaucratie de onderhandelingen kon saboteren. Hij zou de voorkeur hebben gegeven aan een topconferentie met de president. Hij was bereid om Rusk te aanvaarden.

In februari had Aleksandr Fomin zijn relatie met John Scali hernieuwd en voorgesteld dat Rusk het Kremlin zou bezoeken.[1] Gromyko herinnerde Kohler eraan dat hij het Witte Huis drie maal had bezocht, maar dat de minister van Buitenlandse Zaken nog nooit in Moskou was geweest. Half mei bracht Chroesjtsjov zelf de kwestie ter sprake in een brief aan Kennedy.

De president wilde zijn onderhandelaar over de kernproeven niet het gras voor de voeten wegmaaien. Noch wilde hij zijn minister van Buitenlandse Zaken betrekken bij onderhandelingen die misschien zouden mislukken. Hij antwoordde dat Rusk 'bereid was om in juli of augustus te komen op een tijdstip dat u past'.

Nadat Norman Cousins Chroesjtsjov in april had ontmoet, drong hij er bij Kennedy op aan dat hij de Sovjets een ingrijpend vredesaanbod zou doen. Begin mei vroeg Sorensen hem om ideeën voor een openingstoespraak die de president in juni zou moeten houden aan de American University in Washington.

Kennedy had besloten dat het tijd was voor een belangrijke oproep tot vrede. Omdat het vlak voor het begin van de onderhandelingen in Moskou was, zou het de Russen zijn oprechtheid laten zien en het Congres en de Amerikanen voorbereiden om het kernstopverdrag te steunen dat uit de onderhandelingen te

---

1. Fomin was duidelijk goed op de hoogte van het Sovjetdenken op topniveau. Hij klaagde dat Kennedy's regering Moskou had 'verraden' door terug te komen op haar belofte dat ze twee of drie inspecties zou aanvaarden.

voorschijn zou komen. Hij zou de nadruk leggen op alle positieve en vreedzame aspecten van de Amerikaans-Russische betrekkingen en bedreigen, opscheppen of preken achterwege laten.

Bundy vroeg de staf van het Witte Huis om zijn beste gedachten aan Sorensen te sturen en verder tegen niemand iets te zeggen. Andere departementen werden niet om hun inzichten gevraagd. Sorensen maakte gebruik van bijdragen van Cousins, Bundy, Thompson, Kaysen, Bowles, Schlesinger en anderen, van zinnen uit de inaugurele rede en Kennedy's toespraak voor de Verenigde Naties in 1961, alsmede van de tekst die was opgesteld voor het rampzalige televisiedebat met Chroesjtsjov in 1962.

Terwijl Sorensen aan de tekst werkte, vloog de president naar het westen. Op woensdag 5 juni kwam hij aan in El Paso, waar hij in het Cortez Hotel de nieuwe gouverneur van Texas, John Connally, en de vice-president ontmoette. O'Donnell had later 'geen goeie herinneringen' aan het bezoek.

Kennedy zei: 'Nou, Lyndon, denk je dat we *ooit* die geldinzamelingskwestie in Texas zullen krijgen?' Connally zei: 'Goed, meneer de president, laten we uw rondreis maar gaan plannen.'

Kennedy vloog door naar Honolulu, waar hij een conferentie van Amerikaanse burgemeesters toesprak over burgerrechten en waar hij zijn goedkeuring gaf aan de opzet van wat hij nu 'De vredestoespraak' noemde. Er werd een kopie naar het Witte Huis gestuurd, waar Carl Kaysen de opdracht kreeg om hem door Rusk, McNamara en Taylor te laten goedkeuren. Het was niet toevallig dat deze te laat kwam om de retoriek door hun ambtenarenapparaten te laten afzwakken.

Terwijl de president op Hawaii was, stuurde Chroesjtsjov hem en Macmillan een brief die waarschijnlijk was bedoeld om hen murw te maken voor de onderhandelingen over het kernstopverdrag. Hij twijfelde aan hun oprechtheid en deed nogmaals zijn beklag over het aantal inspecties. Het succes van de onderhandelingen zou afhangen van wat hun afgevaardigden in hun bagage naar Moskou zouden meebrengen.

Op zondagavond 9 juni vloog de president naar het oosten en bracht wat laatste wijzigingen aan in zijn tekst. Per telefoon stelde Kaysen nog wat veranderingen voor als reactie op Chroesjtsjovs laatste brief. Kennedy arriveerde maandagmorgen om negen minuten voor negen op de luchtmachtbasis Andrews en reed direct naar het Witte Huis, waar hij een schoon overhemd aantrok. Daarna reed hij door naar de American University. Vermoeide verslaggevers aan boord van de Air Force One en het diplomatieke korps in Washington hadden te horen gekregen dat deze toespraak 'van het allergrootste belang' zou zijn.

De president opende met de opmerking dat wereldvrede 'een onderwerp was waarbij onwetendheid te vaak overvloedig aanwezig was. [...] Wat voor soort vrede bedoel ik en wat voor vrede zoeken wij? Geen Pax Americana, die de wereld wordt opgedrongen met Amerikaanse wapens. Geen vrede van het graf of de zekerheid van de slaaf.

'Ik spreek over ware vrede – het soort vrede dat het waard maakt om op deze aarde te leven, het soort dat mensen en naties in staat stelt om te groeien en te hopen en om een beter leven op te bouwen voor hun kinderen. [...] Niet alleen vrede in onze tijd, maar vrede voor altijd.'

Hij sprak over vrede 'vanwege het nieuwe gezicht van de oorlog'. Totale oorlog was zinloos in een tijdperk waarin grootmachten 'relatief onkwetsbare nucleaire macht' hadden, wanneer een kernwapen bijna 'tien maal zo veel explosieve kracht [had] als de gehele luchtmacht van de geallieerden gedurende de hele Tweede Wereldoorlog had afgeleverd', wanneer dodelijke nucleaire vergiften naar alle uithoeken van de aarde en 'naar nog ongeboren generaties konden worden gebracht'.

Sommigen raadden een afwachtende houding aan tot het moment dat de Sovjets verstandiger werden: 'Ik hoop dat ze dat zullen worden. Ik denk dat wij ze daarbij kunnen helpen.' Maar aannemen dat vrede onmogelijk was, 'was een gevaarlijke en defaitistische gedachte. Het leidt tot de conclusie dat een oorlog onontkoombaar is – dat de mensheid *gedoemd* is, dat we in de greep zijn van krachten die we niet onder controle hebben. […] Onze problemen zijn door mensen gemaakt. Daarom kunnen ze ook door mensen worden opgelost.[1] En de mens kan zo groot zijn als hij zelf wil. […] De rede en geest van de mens hebben al vaak het schijnbaar onoplosbare opgelost – en wij geloven dat we dat weer kunnen doen.'

Daarom: 'Laten we onze houding ten opzichte van de Sovjet-Unie opnieuw bekijken. […] Wij Amerikanen vinden het communisme diep weerzinwekkend. […] Maar we kunnen de Russische bevolking nog altijd prijzen om haar vele prestaties – in de wetenschap en de ruimte, om haar economische en industriële groei, om haar cultuur en moed.'

Zowel het Amerikaanse als het Russische volk had een afschuw van oorlog. 'Het is vrijwel uniek onder de grootmachten dat wij nog nooit met elkaar in oorlog zijn geweest.' Geen enkele natie had meer geleden dan de Sovjet-Unie gedurende de Tweede Wereldoorlog. Ten minste twintig miljoen mensen waren omgekomen. Een derde van het grondgebied 'was veranderd in een woestenij hetgeen in ons land overeenkomt met de vernietiging van al het land ten westen van Chicago'. Hun meest fundamentele overeenkomst was 'dat wij allen op deze kleine planeet leven. We ademen allemaal dezelfde lucht. We koesteren allemaal de toekomst van onze kinderen. En we zijn allemaal sterfelijk.

Laten wij onze houding ten opzichte van de Koude Oorlog opnieuw beschouwen.' De plaats waar 'een nieuw begin ontzettend nodig is', was een overeenkomst over het kernstopverdrag, om de atoommachten in staat te stellen om 'een van de grootste gevaren die de mens in 1963 bedreigt, de verdere proliferatie van kernwapens', af te weren. 'Het zou onze veiligheid vergroten. Het zou de kans op oorlog verkleinen.'

Tegen het einde van de toespraak kondigde Kennedy aan dat de Verenigde Staten geen proeven in de atmosfeer zouden uitvoeren 'zolang de andere naties dat ook niet doen'. Chroesjtsjov, Macmillan en hij waren tot overeenstemming gekomen over besprekingen in Moskou op het hoogste niveau over kernproeven: 'Onze hoop moet worden getemperd door de geschiedenis voorzichtig in ons achterhoofd te houden, maar met onze hoop hangt de hoop van de gehele mensheid samen.'

1. Deze zin was gelukkig gewijzigd in de oorspronkelijke versie: 'Daarom zijn ze van menselijke afmetingen.'

Deze lyrische toespraak was zonder twijfel de beste toespraak uit Kennedy's leven. Wanneer men hem drie decennia later leest, hebben de woorden niet meer dezelfde kracht als toen. De reden voor die kracht was hun verbazingwekkende dissonantie met de doordringende waarschuwingen uit de eerste twee jaar van zijn presidentschap. De toespraak was lichtjaren verwijderd van Kennedy's klaagzang in Salt Lake City ten tijde van zijn campagne in 1960 en van zijn inaugurele rede, die in feite een vingeroefening was.

Geen enkele president tijdens de Koude Oorlog, met uitzondering van Eisenhower na de dood van Stalin, had de noodzaak van een uitweg uit het conflict zo openlijk onderschreven.[1] Zelfs gedurende de détente van 1959-1960, toen hij zich geen zorgen hoefde te maken over zijn herverkiezing, was Eisenhower te bedeesd geweest over het wekken van publieke verwachtingen om de Amerikanen te vertellen waarom betere betrekkingen met de Sovjet-Unie in hun belang waren.

Latere historici hebben de toespraak aan de American University als bewijs aangehaald dat Kennedy's turbulente ervaring met het onderhouden van betrekkingen met de Sovjet-Unie, vooral tijdens de rakettencrisis, een of andere plotse revelatie teweeg had gebracht die hem op zijn fouten wees en die zijn idealisme eindelijk liet prevaleren boven voorzichtigheid en politieke bedachtzaamheid.

Berlijn en Cuba hadden hem inderdaad gewezen op de gevaren van een eeuwigdurende Koude Oorlog, maar er was geen enkele zin in deze toespraak waarmee hij het in 1960 persoonlijk niet eens zou zijn geweest. De verandering lag niet bij Kennedy, maar in wat hij als zijn politieke omgeving beschouwde.

In 1960 had hij de verkiezingen moeten winnen in een periode van grote spanning met Moskou. Gedurende zijn eerste twee jaar had hij zich gedwongen gevoeld om aan het Amerikaanse volk, de leiders van de geallieerden en aan Chroesjtsjov te laten zien dat hij in staat was tot hard leiderschap van de Vrije Wereld. In 1963 vonden de meeste Amerikanen dat hij zichzelf inmiddels had bewezen door de Sovjets inzake Cuba te overbluffen. Nu kon hij betere betrekkingen bepleiten zonder als 'zwakkeling' te worden gebrandmerkt.

De toespraak aan de American University, hoewel diep doorvoeld, was net zo goed het produkt van politieke berekening als welke andere toespraak van Kennedy dan ook. Ze was erop gericht publieke steun op te bouwen voor het kernstopverdrag dat hij hoopte te bereiken. Ook was het de bedoeling om Chroesjtsjov te vleien na het misverstand over de inspecties en om de sceptische houding van de Sovjets te overwinnen dat hij bereid was om zijn binnenlandse positie in de waagschaal te leggen om een controversiële overeenkomst door de Senaat te kunnen loodsen.

De toespraak was er misschien ook op gericht om de Secretaris-Generaal een uit-

1. In een toespraak van april 1953 voor het Amerikaanse Genootschap van Hoofdredacteuren, beschreef Eisenhower de prijs van een voortdurende wapenwedloop: 'Ieder geweer dat wordt afgevuurd, ieder oorlogsschip dat te water wordt gelaten, iedere afgevuurde raket staat voor [...] diefstal van diegenen die honger lijden en niet worden gevoed, diegenen die koud zijn en niet worden gekleed. [...] Dit is absoluut geen manier van leven. [...] Onder de wolk van een dreigende oorlog hangt de mensheid aan een ijzeren kruis.' Deze woorden waren ook een perfecte distillatie van Chroesjtsjovs eigen gedachten over dit onderwerp.

stekende stimulans te bieden voor een Amerikaans-Russisch vriendschapsverdrag. Begin juni stonden Chinese functionarissen op het punt naar Moskou te gaan in de hoop hun ruzie met de Sovjet-Unie ten koste van de Verenigde Staten bij te leggen.

De daaropvolgende week werden er 896 schriftelijke reacties op de toespraak van de president op het Witte Huis bezorgd. Slechts vijfentwintig daarvan waren negatief. In diezelfde week schreven er 28.232 mensen aan Kennedy over een wetsontwerp over transportkosten. Hij zei tegen zijn assistenten: 'Daarom zeg ik altijd tegen de mensen in het Congres dat ze gek zijn als ze hun post serieus nemen.'
Toen de *Voice of America* de toespraak in het Russisch uitzond in de Sovjet-Unie, stoorde de Sovjetregering slechts één alinea, waarin de 'ongefundeerde' claims van de Sovjets over de Amerikaanse doeleinden werden genoemd. Kennedy's tekst verscheen in de Russische pers. De mensen scheurden het stuk uit en bewaarden het in hun portefeuilles en tassen.
Toen de leider van de Britse Labour-partij, Harold Wilson, Chroesjtsjov bezocht, merkte hij dat de Secretaris-Generaal diep onder de indruk was van het feit dat de president bereid was geweest dergelijke dingen in het openbaar te zeggen. Later zei Chroesjtsjov dat het 'de beste toespraak van enige president sinds Roosevelt' was geweest.[1]
Robert Kennedy las inlichtingenrapporten waarin stond dat de toespraak Chroesjtsjovs mening over Amerikaanse bedoelingen had veranderd. De nieuwe Britse ambassadeur in Moskou, Humphrey Trevelyan, vond dat de Sovjetleiders nu 'voor de eerste keer' vonden dat Kennedy 'iemand was die zich echt inspande voor een détente en met wie zij zaken konden doen'.

Kennedy's eerste keus voor zijn onderhandelaar in Moskou over het kernstopverdrag was McCloy geweest. De baas van de Chase Manhattan Bank had zich bewezen in de gesprekken in New York na de rakettencrisis, Chroesjtsjov mocht hem en, en wat het beste was, hij was een voortreffelijk Republikein. Maar McCloy beriep zich op zijn zakelijke olieklanten en weigerde.
Weifelend droeg Rusk Harriman voor als kandidaat. Hij maakte zich zorgen over Harrimans aversie tegen de bureaucratie en zijn sentimentele genegenheid voor de Sovjet-Unie. Kennedy vond echter dat dit precies de boodschap was om aan Chroesjtsjov te sturen. De dag nadat Rusk zijn voorstel had gedaan, liet George Ball het Witte Huis weten, wellicht namens de minister, dat Harriman misschien toch niet zo'n goed idee was. Wederom nam Kennedy zijn toevlucht tot een Trollope-manoeuvre, negeerde de tweede boodschap van Buitenlandse Zaken en zei tegen Rusk dat hij diens voorstel accepteerde.
Plichtsgetrouw telegrafeerde Rusk naar Kohler: 'Wij stellen nu voor Harriman te sturen.' Hij telegrafeerde Bohlen dat de president zijn keus had laten vallen op Harriman 'vanwege diens bewezen diplomatieke vaardigheden en zijn gave

---

1. Valentin Falin vertelde dat Sovjetfunctionarissen ervan uitgingen dat de toespraak de president 'enorme problemen in zijn eigen land' zou bezorgen. omdat ze 'volledig in tegenspraak was met de opinies van de machtige kringen die een confrontatie tussen de Verenigde Staten en de Sovjet-Unie wilden'.

om technische obstakels die een overeenkomst in de weg kunnen staan, te omzeilen'. Een Sovjetdiplomaat in Washington zei tegen een Amerikaan: 'Zodra ik hoorde dat Harriman zou gaan, wist ik dat jullie het meenden.'

Op donderdag 20 juni tekenden de Verenigde Staten en de Sovjet-Unie een overeenkomst in Genève over het vestigen van een '*hot line*' voor boodschappen tussen de twee regeringshoofden. Washington had een dergelijk kanaal al vanaf begin 1961 tevergeefs voorgesteld.

Pas na de bijna fatale uren van vertraging tijdens de rakettencrisis, toen de uitwisselingen tussen Kennedy en Chroesjtsjov afhankelijk waren van Radio Moskou en de fietsende koerier van Western Union, waren de Russen voor rede vatbaar. Kennedy zei: 'Zoiets mag gewoonweg niet meer gebeuren.'

De twee leiders stemden toe in een circuit van telegram, telegraaf en teleprinter over Londen, Kopenhagen, Stockholm en Helsinki. In het geval van een crisis, als elke seconde telde, zouden de boodschappen in code worden verzonden. Toen de nieuwe *hot line* werd getest, waren de technici in Moskou verbaasd over de eerste boodschap vanuit Washington: *'The quick brown fox jumps over the lazy dog.'*

De zeventien jaren van ontwapeningsbesprekingen waren zo vruchteloos geweest dat de overeenkomst over de *hot line* de op een na belangrijkste overeenkomst was die uit de besprekingen naar voren kwam.[1] Kennedy beloofde 'al het mogelijke te ondernemen voor een vervolg op deze eerste stap'. Twee avonden later stapte hij aan boord van de Air Force One voor zijn eerste Europese reis sinds Wenen.

1. De eerste overeenkomst was een verbod op kernexplosies op Antarctica uit 1959, die in 1961 werd geratificeerd.

21. De geest van Moskou

Kennedy's Europese reis was bedoeld om zijn status bij de geallieerden en daarom zijn bewegingsvrijheid op het wereldtoneel te vergroten. Een linkse Franse krant noemde het 'Kennedy's verleidingsreis'.

De president wist dat van de Westeuropese leiders Charles de Gaulle degene was die zich het moeilijkst liet verleiden. Het feit dat zijn schema geen bezoek aan Parijs omvatte, bleef dan ook niet onopgemerkt. De Gaulle was net zo ongelukkig over een détente met Chroesjtsjov als over de Amerikaanse druk om een kernstopverdrag te ondertekenen. Dat zou hem dwingen om zijn droom op te geven van een machtig Frans nucleair arsenaal, dat zijn land tot een belangrijke wereldmacht zou maken.

Bohlen had de Franse minister van Buitenlandse Zaken, Maurice Couve de Murville, vertrouwelijk meegedeeld dat Kennedy wilde dat De Gaulle ergens in 1963 een tegenbezoek aan Washington zou brengen: de president 'zou bereid zijn te bespreken wat de Verenigde Staten aan hulp zouden kunnen bieden' als Frankrijk zich aansloot bij 'een eventueel kernstopverdrag', waarbij het land zijn eigen nucleaire programma zou afzweren.

Om zijn gebrek aan interesse duidelijk te maken, antwoordde De Gaulle dat een reis in 1963 hem niet zo goed uitkwam: die herfst moest hij de hertogin van Luxemburg ontvangen en op bezoek gaan bij de sjah van Perzië. In plaats daarvan zou hij Kennedy graag rond Pasen 1964 bezoeken, maar niet in Washington, omdat daar waarschijnlijk te veel publiciteit aan het bezoek zou worden gegeven. Bohlen telegrafeerde Washington dat De Gaulle tijd rekte om ervoor te zorgen dat 'er tenminste begonnen werd met de opbouw van zijn nucleaire macht'.

Gedurende de nachtelijke vlucht van Washington naar Bonn herinnerde de president zich zijn rit door Duitsland in 1939, samen met zijn vriend Byron White, nu een van de mensen die hij had benoemd aan het Hooggerechtshof. Jonge nazi's met armbanden hadden klinkers naar hun auto met Engels kenteken gegooid. Hij zag de haat in hun gezichten nog voor zich.

In een welkomstwoord op het vliegveld van Bonn verspilde Adenauer geen tijd toen hij zijn bezoeker eraan herinnerde dat aan de American University, 'meneer de president, u hebt gezegd dat de Verenigde Staten geen afspraken met de Sovjet-Unie zouden maken ten koste van andere naties'.

In Keulen, Frankfort en andere steden riepen honderdduizenden Duitsers: 'Ken-ne-dy! Ken-ne-dy!' William Tyler, van Buitenlandse Zaken, vond dat de populariteit van de president 'veel verder ging dan je op grond van zijn daden zou kunnen verwachten. [...] Iets in hem [...] leek te weerklinken in de harten en stemmen van al deze mensen toen ze hem begroetten.'

Kennedy vertelde de bondskanselier: 'U gaat me toch niet vertellen dat deze mensen toevallig een Amerikaanse vlag in huis hadden.' Terwijl hij Wiesbaden binnenreed, een stad waar veel Amerikanen woonden, passeerde hij een bord waarop stond: 'Vraag niet wat u voor uw Ford-dealer kunt doen. Vraag wat uw Ford-dealer voor u kan doen.'

In het General von Steuben Hotel ontmoette hij Kohler, die met zijn vrouw vanuit Moskou naar Bonn was gevlogen om 'nieuwe instructies van de *big boss* te ontvangen', zoals hij aan een vriend schreef. Hij zei dat Chroesjtsjov klaar leek te zijn voor een kernstopverdrag: hij had iets nodig om zijn breuk met de Chinezen en zijn inspanningen voor vreedzame coëxistentie te rechtvaardigen.

Toen ze vertrokken, draaide Phyllis Kohler zich om en zag dat de president op een balkon stond 'te zwaaien en te lachen. Hij zag eruit als een Griekse god.' Wat ze over zijn privé-leven had gehoord, keurde ze af en nu realiseerde ze zich dat het imago in de politiek niet altijd strookte met de werkelijkheid.

Kennedy kwam op woensdag 26 juni aan in West-Berlijn, precies op tijd voor de vijftiende verjaardag van de Berlijnse luchtbrug. Lucius Clay was bezorgd geweest dat een reis naar Berlijn het leven van de president in gevaar zou brengen. Toen hij merkte dat Kennedy zich niet door zijn waarschuwing liet afschrikken, zei hij: 'U hebt nog helemaal geen ontvangst meegemaakt. Wacht maar tot u in Berlijn bent. Dan zult u iets zien wat u nog nooit eerder hebt gezien.'

Even na twaalf uur beklom de president een met vlaggen getooid podium voor het stadhuis, waar de menigte in augustus 1961 had geprotesteerd tegen haar 'verraad' door het Westen.

Die dag vulden een miljoen juichende Westberlijners het plein. Staand in de 'enorme, zwellende, golvende, uitzinnige massa die tot vrijwel alles in staat was', merkte William Manchester op dat Kennedy er 'knap, krachtig en – ja – arisch' uitzag. Wijs geworden door de bittere ervaringen om een dergelijke massale emotie te wantrouwen, vroeg Adenauer aan Rusk: 'Betekent dit dat Duitsland op een dag een nieuwe Hitler zou kunnen krijgen?'

In Washington had Robert Kennedy zijn broer aangeraden om tegen de Westberlijners iets in het Duits te zeggen. Terwijl ze in de Air Force One vlogen, had de president aan O'Donnell gevraagd: 'Wat was de grootste eer voor de Romeinen?. [...] Laat Bundy hiernaartoe komen. Hij weet wel hoe hij het in het Duits moet vertalen.' Bundy vertelde dat zijn baas 'geen enkel gevoel had voor vreemde talen. Dus zaten we in dat vervloekte vliegtuig en boven Berlijn al aan het dalen, terwijl hij dat zinnetje steeds bleef herhalen [...] en het werkte. God, het werkte verschrikkelijk goed!'

Terwijl de massa het uitschreeuwde, sprak Kennedy in ritmische, precies afgepaste zinnen die zijn woorden veranderden in een soort boze poëzie:

> Tweeduizend jaar geleden,
> tweeduizend jaar geleden,
> was het de grootste eer te mogen zeggen:
> *'Civis Romanus sum.'*
> Vandaag,
> in de Vrije Wereld,

is de grootste eer te mogen zeggen:
'*Ich / bin / ein / Berliner!*'[1]

Theatraal haalde hij zijn hand langs zijn buik, greep zijn pagina's met tekst en draaide zijn profiel naar de massa.

Toen de Westberlijners deze woorden in het Duits hoorden van een leider van wie het voortbestaan van de stad afhing, slaakten ze een bijna dierlijke kreet.[2] Gerhard Wessel, Adenauers militaire-inlichtingenchef, zei jaren later: 'Je moet de psychologische invloed van deze ene zin nooit onderschatten. [...] Voor de Duitsers was het de cruciale zin, die de emoties veranderde en hen deed geloven dat Kennedy een geweldige president was en een vriend van de Duitsers.'

Kennedy was aangedaan en verontrust door de emotie. Spelend met zijn das en revers maakte hij wat hij had gezegd minder scherp door er een grapje over te maken. 'Ik ben blij dat mijn tolk mijn Duits heeft vertaald!'

Hij was altijd vast besloten geweest om massahysterie door middel van demagogie, zoals die werd gebruikt door zijn politieke grootvaders in Boston, te vermijden. Maar niet vandaag. Hij voelde de adrenaline door zijn lichaam stromen als reactie op het meest enthousiaste publiek van zijn leven, zijn bewondering voor de heldhaftigheid van de Westberlijners, zijn verlangen om hen gerust te stellen dat hij hen niet aan Chroesjtsjov zou verkopen als wisselgeld voor een détente.

Hij werd misschien beïnvloed door het schuldgevoel over zijn medeplichtigheid aan de Berlijnse Muur, die hij die ochtend voor het eerst had gezien. Net als toen hij de gevangenen van de Varkensbaai berouwvol had begroet in de Orange Bowl, liet hij toe dat zijn emoties van die dag hem meer lieten zeggen dan hij van plan was geweest.

Er zijn veel mensen
in de wereld
die echt niet begrijpen,
of zeggen niet te begrijpen,
wat het grote verschil is
tussen de Vrije Wereld
en de communistische wereld
Laat hen naar BERLIJN komen!

Sommige mensen zeggen
dat het communisme
de toekomst heeft.
Laat hen naar BERLIJN komen! [...]

En er zijn zelfs enkelen
die zeggen

1. In zijn Bostons accent sprak hij het uit als: 'Ish/bien/ain/Bie-lien-aa!'
2. Bundy's 'esprit de l'escalier' deed hem beseffen dat Kennedy had moeten zeggen: '*Ich bin Berliner,*' omdat dit grammaticaal beter was – 'en ook omdat *"ein Berliner"* een soort oliebol kan betekenen. Gelukkig trok de massa in Berlijn zich niets aan van mijn fout: niemand op het plein zag JFK aan voor een oliebol.'

dat het communisme
weliswaar een kwaadaardig *systeem* is,
maar dat het ons in staat stelt economische vooruitgang
te boeken.
Lass' sie nach Berlin kommen.
Laat HEN naar Berlijn komen!

Voor de eerste keer in zijn leven stelde de president de Berlijnse Muur aan de kaak:

Vrijheid kent vele problemen
en democratie is niet perfect.
Maar wij hebben nog nooit een *muur* hoeven optrekken
om onze mensen binnen te houden,
om te voorkomen dat zij vertrekken!

Hij ging verder: 'Het is zoals uw burgemeester heeft gezegd' – zelfs in deze op gewonden stemming was Kennedy voorzichtig genoeg om zijn woorden in de mond van Willy Brandt te leggen – 'een misdaad, niet alleen tegen de geschiedenis, maar een misdaad tegen de mensheid, die man en vrouw, broer en zus scheidt, en een volk verdeelt dat één wenst te zijn'. Met uitzondering van drie kleine verwijzingen later in zijn trip, elk korter dan een zin, heeft de president de Berlijnse Muur nooit meer in het openbaar genoemd.
De toespraak wordt hoofdzakelijk herinnerd vanwege dat ene zinnetje: *'Ich bin ein Berliner.'* Drie decennia later, na het einde van de Koude Oorlog en de hereniging van Duitsland, heeft de slotrede van Kennedy's toespraak een nog veel krachtiger effect:

Dus laat me u daarom vragen
terwijl ik afsluit
om uw ogen voorbij de gevaren van vandaag te richten
op de hoop van morgen,
voorbij de vrijheid van alleen deze stad, Berlijn,
of van uw land, Duitsland,
op de opmars van vrijheid overal,
over de Muur
op de dag van vrede en gerechtigheid. [...]
Dan kunnen we uitkijken
naar die dag
waarop deze stad weer één zal zijn –
en dit land en dit geweldige continent, Europa –
op een vreedzame en hoopvolle aarde zullen bestaan.

Als die dag daar is –
en hij zal komen –
kunnen de mensen van West-Berlijn
de nuchtere voldoening smaken
dat zij in de frontlinie hebben gezeten.

Als Chroesjtsjov Kennedy's toespraak voor het raadhuis net zo letterlijk had genomen als Kennedy had gedaan met zijn toespraak over bevrijdingsoorlogen in 1961, dan was het positieve effect van de toespraak aan de American University waarschijnlijk volkomen tenietgedaan. Gelukkig zag de Secretaris-Generaal het in een breder perspectief en deed hij de toespraak af als demagogie die bij de Koude Oorlog hoorde, een vorm van retoriek die ook hem niet onbekend was.[1]

Amerikaanse diplomaten in Europa kregen de opdracht om aan hun gastregeringen uit te leggen dat de president niet echt had bedoeld dat het Westen niet kon samenwerken met de communisten. Om zijn gepassioneerde woorden voor het raadhuis te neutraliseren voegde Bundy wat verzoenende taal toe aan de volgende toespraak van Kennedy's rondreis.

Toen de president het verdeelde land verliet, was hij zo opgewekt door de vierdaagse bewondering dat hij een Duitse menigte vertelde dat hij een envelop voor zijn opvolger zou achterlaten waarop zou staan: 'Te openen in tijden van ontmoediging.' Er zou een briefje inzitten, waarop zou staan: 'GA NAAR DUITSLAND.' Hij voegde daaraan toe: 'Misschien maak ik die envelop op een dag zelf wel open.' Nadat het vliegtuig was opgestegen, zei hij tegen Sorensen: 'Zo'n dag zullen we nooit meer meemaken, zolang als we leven.'

Bundy gaf zijn baas een Westduitse opiniepeiling. 'U hebt De Gaulle verslagen in een hard bevochten verkiezing in Duitsland – maar zijn populariteit was toen, die van u is nu.'

Van Berlijn vloog de president naar Ierland. Bundy vond dat de tussenstop de reis onnodig zou verlengen. O'Donnell zei tegen Kennedy dat hij nauwelijks meer Iers-Amerikaanse stemmen nodig had: 'De mensen zullen zeggen dat het een plezierreisje is.' Maar zijn baas antwoordde: 'Ik ben de president van de Verenigde Staten – niet jij.'

Bij zijn aankomst in Dublin kondigde Kennedy aan dat hij de presidentskandidaat voor de verkiezingen van 1968 zou steunen die hem tot ambassadeur voor Ierland zou benoemen. Hij ontmoette wat neven in Dunganstown, zong 'Danny Boy' met balladezangers in Bunratty Castle, en haalde Joyce aan in het Ierse parlement. Dat was de eerste keer dat deze godslasteraar werd genoemd in het parlement, behalve tijdens debatten over censuur.

De president vloog door naar Engeland, ging naar het landgoed Chatsworth en knielde bij het graf van zijn zuster Kathleen voordat hij per helikopter naar het landhuis van Macmillan, Birch Grove in Sussex, vloog, waar ze zouden praten over het kernstopverdrag.

De premier was wat depressiever dan normaal en duizelde nog wat na van een seksschandaal in regeringskringen. Zijn minister van Defensie, John Profumo,

---

1. In een toespraak van twee weken later zei Chroesjtsjov: 'Als men leest wat hij in West-Berlijn heeft gezegd en dat vergelijkt met zijn toespraak aan de American University, zou men denken dat het toespraken van twee totaal verschillende presidenten zijn.' Kennedy 'wedijverde met de president van Frankrijk om de hand van de oude Duitse weduwe. Ze proberen allebei haar hart te winnen, dat al koud is en dat de eigenaar vaak tot volslagen onconstructieve gedachten aanspoort. En als deze weduwe het hof wordt gemaakt op de wijze waarop deze twee vrijers dat doen [...], kan de weduwe ijdel worden en denken dat de oplossing van de wereldproblemen werkelijk van haar afhankelijk is.'

had die maand toegegeven dat hij de call-girl Christine Keeler had gedeeld met een Russische militair attaché, kapitein Jevgeni Ivanov, en dat hij er daarna over had gelogen.[1] David Bruce had Washington getelegrafeerd om te vertellen dat de meeste Britse kiezers vonden dat Macmillan moest aftreden. 'Conservatieven beginnen nu actief te overleggen wie Macmillan zou moeten vervangen.' Kennedy's speciale relatie met de premier had zijn grenzen. Verontrust over de mogelijkheid dat hij in het voetspoor van Macmillan ook een slechte pers zou krijgen, in het bijzonder nu hij aan betere betrekkingen met Moskou werkte, had hij overwogen om het bezoek af te zeggen.[2] In plaats daarvan had zijn staf de Britten ervan op de hoogte gesteld dat hij jammer genoeg niet langer kon blijven dan vierentwintig uur (dit na een verblijf van vier dagen in Ierland!) en dat hij wilde vragen om de plaats van samenkomst te veranderen van Londen in Sussex, waar de ontmoeting minder aandacht zou trekken.[3]

Macmillan maakte in zijn dagboek melding van zijn irritatie over verhalen dat 'de president me "de rug heeft toegekeerd"': de waarheid zou aan het licht komen als Kennedy bekend maakte dat hij 'zichzelf had uitgenodigd' op Birch Grove.

De dag voordat hij aan zijn rondreis door Europa begon, had de president nog geklaagd: 'Waarom kregen we niet veel eerder lucht van deze affaire-Profumo. Tenslotte geven we al onze militaire geheimen aan Engeland en moeten we hun hooggeplaatste officieren doorlichten [...] maar ja, de CIA vertelt mij nooit iets.' Bruce zond hem een 'strikt vertrouwelijke' boodschap in Bonn: 'Recente roddels' over affaire-Profumo en 'vele anderen die daar absoluut niet bij zijn betrokken, zijn van een haast onbegrijpelijke verscheidenheid en rancune. [...] Tot nu toe is er, bij mijn weten, geen enkele Amerikaanse regeringsfunctionaris bij betrokken [...] noch heb ik reden om aan te nemen dat dit zal gebeuren, tenzij door middel van insinuaties.'

Het laatste programma-onderdeel bestond uit een tweedaags bezoek aan Italië, waar Kennedy de zojuist verkozen paus Paulus VI, president Antonio Segni, premier Giovanni Leone en andere Italiaanse leiders ontmoette. Kennedy had Rusk verzocht om een nacht op een ontspannende en mooie locatie ergens in Italië te regelen. De minister van Buitenlandse Zaken bezorgde hem de prachtige villa van de Rockefeller Foundation aan het Comomeer. Jaren later herinnerde

1. In 1989 zei Ivanov: 'Toen ik las dat ik zou hebben geprobeerd om Keeler te vragen Profumo uit te horen over de raketten, moest ik wel lachen. Het zou oerstom zijn geweest om dat zelfs maar te overwegen.' Hij schreef het schandaal toe aan 'een of andere groepering' die 'baat had bij de val van Profumo. Wat voor groepering, dat weet ik niet. Hij had vijanden en die hadden materiaal nodig om hem in opspraak te brengen.' Hij beweerde te weten dat 'Chroesjtsjov geen moment bezig was met de zaak'.
2. De *Washington News* bijvoorbeeld, eiste dat de president zijn bezoek zou afzeggen omdat het 'aanzien en steun zou verlenen aan de wankelende regering van premier Macmillan. [...] Wij kunnen geen geschikter tijdstip bedenken waarop de president zo ver mogelijk van Engeland moet wegblijven.
3. Vanaf Birch Grove belde de president O'Donnell en Powers in Brighton, waar zij een feest organiseerden voor de pers en de bemanning van de Air Force One: 'Jullie worden bedankt dat je me hebt laten zakken. Ik neem aan dat jullie dit feestje al een week of langer hadden voorbereid. Wie zijn er allemaal? Wat is er gaande? Ik neem aan dat je een flinke borrel in je hand hebt.'

hij zich dat, toen de president arriveerde, hij alle veiligheidsmensen en bedienden wegstuurde: 'Men heeft het sterke vermoeden dat Kennedy die nacht niet alleen heeft doorgebracht.'

Op maandag 1 juli, terwijl de president aan het Comomeer verbleef, ontmoette de minister van Justitie James Horan en Dom Frasca van de *New York Journal American*. Zij hadden een voorpaginaverhaal gepubliceerd waarin ze schreven dat 'een van de grootste namen in de Amerikaanse politiek' een verhouding had gehad met een vrouw uit New York, genaamd Suzy Chang. Zij werd in verband gebracht met Christine Keeler en haar vriendin Mandy Rice-Davies, tijdens een bezoek aan Manhattan in 1962.

Robert Kennedy vroeg wie die hooggeplaatste functionaris was. De verslaggevers zeiden: 'De president.' Ze speelden een band af van hun telefonische interview met een kennis van Suzy Chang. Robert vroeg hun of het verhaal werd bevestigd door een andere bron. Ze antwoordden bevestigend, maar weigerden die bron te onthullen. FBI-man Courtney Evans, aan wie Robert had gevraagd om de ontmoeting af te luisteren, zei dat de ontmoeting 'zeer koel' eindigde in een 'bijna vijandige sfeer tussen de minister van Justitie en de verslaggevers'.

De volgende dag vroeg Robert aan J. Edgar Hoover of de FBI erachter kon komen wat Christine Keeler en Mandy Rice-Davies precies in New York hadden gedaan. Er kwam geen overtuigend bewijs aan het licht waaruit bleek dat Chang, Keeler en Rice-Davies deel uitmaakten van de groep vrouwen van wie gezegd werd dat ze af en toe het Carlyle-penthouse van de president binnenwipten. Desalniettemin had de minister van Justitie alle reden om te vrezen dat de opwinding rond Profumo en Keeler de seksuele verhoudingen van nationale leiders tot vrij spel voor de pers zou maken.

Het Britse schandaal had aangetoond dat, indien een publieke figuur betrokken was bij een verhouding die hem bij openbaarmaking zou schaden, deze persoon kwetsbaar zou worden voor chantage. Verslaggevers zouden nu kunnen stellen dat het in het algemeen belang was om hun kennis over de privé-aangelegenheden van die leiders die verantwoordelijk waren voor de veiligheid van het Westen, openbaar te maken. Voor de minister van Justitie was dit geen prettig vooruitzicht. In juli 1963 was de president zelf in gevaar om het middelpunt te worden van een seks-en-veiligheidsschandaal.

Een allesomvattend overzicht van John Kennedy's seksuele gedrag ligt ver buiten het bestek van dit boek, maar door wat we weten van de relaties van de president met andere vrouwen, kan een groot vraagteken worden gezet bij zijn leiderschap en diplomatie.

Kennedy wist dat seksuele comprommittering en chantage de oudste instrumenten van spionage waren. Als in het Amerika van de vroege jaren zestig kon worden bewezen dat de president met een vrouw anders dan zijn echtgenote had geslapen, zou zijn politieke carrière ernstig worden geschaad. Als die vrouw ook nog op een belangrijke wijze in verband kon worden gebracht met een regering uit het Sovjetblok, zou hij vrijwel zeker worden weggestuurd.

Elke belangrijke beslissing in de buitenlandse politiek zou in twijfel worden getrokken: hadden de Sovjets de president gechanteerd om de Sovjet-Unie of haar bondgenoten te ontzien uit angst voor een onthulling? Andere Amerikaanse leiders zouden worden gecheckt op soortgelijke compromitterende zaken in een rode paniekgolf waarbij het McCarthy-tijdperk nog schril zou afsteken.

Of de president met andere vrouwen dan zijn echtgenote wilde slapen, is niet van belang voor de historicus die zijn politiek bestudeert. Wat wel van belang is, is dat uit al het beschikbare bewijsmateriaal blijkt dat Kennedy geen enkele poging heeft ondernomen om zich er, door onderzoek of op andere wijze, van te verzekeren dat de vrouwen met wie hij een verhouding had geen motief of mogelijkheid hadden om hem met een bewijs van hun verhouding te chanteren ten voordele van een vijandelijke regering of organisatie.

Herve Alphand, de Franse ambassadeur in Washington, schreef in zijn dagboek dat de 'verlangens van de president moeilijk te stillen zijn zonder de angst voor een schandaal en het gebruik daarvan door zijn politieke vijanden op te wekken. Het is mogelijk dat dit eens gebeurt, omdat hij onvoldoende voorzorgsmaatregelen neemt in dit puriteinse land.'

Als Sam Giancana bijvoorbeeld ooit had gedreigd om Kennedy's verhouding met Judith Campbell bekend te maken, dan had de president kunnen worden geconfronteerd met de keuze toe te geven aan Giancana's eventuele eisen of zichzelf uit het ambt te laten zetten. Welke president kon de onthulling overleven dat hij welbewust had geslapen met de maîtresse van een maffiabaas?[1]

We weten dat inlichtingendiensten in het Oostblok gedurende de jaren vijftig en vroege jaren zestig serieuze pogingen ondernamen om westerse functionarissen, die grote invloed hadden op het buitenlands beleid van hun landen ten aanzien van de Sovjet-Unie, seksueel te compromitteren. In 1958, bijvoorbeeld werd de Franse ambassadeur in Moskou, Maurice Dejean, van wie bekend was dat hij dicht bij De Gaulle stond, verleid tot een verhouding met een KGB-agente, waarna hij door een schurk die zich voordeed als haar echtgenoot, in elkaar werd geslagen.

Volgens een overloper was de Russische geheime politie verteld dat 'Nikita Sergejevitsj persoonlijk' wilde dat Dejean zou worden gepakt. De ambassadeur kreeg onvermijdelijk bezoek van een Sovjetfunctionaris die hem verzekerde dat, hoewel 'het wat voeten in de aarde had gehad', de boef 'zich gedeisd zou houden in het belang van de Frans-Russische betrekkingen'.

Omdat men Dejean beschouwde als iemand met een veelbelovende carrière in de Franse politiek, wilden de Sovjets hem tijdens zijn verblijf in Moskou kennelijk niet dwingen tot een ingrijpende trouweloze daad. Waarschijnlijk dachten ze dat hij hun veel meer van nut kon zijn als hij eenmaal weer terug in Parijs zou zijn, waar hij beter in staat zou zijn om het oude Sovjetdoel, het losrukken van Frankrijk uit de Europese invloedssfeer, te realiseren.[2]

1. Uit beschikbare informatie blijkt dat Kennedy niets wist van de relatie tussen Campbell en Giancana op het moment dat hij haar ontmoette. Hij zette de verhouding echter voort nadat hij erachter was gekomen. Misschien probeerde hij zo in contact te blijven met de maffiabaas, maar het is ook mogelijk dat hij zich zorgen maakte dat de vrouw naar hem zou uithalen als hij de relatie te plotseling verbrak.

2. Richard Davies van de Amerikaanse ambassade herinnerde zich dat de Thompsons 'jaloers waren' op het feit dat Russische schilders, schrijvers en componisten wie de toegang tot hun ambassade was ontzegd, officieel werden aangemoedigd om Dejeans vertrekken te bezoeken. Nadat de Fransen in 1963 van een Russische overloper hadden ge-

De veiligheidsdienst beschikte over onvoldoende middelen of toestemming om de achtergrond van iedere vrouw die de presidentiële slaapkamer aandeed, na te trekken.[1] De dienst moest dezelfde houding aannemen als Dean Rusk, die jaren later zei dat hij Kennedy's minister van Buitenlandse Zaken was, 'niet zijn chaperonne'.

Het kan de president nauwelijks zijn ontgaan dat de Sovjets seks gebruikten voor chantage. Toen Thompson hem eens uitlegde dat ongetrouwde jonge mariniers de ambassade in Moskou bewaakten, merkte hij dat Kennedy 'erg ontsteld' was over de mogelijkheid van compromittering door de Sovjets: 'Jezus, Tommy! Probeer je me te vertellen dat ze daar een heel jaar zitten zonder vrouw? Mijn God, hoe doen ze dat dan met vrouwen?'[2]

Al eerder had een romance Kennedy's carrière bedreigd. Begin 1942 had hij als inlichtingenofficier bij de marine een verhouding met Inga Arvad Fejos, een getrouwde vrouw van wie werd gezegd dat ze vlak daarvoor de maîtresse was van Axel Wenner-Gren, een Zweed die op de zwarte lijst van het ministerie van Buitenlandse Zaken stond wegens zijn nauwe betrokkenheid met Hermann Göring en andere nazi-leiders. Ze werd tijdens de Olympische Spelen van 1936 gefotografeerd naast Hitler. Hij beschouwde haar als 'het perfecte voorbeeld van Noordeuropese schoonheid'.

Ze was een lange blondine, voormalig Miss Denemarken, die het had over de 'verdomde vieze joden' en ze stond, op uitdrukkelijk bevel van Franklin Roosevelts minister van Justitie, onder observatie van de FBI als een mogelijke nazispionne. Dit resulteerde in notities in haar FBI-dossier als: 'Op 6 februari 1942 bezocht ze Kennedy in Charleston, South Carolina, waar de twee drie nachten in dezelfde hotelkamer doorbrachten en meerdere malen geslachtelijke omgang hadden.'

Hoe groot Kennedy's politieke cynisme van die tijd was, blijkt wel uit zijn bereidheid om een verhouding aan te gaan met een vrouw die nauwelijks kritiek had op Hitler en van wier bewegingen en connecties hij wist dat ze de overheid zorgen baarden omdat ze tegen de Verenigde Staten werkte.[3] Die winter schreef

hoord dat de ambassadeur was gecompromitteerd, gelastte De Gaulle een onderzoek. Dejean werd uit Moskou teruggeroepen en ondervraagd. Later zei men dat hij naar het Elysée werd gebracht waar de president langs zijn neus naar hem keek en hem met een enkele zin weer wegstuurde: *'Eh bien, Dejean, on couche!'* (Dus, Dejean, je gaat met ze naar bed!')

Gedurende dezelfde periode probeerde de KGB kennelijk ook de Canadese ambassadeur in Moskou, John Watkins, een homoseksueel, aan hun kant te krijgen. En volgens een Tsjechische overloper werd een KGB-verleidster in de vroege jaren zestig in bed gefotografeerd met een Conservatief lid van het Britse parlement. Toen de Tory weigerde voor de Sovjets te werken, werden de foto's afgedrukt in een folder en naar de Londense pers gestuurd. Hij werd niet herkozen.

1. Een agent schijnt te hebben gezegd dat de grootste angst van de veiligheidsdienst was dat de Sovjets 'een mokkel [zouden] loslaten' op de president'.
2. Kennedy's zorgen bleken vooruitziend te zijn toen dertig jaar later mariniers die wacht liepen bij de ambassade, werden beschuldigd van het uitwisselen van geheimen in ruil voor seks.
3. Na een gesprek met Hitler schreef ze dat hij 'buitengewoon menselijk, ontzettend aar-

hij haar: 'Ik ben terug van een interessante reis. Ik zal je verder niet vervelen met de details, want als je een spionne bent, mag ik het je niet vertellen en als jij dat niet bent, zal het je niet interesseren. Maar ik heb je gemist.'[1]

Maart 1942 schreef Kennedy aan Lem Billings dat Arvad 'op weg was naar Reno. Het zou zeker ironisch zijn als ik zou trouwen terwijl jij op bezoek was in Duitsland.' Die zomer: 'Zoals je waarschijnlijk niet hebt gehoord – Inga-Binga is getrouwd – en niet met mij – ze wilde Washington kennelijk verlaten om naar New York te gaan, dus is ze met iemand getrouwd die ze al jaren kent maar van wie ze niet houdt. Ik denk dat het veel slimmer zou zijn geweest als ze gewoon de trein had genomen. [...] Nou ja, ze maakt het goed – en dat maakt het hier een beetje saai.'

De affaire zorgde er bijna voor dat Kennedy oneervol uit de marine werd ontslagen. Later werd gezegd dat Joseph Kennedy, om de affaire die niet alleen Kennedy's toekomst maar ook die van zijn oudere broer en vader zou kunnen bedreigen, zijn invloed bij Roosevelts regering had aangewend om hem overgeplaatst te krijgen naar een PT-boot op de Stille Oceaan. In besloten kring zei de president: 'Ze schopten me de stad uit om ons uit elkaar te halen.' J. Edgar Hoover betreurde later zijn aandeel in de episode, toen hij een assistent vertelde dat Kennedy nooit president zou zijn geworden als hij niet het bevel had gevoerd over de PT-109.[2]

Misschien was het feit dat hij het lot had weten te tarten door de verkiezingen te winnen ondanks de Arvad-dossiers, de reden waarom Kennedy voelde dat zijn privé-leven hem waarschijnlijk niet in verlegenheid zou brengen. Zijn advocaten, zijn vader en zijn broer Robert hebben kennelijk steekpenningen, gerechtelijke stappen en andere bedreigingen gebruikt om de vrouwen die iets hadden gehad met Kennedy, het zwijgen op te leggen en, voor het breken van een trouwbelofte of om andere redenen, hadden gedreigd in de openbaarheid te treden.

Kennedy wist dat de regels van het spel in die tijd zijn tegenstanders en de landelijke pers dwongen om kwalijke informatie over het privé-leven van een leider niet te gebruiken, tenzij deze werd geacht zijn publiekelijke verrichtingen te beïnvloeden. Tijdens de Senaatscampagne van 1952 tegen Henry Cabot Lodge, toen iemand een foto had opgediept van Kennedy samen met een naakte vrouw op het strand, zei hij: 'Maak je niet ongerust, Cabot zal hem nooit gebruiken.'

dig en charmant was. [...] Hij is niet zo slecht als de vijanden van Duitsland hem afschilderen. Hij is ongetwijfeld een idealist; hij gelooft dat hij het juiste doet voor Duitsland en zijn interesse reikt niet veel verder.'

1. Een andere brief die Kennedy haar vanuit South Carolina schreef, leek door Kennedy's vader te zijn geschreven: 'Hebben jullie daar in Washington niets anders om over te praten dan een waaierdanseres en een filmster die twaalfhonderd dollar per jaar verdient? Nu alles in de wereld wordt vernietigd en [...] met name al die centen die worden uitgegeven, prutselen ze maar door over een rottig klein beetje *New Dealism* waarvan er in de afgelopen tien jaar andere en betere voorbeelden zijn geweest. Ik denk dat alles hier veel te ingewikkeld is geworden voor het gemiddelde Congreslid. [...] Het enige dat steeds aan de verwachtingen voldoet, ben jij.'

2. Charles Colson, die onder Nixon in het Witte Huis diende, vertelde in 1975 dat de FBI hem in 1971 of 1972 informatie had verschaft over de affaire-Kennedy-Arvad, waarschijnlijk om haar tegen de Democraten te gebruiken.

Hij kreeg gelijk, maar de naakte vrouw was noch een agente uit het Oostblok, noch een maffiasnol.

Hoewel hij gefascineerd werd door wat hij te weten was gekomen over het liefdesleven van Castro, Goulart en andere leiders, vond de president dat het privégedrag van een regeringshoofd ver van de vulgaire nieuwsgierigheid van het publiek diende te worden gehouden. Tijdens een diner op het Witte Huis, toen iemand het onderwerp van Lenins maîtresses ter tafel bracht, kreeg deze een ijzige blik toegeworpen vanaf het hoofd van de tafel.

Voor Kennedy zou een veiligheidscontrole van iedere vrouw die hij zag, voorafgaand aan zijn ontmoeting, iets van de aantrekkingskracht van het afspraakje kunnen wegnemen. Net als zijn vader hield hij ervan om de regels straffeloos te trotseren. Het is moeilijk voor te stellen dat Truman of Eisenhower een weddenschap aanging met zijn beste vrienden, zoals deze president naar verluidt heeft gedaan, die zou worden gewonnen door 'de eerste man die in de Lincoln-slaapkamer naar bed gaat met iemand anders dan zijn echtgenote'.

Kennedy beschouwde zijn openbare optreden en zijn privé-leven als twee werelden in zijn leven die niet al te zeer met elkaar in verbinding stonden. Hij deed het eerste met een voortdurend verantwoordelijkheidsbesef, en het tweede met het fatalisme dat Billings opmerkte, levend 'voor het moment, elke dag beschouwend als was het zijn laatste, van het leven constante intensiteit eisend, avontuur en plezier'. Over zijn verhoudingen met vrouwen zou de president tegen een goede vriend hebben gezegd: 'Ze kunnen me niet raken zolang ik nog in leven ben. En kan het iemand nog wat schelen als ik dood ben?'

In de jaren vijftig kon hij misschien op zijn vader en zijn advocaten vertrouwen om de krachten die hem tegenwerkten af te houden. Maar nadat hij zijn intrek had genomen in het Witte Huis, was de inzet niet langer de carrière van een Senator, maar die van de hele wereld. Door achter vrouwen aan te zitten wier achtergronden hij duidelijk niet kon kennen, maakte Kennedy zich als president tot een potentiële gegijzelde van iedere vindingrijke groep binnen de Amerikaanse samenleving die hem ten val zou kunnen willen brengen – de Teamsters, de maffia, radicaal rechts – en iedere vijandelijke inlichtingendienst ter wereld.

Ellen Fimmel Rometsch was de zevenentwintigjarige echtgenote van een Westduitse piloot die was gestationeerd op een Westduitse militaire basis in Washington. Ze was geboren in Kleinitz, in Oost-Duitsland, en was lid van twee organisaties van de Communistische Partij voordat ze in 1953 op zeventienjarige leeftijd naar het Westen vluchtte. Haar ouders en andere familieleden bleven achter.

In april 1961 arriveerden zij en haar tweede echtgenoot, sergeant Rolf Rometsch, in Washington. 'We zaten zo krap bij kas dat Ellen soms als model werkte,' vertelde hij later. 'Iets vreemds in haar gedrag is mij nooit opgevallen.' Ze werkte op vrijwel alle uren van de dag en zei tegen haar vrienden dat ze een model was.

Gekleed in een strak kostuum en zwarte netkousen begon ze te werken als serveerster in de Quorum Club, de besloten ruimte in het Carroll Arms Hotel aan de overkant van het Senaatsgebouw, dat werd gefrequenteerd door Congresleden, hun staf en lobbyisten. De eigenaar van de club was Bobby Baker uit Alabama, die ooit protégé was geweest van Lyndon Johnson, de klusjesman en secretaris van de Senaat, bekend als de 'honderd-en-eerste Senator'.

Later bezocht Rometsch de beruchte feesten die in het huis van Baker, in Zuid-west-Washington, werden gegeven. Onder de snel groeiende kennissenkring van Rometsch op Capitol Hill en Embassy Row en in het uitvoerend college van de regering bevond zich ten minste één lid van de Russische ambassade en, volgens de FBI, de president.

Haar luidruchtige opschepperij en geldsmijterij trokken de aandacht van de FBI. Robert Kennedy eiste dat ze onmiddellijk het land zou worden uitgezet, nadat hij eind juli of begin augustus 1963 van het FBI-onderzoek had gehoord. Binnen een week werden Rometsch en haar man afgevoerd naar West-Duits-land door een van Roberts assistenten. 'Mijn baas op de ambassade vertelde me dat ik terug moest naar Duitsland wegens het gedrag van mijn vrouw,' vertelde Rolf later. 'Ik kreeg te horen dat het uit veiligheidsoverwegingen was.'

Hier had het misschien bij kunnen blijven, ware het niet dat de Senaat een diep-gaand onderzoek instelde naar Bakers smeergelden, gunsten en vrouwen, waardoor de man uit Alabama later in de gevangenis belandde. Op 26 oktober 1963 rapporteerde de *Des Moines Register* de uitwijzing van Rometsch en zei dat ze 'in verband werd gebracht met leiders van het Congres en enkele belangrijke *New Frontier*-mannen', en dat ze kwaad was dat haar 'belangrijke vrienden' haar vertrek niet hadden verhinderd. De Republikeinse Senator John J. Williams van Delaware eiste een onderzoek.

Robert Kennedy vroeg aan zijn trouwe vriend LaVern Duffy, een opsporings-ambtenaar die in het onderzoekscomité naar misstanden bij de vakbeweging nauw met hem, Salinger en O'Donnell had samengewerkt, om onmiddellijk naar West-Duitsland te vliegen, de vrouw te kalmeren en haar stil te houden. Tegen de tijd dat verslaggevers rond het huis van haar familie in Linderhausen zwermden, stond er iemand op wacht die ze verjoeg met een geweer. Misschien hadden ze een tip gekregen uit Washington en waren ze niet van plan om de Amerikanen tegen zich in het harnas te jagen, maar de regering in Bonn maakte bekend dat Rometsch geen Oostduitse contacten had onderhouden. 'De hele zaak lijkt onschuldig.'

De minister van Justitie vroeg J. Edgar Hoover hem te helpen de leiders van de Senaat, Dirksen en Mansfield, over te halen om een Senaatsonderzoek te verhoeden dat, zo waarschuwde hij, Republikeinen en Democraten zou bezoedelen. Hoover draaide het mes nog eens om en antwoordde dat Robert al 'een compleet memorandum over deze zaak had'. Dat moest hij zelf maar aan Mansfield en Dirksen voorlezen. Kennedy werd gedwongen zijn verzoek te herhalen. De directeur stemde toe.

Het resultaat van Hoovers ontmoeting met de twee Senatoren bij Mansfield thuis was dat de verhouding van de president met Rometsch een nationaal geheim bleef. FBI-agenten bestormden het kantoor van een fotograaf in het Congres en namen alle foto's en negatieven van de Duitse vrouw in beslag. De president en zijn broer stonden nog meer in het krijt bij Hoover.

De week daarop gaf de president valse informatie aan Ben Bradlee. Hij vertelde de redacteur van *Newsweek* dat hij van plan was Hoover regelmatig te ontmoeten, net zoals Franklin Roosevelt had gedaan 'met geruchten die de ronde doen en een hoop aanwijzingen voor een smerige campagne'. Hij schudde het hoofd. 'Het materiaal dat hij over die Senatoren heeft! Je zou je ogen niet geloven.'

Hij beschreef een foto van Ellen Rometsch die, zei hij, de directeur onlangs had meegenomen naar een lunch. De foto liet zien dat ze 'echt een mooie vrouw was'. Hoover had hem verteld, zo zei hij, dat ze nu naar de Verenigde Staten wilde terugkeren om met een opsporingsambtenaar van de Senaat te trouwen. De Senaatsmedewerker 'kreeg gratis waarvoor Elly anderen honderden dollars per nacht berekende'. Wat Baker betrof, Kennedy had Bradlee de vorige maand verteld dat hij 'in principe een boef was, geen echte misdadiger. Hij zei altijd dat hij wist waar hij de leukste meisjes voor me kon krijgen, maar dat heeft hij nooit gedaan.'

In zijn interview met historici gaf Robert Kennedy in 1965 zijn eigen kijk op het weinige dat het publiek wist van de zaak-Rometsch: 'Ik sprak erover met de president – en er was niemand van het Witte Huis bij betrokken – maar ik dacht dat het misschien het vertrouwen van de Amerikanen in hun regering kon schaden en dat het ons misschien tot voorwerp van bespotting kon maken. Ik stelde voor dat Hoover een ontmoeting zou hebben met Mansfield en Dirksen om hun uit te leggen wat er in de dossiers stond. [...] Een paar van de meisjes hadden kennelijk leugens verteld. [...] Maar we hadden alles onder controle.'

Als de minister van Justitie en Hoover er niet in waren geslaagd om de zaak-Rometsch 'onder controle' te krijgen, en als de president in 1963 of 1964 zou zijn gedwongen om af te treden wegens een seks-en-veiligheidsschandaal, dan zou de politiek van de Verenigde Staten voor minstens een generatie zijn vergiftigd. De Amerikaanse rechtervleugel en anderen hadden Kennedy's falen om gebruik te maken van het Amerikaanse nucleaire voordeel in de Varkensbaai, in Laos en in Berlijn, en gedurende de rakettencrisis kunnen uitleggen als het gevolg van compromittering van de president door inlichtingendiensten van het Sovjetblok.

Welke Amerikaanse leider zou, in een klimaat waarin iedere Amerikaanse beslissing betreffende de Koude Oorlog onder de loep werd genomen om te zien of Amerikaanse functionarissen in het geheim voor de Russen werkten, de moed hebben gehad om een dergelijke verdenking op zich te laden door aan te dringen op betere betrekkingen met de Sovjet-Unie?

Op dinsdag 2 juli 1963, in een sporthal in Oost-Berlijn, prees Nikita Chroesjtsjov de 'nuchtere beschouwing' van de wereld in Kennedy's toespraak aan de American University. Voor duizenden juichende communisten zei hij dat de Sovjet-Unie bereid was tot een beperkt kernstopverdrag, dat betrekking had op de atmosfeer, de ruimte en onder water. In combinatie met 'de gelijktijdige ondertekening van een niet-aanvalsverdrag' tussen Oost en West zou een dergelijk verdrag een 'nieuw internationaal klimaat' scheppen.

De Secretaris-Generaal liet zijn eerdere eis voor een onbewaakt moratorium van ondergrondse kernproeven vallen, maar trok tevens zijn aanbod van plaatselijke controles in. De Sovjet-Unie zou nooit 'haar deuren open stellen voor NAVO-spionnen'. Later zei hij dat de Sovjets geen waarnemers zouden toelaten, net zomin als een oosterling andere mannen in zijn harem zou toelaten.

Kennedy hoorde over Chroesjtsjovs toespraak terwijl hij van Napels naar de luchtmachtbasis Andrews vloog. Thompson merkte op dat de Secretaris-Generaal met zijn intrekking van het aanbod van plaatselijke controles waarschijnlijk 'had toegegeven aan militaire druk'.

Carl Kaysen schreef vanuit Washington aan Willy Brandt dat hoewel Chroesjtsjov een beperkt kernstopverdrag voorstelde, het 'ons een heel eind op weg kan helpen om de deur naar verdere proliferatie van kernwapens te sluiten'. Misschien maakten de Russen 'zich ook zorgen over China', net als de Verenigde Staten: 'De president is er zeker van dat het onverstandig zou zijn de kans die dit signaal biedt, te negeren.'

Op 4 juli bezocht Mikojan de receptie ter gelegenheid van Onafhankelijkheidsdag in het Spaso House. Hij zei tegen Kohler: 'Wij zijn voor het beëindigen van de Koude Oorlog.' De volgende dag, toen Chinese functionarissen in de Sovjethoofdstad arriveerden voor hun met veel tamtam omgeven besprekingen, beledigde Chroesjtsjov hen door van Oost-Berlijn naar Kiev te vliegen zonder in Moskou te stoppen.

Bij zijn datsja aan de rivier in Kiev waar in de verte de oogst werd binnengehaald, zei de Secretaris-Generaal tegen Paul Henri Spaak, secretaris-generaal van de NAVO, dat er geen oorlog zou komen, waarschijnlijk een paar generaties lang, maar dat het aan het Westen lag of de Sovjet-Unie een hard of een soepeler beleid zou volgen.

Hij bracht het gesprek vervolgens op Berlijn en vertelde het verhaal van Tsjechov over de boer die wordt gearresteerd voor het stelen van bouten van de dwarsliggers van de spoorrails voor zijn vislijnen. Hij vertelt de rechter dat een ongeluk onmogelijk is: de dorpelingen stelen ze al jaren. Chroesjtsjov vertelde zijn bezoeker dat hij bouten uit Berlijn zou blijven weghalen, maar nooit te veel tegelijk. Spaak waarschuwde hem om het niet in verband te brengen met een kernstopverdrag: 'In een impasse zult u alles verliezen als u die houding aanneemt.'

Harold Macmillan schreef aan Kennedy dat ze, indien de Secretaris-Generaal 'het aanbod van controles echt laat vallen', op zoek moesten gaan naar de 'grote prijs' van een beperkt verdrag: 'Op die manier kunnen we de problemen die we met Frankrijk, Duitsland enzovoort hebben, beter aanpakken, en misschien kan Chroesjtsjov dan ook iets aan China doen.'

Terwijl hij voor Harriman de instructies voor de onderhandelingen opstelde, overwoog de president in welke richting het overleg zich moest ontwikkelen om te voorkomen dat China een atoommacht werd.[1] Hij had André Malraux, de Franse minister van Cultuur, in januari gewaarschuwd dat een nucleair China 'in de toekomst een grote bedreiging zou zijn voor de mensheid, de Vrije Wereld en vrijheid op aarde', en dat China bereid was om honderden miljoenen van zijn eigen mensen op te offeren voor 'zijn agressieve en militante beleid'. Kennedy had aan assistenten verteld dat hij zelfs bereid was om enig bedrog van de Sovjets te accepteren zolang een uitgebreid kernstopverdrag China de bom maar ontzegde.

In 1963 had Peking verder geen Sovjethulp meer nodig om zich bij het nucleaire

1. Toen hij zich twee jaar eerder voorbereidde op Wenen, hadden Kennedy's adviseurs naar voren gebracht dat hij Chroesjtsjov een gemeenschappelijk Amerikaans-Russisch bestuur zou voorstellen voor een 'stabiele, levensvatbare wereldorde', inclusief de beperking van China's radicale agressie. Maar in 1961 had de Secretaris-Generaal nog niet besloten om zijn relatie met Peking in gevaar te brengen.

gezelschap te voegen. Een uitgebreid kernstopverdrag zou China het excuus ontnemen dat de kernproeven die het deed slechts in navolging waren van die van de Amerikanen en de Sovjets. Het zou Chroesjtsjov misschien nieuwe moed geven om nieuwe politieke en economische sancties op te leggen, maar gedurende de laatste jaren hadden die geen invloed kunnen uitoefenen op het Chinese radicalisme.

Er lagen strikt geheime voorstellen op het ministerie van Buitenlandse Zaken om de Sovjets te verzoeken hun atoomparaplu boven China te verwijderen in ruil voor 'een geheime missie om Jiangs pogingen terug te keren naar het vasteland niet te ondersteunen', of om het standpunt van de Amerikanen over Duitse hereniging te laten varen. Thompson zei tegen de president dat de Sovjets de Chinese leiders die zo graag kernwapens wilden, zouden waarschuwen: 'Niet doen, want anders,' waarbij de mogelijkheid van een preventieve aanval op Chinese kerninstallaties werd opengelaten.

Een van Harrimans instructiedocumenten stelde 'radicale stappen in samenwerking met de Sovjet-Unie' voor, zoals 'Russisch of mogelijk gecombineerd gebruik van Amerikaanse en Russische troepen' tegen China. Eén voorstel was om Amerikaanse en Russische bommenwerpers opdracht te geven bommen te gooien op de Chinese nucleaire installatie bij Lop Nor. Er zou er maar één ontploffen en niemand zou ooit weten welke dat was. Een ander idee was om agenten uit Nationalistisch China te gebruiken om de installatie zodanig te saboteren dat het op een industrieel ongeval zou lijken.

Walt Rostow schreef aan de president: 'We hebben allebei een nationaal belang en een verplichting aan de geschiedenis in het voeren van het Harriman-onderzoek.' Thompson zei dat het vrijwel onmogelijk was om Chroesjtsjov tot een serieuze discussie over China aan te sporen, maar Kennedy vroeg Harriman om zo ver te gaan als hij kon om een oplossing van het probleem te bestuderen. Harriman vertelde hem dat hij iets nodig had om de zaak aantrekkelijker te maken als hij succes wilde hebben. Een 'voor de hand liggende mogelijkheid' was de MultiLateral Force (Multilaterale Troepenmacht, MLF).

In 1962 had de regering-Kennedy dit plan voor een nucleair arsenaal onder gezamenlijk Amerikaans en Europees beheer gelanceerd om de twijfel te temperen van de Westeuropese leiders, in het bijzonder De Gaulle, dat de Verenigde Staten een atoomoorlog voor hen zouden overhebben. De impuls voor de MLF verzwakte toen Frankrijk zich steeds meer terugtrok uit de westerse militaire alliantie. Na de rakettencrisis vroegen nog maar weinigen zich af of Kennedy een nucleaire confrontatie met de Sovjet-Unie zou riskeren.[1] Toen Bundy opmerkte dat MLF 'van de baan' was, antwoordde de president: 'Waar ben *jij* geweest?'

Kennedy zei nu tegen Harriman dat hij in de onderhandelingen met Chroesjtsjov de MLF als troef moest gebruiken als hij daarmee een overeenkomst over China kon bereiken. Andere adviseurs dachten dat de president bereid was de MLF in te ruilen voor een uitgebreid kernstopverdrag met een aanvaardbaar aantal controles. Kennedy zei tegen Harriman dat hij na zijn succesvolle reis

1. De Europese bondgenoten hadden misschien twijfel over zijn betrokkenheid bij de NAVO gekregen als ze iets te weten waren gekomen over zijn geheime overeenkomst om de Turkse raketten op te geven.

naar West-Duitsland 'daar wat geld op de bank had' en dat hij 'daarvan gebruik kon maken als je denkt dat ik dat moet doen'.[1]

Macmillan drong aan op een Amerikaans-Russisch-Engelse top op het tijdstip dat het kernstopverdrag werd ondertekend. Met de verkiezingen in het vooruitzicht en nog meer onthullingen in het Profumo-schandaal kon zijn partij wel een steuntje in de rug gebruiken. De premier wilde de traditie van Britse deelname aan topoverleg tussen Oost en West, die was onderbroken op Camp David en in Wenen, weer in ere herstellen en zijn carrière eindigen, zich koesterend in de bijval voor het kernstopverdrag waar hij zo lang voor had gevochten.

Kennedy zei tegen Harriman dat hij bereid was tot een top als deze ertoe leidde dat Chroesjtsjov een verdrag zou sluiten. Maar hij dacht dat de Fransen en Westduitsers zouden worden geprovoceerd door de aanwezigheid van de zachtaardige Macmillan en dat de omvang van een dergelijke ontmoeting het geheel te formeel zou maken.

De president dacht dat topoverleg moest worden gedirigeerd met het doel om steun te krijgen van het Amerikaanse Congres en het publiek voor het uiteindelijke verdrag. Hij herinnerde zich hoe Wilson in 1919 de Europese leiders in triomf had ontmoet en vervolgens thuiskwam om erachter te komen dat de Senaat zijn droom van Amerikaans lidmaatschap van een levensvatbare Volkenbond dwarsboomde.

Op maandag 15 juli kwamen de vijf man sterke delegatie van Harriman en een Brits team onder leiding van Macmillans minister voor Wetenschap, lord Hailsham, in Moskou aan.[2] Harriman vertelde tegen verslaggevers dat 'wij hier binnen twee weken weer weg zijn' als Chroesjtsjov even geïnteresseerd was in een kernstopverdrag als Kennedy en Macmillan. Gromyko had de leiding van de Sovjetdelegatie, hetgeen Harriman en Hailsham als een goed teken beschouwden.

De Secretaris-Generaal verwelkomde de onderhandelaars in het Kremlin: 'Waarom hebben we nog geen kernstopverdrag? Waarom tekenen we het hier niet en laten we de experts de details uitzoeken?' Harriman schoof een blanco blocnote naar voren: 'Alstublieft, meneer Chroesjtsjov, u tekent eerst en ik teken eronder.'

Hij overhandigde Chroesjtsjov een brief van Kennedy. Daarin beval de president Harriman aan en schreef hij dat hij nog steeds hoopte op een uitgebreid kernstopverdrag en dat hij hun verschil van mening over de controleprocedure

1. Harriman had eerder tegen Schlesinger gezegd dat hij er zeker van was dat de Sovjet-Unie niet zou instemmen met een aanvaardbaar aantal controles tenzij 'ik een paar prettige verrassingen meeneem'. Zich niet bewust van de geheime overeenkomst in de rakettencrisis zei hij dat het hem speet dat Amerika de Jupiters 'eenzijdig' had teruggetrokken uit Turkije. Hij wenste dat hij ze nu nog had om ermee te onderhandelen.

2. Macmillan had eerst gewild dat Ormsby-Gore de delegatie zou leiden, maar besloot toen dat de leider iemand uit de gelederen van het kabinet zou moeten zijn die niet te nauw bij Kennedy was betrokken. Persoonlijk vond Harriman Hailsham te veel een product van de Britse amateuristische traditie, slecht voorbereid en vervuld van de wens om tegen vrijwel iedere prijs een verdrag rond te krijgen. Hailsham beschouwde Harriman op zijn beurt als 'een man die duidelijk zijn top heeft gehad, moe is en een beetje doof wordt'.

betreurde: 'Ik kan slechts herhalen dat er geen enkele wens is om de controles te gebruiken voor spionage, maar door uw recente verklaringen weet ik dat u deze uitleg niet accepteert.'

Desondanks zei de Secretaris-Generaal tegen Harriman dat hij verder niet in de inspecties was geïnteresseerd: 'De moeilijkheid met jullie is dat jullie willen spioneren. [...] Jullie proberen me te vertellen dat als er een stuk kaas in een kamer ligt [...] de muizen die kaas niet zullen opeten.'

Hij toonde een voorstel voor een beperkt kernstopverdrag dat van kracht zou worden zodra het door de Russen, de Amerikanen, de Britten en de Fransen was ondertekend. Harriman en Hailsham stonden natuurlijk op het schrappen van Frankrijk van deze lijst, maar gaven toe dat de latere toevoeging van Frankrijk aan de overeenkomst 'erg belangrijk' zou zijn. Harriman maakte van de gelegenheid gebruik om het gevaar vanuit China naar voren te brengen. Chroesjtsjov antwoordde dat het 'nog jaren' zou duren voordat Peking in het bezit zou zijn van kernwapens en dat hun arsenaal in de verste verte niet kon wedijveren met dat van de Verenigde Staten of de Sovjet-Unie.

Hij presenteerde ook een voorstel voor een niet-aanvalsverdrag. De Russen hadden jarenlang geprobeerd om de Amerikanen voor een dergelijk verdrag te interesseren.[1] Harriman verklaarde dat een dergelijk akkoord uitgebreid overleg met Amerika's westerse bondgenoten zou vereisen waardoor het kernstopverdrag voor lange tijd zou worden vertraagd. Hij zag niet hoe de Verenigde Staten dit konden accepteren tenzij agressie ook de bemoeienis met de toegang tot West-Berlijn zou omvatten.

Chroesjtsjov stelde dat Bonn Kennedy weerhield van het accepteren van een niet-aanvalsverdrag: 'Jullie hebben de Duitsers overwonnen en nu zijn jullie bang voor ze.'

Kennedy hield Harriman en zijn collega's goed aan het lijntje. Hij had Harriman verteld dat hij geen dagelijkse samenvatting wenste van de onderhandelingen, maar een woordelijk verslag van iedere ontmoeting 'zodat we het zelf ook kunnen beoordelen'. Om lekken te voorkomen stelde hij een geheim kanaal in werking met de codenaam BAN: buiten de westelijke vleugel van het Witte Huis werden Harrimans telegrammen alleen door Rusk, McNamara, McCone, Thompson en William Foster van het Bureau Wapenbeheersing en Ontwapening gelezen.

Nadat hij Harrimans verslag over zijn ontmoeting met Chroesjtsjov had gelezen, telegrafeerde de president terug: 'Je hebt gelijk om Fransen uit eerste verdrag te sluiten, maar ik blijf bereid om aan Fransen te werken als Sovjets aan Chinezen willen werken.' Hij was er nog steeds 'van overtuigd dat Chinese probleem veel ernstiger is dan Chroesjtsjov zegt'.

In een vertrouwelijk gesprek moest Harriman de Secretaris-Generaal eraan herinneren 'dat relatief kleine legers in de handen van mensen als Chinezen' groot gevaar voor ons allemaal konden opleveren. 'U moet proberen om Chroesjtsjovs

---

1. Voor Harrimans vertrek uit Washington had Aleksandr Zintsjoek van de Sovjetambassade een Amerikaanse functionaris verteld dat een niet-aanvalsverdrag noodzakelijk was om diegenen gerust te stellen die zich zorgen maakten dat een beperkt kernstopverdrag geen moratorium op ondergrondse proeven zou omvatten.

standpunt los te krijgen over de middelen om Chinese nucleaire ontwikkeling te beperken of tegen te gaan, evenals zijn bereidheid tot actie of om Amerikaanse actie in die richting te accepteren.'

Terwijl ze het Spiridonovka-palcis binnengingen voor de eerste dag van officiële besprekingen, vertelde Harriman zijn collega's dat hij hier voor het eerst in 1943 naar binnen was gegaan voor overleg tussen de Amerikanen en de Sovjets over de naoorlogse Verenigde Naties.

Toen de zitting begon, vroeg hij om verduidelijking van vaag taalgebruik die de inzet van kernwapens, zelfs voor zelfverdediging, leek te verbieden. Een Engels-Amerikaans voorstel zou vreedzame kernexplosies toestaan in de verboden gebieden als alle ondertekenaars daarin toestemden. Gromyko klaagde dat dit de aantrekkingskracht van het verdrag voor andere potentiële ondertekenaars zou verminderen.

Een ander Engels-Amerikaans voorstel stelde een ondertekenaar in staat zich terug te trekken uit het verdrag als een ander land een kernexplosie veroorzaakte die als gevaar voor de eigen veiligheid werd beschouwd. Gromyko klaagde dat deze clausule twijfel zou doen oproepen over de ernst van de ondertekenaars. En wat nog belangrijker was: de Sovjet-Unie hield zich het onvervreemdbare recht voor om ieder verdrag dat haar nationale belang schaadde, op te zeggen.

Harriman wist dat de Senaat zonder deze terugtrekkingsclausule zou kunnen weigeren het verdrag te ratificeren uit angst dat het China in staat zou stellen Moskou en Washington voorbij te streven in de ontwikkeling als nucleaire macht. De discussie raakte zo verhit dat hij op een bepaald moment zijn papieren bij elkaar zocht en dreigde op te stappen. Uiteindelijk ruilden de westerlingen de clausule van vreedzame explosies in voor een bepaling die de terugtrekking in verkapte bewoordingen beschreef.

Gromyko kwam met een dusdanig dringend verzoek om een niet-aanvalsverdrag, dat Harriman zich afvroeg of de Russen uit de besprekingen zouden weglopen. Hij beloofde Gromyko om de president een rapport te sturen waarin het standpunt van de Sovjets welwillend werd benaderd. In Washington dacht Thompson dat dit 'iets verder ging' dan Harrimans instructies en dat het 'een onnodige concessie' was. Maar het werkte.

De laatste hindernis: hoe was het mogelijk dat landen die niet formeel door de anderen werden erkend, zoals Oost-Duitsland en China, het verdrag ondertekenden zonder dat ze werden erkend? Hailsham deed per telegram zijn beklag bij Macmillan dat Harrimans rechtlijnigheid in deze kwestie de onderhandelingen in gevaar bracht.

Op donderdag 25 juli, om 12 uur 's middags, arriveerde Ormsby-Gore op het Witte Huis om Harrimans standpunt aan te vechten. De Amerikanen hadden zojuist opgebeld vanuit Moskou om te zeggen dat er een oplossing was gevonden: ieder land zou het verdrag slechts aangaan met die landen die het erkende. Kennedy belde met Macmillan. Grijnzend zei hij tegen de premier: 'Maak je niet ongerust. David is hier. Ze hebben het uitgewerkt en ik heb hun gezegd hun werk voort te zetten.'

Macmillan was in een jubelstemming. Zoals hij in zijn dagboek schreef had hij 'hier iedere avond hard voor gebeden'. Hij haastte zich zijn kamer uit om het verheugende nieuws aan zijn vrouw te vertellen. Daarna barstte hij in tranen uit. Hij telegrafeerde de president: 'Ik was vanavond niet bij machte om over de telefoon mijn ware gevoelens onder woorden te brengen. [...] Ik heb veel begrip voor de grote moed en het diepe vertrouwen dat u ten toon heeft gespreid.'

Die avond tekenden Harriman, Hailsham en Gromyko de belangrijkste overeenkomst over wapenbeheersing sinds het begin van de Koude Oorlog. Harriman bekeek Hailshams sierlijke paraaf en zei: 'Heb je zijn "H" gezien? Die is erg mooi.'

Tijdens de onderhandelingen, op een receptie voor de Hongaarse premier, János Kádár, had Chroesjtsjov tegen Harriman gezegd dat hij blij was 'de imperialist' te zien. De Amerikaan antwoordde: 'Toen u naar mijn huis in New York kwam, noemde u me een kapitalist. Ben ik gepromoveerd of gedegradeerd?' Chroesjtsjov zei: 'Gepromoveerd. [...] Een imperialist is een kapitalist die zich bemoeit met andere landen – bijvoorbeeld zoals jullie doen in Zuid-Vietnam.' Hij vroeg vervolgens: 'Waarom sluiten we geen niet-aanvalsverdrag?' Harriman had een 'beter idee': het uitwisselen van bevelhebbers. De nieuwe bevelhebber van de NAVO, generaal Lemnitzer, zou naar Warschau komen en maarschalk Andrej Gretsjko naar Parijs. De Secretaris-Generaal riep Gretsjko bij zich: 'Ik begrijp dat je naar Parijs gaat?' Toen de maarschalk zijn hoofd schudde, zei Chroesjtsjov: 'Nee, laten we maar een niet-aanvalsverdrag sluiten.'

Harriman herinnerde hem eraan dat een Amerikaans team van amateur-atleten het opnam tegen een Russisch team in het Leninstadion. De Secretaris-Generaal zei dat hij nog nooit naar een atletiekwedstrijd was geweest. Hij verscheen in het stadion met Kádár, Brezjnev en hun echtgenotes. Harriman en Kohler voegden zich bij hen in de ereloge. Toen de Amerikaanse en Russische atleten hand in hand over het veld liepen, stonden Harriman en Chroesjtsjov op om een daverende ovatie in ontvangst te nemen. Harriman zag tranen in de ogen van de Secretaris-Generaal.

Nadat het verdrag was getekend, ging Harriman naar het Kremlin. Chroesjtsjov omarmde zijn lange vriend stevig met beide armen en riep: 'Maladjets!'[1] Zoals met Kennedy was afgesproken, bracht Harriman het onderwerp China te berde.[2] Hij zei dat de president 'zich grote zorgen maakt over de Chinese ontwikkeling van kernwapens' en probeerde achter Chroesjtsjovs kennis en stellingname over Pekings nucleaire programma te komen. De Secretaris-Generaal antwoordde kortaf. Harriman drong aan: 'Neem eens aan dat we Frankrijk kunnen overtuigen om het verdrag te tekenen? Kunt u China overhalen?' Chroesjtsjov zei: 'Dat is jullie probleem.' Harriman probeerde het opnieuw: 'En als hun raketten nu op jullie waren gericht?' Chroesjtsjov bleef zwijgen. Harriman bracht de mogelijkheid van een Amerikaans-Russische aanval op Chinese nucleaire doelen niet ter sprake.[3]

1. 'Goed gedaan' of: 'Goed werk.'
2. Toen Harriman in Londen was om Macmillan te ontmoeten, nam de premier hem apart en zei het met hem eens te zijn dat de Chinese kwestie 'zo gevoelig lag' dat Harriman haar alleen met Chroesjtsjov moest bespreken, zonder dat Hailsham erbij was.
3. Een functionaris van het ministerie van Buitenlandse Zaken zei in oktober 1964 dat 'een onderzoek van onze dossiers over de onderhandelingen inzake het kernstopverdrag in Moskou geen voorstel van Harriman oplevert over een Russisch-Amerikaanse poging om de ontwikkeling van kernwapens van Rood-China te vertragen'.

De Secretaris-Generaal vrolijkte weer op en nam zijn bezoeker mee naar de binnenplaats van het Kremlin. Hij schudde handen en kneep een meisje in haar wang. Hij stelde '*Gospodin* Garriman' voor en riep: 'We hebben het kernstopverdrag net ondertekend! Ik nodig hem uit voor het diner. Denken jullie dat hij het verdient?' De slaven van het communistische systeem juichten.[1]

Tijdens het diner vertelde Harriman dat Robert Kennedy 'graag een bezoek aan de Sovjet-Unie wil brengen'. Of de Secretaris-Generaal hem kon uitnodigen? Chroesjtsjov antwoordde dat hij gezien de anti-Russische uitspraken in enkele toespraken van de minister van Justitie uit de Partij zou worden gezet als hij dat zou doen.

Later schreef hij aan de president: 'De heer Harriman heeft uw aanbeveling waargemaakt. Bovendien hebben we daar nooit aan getwijfeld.' Ormsby-Gore vertelde Kennedy dat Macmillan in een 'euforische staat' was. Arthur Schlesinger schreef aan Harriman: 'Ik ben verdomde blij dat jij deel uitmaakt van de regering!' De redacteuren van *Bulletin of the Atomic Scientists* brachten de wijzers van hun 'Doemdagklok' terug naar twaalf minuten voor middernacht.

Toen het aanstaande verdrag bekend werd gemaakt, vertrokken de Chinese afgevaardigden, die naar Moskou waren gekomen om hun meningsverschillen te bespreken met de Russen, kwaad naar huis en hekelden het kernstopverdrag als een manier om het Sovjet-Amerikaanse machtsmonopolie te handhaven. De scheiding tussen de Chinezen en de Sovjets lag nu openlijk op straat.

Harriman had naar Washington getelegrafeerd: 'Het wordt glashelder dat de Sovjets zich tot doel hebben gesteld [...] de Chinese communisten te isoleren.' Volgens hem dacht Chroesjtsjov dat hij China kon dwingen zijn nucleaire programma te staken door veel andere landen, 'in het bijzonder de ontwikkelingslanden', bij het verdrag te betrekken.

Daarom vond de Secretaris-Generaal het van het 'grootste belang' dat Frankrijk ook tekende. Die zomer maakte hij het grapje: 'De Gaulle heeft gezegd dat hij zijn eigen atoomparaplu wil, maar een atoomparaplu in elkaar zetten is niet eenvoudig. Het is mogelijk dat je uiteindelijk zonder broek *en* zonder paraplu staat.'

Kennedy had eerder aan De Gaulle geschreven dat een kernstopverdrag een belangrijk middel was om het aantal kernmachten niet te laten toenemen: 'Ik moet eerlijk zeggen dat ze me nogal bezighouden.' Hij probeerde de Fransman te verleiden door hem technische informatie te verschaffen die hij anders had gekregen door proeven in de atmosfeer. Onder de voorwaarden van de Wet op kernenergie verklaarde hij dat Frankrijk een kernmacht was, waardoor het in aanmerking kwam voor nucleaire hulp zonder de noodzaak van nieuwe wetgeving. Nadat het verdrag was getekend, deed de president een dringend schriftelijk verzoek aan De Gaulle om niet 'een vroege, definitieve beslissing te nemen: we hebben altijd gehoopt op de deelname van Frankrijk in het verbieden van kernproeven. [...] Het enige waar ik nu op aandring, is dat het onze drie regeringen ten goede zou komen als we deze vragen verder onderzochten.'

1. Harriman vertelde later dat de 'manier waarop hij van iedere gelegenheid gebruik maakt om met de mensen te praten karakteristiek [was] voor Chroesjtsjov'. Hij herinnerde zich dat, wanneer Stalin naar zijn datsja vertrok, hij 'met hoge snelheid reisde. [...] Verkeer op kruispunten werd tegengehouden als hij voorbijraasde, achter kogelvrij glas, met de zonwering van zijn autoramen naar beneden.'

In Parijs verklaarde de Franse president dat zolang Rusland en Amerika de mogelijkheid behielden om de wereld te vernietigen, Frankrijk niet zou afwijken van 'het beleid zichzelf te voorzien van dezelfde machtsmiddelen'.[1] Een paar dagen later voegde hij daaraan toe dat hij niet onder de indruk was van de toevoeging van tientallen Derde-Wereldlanden. 'Het komt op hetzelfde neer als mensen verzoeken om niet het Kanaal over te zwemmen.' Hij sloeg het aanbod van de president voor nucleaire samenwerking af als een schending van de Franse soevereiniteit.[2]

Kennedy was teleurgesteld en boos. Hij wist dat een boycot door de Fransen en Chinezen betekende dat het verdrag waarschijnlijk zou falen als middel om de proliferatie van kernwapens tegen te gaan. Eerder emotioneel dan vooruitziend blafte hij dat 'Charles de Gaulle slechts om één ding zal worden herinnerd – zijn weigering om dit verdrag aan te nemen'.

Desalniettemin sprak de president op vrijdagavond 16 juli op televisie, vanuit het Oval Office. Hij was 'hoopvol gestemd': achttien jaar lang waren de werelden van het communisme en de vrije keuze verstrikt geweest in een 'vicieuze cirkel van botsende ideologieën en belangen. [...] Gisteren brak er een lichtstraal door in deze duisternis.'

Het beperkte kernstopverdrag was het produkt van 'geduld en waakzaamheid. We hebben onze grote vastberadenheid duidelijk gemaakt om onze vrijheid te beschermen tegen iedere vorm van agressie, meest recentelijk in Berlijn en Cuba. [...] Dit verdrag is niet het duizendjarige vrederijk [...]. Maar het is een belangrijke eerste stap, een stap op weg naar vrede, een stap op weg naar redelijkheid, een stap verder weg van oorlog...'

Als het 'het einde van het ene tijdperk en het begin van een ander zou symboliseren', dan zouden beide kanten 'vertrouwen en ervaring in vreedzame samenwerking' kunnen opdoen. Een nucleair conflict van minder dan één uur 'kon meer dan driehonderd miljoen Amerikanen, Europeanen en Russen wegvagen, en onnoemelijke aantallen op andere plaatsen'. Zoals Chroesjtsjov de Chinezen had gewaarschuwd: 'De levenden zouden de doden benijden.'

Het verdrag zou radioactieve neerslag reduceren en 'de proliferatie van kernwapens naar landen die ze nu niet in bezit hebben' tegengaan. 'Ik verzoek u om een ogenblik stil te staan bij wat het zou betekenen als kernwapens [...] in handen van landen zouden zijn [...] stabiel en instabiel [...] verantwoordelijk en onverantwoordelijk, en verspreid over de hele wereld.'

Hoewel het gevaar in 'Cuba, Zuidoost-Azië en Berlijn' nog niet helemaal was

---

1. David Klein van de Nationale Veiligheidsraad zei: 'Vreemd genoeg verkoos hij *niet* het kernstopverdrag af te keuren, maar het slechts te minimaliseren. [...] Dit wijst er waarschijnlijk op dat hij besefte dat er zelfs in Frankrijk brede steun is voor de actie van Moskou.'
2. Ormsby-Gore telegrafeerde naar Macmillan: 'De president heeft zojuist vernomen dat de Franse ambassadeur in Moskou De Gaulle adviseerde om tot een overeenkomst te komen met de Sovjet-Unie om aan nucleaire informatie te komen om zodoende onder dat vervelende Atlantische Verdrag uit te komen.' Dit verwees naar Maurice Dejean, wiens belachelijke voorstel waarschijnlijk aantoont hoe erg de Russische inlichtingendienst hem had gecompromitteerd. De westerse autoriteiten waren zich hier nog niet van bewust.

geweken, 'lag de weg naar de vrede', voor het eerst in jaren open. 'Niemand kan zeggen wat de toekomst zal brengen. [...] Maar de geschiedenis en ons eigen geweten zullen een harder oordeel over ons vellen als we nu niet alles ondernemen om onze hoop om te zetten in actie.'

Zonder de plaats van herkomst te geven, haalde Kennedy hetzelfde Chinese spreekwoord aan dat hij had aangehaald ten overstaan van Chroesjtsjov in Wenen: 'Een reis van duizenden kilometers begint met een enkele stap. Mede-Amerikanen, laat ons die eerste stap nemen.'

De president vloog naar Hyannis Port, waar Harriman op zondag arriveerde met een grote pot kaviaar van Chroesjtsjov: 'Maar ik weet niet zeker of u wel zo veel van kaviaar houdt.' Kennedy, die zich herinnerde hoe moeilijk het in 1960 was geweest om vijfendertigduizend dollar los te krijgen van de multimiljonair antwoordde: 'We eten het op, of we het lekker vinden of niet.'

De president stuurde een kopie van het verdrag naar Harry Truman in Independence, Missouri. Terwijl zijn bandrecorder draaide, belde hij zijn voorganger op en zei: 'Ik vind dat Averell Harriman goed werk heeft verricht.' Truman antwoordde: 'Ik zal je een persoonlijke, vertrouwelijke brief sturen over een aantal alinea's. [...] Maar ik ben het volkomen eens met wat – wat het ons biedt. [...] Goeie God, misschien kunnen we er een totale oorlog mee voorkomen'.[1]

Kennedy maakte zich meer zorgen over Eisenhower. Toen de onderhandelingen in Moskou bijna ten einde waren, had hij Rusk en McCone naar Gettysburg gestuurd. Eisenhower zei tegen hen: 'Het grote struikelblok voor dit verdrag zullen China en Frankrijk zijn.' Rusk voorspelde dat de Sovjets sancties zouden kunnen opleggen aan Peking. McCone zei dat het nog 'enkele jaren' zou duren voordat de 'Chinezen de Bom in hun bezit zullen hebben'.

De generaal was niet erg onder de indruk van het verdrag. Hij was nu conservatiever dan tijdens zijn presidentschap en werd ook beïnvloed door zijn vriend Lewis Strauss, een jarenlange tegenstander van het kernstopverdrag, die McCones voorganger was geweest als voorzitter van zijn Commissie voor Atoomenergie.[2] Hij zei tegen Rusk en McCone: 'Vijf jaar geleden waren we volledig overtuigd van onze superioriteit op nucleair wetenschappelijk gebied.' Maar nu konden de Sovjets op ons voor liggen in de ontwikkeling van anti-raketsystemen: 'Een verdrag zou in hun voordeel werken.'

Hij was het niet eens met het compromis van de president over de clausule betreffende terugtrekking. 'We zouden de bronnen die bewijzen dat de Russen vals hebben gespeeld, niet openbaar kunnen maken.'

1. Kennedy noemde Harriman niet toevallig. Truman had nog steeds een nauw contact met hem. De ex-president stuurde hem drie voorbeelden van onbelangrijke, taalkundige uitvluchten in het verdrag. De president antwoordde: 'U heeft drie moeilijke en gevoelige delen van het verdrag aangewezen en ik wil u graag vertellen dat als u ooit de opdracht wilt om een oogje op Harriman te houden, wij blij zouden zijn met uw hulp.
2. Strauss had hem in maart geschreven: 'Ik moet u eraan herinneren dat de Russen gedurende uw regeringstermijn (in 1960) drie plaatselijke controles voorstelden en dit voorstel werd door ons als totaal ongeschikt afgedaan. [...] We staan wellicht weer op het punt de ontwikkeling van kleine, knappe wapens te staken terwijl de Russen misbruik maken van ons goede vertrouwen.'

Rusk verzekerde hem dat 'er geen direct verband bestaat tussen dit verdrag en andere kwesties, zoals Cuba, Laos en Vietnam'. Het beperkte kernstopverdrag was 'geen indicatie dat we bereid zijn om de status-quo te accepteren'. De Verenigde Staten zouden 'doorgaan om op deze afzonderlijke gebieden verder resultaten te boeken'.

Kennedy zag af van het idee om het verdrag te tekenen tijdens een Moskouse top met Chroesjtsjov. Hij had er geen behoefte aan om met Macmillan in de clinch te gaan, wiens aanwezigheid de Secretaris-Generaal er misschien toe zou brengen hem verdere concessies af te dwingen. Het beeld dat hij naar het hol van Chroesjtsjov ging om een document te tekenen dat zijn binnenlandse tegenstanders zouden afschilderen als een cadeautje aan de Russen, stond hem niet aan. In plaats daarvan besloot hij om belangrijke Senatoren – hoe conservatiever, hoe beter – erbij te betrekken door ze in een delegatie, geleid door Rusk, naar Moskou te sturen. De Republikeinen boden weerstand. Everett Dirksen en Bourke Hickenlooper weigerden de reis te maken. George Aiken uit Vermont herinnerde zich dat Mansfield zijn arm omdraaide. 'Mike begon met te zeggen: "Zeg geen nee, zeg geen nee." [...] Hoewel ik er alles voor over zou hebben gehad om niet te zijn gegaan, stemde ik toe.' Leverett Saltonstall uit Massachusetts voegde zich bij hem.

De Democraten werden vertegenwoordigd door de Senatoren Fulbright, John Sparkman uit Alabama en John Pastore van Rhode Island. Rusk had de president aangeraden dat 'het beter is om met deze drie Democraten en twee Republikeinen te gaan [...] dan om een beetje rond te dollen om te proberen een linksbuiten als Keating te krijgen. En als de Republikeinen hierover [...] zeuren, denk ik dat zijzelf daar de dupe van zullen zijn.'

Kennedy maakte zich zorgen dat Stevensons aanwezigheid de Amerikaanse conservatieven zou ophitsen. Zoals Sorensen zei: 'Adlai wilde gaan. Hij verdiende het om te gaan. Maar Kennedy was bang voor Woodrow Wilson en de Senaat.' Stevenson herinnerde de president eraan dat met zijn voorstel tot het kernstopverdrag uit 1956 hij 'dit allemaal had laten beginnen'.[1] Chroesjtsjov maakte het eenvoudiger door erop te staan dat Oe Thant bij de ondertekening aanwezig zou zijn. Kennedy belde Rusk: 'Als Oe Thant gaat, kan Adlai ook gaan. [...] Probeer het op die manier te verkopen.'

Op maandagochtend 5 augustus bracht Rusk in Moskou een bezoek aan Gromyko op het ministerie van Buitenlandse Zaken. Gromyko liet zien dat de ramen van zijn kantoor uitzagen op het westen en vertelde dat hij vaak naar buiten had gekeken en zich had afgevraagd wat er 'werkelijk gebeurde' in het Westen. Toen de Amerikanen naar het Kremlin gingen, zei Chroesjtsjov tegen Rusk dat het beperkte kernstopverdrag slechts een begin was. Nu moesten ze het probleem van Duitsland bekijken. Rusk zei beleefd dat Duitsland 'van essentieel belang' was en dat de Amerikanen begrepen waarom de Sovjet-Unie zo bezorgd was.

1. Zich de 'beledigende aanvallen' aan het adres van Stevenson in 1956 herinnerend, schreef John Steinbeck aan hem dat hij had geleden onder 'de gevaren die iemand bedreigen als hij zeven jaar op de geschiedenis vooruitloopt'.

De Secretaris-Generaal wees hem terecht voor het feit dat hij naar sommige landen verwees als 'het Oosten' in plaats van 'socialistisch'. Rusk merkte op dat sommige Amerikanen Kennedy's regering als socialistisch beschouwden. Chroesjtsjov vroeg: 'Wie zou zoiets nu zeggen?'

Fulbright herinnerde zich dat de Secretaris-Generaal vier jaar eerder thee had gedronken met de Commissie voor Buitenlandse Betrekkingen: als het Amerikaanse Zuiden kon opschieten met die 'vervloekte yankees', dan konden de Verenigde Staten en de Sovjet-Unie ook met elkaar opschieten.

Chroesjtsjov plaagde Stevenson over zijn aanval op Zorin in de Veiligheidsraad tijdens de rakettencrisis: 'Wat is er met u gebeurd, Stevenson, sinds u voor de Amerikaanse regering werkt? We houden er niet van om ondervraagd te worden als een gevangene in de beklaagdenbank.' Gekwetst betreurde Stevenson het later dat de Secretaris-Generaal hem niet langer 'onpartijdig' beschouwde.

Na een galalunch, cognac en toespraken speelde een Russisch orkest 'Love Walked In' van Gershwin terwijl een stralende Chroesjtsjov Thant en de Amerikanen, Britten en Russen naar een witte marmeren tafel, blinkend onder de televisielampen, in de hal van het Kremlin leidde. Rusk, Gromyko en de graaf van Home tekenden het verdrag. Terwijl ze met glazen champagne klonken, riepen de Russen: 'Vrede en vriendschap!' Glenn Seaborg schreef in zijn dagboek: 'Een glorieuze dag!'

Tijdens het diner bracht Chroesjtsjov de mislukte 'Geest van Genève' en 'Geest van Camp David' naar voren. Nu zei hij: 'Laten we een nieuwe geest creëren – die van Moskou!'

Op het Spiridonovka-paleis vervulde Rusk Harrimans belofte door met Gromyko een niet-aanvalsverdrag te bespreken. Chroesjtsjov had hem eerder verzekerd dat een dergelijke overeenkomst net mineraalwater was, verfrissend en stimulerend. Niemand zou winnen en niemand zou verliezen. Rusk had geantwoord dat het meer leek op het Briand-Kelloggverdrag van 1928 ter uitbanning van oorlog, maar dat de Amerikanen 'aanzienlijke frustraties' had bezorgd.

Hij vertelde Gromyko dat de Verenigde Staten hoopten hun defensiebudget te verlagen, maar dat dit zou afhangen van andere overeenkomsten tussen Oost en West. Washington was bereid om te praten over manieren om nieuwe spanningen omtrent Duitsland, inclusief nieuwe overeenkomsten over toegang tot West-Berlijn, te voorkomen. Tijdens zijn gesprekken met Dobrynin waren ze er alleen maar in geslaagd 'elkaar te vervelen'.

Misschien konden Gromyko en hij een 'frisse blik' werpen op het probleem tijdens de Algemene Vergadering van de Verenigde Naties in de herfst: 'Wij geloven niet dat deze zaak dringend of kritiek is, tenzij iemand besluit om dat ervan te maken. [...] We geven graag toe dat de Sovjet-Unie een grote macht is, maar dat zijn wij ook.'

Rusk, Dobrynin, Gromyko, Foy en Phyllis Kohler en Llewellyn en Jane Thompson vlogen naar Gagra en reden vervolgens naar Pitsoenda. Geen van beide Amerikaanse ambassadeurs was ooit vereerd met een uitnodiging voor een bezoek aan Chroesjtsjovs landgoed aan de Zwarte Zee. Gromyko waarschuwde Rusk lachend dat hij niet naar Turkije moest zwemmen. De minister van Buitenlandse Zaken heeft zich misschien afgevraagd of Gromyko misschien een verkapte, plagende opmerking maakte over Kennedy's concessie met betrekking tot de Turkse raketten.

Toen ze arriveerden, liet de Secretaris-Generaal zijn binnen- en buitenzwembad zien en drukte op een knop om de glazen muur te openen: 'In de winter doen we hem dicht. [...] Dan lijkt het net de zee.' Tijdens de verplichte uitgebreide lunch werd Phyllis Kohler aan de rechterzijde van de Russische leider gezet. Chroesjtsjov mompelde tegen Jane Thompson: 'Die stomme mensen van het protocol ook. Dit is niet de indeling waar ik om heb gevraagd.'

De Secretaris-Generaal kon de verleiding niet weerstaan om zijn eregast uit te dagen voor een partijtje badminton. Ze speelden op een oosters tapijt, met geopende deuren om een briesje van zee binnen te laten. Rusk verloor met vier één en zei later: 'Chroesjtsjov is vrij goed met een racket. Mijn sport is basketbal en dat hebben we niet gespeeld.'

De twee mannen slenterden de bossen in en bleven staan onder een boom. Chroesjtsjov zei tegen hem: 'Ik heb nooit begrepen waarom jullie Amerikanen zo koppig zijn over Berlijn. De Gaulle wil geen oorlog over Berlijn en Macmillan wil dat al helemaal niet. Waarom zijn het alleen de Amerikanen?' Rusk dacht bij zichzelf: wat moet ik die klootzak nu vertellen? Hij improviseerde: 'Meneer Chroesjtsjov, u moet maar aannemen dat de Amerikanen verrekte idioten zijn.'

Na het vertrek van de Amerikanen vernam Chroesjtsjov de dood van Kennedy's te vroeg geboren, tweede zoontje, Patrick. Hij belde Rusk op in Moskou en vroeg hem om zijn condoléances over te brengen.

Kennedy dreef soms de spot met grote families en zei dat de Amerikaanse crèches er veel beter in waren. Jacqueline schreef: 'Hij wilde nooit dat ze allemaal op een kluitje zaten zoals bij Bobby en Ethel – zodat de kleine kinderen in het midden ongelukkig waren en de ouders tot het uiterste getergd – maar hij wilde altijd weer een baby als het vorige kind al wat ouder was – daarom was hij zo blij toen hij hoorde dat Patrick onderweg was.'

Voor de president was de dood van de baby een enorme domper op het succes van het kernstopverdrag. Macmillan schreef hem een handgeschreven brief: 'De lasten van regeringszaken zijn min of meer draaglijk, omdat ze op een bepaalde manier onpersoonlijk zijn. Maar persoonlijk verdriet is pijnlijk en wreed.'

Met het naderend gevecht over het kernstopverdrag in de Senaat had Kennedy weinig tijd om stil te staan bij zijn persoonlijke verdriet. Hij vreesde dat de coalitie van zuidelijke Democraten en Republikeinen, die zijn wetsontwerp voor burgerrechten tegenhield, hem de benodigde twee derde meerderheid voor zijn verdrag zou onthouden. Er waren al Senatoren die Harriman ervan beschuldigden dat hij 'een geheime afspraak met Chroesjtsjov' had om tot een overeenkomst te komen.

McNamara zei vertrouwelijk tegen de gezamenlijke stafchefs: 'Als jullie erop staan dit verdrag tegen te werken, oké, maar ik zal niet toestaan dat iemand het om emotionele redenen of uit onwetendheid tegenwerkt.' Gedurende twee weken van vergaderingen stelde hij hen gerust over eventueel bedrog plegende Sovjets en beloofde om de opsporingsmethoden te verbeteren, voorbereidingen te treffen om kernproeven in de atmosfeer snel te kunnen hervatten als het verdrag werd ingetrokken en om ondergrondse kernproeven voort te zetten. Generaal LeMay kon worden overtuigd dat het verdrag zou helpen om de Russen en de Chinezen uit elkaar te drijven.

De president zei dat slechts één op de vijftien brieven aan het Congres afkomstig was van een voorstander van het verdrag.[1] Zijn adviseurs stonden versteld toen hij zei dat hij, als het nodig was, 'met plezier' zijn herverkiezing zou opgeven voor het verdrag. Begin augustus zei hij dat hij zo vijftien Senatoren kon opnoemen die waarschijnlijk alles zouden wegstemmen waar hij mee te maken had, 'en het zijn niet eens allemaal Republikeinen'. Als er die dag gestemd zou worden, dacht hij dat het verdrag niet zou worden aangenomen.

Voor de Senaatscommissie voor Buitenlandse Betrekkingen hield McNamara een behoudende toespraak voor het verdrag en waarschuwde dat de Verenigde Staten hun technische voorsprong waarschijnlijk zouden verliezen als de kernproeven in alle omgevingen doorgingen. Kennedy vertelde de Senatoren dat het land geen honderd-megatonbom nodig had, en dat geen van beide partijen nog proeven hoefde uit te voeren om een antiraket-raket te ontwikkelen en dat geen enkel aantal ondergrondse proeven van de Sovjets, of onopgemerkt bedrog, de Amerikanen van hun voorsprong kon beroven.

De president was razend toen hij hoorde dat McCone nucleaire experts van de CIA naar de Senatoren stuurde om hen ervan te overtuigen dat de Sovjets zich, tijdens het moratorium voor proeven, niet aan de afspraken hadden gehouden. Zijn relatie met McCone was erg verslechterd na de rakettencrisis. Robert Kennedy klaagde dat McCone de president schade had berokkend, toen de kwestie-Cuba in februari nieuw leven werd ingeblazen, door de Senatoren eraan te herinneren dat hij de mogelijkheid van raketten op Cuba in de zomer van 1962 niet had onderschat.[2]

De minister van Justitie vermoedde dat McCone zich nu met het opdoemende verkiezingsjaar tot een paard van Troje kon ontpoppen dat 'met de Republikeinen onder een hoedje speelt'. Bundy zei tegen iemand van de CIA: 'Ik ben het zo beu McCone te horen zeggen dat hij gelijk had, dat ik het nooit meer wil horen.'

De oppositieleider tegen wat zij 'het Verdrag van Moskou' noemden, was de overtuigd anticommunistische natuurkundige Edward Teller, de vader van de waterstofbom. In een vertrouwelijke getuigenis beweerde hij dat de Verenigde Staten in het geheim moesten doorgaan met hun proeven op grote hoogte als ze hoopten een middel te ontwikkelen waarmee Sovjetraketten uit de lucht konden worden gehaald. De Russen hadden antiraket-proeven uitgevoerd gedurende

---

1. Terwijl hij het rapport over de post aan het Witte Huis doornam, zei de president: 'De categorie die deze week weer bovenaan staat, is die van verzoeken om geld aan de familie Kennedy. [...] Ik zie dat ik ook meer brieven heb ontvangen over de huisdieren op het Witte Huis dan over de financiële crisis van de Verenigde Naties. Kernproeven staan vrijwel onderaan, maar de meeste mensen die hebben geschreven [...] zijn tegen het verdrag.' (De *New York Times* had geschreven dat de hond die door Chroesjtsjov was geschonken, Poesjinka, en Carolines terriër, Charley, een nest puppy's hadden gekregen. Veel Amerikanen hadden geschreven om er eentje te adopteren.)

2. Richard Helms vertelde: 'Ik vond het ironisch om te horen dat de chef van de inlichtingendienst van de president, de enige man die om welke reden dan ook gelijk had – dat dit zijn relatie met de president verknalde.'

hun reeks tests in 1962.[1] Een latere getuige waarschuwde dat dit de Verenigde Staten 'kon overleveren aan de dictators die reeds een derde van de wereld onder controle hebben'.

Anderen eisten dat er een voorbehoud moest worden verbonden aan het verdrag. Arthur Dean waarschuwde tegen dergelijke hernieuwde onderhandelingen met Moskou en de meer dan honderd landen waarvan verwacht werd dat ze zouden ondertekenen. Misschien 'vergooiden ze zo de mogelijkheid voor verdere onderhandelingen met de Sovjet-Unie'. Hickenlooper eiste dat hij de persoonlijke correspondentie van Chroesjtsjov met Kennedy te zien zou krijgen.

Rusk stelde voor de brieven aan de leiders van de Senaat te laten zien. Smathers waarschuwde zijn collega's dat, als die bekend zouden worden, Chroesjtsjov misschien zou zeggen: 'Loop naar de hel, meneer Kennedy. Ik schrijf u nooit meer een brief.'

Richard Russell was tegen het verdrag op grond dat het geen garantie had tegen valsspelers: 'Die Russen [...] hebben zich nog nooit aan een overeenkomst gehouden.' Bundy dacht later dat wanneer de president bereid was geweest om Lyndon Johnson Russell te laten bewerken, het de man uit Georgia misschien gelukt was hem van gedachten te laten veranderen. Maar net als met Stevenson was Kennedy in 1963 minder bereid dan ooit om de vice-president een kans te geven om zijn politieke invloed te hernieuwen.

De Commissie Buitenlandse Betrekkingen beval het kernstopverdrag aan in de Senaat met slechts één afwijkende stem, uitgebracht door Democraat Russell Long uit Louisiana. Barry Goldwater eiste dat ratificatie afhankelijk moest zijn van terugtrekking van alle Russische troepen uit Cuba. Hij beweerde dat nog 'geen tien man in Amerika' op de hoogte waren van de volledige waarheid over Cuba, over het kernstopverdrag of andere beloften gedaan aan regeringen 'die betrekking hebben op onze vernietiging'.

Kennedy antwoordde op een persconferentie: 'Er zijn geen beloften en ik denk dat Senator Goldwater ten minste een van de tien mensen in Amerika is die weten dat het niet waar is.' Toen hem werd gevraagd of hij nog verder commentaar had, zei de president, met 1964 in zijn gedachten: 'Nee, nog niet, nog niet.'

Toen het verdrag in de Senaat werd behandeld, maakte Kennedy zich nog steeds zorgen over het feit dat Eisenhower roet in het eten kon strooien. De president had een bijzonder pressiemiddel. Vlak na zijn inauguratie had zijn ministerie van Justitie Bernard Goldfine, een textielfabrikant uit Boston, ondervraagd. Zijn gunsten aan Eisenhowers stafchef, Sherman Adams, hadden Adams gedwongen zich terug te trekken.

Lijdend aan aderverkalking, stelde Goldfine nu dat zijn giften aan Adams niet alleen hadden bestaan uit onderdak en de beroemde vicuñawollen jas en kleden, maar uit meer dan 150.000 dollar die hij Adams gedurende vijf jaar had toege-

1. Fulbright waarschuwde de president over de telefoon dat 'Teller wel indruk maakte op een aantal leden. [...] Hij is een goede acteur. Een John L. Lewis en Billy Sunday in één.' Kennedy antwoordde: 'Nou, er bestaat geen [...] twijfel dat een man met een dergelijke overtuiging, die ook nog eens een expert is, indruk kan maken op iemand met een onbevooroordeelde geest.'

schoven. De beschuldigingen leken te worden ondersteund door een aantal cheques die Adams aan zijn hospita in Washington had gegeven.

Robert Kennedy's luitenants waren bang dat Goldfines falende geheugen en zijn huilbuien, die kennelijk het gevolg waren van zijn ziekte, zijn geloofwaardigheid als getuige zouden aantasten. Assistenten van Mortimer Caplin, de directeur van de belastingdienst, dacht dat het papieren spoor de schuld van Adams aantoonde. Zij drongen sterk aan op gerechtelijke vervolging.

De minister van Justitie kon niet ontevreden zijn geweest met het vooruitzicht dat hij Adams kon gebruiken om de reputatie van Eisenhower, die zo afkerig was van zijn broer en die nog steeds een grote invloed uitoefende op de publieke opinie, te bezoedelen. In februari 1961 maakte hij een aantekening dat hij 'niet optimistisch' stamte dat ze de zaak zouden winnen, maar dacht dat er 'waarschijnlijk een fifty-fifty kans is'.

Hij gaf de zaak aan William Hundley die, heel gunstig, op Justitie nog uit het tijdperk-Eisenhower stamde. Adams gaf toe dat hij geld had ontvangen van donateurs die hij zich niet kon herinneren, maar niet van Goldfine. De ondergeschikten van de minister van Justitie raadden strafvervolging af en motiveerden hun advies door zaken aan te voeren als Goldfines zwakte als getuige, lacunes in de bewijsvoering en de mogelijkheid dat mensen zouden stellen dat ze Adams geld hadden gegeven uit belangeloos patriottisme. Functionarissen van de belastingdienst vroegen zich af of de zaak niet werd verworpen om politieke redenen.

De president zei later tegen Joseph Alsop dat hij de bewijzen tegen Adams naar Eisenhower in Gettysburg had gestuurd. Kennedy geloofde ongetwijfeld dat, indien Adams niet zou worden vervolgd, Eisenhower misschien dankbaar zou zijn. Volgens Alsop liet de generaal weten dat hij hoopte dat Adams verdere vernederingen zouden worden bespaard. Robert Kennedy beweerde later dat dit niet de reden was waarom hij uiteindelijk geen strafvervolging instelde. De president daarentegen was kennelijk tevreden dat Eisenhower dacht dat dit wel het geval was.

Bobby Baker stelde in 1978 dat Eisenhower, toen hij hoorde van het bewijs tegen Adams, Dirksen instructies gaf om Kennedy te vragen de zaak te laten vallen 'als een persoonlijke gunst aan mij: hij kan altijd een beroep op me doen als hij me deze gunst verleent.' Volgens Baker stemde de president toe. Toen zijn broer protesteerde, zei hij: 'Als je niet aan mijn verzoek voldoet, zal ik je ontslag aanvaarden.'

Een cryptische briefwisseling tussen Eisenhower en Dirksen in 1962 doet vermoeden dat Bakers verhaal juist zou kunnen zijn. In een brief van 10 januari aan de generaal schreef Dirksen dat Eisenhowers oude contactpersoon in het Congres, Bryce Harlow, 'met me heeft gesproken over een van uw voormalige stafleden – ik weet zeker dat u zich dit herinnert – en ik heb het op maandagochtend, tijdens het ontbijt, met de president besproken. Ik geloof dat alles in orde is.' Eisenhower antwoordde. 'Ik sta bij u in het krijt, in het bijzonder voor het feit dat u de zaak die u in uw tweede alinea noemt, heeft doorgezet.'

Dirksen schreef hem een maand later dat 'de zaak waarover u Bryce een tijdje geleden heeft verzocht met mij te praten, over een bepaalde persoon, weer aan de orde is'. Eisenhower bedankte hem 'voor uw inspanning voor de persoon voor wie wij beiden groot respect hebben. Ik kan niet vertellen hoe blij ik ben dat hij er ten slotte van overtuigd is dat de zaak weer aan de orde is.'

Laat in de strijd over het kernstopverdrag had Dirksen nog geen openbaar standpunt ingenomen. Frederick Dutton, van Buitenlandse Zaken, dacht dat de Republikeinse leider had 'geaarzeld' om te voorkomen dat het verdrag een 'uitgesproken prestatie voor de regering [zou worden] die ze prima kon gebruiken in 1964'. Smathers zei dat Kennedy Dirksen beschouwde als 'iemand die vrijwel altijd allebei de kanten op kon gaan'. De president lachte over het feit dat hij Dirksens beste toespraak had gehoord toen hij in het Huis van Afgevaardigden pleitte voor het Marshall-plan en dat hij in de Senaat zijn beste toespraak tegen dat plan had gehouden.

Volgens Baker riep Kennedy Dirksen op het Witte Huis om diens steun voor zijn kernstopverdrag te vragen. 'Ike zei dat ik iets van hem te goed had, en u zegt dat ik ook iets van u te goed heb. [...] Ik wil dat u van mening verandert en voor het verdrag stemt. Ik zou ook graag Ikes goedkeuring hebben voordat de Senaat erover stemt. Dan staan we quitte in die ander zaak.' Volgens Baker antwoordde Dirksen: 'Meneer de president, u bent een gewiekst onderhandelaar. Maar ik blijf bij mijn belofte en ik weet zeker dat generaal Eisenhower dat ook zal doen.'

Dirksen stemde vóór het verdrag en herinnerde de andere Republikeinen eraan dat hun partijprogramma van 1960 zich voor een kernstopverdrag had uitgesproken. Naar eigen zeggen zei hij tegen de president: 'Ik heb een besluit genomen. Ik zal het verdrag steunen en ik denk dat ik er daarvoor behoorlijk van langs zal krijgen.' Kennedy antwoordde: 'Everett, heb je *The Man and the Myth* gelezen? Je hebt geen idee wat het is om ervan langs te krijgen.'[1]

Ondanks zijn eerdere koelheid stelde Eisenhower zich ook achter het verdrag, waarbij hij toevoegde dat hij niet geloofde dat het gebruik van kernwapens zou worden voorkomen indien er oorlog zou uitbreken.[2] Misschien heeft hij zich inderdaad ingehouden in ruil voor de beslissing van de president om Adams te sparen, maar op 23 november 1963 deed hij vertrouwelijk zijn beklag bij Lyndon Johnson over de 'tactiek' waarvan Kennedy's ministerie van Justitie en de belastingdienst zich bedienden.

Het beperkte kernstopverdrag werd op dinsdag 24 september door de Senaat aangenomen. Elf Democraten stemden tegen – allen uit het Zuiden, behalve de onafhankelijke conservatief, Frank Lausche uit Ohio. Acht Republikeinen stemden tegen – allen uit het westen, behalve Margaret Chase Smith uit Maine. Sorensen was van mening dat 'geen enkele andere prestatie van het Witte Huis Kennedy meer voldoening gaf'.

De president vertrok die dag naar het westen voor een 'milieu'-trip ter voorbereiding van de verkiezingscampagne van 1964. Hij zou nieuwe bronnen moeten

---

1. *J.F.K.: The Man and the Myth* was een onvriendelijke biografie van de president, geschreven door Victor Lasky, die op de nationale bestsellerlijst terechtkwam. In zijn geschiedenis van het verdrag concludeerde Glenn Seaborg dat het kernstopverdrag het ook wel gehaald zou hebben als Dirksen had volhard in zijn oppositie, maar dat de marge van de overwinning 'zeker zou zijn beïnvloed'.
2. Hij heeft zijn twijfel over de terugtrekkingsclausule of over het feit dat het de Sovjets misschien in staat zou stellen om een voorsprong te nemen op het Westen in antiraket-wapens, nooit openbaar gemaakt.

aanboren voor steun om het verlies van de zuidelijke staten, waarvan hij verwachtte dat ze zouden wegvallen wegens zijn steun voor het wetsontwerp inzake
burgerrechten, goed te maken. In 1960 waren de enige westelijke staten die hem
hadden gesteund Nevada, New Mexico en Hawaii.

Hij begon in Duluth, Bismarck, Cheyenne en Laramie, en sprak over natuurbe-
houd, maar repte met geen woord over het beperkte kernstopverdrag. Medewerkers van de president vreesden dat hij, als hij het verdrag zou noemen, uitge-
jouwd zou worden. Maar toen hij in Billings, Montana, sprak, kon hij niet helpen Mansfield te prijzen voor zijn hulp in het bekrachtigen van het verdrag dat
een eerste stap was in de richting van een 'veiliger wereld'. Het publiek juichte.
Kennedy vertelde een ander publiek in Montana dat, hoewel de wedijver met
het communisme de rest van hun leven zou domineren, de Verenigde Staten
niet zouden wedijveren met nucleair geweld, maar door de wereld te laten zien
welke samenleving 'gelukkiger' was.

Op donderdag 26 september ging hij naar de mormoonse tempel in Salt Lake
City. Precies drie jaar geleden had de Democratische kandidaat hier zijn best gedaan om anticommunistisch over te komen, Chroesjtsjov gebrandmerkt als de
'dictator' van het 'vijandige' communistische systeem, dat 'onverbiddelijk, onverzadigbaar en continu' streefde naar wereldwijde overheersing.

Nu zei hij dat het 'communistische offensief, dat beweerd had historisch onvermijdelijk te zijn, in de afgelopen maanden was tegengehouden en omgekeerd'.
Het beperkte kernstopverdrag was 'belangrijk als een eerste stap, misschien leidt
het naar teleurstelling, misschien wordt het weer teruggedraaid. Maar de Verenigde Staten en een overweldigende Senaatsmeerderheid hadden zich in 1963
tenminste uitgesproken voor een kans om de straling en de mogelijkheid tot ver-
branding te beëindigen.'

De dag daarvoor was hij over de Little Big Horn gevlogen, 'waar generaal Cus-
ter was gesneuveld, een bloedbad dat voortleeft in onze geschiedenis, vier- tot
vijfhonderd man. Nu praten we over *driehonderd miljoen* mannen en vrouwen binnen vierentwintig uur. Ik denk dat het verstandig is om de eerste stap te nemen
om die mogelijkheid te beperken.' Het publiek gaf hem een staande ovatie.

Verslaggevers zeiden tegen Salinger dat Kennedy een machtig nieuw onderwerp
had gevonden voor 1964. 'Ja, jullie hebben gelijk,' antwoordde hij. 'We hebben
gemerkt dat vrede een onderwerp is.' Nadat hij in Washington was teruggekeerd, vertelde de president aan Ormsby-Gore, tijdens een diner, dat hij vastbesloten was de vaart die het kernstopverdrag hem had gegeven te behouden en
dat hij bij de eerstvolgende geschikte gelegenheid de Sovjet-Unie hoopte te bezoeken.

Het beperkte kernstopverdrag heeft nooit voldaan aan de verwachtingen van
Kennedy en Chroesjtsjov. Het verdrag leidde tot een vermindering van de hoeveelheid strontium-90 in de atmosfeer, maar doordat het niet alle vormen van
kernproeven verbood, was het geen serieuze domper op de kernwapenwedloop.
Als de president bereid was geweest om in te gaan op Chroesjtsjovs aanbod van
december 1962 van twee of drie plaatselijke controles, had hij misschien een
kans gehad op een uitgebreid kernstopverdrag. Maar in die maand was hij nog
steeds verwikkeld in de onopgeloste kwesties van de rakettencrisis. Als hij de
Amerikanen zo snel na Cuba een dergelijke verrassing had gegeven, was het

heel goed mogelijk geweest dat zijn critici het de grond in hadden geboord door te stellen dat het kernstopverdrag onderdeel was van geheime toezeggingen aan Chroesjtsjov, in ruil voor het terugtrekken van de raketten.

Tegen de tijd dat Kennedy misschien bereid was geweest om te vechten voor een uitgebreid verdrag, in het voorjaar van 1963, hadden de haviken in de Sovjet-Unie Chroesjtsjov ertoe gedwongen zijn aanbod van plaatselijke controles in te trekken en terug te vallen naar een beperkt kernstopverdrag. In mei 1960 werd de wereld beroofd van een kans op een uitgebreid verdrag door de U-2-affaire en het vastlopen van de onderhandelingen in Parijs. Drie jaar later stonden de sterren weer niet goed. De kernwapenwedloop raasde verder.[1]

William Attwood was voormalig redacteur van *Look*. Hij had twee jaar gediend als Kennedy's ambassadeur in Guinee en was nu Amerikaans afgevaardigde bij de Verenigde Naties. Op maandag 23 september stond hij in een hoek op een Newyorkse cocktailparty die werd gegeven door ABC-correspondente Lisa Howard.

De Cubaanse ambassadeur bij de Verenigde Naties, Carlos Lechuga, vertelde Attwood dat Castro had gehoopt om, in 1961, op een of andere manier met Kennedy contact te kunnen leggen. Maar de Varkensbaai had daar een einde aan gemaakt. Hij deed zijn beklag over de voortdurende aanvallen door bannelingen op Cuba, maar voegde daaraan toe dat Castro blij was met de toon van Kennedy's toespraak aan de American University. Misschien kon Attwood eens een geheim bezoek brengen aan Havana.

De ontmoeting was niet toevallig. Lisa Howard had Attwood verteld dat ze, nadat ze Castro in april had geïnterviewd, ervan overtuigd was dat deze de communicatie met de Verenigde Staten wilde herstellen. Ze bood aan om een feest te organiseren waarop hij informeel van gedachten kon wisselen met Lechuga.

Voordat Attwood toestemde, schreef hij een memo waarin hij om toestemming vroeg om 'discreet te informeren naar de mogelijkheden om Cuba op onze voorwaarden te neutraliseren'. Er was reden om aan te nemen dat Castro teleurgesteld was in de Russen en dat hij onder het Amerikaanse handelsembargo te lijden had. Als zijn benadering succes had, kon 'de kwestie-Cuba buiten de campagne van 1964 worden gehouden'. Hij liet zijn memo aan Stevenson zien, die antwoordde dat 'Cuba helaas nog in handen is van de CIA'. Stevenson legde het initiatief voor aan Kennedy en zei tegen Attwood dat de president geen bezwaar had gehad.

Attwood ontmoette Robert Kennedy de dag na zijn ontmoeting met Lechuga. Robert vertelde Attwood dat een bezoek aan Havana te riskant zou zijn. Het zou hoogstwaarschijnlijk uitlekken. Als het geen succes was, zouden de Republikeinen het 'concessiepolitiek' noemen en een onderzoek door het Congres eisen. Maar in zijn algemeenheid was het idee de moeite waard. Hij zei Attwood in

1. In de jaren tachtig, geschokt door de escalatie van de kernwapenwedloop, verweet Macmillan Kennedy zijn falen in het riskeren van een gevecht voor een uitgebreid kernstopverdrag: 'Ik wil zeggen dat hij verzwakt was doordat hij al die meiden om zich heen had, elke dag. [...] Hij was zwak in het onder druk zetten van de Russen over zeven controles in plaats van drie. Als we dat hadden kunnen krijgen, zou het er uiteindelijk toe hebben geleid dat er in de lucht helemaal geen proeven meer waren uitgevoerd.'

contact te blijven met Bundy en het staflid voor Cubaanse Zaken, Gordon Chase.

De minister van Justitie raadpleegde zijn broer, die zich bereid verklaarde om de betrekkingen te normaliseren als Castro de aanwezigheid van Oostblokmilitairen op het eiland beëindigde, zijn banden met de Cubaanse communisten verbrak en zijn subversieve activiteiten in Latijns-Amerika stopte.[1]

De CIA maakte gestage voortgang met de sabotageplannen die de president in juni had goedgekeurd om een 'geest van weerstand en ontevredenheid op te wekken, die zou kunnen leiden tot belangrijke overlopers en andere soorten onrust'.[2]

Robert Kennedy vertelde: 'Iedere week werden tien- of twintigduizend ton suikerriet verbrand door binnenlandse onlusten.' Bundy gaf de president 'na iedere actie een verslag over de onderneming van de Sawmill-sabotage. [...] Een snelle eerste blik doet vermoeden dat het een zakelijk verslag is van een avontuur dat u wel interessant zult vinden.'

De speciale groep van de Nationale Veiligheidsraad die zich permanent met Cuba bezighield, had de CIA in het voorjaar van 1963 gevraagd om de gevolgen van Castro's mogelijke dood in te schatten. De CIA antwoordde dat 'zijn broer Raúl of een andere persoon uit het regime het, met hulp van de Sovjet-Unie, zou overnemen'. Als Castro toevallig zou worden vermoord, 'zouden de Verenigde Staten door velen worden beschuldigd van medeplichtigheid'.

De CIA hernam haar samenzwering tegen de Cubaanse leider. In januari 1963 stelde Desmond FitzGerald, die William Harvey als directeur van geheime acties tegen Cuba had vervangen, voor dat een kleine explosieve lading aan te brengen in een zeldzame zeeschelp die zou worden achtergelaten op een plaats waar Castro wel eens dook en hem dus zou kunnen vinden. Dit bleek te moeilijk te zijn voor de technische afdeling van de CIA.

Begin september ontmoette een CIA-agent in Saõ Paulo een hooggeplaatste Cubaanse functionaris genaamd Rolando Cúbela. Hij had een codenaam, AM/LASH, was dokter en ooit studenten-guerrillaleider geweest. In 1956 had hij de chef van Batista's militaire-inlichtingendienst vermoord en het presidentieel paleis, in afwachting van Castro's komst, ingenomen. Cúbela zei dat hij tegen de Russische aanwezigheid op Cuba was gekant en dat Castro de revolutie had verraden: hij was bereid om een *inside job* te proberen.

1. Tijdens zijn bezoek aan Chroesjtsjov in augustus had Rusk opnieuw aan hem gevraagd om de Sovjetaanwezigheid op Cuba terug te brengen.
2. George Denney, van Buitenlandse Zaken, stelde voor dat een leider uit Midden-Amerika 'zou kunnen worden overgehaald om een soort David-rol op zich te nemen, waarin hij gebruik maakt van spot en beschimping om van Castro een razende en krachteloze Goliath te maken, waardoor Castro's prestige en zijn effectiviteit in samenzweringen door heel Latijns-Amerika belangrijk zou worden gereduceerd'. Radio Havana's uitzendingen van Castro's toespraken zouden kunnen worden onderbroken door iemand 'met felle, scherpe humor' om de Cubaanse leider te treiteren door 'zijn stem te imiteren' of door te zeggen: 'Je liegt, Fidel... Kom op, Fidel, scheren... Fidel, jij moordenaar!... Hé aap, je liegt weer.' Denney dacht dat zulke 'persoonlijke beledigingen Castro bozer zouden maken, en daardoor hem meer geneigd zouden maken naar terreurmiddelen te grijpen dan bestaande economische en politieke druk'.

Al snel na hun ontmoeting ging Castro naar een receptie van de Braziliaanse ambassade in Havana en waarschuwde dat, indien Amerikaanse leiders zouden proberen de Cubaanse leiders uit de weg te ruimen, 'we bereid zijn om hen te bevechten en hen van een soortgelijk antwoord te voorzien. De leiders van de Verenigde Staten moeten zich realiseren dat zij zelf, als ze terroristische plannen steunen om de Cubaanse leiders te elimineren, ook niet veilig zijn.' Nerveuze CIA-agenten vroegen zich af of Castro de Braziliaanse ambassade had uitgekozen om zijn dreigement te uiten om duidelijk te maken dat hij op de hoogte was van de ontmoeting in Sãao Paulo.

Gordon Chase van de Nationale Veiligheidsraad gaf Bundy een kopie van een persverslag van Castro's verschijning op de ambassade en schreef dat een vriend had gespeculeerd 'dat Castro misschien iets te diep in het glaasje heeft gekeken tijdens de cocktailparty'.

22. Magere kansen

Omstreeks oktober begon Kennedy plannen te maken voor zijn campagne voor 1964. Zoals zijn broer zich herinnerde, maakte de president zich zorgen dat hij zich niet had gepresenteerd als 'een beminnelijk man' en dat de Amerikaanse bevolking 'geen persoonlijke relatie met hem had'.[1]

Die herfst was de populariteit van Kennedy naar het laagste niveau gezakt dat hij ooit bereikt had – 59 procent vergeleken bij 82 procent na het incident in de Varkensbaai.

Een opiniepeiling suggereerde dat het door de president in juni ingediende wetsontwerp een belangrijke oorzaak was. Dit wetsontwerp had betrekking op burgerrechten en aanverwante maatregelen: met zesenveertig procent voor en twaalf procent tegen vonden de Amerikanen dat hij de 'rassenintegratie te snel wilde doorvoeren'.

Kennedy had in eerste instantie verwacht dat Nelson Rockefeller zijn tegenstander in 1964 zou zijn. Dit verontrustte hem omdat hij van mening was dat de gouverneur van New York hem in 1960 verslagen zou hebben. Theodore White vertelde hem: Rockefeller 'vindt je aardig'. De president antwoordde: 'Ik vind hem ook aardig, maar hij zal me op den duur gaan haten. Dat is onvermijdelijk.' Daarna werd de kandidatuur van Rockefeller flink geschaad door het feit dat hij hertrouwde met een gescheiden vrouw die haar kinderen had afgestaan.

Nu maakte Kennedy zich zorgen over de nieuwe gouverneur van Michigan, George Romney. De voormalige baas van American Motors met het zilvergrijze haar was een toegewijd mormoon. Hij had een gouden handdruk gekregen en zag er, veel meer dan Kennedy, uit als een president. Kennedy zei tegen Paul Fay, zijn vriend uit de marine: 'Je moet wantrouwig zijn ten opzichte van iemand die zo goed is als Romney. [...] Stel je voor dat iemand die we kennen er vierentwintig of achtenveertig uur vandoor gaat om te vasten en te mediteren. En die op een antwoord van God wacht of hij zich nu wel of niet kandidaat moet stellen.'

De president hoopte dat Goldwater zich kandidaat zou stellen: 'Geef mij maar

---

1. In 1959 had James MacGregor Burns opgemerkt dat Kennedy niet het soort man was voor wie vreemden bij diens begrafenis zouden huilen. In augustus 1963 klaagde William F. Buckley Jr. in de *National Review* over de 'gladheid' van Kennedy's optreden: 'Hij wordt omgeven door ijdele hielenlikkers die eropuit zijn om zijn teleurstellende resultaten om te zetten in een geweldige, eindeloze, triomf.' Dit was 'politiek geruststellend, maar slechts zolang als de mensen in deze roes bleven. Hoe zouden ze reageren op een totaal andere figuur?'

goeie ouwe Barry. Dan hoef ik nooit uit het Oval Office weg.' Of, zoals Robert Kennedy zich herinnerde: 'We hadden met Goldwater samengewerkt en we wisten gewoon dat het een niet al te slimme man was en dat hij zichzelf alleen maar te gronde zou richten.' Hij herinnerde zich dat zijn broer zich zorgen maakte dat 'hij zichzelf te vroeg te gronde zou richten en niet worden voorgedragen'. Kennedy vroeg zijn medewerkers niet over Romney te spreken maar om elke gelegenheid te baat te nemen om Goldwater te citeren als iemand die van het Witte-Huiskaliber is. Met 'Mr. Conservatief' als tegenstander verwachtte hij zowel een historische overwinning als een meerderheid in het Congres te behalen die hem in staat zouden stellen om de vele dingen te doen die hij tijdens zijn eerste ambtstermijn had uitgesteld. Boven aan zijn lijst stond het uitbreiden van de verbetering in de relaties met de Sovjets waarmee met een beperkt kernstopverdrag een aanvang was gemaakt.

In de zomer van 1963 had Rusk hem herinnerd aan hun afspraak dat deze om financiële redenen slechts één ambtstermijn op het ministerie van Buitenlandse Zaken het land zou dienen. Als de president 'een nieuwe start in mijn loopbaan als voorbereiding van de naderende verkiezingen' wilde, zou hij graag ontslag nemen. Kennedy zei: 'Begin daar nu niet weer over. Ik waardeer je lef. En ik heb te weinig mensen om me heen die lef hebben.'[1]
Terwijl hij ter ontspanning voor de kust van Hyannis voer, speelde hij met het idee om Rusk bij een tweede ambtsperiode door McNamara te vervangen: 'Maar als ik daarentegen McNamara niet op Defensie heb om de generaals in toom te houden, heb ik geen buitenlands beleid.' Harriman vond dat hij na zijn succes met het verbod op kernproeven het verdiende in overweging genomen te worden. Toen een ambtenaar in het Witte Huis te horen kreeg dat Bundy die baan misschien zou krijgen, uitte hij de wens dat Bundy met zijn staf 'naar dit gebouw' zou verhuizen, al was het 'alleen maar om van hun vele telefoontjes af te zijn'.
Robert Kennedy vertelde rechter Douglas dat hij geïnteresseerd was in Buitenlandse Zaken. Douglas besprak deze zaak met de president die, zoals Douglas zich herinnerde, 'grote belangstelling toonde'. De president wist dat de benoeming Robert zou kunnen helpen om in 1968 voorgedragen te kunnen worden als Democratische presidentskandidaat. Begin 1963 vertelde hij Bradley dat zijn broer zich op een dag misschien kandidaat zou stellen, 'maar zeker niet in 1968'. Op het moment dat hij op het punt stond de geschiedenis in te gaan, wilde hij niet worden bezoedeld met hernieuwde aanklachten dat de Kennedy's beslag probeerden te leggen op het Witte Huis.
Maar tegen de herfst vroeg hij aan Charles Bartlett: 'Wie denk je dat het in 1968 zal worden – Bobby?' Bartlett vond hem 'ongerust' over het vooruitzicht. 'Jack praatte erover hoe 1968 een strijd zou worden tussen Bobby en Lyndon Johnson, en ik denk niet dat hij het erg vriendelijk opvatte.' Charles Spalding herinnerde zich het gevoel van de president dat zijn 'broer veel te ambitieus was' en dat 'Bobby onvermurwbaar was'.

1. De president was niet bereid om Rusk onmiddellijk demissionair te verklaren door hun overeenkomst voor een ambtstermijn te onthullen, maar de president beperkte zich tot het wekken van de indruk bij Schlesinger en andere critici van de minister dat hij hun advies zou opvolgen en Rusk na de verkiezingen zou ontslaan.

Na de rakettencrisis had Kennedy eens met zijn vriend Philip Graham, de uitgever van de *Washington Post*, gesproken over de nominatie van McNamara in 1968. Graham schreef hem dat de minister van Defensie 'er misschien (heel misschien) net klaar voor was om over zes (of zestien) jaar als volkstribuun te fungeren'.

Voor bijna iedereen in het openbare leven zou McNamara een bizarre keuze hebben geleken. Hij was een Republikein zonder verkiezingservaring en hij was taai en intolerant. De president had echter oog voor zijn kundigheid, onkreukbaarheid en zijn afschuw voor politiek gehuichel. McNamara was misschien wel de natuurlijke reactie op de groeiende overtuiging van Kennedy dat de problemen van de jaren zestig eerder bestuurlijk dan ideologisch waren, zoals hij op Yale had gezegd.

McNamara was misschien ook wel de oplossing voor zijn 'hoe-zit-het-met-Bobby-in-1968-probleem'. Toen Kennedy afstand deed van zijn Senaatszetel om president te kunnen worden, had hij het zo geregeld dat een van zijn kamergenoten in Harvard, Benjamin Smith, de zetel zou aanhouden totdat Edward oud genoeg was om zich er kandidaat voor te stellen. Misschien verwachtte hij dat McNamara het Oval Office voor Robert zou aanhouden, misschien wilde hij zelfs de broer van de president tot vice-president benoemen en, met een stilzwijgende overeenkomst, weigeren herkozen te worden.

In een interview in 1965 met historici zei Robert dat de rakettencrisis zijn broer had laten zien 'wat er met een land kan gebeuren en hoeveel er van een bepaald individu afhangt. [...] En we dachten dat McNamara dat individu was.'

Voor een Democraat als O'Donnell was het idee ketterij. Hij betwijfelde of, wanneer de tijd daar zou zijn, de president zich ooit gewonnen zou geven aan een Republikeinse, politieke beginneling. Hij vond dat de president tegen de herfst van 1963 'oog' had op wat O'Donnell hiaten in het politieke oordeelsvermogen van McNamara beschouwde.

In de herfst van 1963 mislukte de door droogte geplaagde oogst in de Sovjet-Unie rampzalig en was de opbrengst, zelfs afgemeten aan de gewone standaard, niet voldoende om de Sovjetbevolking te voeden. Chroesjtsjov bedacht een rampenplan om voor 1970 tot een produktie van honderd miljoen ton kunstmest per jaar te komen. Hij vertelde het Presidium dat er in de tussentijd twee oplossingen waren: het volk laten omkomen van de honger, net als Stalin en Molotov hadden gedaan, of graan van het Westen te kopen.

Minister van Landbouw Orville Freeman vertelde tijdens een kabinetsvergadering in september dat de Russen geïnteresseerd waren in het kopen van Amerikaans graan. Sorensen herinnerde zich dat dit de enige keer was dat 'een tijdens een kabinetsvergadering spontaan te berde gebracht onderwerp een waardevolle discussie op gang bracht'.

Bundy berichtte aan Kennedy dat het verkopen van twee miljoen ton tarwe geen gat zou slaan in de Amerikaanse reserves. Het zou werkgelegenheid opleveren, de Amerikaanse betalingsbalans ten goede komen en de opslagkosten voor de overheid verminderen. Andere westerse landen verkochten al jaren tarwe en bloem aan het Oostblok.

Hubert Humphrey wist dat de verkoop van tarwe de boeren in Minnesota van pas zou komen. Hij en Freeman, de vroegere gouverneur van Minnesota, waren het eens dat het 'aanvaardbaar was om de Russen alles te verkopen waarmee ze niet op je terug konden schieten'. O'Donnell en O'Brien stelden dat een tarwe-verkoop in 1964 'politiek rampzalig' zou zijn voor de president gelet op Duitse en Poolse Amerikanen en Ierse katholieken. Gewoonlijk hield O'Donnell Lyndon Johnson weg uit het Oval Office, maar omdat hij wist dat de vice-president tegen de verkoop zou zijn, riep hij Kennedy op om hem om advies te vragen.

Johnson weigerde zijn mening te geven. Hij wist dat zulke opmerkingen meestal in kranten terechtkomen als voorbeelden van ontrouw waardoor zijn plaats op de kandidatenlijst van 1964 in gevaar kon komen. Hij vertelde de president: 'Kenny en ik zullen het er later nog over hebben en hij zal je vertellen hoe ik erover denk.' Later zei hij tegen O'Donnell: 'Het verkopen van tarwe aan Rusland zou de ergste politieke fout zijn die hij ooit maakte.'

Freeman vond dat Kennedy 'erg zenuwachtig' was over deze tarweverkoop. Tijdens de Berlijnse crisis had het Congres een amendement aangenomen dat het verkopen van gesubsidieerde goederen aan vijandige landen verbood. Robert Kennedy adviseerde zijn broer om dit als een niet-bindende belangenverklaring te negeren, maar de president wenste niet de indruk te wekken alsof hij de formaliteiten wilde omzeilen om de Russen te helpen.

Hij kwam tot een overeenkomst met Mansfield en Humphrey: om instemming van het Congres, de sterk anticommunistische havenarbeiders en andere vakbonden te verkrijgen, moest al het voor de Sovjet-Unie bestemde graan in Amerikaanse schepen vervoerd worden. Begin oktober sprak Thompson met Dobrynin, die toestemde. Kennedy was verbaasd. De Amerikaanse vervoerskosten behoorden tot de hoogste ter wereld. De opiniepeiling gaf aan dat de Amerikaanse bevolking, met zestig tegen eenendertig procent de 'verkoop van overtollig tarwe aan Rusland' goedkeurde.

Daarna ging de overeenkomst haast niet door. Zoals Freeman zich herinnerde, realiseerden de Russen zich dat het graan inclusief het prijskaartje van de Amerikaanse vervoerskosten 'verdomde duur' was. Kennedy en Sorensen grapten dat waarschijnlijk een of andere Russische politieke volkscommissaris het gebruik van Amerikaanse schepen had goedgekeurd voordat een andere handelscommissaris had uitgelegd hoe duur het zou zijn.

Uiteindelijk haalde men de Sovjets over om de harde tarwe te nemen. Daarvan bestond een grote Amerikaanse voorraad en dus was er een grote overheidssubsidie aan verbonden. Dit drukte de prijs. 'Toen de eerste verkoop eenmaal gedaan was, ging het verder vanzelf,' zei Freeman, 'maar de politiek gooide bijna roet in het eten.'

Op woensdag 2 oktober zei Rusk op de Sovjetmissie in New York tegen Gromyko dat Berlijn nog steeds hun belangrijkste meningsverschil was: 'Dat staat vast.' Niettemin was de afgelopen twee jaar de 'spanning in de situatie' afgenomen. Oost-Duitsland ging niet langer gebukt onder 'een aderlating' van emigranten. De Westduitse handel met het Oosten bedroeg nu 'iets van vijf miljard dollar per jaar'. Had meneer Chroesjtsjov niet gezegd dat handel vrede betekende?

Gromyko beklaagde zich opnieuw dat Bonn een Duits vredesverdrag tegenhield. Rusk antwoordde nogmaals dat de Amerikaanse regering 'geen aap op een stokje' was 'die naar het pijpen van West-Duitsland danst'. Terwijl een vredesver-

drag 'belangrijk' was, leek er nu geen oplossing voorhanden te zijn. Het was beter om hun betrekkingen te verbeteren en de tijd zijn werk te laten doen, vooral nu Adenauer zich terugtrok als bondskanselier.[1]
Ze moesten 'een crisis vermijden waar geen van beide partijen iets bij te winnen heeft'.

Het grootste deel van 1963 was het in Berlijn rustig geweest. In het kielzog van de rakettencrisis wilde Chroesjtsjov de wilskracht van Kennedy niet op de proef stellen.[2]
In januari 1963 herinnerde hij een Oostduits Partijcongres eraan dat ze met behulp van de Russen de Muur hadden gebouwd die hen in staat stelde om toezicht te houden op hun grenzen en zich te verzetten tegen hen die de DDR zwakker zouden maken.
Tegen de herfst kon Chroesjtsjov de kwestie-Berlijn niet langer negeren. Binnenlandse critici, die al kwaad waren vanwege het beperkte kernstopverdrag en de tarwehandel, stelden dat hij de Sovjeteisen liet varen om bij het Westen in de gunst te komen. In oktober hervatten de Sovjets de kleine pesterijen van Amerikaanse soldaten op de toegangswegen naar de stad. Soldaten hielden op de *Autobahn* twee Amerikaanse konvooien aan.
Gewoonlijk telden ze de soldaten en gebaarden dan dat ze door konden rijden. Deze keer beval men de troepen uit te stappen en zich in rijen op te stellen voor het tellen van de koppen. Toen de Amerikaanse bevelhebbers weigerden, werd een konvooi dat op weg was naar het oosten vijftien uur lang vastgehouden. Een konvooi dat in westelijke richting reed, werd tweeënvijftig uur vastgehouden. Tevens werd een Amerikaans verkenningsvliegtuig door een Russisch vliegtuig gestoord.

Op donderdag 10 oktober 1963 vertrok Gromyko naar het Witte Huis voor zijn eerste bezoek aan Kennedy sinds het begin van de rakettencrisis. De president begroette hem 'met een glimlach en was zoals gewoonlijk in een goede bui'.
Ze bespraken hoe ze de voortgang van het beperkte kernstopverdrag konden uitbreiden: nieuwe beveiligingen tegen verrassingsaanvallen en onbedoelde atoomoorlogen, het verbieden van ondergrondse kernproeven, explosies in de ruimte en een Amerikaans-Russisch maanproject. Gromyko vroeg naar de toegenomen handel, het Duitse vredesverdrag en een niet-aanvalsverdrag.
Kennedy onthulde dat terwijl Amerikaanse soldaten een loonsverhoging zouden krijgen, hij van plan was zijn volgende defensiebudget 'af te romen, tenzij er natuurlijk een of andere crisis ontstaat'. Misschien konden de Russen ook de militaire uitgaven indammen. Hij verzekerde Gromyko dat hij het aantal Amerikaanse troepen in Europa in 1964 zou inkrimpen. Misschien konden de Russen iets soortgelijks doen. Een formele overeenkomst 'zou, met het oog op het moei-

1. Ten gunste van zijn minister van Financiën, Ludwig Erhard.
2. De president had de raad van adviseurs als Robert Komer van de Nationale Veiligheidsraad in de wind geslagen. Deze schreef eind oktober 1962 aan Bundy: 'We hebben misschien een prachtgelegenheid om een of ander levensvatbaar interimakkoord voor Berlijn op te stellen. Nu kan de tijd zijn gekomen om Adenauer te grazen te nemen [...] en om de Russen een akkoord aan te bieden.'

lijke probleem rond de inspecties, tot problemen leiden'.

Gromyko prees Kennedy's toespraak aan de American University. De president zei dat hij en Chroesjtsjov 'al het mogelijke' moesten doen 'om te voorkomen dat we met elkaar in botsing komen'. Het was 'nuttig' dat de Sovjettroepen Cuba verlieten, maar het probleem bleef. Men moest meer incidenten op de toegangswegen naar Berlijn vermijden en deze als 'onnodige irritatie en overlast' beschouwen.

Die avond stelde Rusk tijdens een diner op de Sovjetambassade voor om onderling alle Amerikaanse B-47'ers en alle Russische bommenwerpers van het type Badger te vernietigen. Dit zou gemakkelijk te controleren zijn en een stap in de richting van non-proliferatie betekenen: 'Als deze vliegtuigen binnen vijf jaar verouderd zijn, [...] waarom kunnen we ze dan niet binnen drie jaar vernietigen?' Dat zou ons enige ontwapening opleveren en ook in andere opzichten voordelig zijn.' Een supersonische bommenwerper was even duur als 'het onderhoud van een hele universiteit in een ontwikkelingsland [...] het zou onzin zijn om zulke bommenwerpers aan de minder ontwikkelde landen te schenken'. Gromyko antwoordde dat ze zich tevens met de raketten moesten bezighouden. Rusk was het met hem eens. De Verenigde Staten waren 'bereid om de kwestie van transportvoertuigen voor kernwapens over de gehele linie te bespreken'. Maar 'we moeten ergens beginnen en doorgaan'. Na de B-47-toestellen en de Badgers kwamen hij en Gromyko misschien nog wel andere wapencategorieën tegen die 'zich voor een soortgelijke benadering leenden'.

Toen Gromyko zijn standaardklacht uitte over de Amerikaanse bases, raadde Rusk hem aan om Malinovski te vragen hoeveel bases de Amerikanen sinds 1948 hadden verlaten. Gromyko zou verbaasd staan. Als het karwei voor het Sovjetministerie van Defensie te ingewikkeld zou zijn, wilde hij de getallen zelf wel geven.

Gromyko opperde het oude Sovjetvoorstel voor wereldwijde atoomvrije zones. Rusk zei dat de Amerikanen daar geen bezwaar tegen maakten, zolang het idee de instemming had van de betrokken landen. In Latijns-Amerika bijvoorbeeld vormde Cuba het grootste probleem. In Afrika was Egypte vurig voorstander. Voor wat het Midden-Oosten betrof, ging Rusk door met de suggestie dat er 'misschien iets kon worden uitgewerkt' om voor Israël een oplossing te zoeken. Was dit een stille hint aan de Sovjets om zich, net als Harrimans toespeling op China in juli, bij de Verenigde Staten aan te sluiten om de Israëli's niet tot de nucleaire club toe te laten?

Israël was aan het einde van de jaren vijftig begonnen met de bouw van een kernreactor in de Negev-woestijn. Premier Ben-Goerion beweerde dat de fabriek in Dimona 'een textielfabriek' was, maar, zo zei hij, 'het is niet onmogelijk voor wetenschappers in Israël om voor hun eigen volk te doen wat Einstein, Oppenheimer en Teller – alle drie joden – voor de Verenigde Staten hebben gedaan'.

Het persoonlijke standpunt van Kennedy ten aanzien van de joodse staat neigde altijd meer naar de achterdocht van Stevenson dan naar het enthousiasme van Humphrey. Hij bewonderde Stevenson in 1956 voor het afwijzen van grote bijdragen van joden in Boston die hem vroegen de aanval op Suez te onderschrijven. In 1960 vroeg hij aan Theodore White: 'Teddy, vertel me eens waarom de joden in Israël zo anders zijn dan de joden in dit land. Ze zijn zo taai.'[1]

In 1961 en 1962 ondernam de president onopvallende pogingen om het lont uit het kruitvat van het Midden-Oosten te trekken. Hij probeerde dit met een plan om vrije Palestijnse emigratie naar Israël en de Arabische landen toe te staan. Hij zette zijn joodse medewerker Myer Feldman en anderen in om de toestemming van Israël te krijgen, maar hij slaagde daar niet in.[2]

Het opvoeren van de druk op Jeruzalem vóór 1964 zou voor Kennedy weinig winst betekenen – vooral, zoals hij Bradlee vertelde, aangezien de 'enige mensen' die zich tijdens politieke campagnes echt inzetten nu joods waren. Zoals met zoveel andere dingen talmde hij misschien met het uitoefenen van serieuze druk op Israël tot na zijn herverkiezing.

Wat niet kon wachten, was Israël te beletten de beschikking over de Bom te krijgen. In 1962 verklaarde Jeruzalem dat er geen kernwapens in het Midden-Oosten waren en dat Israël nooit de eerste zou zijn om ze te introduceren. Deze ontkenning sloot geenszins de fabricage uit van apparaten die in een paar minuten tijd omgebouwd konden worden tot atoombommen.

In opdracht van Kennedy onderhandelde Feldman met de Israëli's over een geheim verdrag voor regelmatige Amerikaanse inspecties van de reactor in Dimona in ruil voor Hawk-afweerraketten, een oude wens van Ben-Goerion. De regering verdedigde de rakettenoverdracht, de eerste serieuze Amerikaanse militaire steun aan Israël, als antwoord op de Russische SAM's die aan Egypte waren gegeven.

In maart 1963 overhandigde Bundy de president een rapport van de CIA over 'wat we op dit moment weten van de nucleaire potenties in de Verenigde Arabische Republiek [Egypte] en Israël. Het is duidelijk niet genoeg en we oefenen druk uit om nog een onderzoek naar de Israëlische activiteiten te regelen.' Omstreeks oktober begon Kennedy zich te ergeren aan de Israëli's, die zich niet aan hun helft van de geheime afspraak hielden: de Amerikanen kregen onvoldoende toegang tot hun atoominstallaties.[3]

1. White, die zelf joods was, voelde zich 'teleurgesteld' omdat Kennedy suggereerde dat 'joden in dit land niet taai zijn'. Een zwarte toehoorder zou niet blij zijn geweest om te horen wat Kennedy daarna zei. Whites aantekeningen vermeldden het volgende: 'Hij zegt dat er zo veel van deze briljante N[eger]leiders [zijn], echt briljant. [...] Bij geen een ander volk is het gat zo [groot] tussen de [leiders] en zij die geleid worden.' Kennedy was niet ongevoelig voor het maken van cliché-opmerkingen over etnische bevolkingsgroepen. In 1959, nadat het programma *Meet the Press* van NBC het onderwerp aangesneden had of een katholiek wel tot president gekozen kon worden, belde hij kwaad naar Lawrence Spivak, de joodse moderator van het programma, die hij vervolgens woedend maakte met de vraag: 'Hoe zou *jij* het vinden als iemand een programma maakte met als onderwerp "Zijn joden eerlijk?"'

2. Met zijn gebruikelijke vooringenomenheid dat hij de arbiter was van goed amerikanisme, zei Robert Kennedy tijdens een in 1964 opgenomen interview van Feldman: 'Zijn grootste belangstelling ging eerder uit naar Israël dan naar de Verenigde Staten.'

3. Gromyko beweerde jaren later dat de president hem had verteld dat er 'twee groepen onder de Amerikaanse bevolking' waren 'die niet altijd blij zijn wanneer de relaties tussen beide landen in rustiger vaarwater komen'. De ene was 'ideologisch' en de andere 'van een bepaalde nationaliteit die denkt dat het Kremlin, altijd en onder alle omstandigheden, de Arabieren zal steunen en een vijand van Israël zal zijn. Deze groep beschikt

Bundy zei later: 'Wat ik me ervan herinner is dat de grote belangstelling voor deze kwestie eindigde met de dood van Kennedy.' Als de president was blijven leven dan zou zijn tweede ambtstermijn misschien een serieuze poging zijn geweest om de Israëli's de Bom te ontzeggen.

Chroesjtsjov had in augustus in Pitsoenda tegen Rusk gezegd: 'Als u het niet kunt laten, ga dan vechten in de jungles van Vietnam. De Fransen vochten er zeven jaar lang en moesten uiteindelijk de strijd toch opgeven. Misschien dat de Amerikanen in staat zullen zijn het iets langer uit te houden, maar op de lange duur zullen ook zij de strijd moeten staken.'

Kennedy zocht snel naar oplossingen om de dubbelzinnigheden in zijn beleid inzake Vietnam weg te nemen. In januari 1962 had hij de Nationale Veiligheidsraad gevraagd om Chroesjtsjovs toespraak over bevrijdingsoorlogen te herlezen: 'We zijn hier aan een belangrijke taak begonnen en het zal geen gemakkelijke worden.' Hij maakte zich zorgen over wat er in Vietnam zou gebeuren 'wanneer de Chinezen raketten krijgen en bommen en kernwapens'. De Nationale Veiligheidsraad antwoordde met paramilitaire plannen waaronder de beroemde 'strategische dorpjes', de versterking van duizend dorpen tegen de guerrillastrijders van de Viet Cong door middel van prikkeldraad en borstweringen.

In maart 1962 liet Rusk Senatoren vertrouwelijk weten dat, ondanks Russische 'protesten dat ze graag willen dat die situatie zich stabiliseert, agenten, kaders, mensen en erg kleine hoeveelheden bevoorradingen Zuid-Vietnam binnen blijven komen'. Het was 'heel goed mogelijk dat Moskou zijn invloed, zijn vermogen kwijtraakte de situatie te beïnvloeden'.

In april verzocht Galbraith de president in een brief zich te realiseren dat de Sovjets er nu niet 'bepaald happig' op waren om problemen te veroorzaken in Zuidoost-Azië. Hij moest 'iedereen die erbij betrokken is, ervan doordringen dat het belangrijk is dat de Amerikaanse strijdkrachten zich bij feitelijke gevechten afzijdig moeten houden'. Kennedy walgde meer dan ooit van het idee om zich in een Aziatische landoorlog te mengen aan de zijde van een regime waarvan hij vond dat het bij de eigen bevolking niet geliefd was. Die maand vertelde hij tegen Harriman dat ze 'elk gunstig moment moeten aangrijpen om hun betrokkenheid te verminderen', hoewel dat moment 'nog wel een tijdje op zich kan laten wachten'.

President Ngo Dinh Diem had geweigerd om het Geneefse verdrag over Laos van juli te tekenen. Hij klaagde dat het de Viet Cong veel te zacht behandelde en dat dit tot de neutralisatie van Vietnam zou leiden. Kennedy wist hem over te halen met de persoonlijke verzekering dat Laos 'niet gebruikt zou worden voor militaire interventies of ondermijnende stappen met betrekking tot aangelegenheden van andere landen'.

over effectieve middelen om de verbeteringen tussen onze landen erg moeilijk te maken.' Gromyko nam aan dat Kennedy 'de joodse lobby bedoelde'. Zijn relaas klinkt niet erg waarachtig. De Amerikaanse medestanders van Israël waren eerder geneigd om détente te koppelen aan de schade die de joodse staat in de jaren zeventig werd berokkend dan aan die van de jaren zestig. Niettemin zochten Kennedy en Rusk in de herfst van 1963 naarstig naar een of andere vorm van samenwerking met de Russen om Israël ervan te weerhouden kernwapens aan te schaffen.

Chroesjtsjov bleek niet bereid of niet in staat om Hanoi tegen te houden. Slechts een derde van de negenduizend Noordvietnamese adviseurs en strijdkrachten in Laos werd teruggetrokken. Per maand glipten er een paar honderd Zuid-Vietnam binnen. Harriman klaagde dat het verdrag van Genève verbroken was voordat 'de inkt droog was'.

Na de rakettencrisis drong Walt Rostow er bij Bundy op aan om het gebruik van de verstevigde Amerikaanse positie te overwegen 'om de Sovjet-Unie over te halen of te dwingen zich te houden aan de eed die ze in Genève hebben afgelegd dat de infiltratie in Zuid-Vietnam via Laos na het akkoord van Laos zou ophouden'.

Tegen januari 1963 was de oorlog volgens een inschatting van de CIA 'een langzaam escalerende patstelling'. Op het moment dat de opperbevelhebber van het leger, generaal Earle Wheeler, terugkeerde van een achtdaagse rondreis door Zuid-Vietnam, vertelde hij Kennedy dat politieke beperkingen op aanvallen tegen communistische toevluchtsoorden in Laos en Cambodja de kans op 'de overwinning veel kleiner' maakten. Hij en de CIA stelden voor om te beginnen met 'een gecoördineerd programma van sabotage, vernietiging, propaganda en ondermijnende activiteiten tegen Noord-Vietnam'.

Bundy wees de president erop dat het programma 'met alle problemen te maken krijgt die een operatie op verboden gebied met zich meebrengt, maar er is overeenstemming dat het de moeite waard is om het te proberen'. De gezamenlijke stafchefs gaven die herfst het bevel tot 'anonieme' bliksemoperaties tegen het Noorden. De aanvallen, die door de Zuidvietnamezen werden uitgevoerd, werden ondersteund door Amerikaans 'materieel, militaire training en adviezen'.

Zoals Rusk zich herinnerde, waren het mislukken van het akkoord van Laos en de onmacht van Chroesjtsjov om de Noordvietnamezen te beteugelen 'een bittere teleurstelling' voor Kennedy. Zowel de president als de minister beschouwden het mislukken als een uiting van communistische onwil om zich aan internationale afspraken te houden. In juni 1963, net voordat Kennedy naar Europa afreisde, stelden Rusk en McNamara een serie heimelijke en openlijke pressiemiddelen voor die tot 'militaire acties tegen Noord-Vietnam' moesten leiden.

De president ging akkoord met de eerste fases van het programma. Om de toegangswegen naar Thailand en de bergpaden naar Zuid-Vietnam te beheersen, moedigden Amerikaanse adviseurs militaire acties van rechtse en neutrale groeperingen aan tegen de Pathet Lao, geholpen door Amerikaanse aanvallen vanuit de lucht en eenheden van de *Special Forces* op de grond. De Amerikaanse ambassade in Vientiane kreeg te horen dat men tot doel had de Pathet Lao te laten zien dat die 'niet langer straffeloos tot zulke acties kon aanzetten'.

President Diem verloor snel de steun van het Zuidvietnamese volk. Diem, die in 1901 werd geboren en van verstard katholieke afkomst was, had ooit voor priester gestudeerd. In de Tweede Wereldoorlog was hij uit het kabinet getreden van de Vietnamese keizer Bao Dai, die hij beschouwde als 'een pion in de handen van de Franse autoriteiten'. Nadat de Fransen in 1954 in Dien Bien Phu verslagen waren, stelde Diem zich kandidaat als staatshoofd van Zuid-Vietnam. Hij werd gesteund door de Verenigde Staten en behaalde een bevredigende 98,2 procent van de stemmen.

Een groeiend aantal generaals en burgers had bezwaar tegen wat zij Diems hobbyisme met militaire zaken beschouwden, zijn autoritaire heerschappij, vriend-jespolitiek en nepotisme. Ze haatten zijn hooghartige jongere broer en voor-naamste adviseur Ngo Dinh Nhu, en de vrouw van Nhu, een elegante tijgerin die eiste dat de traditionele boeddhistische wetten aangaande huwelijk, seks en scheiding werden vervangen door katholieke rites.

Drie dagen na Kennedy's verkiezing in 1960 pleegde een groep kolonels een mislukte coup. George Carver van de CIA geloofde dat zij 'elk risico wilden ver-mijden dat een nieuwe, katholieke, Amerikaanse president het volle gewicht van Amerikaanse steun' voor Diem 'in de schaal zou werpen'.

In mei 1963 verzamelden zich duizenden Vietnamezen om de geboorte van Boeddha te vieren en te protesteren tegen het verbod van de regering-Diem op religieuze vlaggen. Terwijl regeringstroepen de massa uiteenjoegen, werden er zeven of meer boeddhisten gedood. Half juni ging een boeddhistische monnik in Saigon op een kruising zitten en stak zichzelf in brand. Madame Nhu hekelde de boeddhistische leiders als 'slachtoffers van het communisme' en deed de zelf-moord af als een 'barbecue'.

Rusk maakte zich zorgen over het beeld van 'een grote boeddhistische meerder-heid die door de katholieke minderheid wordt getiranniseerd'. Als katholiek was Kennedy niet ongevoelig voor het binnenlandse politieke probleem waarbij het leek alsof hij zo'n vervolging steunde. In juli, bij zijn terugkeer uit Europa, vroeg hij zijn medewerkers: 'Hoe kon dit gebeuren? Wie zijn deze mensen? waarom waren wij niet eerder van hen op de hoogte?'[1]

Het zijn neiging om zichzelf via het benoemen van top-Republikeinen te be-schermen, accepteerde Kennedy het oude aanbod van zijn oude vijand uit Mas-sachusetts, Henry Cabot Lodge, om als ambassadeur in Saigon te fungeren. O'Donnell, O'Brien en Powers, die wisten dat hij persoonlijk een lage dunk had van de politieke talenten van Lodge, waren verbijsterd. Hij verdedigde zijn keu-ze door hen te vertellen dat het idee om Lodge bij zo'n hopeloze puinhoop te be-trekken 'onweerstaanbaar' was.

Ngo Dinh Nhu waarschuwde de Zuidvietnamese generaals in augustus dat het beperkte kernstopverdrag de voorbode kon zijn van de algehele Amerikaanse 'appeasement' ten aanzien van het communisme en dat Saigon klaar moest zijn om op zichzelf te staan. Diem kondigde de staat van beleg af. De keurtroepen van Diem plunderden pagodes in vijf steden en arresteerden veertienhonderd boeddhistische monniken en nonnen.

Harriman concludeerde dat de Verenigde Staten de regering van Diem-Nhu niet langer kon steunen. Op zaterdag 24 augustus stelden hij en Roger Hilsman, toenmalig onderminister van Buitenlandse Zaken voor het Verre Oosten, een te-legram op, dat door George Ball ondertekend moest worden en waarin zij Lodge

---

1. Het is moeilijk om voorbij te gaan aan dit aanvullende voorbeeld van Kennedy's nei-ging de schuld voor nare ontwikkelingen van zich af te schuiven door te klagen over ge-brekkige inlichtingen. Met de Berlijnse Muur, de raketten op Cuba en de boeddhistische vervolgingen deed hij uitgebreid zijn beklag dat hij onvoldoende gewaarschuwd was. Zo-als met de Muur en de raketten het geval was, had hij in feite meer dan genoeg informatie gekregen om te weten dat Diem de boeddhistische meerderheid zodanig tartte dat het zijn regime zou ondermijnen.

in Saigon toestemming gaven om een staatsgreep op gang te helpen.

De boodschap informeerde de nieuwe afgezant dat de 'Amerikaanse regering geen situatie kan toestaan waarbij de macht in handen van Nhu ligt'. Als Diem weigerde om hem van zijn functies te ontheffen en het boeddhistische probleem recht te zetten, 'moeten we de mogelijkheid onder ogen zien dat Diem zelf niet gehandhaafd kan worden'. Lodge werd gevraagd om deze boodschap naar de 'belangrijkste militaire leiders' te brengen en tevens om 'gedetailleerde plannen te maken over hoe we, mocht dit nodig zijn, de vervanging van Diem kunnen bewerkstelligen'.

Harriman en Hilsman wilden de boodschap onmiddellijk versturen om te verhinderen dat Nhu zijn positie kon verstevigen. Rusk, McNamara, McCone en Bundy waren allemaal de stad uit. Toen Michael Forrestal, staflid van de Nationale Veiligheidsraad, het telegram over de telefoon aan de president in de haven van Hyannis voorlas, vroeg Kennedy: 'Kunnen wij niet tot maandag wachten, als iedereen terug is?' Forrestal zei hem dat Harriman en Hilsman 'dit ding meteen willen versturen'.

Ball belde naar Hyannis Port. De president was bang dat hij de opvolger van Diem niet zou mogen, maar 'als Rusk en Gilpatric het eens zijn, George, ga je gang dan maar'. Gilpatric herinnerde zich dat, terwijl hij 'enigszins ongelukkig' was met het telegram, hij het een als een beslissing van het ministerie van Buitenlandse Zaken, en niet van Defensie beschouwde. Rusk zei later dat als Ball, Harriman en Kennedy het telegram wilden versturen 'Ik geen vragen ging stellen.' De boodschap werd op zaterdagavond naar Saigon verstuurd.

Op maandagmorgen in het Witte Huis was Kennedy verbaasd toen bleek dat McNamara, McCone en Taylor allemaal grote bezwaren hadden tegen het versturen van het telegram. Taylor bracht als beschuldiging in dat een 'anti-Diem-groep die zich op Buitenlandse Zaken bevond', misbruik had gemaakt van de afwezigheid van de belangrijkste ambtenaren om een boodschap te versturen die anders nooit zou zijn goedgekeurd. Zij adviseerden de president zichzelf niet in verlegenheid te brengen door het telegram in te trekken. Forrestal bood aan ontslag te nemen en de schuld op zich te nemen. Kennedy snauwde: 'Je bent het niet waard ontslagen te worden.'

Harrimans betrokkenheid in het geheel verzwakte de goodwill die hij bij Kennedy had opgebouwd met zijn succes bij het beperkte kernstopverdrag. Robert Kennedy bemerkte dat Harriman na wat hij 'het beroemde weekeind' noemde, tien jaar ouder leek.

De *Voice of America* zond op maandag een door het ministerie van Buitenlandse Zaken goedgekeurde verklaring uit waarin stond dat de Amerikaanse regering mogelijkerwijs 'haar hulp aan Vietnam sterk zal verminderen' tenzij Diem diegenen zou ontslaan die verantwoordelijk waren voor de plunderingen van de pagodes. Lodge zond een boos telegram af richting Washington dat de uitzending zojuist de kans op 'een overrompeling' door middel van een staatsgreep van de generaals onmogelijk had gemaakt.

Op een vergadering van de Nationale Veiligheidsraad op woensdag stelde het ministerie van Buitenlandse Zaken dat de Verenigde Staten 'nu moeten beslissen om een succesvolle omverwerping te bewerkstelligen'. Ambassadeur Frederick Nolting, die net uit Saigon terug was gekeerd, waarschuwde dat als Diem en

Nhu werden afgedankt, de wereld zou concluderen dat Washington zijn beloften niet nakwam. Harriman, die misschien nog steeds leed onder de wetenschap dat hij zijn moeizaam veroverde positie bij de president had verbruid, hekelde de staat van dienst van Nolting en zijn politieke oordeel.

Kennedy vertelde later tegen Charles Bartlett: 'Mijn God, mijn regering dreigt uiteen te vallen!' Robert Kennedy herinnerde zich die week als 'eigenlijk de enige keer dat de regering op een verontrustende manier in twee kampen was verdeeld'. Later zei hij: 'Diem was corrupt en een slecht leider [...] maar we erfden hem.' Hij vond dat het van slecht beleid getuigde om 'iemand die wij niet mogen te vervangen door iemand die we wel waarderen, omdat dit bij alle andere landen alleen maar tot de gespannen gedachte leidt dat wij achter allerlei staatsgrepen zitten'.

Generaal Taylor had een telegram naar Saigon gestuurd waarin stond dat 'de autoriteiten nu hun bedenkingen hebben' tegen Diem. Dit maakte de president woedend; hij wilde niet dat het leek alsof hij onzin stond te verkopen. Lodge antwoordde: 'Wij zitten op een koers waar geen respectabele weg terug mogelijk is: de omverwerping van de regering-Diem. [...] Naar mijn mening is het niet mogelijk dat de oorlog onder de regering van Diem gewonnen kan worden.' Hij verzocht dringend om een 'uiterste poging om de generaals aan te sporen onmiddellijk stappen te nemen'.

Kennedy telegrafeerde naar Lodge: 'Ik weet dat falen destructiever is dan de schijn van besluiteloosheid. [...] Wanneer we gaan, moeten wij gaan om te winnen, maar het is beter om van gedachten te veranderen dan te falen.' Hij gaf Lodge toestemming om de leiders van de staatsgreep te benaderen. Op zaterdag 31 augustus vertelde generaal Paul Harkins, bevelhebber van de Amerikaanse militaire adviseurs in Zuid-Vietnam, aan de samenzwerende generaals dat de Amerikaanse regering maatregelen tegen Diem zou steunen. Maar zij waren wantrouwig over wat het echte standpunt van Washington was en nerveus over de voortdurende kracht van de trouwe aanhangers van Diem. Ze vertelden hem dat het idee van de baan was.

Op een vergadering van de Nationale Veiligheidsraad sprak Lyndon Johnson duidelijke taal. Tijdens zijn korte reis naar het gebied in 1961 had hij Diem geprezen als de 'Winston Churchill van Zuidoost-Azië'. Nu riep hij de president op om 'op te houden voor politie en dief tegelijk te spelen' en 'openhartig' met Diem te praten en 'zich te richten op het winnen van de oorlog'.

Diems tegenstanders in de kamer wisten dat de povere invloed op het buitenlandse beleid van de vice-president sinds de rakettencrisis in rook was opgegaan. Sommigen vermoedden dat hij in 1964 zelfs van de kandidatenlijst zou worden geschrapt waardoor zijn standpunten over Vietnam zinloos waren.

In Zuid-Vietnam sloten de studenten zich in september aan bij de boeddhistische protesten. Velen van hen waren kinderen van de stedelijke elite op wier steun Diem zou moeten rekenen. Robert Kennedy vroeg aan McNamara en andere adviseurs of de oorlog gewonnen kon worden met Diem en Nhu. Forrestal vermoedde dat de president de minister van Justitie had opgestookt om namens hem 'deze onplezierige vragen te stellen'.

Op dinsdag 10 september, na een zesendertig uur durend bezoek aan Zuid-Vietnam, rapporteerde generaal-majoor Victor Krulak aan de president dat Diems politieke problemen 'niet groot' waren. Zijn reisgenoot Joseph Mendenhall van het ministerie van Buitenlandse Zaken voorzag 'een grote stap in de richting van de Viet Cong' tenminste als Nhu niet opstapte. Kennedy vroeg: 'Hebt u allebei hetzelfde land bezocht, heren?'

Lodge stuurde een telegram met het advies om selectief op de Amerikaanse economische steun te snoeien om de generaals aan te moedigen tegen Diem in opstand te komen.[1] De president was bezorgd dat zulke maatregelen Diem en Nhu zouden aanzetten snel een of andere vredesverdrag met Hanoi te sluiten. Aangezien er geen staatsgreep ophanden scheen te zijn, koos hij daarom voor een reeks langzaam in hevigheid toenemende pressiemiddelen die Diem ertoe zouden dwingen zijn broer te ontslaan en zijn regering te hervormen.

Eind september leidden McNamara en Taylor een tiendaagse missie naar Zuid-Vietnam. De minister van Defensie waarschuwde Diem voor de 'verontrustende kans' dat de oorlogsinspanning schade zou worden toegebracht door de 'politieke gebreken' van zijn regering. Diem gaf de 'boosaardige' Amerikaanse pers de schuld. Hij was eigenlijk 'te lief voor de boeddhisten' geweest. De studentendemonstranten waren 'onvolwassen, onervaren en onverantwoordelijk'. Hij vertelde McNamara dat hij een 'dossier aan het voorbereiden' was over de Amerikanen die tegen hem samenspanden.

Op woensdag 2 oktober rapporteerden McNamara en Taylor aan de president dat de 'geweldige vooruitgang' in de militaire inspanningen door 'verdere repressieve acties door Diem en Nhu' in gevaar kon worden gebracht. Zij adviseerden om opnieuw het mes in de economische steun te zetten. De Amerikaanse regering moest zich 'cryptisch' blijven opstellen. Wanneer de Amerikaanse inkrimpingen bekend zouden worden, konden de verschillende groeperingen binnen de Zuidvietnamese samenleving hun eigen conclusies trekken. McNamara voorspelde dat dit 'ons een duw' zou geven 'in de richting van een verzoening met Diem of van een staatsgreep om hem omver te werpen'.

Kennedy, die blij was dat hem een Vietnambeleid werd aangeboden waarmee zijn meeste hoge ambtenaren zich konden verenigen, vertelde de Nationale Veiligheidsraad dat zij zich 'allemaal [...] met goede voornemens' achter het plan moesten 'opstellen'.

Drie dagen later had een van de anti-Diemsamenzweerders, generaal-majoor Duong Van 'Grote' Minh, in Saigon een ontmoeting met Lucein Conein van de CIA. Hij wilde de verzekering dat de Verenigde Staten 'in de zeer nabije toekomst' een staatsgreep niet zouden tegenhouden.

Washington, dat op de hoogte was van de vergadering, telegrafeerde naar Lodge dat hoewel men geen 'staatsgreep wilde aanmoedigen', men geen 'verandering' zou 'belemmeren' of een nieuw regime hulp zou ontzeggen 'als men in

1. Hij stelde tevens voor dat met Chroesjtsjov over Vietnam gesproken zou worden, mocht de Secretaris-Generaal in de herfst de Algemene Vergadering van de Verenigde Naties bijwonen. Harriman antwoordde dat er 'op dit moment geen aanwijzingen' waren dat de Secretaris-Generaal naar New York kwam: 'Ik betwijfel in ieder geval dat Chroesjtsjov, gelet op huidige Russische problemen met de Chinese communisten, ertoe bereid zou zijn om met een Amerikaans vertegenwoordiger op een realistische manier de kwestie-Vietnam te bespreken.'

staat zoublijken de effectiviteit van de militaire inspanningen te verhogen, zich van de steun van het volk te verzekeren om de oorlog te winnen en de samenwerking met de Verenigde Staten te verbeteren'.

David Smith, hoofd van de CIA-basis in Saigon, berichtte aan McCone dat een van de drie plannen van generaal Minh voor onvoorziene gebeurtenissen de moord behelsde op Nhu en Ngo Dinh Can, de jongste van de gebroeders Dinh. McCone antwoordde dat de Verenigde Staten 'zeker niet in de positie waren om tot een moord aan te zetten, die goed te keuren of te steunen'. Toch was men 'op geen enkele wijze verantwoordelijk voor het beëindigen van elke dreiging waarvan men misschien maar gedeeltelijk op de hoogte werd gesteld'.

McCone, die met de president en de minister van Justitie vertrouwelijk overleg voerde, sprak in omslachtige standaardbewoordingen over het plan van Minh. Hij vertelde Kennedy dat er geen serieus alternatief voor Diem was: 'Als ik de coach van een honkbalteam was en ik had één werper, dan zou ik hem op de heuvel laten staan of hij nu een goede werper was of niet.' McCone, die aannam dat Kennedy het met hem eens was, stuurde een telegram naar zijn basis in Saigon om de generaals te vertellen dat de Verenigde Staten moord niet eens wilden bespreken.[1]

Op dinsdag 29 oktober telegrafeerde Lodge dat er een poging tot een staatsgreep 'ophanden' was. De president adviseerde dat hij de groep moest ontmoedigen tenzij 'er een aanzienlijke kans op een snel succes' was: 'Een misrekening kan resulteren in het in gevaar brengen van de positie van de Verenigde Staten in Zuidoost-Azië.'

Lodge antwoordde: 'Denk niet dat we de macht hebben om een staatsgreep te vertragen of te verhinderen. [...] Deze mensen zijn duidelijk bereid om hun leven op het spel te zetten en zij willen niets voor zichzelf.'

Bundy telegrafeerde terug: 'Het ontbreken van onze macht om een staatsgreep te vertragen of te verhinderen, kan voor ons geen basis vormen voor een Amerikaans beleid.' Hij gaf Lodge opdracht om verzoeken voor Amerikaanse interventie te weigeren, als bemiddelaar op te treden bij een zich voortslepende strijd en om de intriganten asiel te bieden als hun poging mislukte. 'Maar op het moment dat een staatsgreep onder verantwoordelijke leiding en onder deze beperkingen is begonnen, moet hij slagen.'

Op vrijdag 1 november ging Lodge naar het presidentiële paleis. Diem sprak buitengewoon enthousiast over het succes van de oorlog en zei toen: 'Ik weet dat er een staatsgreep zal plaatsvinden maar ik weet niet wie hem gaat uitvoeren.' Lodge gaf geen antwoord. Voordat hij vertrok, zei Diem tegen hem: 'Vertel de president alstublieft dat ik een goede en trouwe bondgenoot ben en dat ik liever openhartig ben en nu kwesties opklaar dan dat wij erover spreken nadat alles verloren is.'

Terwijl Lodge met Diem sprak, bracht Conein een pistool, handgranaten, een radio en een tas met daarin het Zuidvietnamese equivalent van tweeënveertig-

---

1. Amerikaanse instemming was nooit afhankelijk gemaakt van de voorwaarde dat de levens van Diem en zijn broers zouden worden gespaard: dit zou de poging van Washington, om op aannemelijke wijze de betrokkenheid bij de staatsgreep te ontkennen, ongeloofwaardig maken.

duizend dollar naar het hoofdkwartier van de gezamenlijke generale stafchefs in Saigon. Generaal Minh vertelde Conein: 'U gaat met ons mee, voor het geval wij falen.'

De leiders van de staatsgreep bezetten het vliegveld, het radiostation en het ministerie van Defensie. Diem belde Lodge op: 'Een paar eenheden hebben gerebelleerd en ik wil weten wat het standpunt van de Verenigde Staten is.' Lodge antwoordde dat het in Washington vroeg in de ochtend was: 'De Amerikaanse regering kan onmogelijk een standpunt hebben.' Hij zei: 'Als ik ook maar iets kan doen voor uw fysieke veiligheid, belt u mij dan alstublieft.'

De volgende dag bezetten de troepen van de rebellen het presidentiële paleis. Diem en Nhu waren gevlucht. Zij gaven zich over nadat zij vergeefs bij Nationalistische Chinezen om asiel hadden gevraagd. De leiders van de staatsgreep vroegen Conein om een vliegtuig om de broers non-stop naar een verafgelegen punt te vliegen waar zij niet in staat waren om een tegencoup te beginnen. Men vertelde hen dat, vanwege het ontbreken van voorbereidingen waardoor de Verenigde Staten bij de staatsgreep betrokken hadden kunnen worden, zo'n vlucht vierentwintig uur lang niet geregeld kon worden.

Diem en Nhu werden vanuit een katholieke kerk snel een gepantserd legervoertuig ingeduwd. Terwijl de wagen voor een spoorwegovergang stilstond, werden de broers meermalen gestoken en doodgeschoten.

In de Situation Room, de tijdingkamer, volgde Kennedy de staatsgreep tot men hem van de moorden op de hoogte bracht. Hij rende de kamer uit. Forrestal had het gevoel dat de moord 'hem persoonlijk trof' en 'hem als een morele en religieuze zaak wroeging bezorgde. Het schokte zijn vertrouwen, denk ik, in het soort advies dat hij over Zuid-Vietnam kreeg.'[1]

Die herfst werd de president opnieuw gekweld door de kwestie van de Sovjettroepen op Cuba. In oktober rapporteerde Joseph Alsop dat Chroesjtsjov in Moskou aan Harriman de verzekering had gegeven dat alle Sovjettroepen Cuba uiteindelijk zouden verlaten, en hij voegde eraan toe dat zij niet van het vochtige klimaat hielden. Het ministerie van Buitenlandse Zaken antwoordde dat zij niets afwisten van een Russische belofte dat er 'een aanzienlijk aantal' troepen uit Cuba zou worden teruggetrokken, maar niet allemaal.

Tijdens een persconferentie op 31 oktober zei Kennedy alleen maar dat 'de aantallen gestaag zijn verminderd'. Na een lunch met uitgevers uit Ohio, een week later, beweerde men dat hij gezegd zou hebben dat hij 'verwacht dat ze aan het eind van jaar bijna allemaal het land uit zijn'. Gordon Chase waarschuwde Bun-

---

1. Eisenhower schreef aan Nixon: 'Ik verwacht eigenlijk dat de affaire-Diem gedurende lange tijd door mysteries omgeven zal worden. Het geeft niet in welke mate de regering met hem van mening verschilde, ik kan niet geloven dat welke Amerikaan dan ook de wrede moord goedkeurt op een man die, per slot van rekening, jaren geleden grote moed toonde toen hij de taak op zich nam om de pogingen van de communisten te verijdelen het land over te nemen.'

Galbraith schreef naar Harriman: 'De staatsgreep in Zuid-Vietnam is iets om trots op te zijn. Geef me alsjeblieft een lijst met alle mensen die ons vertelden dat er geen alternatief voor Diem was.' (De voorzichtige Harriman vertelde zijn secretaresse: 'Opbergen en niet beantwoorden.')

dy dat zulke 'overdreven optimistische uitspraken' de president wel eens konden 'achtervolgen'.[1]

De Speciale Eenheid had voor het laatste deel van 1963 twintig nieuwe geheime operaties tegen Cuba goedgekeurd. Eind oktober had Desmond FitzGerald een bespreking met AM/LASH. Om aan Cúbela's eis voor een ontmoeting met de president tegemoet te komen, identificeerde FitzGerald zich als de 'persoonlijke vertegenwoordiger' van de minister van Justitie. Hij zei dat een coup tegen de Cubaanse leider de volledige steun van de Amerikaanse regering zou hebben.

Die maand was de orkaan Flora over het oosten van Cuba geraasd. De storm doodde duizend Cubanen en verwoestte het gebied dat voor de helft van de Cubaanse suiker en bijna alle koffie van het eiland verantwoordelijk was. Op de televisie bracht Castro de beschuldigingen naar voren dat de CIA 'haar activiteiten tegen Cuba opvoerde in het kielzog van de verwoesting'. Hij haalde voorbeelden aan van infiltratie, sabotage en moord en zei: 'Dit was het soort hulp dat de Verenigde Staten naar Cuba stuurden na de orkaan.'

Jean Daniel, uitgever van de Franse linkse krant *l'Observateur*, had een afspraak voor een interview met Castro. Op verzoek van William Attwood zorgde Ben Bradlee ervoor dat Daniel, voordat hij naar Havana vertrok, eerst naar het Oval Office ging.

Op donderdag 24 oktober vertelde Kennedy hem dat hij met de eisen van Castro om gerechtigheid had ingestemd terwijl er in de Sierra Maestra gevochten werd. Maar hij was president van de Verenigde Staten en 'geen socioloog'. Castro had zichzelf toegestaan een Sovjetagent te worden. 'Ik weet dat door zijn schuld – of zijn "hang naar onafhankelijkheid", zijn krankzinnigheid of het communisme –

---

1. Net als Kennedy's openlijke internationale ophef over het feit of de Sovjets nu wel of niet plechtig beloofd hadden om Cuba niet als basis te gebruiken voor subversieve acties in Latijns-Amerika, werd zijn poging te suggereren dat Chroesjtsjov afgesproken had om de Russische grondtroepen uit Cuba terug te trekken, een spookbeeld voor ten minste één latere president. In augustus 1979 onthulde de voorzitter van de Senaatscommissie voor Buitenlandse Betrekkingen, Frank Church, een Democraat uit Idaho, de ontdekking van een Russische gevechtsbrigade op Cuba en verzocht president Jimmy Carter aan te dringen op de 'onmiddellijke terugtrekking' van deze brigade. Church had als pasgekozen Senator in 1962 in opdracht van de regering-Kennedy in het openbaar de beschuldigingen van Kenneth Keating over raketten op Cuba ontkend. Hij werd in 1980 geconfronteerd met een moeilijke herverkiezing (hij verloor uiteindelijk) en Church wilde het in de kwestie-Cuba niet voor de tweede keer bij het verkeerde eind hebben.

De Sovjetbrigade was waarschijnlijk een uitvloeisel van een van de vier Russische gevechtsgroepen die in 1962 naar Cuba waren gestuurd. Anatoli Dobrynin, die nog steeds Sovjetambassadeur was, vertelde aan minister van Defensie Cyrus Vance dat het niet aan Moskou lag dat de Amerikaanse inlichtingendienst zo incompetent was dat het de troepen zeventien jaar lang niet had gezien. Het ministerie van Defensie verklaarde dat de grondtroepen niet in de Amerikaans-Russische overeenkomsten van 1962 en 1970 'pasten'. Onder zware druk van de regering-Carter wilden de Sovjets alleen plechtig beloven dat ze geen veranderingen in de status van de troepen zouden aanbrengen. De rel leidde tot een verbittering van de houding van zowel het Congres als het publiek tegen de Sovjet-Unie en vertraagde de overweging van Carters SALT-II-verdrag totdat de kansen op ratificatie door de Senaat vier maanden later door de Russische invasie van Afghanistan in de kiem werden gesmoord. Dit laatste leidde tot het grimmige klimaat van de Koude Oorlog van het begin van het tijdperk-Reagan.

de wereld in oktober 1962 op de rand van een kernoorlog balanceerde.'
Daniel vroeg hem wat de Verenigde Staten bij de economische blokkade van
Cuba dachten te winnen. De president zei: 'Suggereert u dat het politieke effect
van de blokkade onzeker is? Wanneer u naar Cuba gaat, zult u zien of dat zo is
of niet.' De voortzetting van de blokkade zou afhangen van de al dan niet aanhoudende pogingen van Castro om in Latijns-Amerika subversieve acties te ondernemen.
Een week later vertelde Attwood tegen Bundy dat Castro's dokter en aide de
camp, majoor René Valléjo, Lisa Howard had opgebeld om te zeggen dat Castro wilde dat een Amerikaans functionaris van Key West naar een 'geheim
vliegveld' in de buurt van Havana vloog.
Na ruggespraak met de president vertelde Bundy aan Attwood dat Kennedy
meer wilde 'weten over wat Castro op zijn lever heeft voordat we ons inzetten
voor verdere besprekingen over Cuba'. Op maandag 18 november wist Attwood
Valléjo te bereiken die hem vertelde dat Castro Lechuga op zou dragen om een
agenda met hem op te stellen.
Op diezelfde dag sprak de president in Miami met het Interamerikaanse Genootschap van Journalisten. Sorensen wist dat de toehoorders 'een erg lastige
anti-Castrogroep' vormden. Kennedy had hem om een toespraak gevraagd die
de deur naar de Cubaanse leider zou openen. Hij vertelde de journalisten dat
het enige dat Cuba van de Verenigde Staten scheidde, was dat het werd uitgebuit 'door externe krachten om de andere Amerikaanse republieken omver te
werpen. [...] Zolang als dit waar is, is er niets mogelijk. Zonder deze krachten is
alles mogelijk.'
Bundy vertelde Attwood per telefoon dat op het moment dat Attwood en Lechuga een agenda voor zijn bezoek aan Havana hadden opgesteld, de president hem
instructies zou geven over wat hij tegen Castro moest zeggen. Maar eerst moest
Kennedy naar Texas toe.

Begin november hervatten de Russen hun pesterijen tegen het grond- en luchtverkeer naar Berlijn. Rusk belde Kohler op die in Engeland aan het golfen was:
'U kunt maar beter als de sodemieter terugkeren naar Moskou.' De Russen lieten pas na achtenveertig uur oponthoud een Engels-Amerikaans konvooi zijn
weg over de *Autobahn* vervolgen.
Op donderdag 7 november waarschuwde Chroesjtsjov tijdens de viering van de
zesenveertigste verjaardag van de bolsjevistische revolutie in het Kremlin: 'Als
de Amerikanen Cuba aanvallen, zullen wij de bondgenoten van de Amerikanen
aanvallen die zich nog dichter bij de Sovjetunie bevinden.' Hij beschuldigde
westerse diplomaten ervan dat zij 'genieten van onze geschillen met de Chinezen' en waarschuwde dat de Sovjet-Unie grotere meningsverschillen met het
Westen had: 'De Chinezen en wij hebben dezelfde toekomst.'
Foy Kohler kon niet geloven dat het slechts drie maanden geleden was dat er een
euforische stemming over het beperkte kernstopverdrag heerste. Hij vermoedde
dat de pesterijen in Berlijn en de retoriek van Chroesjtsjov pogingen van de Secretaris-Generaal waren om de generaals en andere leiders die bezorgd waren
over de Amerikaanse détente te sussen. Hij vroeg aan Chroesjtsjov: 'Waar is de
geest van Moskou? [...] Ik heb niets vernomen waar *ik* een toost op uit kan brengen.'

Chroesjtsjov, die verbaasd keek, vroeg hem om een toost uit te brengen. Kohler antwoordde dat dit het feest van de Secretaris-Generaal was, en niet van hem. Chroesjtsjov verklaarde: 'De ambassadeur weigert om een toost uit te brengen. De Geest van Moskou is de geest van de vrede met alle landen die met ons willen samenleven. Ik drink op de Geest van Moskou. Vrede voor de hele wereld!'

Die middag vertelde de Secretaris-Generaal aan Amerikaanse zakenlieden die onder de hoge bescherming van *Time* op bezoek waren, dat de westerse onbuigzaamheid de reden was voor het incident in Duitsland: 'Wij besloten [...] om gepantserde voertuigen over de *Autobahn* te laten rijden om jullie zenuwen te testen en te kijken of jullie zouden gaan schieten of niet. Wij waren blij dat jullie dat niet deden.'

Chauncey Cook, president-directeur van General Foods, vroeg naar Oostduitsers die gedood waren bij hun pogingen over de Berlijnse Muur te komen. Chroesjtsjov reageerde met: 'Als u met egels begint te gooien dan gooi ik een paar stekelvarkens terug. [...] In uw land worden kinderen in een kerk gedood, louter en alleen [...] omdat ze zwart zijn in plaats van wit.'

Chroesjtsjov klaagde over het langzame tempo van de Russisch-Amerikaanse handel: 'Zakenlieden gaan overal heen waar ze winst kunnen maken. Wel, dat kunnen ze hier ook, als ze dat willen. Misschien heeft iemand een flauwe grap met u uitgehaald en verteld dat als u geen handel met ons drijft, wij ophouden te bestaan. [...] Wij hebben nooit oorlog met u gevoerd. Natuurlijk waren er na onze revolutie een paar problemen toen u uw neus in onze zaken stak. Maar we gaven jullie een trap onder een bepaalde lichaamsplek en toen was het afgelopen!'

De Amerikanen wisten niet dat er zich op dat moment een hoogleraar in de politieke wetenschappen, Frederick Barghoorn, in de Loebjanka-gevangenis zat, waar men hem had opgesloten met een boek van Theodore Dreiser: *Een Amerikaanse tragedie*.

Op de avond van Halloween had Barghoorn met de afgevaardigde van Kohler, Walter Stoessel, een paar drankjes gedronken en werd hij door een chauffeur van de Amerikaanse ambassade naar Hotel Metropol teruggereden. Terwijl hij naar binnen liep, duwde een jonge Rus hem een paar opgerolde oude kranten in de handen. Agenten van de KGB sloegen hem in de boeien en voerden hem weg. Op dinsdag 12 november kondigden de Sovjets aan dat hij was 'gearresteerd als spion'.

Barghoorn had in de jaren vijftig met Kohler samen dienst gedaan op de ambassade van Moskou. Hij was een bekend Sovjetexpert en bezocht Moskou veelvuldig. Hij had in maart een Russische seminar van Yale in de Sovjetunie gegeven en rapporteerde aan Kohler over Chroesjtsjovs 'hernieuwde campagne om de meer onafhankelijke intellectuelen in het gareel te krijgen'.

Kohler telegrafeerde naar Rusk dat de arrestatie van Barghoorn waarschijnlijk een 'vergelding' was voor de arrestatie door de FBI, twee dagen geleden in New York, van Igor Ivanov, een Russische geheim agent. Hij nam aan dat de Sovjets 'ruilmateriaal' wilden hebben. Jaren later speculeerde hij dat de bestanden van de KGB 'niet waren bijgehouden. Ze bezaten veel belastend materiaal tegen hem toen hij daar nog op de ambassade werkte en ze hadden zich niet gerealiseerd wat voor autoriteit hij als Sovjetexpert had verworven.

Kennedy, die woedend was over de arrestatie, vroeg Bundy om zich ervan te vergewissen dat Barghoorn zich inderdaad niet aan spionage schuldig had gemaakt. Richard Helms bracht verslag uit en zei dat de hoogleraar 'geen banden met de CIA of het leger' had.

Men had Kohler eerder gevraagd om een groep Sovjets te identificeren wier Amerikaanse visa ingetrokken zouden worden indien er nog een *Autobahn*-incident plaatsvond. Bundy telegrafeerde hem dat de president 'u toestemming geeft naar eigen goeddunken' die visa in te trekken 'als u het waarschijnlijk acht dat het helpt bij de verduidelijking van onze mening dat het uiterst ongepast is om echte spionnen te vergelden met bona fide wetenschappers'.

Kohler waarschuwde dat Barghoorn 'kennelijk talloze contacten met Sovjetburgers had' en dat de 'Sovjets ongetwijfeld vinden dat ze een geval van "spionage" in elkaar kunnen draaien dat, tenminste voor een Russisch publiek, aannemelijk zal lijken'.

Hij zorgde ervoor dat Zorin en Smirnovski de 'ernstige bezorgdheid' van Kennedy zouden overbrengen over de 'ongewettigde arrestatie' van Barghoorn en klaagde dat de ambassade pas na twaalf dagen in kennis was gesteld. Hij telegrafeerde naar Washington dat 'Zorin, ondanks zijn rol in het verleden als de Russische "huurmoordenaar", in verlegenheid was gebracht en [...] in mijn ogen de gebruikelijke overtuiging scheen te missen'. Smirnovski was 'duidelijk niet op zijn gemak en leek gedurende de gehele sessie terneergeslagen'.

Op donderdagmorgen 14 november verklaarde Kennedy tijdens de laatste persconferentie van zijn leven tot twee maal toe dat Barghoorn '*niet* op een of andere spionagemissie' was; vooral na het *Autobahn*-incident was de sfeer met Moskou 'zwaar ondermijnd'.

Kohler telegrafeerde naar Washington dat zijn 'eerste reactie' was geweest om de feestelijkheden te boycotten die de volgende dag waren gepland om de dertigste verjaardag van de Russisch-Amerikaanse diplomatieke betrekkingen te vieren: 'Maar op de bijeenkomst komen natuurlijk vele welwillende Sovjetburgers met wie wij in de toekomst contacten willen onderhouden, aangezien wij in deze gemeenschap moeten blijven opereren.' Hij stuurde een ambtenaar uit het middenkader.

Op zaterdag riep Gromyko rond de middag Kohler bij zich en zei dat Chroesjtsjov 'persoonlijk' in antwoord op de 'diepe bezorgdheid' die Kennedy tijdens zijn persconferentie had geuit, had besloten om Barghoorn de Sovjetunie uit te zetten. De Sovjets koesterden nu de 'hoop' dat Ivanov ook vrijgelaten zou worden. Als de Amerikaanse regering zou proberen om het gedrag van Barghoorn 'in het openbaar goed te praten' en aldus twijfel te wekken omtrent de juistheid van zijn arrestatie, dan zou de Sovjet-Unie de resultaten publiceren van haar 'onderzoek'. Barghoorn werd de volgende dag vrijgelaten.

De Russische overloper Joeri Nosenko vertelde de Amerikaanse autoriteiten later dat generaal Oleg Gribanov van de KGB hem had gevraagd om een potentiële Amerikaanse gijzelaar te vinden die men met Ivanov kon uitwisselen. Hij had de suggestie gedaan Barghoorn te nemen: de hoogleraar had op het ministerie van Buitenlandse Zaken gewerkt en toelagen van Amerikaanse fondsen aangenomen, wat kon worden uitgelegd als het onderhouden van geheime betrekkingen. Gribanov had gestraald: 'Het is duidelijk. Hij is een spion.'

In Moskou had het hoofd van de KGB, Vladimir Semitsjastny in afwezigheid van Chroesjtsjov, die zich niet in de stad bevond, Brezjnev gebeld die het plan goedkeurde. Brezjnev heeft misschien niet begrepen hoezeer de arrestatie de Amerikaanse betrekkingen zou vertroebelen. Zelfs als hij het wel begreep, was het onwaarschijnlijk dat hij en zijn medewerkers zich zorgen maakten over het vooruitzicht Chroesjtsjovs détente te ondermijnen.

In de herinnering van Nosenko stond de Secretaris-Generaal 'versteld' toen hij van Kennedy's persoonlijke verontwaardiging over het lot van Barghoorn op de hoogte werd gesteld: hij vroeg welke idioot deze krankzinnige onderneming had goedgekeurd. Semitsjastny wees naar Brezjnev die, volgens het relaas van Nosenko, zei: 'O nee! Ze hebben mij niet verteld dat hij een vriend van de Kennedy's was. Zoiets heb ik niet goedgekeurd.'

Na de vrijlating van Barghoorn telegrafeerde Walter Stoessel naar Bundy: 'Ik denk dat het verstandig is [...] als het tenminste mogelijk is, om ons publieke commentaar te beperken tot een korte verklaring dat wij de actie van de Sovjetregering om een belangrijke irritatie in de Amerikaans-Russische betrekkingen weg te nemen verwelkomen. [...] Ik hoop in ieder geval dat wij ons zullen onthouden van enige "borstklopperij" of mededelingen dat de Russen zijn gezwicht.' De president vroeg Thompson om Dobrynin onopvallend te laten weten dat hij de persoonlijke tussenkomst van Chroesjtsjov in deze zaak op prijs stelde.

Op donderdag 21 november rapporteerde Thompson dat Dobrynin had 'gezegd dat hij de boodschap zou overbrengen, maar hij gaf verder geen commentaar behalve dat hij zijn verbazing uitte over de hoeveelheid reacties hier. Ik wees hem erop dat wij een paar maatregelen hadden genomen om ervoor te zorgen dat dit niet uit de hand zou lopen, maar zei wel dat deze affaire onze wederzijdse betrekkingen geen goed had gedaan.' Deze boodschap werd naar de president in Texas overgeseind.

Kennedy en Chroesjtsjov hadden sinds begin oktober niet rechtstreeks gecorrespondeerd. Op donderdag 10 oktober had Zorin, nadat de Secretaris-Generaal het beperkte kernstopverdrag in het Kremlin had ondertekend, Kohler een brief van Chroesjtsjov overhandigd die aan de president was gericht. In deze brief stelde hij voor oplossingen te zoeken voor andere 'rijpe' kwesties zoals Berlijn, de proliferatie van kernwapens, bommen in een baan om de aarde en de vrees voor een verrassingsaanval.

Tien dagen later zond het ministerie van Buitenlandse Zaken Bundy een ontwerp-tekst voor een antwoord dat als volgt luidde: 'Ik ben er dus van overtuigd dat de mogelijkheden voor de verbetering van de internationale situatie reëel zijn. [...] Maar de kansen hiervoor zijn nog steeds mager en wij moeten er continu op bedacht zijn om verdere stappen te ondernemen, in het geval dat onze hoop op vooruitgang de bodem wordt ingeslagen.' Nadat de president het concept had gelezen, krabbelde Bundy: 'Goedgekeurd. Laten we het versturen.'

Later werd Bundy verteld dat het antwoord van de president aan Chroesjtsjov 'wegens administratieve misverstanden op het ministerie van Buitenlandse Zaken' nooit werd verstuurd. Als Kennedy van de fout had gehoord dan zou de lucht van het Oval Office hebben geknetterd van de scheldwoorden over bureaucratische incompetentie. Maar de president kwam er nooit achter omdat men tot december 1963 Bundy niet vertelde dat de brief nooit verstuurd was.

Chroesjtsjov, die in Moskou op het antwoord van Kennedy wachtte, kan zich hebben afgevraagd waarom Kennedy zijn hartelijke brief over de nieuwe kansen op vrede niet had beantwoord. Terwijl de weken in stilte voorbijgingen, begonnen sombere vooruitzichten bij hem de overhand te nemen: stond de president op het punt zich van hun naderende détente af te wenden? De trotse, kwetsbare, altijd bezorgde Secretaris-Generaal weigerde de eerste te zijn die de stilte verbrak. Aldus kwam er een einde aan de vertrouwelijke correspondentie tussen Kennedy en Chroesjtsjov.

23 'De vrede is nu aan u'

De hele herfst was het in Washington al koud en regenachtig geweest. Robert Kennedy herinnerde zich dat zijn broer zich halverwege november 'nogal mistroostig' voelde. Een reden voor de zwaarmoedigheid van de president kon zijn dat de bloem van de toenadering tot de Sovjet-Unie leek te verwelken.

Een andere bron van mistroostigheid was Vietnam. Zoals Kennedy gevreesd had, zorgde de staatsgreep in Saigon voor nog meer opschudding. Spoedig zou hij moeten beslissen hoe ver de Verenigde Staten wilden gaan om Zuid-Vietnam te verdedigen. Tevens was er het vooruitzicht dat hij zich als kandidaat voor herverkiezing tegen de *John Birch Society* en miljoenen anderen moest verdedigen die ziedend waren over de burgerrechten en de Russische détente.

Nergens was de haat intenser dan in Texas, waar de president een 'niet-politiek gerichte' rondreis maakte. Wat de aanplakbiljetten ook mochten zeggen, het belangrijkste doel van de reis was het inzamelen van verkiezingsgelden en om een bittere strijd op te lossen die gaande was tussen twee oude Democraten van die staat, de conservatieve gouverneur John Connally en de liberale Senator Ralph Yarborough. Kennedy vreesde dat de vete tussen de twee mannen zijn kansen om in 1964 in deze staat een overwinning te behalen, zou kunnen schaden.

Vanuit Dallas zou de president naar een diner in Austin vliegen dat door Democraten was georganiseerd om geld in te zamelen. Daar zou hij door zijn vicepreident worden geïntroduceerd. Johnson, die zich defensief opstelde ten opzichte van de op een na grootste stad in zijn thuisstaat, herinnerde zich dat men naar Stevenson had gespuugd toen deze in oktober een bezoek had gebracht. Hij vertelde naaste medewerkers dat hij van plan was om zijn toespraak met een grap te beginnen: 'Meneer de president, godzijdank bent u levend uit Dallas weggekomen!'

Kennedy bracht het laatste weekend van zijn leven in Palm Beach door samen met een vriend uit zijn Harvard-tijd, Torbert Macdonald, met wie hij in het Carlyle aan de vooravond van de rakettencrisis had gedineerd. Macdonald herinnerde zich: 'Het was alsof we weer in 1939 waren, toen niemand nog gewichtige zaken aan zijn hoofd had.'

Bundy zond de president iets om in het weekeind te lezen: 'Een document over het Duitse militaire denken. [...] Zbigniew Brzezinski laat zich uit tegenover de pers en omdat hij wat uitgebalanceerdere standpunten verwoordt dan gewoonlijk, denk ik dat u het interessanter zult vinden. [...] De standpunten van George Ball over de behandeling van minder ontwikkelde landen. [...] Een goede samenvatting van de situatie in Jemen. [...] De vreugde bij openbare festiviteiten in Indonesië.'

Op zaterdagmorgen vlogen Kennedy en Macdonald naar Cape Canaveral en voegden zich bij Lyndon Johnson om te kijken naar het afschieten van een Polarisraket. Nadat hij de volgende dag in Palm Beach was teruggekeerd, verwedde de president er zijn hoofd om dat de Chicago Bears de Green Bay Packers zouden verslaan en hij inde zijn geld nadat ze op de televisie naar de overwinning van de Bears hadden gekeken. Die avond vertoonden ze de nieuwe film van Henry Fieldings pikante klassieker *Tom Jones*.

Voor Kennedy's reis naar Florida hadden de FBI en de veiligheidsdienst informatie gekregen dat ze slachtoffer konden worden van tegen hun gerichte geweldsuitbarstingen door anti-Castroballingen. Tijdens zijn bezoek aan Canaveral had de president een veiligheidsagent opdracht gegeven om 'die *Ivy League*-charlatans bij de achterkant van de auto weg [te] houden'. Bij dezelfde gelegenheid sloeg hij de raad van zijn agenten in de wind en beval zijn vice-president: 'Klim in mijn vliegtuig,' terwijl hij lachend vroeg: 'Mannen, willen jullie McCormack niet als president?'

Op maandag keerde Kennedy terug naar Washington met de Air Force One. Hij had pijn in zijn rug. Hij lag op bed in zijn privé-compartiment en sommeerde George Smathers, die zich voor in het vliegtuig bevond, bij hem te komen: 'Godallemachtig, ik wou dat jij iets kon bedenken om mij ervan te weerhouden om naar Texas te gaan. [...] Moet je zien wat een puinhoop het wordt. Je hebt Lyndon, die er op staat dat Jackie met hem meereist. Je hebt Ralph Yarborough, die Lyndon haat, en Johnson wil niet dat Yarborough met hem meegaat. Connally is de gouverneur.'

'Ze willen allemaal de eerste viool spelen en ze staan er allemaal op dat ze óf met mij meereizen, óf met Jackie. De wet zegt dat de vice-president niet met de president mag reizen. Ik moet mijn speech beginnen met te zeggen wat een geweldige kerel Johnson is, daarna wat een geweldige vent Connally is en daarna Yarborough, en zij hebben allemaal een hekel aan elkaar. Ik wou dat ik er verdomme gewoon niet heen hoefde. Kan jij geen noodsituatie bedenken zodat we niet hoeven gaan?'

Smathers herinnerde hem eraan hoe de vice-president ernaar uitkeek om voor de president en zijn vrouw aan het eind van de reis op de hoeve van LBJ een diner te geven: 'Zelfs als u de oorlog verklaarde, zou Johnson het u nooit vergeven als u niet ging.'

Hij herinnerde zich dat hij na de verkiezingen van 1960 met Kennedy naar de ranch ging. Johnson had Kennedy voor het ochtendgloren wakker gemaakt, waarna hij hem een krachtig geweer gaf en hem meenam in zijn witte Cadillac. Toen er een hert voorbij wandelde, schreeuwde Johnson: 'Schiet! schiet!' Kennedy gebruikte zijn geweer en haastte zich terug naar de auto. Onderwijl probeerde hij om het 'weerloze mooie hert' uit zijn gedachten te bannen. Hij zanikte later tegen Smathers: 'Pas als ze dat hert een geweer geven, zal het een sport zijn.'[1]

---

1. Na de inauguratie had Johnson hem de opgezette hertekop gegeven en had erop gestaan dat die aan de muur van het Oval Office kwam te hangen. Kennedy hing de trofee in een aangrenzende kamer. Dit was voor de vice-president de hoffelijkste concessie die Kennedy hem ooit had gedaan.

Op dinsdag 19 november liep Bundy het Oval Office binnen voordat hij met McNamara naar Honolulu zou vliegen voor een vergadering over Vietnam. John junior deed alsof hij Bundy een punt gaf van wat hij zijn 'kersenvanilletaart' noemde. Bundy zei dat hij 'heerlijk' smaakte en zei zijn baas vaarwel.

Die middag brachten Richard Helms en een CIA-expert op Latijns-Amerikaans gebied, Hershel Peake, een bezoek aan Robert Kennedy. Zoals Hershel zich herinnerde: 'Wij hadden al lange tijd naar keiharde bewijzen gezocht dat de Cubanen de revolutie naar Latijns-Amerika aan het exporteren waren.'

Nu hadden zijn mensen op een Venezolaans strand een door de terroristen achtergelaten Cubaanse opslagplaats, goed voor drie ton aan wapens, ontdekt, samen met plannen voor een staatsgreep tegen president Romulo Betancourt, die door Castro voor een 'bourgeois liberaal' werd uitgescholden. Het plan, dat begon met het ontregelen van het autoverkeer in Caracas, had als doel de heerschappij over Venezuela te verkrijgen door te verhinderen dat de nationale verkiezingen die voor 1 december op het programma stonden, konden plaatsvinden. Tot dusverre wist geen enkele Amerikaanse functionaris van het nieuwe bewijsmateriaal af, behalve de CIA.

Helms wist dat Kennedy als reactie op het bewijsmateriaal 'Cuba niet zou binnenvallen, zeker weten, verdomme'. Hij veronderstelde dat elke poging die de president ondernam om met Castro tot een regeling te komen, op zijn best 'een schijnbeweging' was: 'Zoals bij het meeste tweesporenbeleid geldt: probeer van alles.' Hij was er zeker van dat de regering haar 'echte energie' in geheime acties tegen Cuba stak.

Helms had Peake meegebracht om voor de technische details te zorgen die hem zouden helpen aan te tonen dat het hier een 'onweerlegbare zaak' betrof. Hij vertelde de minister van Justitie: 'U vertelde mij dat de reden dat de president Castro niet zwaarder onder druk zette, het gebrek aan harde bewijzen was. Nou, hier zijn ze.' Helms toonde een van de geweren uit de wapenvoorraad. Zoals hij het zich later herinnerde, 'maakte Robert er met mij geen ruzie over'. In plaats daarvan belde hij de president en zei: 'Ik zal deze kerels naar je toe sturen.'

De twee mannen van de CIA gingen naar de westelijke vleugel, wachtten in de Cabinet Room en lieten op tafel een koffer achter waarin zich het wapen bevond dat door Helms als 'dit gevaarlijk uitziende wapen' werd omschreven. Om kwart over zes 's avonds overhandigden ze Kennedy het geweer. Terwijl deze het wapen inspecteerde, toonde Helms hoe men het Cubaanse wapenschild had weggeschuurd.

Op zijn persconferentie die hij de volgende dag precies een jaar geleden had gegeven, had Kennedy de rakettencrisis tot een goed einde gebracht door plechtig vrede in het Caribisch gebied te beloven 'indien alle offensieve wapens uit Cuba worden verwijderd' en 'als Cuba niet gebruikt wordt voor de verspreiding van agressieve communistische idealen'. Wanneer zij dit bewijsmateriaal onder ogen kregen dat aantoonde dat Cuba gebruikt werd om communistische idealen te verspreiden, zouden zijn Republikeinse critici dan eisen dat hij de vrede in het gebied zou verstoren?

Waarschijnlijk zouden zij aandringen op nieuwe oorlogszuchtige acties tegen Cuba, misschien wel een hernieuwde zeeblokkade, iets wat de nieuwe betrekkingen met Moskou verder zou verzuren. Kennedy wist dat als hij niets deed, het bijna zeker was dat men vanuit Venezuela berichten over het bewijsmateriaal aan de pers zou laten uitlekken. Over een maand begon het verkiezingsjaar en zouden zijn critici willen weten waarom hij Chroesjtsjov toestond om ongestraft zijn beloften niet na te komen.

De president was niet van plan om zulke politieke zaken met het hoofd van de geheime operaties te bespreken. Behalve dat hij verrukt was dat de CIA bewijzen had gevonden van Castro's kwade bedoelingen met Latijns-Amerika, liet hij Helms niets merken. Hij wees Helms erop dat hij spoedig naar Texas zou vertrekken: 'Prima werk. Zorg ervoor dat ik na mijn terugkomst over alle informatie kan beschikken. Ik denk dat wij hem nu misschien te pakken hebben.'

Op woensdag 20 november ontving Chroesjtsjov tijdens diens bezoek aan zijn oude politieke thuisbasis in Kiev de Deense minister van Buitenlandse Zaken, Per Haekkerup, die hem een teakhouten, zwartleren schommelstoel gaf en zei dat hij hoopte dat de voorzitter in 'hetzelfde ritme' als president Kennedy zou schommelen.

Chroesjtsjov lachte. In hetzelfde ritme schommelen was 'belangrijk'. Weer met een plechtig gezicht waarschuwde hij dat het Westen de ernst van de *Autobahn*-incidenten van begin november had onderschat: Het standpunt van de Sovjet-Unie over Berlijn was 'erg vastberaden'.

Die ochtend in het Oval Office begroette Kennedy drie middelbare scholieren uit West-Berlijn. Dillon belde om hem te waarschuwen dat de Russische tarwe-overeenkomst op Capitol Hill een storm van verontwaardiging had veroorzaakt. Er kwam een brief aan van professor Barghoorn: 'Ik ben er persoonlijk van overtuigd dat ik alleen vanwege uw krachtige optreden ben vrijgelaten.'

Sorensen bracht twee kopieën binnen van de toespraak die de president in het handelscentrum van Dallas zou houden. Met zijn gevoel voor drama, dat kon wedijveren met dat van zijn vrouw, vond hij het heerlijk te denken dat hij net als Daniël in het hol van de leeuw verkeerde. De president zette zijn leesbril op, ging in zijn schommelstoel zitten en las de tekst van Sorensen, die uitingen bekritiseerde die 'totaal niet in de jaren zestig thuishoren' en die aannamen 'dat hekelen gelijkstaat aan een overwinning en dat vrede een teken van zwakte is'.

Hij riep Michael Forrestal binnen: 'Ik wil dat u een diepgaande studie laat doen van iedere mogelijke optie die wij in Vietnam hebben, inclusief de mogelijkheid hoe wij eruit kunnen komen. Wij moeten dit hele gedoe van onder tot boven opnieuw onder de loep nemen.'

Die avond hielden hij en Jacqueline hun jaarlijkse receptie voor het Opperste Gerechtshof en andere leden van de rechterlijke macht. Sinds de dood van hun zoontje had zij Washington gemeden en wilde tijdens het staatsiediner voor de nieuwe Westduitse Bondskanselier, Ludwig Erhard, op maandagavond 25 november weer verschijnen. Maar na een telefoontje van haar man haastte zij zich per helikopter terug uit Wexford, hun nieuwe, landelijke verblijf in de buurt van Middleburg, om hem te helpen bij het begroeten van de zevenhonderd gasten.

Na zijn optreden als gastheer ging de president naar zijn kantoor om telegrammen door te nemen. Daarna stapte hij in de lift naar de privé-vertrekken. De minister van Justitie kwam even langs, hij was net terug uit New York, waar hij de

605

première had bijgewoond van de film *It's a Mad, Mad, Mad World*. Later op de avond in Hickory Hill zou hij samen met tientallen vrienden zijn achtendertigste verjaardag vieren.

De president vertelde hem dat de politieke gevechten de reis naar Texas 'interessanter' zouden maken. Maar, zoals Robert zich herinnerde, klaagde hij erover 'hoe hij zich aan Lyndon Johnson ergerde, die totaal niet wilde helpen bij het gladstrijken van welk probleem dan ook in Texas, en dat hij een kl... zak was'. Een andere reden voor Kennedy's ergernis was zijn vermoeden dat Johnson zichzelf ten koste van de president aan het propageren was als kandidaat voor de presidentsverkiezingen van 1968. De president had gehoopt dat Johnson, net als in 1960, hem de stemmen zou bezorgen van de mensen in het Zuiden die Kennedy te liberaal vonden. In plaats daarvan sprak de vice-president zich meer uit voor burgerrechten dan hij ooit als Senator uit Texas had gedaan.

Kennedy sprak vertrouwelijk over het vervangen van Johnson door iemand anders uit het Zuiden, misschien door gouverneur Terry Sanford van North Carolina. Terwijl hij zijn dreiging misschien nooit zou uitvoeren, wist hij dat als Johnson merkte dat hij in moeilijkheden was, hij de komende maanden misschien meer genegen zou zijn in het gareel te blijven.[1]

Die avond herinnerde Kennedy George Ball er per telefoon aan dat Henry Cabot Lodge uit Saigon terug zou vliegen om de toekomst van de Amerikaanse betrokkenheid in Vietnam te bespreken. 'Ik ben zondag terug uit Texas. Kom naar Camp David. Cabot Lodge zal er ook zijn en dan kunnen wij deze zaken doornemen.'

Op donderdag 21 november vlogen de president en zijn vrouw om twaalf uur 's middags naar Texas. Kennedy, die zich boven in de lucht in zijn kleine kantoor bevond, bladerde vluchtig de verslagen door over het bezoek van Erhard. Hij zei tegen O'Donnell en Powers: 'Jullie twee lopen niet bij mij weg en laten mij niet met arme Jackie op Lyndons ranch achter. Als ik daar de godganse zaterdag moet rondhangen met zo'n grote cowboyhoed op mijn hoofd, dan zijn jullie ook van de partij.'

In het Ricehotel in Houston had Kennedy een onderhoud met zijn vice-president over diens vijandigheid tegenover Yarborough en over het feit dat hij er niet in geslaagd was om te helpen bij het oplossen van de onenigheid met Connally. Zoals gewoonlijk wist Johnson zich in de nabijheid van de president te beheersen maar, zoals iemand opmerkte, hij 'verliet, geladen als een pistool, de suite'. Jacqueline vroeg: 'Wat was hier aan de hand? Hij leek razend.' De president zei: 'Dat is precies Lyndon. Hij is in moeilijkheden.' Hij vertelde haar later dat Johnson 'niet in staat' was 'om de waarheid te vertellen'.[2]

---

1. Robert Kennedy: 'Ze deden een opiniepeiling in Texas en Lyndon Johnson verloor een heleboel van zijn populariteit [...] in het Zuiden en hij was eerder tot last dan een hulp.' John Connally herinnerde zich jaren later dat Johnson 'erg bezorgd' was dat de minister van Justitie zijn broer zou overhalen om hem van de kandidatenlijst te schrappen: de vice-president verzocht hem dringend om zich ervan te vergewissen dat Texas voor 1964 aan de verwachtingen voldeed.
2. Arthur Schlesinger schreef later over deze ontmoeting in zijn aantekeningen: 'Johnsons ster had nog nooit zo zwak gestraald – en dat wist hij.'

Die avond keek Schlesinger in de bioscoop van het Witte Huis naar *From Russia With Love*. Sorensen voorspelde dat de president van de film zou genieten. Hij wist niet dat de president de film al in oktober met Ben Bradlee had gezien. Deze had gemerkt dat hij 'scheen te genieten van de koelbloedige karakters, de seks en het geweld'.

Op vrijdagmorgen 22 november liep Kennedy uit het Hotel Texas in Fort Worth om een bijeenkomst aan de andere kant van de straat toe te spreken. In 1960 had hij plechtig beloofd dat de Verenigde Staten niet nummer één zouden zijn *indien er...*, maar 'nummer één, *punt uit*'. Nu sprak hij met het vloeiende ritme dat hij in 1964 dacht te gebruiken. Zijn regering had 'een verdedigingssysteem' opgebouwd dat 'voor niets of niemand onder hoefde te doen'. De Verenigde Staten waren 'sterker dan ze ooit in hun geschiedenis waren geweest'.
Hij klonk net als Chroesjtsjov toen hij opschepte over de ruimte en de economie: 'Volgende maand – in december – zullen de Verenigde Staten de grootste draagraket in de geschiedenis van de mensheid afschieten, wat ons op dat gebied voor de eerste keer in onze geschiedenis een voorsprong op de Sovjet-Unie zal geven. [...] In 1962 en de eerste zes maanden van 1963 groeide de economie van de Verenigde Staten niet alleen sneller dan bijna ieder westers land – wat in de jaren vijftig niet gold – maar groeide ze ook sneller dan die van de Sovjet-Unie.'
Tijdens een ontbijt van de Kamer van Koophandel herinnerde hij zijn gehoor eraan dat het Pentagon gebruik maakte van vliegtuigen en helikopters die in Fort Worth waren gebouwd: 'Tijdens de afgelopen drie jaar vonden er op ten minste drie plekken confrontaties plaats: in Laos, Berlijn en Cuba. Waar een vierde confrontatie ook zal plaatsvinden, iets wat – waar dan ook – weer zal gebeuren, verschaffen de produkten [...] en de mensen van Fort Worth ons een gevoel van veiligheid. [...]
Ik ben ervan overtuigd dat, als ik naar de toekomst kijk, onze kansen op veiligheid, onze kansen op vrede, beter zijn dan dat ze in het verleden waren. En de reden is dat wij sterker zijn. En met die kracht zijn wij vast besloten om niet alleen op te komen voor de vrede maar ook voor de vitale belangen van de Verenigde Staten. Voor die geweldige zaak hebben Texas en de Verenigde Staten zich ingezet. Dank u.'

Hij keerde terug naar zijn hotelsuite en las een paginagrote advertentie in de *Dallas Morning News*: MENEER KENNEDY, WELKOM IN DALLAS. In deze advertentie vroeg men waarom hij toegestaan had dat 'duizenden Cubanen' gevangen werden genomen en dat er tarwe werd verkocht aan diegenen die Amerikanen in Vietnam doodden: 'Waarom hebt u de Monroe-leer afgedankt ten gunste van de Geest van Moskou? [...] Meneer Kennedy, wij EISEN een onmiddellijk antwoord op deze vragen.'
Jacqueline voelde zich misselijk. Haar man schudde het hoofd: 'Wij gaan vandaag het land van gekken in.' Terwijl hij door de kamer ijsbeerde zei hij: 'Weet je, gisteravond zou een verdomd goede avond geweest zijn om een president te vermoorden. [...] Het was donker en het regende en wij zaten allemaal in het gedrang. Veronderstel dat een man een pistool in een koffertje had.'
Zij dacht dat die fantasie een uiting was van een 'Walter Mitty-trekje' van haar man, zijn manier om de advertentie van zich af te schudden. Zij herinnerde zich

dat overal waar ze ooit met hem heen gereisd was, hij alleen maar met sympathie was overladen. Ze kon zich zelfs niet voorstellen dat iemand een tomaat naar hem zou gooien.

Gedurende de vlucht naar Dallas vroeg Kennedy aan O'Donnell: 'Hoe zou jij het soort journalistiek van de *Dallas Morning News* willen omschrijven? Weet jij wie er verantwoordelijk is voor de advertentie? Dealey. Herinner je je hem? Na die vertoning die hij in het Witte Huis opvoerde, heb ik zijn antecedenten een beetje nagetrokken. Hij loopt te verkondigen dat hij oorlogscorrespondent is en iedereen in Dallas gelooft hem.'

Het ochtendlijke lijstje met inlichtingen van de CIA voor de president bevatte inschattingen van situaties in Saigon, op Cyprus en in Korea, rapporten over de slachtoffers in Vietnam en over de waarschuwing van Chroesjtsjov in Kiev dat het standpunt van de Sovjet-Unie over Berlijn 'erg vastberaden' was. Om de president in deze maand van moeilijkheden op te monteren had een van de analisten van de CIA het versje van de stierenvechter bijgevoegd dat Kennedy op 16 oktober 1962 op het ministerie van Buitenlandse Zaken had voorgelezen, net nadat men hem over de raketten op Cuba had verteld:

> *De tribunes zitten rij na rij*
> *vol met kenners van het stieregevecht;*
> *maar er is er slechts één die weet waar het om draait,*
> *dat is de man die de stier bevecht.*

Dean Rusk, Salinger en vijf andere kabinetsleden vlogen van Honolulu naar Tokio, waar zij een reis van de president naar Japan moesten voorbereiden die aan begin 1964 moest plaatsvinden. Bundy en McNamara waren in het Pentagon bezig met de defensiebegroting van 1965 om deze op de dag na Thanksgiving in Hyannis Port aan de president te presenteren.

Robert Kennedy was na een vergadering over zijn oorlog tegen de georganiseerde misdaad voor een lunch naar huis gereden. Op het ministerie van Buitenlandse Zaken besprak George Ball over de telefoon met een functionaris van Economische Zaken de Russische tarwe-overeenkomst. In de Metropolitan Club lunchte Llewellyn Thompson met Dean Acheson. In Moskou hadden Foy en Phyllis Kohler een diner in het Spaso House.

In het hoofdkwartier van de CIA in Langley zette Richard Helms zich aan tafel voor een lunch met John McCone. De hele ochtend hadden zij vragen beantwoord van controlerende leden van de raad van toezicht op de inlichtingendienst van de president. Nu was het verhoor voorbij en konden zij zich ontspannen.

De twee mannen en verscheidene collega's zaten in een kleine kamer te eten die aan het kantoor van het hoofd grensde en die McCone de 'Franse Kamer' noemde, misschien ter ere van een bevriende inlichtingendienst. De kamer, die was uitgerust met een ronde tafel, een televisie en gemakkelijke stoelen, maakte onderdeel uit van een netwerk van kamers die ontworpen waren door Allen Dulles zodat bezoekers, die elkaar niet wilden ontmoeten, niet het risico liepen elkaar tegen het lijf te lopen.

Er vloog een deur open. Walter Elder, een medewerker van McCone, schreeuwde: *'President Kennedy is neergeschoten!'*

Iemand zette een televisie aan. McCone riep: 'Mijn God! Ik moet erheen en Bob spreken.' Ondanks de ruzies over Cuba en het verbod op de kernproeven herinnerde hij zich hoe Robert en Ethel na de dood van zijn eerste vrouw voor hem hadden gezorgd. Hij riep het rampencomité van de CIA bijeen en gaf opdracht om zelf naar Hickory Hill gereden te worden.

Helms herinnerde zich: 'We gingen allemaal naar onze commandoposten met de vraag of dit misschien een komplot was – en wie de touwtjes in handen had. We hadden het te druk met het versturen van boodschappen over de hele wereld om ook maar iets op te vangen wat een aanwijzing zou kunnen zijn dat er een samenzwering tegen de president van de Verenigde Staten was geweest om hem te doden – en vervolgens wat er daarna zou gebeuren.'

Mensen van de CIA waren onthutst toen ze in de gaten kregen dat ze Nikita Chroesjtsjov niet konden opsporen. Ze braken zich het hoofd over iedere denkbeeldige samenzwering. Was dit een komplot, misschien van de Chinezen, om de leiders van beide supermachten te vermoorden? Bleef de Secretaris-Generaal uit Moskou weg omdat hij een Amerikaanse luchtaanval met kernwapens verwachtte als vergelding voor een Sovjetkomplot tegen de president?

'Wij waren erg gebrand op het vinden van aanwijzingen die zo'n theorie zouden ondersteunen,' herinnerde Helms zich. Dus toen bleek dat Chroesjtsjov in Moskou ontbrak, waren wij daar zeer ongerust over.'

In het Parkland Memorial Hospital in Dallas werd Lyndon Johnson door veiligheidsagenten afgezonderd terwijl doktoren vochten om het leven van de stervende president. 'In die kleine kliniek waar zij mij verborgen hielden, was ik bang,' herinnerde Johnson zich. 'Ze vertelden mij dat het een omvangrijk komplot kon zijn om de hele regeringstop om te brengen.'

Toen McCone op Hickory Hill de op de eerste etage gelegen bibliotheek van Robert Kennedy binnenliep, maakte de minister van Justitie net zijn stropdas met een PT-109-dasspeld vast. Hij maakte zich gereed om snel naar de luchtmachtbasis Andrews en naar een vliegtuig te worden vervoerd. Op dat moment ging de telefoon van het Witte Huis. Robert zei: 'Hij had een fantastisch leven.' Later: 'God, het is zo afschuwelijk. Alles begon eigenlijk net zo goed te lopen.' Zijn voornaamste taak sinds zijn eerste Senaatscampagne voor John Kennedy was geweest om de carrière van zijn broer te bevorderen. Nu behelsde deze opdracht opeens diens nalatenschap. Zelfs terwijl het nieuws uit Dallas hem nog steeds deed duizelen, had hij de tegenwoordigheid van geest om Bundy te bellen en te vragen of de persoonlijke brieven en documenten van een president die tijdens het uitoefenen van zijn ambt overleed, aan zijn familieleden toekwamen.

Bundy kreeg een bevestigend standpunt van het ministerie van Buitenlandse Zaken en gaf opdracht om de combinaties van de kluizen waarin de privé-dossiers van John Kennedy zaten onmiddellijk te veranderen.

In Dallas reed men met de nieuwe president door rode stoplichten naar Love Field, het vliegveld van Dallas. De veiligheidsdienst had zo'n haast om Johnson Dallas uit te krijgen, dat hij gescheiden werd van generaal Clifton en de 'man met de tas', waarin zich de gecodeerde instructies voor een nucleaire aanval bevonden.

Als nu Sovjetraketten en -bommenwerpers zouden verschijnen op het radarsysteem ter waarschuwing van een raketaanval, zou het de twee mannen ten minste dertig minuten hebben gekost om de president te bereiken. Een functionaris achter het schakelpaneel met het Witte Huis van de telefooncentrale in Dallas liet het Pentagon weten dat McNamara en de gezamenlijke stafchefs 'nu de president' zijn.

Boven de Stille Oceaan kondigde Rusk de dood van Kennedy aan over de geluidsinstallatie van het regeringsvliegtuig: 'God sta ons land bij.' Terwijl anderen snikten, gaf hij de piloten van het straalvliegtuig opdracht om te keren en naar Washington te vliegen. Opgesloten in een buis op een hoogte van vijfendertigduizend voet met beneden hem zijn land in rouw gehuld, had hij zich nog nooit zo hulpeloos gevoeld. Hij vroeg zich hardop af: 'Wie heeft de vinger aan de atoomknop?' De algehele mening aan boord van het vliegtuig was dat de moord 'het eerste schot van een komplot' was.

Op het Pentagon brak generaal Taylor zich het hoofd over het feit dat Johnson zo weinig wist over wat er in de tas zat. Toen hij vice-president werd, had hij om onopgehelderde redenen geweigerd om ingelicht te worden omtrent de inhoud ervan.[1] In geval van nood zou het Amerikaanse nucleaire arsenaal moeten wachten terwijl de nieuwe president voor de eerste keer de documenten aan het doornemen was.

Llewellyn Thompson deed het nieuws uit Dallas eerst af als een slechte grap. Daarna verliet hij Acheson om te piekeren over de spaarzame kennis van Johnson van buitenlandse aangelegenheden en de Sovjet-Unie. Hij herinnerde zich hoe de dode president hem 'helemaal had uitgeknepen over alles wat ik wist. En in het zeldzame geval dat er een meningsverschil tussen ons tweeën bestond, had hij gelijk en had ik het bij het verkeerde eind.' Die avond vertelde hij Jane: 'Het was te mooi om waar te zijn.'

In Parijs voelde Chip Bohlen zich 'alsof de toekomst zich in het heden had teruggetrokken'. Kennedy had ondanks al zijn realisme 'een ondefinieerbare uitstraling waardoor je de oneindige hoop kreeg dat hij op de een of andere manier de loop van de geschiedenis zou gaan veranderen.'

Terwijl de Air Force One met daarin de vijfendertigste en zesendertigste president naar Washington vloog, zocht men de hemel van de zuidoostelijke Verenigde Staten af naar 'niet-geïdentificeerde, vijandige' vliegtuigen. Johnson was ontzet toen men hem erop wees dat zes leden van de regering boven de Atlantische Oceaan vlogen. Iemand van de aanwezige pers, Charles Roberts van *Newsweek*, vroeg zich af: 'Zullen de Russen iets doen terwijl wij ons tijdens deze twee uur durende vlucht in de lucht bevinden?'

In Moskou kreeg Andrej Gromyko voor middernacht een verslag van TASS over Dallas. Hij dacht meteen aan zijn laatste gesprek met Kennedy, net een maand geleden. Hij belde Kohler op die in het Spaso House was. Een functionaris die nachtdienst had, had de ambassadeur en zijn vrouw 'van hun stuk gebracht' nadat hij hen in hun slaapkamer van het nieuws op de hoogte had gebracht. Gromyko vertelde hem dat deze regering 'op het allerhoogste niveau' hun condoléances zou overbrengen.

1. Onder Eisenhower werd Richard Nixon volledig op de hoogte gesteld.

In Washington vroeg de veiligheidsdienst het ministerie van Buitenlandse Zaken dringend of men een dossier had over ene Lee Harvey Oswald, een ex-marinier die naar de Sovjet-Unie was overgelopen, met een Russische was getrouwd en die in 1962 naar de Verenigde Staten was teruggekeerd. George Ball vroeg het omvangrijke dossier op. U. Alexis Johnson hechtte zijn goedkeuring aan een onderzoek 'om te zien of de manier waarop wij de zaak behandeld hadden oké was geweest'.

Ze vroegen zich af of de moord in opdracht van het Kremlin was uitgevoerd. Thompson vertelde hem dat communisten niet op deze manier te werk gingen: de Russen vermoorden misschien overlopers maar geen staatshoofden. Zij zouden nooit een precedent scheppen dat hun in verlegenheid zou kunnen brengen. Harriman was het daarmee eens. Alex Johnson merkte op dat de Amerikanen in reactie op Oswalds uitgesproken marxisme misschien al het zorgvuldige werk van Kennedy voor détente teniet zouden doen.

In het regeringsvliegtuig las Rusk een telex over de banden van Oswald met de Sovjet-Unie: 'Als dit waar is, dan zal dat de komende jaren onaangename gevolgen over de gehele wereld hebben.'

In Parijs had AM/LASH een ontmoeting gehad met een CIA-functionaris die hem net een balpen had gegeven met daarin een gifnaald die voor Castro bestemd was. Cúbela vond dat de pen goed was voor een amateur. Hij vertelde de CIA-man dat hij meer belangstelling had voor geweren met telescoopvizieren en explosieven waarmee Castro op een afstand gedood kon worden. Na de schok in Dallas gingen de twee mannen uiteen.[1]

In het Pentagon zei Robert Kennedy tegen Ed Guthmann: 'De mensen weten gewoonweg niet hoe conservatief Lyndon werkelijk is. Er zijn een boel veranderingen op til.' Hij, Taylor en McNamara gingen per helikopter naar de luchtmachtbasis Andrews.

Robert, die om ongeveer half zes in het donker landde, zag een verzamelde menigte journalisten en functionarissen uit Washington die zich hadden verzameld om zijn broer thuis op te wachten. Hij wilde de menigte vermijden maar tegelijkertijd ook zo snel mogelijk bij Jacqueline zijn. Hij vond een verlaten luchtmachttruck, sprong op de laadklep en ging te midden van de legeruitrustingen zitten.

Plotseling herinnerde hij zich de laatste keer dat hij op deze plek was geweest – op zaterdagmiddag 20 oktober 1962, toen Jack met zijn 'kou' uit Chicago was teruggekeerd. Het schoot hem te binnen dat hij toen op de startbaan had gestaan, wachtend op zijn broer. Nu zat hij ineengedoken achter in een vrachtwagen.

In het Witte Huis zaten stafleden voor een scherm zo groot als een muur in de Situation Room met scherpe blik gebiologeerd te kijken naar een uitzending van op video vastgelegde hoogtepunten van het presidentschap van Kennedy. De

---

1. Jaren later zei Bundy, die volhield dat Kennedy de CIA nooit toestemming had gegeven om Castro te vermoorden: 'Wij dachten [...] dat de CIA, tenminste na de Varkensbaai, een gedisciplineerd onderdeel van de uitvoerende macht was.' Hij zei dat het Cúbela-incident te wijten was 'aan ongehoorde insubordinatie. [...] Het was een staaltje onzorgvuldig bestuur, het allerslechtste resultaat van onzorgvuldigheid binnen de regering die in sommige andere contexten enorm constructief was.'

slanke jongeman op het scherm riep tegen een miljoen gillende Duitsers: *'Ich bin ein Berliner!'*

Aan boord van de Air Force One greep O'Donnell een andere aanhanger van Kennedy bij de arm en wees naar de breedgeschouderde Lyndon Johnson: 'Hij heeft nu wat hij hebben wil. Maar wij pakken het in 1968 weer af.'

De nieuwe president werd op de luchtmachtbasis Andrews door Bundy, Ball en McNamara opgewacht met wie hij aan boord van een legerhelikopter stapte terwijl hij zei: 'Het was afschuwelijk... Verschrikkelijk... Die kleine vrouw was dapper... Wie had kunnen denken dat dit zou gebeuren?... Mannen, jullie weten dat ik hier nooit naar gestreefd heb... Kennedy kon dingen doen waarvan ik weet dat ik ze niet kan.'

Op zijn vergadertoon vroeg hij: 'Nog belangrijke zaken af te handelen?' Die waren er niet. McNamara beschreef de wereldwijde waakzaamheid van het Pentagon. Als de moord een voorloper zou blijken te zijn van een vijandige aanval zouden de Verenigde Staten klaar zijn voor een overweldigende tegenaanval.

Nadat zij op de *South Grounds* waren geland, liepen Bundy en Johnson naar de westelijke vleugel: 'Er zijn twee dingen die ik aanneem, meneer de president. Ten eerste, dat alles wat voor twee uur vanmiddag in de dossiers die achter slot is opgeborgen, de familie van de president toekomt, en ten tweede dat mevrouw Kennedy de begrafenis zal regelen.' Johnson antwoordde: 'Dat is juist.'

De sirenes van Washington loeiden door de nacht. Dillon had moeite met slapen. Bundy kon het Duitse woord *Unsinn* niet uit zijn hoofd zetten. Later schreef hij in een dagboek dat de 'echte bedroefdheid niet op voorspelbare momenten' kwam – 'maar steeds wanneer men tijdens een of andere onbewaakte ogenblik geraakt werd door een nieuwe gedachte aan verlies en verandering. Ik herinner me zulke schokken als ik langs de Rozentuin liep, met de lift op de eerste verdieping arriveerde, het nieuwe rode tapijt bewonderde dat hij nooit te zien zou krijgen.'

In het Witte Huis liep Schlesinger Adlai Stevenson tegen het lijf die uit New York was komen vliegen. In 1952 had de historicus van Harvard toespraken geschreven voor de Democratische kandidaat. Die avond merkte hij dat Stevenson zijn 'vreugde over de moord op Kennedy niet kon onderdrukken. Er stond een glimlach op zijn gezicht. Het was een halve glimlach. Ik was die nacht diep bedroefd. Ik mocht Stevenson, maar na die gebeurtenis voelde ik nooit meer hetzelfde voor hem.'

In West-Berlijn liepen de mensen met brandende fakkels door de donkere straten. Het plein voor het raadhuis werd omgedoopt in John F. Kennedy Platz. In Parijs zei Charles de Gaulle: 'Ik ben met stomheid geslagen. In heel Frankrijk huilt men. Het lijkt alsof hij een Fransman was, een lid van hun eigen familie.' Harold Macmillan, die met pensioen was, herinnerde zich de 'schitterende, jonge, vrolijke figuur' die in juni in Sussex uit een helikopter stapte.

De vijanden van Kennedy waren niet stil. Schoolkinderen in Peking applaudisseerden toen men hun over de moord vertelde.[1] In een Chinese cartoon bij een redactioneel commentaar lag de president op zijn gezicht, zijn stropdas bedekt met dollartekens: KENNEDY BIJT IN HET STOF. Madame Nhu verklaarde:

1. Net als men in meer dan één school in Dallas deed.

'Amerika kan nu de wrange vruchten van zijn beleid plukken,' en zij schreef aan Jacqueline Kennedy: 'Buitengewone hoffelijkheid ten opzichte van het communisme vormt geen bescherming tegen haar slinkse slagen.'

Chroesjtsjov, die door Gromyko in Kiev werd opgebeld, barstte in tranen uit. Hij was nog meer van zijn stuk gebracht toen hij vernam dat de president in tegenwoordigheid van zijn vrouw was gedood en dat zij door het bloed van haar man was 'bezoedeld'.

Adzjoebei herinnerde zich de dag als een 'persoonlijke tragedie' voor Chroesjtsjov: 'Hij kende de geschiedenis van Amerika natuurlijk niet, omdat hij geen al te hoge opleiding had genoten, maar hij wist dat wanneer dit in de Verenigde Staten gebeurde, het niet voor de eerste keer was. Het was een schok.'

De Secretaris-Generaal realiseerde zich dat zijn afwezigheid in Moskou de Amerikaanse achterdocht zou aanwakkeren. In zo'n onzekere tijd mocht hij niet uit de hoofdstad wegblijven. In het licht van zijn huidige problemen met China leidde zijn samenzweerderige manier van werken er misschien wel toe dat hij zich afvroeg of de moord op Kennedy onderdeel was van een komplot tegen beide leiders die zich inzetten voor een Russisch-Amerikaanse détente. Met een speciale nachttrein reisde hij terug naar Moskou.

De Russische overheid, die geschokt was door het nieuws van Oswalds connecties in Rusland, vreesde dat de Sovjet-Unie op het punt stond de schuld te krijgen van de moord. De Sovjets kenden Lyndon Johnson als een emotionele Texaan en een radicalere voorstander van de Koude Oorlog dan Kennedy. Zou de nieuwe president op enigerlei wijze represailles nemen?

Sovjettroepen over de hele wereld werden in staat van paraatheid gebracht. Men stuurde er Russische veiligheidsmensen op uit om iedereen te ondervragen die Oswald in Rusland kon hebben gekend. Het ministerie van Buitenlandse Zaken kreeg opdracht om 'omzichtig en waakzaam' te zijn en om 'alles te rapporteren, het doet er niet toe hoe klein'. Tijdens de eerste uren dat Johnson in functie was, ontving de Sovjetregering klaarblijkelijk een vertrouwelijke verzekering van de nieuwe president dat er geen represailles zouden worden genomen.

Vanaf het moment dat Kennedy dood was, spande de Sovjetpers zich in om te bewijzen dat de moord niet door de communisten was geïnspireerd maar door rechtse Amerikanen. Dit zou niet alleen de Amerikaanse verdenkingen aan het adres van Moskou afleiden, maar als de Amerikanen de ultraconservatieven de schuld van de moord zouden geven, zou dit het vermogen van de conservatieven ondermijnen om de Amerikaans-Russische betrekkingen in gevaar te brengen.

TASS schreef: 'Vanaf het moment van Kennedy's aankomst in Dallas demonstreerden kleine groepjes ultra-rechtse elementen in de verschillende wijken van de stad met vlaggen van de Confederatie en met het roepen van anti-Kennedygezinde leuzen. [...] In de toespraak die president Kennedy volgens plan bij de lunch zou houden, waarvan men de tekst in zijn zak aantrof, hekelde hij zijn ultraconservatieve tegenstanders.'

De *Izvestija*: 'Alle omstandigheden van de tragische dood van president Kennedy vormen de basis voor de gedachte dat de moord bedacht en uitgevoerd moet zijn door ultra-rechtse fascisten en racistische kringen [...] die zich ergerden aan elke stap in de richting van het verminderen van internationale spanning en het verbeteren van de Russisch-Amerikaanse betrekkingen.'

De *Pravda* plaatste een grote foto van de overleden president op de voorpagina. Alsof de confrontaties in Berlijn en op Cuba nooit waren voorgevallen, schreef de *Pravda* over 'de stappen van Kennedy in de richting van het louteren van de internationale situatie' en hoe deze 'op scherpe aanvallen van Amerikaanse "gekken" waren gestuit'. De Sovjetradio zond Slavische treurmuziek uit. Op de Sovjettelevisie waren films te zien van Kennedy's inaugurele redé en zijn toespraak aan de American University.

In de straten van Moskou prezen Russische burgers Kennedy voor het beperkte kernstopverdrag en de tarweverkoop. Een bejaarde dame zei: 'Hij was zo jong! Die ellendelingen! In zijn eigen land! Werd hij niet beschermd?' Een andere Moskoviet: 'Hij was een man die probeerde goed te doen, maar ze wilden hem niet laten leven.'

Fidel Castro had net een lunch met Jean Daniel in Varadero achter de rug, toen men hem vertelde dat de president gewond was geraakt. Hij zei dat als Kennedy gered kon worden hij 'alweer herkozen' was. Majoor Valléjo stemde af op een radiozender in Miami en vertaalde de Engelse woorden: 'In het hoofd gewond [...] achtervolging van de moordenaar [...] president Kennedy is dood.' Castro stond op: 'Alles gaat veranderen. [...] Kennedy was tenminste een vijand aan wie we gewend waren geraakt.'

Na twintig minuten zei hij: 'Zij moeten de moordenaar snel vinden, heel erg snel. Anders moet je eens opletten – ik ken ze – dat zij zullen proberen ons dit in de schoenen te schuiven.' Terwijl ze wegreden, hoorden hij en Daniel op de autoradio dat de vermoedelijke dader met een Russische getrouwd was. Castro zei: 'Nou, zei ik het niet? De volgende die aan de beurt is, ben ik.'

De radio kondigde aan dat de verdachte een bewonderaar van Castro was en lid van het Comité voor Fair Play voor Cuba. Castro zei: 'Als ze bewijzen hadden, zouden zij hebben gezegd dat hij een agent was, een medeplichtige, een huurmoordenaar. Door simpelweg te zeggen dat hij een bewonderaar is, probeert men gewoon in de gedachten van de mensen een associatie tot stand te brengen tussen de naam Castro en de door de moord opgewekte emoties.'

Castro zei zijn afspraken af. Net als de Russen maakte hij zich zorgen dat de Verenigde Staten nu misschien het excuus van Oswalds bewondering voor hem als voorwendsel zouden gebruiken – voor de luchtaanval en de invasie die de CIA en het Pentagon al zo lang probeerden tot stand te brengen.

Hij verscheen op de televisie om te benadrukken dat hij niet achter de moord zat. Ondanks Kennedy's 'vijandige beleid tegen ons' was het nieuws van zijn dood 'ernstig en slecht'. De informatie over Oswald was 'een boosaardig plan tegen Cuba. Oswald had nooit contact met ons. [...] Maar in de berichten wordt hij altijd afgeschilderd als een pro-Castrocommunist. Dit maakt allemaal deel uit van een lastercampagne tegen de Sovjet-Unie en Cuba. [...] Wat er achter deze moord zit, weet niemand.'

Op zaterdagochtend 23 november riep Kohler zijn staf bijeen om de overleden president te herdenken. Het ministerie van Buitenlandse Zaken belde op om te zeggen dat Chroesjtsjov naar het Spaso House kwam. Kort na de middag kwam de Secretaris-Generaal de trap oplopen, gevolgd door Gromyko en Smirnovski. Zelfs de onbewogen minister van Buitenlandse Zaken had tranen in de ogen.

Kohler nam Chroesjtsjov bij de arm naar een klein tafeltje waarop een condoléanceregister lag en een zwartomlijste foto van de president met een opdracht aan Kohler. Een marinier stond in de houding naast de tafel. De Secretaris-Generaal en Kohler zeiden geen woord. Het enige geluid in de kamer was het snorren van de filmcamera's. De Secretaris-Generaal zette zijn goudomrande bril op en boog zich voorover om het boek te tekenen. Hij poseerde, nog steeds zwijgend, voor foto's met de ambassadeur en hun medewerkers.

Toen nam Kohler zijn gast mee naar een salon met open haard die de Fawn Room genoemd werd. Zoals hij zich herinnerde 'was Chroesjtsjov voortdurend aan het woord'. De Secretaris-Generaal putte zich uit om aan te tonen dat de Sovjet-Unie niets te maken had met de dood van Kennedy. Hij vertelde Kohler dat zijn regering moorden altijd had betreurd. De mensjevieken en Zwarte Jagers waren in Rusland de moordenaars geweest – niet de bolsjevieken. De bolsjevieken, zei hij, waren geen voorstanders van politieke moorden.

Nadat hij zich kort in de herinnering van Kennedy in Wenen verdiepte, keerden Chroesjtsjov en zijn gevolg terug naar hun zwarte limousines. Later op de dag schreef de Secretaris-Generaal aan Lyndon Johnson dat de 'schurkachtige moord een zware slag' was. Gromyko schreef Rusk dat het 'beste eerbetoon voor de overledene' zou zijn om hun pogingen voort te zetten de spanning in de wereld te verminderen. De eerste stap daartoe was het beperkte kernstopverdrag geweest dat door Kennedy "zeer hoog" was 'ingeschat'.

Stapels brieven van Sovjetburgers die bij de Amerikaanse ambassade werden bezorgd, doorbraken de droge taal van de diplomatie. Ene kameraad Babitsjev schreef Johnson: 'Ik ben er zeker van dat u de koers zult voortzetten van wijlen meneer Kennedy die ons allemaal zo dierbaar was. Zijn grote daden zullen eeuwig voortleven! [.] Dood aan de schurkachtige slagers!!'
Een student uit Charkov schreef: 'Laat het Amerikaanse volk genadeloos en onverbiddelijk zijn in zijn straf van de moordenaars die de zaak van de vrede tussen onze volkeren willen saboteren.' Tatjana en Jevgenja Sjtsjerbakov uit Brjansk schreven: 'Laat de gedachte dat het verdriet door honderd miljoen Russische vrouwen wordt gedeeld, mevrouw Kennedy helpen om haar verlies te overleven.'
Vladimir Abrositsjkin uit Moskou zond Kohler een gedicht over de 'schurkachtige daad van de krankzinnige reactionairen':

> *Hij trachtte ons te ontmoeten.*
> *Hij zocht naar wegen om de vrede te waarborgen.*
> *De duisternis van de dood maakte een einde aan zijn mars.*

> *De gestreken vlaggen zwijgen*
> *De troon van de president was aan het schommelen.*
> *Een zwerm zwarte kraaien vliegt boven Washington.*

> *In dat land zijn doodsangst en afpersing aan de orde van de dag,*
> *Waar geld is wet, macht en kracht.*
> *Schaam je, Amerika! Jij zwijgt bij de moord op je zoons.*

Een Moskoviet genaamd Lazarev stuurde nog meer dichtregels:

> *Partijleider Chroesjtsjov stond minutenlang stil en zweeg...*
> *Hij kwam voor ons, Russen, op.*
> *De wieken van de adelaar zijn verschrompeld.*
> *Vervloek de moordenaar, die hem van het leven beroofde!*
> *De vriend aller mensen is verloren.*
> *Het licht van de ster is verbleekt.*
> *Wij doen hem uitgeleide op zijn laatste tocht.*
> *Amerikanen! Zoek iemand die zijn plaats kan innemen,*
> *En laat dat een nieuwe Lincoln zijn.*

Op zondagmiddag 24 november hield Lyndon Johnson zich aan de afspraak van de overleden president met Lodge en vertelde hem dat hij niet bereid was 'Vietnam te verliezen': 'Vertel die generaals in Saigon dat Lyndon Johnson van plan is zich aan ons woord te houden.'

Toen Lee Harvey Oswald doodgeschoten werd, beschouwde Thompson dat als een diplomatieke catastrofe – 'net nu de begrafenis op het punt stond om ons buitenlandse imago te herstellen'. De *Pravda* vroeg: 'Wie leidde Ruby naar de gevangenis die zo zorgvuldig werd bewaakt? [...] Er kan maar één antwoord zijn: het werd gedaan door dezelfde mensen die de laffe moord op de president voorbereidden en begingen, dezelfde "ultra's" die nu proberen om de schuld [...] op Amerikaanse communisten [...] te schuiven en op [...] het Comité voor Fair Play voor Cuba.'

Toen de Britse vriend van Kennedy, Henry Brandon van de *Sunday Times*, een maand later naar de Sovjet-Unie ging, merkte hij tot zijn verbazing dat de rouw 'in Moskou bijna intenser dan in Washington' was. Steeds weer vroeg men hem: 'Denk je dat Johnson de moord heeft georganiseerd?'

Chroesjtsjov had er eerst aan gedacht om Gromyko naar de begrafenis van Kennedy te sturen maar kwam tot de slotsom dat het sturen van Mikojan een sterkere verklaring zou zijn. Op maandag, voordat de ceremonieën in Washington plaatsvonden, was Dillon 'doodsbang dat er op Mikojan geschoten zou worden'. Op verzoek van Rusk benadrukte Thompson bij de Sovjetambassade dat Mikojan uitstekende redenen had om niet in de begrafenisstoet mee te lopen: zijn leeftijd, zijn herstel na een operatie en hepatitis. Maar de Armeen wilde met alle geweld met De Gaulle en andere wereldleiders achter de doodkist lopen.[1] In Moskou leidde een betraande Nina Petrovna leden van de Russisch-Amerikaanse Vriendschapsvereniging naar het Spaso House, waar zij het condoléanceregister tekenden.

De president werd op de Nationale Begraafplaats Arlington begraven, op de helling onder het Custis-Lee-huis. Charles Bartlett had de minister van Defensie verteld over de lentedag in 1963 toen hij en Kennedy de lucht- en ruimtevaart-

---

1. Toen hij in Washington arriveerde, zei De Gaulle: 'De Franse bevolking staat erop dat ik kom.' Later, toen Lyndon Johnson hem vroeg of het bezoek aan Amerika in de lente van 1964 dat De Gaulle met tegenzin aan Kennedy had beloofd, doorgang zou vinden, maakte de Fransman Johnson razend door vol te houden dat hij, door het bijwonen van de begrafenis van Kennedy, zijn belofte had ingelost.

tentoonstelling in het Smithsonian Institution hadden bezocht en daarna naar Arlington waren gereden.

De president, die door het oude gebouw op de top van de heuvel werd rondgeleid, had gezegd: 'Zou dit geen mooie plek zijn om het Witte Huis neer te zetten? [...] Ik zou hier altijd kunnen blijven.' Met tranen in zijn ogen zei McNamara dat de locatie van het graf 'bijna een heiligdom' was.

Robert Kennedy troostte Jacqueline door op te merken dat 'als Jack na de Varkensbaai doodgeschoten was, hij als de slechtste president zou zijn beschouwd'. Na de begrafenis stond zij in het Witte Huis om de condoléances in ontvangst te nemen. Toen de hertog van Edinburg arriveerde, herinnerde zij Angier Biddle Duke eraan dat hij haar tijdens de vlucht op weg naar Londen na de Weense top had verteld dat de vrouw van een staatshoofd geen revérence maakte voor koninklijke hoogheden. Nu, terwijl ze eruitzag 'als een vaag, verdwaald blad', zei ze: 'Angie, ik ben niet langer de vrouw van een staatshoofd.'

Terwijl ze naar Mikojan keek die langzaam in rij naar voren kwam, merkte de weduwe dat hij over zijn hele lichaam trilde, hij zag er ontzet uit. Volgens haar latere verslag vertelde ze de Sovjetfunctionaris: 'Vertelt u meneer de Secretaris-Generaal alstublieft dat ik weet dat hij en mijn man samenwerkten voor een vredige wereld en nu moeten hij en u het werk van mijn man voortzetten.' Rusks herinnering aan wat de weduwe zei, was beknopter: 'Mijn man is dood. De vrede is nu aan u.'

Mikojan knipperde met zijn ogen en bedekte zijn gezicht met zijn handen. Gedurende de rest van zijn bezoek kon hij zichzelf er niet van weerhouden om haar verzoek te herhalen.

Lyndon Johnson vroeg Sorensen wat hij dacht van de mogelijkheid van buitenlandse betrokkenheid bij de moordaanslag. Hij toonde hem een FBI-rapport dat Sorensen 'nietszeggend' noemde. De nieuwe president wist dat als Kennedy vermoord was door een andere regering, dit, zoals Rusk vreesde, het Amerikaanse buitenlandse beleid kon verstoren. Een opiniepeiling liet zien dat veel Amerikanen dachten dat Rusland, Cuba of 'de communisten' erbij betrokken waren.

George Kennan schreef aan Kohler dat de hamvraag niet was 'of Oswald de moordenaar is, daar lijkt weinig twijfel over te bestaan, maar de vreemde omstandigheden van zijn eigen moord. Ik ben van nature geen achterdochtig mens, maar [...] ik zit vol twijfel en ik vind het verschrikkelijk belangrijk dat deze omstandigheden tot op de bodem worden uitgezocht en aan het licht gebracht.'

Richard Helms merkte dat Lyndon Johnson tot diep in het jaar 1964 werd afgeleid door zijn ongerustheid dat Kennedy door een samenzwering om het leven was gebracht. Zoals Helms zich herinnerde, was zijn dienst 'Johnson hierbij erg behulpzaam' en kwam tegemoet aan de wens van de president om een onafhankelijk CIA-onderzoek te houden. Er werden filmbeelden van de stoet met auto's en foto's van de autopsie aan het bureau opgestuurd.

Een week na Dallas haalde Johnson opperrechter Earl Warren over om zitting te nemen in een zware onderzoekscommissie om de misdaad te onderzoeken. Als men er niet in slaagde om de geruchten in te dammen 'zou het publiek tegen Castro en Chroesjtsjov worden opgehitst, zou er oorlog kunnen ontstaan'.

Toen de commissie-Warren in september 1964 concludeerde dat er geen buitenlandse regering bij de moord betrokken was, publiceerde het Russische weekblad *Za Rubezjom* een samenvatting van het rapport, samen met citaten uit westerse kranten die eraan twijfelden dat Oswald op zijn eentje had gehandeld. De Sovjets vermoedden dat de president óf door de CIA was vermoord – men zou hem de Varkensbaai en de Russische détente niet hebben kunnen vergeven – óf door de maffia, die hoopte dat zij verloren Cubaanse eigendommen terug zou krijgen, óf door Johnson zelf die, naar zij aannamen, niet op een andere manier aan de macht had kunnen komen.

In de lente van 1967 werden de eerste verhalen gepubliceerd waarin werd gesuggereerd dat Castro tot de moord op Kennedy had aangezet als vergelding voor moordkomplotten van de CIA tegen hemzelf. Johnson verzocht de FBI dit te onderzoeken en riep Helms bij zich die op dat moment hoofd van de CIA was. Hij was geschokt toen men hem vertelde, zoals hij later zei, 'dat wij een verdomde BV Moord in het Caribisch gebied hadden opereren'.
Meer dan drie jaar later leed Johnson in het Witte Huis, nadat hij met een verpletterende meerderheid opnieuw gekozen was, nog steeds onder de vergelijking met de leider die nu in de herinnering van het publiek zo smetteloos was. Hij scheen de bijna psychologische neurose te hebben dat Kennedy zijn tragische lot over zichzelf had afgeroepen. Hij hield persoonlijk vol dat 'Kennedy probeerde Castro te pakken, maar Castro pakte hem het eerst'.
Al in december 1963 had Johnson aan Helms verteld dat de moord de straf van God was voor de moord op president Diem. Hij zei hetzelfde tegen Salinger. Deze vertelde op zijn beurt aan Robert Kennedy dat Johnson hem een verhaal had verteld van iemand uit zijn jeugd die tegen een boom was gebotst en zijn hoofd had gestoten, waardoor hij scheel werd: dat was de straf van God voor mensen die slecht waren. Je moest uitkijken voor schele mensen omdat zij door God gebrandmerkt waren.'[1]
Toen het rendez-vous van Rolando Cúbela met de CIA werd onthuld tijdens het onderzoek van de Inlichtingencommissie van de Senaat in 1975, vroegen sommigen zich af of AM/LASH een Cubaanse dubbelspion was die Castro had ingelicht over tegen hem gerichte Amerikaanse samenzweringen en de aanzet tot een fatale tegenactie had gegeven. Cúbela was inmiddels door de Cubaanse contraspionagedienst gearresteerd en gevangengezet. Als hij een dubbelspion zou zijn geweest, dan was het onwaarschijnlijk dat hij, zoals met Cúbela gebeurde, ter dood werd veroordeeld.[2]
Castro, die in 1978 in Havana door de Moordcommissie van het Huis van Afgevaardigden werd ondervraagd, zei: 'Wie hier zou zoiets gevoeligs als de dood van de president van de Verenigde Staten hebben gepland? Dat zou gekkenwerk zijn geweest.' Hij merkte op dat het vermoorden van Kennedy iemand aan de macht had gebracht van wie men kon verwachten dat hij zich ten opzichte van Cuba harder op zou stellen.
Castro beweerde dat hij niet van plan was om de waarschuwing van zijn Braziliaanse ambassade, van september 1963 over Amerikaanse samenzweringen te-

1. Dit zou een toespeling kunnen zijn geweest op het feit dat het linkeroog van de overleden president niet helemaal goed stond.
2. De straf werd door persoonlijke tussenkomst van Castro omgezet in dertig jaar gevangenisstraf.

gen hem, op te vatten als een fysieke bedreiging. De militaire kracht van de Verenigde Staten om wraak te nemen op een Cubaanse poging de president van het leven te beroven, was zo groot dat een dergelijke daad 'zelfmoord' zou zijn.

Afgezien van het soort marxisme dat Lee Oswald aanhing, zijn tweejarige verblijf in de Sovjet-Unie (en geruchten over connecties met de Russische geheime dienst die, afgezien van zijn huwelijk met een Russische vrouw die, naar men beweerde, de nicht van een geheim agent was, nooit werden bewezen), en een mogelijk bezoek aan Cubaanse en Sovjetambassades in Mexico-Stad in september 1963, is er weinig bewijsmateriaal dat de Sovjets ook maar iets te maken hadden met de moord op Kennedy.

Men zou zich een scenario kunnen indenken waarbij een of ander boosaardig element bij de Russische inlichtingendienst onder de Sovjetleiders misschien iets te winnen had bij de dood van Kennedy. De vijanden van Chroesjtsjovs détente hadden kunnen vermoeden dat Johnson zich stugger zou opstellen in de Koude Oorlog. Chroesjtsjovs vijanden hadden kunnen redeneren dat door de moord op Kennedy de Secretaris-Generaal het argument ontnomen werd dat hij aan de macht moest blijven vanwege zijn onmisbare persoonlijke relaties met de Amerikaanse president.

Wij weten dat in het begin van de jaren zestig Russische veiligheidsagenten en hogere functionarissen zoals Brezjnev niet terugdeinsden voor het opzetten van wat zij 'bedenkelijke operaties' tegen politieke figuren in het Oostblok, de Derde Wereld en het Westen beschouwden. Maar zelfs deze Sovjets zouden zich waarschijnlijk wel twee keer bedenken voordat ze een president van de Verenigde Staten vermoordden en daarmee een Amerikaanse vergeldingsaanval riskeerden.

In januari 1964 ontving de CIA een gecodeerde boodschap van een KGB-functionaris in Genève. Joeri Nosenko was lid van de Sovjetafvaardiging voor ontwapening en overloper-ter-plaatse van wie de CIA hoopte dat hij haar vele jaren lang informatie zou doorspelen over de Russische inlichtingendienst. Nu vertelde hij Langley dat zijn superieuren hem hadden opgedragen om binnen vijf dagen naar huis te komen. Hij was bang dat zijn verraad was ontdekt en haalde hen over om hem naar de Verenigde Staten te brengen.

Nosenko vertelde zijn bazen bij de CIA van de moord: ' Ik kan me zonder aarzelen verenigen met het feit dat de Sovjet-Unie op geen enkele wijze hiermee in verband kan worden gebracht.' Hij zei dat hij als contraspion tegen de Amerikanen en de Britten de leiding had in het onderzoek naar Oswald toen de twintigjarige Amerikaan in 1959 naar Moskou kwam. De Sovjetregering wist niets over hem totdat hij al lang en breed in het land was.

Volgens het relaas van Nosenko wist de KGB niet dat Oswald als marinier op de Japanse basis was geweest waarvandaan U-2-spionagevliegtuigen over de Sovjet-Unie vlogen en zou de KGB hier toch niet van wakker hebben gelegen. Men had Oswald 'mentaal instabiel' bevonden en niet erg intelligent. Nosenko zei dat toen Oswald nog liever zelfmoord wilde plegen dan de eis van Moskou in te willigen om het land te verlaten, de Russische geheime dienst 'haar handen van hem aftrok'.

Nosenko's verhaal deed een zwaar beroep op de geloofwaardigheid. Het was moeilijk zich voor te stellen dat de Sovjets zich zo onverschillig opstelden ten opzichte van een man die pas de derde Amerikaanse marinier was die naar Moskou overliep en die toch wel van een paar details wist over de spionagevliegtuigen die drie jaar lang de wanhopige Sovjetpogingen ze neer te halen, hadden getrotseerd.

De CIA wist niet of men het verhaal van Nosenko als bewijs van Russische onschuld inzake de moord moest opvatten of als de wens van Moskou om van alle blaam gezuiverd te worden, wat de suggestie wekte dat men misschien toch iets te verbergen had. Het optreden van Nosenko tijdens ondervragingen was niet bemoedigend. Hij slaagde niet voor testen met de leugendetector en liet blijken dat hij niet op de hoogte was van feiten over de Amerikaanse aanwezigheid in Moskou die een functionaris met zijn veronderstelde achtergrond had moeten weten.

Het hoofd van de CIA's contra-inlichtingendienst, James Angleton, vermoedde dat de Sovjets Nosenko hadden ondergeschoven, niet alleen om de verdenking omtrent de medeplichtigheid van zich af te wentelen, maar ook om de aandacht af te leiden van Sovjetagenten binnen de Amerikaanse geheime dienst. De Rus werd vier jaar lang in een verzegelde ruimte opgesloten, kreeg niets te lezen, geen menselijk gezelschap, geen tandenborstel of tandpasta en werd onderworpen aan vijandige ondervragingen in een poging om hem te breken en aan het praten te krijgen.

De poging mislukte. Helms zei: 'Ik geloof niet dat er ooit iets in mijn leven was wat mij meer frustreerde.' Nosenko werd vrijgelaten en hij kreeg een nieuw huis en het Amerikaans staatsburgerschap. De CIA bleef verdeeld of hij nu een echte overloper was of niet.[1]

In de herfst van 1963 waren gangsters zoals de bendeleiders uit Louisiana en Texas, Carlos Marcello, Santos Trafficante, Sam Giancana en hun compagnon James Hoffa woedend op de gebroeders Kennedy omdat zij veel krachtiger dan ooit tevoren gerechtelijk werden vervolgd. Toen Hoffa het nieuws uit Dallas hoorde, zei hij: 'Bobby Kennedy is nu gewoon weer advocaat.'

Ze vonden het weerzinwekkend dat de president na de rakettencrisis een overeenkomst met Chroesjtsjov had gesloten, wat suggereerde dat Castro misschien permanent aan de macht zou blijven. Op die manier werden hun de maffiarijkdommen op Cuba ontzegd waarvan men beweerde dat zij voor 1959 meer dan een miljard dollar per jaar opbrachten. Zowel Oswald als Jack Ruby onderhielden nauwe betrekkingen met figuren uit de onderwereld waarvan het publiek geen weet had.

1. De uitvoerigste gepubliceerde uiteenzetting van de theorie dat Oswald de president in opdracht van Moskou vermoordde, was een boek uit 1977 met de wel zeer subtiele titel: *Chroesjtsjov vermoordde Kennedy* van de hand van de Britse advocaat Michael Eddowes, die ook beweerde een poging van Jevgeni Ivanov om in Londen te worden geplaatst, te hebben verhinderd. Ivanov was een Sovjetagent die te maken had met het seksschandaal rond Christine Keeler en John Profumo.

Eddowes beweerde dat de echte Oswald nooit uit Rusland terugkeerde en in plaats daarvan werd vervangen door een Russische dubbelganger die Kennedy in opdracht van Chroesjtsjov vermoordde. Aan het begin van de jaren tachtig wist hij de rechtbank van Texas ertoe te bewegen het graf van Oswald te laten openen om uit te vinden wie daar echt begraven lag. Het bleek Oswald te zijn.

Tijdens de lente en zomer van 1963 verbleef Oswald in New Orleans bij zijn oom Charles 'Dutz' Murret, die al langere tijd als zijn tweede vader fungeerde.[1] Murret was een bookmaker uit New Orleans en compagnon van de plaatselijke gangsters Sam Saia en Nofio Pecora, die beiden bekend stonden vanwege hun hechte band met Carlos Marcello. In augustus 1963 werd Oswald na een straatruzie over zijn strijd voor het Comité voor Fair Play voor Cuba gearresteerd en klaarblijkelijk werd zijn borgtocht door een van de medewerkers van Pecora voldaan.

Ruby was als opgroeiende jongeman in de West Side van Chicago boodschapper voor Al Capone en hij werkte later voor Paul Dorfman van de plaatselijke Bond van Schroot- en Oud-IJzerhandelaren, die naderhand door Robert Kennedy in *The Enemy Within* werd omschreven als 'een belangrijke schakel in de onderwereld van Chicago'. Een staflid van de Senaatscommissie-Kefauver, die in 1950 een onderzoek instelde naar de georganiseerde misdaad, ontdekte dat Ruby 'een stroman van het syndicaat' was 'die naar Dallas was gestuurd om als contactpersoon voor de gangsters in Chicago te fungeren'.

Tijdens de maanden voorafgaande aan de moord, had Ruby klaarblijkelijk contact met Robert 'Barney' Baker, die door Robert Kennedy werd omschreven als Hoffa's 'ambassadeur van het geweld', nog een stroman van Hoffa genaamd Murray 'Dusty' Miller en dezelfde Nofio Pecora die zich bij Carlos Marcello en de oom van Oswald had aangesloten. Aan het begin van de jaren zeventig vertelde John Roselli, de partner van Sam Giancana en Santos Trafficante voor de Westkust en betrokken bij de tegen Castro gerichte CIA-komplotten, dat Ruby 'een van onze jongens' was die was aangesteld om Oswald ervan te weerhouden belastende informatie over de maffia te verstrekken aan mensen van de FBI.

In 1959 was Ruby een of meer keren naar Cuba gegaan om Lewis McWillie op te zoeken, de bedrijfsleider van de Tropicana-nachtclub die het eigendom was van een partner van Trafficante. Misschien zocht hij ook wel Trafficante zelf op in de gevangenis net buiten Havana.[2] Ruby was duidelijk ook betrokken bij wapentransporten voor de maffia – eerst naar Castro, met het oogmerk van de maffia om hem aan hun kant te houden, en daarna naar anti-Castroguerrilla's nadat de Cubaanse leider de georganiseerde misdaad uit Havana had verdreven.

Na de moord haastte de CIA zich om haar eigen sporen uit te wissen. Als zelfs het routinetoezicht van de CIA op Oswald tijdens zijn overloperij en terugkeer uit de Sovjet-Unie volledig werd onthuld, zou het flink wat opwinding teweeg kunnen brengen in het diepgekwetste land. Men zou vermoeden dat Oswald door de CIA was ingehuurd om een president te vermoorden die in 1963 uitschakeling van Castro dwarsboomde, iets wat samen met de volledige instandhouding van de Koude Oorlog algemeen als een gekoesterd doel van de CIA werd beschouwd.

Als het Amerikaanse volk in de laatste weken van 1963 had vernomen dat de CIA met de maffia had samengewerkt in een poging om Castro te vermoorden en dat het plan zijn climax had beleefd in de dood van de president, dan zouden er serieuze eisen zijn gekomen, net als Kennedy's dreiging de CIA na het Var-

1. De eigenlijke vader van Oswald stierf voor zijn geboorte.
2. De Tropicana was de plaats waar een jaar eerder de jonge Senatoren John Kennedy en George Smathers de zangeres Denise Darcel hadden ontmoet.

kensbaai-incident in duizend stukken te slaan en in alle windrichtingen uit te strooien.

Door deze informatie voor de commissie-Warren achter te houden won de CIA tijd in de hoop dat ze het voor altijd voor het publiek verborgen kon houden. Het mocht niet zo zijn: de moordaanslagen tegen Castro werden tegen het midden van de jaren zeventig onthuld. Precies zoals het Kremlin zelf de achterdocht had gewekt door uitgebreid de betrokkenheid bij de moord op Kennedy te ontkennen, vroegen de critici van de CIA zich af of de dienst haar banden met de maffia en anti-Castroballingen had verdoezeld omdat ze iets veel onheilspellenders te verbergen had.

We zullen waarschijnlijk nooit absoluut zeker weten wie er achter de moord van John Kennedy schuilging en waarom. Er is om duizend verschillende redenen door zo veel inlichtingendiensten en andere groepen zo'n hoeveelheid tegenstrijdige, onverifieerbare en opzettelijk verkeerde informatie verstrekt, dat het dertig jaar na dato bijna onmogelijk is om zich een verklaring van de misdaad voor te stellen die is gebaseerd op één brok van samenhangende bewijzen dat iedereen, behalve buitengewone sceptici, de mond zal snoeren.

Kennedy, die gefascineerd werd door politieke moed en door mensen die jong stierven, die meer dan de meeste van zijn voorgangers met de donkerder kant van de Amerikaanse politiek en het buitenlandse beleid bekend was, wist dat hij zich aan fysiek gevaar blootstelde. Hij leverde een geweldige krachtsinspanning om Fidel Castro ten val te brengen, om deze plannen vervolgens weer in te dammen door de Amerikanen tegen de Sovjet-Unie op te zetten en daarna de spanningen te verminderen – wellicht via figuren uit de wereld van de georganiseerde misdaad die hun Cubaanse concessies terug wilden hebben. Vervolgens stelde hij zijn minister van Justitie in staat hen veel krachtiger te vervolgen dan ooit tevoren.

Wat overeenstemt met vrijwel iedere belangrijke serieuze verklaring van wie de president vermoordde, is dat hij in zekere zin werd vermoord vanwege zijn publieke beleid. Kennedy verloor de mogelijkheid dat zijn bedoelingen door toevalligheden of misrekeningen konden worden gesaboteerd nooit uit het oog. In tegenstelling tot de meeste Amerikaanse leiders was hij altijd meer bereid om zich aan fysieke dan aan politieke risico's bloot te stellen. Het was kenmerkend dat hij in de herfst van 1963 over zijn fysieke, en niet zijn politieke overleving, zei: 'Degene die mij wil pakken, zal mij te pakken krijgen.'

Nadat men haar had verteld over de vermoedelijke moordenaar, klaagde Jacqueline Kennedy dat de dood van haar man van zijn betekenis was beroofd: 'Hij beleefde niet eens het genoegen dat hij stierf voor de burgerrechten. Het moest een of andere dwaze kleine communist zijn.' Maar als het martelaarschap gedefinieerd wordt als het sterven voor een belangrijk doel, dan gold dit zeker bij de dood van Kennedy.

Tijdens haar laatste veertien dagen in het Witte Huis krabbelde mevrouw Kennedy, terwijl Lyndon Johnson in de westelijke vleugel aan het werk ging, een brief aan de leider van de Sovjet-Unie. De brief werd op het briefpapier van het Witte Huis geschreven in haar stijlvolle, zwierige handschrift dat meer op drukwerk dan op schrift leek.

De brief maakte een eind aan de periode van persoonlijke correspondentie tussen de twee machtigste mannen ter wereld zoals die in september 1961 begon met de door Georgi Bolsjakov in een krant verborgen en de in het Carlyle Hotel bezorgde verrassingsbrief uit Pitsoenda. Toen de weduwe klaar was met schrijven, bevestigde ze er een notitie aan waarop stond: 'Belangrijk/ Mevr. Lincoln/ Dit is mijn brief aan Chroesjtsjov die aan hem moet worden overhandigd door ambassadeur Thompson:[1]

Geachte meneer de Secretaris-Generaal,

Ik wil u bedanken voor het feit dat u meneer Mikojan als uw vertegenwoordiger naar de begrafenis van mijn man hebt gestuurd. Hij zag er zo bedroefd uit toen hij door de rij naar voren kwam en ik werd hier erg door aangegrepen. Ik probeerde hem op die dag een boodschap mee te geven voor u – maar het was zo'n verschrikkelijke dag voor mij, ik weet niet of mijn woorden er zo uitkwamen als ik ze bedoelde.

Dus nu, op een van de laatste avonden die ik in het Witte Huis doorbreng, wil ik u in een van de laatste brieven die ik op dit papier in het Witte Huis schrijf, graag mijn boodschap sturen. Ik stuur hem slechts omdat ik weet hoezeer mijn man zich bekommerde om de vrede en hoe de relatie tussen u en hem in zijn gedachten centraal stond.

Het was zijn gewoonte om uw woorden in een aantal van zijn toespraken te citeren – 'In de volgende oorlog zullen de overlevenden de doden benijden.' U en hij waren tegenstanders, maar u was met elkaar verbonden door het vaste voornemen dat de wereld niet opgeblazen mocht worden. U respecteerde elkaar en kon met elkaar zaken doen. Ik weet dat president Johnson alles in het werk zal stellen om dezelfde relatie met u aan te gaan.

Het gevaar waar mijn man zich zorgen over maakte, was dat de oorlog niet zozeer door de grote mannen als wel door de kleintjes begonnen zou worden. Terwijl grote mannen de noodzaak kennen van zelfbeheersing en terughoudendheid – worden kleine mannen soms bewogen door angst en trots. Konden de grote mannen er in de toekomst maar vóór zorgen dat de kleine mannen eerst rond de tafel gaan zitten om te praten voordat zij beginnen te vechten – ik weet dat president Johnson het beleid waarin mijn man zozeer geloofde, zal voortzetten – een beleid van beheersing en terughoudendheid – en hij zal uw hulp nodig hebben.

Ik stuur u deze brief omdat ik zo goed op de hoogte ben van het belang van de relatie die tussen u en mijn man bestond, en ook vanwege uw vriendelijkheid en die van mevrouw Chroesjtsjov in Wenen. Ik las dat zij tranen in haar ogen had toen zij de Amerikaanse ambassade in Moskou verliet nadat zij het condoléanceregister had getekend. Wilt u haar daarvoor bedanken?

Hoogachtend,

Jacqueline Kennedy

1. In werkelijkheid werd de brief via de normale kanalen bezorgd.

Epiloog. De climax

Na Kennedy's begrafenis besteedde Lyndon Johnson in de ontvangstrij op het ministerie van Buitenlandse Zaken slechts vijfendertig seconden aan Mikojan, een van de kortste ontmoetingen van de nieuwe president. Sovjetdiplomaten maakten zich zorgen dat Johnson hiermee misschien uiting gaf aan de Amerikaanse verontwaardiging over de Russische connecties van Lee Harvey Oswald. Ze konden de volgende dag opgelucht ademhalen toen Johnson de vice-premier in het Oval Office sprak. Hij beloofde zich te houden aan alle beloften die de overleden president aan Chroesjtsjov inzake Cuba had gedaan. Hij wilde hun persoonlijke correspondentie voortzetten. Hij gaf Mikojan een brief waarin hij de Secretaris-Generaal eraan herinnerde dat hij de verbeteringen in de Amerikaans-Russische betrekkingen 'op de voet volgde' en dat hij 'volledig akkoord' ging 'met het beleid van president Kennedy'.

Niettemin bleef Chroesjtsjov 'bezorgd' omtrent de moord van Kennedy en 'hoe de gebeurtenissen zich zouden ontwikkelen'. Hij vond Johnson 'reactionair' en 'onbuigzaam'. Zoals zijn zoon Sergej zich herinnerde: 'Wij geloofden Johnson niet, vertrouwden hem niet.' De adviseurs van de Secretaris-Generaal wezen hem op Johnsons innige verstrengeling met de Texaanse olie- en gasbelangen die ze als anti-Russisch beschouwden en misschien een rol hadden gespeeld bij de moord. Ze waarschuwden dat Johnson 'naar olie ruikt'.

Op nieuwjaarsdag 1964 gaf Dobrynin aan Rusk de eerste belangrijke brief van Chroesjtsjov die aan de nieuwe president moest worden overhandigd. Het lange, onsamenhangende epistel was een neerbuigend lesje in geschiedenis en geopolitiek dat klaarblijkelijk bedoeld was om het Texaanse groentje op het gebied van buitenlandse politiek een lesje te lezen.

De brief keurde 'kolonialisten' en 'het imperialisme' af als de oorzaken van oorlog en hield vol dat Taiwan een 'onvervreemdbaar onderdeel' van de Volksrepubliek China was en dat alle 'oorlogsbases' in vreemde landen moesten worden 'opgeheven'. De Italiaanse fascisten hadden de Middellandse Zee 'mare nostrum' gedoopt zodat zij zich konden uitgeven als de erfgenamen van de oude Romeinen. In het negentiende-eeuwse Paraguay was zo veel bloed vergoten dat het bevolkingsaantal 'nog lager' was 'dan voor deze oorlog'. Alle territoriale geschillen moesten 'uitsluitend' worden opgelost 'met vreedzame middelen'.

De teleurgestelde Johnson las de brief thuis op zijn ranch en vond dat deze 'eerder voor propagandadoeleinden bestemd was dan voor serieuze diplomatie'.[1]

1. Harlan Cleveland schreef aan Rusk dat Chroesjtsjov zoals gewoonlijk 'eerst door al die bekende thema's heen baggert voordat hij aanbelandt bij wat hij te zeggen heeft – net als

Hij antwoordde door erop aan te dringen dat bij het oplossen van territoriale geschillen ze niet alleen de gevestigde grenzen in ogenschouw namen maar ook internationaal erkende kenmerken als de gedemilitariseerde zones in Korea en Vietnam en de toegangswegen naar Berlijn. Men zou ook 'agressie, ondermijning of clandestiene wapenleveranties' tot het gebruik van geweld moeten rekenen.

McNamara stelde voor om de Amerikaanse produktie van splijtstoffen voor kernwapens te verminderen om hun vreedzame bedoelingen aan Chroesjtsjov kenbaar te maken. In zijn eerste *State of the Union* kondigde Johnson een vermindering aan van vijfentwintig procent van de produktie van verrijkt uranium. Hij vertelde de Sovjets in februari dat hij een verdere beperking van de produktie zou doorvoeren en drong er bij hen op aan om hetzelfde te doen. Hij onderhandelde per brief met Chroesjtsjov en via Dobrynin en Kohler.

Toen de onderhandelingen medio april vast kwamen te zitten, liet hij de Secretaris-Generaal weten dat hij zijn nieuwe produktievermindering over drie dagen tijdens een lunch met de pers in New York bekend zou maken. Toen hij op het punt stond te gaan spreken, werd hem een boodschap overhandigd van Chroesjtsjov. Naar aanleiding van de inhoud ervan was hij nu in staat aan te kondigen dat de Sovjet-Unie zou stoppen met de bouw van twee nieuwe plutoniumreactors en dat men de produktie van verrijkt uranium 'aanzienlijk zou re duceren'.

Dobrynin wees erop dat een topoverleg tussen Johnson en Chroesjtsjov 'nuttig zou kunnen zijn voor beide landen'. De nieuwe president antwoordde dat een topoverleg 'onrealistische verwachtingen' zou wekken. Er kleefden 'onmiskenbaar nadelen aan een bezoek aan het buitenland in mijn eerste ambtsjaar'. Zonder vice-president om de 'last van het leiderschap' te kunnen delen, probeerde hij het Congres zo ver te krijgen om de belastingverlaging, de burgerrechten en andere wetgeving van Kennedy te bekrachtigen. Hij vertelde aan vrienden: 'Chroesjtsjov dacht niet dat ik een sukkel zou zijn.'

Na Johnsons terugkeer uit Dallas had McCone hem al snel in alle stilte het bewijs van de wapenopslagplaats op Cuba en de plannen voor de coup in Venezuela laten zien die Helms de vorige president, drie dagen voor zijn dood, had getoond. Johnson waarschuwde Mikojan tijdens hun ontmoeting dat de campagne van Castro om subversieve acties in Latijns-Amerika te ondernemen, de Amerikaans-Russische betrekkingen nadelig beïnvloedde. De ogen van Mikojan schoten vuur: Cuba had niet het verlangen om ook maar iemand te ondermijnen! Hoe kon een nietig landje iemand lastig vallen, laat staan een grote macht? De Verenigde Staten gaven het bewijs van de Venezolaanse kust aan president Betancourt, die eind november een gedeeltelijke blokkade van de lucht- en scheepvaart van Cuba eiste om de uitvoer van wapens te voorkomen. Castro,

Beethoven die in de opening van het vierde deel van de Negende Symfonie alle thema's uit de eerste drie delen herhaalt voordat hij met het thema van het vierde deel komt'. Tijdens de rakettencrisis 'ontving de president een paar brieven van Chroesjtsjov die vol onzin stonden. [...] Maar die brieven bevatten hier en daar afzonderlijke alinea's die wij oppakten en waar wij op voortborduurden om de grote vermijding van een nucleair conflict te bewerkstelligen. Zijn we het contact kwijt geraakt?'

die na de moord op Kennedy gespannen vreesde dat de oorlogszuchtige Johnson elk voorwendsel zou aangrijpen om het land binnen te vallen, beschuldigde de CIA van het 'vervalsen' van het bewijsmateriaal als onderdeel van een 'komplot' tegen hemzelf. Hij waarschuwde Venezuela en andere 'slaafse' landen dat als zij probeerden zijn eiland binnen te vallen, 'zij het geen vierentwintig uur zouden volhouden'.

Tijdens een toespraak voor het Centraal Comité liet Chroesjtsjov weten dat hij het ermee eens was dat het bewijsmateriaal 'bedacht' was: 'Ik wil u, heren agressors, eerlijk gebieden: speel niet met vuur! U moet zich realiseren dat als de spanning rond Cuba wordt aangewakkerd en er een dreiging tegen Cuba wordt gecreëerd, de gehele internationale situatie hierdoor onvermijdelijk zal worden beïnvloed.'

Als Kennedy was blijven leven, dan zou het Venezolaanse bewijs hem er misschien toe gedwongen hebben om te kiezen tussen het slikken van beschuldigingen van 'appeasement' in het verkiezingsjaar of het ondernemen van acties tegen Cuba die de rakettencrisis opnieuw zouden kunnen doen opvlammen. Helms geloofde dat als Kennedy niet vermoord was, de pro-Castrorevolutionairen hun samenzwering tegen Betancourt ten uitvoer zouden hebben gebracht. Als zij daarin waren geslaagd, zou Kennedy onder zware druk hebben gestaan om doortastend op te treden en om de omverwerping van andere Latijns-Amerikaanse regeringen tegen te gaan.

Johnson wilde aan het begin van zijn presidentschap en vlak voor de verkiezingsstrijd de kwestie-Cuba niet opnieuw aanzwengelen. Hij wist dat de Amerikanen, die nog steeds versuft waren en in rouw gedompeld, waarschijnlijk niet zouden reageren op de Republikeinse verdachtmakingen tegen het beleid van de overleden president. Dus stelde hij zich tevreden met het lobbyen bij OAS-leden om Castro's pogingen tegen Venezuela te veroordelen met het dreigement om 'geweld' te gebruiken.

De nieuwe president las een memo van William Attwood over zijn inspanningen om Castro op te zoeken, maar Johnson was niet geïnteresseerd in een verzoening met Cuba. Hij vertelde Attwood slechts dat hij zijn verslag 'met belangstelling' had gelezen. Later hoorde Attwood van Gordon Chase dat er 'geen verlangen' was 'bij Johnsons mensen om in een verkiezingsjaar iets inzake Cuba te ondernemen'.

Helms kwam tot de conclusie dat Johnson de emotionele betrokkenheid van Kennedy bij geheime operaties tegen Castro miste. De nieuwe president beval de CIA om het sabotageprogramma stil te leggen. Zoals Helms zich herinnerde: 'Hij zag er weinig in om Cuba onder druk te zetten.' Helms vond dat Johnson meer in beslag werd genomen door 'Vietnam, of de moord op Kennedy nu wel of geen samenzwering was, door de burgerrechten en de verkiezingen van 1964. Misschien beschouwde hij Cuba als een obsessie van Robert Kennedy.'

Desmond FitzGerald vertelde zijn agenten in 1964 dat 'als Jack Kennedy was blijven leven, dan kan ik u verzekeren dat wij ons al rond Kerst vorig jaar van Castro hadden ontdaan'.

Toen McNamara in maart terugkeerde van zijn bezoek aan Saigon, adviseerde hij om nieuwe hulp aan Zuid-Vietnam te verlenen. Hij vertelde de president dat de situatie sinds de moord op Diem 'ongetwijfeld slechter was geworden'. Ruwweg veertig procent van het platteland was onder 'controle of de overheersende invloed' van de Viet Cong.[1] Het politieke lot van generaal Nguyen Khanh, die de militaire junta omver had geworpen, was 'onzeker'.

Johnson gaf zijn goedkeuring aan een document dat Vietnam een 'test-case' van de Amerikaanse vaardigheden beschouwde om het hoofd te kunnen bieden aan de door Chroesjtsjov verkondigde nationale bevrijdingsoorlogen. Uit vrees dat de Republikeinen de kwestie-Vietnam misschien tegen hem zouden gebruiken, gaf hij zijn medewerkers toestemming om een tweeledige resolutie voor het Congres op te stellen die hem in staat stelde om de oorlog naar eigen goeddunken te voeren en om deze kwestie als thema tijdens de herfstcampagne te vermijden.

Op zondag 2 augustus kruiste de Amerikaanse torpedojager *Maddox* in de Golf van Tonkin tussen de baaien en eilanden door langs de Noordvietnamese kustlijn. Het schip, dat vol zat met afluisterapparatuur, vergaarde informatie over door de Sovjets gebouwde SAM's en radarstations. De *Maddox* stond ook in contact met Zuidvietnamese commando's die twee nachten eerder de nabijgelegen eilanden hadden overvallen. Het schip voer buiten de drie-mijlsgrens van de territoriale wateren die door de Franse kolonialisten was ingesteld, maar binnen de twaalf-mijlsgrens die door China en andere communistische landen was bepaald.

Drie Noordvietnamese boten vuurden torpedo's af op het schip. De kanonniers van de *Maddox* en straalvliegtuigen van de in de buurt gelegen *Ticonderoga* vuurden terug, twee van de drie boten liepen ernstige averij op en de derde werd tot zinken gebracht.

President Johnson weigerde verdere vergeldingsacties. Hij maakte voor de eerste keer gebruik van de *hot line* met Moskou en telegrafeerde Chroesjtsjov dat hij het conflict niet wilde uitbreiden, maar dat hij hoopte dat Noord-Vietnam geen andere Amerikaanse schepen in internationale wateren zou aanvallen.

De *Maddox* en een andere jager, de *C. Turner Joy*, kregen opdracht om acht mijl uit de kust van Noord-Vietnam te gaan varen, vier mijl verwijderd van de voor de kust gelegen eilanden. De Zuidvietnamese commando's hervatten hun operaties. Op zondagavond gaven radioberichten de bevelhebber van de *Maddox*, kapitein John Herrick, de 'indruk' dat communistische patrouilleboten op het punt stonden aan te vallen. Met luchtdekking vanaf de *Ticonderoga* begonnen de *Maddox* en de *Turner Joy* te schieten.

Officieren aan boord van de *Maddox* rapporteerden tweeëntwintig vijandelijke torpedo's, waarvan er geen een doel trof, en twee of drie vijandelijke schepen die tot zinken waren gebracht. Maar toen de beschietingen ophielden, waarschuwde Herrick zijn superieuren dat de 'gehele actie veel twijfel achterliet'. Geen enkele matroos op beide jagers had vijandelijke kanonschoten gezien of gehoord. Een 'overijverige' sonarspecialist die torpedo's had geteld, zou misleid kunnen zijn door 'abnormale weerseffecten'.

Niettemin gaf de president voor de eerste keer opdracht om Noord-Vietnam te bombarderen en maakte het document openbaar dat nu de resolutie van de Golf van Tonkin genoemd werd. De taal werd verruimd om Johnson toestemming te geven om 'alle noodzakelijke maatregelen te nemen' om de Amerikaanse strijd-

1. De Amerikanen ontdekten tevens dat de regering-Diem informatie had vervalst over de voortgang van de oorlogsverrichtingen om deze rooskleuriger te laten lijken dan ze in werkelijkheid waren.

krachten te beschermen en om 'verdere agressie te voorkomen'. De Senaat nam de resolutie aan met slechts twee stemmen tegen.

Chroesjtsjov, die er erg op gebrand was om de Amerikaanse détente te handhaven, drong er bij Hanoi in het geheim klaarblijkelijk dringend op aan op te houden met zijn bevrijdingspogingen van het Zuiden. Als antwoord op verzoeken voor nieuwe militaire hulp kwam hij met de aanbeveling tot onderhandelen.

Kennedy had Mansfield, O'Donnell, Bartlett en anderen verteld dat hij van plan was om na zijn herverkiezing, en nadat de politieke gevaren waren verminderd, de Amerikaanse troepen uit Vietnam terug te trekken. Maar in januari 1965 zou Kennedy wel eens bezorgd kunnen zijn geweest dat leuzen als: 'Wie verloor Vietnam?' niet alleen zijn andere ambities met de Sovjet-Unie zouden ondermijnen, maar ook het binnenlandse programma van zijn tweede ambtstermijn dat hij zo lang had uitgesteld, en zijn vermogen zijn opvolger in 1968 te noemen.

Rusk, McNamara, Bundy en de andere adviseurs die Lyndon Johnson naar grote betrokkenheid in Vietnam loodsten, zouden wellicht hetzelfde hebben gedaan met de president die hen vier jaar eerder aan de macht had geholpen.[1] Rusk merkte jaren later op dat als Kennedy 'in 1963' had 'besloten zich in 1965 terug te trekken, hij de Amerikanen in een gevechtszone zou achterlaten en hiermee slechts een politiek doel zou dienen. Geen enkele president kan zoiets doen'.

Tijdens het dicteren van zijn memoires aan het eind van de jaren zestig merkte Chroesjtsjov op dat Johnson 'tot aan zijn nek in de Vietnamoorlog werd gezogen, maar dat was zijn persoonlijke stommiteit. Misschien zou Kennedy net zo stom zijn geweest. Ik ben niet in de positie om dat nu te beoordelen.' In 1966 verklaarde de Sovjetregering dat Amerika aan een 'vreemd en hardnekkig waanidee' leed als men dacht dat de betrekkingen met de Sovjet-Unie ondanks de oorlog in Vietnam verbeterd konden worden.

In april 1964, toen Chroesjtsjov zeventig werd, leidde president Leonid Brezjnev een grote groep officiële functionarissen naar de woning van de Secretaris-Generaal in Moskou. Terwijl hij een traan wegpinkte, kuste hij de jarige en las een verklaring voor: 'Wij wensen u tenminste nog eens zo veel jaren toe en hopen dat u ze net zo briljant en vruchtbaar zult doorbrengen als u hebt gedaan met de jaren die al voorbij zijn.' De *Pravda* wijdde zeven van haar acht pagina's aan Chroesjtsjovs verjaardag.

Rond deze tijd speelde de Secretaris-Generaal met de gedachte om met pensioen te gaan: 'Wij zijn oudjes. Wij hebben ons steentje bijgedragen. Het is tijd om de weg vrij te maken voor anderen.' Sergej Chroesjtsjov merkte dat zijn vader achteruitging: 'Zijn ogen deden zeer van het eindeloze lezen, en steeds vaker vroeg hij een van zijn assistenten, of een van zijn kinderen, om hem hardop voor te lezen.'

1. De wetenschapper Eliot Cohen redeneert dat hun gemeenschappelijke ervaring met de rakettencrisis er bij deze mannen toe leidde om een soortgelijke en geleidelijk opgevoerde druk op Noord-Vietnam voor te stellen. Cohen gaat nog niet zo ver om het volgende te beweren, maar men vermoedt dat in deze bewoordingen de eerste grote bombardementsplannen voor Vietnam in 1965 Kennedy, als hij nog in leven was geweest, als zijnde heel rationeel in de oren zouden hebben geklonken.

Chroesjtsjovs collega's werden steeds verontwaardigder over de persoonlijk-heidscultus rond de Secretaris-Generaal en over de geschillen met de Chinezen, zijn mislukkingen op het gebied van de landbouw, zijn militaire bemoeienissen en zijn arbitraire besluitvorming. Nu Kennedy er niet meer was, kon de Secreta-ris-Generaal niet langer zijn persoonlijke relatie met de president aanvoeren als bewijs voor zijn onmisbaarheid. Men vroeg zich af of Johnsons aantreden de dé-tente met de Amerikanen die de Secretaris-Generaal zo heimelijk had voorge-steld maar die de Sovjet-Unie zo weinig had opgeleverd, te gronde zou richten. In juli zond Chroesjtsjov Adzjoebei naar West-Duitsland, waar deze ontmoetin-gen had met Ludwig Erhard en Willy Brandt om de weg vrij te maken voor een officieel bezoek door de Secretaris-Generaal. Chroesjtsjov, die achttien maan-den eerder de Oostduitsers duidelijk had gemaakt dat hij niet bereid was om nog een Berlijnse crisis te beginnen, had nu hoge verwachtingen van een verzoening en lucratieve handel met Bonn. Rivalen in Moskou waren geschokt door wat zij vermoedden als een op handen zijnde uitverkoop van de DDR en het gebruik van zijn schoonzoon, die alom gevoelens van afkeer opwekte, voor geheime di-plomatie.[1]

Er gingen geruchten dat Adzjoebei in Bonn, nadat men hem vertrouwelijk had gevraagd hoe betere betrekkingen van invloed op de Berlijnse Muur zouden zijn, had geantwoord dat wanneer Chroesjtsjov kwam en zag wat een goede mensen de Westduitsers waren, de Muur zonder een spoor na te laten zou ver-dwijnen. Toen men de Secretaris-Generaal van de geruchten vertelde, vroeg hij Adzjoebei om 'een verklaring te schrijven voor het Presidium'.

Twee maanden na het bezoek van Adzjoebei aan Bonn kwam een Westduitse technicus, Horst Schwirkmann, naar Moskou om de Westduitse ambassade te controleren op afluisterapparatuur. Toen hij die vond, joeg hij een hoog voltage door de kabels wat de KGB-luistervinken een pijnlijke schok bezorgde. De gehei-me politie zag haar kans schoon om de toenadering van Chroesjtsjov met West-Duitsland te saboteren. Schwirkmann werd, terwijl hij door het Zagorsk-kloos-ter werd rondgeleid, in de billen geschoten met een bijna dodelijke hoeveelheid stikstofmosterdgas.

De woedende Westduitsers kondigden aan dat Chroesjtsjov geen bezoek kon brengen aan Bonn totdat de zaak bevredigend was opgelost. De Russische ver-ontschuldiging in oktober was ongewoon duidelijk: 'Diegenen die zich met zulke acties inlaten, proberen de goede betrekkingen tussen onze landen te ondermij-nen.' Maar het excuus werd te laat aangeboden. Tegen die tijd was Chroesjtsjov afgezet door mannen die andere ideeën hadden over de betrekkingen met West-Duitsland.

De bijna-heiligverklaring van Kennedy en de kandidaatstelling van Barry Gold-water voorkwamen dat de campagne van 1964 de rancuneuze strijd over het bui-tenlands beleid zou worden waar de overleden president bang voor was geweest. Lyndon Johnson vormde een contrast met Goldwater en zijn 'Waarom-geen-

---

1. Niet lang daarna vertelde Gromyko aan een bezoeker: 'Waarom Chroesjtsjov ten val gebracht werd? Omdat hij Adzjoebei naar Bonn stuurde, natuurlijk.' Dit commentaar is meer een afspiegeling van Gromyko's kortzichtigheid dan van de realiteit, maar de missie van Adzjoebei droeg ongetwijfeld bij aan de val van Chroesjtsjov.

overwinning?'-partijprogramma en voerde de campagne van een centrumpoliticus.

De president vroeg Chroesjtsjov via Norman Cousins om 'zich niet met de verkiezingen te bemoeien'. Hij wilde Goldwater met een ruime marge verslaan en niet als de kandidaat van het Kremlin worden beschouwd. Tijdens een bezoek aan Moskou vertelde David Rockefeller van de Chase Manhattan Bank de Secretaris-Generaal over de hoop van Johnson dat zij een 'relatie van het type dat u met president Kennedy had' konden opbouwen, wat 'heel nuttig' was 'in tijden van conflicten'.

Chroesjtsjov vond dat Johnson 'een slimme man bleek te zijn'. Hij was opgelucht dat de president het beleid van Kennedy niet had teruggedraaid, zelfs niet onder druk van Goldwater. Hij nam aan dat op het moment dat de Texaan met een verpletterende meerderheid was gekozen, hij en Johnson de détente die met Kennedy was begonnen, konden hervatten en vergroten.

De Secretaris-Generaal wist niet dat zijn beste collega's al maanden bezig waren een komplot tegen hem te beramen. Volgens het hoofd van de KGB, Vladimir Semitsjastny, vroeg Brezjnev hem in juni 1964 of men Chroesjtsjov kon vergiftigen of zijn vliegtuig konden saboteren wanneer hij terug zou keren van een bezoek aan Nasser in Cairo.

Volgens het relaas van Semitsjastny antwoordde hij dat hij 'geen moordenaar' was. Niet alleen waren Chroesjtsjovs medewerkers toegewijde mensen, maar ook Gromyko en anderen zouden zich aan boord van het vliegtuig bevinden. Er was verder sprake van dat men Chroesjtsjovs trein zou tegenhouden en hem zou arresteren op de terugreis van zijn bezoek aan Zweden in juli.[1]

Diezelfde maand vroeg Chroesjtsjov aan Brezjnev zich ten gunste van Mikojan uit het Presidium terug te trekken en zich te 'concentreren' op zijn taken binnen het Centraal Comité. Brezjnev heeft dit misschien opgevat als teken dat hij niet de opvolger zou zijn van de Secretaris-Generaal.[2]

Brezjnev voelde zich misschien nog minder op zijn gemak toen Chroesjtsjov voor november een vergadering had uitgeschreven voor het Centraal Comité. Een westerse journalist kreeg te horen dat er tijdens de vergadering 'veel veranderingen in de top' zouden plaatsvinden; 'Het gaat bijna alle leiders behalve Chroesjtsjov aan.' Sergej Chroesjtsjov herinnerde zich dat zijn vader van plan was om jongere mannen aan het Presidium toe te voegen 'die het op een dag konden overnemen'. Het ging hierbij onder anderen om Adzjoebei, Charmalov en Joeri Andropov, die tijdens de Hongaarse opstand als ambassadeur in Boedapest was gestationeerd.

In september werd Sergej door veiligheidsagent Vasili Galjoekov opgebeld: 'Ik

1. De historicus William Taubman suggereert terecht dat deze beschuldiging met de nodige voorzichtigheid moet worden betracht. Tegen de tijd dat Semitsjastny deze in 1989 uitte, kon hij aanzienlijke politieke winst putten uit het bekritiseren van de inmiddels verachte Brezjnev.
2. Misschien is het Brezjnev ter ore gekomen dat Chroesjtsjov zich tegenover zijn zoon en anderen beklaagde dat hij het sterke karakter miste om hem op te volgen. Chroesjtsjov herinnerde zich dat Brezjnev in de vooroorlogse Oekraïne de bijnaam 'De ballerina' had: 'Hij draait met iedereen mee.'

heb ontdekt dat er een samenzwering tegen Nikita Sergejevitsj bestaat! Ik wilde het hem persoonlijk vertellen. [...] Ik kan niet naar Semitsjastny toe. Hij is zelf actief betrokken bij het komplot, samen met Sjelepin, Podgorny en anderen.'

Sergej pikte Galjoekov op de hoek van een straat in Moskou op. Tegen zonsopgang, terwijl zij door een open plek in een bos buiten de stad liepen, vertelde Galjoekov hem over 'insinuaties, toespelingen en onderonsjes' en herhaalde verwijzingen naar 'november'. Sergej hoopte dat 'deze boze droom voorbij zou gaan, dat alles op zou klaren en het leven weer gewoon verder zou gaan'. Toch wist hij dat 'de dingen nooit meer hetzelfde zouden zijn'.

De Secretaris-Generaal besprak normaal gesproken geen gewichtige politieke zaken met zijn zoon. Toen Sergej Lysenko's geneticatheorieën aan de kaak stelde, zei zijn vader: 'Je moet je neus niet in zaken steken die je niet aangaan.' Zoals Sergej zich herinnerde: 'Niet alleen moest ik dit taboe doorbreken, ik was ook van plan om zijn naaste medewerkers en wapenbroeders van een samenzwering te beschuldigen.'

Op zondag 27 september kuierde hij na het ontbijt in de datsja met zijn vader door een weiland: 'Weet u, er is iets vreemds gebeurd. [...] Misschien is het onzin, maar ik heb het recht niet om dit voor me te houden.' Nadat hij het verhaal had aangehoord, vertelde Chroesjtsjov zijn zoon dat hij juist had gehandeld, maar dat hij niet kon geloven dat Brezjnev, Podgorny en anderen tegen hem samenspanden: 'Het zijn totaal verschillende mensen.'

De volgende avond vertelde zijn vader hem dat hij het verhaal aan Podgorny had verteld: deze had lachend gezegd: 'Hoe kun je nu zoiets denken, Nikita Sergejevitsj?' Sergej voelde zich gekrenkt. Als voorzorgsmaatregel vroeg zijn vader hem samen met Galjoekov bij Mikojan langs te gaan, die 'voor alles zou zorgen'. Mikojan ondervroeg de veiligheidsagent naar behoren en verzekerde Chroesjtsjov dat hij zich nergens zorgen over hoefde te maken.

Sergej concludeerde dat zijn vader 'niet wilde geloven dat zo'n onverwachte wending der gebeurtenissen mogelijk was. Per slot van rekening waren de mensen die beschuldigd werden al tientallen jaren zijn vrienden! Als hij die niet meer kon vertrouwen, wie dan wel? Bovendien was mijn zeventigjarige vader moe, mateloos moe, zowel geestelijk als lichamelijk. Hij had de kracht en de wil niet om voor de macht te strijden.'

Op maandagavond 12 oktober, terwijl de zon in de Zwarte Zee zakte, wandelde Chroesjtsjov met Mikojan over het strand toen hij werd teruggeroepen voor een dringend telefoontje van Michail Soeslov van het Presidium. Hij blafte in de hoorn: 'Ik ben op vakantie. Wat kan er zo dringend zijn? [...] Wat bedoelt u, u bent allemaal bij elkaar gekomen? Op de plenaire vergadering van november zullen wij de problemen in de landbouw bespreken. Wij zullen dan tijd genoeg hebben om over van alles te praten!'

Soeslov hield aan. Chroesjtsjov stemde erin toe om de volgende dag naar Moskou te vliegen.

Terwijl zij hun wandeling hervatten, vertelde hij Mikojan: 'Weet u, Anastas, er zijn geen dringende landbouwproblemen. Ik denk dat dit telefoongesprek verband houdt met wat Sergej ons vertelde.' Hij voegde er tegen zijn aloude kameraad aan toe dat als het net als 1957 zou blijken te zijn, hij zich niet zou verzetten. Nina Petrovna bevond zich samen met Viktoria Brezjnev in een kuuroord in

Tsjechoslowakije. Later werd wel beweerd dat Brezjnev de vakantie had geregeld zodat Chroesjtsjov geen advies bij zijn scherpzinnige vrouw kon inwinnen. Toen Chroesjtsjov en Mikojan in Moskou arriveerden, werden zij alleen door Semitsjastny afgehaald, die zei: 'Ze zijn allemaal in het Kremlin bijeengekomen. Er wordt op u gewacht.' In de oude burcht werd Chroesjtsjov betricht van onbezonnenheid, egoïsme, vriendjespolitiek, het zaaien van verwarring, 'het smeden van onbesuisde plannen' en wanbeleid op het gebied van landbouw en industrie. Hij had zich in het openbaar niet in overeenstemming met zijn waardigheid gedragen en had de betrekkingen met China geschaad.

Mikojan stelde moedig voor dat Chroesjtsjov een van zijn functies zou behouden. Iemand zei: 'U kunt maar beter uw mond houden, anders zullen we met ook met u afrekenen.' Mikojan antwoordde: 'Wij zijn hier geen taart aan het verdelen. Wij beslissen over het lot [...] van een groot land. Het werk van Chroesjtsjov is het politieke kapitaal van de Partij. Bedreig mij alstublieft niet.' Volgens een verslag zei Chroesjtsjov: 'Ik verzoek u mij te vergeven als ik ooit iemand heb beledigd. [...] Ik kan mij niet alle beschuldigingen herinneren, noch zal ik proberen hierop te reageren. Ik zal u één ding zeggen: mijn belangrijkste fout [...] is dat ik te goed was, te veel vertrouwen had en misschien ook dat ik mijn eigen fouten niet zag. Maar u, iedereen die hier aanwezig is, vertelde mij niet openlijk en eerlijk over mijn tekortkomingen.'

Hij verdedigde zijn akkoord inzake de crisis in het Caribisch gebied: 'U beschuldigt mij van het terugtrekken van onze raketten. Wat bedoelt u, hadden wij daarvoor een wereldoorlog moeten beginnen? Hoe kunt u mij van het ondernemen van een of ander Cubaans avontuur beschuldigen terwijl wij allemaal te zamen besluiten hebben genomen met betrekking tot Cuba?

Of neem het optrekken van de Berlijnse Muur. Toentertijd keurde u allen het besluit goed en nu geeft u mij de schuld. Waarvoor, in vredesnaam? [...] Iedereen kan praten. Maar om te beslissen wat er concreet gedaan moet worden – niemand van u kon toen iets voorstellen en dat kunt u zelfs nu niet.' De betrekkingen met China waren 'heel ingewikkeld, en ze zullen nog penibeler worden. U zult binnen vier of vijf jaar tegen grote moeilijkheden en problemen oplopen.'

Hij zei dat dit zijn laatste politieke toespraak zou zijn – 'Laten we zeggen: mijn zwanezang.' Toen hij vroeg of hij in november een verzoek kon indienen bij de plenaire vergadering van het Centraal Comité, werd hij onderbroken door Brezjnev: 'Er is geen mogelijkheid tot een verzoek!'

Chroesjtsjov stortte zichtbaar in en barstte in tranen uit. Toen vermande hij zich. 'Klaarblijkelijk zal het nu gaan zoals u wilt. Wat ik wel kan zeggen – ik kreeg wat ik verdiende. Ik ben overal klaar voor. [...] Wij worden met veel problemen geconfronteerd, en op mijn leeftijd is het niet gemakkelijk om ze allemaal het hoofd te bieden. Wij moeten de jongere mensen stimuleren. Sommige mensen missen tegenwoordig moed en integriteit. [...] Maar dat is nu niet aan de orde. Op een dag zal de geschiedenis de gehele zuivere waarheid onthullen van wat er vandaag gebeurt.'

Die avond vertelde hij aan Mikojan: 'Kunt u zich voorstellen dat iemand Stalin zou vertellen dat hij niet meer geschikt was en dat hij maar beter kon opstappen? Er zou zelfs geen nat plekje zijn overgebleven op de plaats waar wij hebben gestaan. Nu is alles anders. [...] Dat is mijn bijdrage.'

Op woensdagochtend stond Chroesjtsjov voor de laatste keer tegenover het Presidium. Hij was beroofd van zijn Partij- en regeringsfuncties die naar Brezjnev en Kosygin gingen. Zoals Adzjoebei zich herinnerde, zat Chroesjtsjov onderuitgezakt in een stoel 'met hangend hoofd, zonder zijn ogen op te slaan [...], hij zag er erg klein uit, alsof opeens alle kracht uit zijn sterke lichaam weggestroomd was'.

Voor de middag keerde hij naar huis terug en zei: 'Dat was het. Ik ben met pensioen.' Hij overhandigde zijn aktentas aan Sergej om deze nooit meer te openen.[1] De afgewezen leider en zijn zoon maakten zwijgend een wandeling, gevolgd door Arbat, de hond van Jelena Chroesjtsjov. Sergej herinnerde zich dat de hond voor die tijd nooit veel belangstelling voor zijn vader had getoond, maar vanaf die dag week de hond nooit meer van zijn zijde.

Die avond kwam Mikojan op bezoek om Chroesjtsjov te verzekeren dat hij voor de rest van zijn leven de beschikking kreeg over een pensioen, een datsja en een huis in de stad: hij had voorgesteld dat men hem nog als adviseur zou kunnen raadplegen, maar dat plan was afgewezen. Chroesjtsjov bedankte hem: 'Het is goed om te weten dat je een vriend aan je zijde hebt.'

De Armeniër omhelsde zijn oude partner en kuste hem op beide wangen. Toen keek Chroesjtsjov hoe hij snel het tuinhek uitliep. Hij zag Mikojan nooit weer.

Op donderdag reed Lyndon Johnson door een menigte luidruchtige kiezers in Brooklyn. Met complexe ironie was hij gekomen om Robert Kennedy's campagne te steunen voor de Newyorkse Senaatszetel die door Kenneth Keating werd bekleed. Over de radio van de presidentiële limousine klonk een verslag van TASS dat Chroesjtsjov zich om 'gezondheidsredenen' plotseling had 'teruggetrokken'.[2]

Op vrijdag brachten de Chinezen hun eerste atoombom tot ontploffing. In tegenstelling tot zijn voorganger bleef Johnson kalm. Hij wist door de inlichtingen van de CIA dat de Chinezen een lange en kostbare weg te gaan hadden voordat zij nauwkeurige ICBM's konden ontwikkelen. Een toekomstige president moest zich maar met dat probleem bezighouden.

Veertien dagen later werd Johnson met de grootste meerderheid die ooit tijdens een presidentiële verkiezingsstrijd werd behaald, tot president gekozen. Hij voelde zich niet langer verplicht aan de erfenis van zijn voorganger en hij kwam tegenover twee Sovjetleiders te staan die het niet goed vonden dat de naam van hun voorganger in het openbaar werd genoemd of gepubliceerd. De jaren van Kennedy en Chroesjtsjov waren voorbij.

1. Na de dood van zijn vader vond Sergej in diens aktentas een memo over McNamara's *counterforce*-doctrine (militaire plannen en wapens die tegen de strijdkrachten van een vijand zijn gericht in plaats van tegen diens steden en burgers).
2. Charles Bartlett belde zijn vriend Aleksandr Zintsjock van de Sovjetambassade op. 'Jullie gunnen ons geen rustige verkiezingen. Twee jaar geleden stuurden jullie alles in het honderd op Cuba. Nu proberen wij te beslissen wie president wordt, en jullie hebben Chroesjtsjov eruit gegooid.' Zintsjoek merkte op dat het ontslag van Chroesjtsjov de aandacht had afgeleid van de arrestatie van Johnsons naaste medewerker Walter Jenkins op beschuldiging van een zedenmisdrijf: 'Toen Jenkins in moeilijkheden kwam, realiseerden wij ons dat de president in de problemen zat. Dus besloten wij om te helpen. En wanneer een Rus besluit om te helpen, is hem geen opoffering te groot!'

Op één week na vijfentwintig jaar na de verkiezing van Johnson, viel de Berlijnse Muur. Het einde van het tijdperk van de Koude Oorlog stelt ons in staat om meer dan ooit de grote betekenis van de periode-Kennedy-Chroesjtsjov duidelijk te onderkennen.

Dit waren de jaren waarin de mensheid zich dichter dan op enig ander moment bij nucleaire verschroeiing bevond en waarin de Verenigde Staten en de Sovjet-Unie de grootste wapenwedloop in de menselijke geschiedenis begonnen. Beide leiders maakten zonder oorlog een einde aan hun twee nucleaire crises en ondernamen stappen om kernwapens te beheersen, maar deze successen worden niet verzacht door de donkerder kant van hun nalatenschap. Misschien meer dan enig andere leider die de Sovjetregering na de dood van Stalin tien jaar lang kon hebben domineren, had Chroesjtsjov zich verplicht om het lot van de Russische consument te verbeteren door de defensie-uitgaven laag te houden. Het probleem was dat, in tegenstelling tot het eind van de jaren tachtig, toentertijd geen enkele Sovjetleider ongestraft de Russische imperialistische ambities had kunnen laten varen ten gunste van het versterken van de binnenlandse economie. Noch was Chroesjtsjov bereid om de droom van het wereldcommunisme op te geven.

Aldus moest hij zijn toevlucht nemen tot een combinatie van publieke leugens over de Russische militaire heerschappij en nucleaire afpersing. Deze strategie was niet zo gevaarlijk toen hij tegen Eisenhower streed. Het diepgaande inzicht van de oude generaal in het eigenlijke samenspel van krachten stelde hem in staat om er heimelijk van uit te gaan dat de Amerikanen over een overwicht beschikten. Zijn prestige in Amerika zelf stelde hem in staat om in het openbaar af te zien van het ondermijnen van Chroesjtsjovs beweringen aangaande de kracht van de Sovjet-Unie. Het stelde hem tevens in staat om te bezuinigen op de Amerikaanse defensiebegroting en om met zelfverzekerdheid te reageren op uitdagingen als het Berlijnse ultimatum van Chroesjtsjov.

Op het moment dat Kennedy zijn intrede deed in het Witte Huis, begreep Chroesjtsjov niet hoe gevaarlijk zijn strategie was geworden. Zijn ervaring tegenover een president die niet alleen de rechtlijnigheid van Eisenhower ontbeerde, maar ook diens vastbeslotenheid om het Amerikaanse volk niet op te schrikken over het gedrag van de Russen, diens begrip van de wapenwedloop en zijn binnenlandse politieke kracht, betekenden jaren van een bijna constante crisis.

In deze jaren liet Kennedy zien dat hij een fijne neus had voor de gevaren van verkeerde beeldvorming en ongelukken en bleek hij te beschikken over een talent voor krachtig crisisbeleid. In zijn streven naar een verbod op kernproeven was hij volhardender dan welhaast iedere andere president in zijn plaats zou zijn geweest. Maar gedurende zijn gehele ambtstermijn vertoonde Kennedy slechts zelden de grootmoedigheid die men van een superieure macht zou mogen verwachten. In plaats daarvan bracht hij de westerse wereld in rep en roer door de alarmklok te luiden voor een uur van naderend gevaar dat niet bestond, provoceerde hij de tegenpartij door de nucleaire inferioriteit van de Sovjet-Unie aan de grote klok te hangen en zorgde hij er in zijn onwetendheid voor dat de Sovjets bang waren dat hij op het punt stond om de Amerikaanse kernmacht te gebruiken om de Koude Oorlog op de Amerikaanse manier te beëindigen, misschien zelfs door een preventieve luchtaanval.

Een gevolg hiervan was dat Chroesjtsjov de kracht die hij in Berlijn en op Cuba wel had, met alle gevaar van dien, probeerde te laten gelden. Een langduriger effect was het besluit van het Kremlin, dat zich tussen de zomer van 1961 en het eind van 1962 steeds harder begon op te stellen, om de Russische consument maar links te laten liggen en nucleaire gelijkheid of superioriteit na te streven. Als Chroesjtsjov, of een opvolger, zou zijn aangemoedigd om het eerdere beleid van de minimale afschrikking te volgen, had men de wapenwedloop in de daaropvolgende twintig jaar misschien kunnen vermijden.

Niemand weet of een voortdurende onevenwichtigheid in kernwapens tussen de twee machten nog meer gevaarlijke situaties zoals in Berlijn en Cuba teweeg zou hebben gebracht, of dat een meer ontspannen wapenwedloop de ineenstorting van het communisme en het einde van de Koude Oorlog zou hebben vertraagd. Meer afdoende antwoorden moeten wachten tot het moment waarop historici uit alle landen vrij toegang krijgen tot de archieven in de Sovjet-Unie en in het Westen die over deze periode handelen.

Wat we wel weten, is dat de Sovjet-Unie omstreeks 1970 ruwweg kon stellen dat ze nucleair gezien gelijkwaardig was aan de Verenigde Staten. Chroesjtsjov had voorspeld dat de Sovjeteconomie in dat jaar de sterkste ter wereld zou zijn en dat in 1980 de Russische sportbeoefening en de nationale verdediging geleid zouden worden door het spontane initiatief van het volk. In plaats daarvan was de Sovjeteconomie weggezakt in de eindfase van stagnatie die leidde tot de opkomst van Gorbatsjov.

Berlijn werd nooit meer een breekpunt tussen Oost en West. Omstreeks 1971 was de Russische strategische kracht inmiddels zo groot dat het Kremlin niet langer de kwetsbare positie van het Westen in de stad behoefde uit te buiten om het tot stappen te dwingen in andere Koude-Oorlogkwesties. Gestimuleerd door de *Ostpolitik* van bondskanselier Willy Brandt, tekenden de vier bezettingsmachten een akkoord waarin zij verklaarden dat 'de grenzen van alle staten in Europa onschendbaar' waren. Ze deden dit in ruil voor een Russische garantie dat zij zich niet met het westerse recht op toegang tot Berlijn zouden bemoeien.

Fidel Castro eiste de eer op voor de opkomst van de Russische strategische kracht aan het eind van de jaren zestig. Hij pochte dat als Chroesjtsjov niet vanwege de Cubacrisis in zijn hemd was gezet, de Sovjets nooit de inspanningen zouden hebben verricht om de achterstand in te halen. Brezjnev ergerde zich aan Castro's economische wanbeleid en diens steun aan wat hij als ongelukkige, onvoorspelbare guerrilla's in Venezuela, Colombia en Guatemala beschouwde. Maar in 1968 was Castro een van de weinige communistische leiders die bereid waren om de Russische invasie in Praag te steunen. Tegen het midden van de jaren zeventig sluisde hij ruwweg een derde van alle Russische militaire en economische hulp door naar de Derde Wereld. Castro, die zijn revolutionaire ambities naar Afrika uitbreidde, zond Cubaanse strijdkrachten naar Angola en Ethiopië. Aan het begin van de jaren tachtig werd hij de politieke en militaire *godfather* van de Nicaraguaanse Sandinisten en de guerrillastrijders in El Salvador. De dood van Kennedy maakte geen einde aan de Amerikaanse plannen om de Cubaanse leider te vermoorden. Deze eindigden kennelijk pas in 1965. Tien jaar later nam het ministerie van Buitenlandse Zaken onder Henry Kissinger contact op met Cubaanse diplomaten over het verminderen van de spanningen, een poging die door de regering-Carter hernieuwd werd totdat Castro in 1980 zijn gevoelens voor de Verenigde Staten uitte door tienduizenden Cubaanse misdadigers en geestelijk gehandicapten met scheepsladingen tegelijk vanuit de haven van Mariël naar de Verenigde Staten te sturen. De regering van Ronald Reagan wakkerde Castro's bezorgdheid over een nieuwe Amerikaanse invasie aan door te dreigen op zoek te gaan 'naar de bron' van alle beroering in Midden-Amerika.[1]

Chroesjtsjov had in zijn memoires, die hij na de invasie van Praag had gedicteerd, Brezjnevs beslissing 'een fout' genoemd, maar hield vol dat 'de tijd alle wonden zal helen. [...] Het Tsjechoslowaakse volk zal in de pas lopen met de volkeren van de andere socialistische landen en in het bijzonder met dat van de Sovjet-Unie. [...] Onze doelen zijn hetzelfde – om zij aan zij te strijden voor socialisme en communisme. Ik denk dat uiteindelijk alles goed zal aflopen.'

Chroesjtsjov had als profeet geen succes. Twintig jaar later, toen Michail Gorbatsjov duidelijk maakte dat hij niet langer Sovjettanks en overvloedige economische hulp wilde gebruiken om marionettenregeringen overeind te houden die niet door hun eigen volk gesteund werden, bevrijdde Oost-Europa zich van de ketenen van het communisme en voegde Oost-Duitsland zich weer bij het Westen. Fidel Castro fulmineerde tegen Gorbatsjovs ketterijen en brak zich het hoofd over hoe hij zijn regime in stand kon houden in een tijd waarin Moskou niet langer het enthousiasme had noch in staat was om ieder jaar zijn grote cheque te tekenen.

In de Sovjet-Unie werd Nikita Chroesjtsjov na 1964, net als de mooie Lara in *Dokter Zjivago*, 'vergeten als een naamloos nummer op een lijst die naderhand zoek raakte'. Zoals Sergej zich herinnerde: 'Het nieuwe regime deed geen pogingen de tien jaar die net achter ons liggen, of zelfs maar de onbetwistbare fouten van mijn vader, in het openbaar te analyseren of te bekritiseren. Hij verdween simpelweg van de aardbodem – samen met al zijn overwinningen en de keren dat hij verloor, al zijn deugden en zijn tekortkomingen, alle liefde van zijn vrienden en de haat van zijn vijanden.'

In het begin van 1965 namen Brezjnev en Kosygin de oude man zijn huizen af en werden hij en Nina Petrovna naar een groene blokhut bij een appelboomgaard net buiten Moskou verbannen, een andere wereld, ver van het landgoed in Pitsoenda en het binnen- en buitenbad. Zwaar gedesillusioneerd vertelde hij zijn familie: 'Ik moet leren hoe ik de tijd moet doden.'

Gehuld in een groenbeige cape die een Franse textielmagnaat hem tijdens zijn bezoek in 1960 aan De Gaulle had geschonken, verzamelde hij aanmaakhout en stookte een houtvuur. Het herinnerde hem aan zijn jeugd, toen hij schapen en paarden hoedde in Kalinovka. Met Arbat aan zijn zij staarde hij urenlang in het vuur en vertelde zijn zoon en dochter over zijn hongerige kindertijd, de nachtegalen en de warme zomernachten in de Oekraïne.

Toen Brezjnev hoorde dat hij zijn memoires aan het dicteren was, liet hij Chroesjtsjov naar het Centraal Comité komen. De gewezen Secretaris-Generaal vertelde de leden: 'U kunt alles van mij afpakken. Mijn pensioen, mijn datsja, mijn appartement. [...] En wat dan nog?! Ik kan nog steeds mijn brood verdienen. Ik zal werk zoeken als metaalarbeider – ik kan mij nog steeds herinneren

---

1. De Cubaanse functionaris Jorge Risquet stelde in 1991 dat 'de Verenigde Staten op een bepaald tijdstip niet over de strijdkrachten konden beschikken om twee oorlogen tegelijkertijd te voeren. [...] Daarom zijn wij het Vietnamese volk altijd dankbaar geweest dat het het gevaar voor oorlog in ons gebied jarenlang heeft afgehouden.'

hoe ik dat moet doen. Als dat niet werkt, neem ik mijn rugzak en ga bedelen. De mensen zullen mij geven wat ik nodig heb. [...] Maar niemand zal u een korst brood geven. U zult omkomen van de honger!'

Het eerste deel werd in het Westen in 1970 uitgegeven onder de titel *Krushchev Remembers*. Toen het Centraal Comité hem wederom liet komen, brulde hij: 'Het is zes jaar geleden dat ik in functie was, zes jaar geleden dat u mij overal de schuld van gaf. U zei dat op het moment dat u van Chroesjtsjov af was, alles soepeltjes zou verlopen. [...] Onze landbouw staat op instorten. [...] De winkels zijn leeg. [...] Wij kochten bij wijze van uitzondering in 1963 graan in Amerika, maar nu is dat regel geworden. U moet u schamen!'

Over de onenigheid met China: 'Zes jaar zijn er voorbij en de betrekkingen zijn alleen maar verslechterd. Nu kan iedereen zien dat de oorzaken dieper zitten. [...] Er zijn nieuwe mensen nodig, zowel hier als in China, die in staat zijn om het probleem met andere ogen te bekijken en die zich los kunnen maken van de oude vastgeroeste standpunten.'

Toen hem werd gevraagd om een in zorgvuldige bewoordingen gestelde verklaring te tekenen dat hij 'nooit memoires' had 'doorgegeven' aan het Westen, weigerde hij eerst, maar kwam daarna terug op zijn beslissing: 'Ik heb gedaan wat u vroeg. Ik heb getekend. Nu wil ik naar huis toe. Mijn borstkas doet pijn.' Nadat hij thuis was gekomen, ging hij aan het rand van het bos zitten en kreeg een hartaanval. De daaropvolgende lente klaagde hij: 'Niemand heeft mij meer nodig. Ik dwaal gewoon doelloos rond. Als ik mijzelf ophing, zou niemand het merken.'

In september 1971 stierf Chroesjtsjov. Sergej vroeg zich af of er enige hoge Sovjetambtenaren langs zouden komen. De meesten van hen hadden in ieder geval gepretendeerd dat zij erg dik met de familie waren. 'Helaas is een zekere mate van beschaving en intellect vereist om dit te begrijpen,' schreef hij. 'Niet een van hen kwam langs.' Onder de lawine van berichten van Russen en mensen uit het Westen bevonden zich brieven van Llewyllyn Thompson en Jacqueline Kennedy Onassis.

Drie jaar later werd er een tweede deel van Chroesjtsjovs memoires uitgegeven. Daarin stond een blijk van waardering voor de man die in de herinnering van Chroesjtsjov niet langer de militante Kennedy van het begin van 1961 was, maar de president die in Wenen toegaf dat de Amerikaanse en Russische macht gelijkwaardig waren en die met hem samenwerkte om oorlog in Berlijn en op Cuba te vermijden en die hem voorging in de détente van 1963. Sergej herinnerde zich dat zijn vader 'Kennedy vertrouwde en menselijke sympathie voor hem voelde, en zulke sympathieën en antipathieën speelden een grote rol in mijn vaders leven.'

In zijn memoires gaf Chroesjtsjov toe dat de achtergronden van beide leiders 'hemelsbreed verschilden'. 'Ik was een mijnwerker, een bankwerker die door de wil van de Partij en van het volk premier zou worden. Kennedy was een miljonair en de zoon van een miljonair. Hij streefde ernaar het kapitalisme sterker te maken, terwijl ik eropuit was om het kapitalisme te vernietigen en een nieuw sociaal systeem te creëren dat gebaseerd was op de leer van Marx en Engels.'

Toch hadden de twee leiders tijdens de crisis in het Caribisch gebied 'een gemeenschappelijk uitgangspunt en een gemeenschappelijke taal' gevonden. Kennedy 'wist dat oorlog verarming voor een land betekende en een ramp voor het volk en dat een oorlog met de Sovjet-Unie geen wandeling in het bos zou zijn. [...] Hij vertoonde een grote flexibiliteit en samen vermeden wij een ramp.'

Tijdens hun eerste ontmoeting in september 1959 had Chroesjtsjov Kennedy en andere Senatoren voorspeld dat hun kleinkinderen onder het communisme zouden leven. Hij zou verbijsterd zijn geweest om te vernemen dat zijn eigen kleinkinderen in een Sovjet-Unie zouden wonen die, hoewel op een tweeslachtige manier, in de richting van de vrijheid sloop. Toen Michail Gorbatsjov zich voornam om de levensstandaard van de Russen te verbeteren, herinnerden de mensen zich uit wiens mond zij dat eerder hadden gehoord. Velen begonnen naar het decennium van Chroesjtsjov te verwijzen als 'onze eerste *perestrojka*'.

Aleksej Adzjoebei was jarenlang uit het openbare leven weggeweest. Toen hij aan het eind van de jaren zestig naar Moskou terugkeerde, zag Jane Thompson hem 'worstelen om een geweldige zak aardappelen achter in zijn kleine auto te krijgen'. Ze groette hem niet: 'Het zou hem allejezus in verlegenheid hebben gebracht. Later hoorden wij dat hij naar Alma-Ata of Mongolië was gestuurd om hoofdredacteur van een krant te worden. Toen hoorden wij dat hij terug zou komen.'[1]

Bevrijd door de *glasnost* vertelde Adzjoebei aan het eind van de jaren tachtig tegen een verslaggever: 'Het tijdperk-Chroesjtsjov was de eerste akte van een groot drama – het drama van een gemeenschap die haar visie hervindt. Het herinnert mij aan een van die Griekse tragedies waarin de eerste woorden het publiek schokken. De eerste woorden in ons drama werden door Chroesjtsjov gesproken. De climax vindt nu plaats.'

Sergej Chroesjtsjov was het daarmee eens: 'Vrijheid en *glasnost* staan ver van die dagen af, maar dat is waar het allemaal begon.' Aan Gorbatsjov schreef hij: 'Uw manier van werken, uw snelle reacties, uw drang om het leven met uw eigen ogen te zien en om er persoonlijk in betrokken te raken en om onafhankelijk beslissingen te nemen, doen mij sterk aan mijn vader denken. [...] Chroesjtsjov is een deel van onze geschiedenis en, naar mijn mening, zeker niet het slechtste deel.'

Toen hem werd gevraagd of zijn vader opnieuw begraven moest worden in de muur van het Kremlin, lachte de zoon: naast hem in Moskou lagen kunstenaars, dichters, schrijvers en soldaten begraven met wie Chroesjtsjov zij aan zij had gevochten: 'Ik denk dat het beter is als hij blijft waar hij is. Hij is in heel goed gezelschap.'

Jacqueline Kennedy Onassis vloog in 1976 voor de eerste keer naar Moskou, een reis die zij bijna zeker met haar man zou hebben gemaakt als hij was blijven leven. Als Newyorkse redactrice van het boek *In the Russian Style* lunchte ze in het Spaso House en bezichtigde een tentoonstelling in het Kremlin over achttiende- en negentiende-eeuwse Russische klederdrachten uit de periode die door Lesley Blanch in *Sabres of Paradise* wordt afgeschilderd. En dat had ze Chroesjtsjov in Wenen aangeraden.

1. In feite vroeg men Adzjoebei om Moskou te verlaten voor een baan in het Russische Verre Oosten. Hij dreigde dat hij een officiële klacht bij Oe Thant van de Verenigde Naties zou indienen. Verrassend genoeg werkte dit. Sergej Chroesjtsjov raadde de autoriteiten aan met Adzjoebei ook 'over een paar andere zaken' te spreken met de gedachte dat Adzjoebei er wellicht in toestemde om zich van zijn vader te distantiëren.

In februari 1989 arriveerde Sergej Chroesjtsjov voor het eerst weer in Amerika sinds hij zijn vader daar in een ver verleden op diens rondreis had vergezeld. Hij bracht een bezoek aan Harvard en gaf op een avond op de *Kennedy School of Government* in gebrekkig Engels een lezing. Hij werd steeds onderbroken door studenten die hun schoenen uitgetrokken hadden en daarmee op de tafels timmerden.

Met de zelfverzekerdheid van zijn vader liet Sergej Chroesjtsjov zich niet van de wijs brengen: 'Godzijdank is de enige vraag die ons verdeelt: welke schoen, de linker of de rechter?' De zaal schudde op zijn grondvesten. Hij ging door: 'Men moet niet alleen een persoon bekritiseren. Men moet ook de geschiedenis bestuderen en de oorsprong ervan begrijpen om niet weer met dezelfde problemen geconfronteerd te worden. [...] Wij zijn gaan inzien hoe slecht wij elkaar kennen. De gevolgen van dit misverstand hebben tot vele misstappen geleid, zelfs op het hoogste niveau.'

Over die geschiedenis zei hij: 'Voor u in het Westen is het interessante informatie over de man die naast u woont. Voor ons is het onze toekomst die altijd uit ons verleden is voortgevloeid.'

Dankbetuigingen

Zoals ik in het voorwoord reeds opmerkte, ben ik allereerst veel dank verschuldigd aan de honderden wetenschappers die de kwesties, gebeurtenissen en persoonlijkheden die in dit boek behandeld worden, in detail hebben onderzocht. Ik vind het alleen jammer dat er niet genoeg bladzijden zijn om elke titel in de bibliografie op te nemen die mij beïnvloed heeft sinds ik als schooljongen in Illinois over John Kennedy, Nikita Chroesjtsjov en de Amerikaans-Russische betrekkingen begon te lezen en na te denken.

Ik moet ook vele anderen bedanken. Stephen Ambrose, James Blight, James MacGregor Burns, Mary Graham en Strobe Talbott plaatsten kritische kanttekeningen bij het manuscript. Priscilla Johnson McMillan, die zowel Kennedy als Chroesjtsjov kende en over hen heeft geschreven, gaf de auteur tijdens de lange perioden van onderzoek in Cambridge en Boston onderdak en goede adviezen. Zuster Cynthia Binder en Maryam Mashayekhi hebben geholpen bij het vergaren van onderzoeksmateriaal in Washington. Voormalige medewerkers in Amerika, de Sovjet-Unie, Groot-Brittannië, Duitsland en Frankrijk uit de jaren van Kennedy-Chroesjtsjov, zoals die bij de algemene bronnen staan vermeld, stemden toe om geïnterviewd te worden en, in sommige gevallen, om toegang te verschaffen tot persoonlijke documenten en dagboeken. Ik wil de Amerikanen, Russen en Cubanen bedanken die hebben meegedaan aan de conferenties over de rakettencrisis in de *Hawk's Cay*, Cambridge, en Moskou, een bron van onschatbare waarde die anders voor de geschiedenis verloren zou zijn gegaan. Zvi Dor-Ner en Adrianna Bosch van WGBH-TV, in Boston, waren zo vriendelijk mij de onbewerkte transcripties te geven van de interviews met Amerikanen en Russen voor het programma *War and Peace in the Nucleair Age*. Vladislav Zubok, James Blight, Benina Berger-Gould en Peter Collier waren zo vriendelijk mij deelgenoot te maken van het extra materiaal dat in de voetnoten staat vermeld.

Ik dank John Wickman, Martin Teasley, David Haight en hun collega's van de Eisenhower-bibliotheek voor tien jaar hulp bij onderzoekswerk, evenals William Johnson, Barbara Anderson, Suzanne Forbes, Henry Gwiazda, Ronald Whealan, Michael Desmond, Alan Goodrich en de staf van de Kennedy-bibliotheek. Hetzelfde geldt voor die mannen en vrouwen van de andere archieven die in de Algemene Bronnen staan vermeld.

Iedereen bij HarperCollins heeft ertoe bijgedragen om de uitgave van dit boek tot een genoegen te maken. Mijn uitgever en vriend Edward Burlingame was in iedere fase nauw betrokken bij dit boek, hij handelde zoals altijd in de meest karakteristieke traditie van Amerikaanse uitgevers. Hij werd bijgestaan door Christa Weil en Kathy Banks van *Edward Burlingame Books*, evenals William

Shinker, Buz Wyeth, Joseph Montebello, Karen Mender, Steven Sorrentino, Sheryl Fuchs en hun collega's bij HarperCollins.

Het onderzoek voor dit boek was fascinerend omdat er aan het einde van de jaren tachtig praktisch iedere week nieuwe Amerikaanse en Sovjetbronnen openbaar werden gemaakt die nieuwe gezichtspunten opleverden over wat we van Kennedy, Chroesjtsjov en hun tijdperk wisten. Tijdens het produktieproces van dit boek bleven er nieuwe bronnen verschijnen, wat de schrijver noodzaakte om het boek zelfs nog in het stadium van de drukproeven met aanvullend materiaal te doorspekken. Bill Luckey, C. Linda Dingler, Kim Lewis, Dot Gannon en anderen van de produktieafdeling van HarperCollins reageerden zeer effectief en vriendelijk op deze uitdaging en zij verdienen mijn dankbaarheid. Ik bedank tevens Janet Baker, die het boek persklaar maakte, en Vincent Virga die het fotografische gedeelte redigeerde.

Gedurende de zes jaar van schrijven was mijn literaire agent Timothy Seldes altijd een wijze en trouwe raadgever. Ik ben Afsaneh Mashayekhi dankbaar voor haar consequente steun en haar en vele andere vrienden en familie die moesten verduren dat de auteur zich lang verdiepte in de jaren van Kennedy en Chroesjtsjov.

26. Bronnen

Beknopte bibliografie

De hiernavolgende lijst bestaat uit gepubliceerde werken die in het hoofdstuk Noten worden geciteerd. Door ruimtegebrek is dit geen volledig overzicht van secundaire bronnen die de gedachten van de auteur met betrekking tot de onderwerpen en gebeurtenissen, zoals besproken in dit werk, hebben beïnvloed.

Abel, Elie. *The Missile Crisis*. Philadelphia: Lippincott, 1966.

Adams, Sherman. *Firsthand Report*. New York: Harper, 1961.

Adenauer, Konrad. *Erinnerungen: 1959-1963*. Stuttgart: Deutsche Verlags-Anstalt, 1968.

Adler, Richard. *"You Gotta Have Heart."* New York: Donald I. Fine, 1990.

Adomeit, Hannes. *Soviet Risk-Taking and Crisis Behavior*. Londen: Allen & Unwin, 1982.

Allison, Graham T. *Essence of Decision: Explaining the Cuban Missile Crisis*. Boston: Little, Brown, 1971.

Alsop, Stewart. *The Center: People and Power in Political Washington*. New York: Harper, 1968.

Ambrose, Stephen E. *Eisenhower: The President*. New York: Simon and Schuster, 1984.

—. *Nixon: The Education of a Politician, 1913-1962*. New York: Simon and Schuster, 1987.

—. *Nixon: The Triumph of a Politician, 1962-1972*. New York: Simon and Schuster, 1989.

—. *Rise to Globalism*. New York: Penguin, 1988.

—, met Richard H. Immerman. *Ike's Spies: Eisenhower and the Espionage Establishment*. New York: Doubleday, 1981.

Andrew, Christopher M., en Oleg Gordievsky. *KGB: The Inside Story*. New York: HarperCollins, 1990.

Attwood, William. *The Twilight Struggle: Tales of the Cold War*. Harper, 1987.

Baker, Bobby, met Larry L. King. *Wheeling and Dealing: Confessions of a Capitol Hill Operator*. New York: Norton, 1978.

Baker, Leonard. *The Johnson Eclipse: A President's Vice Presidency*. New York: Macmillan, 1966.

Ball, Desmond. *Politics and Force Levels: The Strategic Missile Program of the Kennedy Administration*. Berkeley: University of California, 1981.

Ball, George W. *The Past Has Another Pattern*. New York: Norton, 1982.

Barnet, Richard. *The Alliance: America, Europe, Japan.* New York: Simon and Schuster, 1983.

—. *The Giants: Russia and America.* New York: Simon and Schuster, 1977.

Barron, John. *KGB: The Secret Work of Soviet Secret Agents.* Londen: Corgi reprint, 1975.

Berg, Raisa. *Acquired Traits.* New York: Penguin reprint, 1990.

Bergquist, Laura, en Stanley Tretick. *A Very Special President.* New York: McGraw-Hill, 1965.

Berle, Beatrice, en Travis Beal Jacobs, eds. *Navigating the Rapids: 1918-1971: From the Papers of Adolf A. Berle.* New York: Harcourt, 1973.

Beschloss, Michael R. *Kennedy and Roosevelt: The Uneasy Alliance.* New York: Norton, 1980.

—: *Mayday: Eisenhower, Khrushchev and the U-2 Affair.* New York: Harper, 1986.

—, en Thomas E. Cronin. *Essays in Honor of James MacGregor Burns.* Englewood Cliffs, N.J.: Prentice-Hall, 1988

Bishop, Jim. *A Bishop's Confession.* Boston: Little, Brown, 1981.

—. *The Day Kennedy Was Shot.* New York: Random House, 1968.

Blair, Clay, Jr., en Joan Blair. *The Search for JFK.* New York: Putnam, 1976.

Blakey, Robert, en Richard Billings. *The Plot to Kill the President.* New York: Times Books, 1981.

Blechman, Barry, en Stephen Kaplan. *Force Without War.* Washington, D.C.: Brookings, 1978.

Blight, James G., en David A. Welch. *On the Brink: Americans and Soviets Reexamine the Missile Crisis.* New York: Farrar, Straus, 1989.

Bohlen, Charles E. *Witness to History, 1929-1969.* New York: Norton, 1973.

Bourne, Peter G. *Fidel: A Biography of Fidel Castro.* New York: Dodd, Mead, 1986.

Bowles, Chester. *Promises to Keep: My Years in Public Life, 1941-1969.* New York: Harper, 1971.

Bradlee, Benjamin C. *Conversations with Kennedy.* New York: Norton, 1975

Branch, Taylor. *Parting the Waters: America in the King Years, 1954-63.* New York: Simon and Schuster, 1988.

Brandon, Henry. *Special Relationships.* New York: Atheneum, 1988.

Brandt, Willy. *Begegnungen und Einsichten.* Hamburg: Hoffmann & Campe Verlag, 1976.

Brodie, Fawn. *Richard Nixon: The Shaping of his Character.* New York: Norton, 1981.

Brook-Shepherd, Gordon. *The Storm Birds: Soviet Postwar Defectors.* New York: Weidenfeld, 1989.

Brown, Thomas. *JFK: History of an Image.* Bloomington, Ind.: Indiana University, 1988.

Brune, Lester H. *The Missile Crisis of October 1962: A Review of Issues and References.* Claremont, Calif.: Regina, 1985.

Bundy, MacGeorge. *Danger and Survival: Choices About the Bomb in the First Fifty Years.* New York: Random House, 1988.

Burner, David, en Thomas West. *The Torch is Passed: The Kennedy Brothers and American Liberalism.* New York: Atheneum, 1984.

Burns, James MacGregor. *Edward Kennedy and the Camelot Legacy.* New York: Norton, 1976.

—. *John Kennedy: A Political Profile.* New York: Harcourt, 1959.

Burrows, William E. *Deep Black: Space Espionage and National Security.* New York: Random House, 1986.

Carbonell, Nestor T. *And the Russians Stayed: The Sovietization of Cuba.* New York: William Morrow, 1989.

Cassini, Oleg. *In My Own Fashion.* New York: Simon and Schuster, 1987.

Cate, Curtis. *The Ides of August: The Berlin Wall Crisis, 1961.* New York: M. Evans, 1978.

Catudal, Honoré Marc. *Kennedy and the Berlin Wall Crisis.* Berlin: Verlag, 1980.

Chang, Gordon H. *Friends and Enemies: The United States, China and the Soviet Union, 1948-1972.* Stanford: Stanford University, 1990.

Chayes, Abram. *The Cuban Missile Crisis.* New York: Oxford, 1964.

Cline, Ray S. *The CIA Under Reagan, Bush & Casey.* Washington, D.C.: Acropolis, 1981.

Clubb, Oliver. *China & Russia: The "Great Game".* New York: Columbia, 1971.

Cohen, Stephen F. *Sovieticus: American Perceptions and Soviet Realities.* New York: Norton, 1985.

Cohen, Warren I. *Dean Rusk.* Totowa, N.J.: Cooper Square, 1989.

Colby, William. *Lost Victory.* Chicago: Contemporary, 1989.

Collier, Peter, en David Horowitz. *The Fords: An American Epic.* Londen: Collins, 1988.

—. *The Kennedys: An American Drama.* New York: Summit, 1984.

Corson, William R., en Robert T. Crowley. *The New KGB: Engine of Soviet Power.* New York: Morrow, 1985.

Cousins, Norman. *The Improbable Triumvirate: John F. Kennedy, Pope John, Nikita Khrushchev.* New York: Norton, 1972.

Crankshaw, Edward. *Khrushchev: A Career.* New York: Viking, 1966.

Davis, John H. *The Kennedys: Dynasty and Disaster.* New York: McGraw-Hill reprint, 1984.

—. *Mafia Kingfish: Carlos Marcello and the Assassination of John F. Kennedy.* New York: McGraw-Hill, 1989.

Deakin, James. *Straight Stuff: The Reporters, the White House and the Truth.* New York: William Morrow, 1984.

De Gaulle, Charles. *Memoirs: Renewal, 1958-1962.* Londen: Weidenfeld and Nicholson, 1971. Vertaald door Terence Kilmartin.

Demaris, Ovid. *The Director: An Oral Biography of J. Edgar Hoover.* New York: Harper's Magazine, 1975.

Destler, I.M. *Presidents, Bureaucrats and Foreign Policy.* Princeton: Princeton University, 1974.

—, Leslie H. Gelb en Anthony Lake. *Our Own Worst Enemy: The Unmaking of American Foreign Policy.* New York: Simon and Schuster, 1984. Hierna aangehaald als *Destler.*

Detzer, David. *The Brink: Cuban Missile Crisis, 1962.* New York: Crowell, 1979.

Dinerstein, Herbert S. *The Making of a Missile Crisis.* Baltimore: Johns Hopkins, 1976.

Divine, Robert A. *Blowing on the Wind: The Nuclear Test Ban Debate, 1954-1960.* New York: Oxford, 1978.

—. *Foreign Policy and U.S. Presidential Elections: 1952-1960.* New York: New Viewpoints, 1974.

Donmen, Arthur J. *Conflict in Laos: The Politics of Neutralization.* New York: Praeger, 1964.

Donovan, Hedley. *Roosevelt to Reagan: A Reporter's Encounter with Nine Presidents.* New York: Harper, 1985.

Donovan, James B. *Challenges: Reflections of a Lawyer-at-Large.* New York: Atheneum, 1967.

Douglas, William O. *The Court Years.* New York: Random House, 1980.

Eddowes, Michael. *Khrushchev Killed Kennedy.* Privé-uitgave, 1975.

—. *The Oswald File.* New York: Clarkson N. Potter, 1977.

Eisenhower, Dwight D. *The White House Years: Waging Peace, 1956-1961.* New York: Doubleday, 1965.

Enthoven, Alain, en Wayne Smith. *How Much is Enough?* New York: Harper, 1971.

Epernay, Mark (John Kenneth Galbraith). *The McLandress Dimension.* Boston: Houghton Mifflin, 1963.

Epstein, Edward Jay. *Legend: The Secret World of Lee Harvey Oswald.* New York: McGraw-Hill, 1978.

Exner, Judith. *My Story.* New York: Grove, 1977.

Faber, Harold, ed. *The Kennedy Years.* New York: Viking, 1964.

Fay, Paul B., Jr. *The Pleasure of His Company.* New York: Harper, 1966.

Ferrell, Robert H., ed. *Off the Record: The Private Papers of Harry S. Truman.* New York: Harper, 1980.

Finder, Joseph. *Red Carpet.* New York: Holt, 1983.

Firestone, Bernard J. *The Quest for Nuclear Stability: John F. Kennedy and the Soviet Union.* Westport, Conn.: Greenwood, 1982.

Fisher, Eddie. *Eddie: My Life, My Loves.* New York: Harper, 1981.

FitzSimons, Louise. *The Kennedy Doctrine.* New York: Random House, 1972.

Foreign Relations of the United States: 1950. Washington, D.C.: U.S. Government Printing Office, 1975.

Fox, Stephen. *Blood and Power: Organized Crime in Twentieth-Century America.* New York: Morrow, 1989.

Frankland, Mark. *Khrushchev.* Londen: Harmondsworth, Penguin, 1966.

Franqui, Carlos. *Family Portrait with Fidel.* New York: Vintage reprint, 1984. Vertaald door Alfred MacAdam.

Fulbright, J. William, met Seth P. Tillman. *The Price of Empire.* New York: Pantheon, 1989.

Gaddis, John Lewis. *The Long Peace: Inquiries into the History of the Cold War.* New York: Oxford, 1987.

—. *Russia, the Soviet Union, and the United States.* New York: Oxford, 1978.

—. *Strategies of Containment: A Critical Appraisal of Postwar American Security Policy.* New York: Oxford, 1982.

Galbraith, John Kenneth. *Ambassador's Journal.* Boston: Houghton Mifflin, 1969.

—. *A Life in Our Times.* Boston: Houghton Mifflin, 1981.

Gallagher, Mary Barelli. *My Life with Jacqueline Kennedy.* New York: McKay, 1969.

645

Gallup, George H., ed. *The Gallup Poll: Public Opinion, 1935-1971*. New York: Random House, 1972. Hierna aangehaald als *Gallup*.

Garthoff, Raymond. *Detente and Confrontation: American-Soviet Relations from Nixon to Reagan*. Washington, D.C.: Brookings, 1985.

—. *Intelligence Assessment and Policymaking: A Decision Point in the Kennedy Administration*. Washington, D.C.: Brookings, 1984.

—. *Reflections on the Cuban Missile Crisis*. Washington, D.C.: Brookings, 1987. Hierna aangehaald als *Garthoff*.

—. *Reflections on the Cuban Missile Crisis* (tweede editie). Washington, D.C.: Brookings, 1989. Hierna aangehaald als *Garthoff (1989)*.

Gehlen, Reinhard. *The Service: The Memoirs of General Reinhard Gehlen*. New York: Popular Library, 1972.

Gelb, Norman. *The Berlin Wall: Kennedy, Khrushchev and a Showdown in the Heart of Europe*. New York: Times Books, 1986.

George, Alexander L., en Richard Smoke. *Deterrence in American Foreign Policy*. New York: Columbia, 1974.

Geyer, Georgie Anne. *Guerilla Prince: The Untold Story of Fidel Castro*. Boston: Little, Brown, 1991.

Giancana, Antoinette, en Thomas C. Renner. *Mafia Princess*. New York: Avon reprint, 1984.

Goldman, Marshall I. *Gorbachev's Challenge: Economic Reform in the Age of High Technology*. New York: Norton, 1987.

Goldwater, Barry M. *With No Apologies*. New York: William Morrow, 1979.

—, met Jack Casserly. *Goldwater*. New York: Doubleday, 1988.

Goodwin, Doris Kearns. *The Fitzgeralds and the Kennedys*. New York: Simon and Schuster, 1987.

Goodwin, Richard N. *Remembering America: A Voice from the Sixties*. Boston: Little, Brown, 1988.

Graves, Robert. *Oxford Addresses on Poetry*. Londen: Cassell, 1962.

Griffith, William E. *Albania and the Sino-Soviet Rift*. Cambridge, Mass.: MIT, 1963.

—. *The Sino-Soviet Rift*. Cambridge: MIT, 1964.

Gromyko, Anatoli. *1036 dnei prezidenta Kennedi [De 1036 dagen van president Kennedy]*. Moskou: Politizdat, 1971.

—. *Vnesjnaja politika SSjA: uroki i deistvitelnost, 60-70-e gody [Amerikaanse buitenlandse politiek: lessen en werkelijkheid, de jaren zestig en zeventig]*. Moskou: Mezjoenarodnaja Otnosjenija, 1978.

Gromyko, Anatoli, en Andrej Kokosjin. *Bratja Kennedi [De gebroeders Kennedy]*. Moskou: Mysl, 1985.

Gromyko, Andrei. *Memoirs*. New York: Doubleday, 1989. Vertaald door Harold Shukman.

Grossman, Michael Barone, en Martha Joynt Kumar. *Portraying the President: The White House and the News Media*. Baltimore: Johns Hopkins, 1981.

Gunther, John. *Inside Europe*. 1937.

—. *Procession*. New York: Harper, 1965.

Guthman, Edwin O. *We Band of Brothers*. New York: Harper, 1971.

—, en Jeffrey Shulman. *Robert Kennedy: In His Own Words: The Unpublished Recollections of the Kennedy Years*. New York: Bantam, 1988.

Halberstam, David. *The Best and the Brightest*. New York: Random House, 1963.
—. *The Powers That Be*. New York: Knopf, 1979.
Haldeman, H.R., met Joseph DiMona. *The Ends of Power*. New York: Times Books, 1978.
Hammer, Armand, met Neil Lyndon. *Hammer*. New York: Putnam, 1987.
Hammer, Ellen J. *A Death in November: America in Vietnam, 1963*. New York: Dutton, 1987.
Hammer, Manfried, et al. *Das Mauerbuch*. Berlijn: Oberbaum, 1984.
Hearst, William Randolfph, Jr., Frank Conniff en Bob Considine. *Ask Me Anything: Our Adventures with Khrushchev*. New York: McGraw-Hill, 1960.
Herken, Gregg. *Counsels of War*. New York: Knopf, 1985.
Heymann, C. David. *A Woman Named Jackie*. New York: Lyle Stuart, 1989.
Higgins, Trumbull. *The Perfect Failure: Kennedy, Eisenhower and the CIA at the Bay of Pigs*. New York: Norton, 1987.
Hilsman, Roger. *To Move a Nation: The Politics of Foreign Policy in the Administration of John F. Kennedy*. New York: Doubleday, 1967.
Hirsch, Richard, en John Trento. *The National Aeronautics and Space Administration*. New York: Praeger, 1973.
Hofmann, Günter. *Willy Brandt: Porträt eines Aufklärers aus Deutschland*. Hamburg: Rowohlt, 1988.
Höhne, Heinz, en Hermann Zolling. *The General Was a Spy*. New York: Coward, McCann en Geoghegan, 1972.
Holloway, David. *The Soviet Union and the Arms Race*. New Haven: Yale, 1983.
Horelick, Arnold L., en Myron Rush. *Strategic Power and Soviet Foreign Policy*. Chicago: University of Chicago, 1966.
Horne, Alistair. *Macmillan: 1957-1986*. Londen: Macmillan, 1989.
Hurt, Henry. *Reasonable Doubt*. New York: Holt, 1985.
Hyland, William en Richard Shryock. *The Fall of Khrushchev*. New York: Funk & Wagnalls, 1968.
Isaacson, Walter en Evan Thomas. *The Wise Men: Six Friends and the World They Made*. New York: Simon and Schuster, 1986.
Jahn, Hans Edgar. *An Adenauers Seite*. München: Langen Müller, 1987.
Jaipur, maharani van. *A Princess Remembers*. Delhi: Tarang reprint, 1984
Johnson, Haynes. *The Bay of Pigs*. New York: Norton, 1984.
—, en Bernard M. Gwertzman. *Fulbright: The Dissenter*. New York: Doubleday, 1968.
Johnson, Lyndon B. *The Vantage Point: Perspectives on the Presidency, 1963-1969*. New York: Holt, 1971.
Johnson, Priscilla. *Khrushchev and the Arts: The Politics of Soviet Culture: 1962-1964*. Boston: MIT, 1965.
Kalb, Madeleine G. *The Congo Cables: The Cold War in Africa*. New York: Macmillan, 1982.
Kaplan, Fred. *The Wizards of Armageddon*. New York: Simon and Schuster, 1983.
Karnow, Stanley. *Vietnam: A History*. New York: Penguin reprint, 1984.
Kearns, Doris. *Lyndon Johnson and the American Dream*. New York: Harper, 1976.
Kelley, Kitty. *Jackie Oh!* New York: Ballantine reprint, 1978.
—. *His Way: The Unauthorized Biography of Frank Sinatra*. New York: Bantam reprint, 1987.

Kennan, George F. *Memoirs: 1950-1963*. Boston: Little, Brown, 1972.

Kennedy, Edward M., ed. *The Fruitful Bough*. Privé-uitgave, 1965.

Kennedy, John F. *Profiles in Courage*. Harper, 1964.

—. *The Strategy of Peace*. New York: Harper, 1960.

—. *Why England Slept*. New York: Wilfred Funk, 1940.

Kennedy, Robert F. *The Enemy Within*. New York: Harper, 1960.

—. *Thirteen Days: A Memoir of the Cuban Missile Crisis*. New York: Norton, 1969. Hierna aangehaald als *RFK 13*.

Kennedy, Rose Fitzgerald. *Times to Remember*. New York: Doubleday, 1974.

Kern, Montague. *The Kennedy Crises: The Press, the Presidency and Foreign Policy*. Chapel Hill: University of North Carolina, 1983.

Khrushchev, Nikita S. *Khrushchev Remembers*. Boston: Little, Brown, 1990. Vertaald en bewerkt door Strobe Talbott. Hierna aangehaald als *NC 1*.

—. *Khrushchev Remembers: The Glasnost Tapes*. Boston: Little, Brown, 1990. Vertaald en bewerkt door Jerrold L. Schechter in samenwerking met Vjatsjeslav V. Lutsjkov. Hierna aangehaald als *NC 3*.

—. *Khrushchev Remembers: The Last Testament*. Boston: Little, Brown, 1974. Vertaald en bewerkt door Strobe Talbott. Hierna aangehaald als *NC 2*.

Khrushchev, Sergei N., *Khrushchev on Khrushchev: An Inside Account of the Man and His Era*. Boston: Little, Brown, 1990. Bewerkt en vertaald door William Taubman. Hierna aangehaald als *SNK*.

King, Larry, met Peter Occhiogrosso. *Tell It to the King*. New York: Jove reprint, 1989.

Kissinger, Henry A. *White House Years*. Boston: Little, Brown, 1979.

Kistiakowsky, George B. *A Scientist at the White House*. Cambridge: Harvard, 1976.

Klurfeld, Herman. *Winchell: His Life and Times*. New York: Praeger, 1976.

Knightley, Phillip, en Caroline Kennedy. *An Affair of State: The Profumo Case and the Framing of Stephen Ward*. New York: Atheneum, 1987.

Koch, Thilo. *Tagebuch aus Washington*. Frankfort: Fischer Bücherei, 1965.

Koerfer, Daniel. *Kampf ums Kanzleramt: Erhard und Adenauer*. Stuttgart: Deutsche Verlags-Anstalt, 1987.

Kohler, Foy D. *Understanding the Russians*. New York: Harper, 1970

Kokosjin, Andrej, en Sergej Rogov. *Serje kardinaly belogo doma [Grijze kardinalen in het Witte Huis]*. Moskou: Novosti, 1986.

Kraft, Joseph. *Profiles in Power: A Washington Insight*. New York: New American Library, 1966.

Kroll, Hans. *Lebenserinnerungen eines Botschafters*. Keulen: Kiepenheuer und Witsch, 1967.

Kutler, Stanley I. *The Wars of Watergate*. New York: Knopf, 1990.

Lacey, Robert. *Ford: The Men and the Machine*. Boston: Little, Brown, 1986.

LaFaber, Walter. *America, Russia and the Cold War, 1945-1975*. New York: John Wiley, 1976.

Laqueur, Walter. *A World of Secrets: The Uses and Limits of Intelligence*. New York: Basic, 1985.

Lash, Joseph P. *A World of Love: Eleanor Roosevelt and Her Friends, 1943-1962*. New York: Doubleday, 1984.

Lasky, Victor. *It Didn't Start with Watergate*. New York: Dial, 1977.

—. *J.F.K.: The Man and the Myth*. New York: Macmillan, 1963.

Lawrence, Bill. *Six Presidents, Too Many Wars*. New York: Saturday Review, 1972.

Lebow, Richard Ned. *Between Peace and War: The Nature of International Crisis*. Baltimore: Johns Hopkins, 1981.

Legvold, Robert. *Gorbachev's Foreign Policy: How Should the U.S. Respond?* New York: Foreign Policy Association, 1988.

Leonhard, Wolfgang. *Child of the Revolution*. Chicago: Regnery, 1958.

—. *The Kremlin Since Stalin*. New York: Praeger, 1962.

Lewis, John Wilson, en Xue Litai. *China Builds the Bomb*. Stanford: Stanford University, 1988.

Lieberson, Goddard, en Joan Meyers, eds. *John Fitzgerald Kennedy: ... As We Remember Him*. New York: Atheneum, 1965.

Lincoln, Evelyn. *Kennedy and Johnson*. New York: Holt, 1968.

—. *My Twelve Years with John F. Kennedy*. New York: McKay, 1965.

Linden, Carl A. *Khrushchev and the Soviet Leadership, 1957-1964*. Baltimore: Johns Hopkins, 1966.

Lippmann, Walter. *Conversations with Walter Lippmann*. Boston: Atlantic Monthly, 1965.

Logsdon, John M. *The Decision to Go to the Moon: Project Apollo and the National Interest*. Cambridge: MIT, 1970.

Lowell, Robert. *For the Union Dead*. New York: Farrar, Straus, 1964.

Lukas, J. Anthony. *Nightmare: The Underside of the Nixon Years*. New York: Viking, 1976.

MacDuffie, Marshall. *The Red Carpet*. New York: Norton, 1955.

MacMahon, Edward B., en Leonard Curry. *Medical Coverups in the White House*. Washington, D.C.: Farragut, 1987.

Macmillan, Harold. *At the End of the Day*. New York: Harper, 1973.

—. *Pointing the Way: 1959-1961*. New York: Harper, 1972.

—. *Riding the Storm: 1956-1959*. New York: Harper, 1971.

MacNeil, Robert. *The Right Place at the Right Time*. Boston: Little, Brown, 1982.

Mahoney, Richard D. *JFK: Ordeal in Africa*. New York: Oxford, 1983.

Manchester, William. *The Death of a President: November 20-25, 1963*. New York: Harper, 1967.

—. *One Brief Shining Moment: Remembering Kennedy*. Boston: Little, Brown, 1983.

—. *Portrait of a President: John F. Kennedy in Profile*. Boston: Little, Brown, 1962.

Marchetti, Victor, en John Marks. *The CIA and the Cult of Intelligence*. New York: Dell reprint, 1975.

Martin, David C. *Wilderness of Mirrors*. New York: Harper, 1980.

Martin, John Bartlow. *Adlai Stevenson and the World*. New York: Doubleday, 1977.

—. *It Seems Like Only Yesterday*. New York: Morrow, 1986.

Martin, Lawrence. *The Presidents and the Prime Ministers: Washington and Ottawa Face to Face*. New York: Doubleday, 1982.

Martin, Ralph. *A Hero for Our Time: An Intimate Story of the Kennedy Years*. New York: Macmillan, 1983.

Mazo, Earl. *Richard Nixon*. New York: Harper, 1959.

McCauley, Martin, ed. *Khrushchev and Khrushchevism*. Londen: Macmillan, 1987.

McDougall, Walter A. ...*the Heavens and the Earth: A Political History of the Space Age*. New York: Basic, 1985.

McGehee, Ralph W. *Deadly Deceits: My 25 Years in the CIA*. New York: Sheridan Square, 1983.

McGwire, Michael. *Military Objectives in Soviet Foreign Policy*. Washington, D.C.: Brookings, 1987.

McLellan, David S., en David C. Acheson, eds. *Among Friends: Personal Letters of Dean Acheson*. New York: Dodd, Mead, 1980.

McMillan, Priscilla Johnson. *Marina and Lee*. New York: Harper, 1978.

McNamara, Robert S. *Blundering into Disaster*. New York: Pantheon, 1986.

McNeil, Neil. *Dirksen: Portrait of a Public Man*. Cleveland: World, 1970.

McSherry, James E. *Kennedy and Khrushchev in Retrospect*. Palo Alto: Open-Door Press, 1971.

Medved, Michael. *The Shadow Presidents: The Secret History of the Chief Executives and Their Top Aides*. New York: Times Books, 1979.

Medvedev, Roy. *All Stalin's Men*. New York: Anchor/Doubleday, 1984. Vertaald door Harold Shukman.

—. *Khrushchev*. New York: Doubleday, 1983. Vertaald door Brian Pearce.

Micunovic, Veljko. *Moscow Diary*. New York: Doubleday, 1980. Vertaald door David Floyd.

Miller, Arthur. *Timebends: A Life*. New York: Grove, 1987.

Miller, Merle. *Lyndon: An Oral Biography*. New York: Putnam, 1980.

Miroff, Bruce. *Pragmatic Illusions: The Presidential Politics of John F. Kennedy*. New York: McKay, 1976.

Moldea, Dan E. *The Hoffa Wars, Teamsters, Rebels, Politicians and the Mob*. New York: Paddington, 1978.

Moran, Lord. *Winston Churchill: The Struggle for Survival, 1940-1965*. Londen: Constable, 1966.

Morley, Morris H. *Imperial State and Revolution: The United States and Cuba, 1952-1986*. Londen: Cambridge, 1987.

Morris, Charles R. *Iron Destinies, Lost Opportunities: The Arms Race Between the U.S.A. and the U.S.S.R., 1945-1987*. New York: Harper, 1988.

Mosley, Leonard. *Dulles: A Biography of Eleanor, Allen and John Foster Dulles and Their Family Network*. New York: Dial, 1978.

Navasky, Victor S. *Kennedy Justice*. New York: Atheneum, 1971.

Neustadt, Richard E. *Presidential Power: The Politics of Leadership*. New York: Wiley, 1960.

Neustadt, Richard E. en Ernest R. May. *Thinking in Time: The Uses of History for Decision Makers*. New York: The Free Press, 1986.

Newhouse, John. *War and Peace in the Nuclear Age*. New York: Knopf, 1989.

Nitze, Paul H. *From Hiroshima to Glasnost*. New York: Grove, 1989.

Nixon, Richard. *RN: The Memoirs of Richard Nixon*. New York: Grosset & Dunlap, 1978.

—. *Six Crises*. New York: Doubleday, 1962.

Novosti. *Nikita Khrushchev: Life and Destiny*. Moskou: Novosti, 1989.

Nye, Joseph S., Jr. *Bound to Lead: The Changing Nature of American Power*. New York: Basic, 1990.

Oberg, James E. *Red Star in Orbit*. New York: Random House, 1981.

—. *Uncovering Soviet Disasters: Exploring the Limits of Glasnost*. New York: Random House, 1988.

O'Donnell, Kenneth P., en David F. Powers met Joe McCarthy. *"Johnny, We Hardly Knew Ye": Memories of John Fitzgerald Kennedy*. Boston: Little, Brown, 1972. Hierna aangehaald als *Odon*.

Opotowsky, Stan. *The Kennedy Government*. New York: Dutton, 1961.

Pachter, Henry M. *Collision Course: The Cuban Missile Crisis and Coexistence*. New York: Praeger, 1963.

Paper, Lewis J. *The Promise and the Performance: The Leadership of John F. Kennedy*. New York: Crown, 1975.

Parmet, Herbert S. *Jack: The Struggles of John F. Kennedy*. New York: Dial, 1980.

—. *JFK: The Presidency of John F. Kennedy*. New York: Dial, 1983.

Paterson, Thomas G., ed. *Kennedy's Quest for Victory*. New York: Oxford, 1989.

Pearson, John. *The Life of Ian Fleming*. Londen: Pan reprint, 1966.

Penkovsky, Oleg. *The Penkovsky Papers*. New York: Ballantine reprint, 1982.

Petschull, Jürgen. *Die Mauer*. München: Stern, 1981.

Phillips, David Atlee. *The Night Watch*. New York: Ballantine reprint, 1977.

Pierpoint, Robert. *At The White House: Assignment to Six Presidents*. New York: Putnam, 1981.

Pistrak, Lazar. *Khrushchev's Rise to Power*. New York: Praeger, 1961.

Plimpton, George, en Jean Stein. *American Journey: The Times of Robert Kennedy*. New York: Harcourt, 1970.

Powers, Richard Gid. *Secrecy and Power: The Life of J. Edgar Hoover*. New York: The Free Press, 1987.

Powers, Thomas. *The Man Who Kept the Secrets: Richard Helms & the CIA*. New York: Knopf, 1979.

Prados, John. *The Soviet Estimate: U.S. Intelligence Analysis and Russian Military Strength*. New York: Dial, 1982.

Prittie, Terrence. *Willy Brandt*. New York: Schocken, 1974.

Public Papers of the Presidents of the United States: Dwight D. Eisenhower, 1953-1961. U.S. Government Printing Office, 1954-1961. Hierna aangehaald als *DDEPP*.

Public Papers of the Presidents of the United States: John F. Kennedy, 1961-1963. U.S. Government Printing Office, 1962-1964. Hierna aangehaald als *JFKPP*.

Quirk, John Patrick. *The Central Intelligence Agency*. Guilford, Conn.: Foreign Intelligence Press, 1986.

Rabinowitch, Alexander. *Revolution and Politics in Russia*. Bloomington, Ind.: Indiana University, 1972.

Ranelagh, John. *The Agency: The Rise and Decline of the CIA*. New York: Simon and Schuster, 1986.

Report to the President by the Commission on CIA Activities within the United States, Nelson A. Rockefeller, Chairman. Washington, D.C.: U.S. Government Printing Office, 1975.

Reston, James, Jr. *The Lone Star: The Life of John Connally*. New York: Harper, 1989.

Roberts, Chalmers M. *First Rough Draft*. New York: Praeger, 1973.

Rositzke, Harry. *The CIA's Secret Operations*. New York: Reader's Digest, 1977.

—. *The KGB: The Eyes of Russia*. Londen: Sidgwick & Jackson reprint, 1983.

Rostow, W.W. *The Diffusion of Power*. New York: Macmillan, 1972.

—. *Open Skies*. Austin: University of Texas, 1982.

Rovere, Richard. *Final Reports*. New York: Doubleday, 1984.

Rowan, Carl. *Breaking Barriers*. Boston: Little, Brown, 1991.

Rusk, Dean, met Richard Rusk. *As I Saw It*. New York: Norton, 1990.

Rust, William J. *Kennedy in Vietnam*. New York: Scribners, 1985.

Sakharov, Andrei. *Memoirs*. New York: Knopf, 1990. Vertaald door Richard Lourie.

Salinger, Pierre. *With Kennedy*. New York: Doubleday, 1968. Hierna aangehaald als *Sal*.

Salisbury, Harrison. *A Journey for Our Times*. New York: Harper, 1983.

—. *Without Fear Or Favor: The New York Times and Its Times*. New York: Times Books, 1980.

Saunders, Frank, met James Southwood. *Torn Lace Curtain*. New York: Holt, 1982.

Scheim, David E. *Contract on America: The Mafia Murder of President John F. Kennedy*. New York: Shapolsky, 1988.

Schick, Jack M. *The Berlin Crisis, 1958-1962*. Philadelphia: University of Pennsylvania, 1971.

Schlesinger, Arthur M., Jr. *The Cycles of American History*. Boston: Houghton Mifflin, 1986.

—. *Kennedy or Nixon: Does It Make Any Difference?* New York: Macmillan, 1960.

—. *Robert Kennedy and His Times*. Boston: Houghton Mifflin, 1978. Hierna aangehaald als *AMSRK*.

—. *A Thousand Days: John F. Kennedy in the White House*. Boston: Houghton Mifflin, 1965. Hierna aangehaald als *AMSTD*.

Schmidt, Helmut, *Menschen und Mächte*. Berlijn: Siedler Verlag, 1987.

Schoenbaum, Thomas J. *Waging Peace and War: Dean Rusk in the Truman, Kennedy and Johnson Years*. New York: Simon and Schuster, 1988.

Schorr, Daniel. *Clearing the Air*. Boston: Houghton Mifflin, 1977.

Seaborg, Glenn T. *Kennedy, Khrushchev and the Test Ban*. Berkeley: University of California, 1981.

—. *Stemming the Tide: Arms Control in the Johnson Years*. Lexington, Mass.: Lexington, 1987.

Searls, Hank. *The Lost Prince: Young Joe, the Forgotten Kennedy*. Cleveland: World, 1969.

Sejna, Jan. *We Will Bury You*. Londen: Sidgwick & Jackson, 1982.

Shell, Kurt L. *Bedrohung und Bewährung: Führung und Bevölkerung in der Berlin Krise*. Keulen: Westdeutscher Verlag, 1965.

Shevchenko, Arkady N. *Breaking with Moscow*. New York: Knopf, 1985.

Shulman, Marshall. *Beyond the Cold War*. New Haven: Yale, 1966.

—. *Stalin's Foreign Policy Reappraised*. Cambridge: Harvard, 1963.

Sick, Gary. *All Fall Down: America's Tragic Encounter with Iran*. New York: Random House, 1985.

Sidey, Hugh. *John F. Kennedy, President*. New York: Atheneum, 1963.

—. *John F. Kennedy, President*. (tweede druk) New York: Atheneum, 1964. Hierna aangehaald als *Sidey (1964)*.

Simmonds, George W. ed. *Soviet Leaders*. New York: Crowell, 1967.

Slater, Ellis D. *The Ike I Knew*. Privé-uitgave, 1980.

Slusser, Robert M. *The Berlin Crisis of 1961*. Baltimore: Johns Hopkins, 1973.

Smith, Jean Edward. *The Defense of Berlin*. Baltimore: Johns Hopkins, 1963.

Smith, Joseph Burkholder. *Portrait of a Cold Warrior*. New York: Putnam, 1976.

Smith, Wayne. *The Closest of Enemies*. New York: Norton, 1987.

Sorensen, Theodore C. *Kennedy*. New York: Harper, 1965. Hierna aangehaald als *Sor*.

Spector, Leonard C. *Nuclear Proliferation Today*. New York: Vintage reprint, 1984.

Steel, Ronald. *Walter Lippmann and the American Century*. Boston: Atlantic Little, Brown, 1980.

Stein, Jean, en George Plimpton. *American Journey: The Times of Robert Kennedy*. New York: Harcourt, 1970.

Stoughton, Cecil, en Chester V. Clifton. *The Memories: JFK, 1961-1963*. New York: Norton, 1973.

Strauss, Franz Josef. *Die Erinnerungen*. Berlijn: Siedler Verlag, 1989.

Stromseth, Jane E. *The Origins of Flexible Response*. New York: St. Martin's, 1988.

Stützle, Walther. *Kennedy und Adenauer in der Berlin-Krise, 1961-1962*. Bonn: Verlag Neue Gesellschaft, 1973.

Sullivan, William, met Bill Brown. *The Bureau: My Thirty Years in Hoover's FBI*. New York: Pinnacle reprint, 1979.

Sulzberger, C.L. *The Last of the Giants*. New York: Macmillan, 1970.

Summers, Anthony. *Conspiracy*. New York: Paragon reprint, 1989.

—. *Goddess: The Secret Lives of Marilyn Monroe*. New York: Onyx reprint, 1986.

—, met Stephen Dorril. *Honeytrap: The Secret Worlds of Stephen Ward*. Londen: Weidenfeld, 1987.

Szulc, Tad. *Fidel: A Critical Portrait*. New York: Morrow, 1986.

Talbott, Strobe. *The Master of the Game: Paul Nitze and the Nuclear Peace*. New York: Knopf, 1988.

Tatu, Michel. *Power in the Kremlin*. New York: Viking, 1969. Vertaald door Helen Katel.

Taubman, William. *Stalin's American Policy*. New York: Norton, 1982.

Taylor, Maxwell. *Swords and Plowshares*. New York: Norton, 1972.

Terrill, Ross. *Mao: A Biography*. New York: Harper, 1980.

Theoharis, Athan G., en John Stuart Cox. *The Boss: J. Edgar Hoover and the Great American Inquisition*. Philadelphia: Temple, 1988.

Thomas, Hugh. *Cuba: The Pursuit of Freedom*. New York: Harper, 1971.

Thomas, Liselotte, et.al. *Walter Ulbricht*. Berlin: Staatsverlag der Deutschen Demokratischen Republik, 1968.

Thompson, Kenneth W., ed. *The Kennedy Presidency: Seventeen Intimate Perspectives of John F. Kennedy*. Lanham, Md.: University Press of America, 1985.

Travell, Janet. *Office Hours: Day and Night*. Cleveland: World, 1968.

Trewhitt, Henry L. *McNamara*. New York: Harper, 1971.

Turner, Stansfield. *Secrecy and Democracy*. Boston: Houghton Mifflin, 1985.

Ulam, Adam. *Expansion and Coexistence: Soviet Foreign Policy, 1971-73*. New York: Praeger, 1974.

—. *The Rivals: America and Russia Since World War II*. New York: Viking, 1971.

653

U.S. Arms Control and Disarmament Agency. *Documents on Disarmament, 1961*. Washington, D.C.: U.S. Government Printing Office, 1962.

U.S. Congress. *Memorial Addresses and Tributes in Eulogy of John Fitzgerald Kennedy*. Washington, D.C.: U.S. Government Printing Office, 1964.

U.S. House of Representatives. *Investigation of the Assassination of President John F. Kennedy*. Washington, D.C.: U.S. Government Printing Office, 1979. Hierna aangehaald als *Assassination Report*.

U.S. Senate. *Executive Sessions of the Senate Foreign Relations Committee (Historical Series): 1961-1963*. Washington, D.C.: U.S. Government Printing Office, 1984-1986. Hierna aangehaald als *DFR* en jaar.

—. *Joint Appearances of Senator John F. Kennedy and Vice President Richard M. Nixon: Presidential Campaign of 1960*. Washington, D.C.: U.S. Government Printing Office, 1961.

—. *The Speeches of Senator John F. Kennedy: Presidential Campaign of 1960*. Washington, D.C.: U.S. Government Printing Office, 1961. Hierna aangehaald als *PCS*.

—. *The Speeches of Vice President Richard M. Nixon: Presidential Campaign of 1960*. Washington, D.C.: U.S. Government Printing Office, 1961.

U.S. Senate, Select Committee on Intelligence Activities. *Interim Report: Alleged Assassination Plots Involving Foreign Leaders*. Washington, D.C.: U.S. Government Printing Office, 1975. Hierna aangehaald als *Assassination Plots*.

Vidal, Gore, en Robert J. Stanton. *Views from a Window: Conversations with Gore Vidal*. Secaucus, N.J.: Lyle Stuart, 1980.

Von Hoffmann, Nicholas. *Citizen Cohn*. New York: Doubleday, 1988.

Walton, Richard J. *Cold War and Counterrevolution: The Foreign Policy of John F. Kennedy*. New York: Penguin reprint, 1972.

Watt, D.C. *Survey of International Affairs, 1961*. Londen: Oxford, 1965.

Weinberg, Steve. Hammer: *The Untold Story*. Boston: Little, Brown, 1989.

Weintal, Edward, en Charles Bartlett. *Facing the Brink: An Intimate Study of Crisis Diplomacy*. New York: Scribner, 1967.

Weissman, Steve, en Herbert Krosney. *The Islamic Bomb*. New York: Times Books, 1981.

West, J.B., met Mary Lynn Kotz. *Upstairs at the White House*. New York: Warner reprint, 1974.

White, Theodore H. *In Search of History*. New York: Harper, 1978.

—. *The Making of the President: 1960*. New York: Atheneum, 1961.

—. *The Making of the President: 1964*. New York: Atheneum, 1965.

Wills, Garry. *The Kennedy Imprisonment: A Meditation on Power*. Boston: Little, Brown, 1982.

Wise, David. *The Politics of Lying: Government Deception, Secrecy and Power*. New York: Random House, 1973.

Wise, David, en Thomas B. Ross. *The Invisible Government: The CIA and U.S. Intelligence*. New York: Vintage reprint, 1974.

Wofford, Harris. *Of Kennedys and Kings: Making Sense of the Sixties*. New York: Farrar, Straus, 1980.

Wright, Lawrence. *In the New World: Growing Up with America, 1960-1984*. New York: Knopf, 1987.

Wyden, Peter S. *Bay of Pigs: The Untold Story*. New York: Simon and Schuster, 1979.

—. *Wall: The Inside Story of Divided Berlin.* New York: Simon and Schuster, 1989.

Zolling, Hermann, en Uwe Bahnsen. *Kalter Winter im August.* Oldenburg: Gerhard Stalling, 1967.

Handschriftencollecties

Joseph en Stewart Alsop Papers, Library of Congress, met toestemming van Joseph Alsop.

Lord Beaverbrook Papers, House of Lords Record Office, Londen.

Adolf A. Berle Diary, Franklin D. Roosevelt Library.

Charles Bohlen Papers, Library of Congress.

Chester Bowles Papers, Yale University Library.

John Mason Brown Papers, Harvard University.

James MacGregor Burns Papers, privé-eigendom, Williamstown, Mass., met toestemming van James MacGregor Burns.

Homer Capehart Papers, Indiana State Library, Indianapolis, Ind.

Everett Dirksen Papers, Dirksen Congressional Leadership Research Center, Pekin, Ill.

John Foster Dulles Papers, Dwight D. Eisenhower Library en Princeton University.

Dwight D. Eisenhower Papers, Dwight D. Eisenhower Library.

Federal Bureau of Investigation Files, Washington, D.C.

Foreign Office Archives, Public Record Office, Kew Gardens, Surrey, Verenigd Koninkrijk.

J. William Fulbright Papers, University of Arkansas.

John Kenneth Galbraith Papers, John F. Kennedy Library.

W. Averell Harriman Papers, Library of Congress, met toestemming van Pamela Harriman en Clark Clifford.

Christian Herter Papers, Dwight D. Eisenhower Library en Harvard University.

Bourke B. Hickenlooper Papers, Herbert C. Hoover Library.

Roger Hilsman Papers, John F. Kennedy Library.

Lyndon B. Johnson Papers, Lyndon B. Johnson Library.

John F. Kennedy Papers, John F. Kennedy Library.

Robert F. Kennedy's gesprekken met historici, John F. Kennedy Library.

Robert F. Kennedy Papers, John F. Kennedy Library.

Foy D. Kohler Diary and Papers, University of Toledo en privé-eigendom, Tequesta, Florida, met toestemming van Foy D. Kohler.

Arthur Krock Papers, Princeton University.

Walter Lippmann Papers, Yale University.

Henry R. Luce Papers, Library of Congress en privé-eigendom, New York, met toestemming van Henry Luce III.

John Bartlow Martin Papers, Princeton University.

John J. McCloy Papers, Amherst College.

Wayne Morse Papers, University of Oregon, Eugene.

Richard Nixon Papers, National Archives, Alexandria, Va.

Richard Nixon Papers, National Archives, Laguna Niguel, Calif.

Lauris Norstad Papers, Dwight D. Eisenhower Library.
Drew Pearson Papers, Lyndon B. Johnson Library.
Dean Rusk Collection, University of Georgia, Athens.
Richard Russell Papers, University of Georgia, Athens.
Pierre Salinger Papers, John F. Kennedy Library.
Arthur M. Schlesinger, Jr., Papers, John F. Kennedy Library.
George Smathers Papers, University of Florida, Gainesville.
Howard Snyder Diary, Dwight D. Eisenhower Library.
Theodore C. Sorensen Papers, John F. Kennedy Library.
Adlai E. Stevenson Papers, Princeton University.
Llewellyn E. Thompson Papers, familiebezit, Washington, D.C. met toestemming van Jane Thompson.
Harry S. Truman Papers, Harry S. Truman Library, Independence, Mo.
Time Archives, Time & Life Building, New York, met toestemming van Henry Luce III.

Notulen van conferenties

Notulen van de Hawk's Cay-conferentie over de Cubaanse rakettencrisis. David A. Welch, ed. Marathon, Florida, 5-8 maart, 1987, gesteund door de Carnegie Corporation, de Alfred P. Sloan Foundation en het Center for Science and International Affairs, Harvard University. Deelname door voormalige ambtenaren onder wie George Ball, MacGeorge Bundy, Abram Chayes, Douglas Dillon, Raymond Garthoff, Robert McNamara, Arthur Schlesinger, Jr., Theodore Sorensen en Maxwell Taylor. Hierna aangehaald als *HCCT*.

Notulen van de Cambridge-conferentie over de Cubaanse rakettencrisis. David A. Welch, ed. Cambridge, Mass., 11-12 oktober, 1987, gesteund door de Ford Foundation en het Center for Science and International Affairs. Russische deelnemers waren Fjodor Boerlatski, Sergo Mikojan en Georgi Sjachnazarov. Voormalig Amerikaanse ambtenaren aanwezig onder wie MacGeorge Bundy, Raymond Garthoff, Robert McNamara en Theodore Sorensen. Hierna aangehaald als *CCT*.

Notulen van de conferentie in Moskou over de Cubaanse rakettencrisis. Bruce J. Allyn, James G. Blight en David A. Welch, eds. Moskou, 27-28 januari, 1989, gesteund door het Institute for the Study of the U.S.A. and Canada, de Carnegie Corporation en het Center for Science and International Affairs. Onder de aanwezigen bevonden zich de voormalige en huidige Sovjetambtenaren Aleksandr Aleksejev, Georgi Arbatov, Georgi Bolsjakov, Fjodor Boerlatski, Anatoli Dobrynin, Valentin Falin, Aleksandr Fomin, Andrej Gromyko, Sergej Chroesjtsjov, Sergo Mikojan en Georgi Sjachnazarov.
Deelnemende voormalige Amerikaanse ambtenaren waren onder anderen Robert McNamara, MacGeorge Bundy, Theodore Sorensen en Pierre Salinger. Onder de Cubaanse deelnemers bevonden zich Emilio Aragones, Jorge Risquet en Sergio del Valle. Hierna aangehaald als *MCT*.

Notulen van de conferentie op Antigua over de Cubaanse rakettencrisis. James G. Blight en

David Lewis, eds. Antigua, 3-7 januari 1991, gesteund door het Center for Foreign Policy Development, Brown University. Deze bestond zowel uit Amerikanen en Russen die aan de eerdere conferenties hadden deelgenomen als uit een Cubaanse delegatie onder wie generaal Fabian Escalante. Hierna aangehaald als *ACT*.

Interviews door de schrijver

Deze lijst omvat zowel formele interviews gehouden door de schrijver, als gesprekken die zijn begrip vergrootten voor wat betreft de onderwerpen die in dit boek worden behandeld:
Robert Amory, Jr., William Attwood, Charles Bartlett, Richard Bissell, Dino Brugioni, MacGeorge Bundy, James MacGregor Burns, Clark Clifford, Ray S. Cline, Thomas Corcoran, Ernest Cuneo, Richard Davies, François de Laboulaye, sir Philip de Zulueta, Douglas Dillon, Robert Donovan, John Eisenhower, Milton Eisenhower, Gerald Ford, Clayton Fritchey, J. William Fulbright, Andrew Goodpaster, Edwin Guthman, Karl Harr, Richard Helms, Frederick Holborn, Frank Holeman, Lawrence Houston, Philip Kaiser, Sergej Chroesjtsjov, James Killian, Robert King, Boris Klosson, Foy Kohler, Clare Boothe Luce, Henry Luce III, Arthur Lundahl, Carl Marcy, Priscilla Johnson McMillan, Robert McNamara, Cord Meyer, Sergo Mikojan, Newton Minow, Luvie Pearson, Claiborne Pell, Robert Pierpoint, Hy Raskin, Henry Raymont, Sergej Rogov, Walt Rostow, Franklin Roosevelt, Jr., Dean Rusk, Roald Sagdeev, Oleg Sakhalov, Ray Scherer, Dorothy Schiff, Herbert Scoville, graaf E.T. Smith, Lawrence Spivak, Mary Ann Stoessel, Melor Sturua, Jane Thompson, Vladimir Toumanoff, Robert Tucker, Sander Vanocur, Frank Waldrop, Gerhard Wessel.

Gesprekken met historici en interviews door anderen

Deze categorie omvat gesprekken met historici ten bate van de geschiedschrijving bestemd voor het Oral History Project van Columbia University en de John F. Kennedy Library. Het omvat tevens verslagen van interviews gehouden door WGBH-TV, Boston, voor de PBS-serie *War and Peace in the Nuclear Age*, die ter beschikking werden gesteld van de auteur, en gesprekken door John Bartlow Martin voor *Adlai Stevenson and the World*, te vinden in de Martin Papers te Princeton.
Deze worden alle aangehaald in de hiernavolgende noten.

Noten

Gebruikte afkortingen in de noten:

ABBZ   Archieven van het Britse ministerie van Buitenlandse Zaken
ACT   Zie Notulen Conferenties in Bronnen
AMSRK   Zie Schlesinger in Bronnen
AMSTD   Zie Schlesinger in Bronnen
AP   'De afspraken van de president,' 1961-1963. *John F. Kennedy Library*
CCT   Zie Notulen Conferenties in Bronnen
CR   *Congressional Record*
DDEL   Dwight D. Eisenhower Library
DDEPP   Dwight D. Eisenhower Public Papers
DFR   Zie U.S. Senate in Bronnen
FBI   Dossiers van de Federale Recherche (FBI)
FDRL   Franklin D. Roosevelt Library
ges   Gesprek met de auteur
HCCT   Zie Notulen Conferenties in Bronnen
int   Interview door de auteur
int JBM   Interview door John Bartlow Martin
int WGBH   Interview door WGBH-tv
Izv   *Izvestija* (Russisch regeringsorgaan)
JFK   John Fitzgerald Kennedy
JFKL   John F. Kennedy Library
JFKPP   John F. Kennedy Public Papers
L   Tijdschrift *Life*
LBJ   Lyndon Baines Johnson
MCT   Zie Notulen Conferenties in Bronnen
mem   Memorandum van gesprek
mg   Mondelinge geschiedschrijving, John F. Kennedy Library
mg COHP   Mondelinge geschiedschrijving, Columbia Oral History Project
NC   Nikita Chroesjtsjov (Zie ook Khrushchev in Bronnen)
NW   Tijdschrift *Newsweek*
NYHT   *New York Herald Tribune*
NYKr   *The New Yorker*
NYT   *New York Times*
PCS   Zie U.S. Senate in Bronnen
Prav   *Pravda*
RFK   Robert Francis Kennedy (Zie ook in Bronnen)
SAC   Strategic Air Command
Sal   Zie Salinger in Bronnen
SEP   *Saturday Evening Post*
SNK   Zie Sergei Krushchev in Bronnen
Sor   Zie Sorensen in Bronnen

SR	*Saturday Review*
T	Tijdschrift *Time*
USN	*U.S. News & World Report*
vertel	Verslag van telefoongesprek
WP	*Washington Post*
WS	*Washington Star*

1. Vijf voor twaalf

JFK ontwaakt: *Pittsburgh Press* 15/10/62, AP 14/10/62. Tenzij anders vermeld, komen de belangrijkste verwijzingen naar tijd en plaats van JFK's afspraken en gangen in dit boek uit AP. Gebeurtenissen Niagara-Buffalo: *Buffalo Evening News*, NYT 15/10/62, FBI memo, 11/10/62. 'Plannen gewijzigd': *New York Mirror* 15/10/62. Stevensons trip naar New York: *Newsday*, NYT 15/10/62, Bartlow Martin *Stevenson* 719-20. De Carlyle suite staat beschreven in Sidey mg, Brugioni int, Bissell int, *Life* 2/11/62, *Look* 18/12/62. Burrows 122, David Martin 142-3. Sovjetdeskundigen over NC en raketplaatsingen: Thompson mg, Bundy int, Davies int. Bronnen op 16/10/62: Abel 43-54, 99-116. *The President's Intelligence Checklist*: Wise en Ross 238-9, SEP 27/7/63, RFK mg. 'De Saoedi's: *The President's Intelligence Checklist* 15/10/62, JFKL.

JFK leest over Goulart: Bradlee 151. 'zich uitliet als hij dronken was': Bundy-JFK 15/9/61, JFKL. Aankomst Ben Bella: NYT 16/10/62, WS 16/10/62, *New York World Telegram* 16/10/62. Ontdekking raketten, telefoontje naar Bundy en diens reactie: Bundy-JFK 4/3/63, JFKL, Cline int, Bundy int, Lundahl int, Lundahl mg, *Look* 18/12/62, SEP 8/12/62, Cline 219-21, Bundy 684-5, Ralph Martin 459. Bundy stelt JFK op de hoogte en reactie JFK: Bundy int, uit interview van Martin Agronsky met Bundy, 1964, Schlesinger Papers, AMSTD ontwerp wordt geciteerd in plaats van AMSTD in gevallen dat het ontwerp de beschreven gebeurtenis of zaak enigszins uitvoeriger behandeld. Onderhoud Helms met RFK en Helms over Kennedy's en Mongoose: Helms int. Special Group (Augmented) 16/10/62 ontmoeting en Mongoose: CIA mem 4/10/62, JFKL, Helms int, Prados *President's Secret Wars* 213, *Assassination Plots*, 147. Zie noten voor hoofdstukken 6 en 14.

JFK geen trek in goedkeuring invasie: McNamara int, tijdens MCT. 'de hoogste prioriteit': *Assassination Plots* 144, Thomas Powers 138. CIA collaboratie met Maffia, zie noten voor hoofdstuk 6. RFK bekijkt U-2-opnamen: Helms int, Bundy int, AMSRK 506-7. Verzoek JFK aan Sorensen en antwoord: Sorensen mg. Sovjets niet gewaarschuwd, zie noten voor hoofdstuk 14. Uiterlijk JFK op ochtend 16/10/62 en reacties medewerkers: Odon 310-11, Sal 249-50, Sidey (1964) 271-2, Parmet *JFK* 284-5. Over bandrecorder JFK, zie Bouck mg en noten voor hoofdstuk 13. 16/10/62 ochtendvergadering: transcriptie en bandopname in JFKL. Zie ook noten voor hoofdstuk 16. Kohler op bezoek bij NC: Kohler int, Kohler-Rusk 16/10/62, dagboek Kohler 16/10/62, JFKL, NYT 27/10/62, Davies int. NC vakantie en vakantiegewoonten: SNK 27-8, 79-80, 199, Sergej Chroesjtsjov int.

NC en *Oorlog en vrede*: Harriman-NC mem 23/6/59, JFKL en DDEL, Frank Roberts in McCauley 222. In de noten van het hoofdstuk worden mem's geciteerd naar datum van vergadering. JFK op Buitenlandse Zaken: Abel, 53-4. Gedicht *Bullfight*: NW 12/11/62, RFK mg, Graves 4. Bohlen diner: Bohlen aantekeningen, Bohlen mg, Susan Mary Alsop-Jacqueline Kennedy, 19/9/62, JFKL, Bohlen 489-90, Ralph Martin 458-9, Alsop ges. Berlin 'angstig vermoeden': Sulzberger 922. Spalding, Manchester, Rostow over JFK: Spalding mg, Manchester *Portrait* 236, Rostow mg. Joseph Kennedy's pessimisme: Beschloss *Kennedy and Roosevelt* 65, 160-1, 184-6, 190-1, 204, 167-9. JFK tegen Smathers over beste manier om te sterven: Smathers int. JFK kijkt naar vliegtuig en doet alsof hij doodgaat: Manchester *Death* 121, Ralph Martin 545, Kearns Goodwin 743-6, McMillan ges. JFK zei dergelijke dingen tegen Priscilla Johnson McMillan, Ted Reardon, LeMoyne Billings en Charles Spalding. Zie ook hoofdstuk 23. 'Simpelweg tot de conclusie': Kearns Goodwin 743-6.

'Berucht slecht', 'wie het echt op mij gemunt heeft' en 'vlieg met me mee': W.C. Sullivan-D.J. Brennan 1/12/63. JFK tegen Vidal over boek van Wallace: Vidal 273. 'De mooiste baan' en 'Je weet nooit': RFK mg, Bartlett int. JFK's woede na telegram Kohler: RFK13 5-6. 'Immorele gangster' en 'Het waren allemaal leugens': RFK mg. Eisenhower over Koude Oorlog: DDEPP 8/12/53. Deze en hieropvolgende verwijzingen naar de *Public Papers*-serie en soortgelijke bloemlezingen zijn geciteerd naar datum in plaats van pagina. JFK leest *Fail Safe*: Sulzberger 935. NC herinnert zich JFK's te late komst, 1959: zie noten voor hoofdstuk 8.

2. 'Hij is jonger dan mijn zoon'

Aankomst JFK in Washington: Holborn int, WP 17/9/59, WS 17/9/59. *Caroline*: Sor 100, Lincoln *My Twelve Years* 125-5. JFK rijdt zelf: Lincoln *My Twelve Years* 31-2, Sor 25. O'Leary: Gallagher 17, Bradlee 43. JFK's houding ten aanzien van ontmoeting met NC: Holborn int. Opiniepeiling: T 28/9/59. JFK jaloers op Humphrey's audiëntie bij NC: Holborn int. Humphrey artikel: L 12/1/59. Mensjikovs pogingen JFK te bereiken, JFK aankomst in kantoor en wandeling naar Capitool: Holborn int. Ontmoeting DiSalle: *Cleveland Plain Dealer* 17/9/59, Sor 131, Holborn int. NC ziet laatkomer JFK: zie noten voor hoofdstuk 8. NC vergadering met Senatoren: JFK ongedateerde aantekeningen in JFKL, Gwirtzman mg, Marcy, Fulbright ints, *Boston Globe, Christian Science Monitor*, NYT 17/9/59. NC ontmoeting met JFK: Odon 294, NC2 488, Holborn int. NC 'onder de indruk': NC1 458. 'Beste Jack': Fulbright tegen JFK, september 1959, citaat in Johnson en Gwirtzman 165.

JFK verslaat ontmoeting in Columbus: *Cincinnati Enquirer* 17/9/59. 'Ik geloof er niks van': PCS, New Castle, Pa., 15/10/60. JFK vroege, internationale opleiding: Parmet *Jack* 38-83, Burns *Kennedy* 29-48, Blairs 56-114. Joe Jr., Sovjettrip: Searls 77-78. 'Joe lijkt': AMSRK 19-20. Reis Rose Kennedy: Rose Kennedy 206-10. Gunther citaat: Gunther *Inside Europe* 511. 'Heb Gunther uitgelezen': AMSTD 82. JFK cursus Russische geschiedenis: verslag in JFKL. JFK tegen Billings staat in 3/5/39. Fotokopieën van de briefwisseling JFK-Billings en ander materiaal van Billings dat in dit boek wordt geciteerd werden gedeeld met de auteur door Peter Collier. NC en metro: Crankshaw 84-95. 'Heb een meisje ontmoet': JFK-Billings 28/5/39. 'Primitief, achterlijk': Burns *Kennedy* 38. JFK over *Blind Date*: Parmet *Jack* 99-100. JFK bij Bohlen: Bohlen mg, Bohlen aantekeningen in Bohlen Papers, Bohlen 476. 'Heb een fantastische': JFK-Billings 17/7/39.

'Het lijkt': JFK-Billings 12/2/42. JFK over de Verenigde Naties staat in *New York Journal-American* 30/4/45. JFK over DDR en Polen: Lasky *JFK* 99-100. JFK over 'zieke Roosevelt': CR 21/2/49. JFK bezoek bij Eisenhower: JFK-Krock, ongedateerd, 1951, Krock Papers. JFK over Algerije en Polen: Burns *Kennedy* 199, Parmet *Jack* 401-8, kopieën van toespraken in JFKL. JFK en debat Democraten: AMSTD 298-301, AMSRK 417-9. 'De barbaar': Parmet *Jack* 318-9. JFK tegen Kennan: 13/2/58, JFKL, en Kennan 267-8fn. 'Nieuwe sluiproute': CR 14/8/58. Gesprek Burns: 17/7/59 transcriptie in Burns Papers en Sorensen Papers. Over de campagne van 1960 en internationale betrekkingen in het algemeen, zie Divine 183-287. Dooi na Camp David: Beschloss *Mayday* 7-8, 216-242. Toespraak Rochester: kopie in JFKL, 1/10/59. Citaat WS 4/10/59. 'Amateuristische poging': NYT 18/5/60. 'De gevaarlijkste periode': Sor 149.

JFK en gebeurtenis St. Helens: *Oregonian*, 17/5/60-25/5/60, telefonische interviews met schoolhoofd Len Monroe en Wallace Thompson die de vraag stelde. Eis Hugh Scott en verdediging JFK: CR 23/5/60. 'Excuses': T.A. Hawkins-JFK 29/5/60, JFKL. 'Zeggen of impliceren': Thomas Lee-JFK 18/5/60, JFKL. 'U BENT NIET GESCHIKT': Edward Stettedahl-JFK 24/5/60, JFKL. LBJ over excuses: Lasky *JFK* 357, Sor 149. Kendall memo, mei 1960: U-2 dossier, DDEL. Nixon over JFK's commentaar: Beschloss *Mayday* 319. 'Nieuw koufront': T 13/6/60. Jackson over 'harde lijn': Divine *Presidential Elections* 211. Nieuwe gemoedstoestand: opiniepeiling mei-juni 1960. Twaalf puntenplan JFK: CR 14/6/60. Oost-West-verhoudingen in zomer 1960: Beschloss *Mayday* 305-41. Een NYT overzicht (26/9/60) toonde aan dat NC's reis naar New York ervoor zorgde dat het buitenlands beleid de grootste zorg was van de Amerikaanse kiezers.

Nixon over JFK en NC: Amerikaanse Senaat *Speeches of Nixon* 194-5. Nixon schept op over zijn ervaringen: Brodie 421. Nixon over Eisenhowers visie op hem: Transcriptie van een interview van Alsop met Nixon, ongedateerd, 1958, Alsop Papers. Critici op PT 109: Burns *Edward Kennedy* 312. JFK over Senaatscommissie Buitenlandse Betrekkingen: Mar-

cy int. Schlesinger over ervaring: Schlesinger *Kennedy or Nixon* 32, NYT 25/8/88. Verdediging JFK: b.v. PCS, 29/9/60, Syracuse, N.Y. 'In de verdediging te lokken': Beschloss *Mayday* 319. Waarschuwing Rostow: Rostow mg. Nixon tegen Rogers: 4/11/60, Nixon Papers. Kennedy in mormonenkerk: PCS 23/9/60. Galbraith tegen Harris: 27/9/60, Galbraith Papers. Jacqueline opmerking over JFK's ervaring staat in een ongedateerd briefje aan Schlesinger, Schlesinger Papers. Schlesinger over onderwerp: AMSTD 424. Stevenson tegen JFK over ervaring: ongedateerd, Stevenson Papers. Bowles tegen JFK: 17/10/60, JFKL. Amerikaans overwicht: Nye 69-112. 'Als worstjes': Prados *Soviet Estimate* 77. Nixon, Eisenhower en *missile gap*: Alsop interview met Nixon, ongedateerd, 1958, Alsop Papers, Bissell int, Goodpaster int, Beschloss *Mayday* 153-4, 237, Ambrose, *Eisenhower* 561-3, 487. Wiesner 'stomverbaasd': Herken 133. Eisenhower en Dulles briefing: Dulles-Eisenhower 3/8/60, DDEL. JFK en SAC briefing: Wheeler, Sorensen, McCone mg's, Sor 610-3. JFK over *missile gap*: *Wilson Quarterly*, winter 1980. JFK over te grote vertrouwen in nucleair arsenaal: PCS, Portland, 7/9/60. JFK over Sovjetgroei: Detroit, 5/9/60, en Greenville, 17/9/60, PCS. De ware toestand van Amerikaanse en Russische economie: Nye 5-13, 69-130. Omzichtigheid van Dulles: Thomas Powers 201. Nixon verdenkt Dulles: Kissinger 11. JFK over prestige: Detroit, 26/10/60, en Queens, 27/10/60. Opiniepeiling: *Gallup* 30/11/60. 'Ik nodig u': PCS, York, Pa., 16/9/60. JFK, Cuba en campagne van 1960: Smathers int, *Diplomatic History*, winter 1984, Divine *Presidential Elections* 242-86, Goodwin 124-6.
Goodwin over Cuba en 'Hoe hadden we': Goodwin 75, AMSTD 224. Eisenhower kwaad op Allen: dagboek Howard Snyder 26/10/60, DDEL. Opstellen van verklaring over Cuba en tekst: Goodwin 125, NYT 21/10/60. Reactie Nixon en telefoontje Seaton: Goodpaster int, Nixon *Six Crises* 353-4. Nixon over briefing Dulles: Nixon *Six Crises* 354. Bundy tegen JFK: 14/3/62, JFKL. Witte Huis over JFK 'niet op de hoogte gesteld': 20/3/62 verklaring, JFKL. Verzoek JFK, verklaring Dulles, telefoontje McCone: Robert Donovan vertel, Nixon vertel, 20/3/62 verklaring, DDEL. Goodpaster over briefing Dulles: Goodpaster int. Goodwin citaat 1981 staat in Parmet *JFK* 48. Goodwin citaat 1988 staat in Goodwin 172-4. 'In een hoek gedreven': Goodpaster int. Nixon in vierde debat: NYT 22/10/60. JFK over niet interventie-voorstander en 'cruciale blunder': NYT 22/10/60-23/10/60. Stevenson over misrekening JFK: Stevenson-Barbara Ward 28/10/60, Stevenson Papers.
Stevenson tegen JFK over Berlijn: 17/8/60, Stevenson Papers. 'Kunt u nu echt': PCS, Wilmington, Del., 16/10/60. JFK over Quemoy en Matsoe: verklaring afgegeven in Georgia, PCS 10/10/60. Reactie Republikeinen en JFK laat kwestie rusten: NYT 13/10/60-17/10/60. JFK en Nixon over NC in debatten: Amerikaanse Senaat *Joint Appearances* 26/9/60 en 7/10/60. 'De Amerikaanse bevolking': Frankland 159. 'De strijd tussen': NC2 489. 'De politieke reclame': Prav 28/2/63. NC wil zeker zijn over Eisenhower en verlegenheid: Beschloss *Mayday* 216-7, 238-42. NC over Stevenson: NC2 488. NC-Stevenson ontmoeting 1958: Robert Tucker aantekeningen 5/8/58, Stevenson Papers. Tucker ges. Open brief Boelganin en nasleep: Divine *Blowing* 100, Divine *Presidential Elections* 139, 157-9, Ambrose *Eisenhower* 349-50, Eisenhower-Boelganin 21/10/56, DDEL.
Ontmoeting Mensjikov-Stevenson: Stevenson 16/1/60 memo, Stevenson Papers, Tucker ges, Bartlow Martin *Stevenson* 471-5. Mikojan tegen Eisenhower over NC's 'stem' 1956: mem 17/1/59, DDEL. NC tegen collega's over kandidaten 1960: Sjevtsjenko 108-9, NC2 488-9, Harriman 14/12/60 mem over ontmoeting met Mensjikov. *Izvestija* over JFK: Izv 15/7/60. Andere Russische journalistieke commentaren: *Reporter* 8/12/60. Establishment Washington over playboy JFK: Burns ges. Vraag Reston: Rostow mg. 'Jullie hebben allemaal': Crankshaw 3. Over achtergrond NC, zie noten voor hoofdstuk 7. 'Hij is jonger dan mijn eigen zoon' en soortgelijke opmerkingen maakte Chroesjtsjov vaak tussen 1960 en 1962. Zie bijvoorbeeld verslag van William Knox over gesprek met NC in *New York Time Magazine* 18/11/62 en verslag Walter Lippmann in USN 1/5/61. Karakterschetsen KGB: Corson en Crowley 271.

'De heer Nixon...gehesen': Prav 31/8/60 en Sal 221. 'Roosevelt!': Beschloss *Mayday* 340.
Lodge tegen NC: Lodge-Christian Herter 9/2/60 in DDEL, NC2 489-90, Nixon vertel
27/2/60, Nixon Papers. Ik heb de vrijheid genomen om in de in dit boek geciteerde tele-
grams lidwoorden op te nemen, behalve waar dit de betekenis zou kunnen wijzigen.
Thompson tegen Nixon: 13/8/60, Nixon Papers. Over achtergrond van Harriman, zie
noten voor hoofdstuk 20. Oktoberboodschap Harriman: Isaacson en Thomas 603. NC
houdt piloten om JFK te kiezen: Sal 230, Sjevtsjenko 109, NC1 458, NC2 490-1. Lunch
Spaso-huis, Thompson-JFK geschiedenis, NC tegen Thompson voor verkiezingen: Jane
Thompson, Klosson ints, Thompson mg. Eisenhower-jaren als Donkere Tijdperk: Ken-
nan mg, Bohlen aantekeningen, Jane Thompson int, Kennan 178-87, Bohlen 441-3.
Lunch Hyannis Port en telegram NC: Bohlen aantekeningen, kopie van telegram in
JFKL, Sor 211-2,231, Bradlee 32-4, 227, Odon 225-6, Bohlen 474.

3. 'Onze sleutel tot de Sovjet-Unie'
Bohlen-JFK verhouding in 1960: Holborn int, Bohlen mg. Voor achtergrond en karakterschets van Bohlen waren voornaamste bronnen Bohlen, Bohlen mg, Isaacson en Thomas, Brandon 79-80. 'Schandelijke reputatie': Mosley 311. Senaatsstrijd: Isaacson en
Thomas 566-70. 'Het zou te veel eer...': vertel, Dulles Papers, DDEL. Bohlen weggewerkt uit Moskou: Bohlen-Thompson 11/1/57, Thompson-Bohlen 17/1/57, Bohlen-Dul-
les 25/1/57, Bohlen-Thompson 28/1/57, Bohlen Papers, Jane Thompson int. 'Op deze
grote afstand': geciteerd in Kennan-Bohlen 23/7/73, Bohlen Papers. Bohlen stelt JFK's
antwoord op en ruggespraak met Eisenhower: Bohlen 474, Sor 231, vertel in Herter Papers 10/11/60, DDEL. Tekst van antwoord in JFKL en NYT 11/11/60. Zittingen met
Mensjikov: Douglas mg, Bowles mg, Bohlen 475-6. Mensjikov brengt verslag uit en NC
erkent verdraaiingen: in Sjevtsjenko 196-7, Beschloss *Mayday* 203-4, mem van ontmoeting Lodge met Eisenhower 25/9/59, DDEL. '*Nasj Doerak*': NW 25/12/61.
Koeznetsov over 'goede les' NC: Lodge mem 19/9/59, DDEL. Contacten Mensjikov-Stevenson: Stevenson mem van ontmoeting Mensjikov 16/11/60, Stevenson Papers, Stevenson-JFK 22/11/60, JFKL. Over achtergrond Korneitsjoek, zie Pistrak 177-9. Contacten
Korneitsjoek-Harriman en verslag Harriman: Harriman-JFK, 12/11/60 en 15/11/60,
JFKL en Harriman Papers. Contacten Mensjikov-Harriman: Harriman mems 21/11/60
en 14/12/60, JFKL en Harriman Papers. Ontmoetingen Rostow-Wiesner in Moskou:
Rostow memo 27/11/60-7/12/60, JFKL, Rostow mg, AMSTD 301-4. Lunch RFK-
Mensjikov: RFK-Rusk 18/12/60, RFK Papers. Contacten Mensjikov-Salisbury: Salisbury memo 15/12/60, JFKL. Voornaamste bronnen voor dreigende breuk Sovjet-Unie-Chi-
na: memo CIA 1/4/61, JFKL, Gaddis *America* 223-4, Gaddis *Strategies* 194-5, Ulam *Expansion* 623-5, Ulam *Rivals* 286-308. NC tegen Adenauer: citaat uit H. Carleton Greene-
Ralph Murray 13/2/59, ABBZ. 'Als de imperialisten': NC2 255.
'Pas wanneer de Amerikanen': Andrei Gromyko 251-2. NC over Mao: SR 7/9/74. Chinees-Russische spanningen in 1959-1960: Terrill 281-2, Clubb 435-7, Hyland en Shryock
4-17, Tatu 101-6, Linden 101-4, Ulam *Expansion* 634-5. Zitting 81 delegaties: 1/4/61
memo CIA, NYT 2/12/60 en 12/2/61. 'De schuld te geven': Penkovski 264. Binnenlandse problemen NC 1960: Beschloss *Mayday* 323-5, Tatu 114-22, Linden 105-6, Ulam *Rivals*
305-13, Ulam *Expansion* 634-40. Thompson-Herter 29/1/60 over Chinees-Russische
breuk te vinden in DDEL, net als Thompson-Herter 14/10/60 en 28/11/60. Het CIA-rapport van 99 pagina's is die van 1/4//61, zie boven. 'Hele manier van zakendoen': Thompson-Rusk 2/2/61, JFKL. Zorgen NC over JFK: Sjevtsjenko 110, NC2 492. JFK in Palm
Beach tijdens onderbreking: Lincoln *My Twelve Years* 199-200, Odon, 229. JFK ziet
Hammer: Weinberg 140, Hammer 312-4. JFK stuurt Bruce naar Mensjikov: Kennan
mg. Sovjet denkbeelden over kabinet JFK: in Anatoli Gromyko 104-10.
NC over Dillon: NC2 378. 'De gevaarlijkste': Mosley 6. Over NC's algemene visie op
hoe Amerikaanse afspraken worden gemaakt, zie Frankland 160. NC op oudejaarsavond
1960: Prav 2/1/61, NYT 2/1/61, Jane Thompson int. Kennan-JFK aan boord *Caroline*:

Kennan mg. Opstellen van inaugurele rede JFK: Sor 240-3, Lincoln *My Twelve Years* 216-20. Gesprek JFK-Stevenson: Bartlow Martin *Stevenson* 571-2. JFK over minimumloon: Nixon *Memoirs* 235. Tekst inaugurele rede: JFKPP 20/1/61. Radio Moskou: NYT 21/1/61. Goldwater over speech: Jack Bell mg. Reactie Mensjikov: Sidey 40. Sovjettelegram naar JFK in JFKL. Telefoontje NC naar Thompson: Jane Thompson, Klosson ints. NC-Thompson 21/1/61 ontmoeting staat hieronder gedocumenteerd. Achtergrond en karakterschets van Thompson en betrekkingen met NC: Thompson mg, Jane Thompson, Klosson, Davies, Rusk, Toumanoff, Kohler, Bundy, ints, McMillan ges, NYHT 26/2/58, *New York Times Magazine* 11/3/62, L 10/8/62.

Bohlen over NC: Bohlen tegen de Noorse ambassadeur in Moskou, Eric Braadland, 30/7/58 en 31/7/59, Bohlen Papers. NC tegen Harriman: Harriman mem 23/6/59, JFKL. Thompson tegen NC over Bohlens commentaar: Thompson memo 29/9/59, DDEL. 'Meest markante': Thompson-Bohlen, 1957, Thompson Papers. 'Ik heb...opgebouwd': Thompson tegen DFR 13/2/61. Canadese ambassadeur over NC en Thompson: Micunovic 412. Jane Thompson en de Chroesjtsjovs: Jane Thompson int. 'Toen ik op het punt': Thompson-Herter, 13/11/59, DDEL. Datsja-trip: Jane Thompson, Klosson ints, *Look* 14/8/62, SNK 72-4. NC na neerhalen U-2: NYT 10/5/60, Salisbury 489-90. NC-Thompson uitwisseling september: Thompson-Herter 8/9/60 en 9/9/60, DDEL, NYT 9/9/60. NC-Thompson 21/1/61 ontmoeting: Thompson-Rusk 21/1/61 en 24/1/61, JFKL. JFK op eerste ochtend in Witte Huis: AMSTD. Truman over JFK: NYT 3/7/60.

'Een zekere argwaan': Bundy int. Rusk-Thompson: 23/1/61, JFKL. Diner Bartlett-Kennedy: Bartlett int, Bartlett mg, Rostow *Diffusion* 170. 'Iedereen had hem gezegd': Bergquist 11. Sovjetpers publiceert inaugurele tekst: Allen Dulles-Goodpaster 23/1/61 JFKL. Vermindering radiostoring: NW 6/2/61. Vrijlating RB-47: Thompson-Rusk 24/1/61, Rostow mg, T 3/2/61, NYT 26/1/61, Wise 324-6, Sal 138-1, Sidey 51-7, Lincoln *My Twelve Years* 233-6, JFKPP 25/1/61. KGB-er over concessies: Estabrook memo 20/3/61, JFKL, hieronder geciteerd. Verborgen Amerikaanse inval: Rusk-Thompson 2/2/61, JFKL. JFK tracht Sovjet-Amerikaanse betrekkingen te verbeteren: AMSTD 304. Verzoeken anti-Sovjettaal te vermijden en reactie: Sylvester mg, NYT 28/1/61, 31/1/61, 14/4/61, Trewhitt 89-90, 164-5. Eisenhower 'verontrust': dagboek Howard Snyder 27/5/59, DDEL. Importverbod krab opgeheven: Rusk-JFK 26/2/61, JFKL, Hammer 314-27, Weinberg 142-5, NYT 10/3/61.

Over Edwin Walker, zie NYT 30/9/62, *Overseas Weekly* 16/4/61, Trewhitt 90-2, McMillan 259-300. Eisenhower over toespraak NC 6/1/61: Goodpaster int, NYT 19/1/61. Reactie JFK op toespraak: SEP 31/3/62, RFK mg, McNamara int. Thompson over toespraak: Thompson-Herter 19/1/61, DDEL en JFKL. Arthur Schlesinger, JR., heeft geschreven dat JFK op NC's toespraak 6/1/61 reageerde 'door zijn inaugurele rede twee weken later bijna geheel te wijden aan buitenlandse aangelegenheden.' (AMSRK 421-4, ook volgens de Senaatscommissie voor Buitenlandse Betrekkingen, 10/5/72) In feite kan wat Schlesinger JFK's 'inaugurele snoeverij' noemt niet te wijten zijn aan de toespraak van Chroesjtsjov, omdat die pas na 18/1/61 werd vrijgegeven aan het Westen (NYT 19/1/61), en op dat moment was de inaugurele rede nagenoeg geheel af. 'U zult het moeten begrijpen': Ralph Martin 351.

4. Novosibirsk

Dag van de State of the Union: NYT 30/1/61 en 31/1/61, Sidey 5-9. Het schrijven van toespraak en tekst: Sor 292, NYT 30/1/61, JFKPP 30/1/61. Tekst van NSC-68 in *Foreign Relations of the United States: 1950*, vol. 1, 22-44. Over de herkomst van 'uur van de waarheid', zie Herken 49-50, Kaplan 144-73. Eisenhowers State of the Union van 1961: DDEPP, 12/1/61. JFK terugblik buitenlands beleid januari 1961: Helms, Bundy, Rusk, McNamara ints. Thompson bleek al eerder op de hoogte van de Chinees-Russische breuk bij gelegenheden als zijn geheime getuigenis voor de Senaatscommissie voor Buitenlandse Betrekkingen: DFR, 13/2/61. Over JFK hang naar crisis, zie Miroff 12-13. JFK in Los

Angeles: NYT 15/7/60. JFK en McCarthy: Burns *Kennedy* 131-55, Parmet *Jack* 288-325. Sovjets niet blij met State of the Union: NYT 11/2/61, Prav 5/2/61, Izv 10/2/61. Lancering Amerikaanse Minuteman en Sovjetreactie: Herken 153, MccGwire 51, 483. Verslag over Jupiters naar Turkije en reactie Ryzjov: Rabinowitch 286. Informele persbijeenkomst McNamara: Jack Raymond memo 6/2/61, Krock Papers, McNamara int WGBH, McNamara int, Charles Murphy-Lauris Norstad 11/2/61, Norstad Papers, Trewhitt 20-1. 'Verschrikkelijke fout': McNamara int WGBH. Reactie JFK: Taylor 205, JFKPP 8/2/61, McNamara int, McNamara int WGBH. Bron van *Defense Intelligence Agency*: Trewhitt 85. 'Nee, niet echt': Lodge-Herter 9/2/60, DDEL. 'Zowel je advies als...': Rusk-Thompson, 25/1/61, JFKL. Bohlens en Thompsons herbenoemingen werden verslagen in NYT 8/1/61. Aankomst Thompson in Washington: T 10/2/61, DFR 13/2/61, Jane Thompson int. 'Het is prachtig': Jane Thompson int. Thompson instrueert JFK: Thompson-Rusk 2/2/61, JFKL. Eisenhowers aanpak van Sovjetbetrekkingen: Goodpaster int, dossier Solarium in DDEL, Kennan 181-2.

Februari-vergaderingen JFK over Sovjetbetrekkingen: 11/2/61 mem, JFKL, Rusk, Bundy ints, Kennan, Bohlen, Thompsons mgs, JFKL, NYT 10/2/61, 12/2/61, 19/2/61, Thompson-DFR 13/2/61, Weintal en Bartlett 13, AMSTD 303-6, Sor 510, 541-2, Cohen 135-6. 'Alle Senatoren': Bundy int. 'Heel wat': Bohlen-Thompson 10/3/61, Bohlen en Thompson Papers. Bohlen over JFK en Sovjetbetrekkingen: aantekeningen Bohlen en mg. Rusk over verlangen JFK naar top: Rusk int. Over achtergrond en persoon Rusk, zie Rusk, Schoenbaum, Cohen, Halberstam *Best* 307-29. 'Ik voel me meer op mijn gemak': *New York Times Magazine* 18/3/62. 'Ik geloof niet': USN 11/9/61. Rusk over het woord 'gevoel': Halberstam *Best* 312. Rusk tegen Bohlen 27/6/73, Bohlen Papers. Rusk en Marshall: Rusk 130-5, Halberstam *Best* 320-1. 'Met de grootste voorzichtigheid': RFK mg. Rusk over lekken en 'Er zijn dingen': Rusk int en Schoenbaum 280.

McNamara krijgt belofte JFK inzake benoemingen: McNamara int, RFK mg. Bowles over onzekerheid Rusk: Bowles mg. 'De grond moest': Halberstam *Best* 313. Veronderstelling Rusk over veearts: AMSTD 432. 'G-A-L': Halberstam *Best* 314. Rusk en Lee: Rusk 55, Schoenbaum 34. 'Ik ben me pijnlijk': Schoenbaum 94. Rusk over Truman en Hiroshima: Rusk 122. Rusk tegenover Kennan: Schoenbaum 137-8. Acheson over 'Eremedaille': Halberstam *Best* 324. Irritatie Rusk over medewerkers Witte Huis: Rusk-John Foster Dulles 6/5/63, DDEL. 'De helft van de aanwezige mannen': dagboek Adolf Berle 6/7/60, FDRL. Intentie Stevenson om Fulbright te benoemen: Sulzberger 683. 'Hij roept graag' en Acheson-JFK ontmoeting: Acheson mg. Lovett en ontmoeting met JFK, zie Bowles mg, Lovett mg, Halberstam *Best* 4-10, Isaacson en Thomas 592-7. 'Henry Stimson was zo'n': Odon 235. Rusk tegen JFK: 22/11/60, JFKL.

Memo Rusk over gesprek met Hammarskjöld: 30/11/60, JFKL. Rusk opgeroepen om bij JFK te komen, voorbereiding en ontmoeting: Bowles, Lovett mgs, Bowles 299-302, Rusk int. 'Dat was nooit een probleem': Rusk int. JFK en RFK verschillen van mening over Fulbright: RFK mg, Bartlett mg, Bowles mg. FBI luistert Fulbright af: S.B. Donahue-A.H. Belmont 23/9/60, FBI. JFK overweegt Bruce en besluit Rusk te benoemen: RFK 9/2/61 memo, geciteerd in AMSRK 222-3 en RFK mg. JFK belt Rusk, reactie Rusk en tweede ontmoeting: Rusk int. 'De meest geschikte kandidaat': T 26/12/60. 'Ik moet zorgen...afwerk': Galbraith *Ambassador's Journal* 6. Rusks artikel 'De President' verscheen in *Foreign Affairs*, april 1960. 'Slap sentimentalisme': JFK *Strategy* 7. 'Kennedy had de indruk': Rusk int. Thompson dringt aan op ontmoeting JFK en NC: Thompson mg, Jane Thompson int. 'Ik geloof dat het beleid': Thompson-Rusk 28/1/61, JFKL. 'Echt vond dat hij zelf': Bohlen mg. 'Ik vind dat...opzoeken': Sidey 164.

'Ik moet hem laten voelen': Odon 286. 'Ben geïnteresseerd in harmonieuze': ongedateerde aantekeningen in JFKL. Bundy over 'openingsmanoeuvre': Bundy int. Eerste brief JFK aan NC 22/2/61 te vinden in JFKL. Toespraken NC en maarschalken en mening Slusser over bijeenkomst presidium: Rabinowitch 281-92. Protestbrief NC aan Adenauer: Rusk-JFK 17/2/61 en bijbehorend memo van de Sovjets, JFKL. Over het Kongoprobleem begin 1961, zie Kalb 3-239, Mahoney 3-88, Clare Timberlake en G. Mennen Williams tegen DFR 6/2/61. 'Men zegt...Kongo': NYT 8/11/60. 'Ik kan nauwelijks geloven': JFKPP 15/2/61. Instructies JFK inzake Kongo aan Thompson: memo van discussiepunten, ongedateerd, februari 1961, JFKL. Ontmoeting Thompson-NC in Novosibirsk: Jane Thompson, Klosson ints, Thompson-Rusk 10/3/61, Bohlen-Thompson 10/3/61, NW 20/3/61, NYT 4/3/61, 8/3/61, 7/3/61, 10/3/61, Sidey 163-4.

Enkele passages van de inhoud werden onthuld door de CBS-correspondent in Bonn, Daniel Schorr, en het vervulde Thompson met afschuw (Rusk-Thompson 17/3/61 en Thompson-Rusk 18/3/61, Schorr ges). NC in 'Akademgorod': Roald Sagdeev ges, Berg 335-6. Estabrooks band met Schlesinger was bijvoorbeeld nauw genoeg om hem te steunen voor het lidmaatschap van de Metropolitan Club. (Estabrook-Harriman 19/4/61, Harriman Papers) Achtergrond Fomin: Andrew en Gordievski 473. Zijn naam staat op een lijst van het reisgezelschap van NC in DDEL. Bartlett, Brandon en Russen: Bartlett int, Brandon ges. Waarschuwing Hoover over 'gecompromitteerde' journalist: dagboek Lewis Strauss 16/3/62, Hoover Library. Gesprek Estabrook-Fomin: Estabrook memo 20/3/61, JFKL. Over JFK en kernstop 1960, zie AMSTD 452-3, Sor 617, Seaborg 3-25, Sorensen mg. 'Jack voelde eerst niet veel': Ralph Martin 504.

JFK in campagne voor kernstop: PCS, Milwaukee en Madison, Wisc., 23/10/60. Over JFK en kernstop, begin 1961: Seaborg 30-53, AMSTD 453. 'Als we' en 'serieuze pogingen': Seaborg 21/3/61. Besprekingen: Seaborg *Kennedy* 54-5, Sor 617, AMSTD 453-4. Gromyko-JFK 27/3/61 ontmoeting: Bowles-Thompson 27/3/61, JFKL, NYT 19/3/61 en 22/3/61, Sidey 82-3. Begin 1961 over kwestie Laos, zie Bohlen mg, Rostow mg, Winthrop Brown tegen DFR 2/2/61, Rusk tegen DFR 11/4/61, Bowles tegen DFR 17/5/61, LBJ tegen DFR 25/5/61, Donmen 94-183, Parmet *JFK* 131-42, AMSTD 320-42, Hilsman 105-31. 'Verdeeldheid en het falen': 11/2/61 mem, JFKL. JFK inzet mariniers: Donmen 189-91. JFK en guerrilla-oorlog: Sidey 74 en JFKPP 24/3/61. Dreigement JFK en Gromyko zoekt contact met Stevenson: JFKPP 23/3/61 en Bartlow Martin *Stevenson* 613-5. NC eind maart 1961: Thompson-Rusk 20/3/61, Tatu 124-40, Linden 105-16. NC en inlichtingen: Corson en Crowley 271, SNK tijdens MCT.

Bissell 29/3/61 verslag: Wyden *Bay* 139-40 en Maxwell Taylor, 'Verslag Taylor-commissie en memo voor notulen van vergaderingen van paramilitaire studiegroep,' 17/5/61-18/6/61. Hierna aangehaald als Verslag Taylor. Besluipen van Castro: Thomas Powers 154.

5. 'Ik waag me niet aan Hongaarse toestanden'

Bespreking van Cuba tijdens februari-vergaderingen en opvattingen Bohlen: 11/2/61 mem, JFKL, Kennan mg, Bohlen aantekeningen, Bohlen 477-8. Over geschiedenis Cuba en betrekkingen met de VS, zie Hugh Thomas 1-1180. Achtergrond Castro, zie Szulc, Bourne, Geyer. Castro over opgroeien in 'pseudo-republiek': Szulc 96-99. Castro beschuldigt zijn vader en 'haat' de beau monde: Szulc 114, 123. Castro's verdediging voor rechtbank is gereconstrueerd in Szulc 294-8. Steun CIA voor Castro-beweging en 'Ik heb gezworen': Szulc 427-9, 51. Brits verslag uit Havana: A.S. Fordham-Lloyd 4/7/58, ABBZ. Boodschap Gardner aan Nixon: 5/12/58, Nixon Papers. Nixons mogelijke carrière op Cuba: Mazo 35. Rebozo en Nixon: Lukas 362-3. Afspraak Nixon-Gardner: 5/12/58, Nixon Papers. Eisenhower over Pawley: Eisenhower-Taylor 26/6/61, DDEL. CIA en Indonesië: Ambrose *Ike's Spies* 249-51. Pawley Havana-missie: 3/10/60. Aantekening Nixon-staf, Nixon Papers, Higgins 40-1.

'De revolutie is nu begonnen' en 'Als het de Amerikanen niet': Szulc 459, 482-3. 'De dokter had de president': D.F. Muirhead-Henry Hankey 9/4/59, ABBZ. Trujillo's behandeling van Batista: Dalton Murray-Hankey 26/8/59, ABBZ. Herter over Castro: mem van ontmoeting Eisenhower 18/4/59, DDEL. 'Ik kon geen kant': Bundy int. Geschiedenis Castro met communisme: Szulc 50-1, 141-2, 148-50, 162, 172-3, 181-99, 444-5, 453-5. Sovjet-Cubaanse geschiedenis: Hugh Thomas 731, 793, 967, 1265-6. Achtergrond Aleksejev en rol in Cuba: Aleksejev int WGBH, Aleksejev tijdens MCT, Aleksejev in *Echo Planeti* (Moskou), november 1988, Aleksejev interview in *Argumenti i fakti* (Moskou), 11/3/89-17/3/89, Szulc 507-8, 510-11, 522, Barron 23, 202, Andrew en Gordievski 467-8. Eisenhower tegen ministers over Sovjets en Cuba: mem 7/6/59, DDEL. 'Dit betekende het einde' en 'Toen ik…overhandigde': Aleksejev int WGBH. Castro over embargo: Sulzberger 518. Eisenhower over blokkade: Krock mem van ontmoeting Eisenhower 7/7/60, Krock Papers.

Thompson over Sovjets en 'deze Cubaanse kwestie': Thompson-Herter, 1960, DDEL. NC over Monroe-leer en reactie medewerkers, Guevara, Eisenhower: NYT 10/7/60, Szulc 518-9. Relatie JFK-Smathers: Smathers int, Raskin int, Spivak ges. *Nation* 7/12/64, T 4/5/62, Kelley *Jackie* 137. Juli 1956 boottrip en Pearson over 'vervreemding': Smathers int, Kelley *Jackie* 135-6, Pearson in WP 23/12/66. JFK en Smathers in Havana: Smathers int, Earl Smith ges, *Times* (Havana) 23/12/57, 25/12/57. Mevrouw Lansky over Kennedy en Havaanse vrouwen: transcriptie van '*60 Minutes*,' CBS-tv, 25/6/89. 'Kennedy was niet echt een casinoliefhebber' en 'Ik geloof niet': Smathers int. JFK over 'bloedigste en wreedste dictaturen': PCS, Cincinnati, 6/10/60. Richard Helms veronderstelt dat JFK en Smathers volgens gewoonte wel onder bewaking werden gehouden (Helms int). Castro over 'rijke analfabeet': Ralph Martin 323.

JFK stelt vragen aan Bergquist: Bergquist 20-1. JFK wint advies in van Smith en Smathers: Smathers int, Earl Smith ges, Holborn int. Betty Spalding over Florence Smith: Blairs 319. 'Nachtclubachtige avond': Clayton Fritchey ges. Aanstelling Smith Zwitserland: NYT 7/2/61, 23/2/61, USN 6/3/61. Bohlen over reactie JFK na weigering Smith door Zwitsers: Bohlen mg, aantekeningen Bohlen. Smathers over lobbyen JFK op Cuba: Smathers int, Smathers mg. JFK over Castro en Bolivar: JFK *Strategy* 132-3. 'Ik weet niet waarom': Ralph Martin 509-10. 'Er zijn twee mensen': Goodwin 172. JFK in Cincinnati: PCS 6/10/60. Rusk over vijandigheid JFK jegens Castro: Rusk int. Nixon tegen Hall over het aan de tand voelen van Eisenhower: 5/10/60 mem, Nixon Papers. 'Liggen ze daar': Wyden *Bay* 29. Januari 1960 planning tegen Castro-regime: Wyden *Bay* 19-27, Ambrose *Eisenhower* 555-7, Eisenhower mem 25/1/60, DDEL.

'Een plan voor geheime operaties': 16/3/60, DDEL. Nixons vermoeden van uitstel actie en 'gematigd progressieven' binnen CIA: Thomas Powers 201, Kissinger 11, Kutler 201. JFK november-briefing door Dulles en Bissell: NYT 19/11/60, Amory int, Amory mg, Bissell int, Thomas Powers 113, AMSTD 231-2, Sor 291-2. Dossiers over JFK worden gebruikt door CIA: Corson en Crowley 30-2. Over affaire JFK-Arvad, zie noten voor hoofdstuk 21. Relatie Joseph Kennedy-Hoover is gedocumenteerd in Joseph Kennedy FBI Dossiers, FBI. Nixon over Eisenhower en schuld JFK voor Cuba: Nixon-Pawley 8/5/63, Nixon Papers. Aankondiging JFK van herstel Hoover en Dulles: Bradlee 33-4. Dulles over Cuba en 'Chinees-Sovjet blok': Dulles tegen DFR 1/1/61. Eisenhower tegen JFK over Cuba, 19/1/61: aantekeningen Clark Clifford 24/1/61, JFKL, Clifford ges. Ontmoeting 28/1/61 NC: mem en generaal David Gray, 'Samenvatting Witte Huis-ontmoetingen,' 9/5/61, JFKL.

Ontwikkeling invasieplan: Wyden *Bay* 86-92, Higgins 61-94. Bundy tegen JFK over Defensie en houding CIA inzake invasie: 8/2/61, JFKL. Bundy tegen JFK over verhuizen van Bissell naar Buitenlandse Zaken: 25/2/61, JFKL. Bezorgdheid JFK over Cuba als tweede Hongarije: Goodwin 174. Over bezorgdheid JFK inzake Cuba-Berlijn verband, zie noten voor hoofdstuk 6. Verzoek JFK om minder ophef makende landing: 9/2/61 mem, JFKL. JFK bezorgd over te veel ophef makende invasie en reactie CIA: Wyden *Bay* 499-101, *National Security Action*-memo 31, JFKL, AMSTD 240-3. Bundy tegen JFK over 'opmerkelijke prestatie': 15/3/61, JFKL. 'Onzichtbaar de bergen in'-optie: Wyden *Bay* 102-3, AMSTD 243. Memo Fulbright aan JFK: Marcy int, Fulbright-JFK 29/3/61, JFKL, Fulbright 164-5. JFK in Palm Beach: NYT 2/4/61, 3/4/61, AP. Schlesinger journaalnotitie in AMSTD 249.

Bundy over JFK 'echt wilde doorzetten' en 'Er zijn gegadigden': Bundy int. Denkbeelden Joseph Kennedy 1961: Waldrop, Corcoran ints, Manchester *Portrait* 185. Bundy laat ogen rollen: Bundy int. Invloed Joseph Kennedy op afspraak RFK: Smathers int, Clifford ges. Ontmoeting 4/4/61: NYT 5/4/61, Rusk int, Wyden *Bay* 146-52, Higgins 110-13, Verslag Taylor. Over lekken inzake Cuba-invasie, zie *Journalism Quarterly*, vol. 63, 1986, 'De Varkensbaai en de *New York Times*.' Gesprek Harrison-Schlesinger: Harrison ges, Harrison mg, Schlesinger-JFK 6/4/61, JFKL. *New York Times*-lek en reactie JFK: NYT 7/4/61, Catledge 259-62, Salinger 146. Daniel over actie Dryfoos: NYT 2/6/66. Scepsis NC over rapporten Cubaanse invasie: Corson en Crowley 271. 'De Cubaanse kust': NC1 492. NC over 'agressieve Amerikaanse monopolisten': NYT 3/1/61.

Cuba nauwelijks ter sprake in besprekingen met Thompson: Thompson-Rusk 21/1/61, 10/3/61, JFKL. Gesprek Schlesinger-Kornjenko: AMSTD 262-4 en Schlesinger-JFK 12/4/61, in eerste versie AMSTD. Vladislav Zoebok van het Amerika-Canada Instituut in Moskou heeft materiaal geleverd uit zijn interviews met Kornjenko. JFK over NC en diens kijk op Lippmann: Lisagor mg. NC laat afspraak met Lippmann toch doorgaan: Steel 526. NC en domein bij Pitsoenda: *Atlantic*, september 1963, Cousins 83-5, SNK 124-42, T 16/8/63. 'Die komt van jullie bondgenoot': NC-Eric Johnston mem 6/10/58, DDEL. Lippmann-NC onderhoud: aantekeningen in Lippmann Papers, NW 24/4/62, Steel 526-8, tekst in USN 1/5/61 en WP 17/4/61-19/4/61. NC politieke exploitatie van ruimte: McDougall 231-99, NC2 53-7, Oberg *Red Star* 28-30. Mislukte lancering tijdens verblijf NC 1960 bij Verenigde Naties: Oberg *Uncovering* 151, 163, 303 en McDougall 242-4. Ongeluk Bondarenko: Oberg *Uncovering* 159-62. Vlucht Gagarin: NYT 13/4/61-15/4/61, Prav 13/4/61-15/4/61, Oberg *Uncovering* 161-2, McDougall 244-9, Oberg *Red Star* 50-98.

NC over betekenis succes Gagarin: Thompson-Rusk 13/4/61, JFKL, McDougall 248-9. Verklaring JFK over Gagarin: 12/4/61, JFKL. JFK over 'voordelen' dictatuur: JFKPP 12/4/61. 'We zijn aan het eind' en 'frustratie, schaamte': 'Man into Space,' NBC-tv, 12/4/61, T 21/4/61. 'Russische huisvesting is armzalig': Bergquist 12. Sorensen merkt irritatie JFK op: Wyden *Bay* 165. 'Ik weet dat iedereen': Wyden *Bay* 165. 'Onder geen voorwaarde': Goodwin 174. Telegram van marinekolonel en goedkeuring JFK luchtaanvallen van zaterdag, landing ballingen in Miami en reactie regering Castro: NYT 16/4/61, AMSTD 270-1. Stevenson verdedigt het gelogen verhaal en komt er vervolgens achter: Charles Yost int JBM, Bartlow Martin *Stevenson* 627-8, Wofford 348-50, Higgins 130-1. 'Ik moet aftreden': Jane Dick int JBM. Kritiek Stevenson op 'commandoknapen' JFK en 'Cubaanse dwaasheid': Bartlow Martin *Stevenson* 634, Stevenson-Agnes Meyer 14/5/61, Stevenson Papers.

Telegram Stevenson aan Rusk: 16/4/61, JFKL, 'Hij maakte zich *niet* druk': Bundy int JBM. Glen Ora: Bartlett mg, Bartlett int, NW 19/12/60, Billings mg. Billings mg verwijst in dit geval naar de transcriptie van een interview met LeMoyne Billings, vrijgegeven aan de auteur door Peter Collier. Rusk-JFK telefoongesprek van zondag: eerste versie AMSTD, Schlesinger 31/12/64 onderhoud met Bundy en Jacqueline Kennedy interview, V, 4, allebei in eerste versie AMSTD, Higgins 132, Bundy in NYT 12/6/85. Besprekingen Bundy-Bissell-Cabell-Rusk: Cabell-Taylor 9/5/61, JFKL, Higgins 133-4, Wyden *Bay* 199-200. JFK verwijt zichzelf: dagboek Billings 29/4/61. JFK vertelde Schlesinger later dat het afblazen van de tweede luchtaanval een fout was geweest, maar geen beslissende. (Schlesinger journaal 23/5/61 in eerste versie AMSTD). Cabell met verzoek maandagochtend: AMSTD 273-4, Higgins 135, Wyden *Bay* 205-6. Begin invasie: Higgins 138-43, Wyden *Bay* 206-35. NC hoort van invasie: Radio Moskou 17/4/61, Sergej Chroesjtsjov ges, NC1 492.

6. 'Een flinke trap'

Toespraak Castro 16/4/61: NYT 17/4/61. NC over Castro's opmerking over 'socialistische' beweging: NC1 492. *Pravda* over gangen Dulles: Prav 18/4/61. *Izvestija* citaat: Izv 17/4/61. Citaat Eden: Eden-Lord Beaverbrook 20/4/61, Beaverbrook Papers. JFK roept RFK bij zich: RFK mg, RFK 1/6/61 memo, RFK Papers, AMSRK 444. 'Liever een agressor': RFK 1/6/61 memo, RFK Papers. Gedachtenwisseling RFK-Guthman: Guthman 110-4. Thompsons vertrek: Jane Thompson int. Belediging Freers: memo aan kopie van Freers-Rusk 18/4/61 telegram in JFKL, ook NYT 19/4/61. Demonstratie Moskou: Prav 19/4/61, NYT 18/4/61, Klosson int. Andere demonstraties: NW 1/5/61, L 28/4/61. Ontbijt van 18/4/61 met Congresleiders: mem in JFKL, NW 1/5/61. JFK tegen ballingenleiders over Cuba en Berlijn december 1962: Carbonell 190. 'Ik denk dat u er': Bundy-JFK 18/4/61, JFKL.

Gesprek JFK-Reston: Schlesinger journaal 18/4/61, in eerste versie AMSTD. Ik heb Kennedy's woorden letterlijk overgenomen, waar Schlesinger ze had afgezwakt in de gepubliceerde versie van *A Thousand Days*. Amerikaanse functionarissen reageren op boodschap NC: AMSTD 276-7. Antwoord JFK aan NC: 18/4/61, JFKL. Vergadering dinsdagavond in Cabinet Room: Rostow mg, RFK mg, Sor 307, Sidey 131-4, Collier en Horowitz *Kennedys* 271, Wyden *Bay* 269-72, Higgins 467-8. Gebeurtenissen woensdagochtend: RFK 1/6/61 memo, RFK Papers, Verslag Taylor, Higgins 148-9, Wyden *Bay* 272-88. JFK en First Lady in slaapkamer: Jacqueline Kennedy interview, V, 7, aangehaald in eerste versie AMSTD. Rose Kennedy over bezoek Witte Huis: dagboek Rose Kennedy 19/4/61, geciteerd in Rose Kennedy 400. Robert Kennedy over noodzaak tot actie en antwoord Rostow: Rostow mg, Rostow *Diffusion* 210-1. Mao over Westen als 'papieren tijger' in memo van CIA 1/4/61 over Chinees-Sovjet breuk, net als reactie NC.

RFK-JFK: 19/4/61 opzet, RFK Papers. Jacqueline over 'doodsaai' cadeau: Billings mg. 'Bijna iedereen stond op instorten': memo RFK 1/6/61, RFK Papers. Bowles over consensus en vergadering woensdagavond: Bowles mg, Bowles 329-30, memo RFK 1/6/61, RFK mg. Voor achtergrond Sorensen, zie *Reporter* 13/2/64, Sor 16-7, Medved 260-83. Conclusie Burns: Burns *Kennedy* 281. 'De indruk mag nooit' en 'de basis voor ons oordeel': Sorensen-Burns 17/10/59 en 27/10/59, Sorensen Papers. Antwoord Burns, 1/11/59, in Sorensen Papers. Effect van boek op verhouding Burns-JFK: Burns ges en Burns mg. Over het hele voorval, zie Beschloss in Beschloss en Cronin 66-74. 'Ik vond toen al dat ik geschikt,' 'de enige persoon die iets voor mij betekende,' 'zijn kunstwerk': Medved 260-2. 'Een toespraak van Kennedy moet stijl hebben': Bartlow Martin *It Seems* 195. 'Ik heb geen behoefte aan': Sorensen mg COHP.

Parmet's uitspraak over auteurschap *Profiles*: Parmet *Jack* 320-3. JFK over Sorensens toenemende gelijkenis: Manchester *Portrait* 115-6. Neustadt over JFK en Sorensen: aantekeningen van Schlesinger interview met Neustadt, 15/9/64, Schlesinger Papers. JFK over houding RFK 1959 jegens Sorensen: Raskin int. 'Om onszelf te bewijzen': Medved 261. JFK-Sorensen ontmoeting woensdagavond en daarna: Sidey 138, AMSTD 287. Bohlen over JFK 'keek alleen maar vooruit': Bohlen mg en aantekeningen. Wandeling JFK-Sorensen: Sor 308. Toespraak JFK tot redacteuren in JFKPP, 20/4/61. Het uitroepteken staat in het origineel. Reactie Cubaanse balling: NYT 21/4/61. Mensjikov zegt af: Bartlow Martin *Stevenson* 632. RFK over toespraak: RFK 1/6/61 memo, RFK Papers. Goodwins opmerkingen over toespraak en antwoord JFK: Goodwin 180-1. Goldwater over 'vrees en schaamte': NYT 21/4/61, 23/4/61. Norstad over zwaarste nederlaag sinds 1812: Sulzberger 743.

Thompson over toespraak JFK: Thompson-Rusk 21/4/61, JFKL. Gedicht Jevtoesjenko: Prav 14/10/62. Persconferentie JFK over Varkensbaai en vraag Vanocur: JFKPP 21/4/61 en Vanocur int. 'Allen en Dick *lichtten ons gewoon niet in*': SEP 24/6/61. Donovan over 'belachelijke complimenten': Hedley Donovan 77-8. 'Mijn God,...zootje': Jacqueline Kennedy interview, V, 4-5, in eerste versie AMSTD. JFK over verzekering Allen Dulles: Jack Bell mg. JFK schrijft zelfde citaat toe aan gezamenlijke stafchefs: Arthur Krock mem over ontmoeting met JFK 5/5/61, Krock Papers. 'Ik durf te wedden': Weintal en Bartlett 149. 'Je kunt niet alles winnen': eerste versie AMSTD, op basis van journaal Schlesinger 21/4/61. Ik heb wederom Kennedy's feitelijke woorden gebruikt, die zijn afgezwakt in *A Thousand Days*. NC's boodschap van zaterdag aan JFK: Freers-Rusk 22/4/61, JFKL. 'Hij maakt er een zeer goede gewoonte': Bundy int. Buitenlandse Zaken over 'uitgebreid debat': NYT 29/4/61.

'Hoe kon ik zo stom zijn geweest?': Sor 309. 'Het was Eisenhowers plan': Wofford 355.
JFK over 'zinkend schip': Bergquist 11. Bundy over poging JFK om invasieplan te doen
slagen: Bundy mg COHP. Schlesinger over 'zelfvergiftiging': AMSTD 206. 'Jullie denken altijd': journaal Schlesinger 21/4/61, in eerste versie AMSTD. Voor documentatie
van bezoek Adenauer, zie noten voor hoofdstuk 11. 'Twee jaar later...rekening hebben
gehouden': Bundy int. Mening RFK dat JFK 'nooit aan deze operatie zou zijn begonnen': memo RFK 1/6/61, RFK Papers. Dulles' opmerkingen in zijn aantekeningen, Dulles Papers, Princeton University, worden aangehaald in Lucien Vandenbroucke, 'The
"Confessions" of Allen Dulles,' Diplomatic History, herfst 1984. Ik heb geen toestemming aan-
gevraagd om de Allen Dulles Papers te bestuderen vanwege de buitengewone eisen die
worden gesteld door de eigenaren ten aanzien van de inhoud van boekwerken waarin hun
citaten zullen verschijnen.
Bissell over 'vijf maal zo veel bommen': interview in WS 20/7/65. Bissell en Castro-
moord: Bissell int, Thomas Powers 146-9, 153-4, Wyden Bay 23-5, 40-1, 109-110. Gesprek JFK met Fleming: Pearson 382-4, Brandon ges. Poging CIA om Castro's schoenen
in te smeren met ontharingsmiddel: Assassination Plots 72-3. Memo J.C. King over 'grondige overweging': Assassination Plots 92. Bissell verzoekt Dr. Gottlieb: Thomas Powers
146. Edwards-Maheu ontmoeting september 1960: Assassination Plots 74, Joseph Smith
240. Voor documentatie over Trafficante en Ruby, zie noten voor hoofdstuk 23. Maheu-
Giancana ontmoeting oktober 1960: Thomas Powers 147-9. Bissell over 'ultieme dekmantel': Wyden Bay 41. In de Nixon Papers staat een aankondiging van 'Maheu & King
Associates, Inc., Consultants in Management, Government and Public Relations,' met
kantoren in Washington, Beverly Hills en San Francisco. King was ook bevriend met Nixons Cubaans-Amerikaanse vriend Rebozo. (King-Nixon, 4/12/52, Nixon Papers)
Relatie King-Nixon en Nixon over King als 'alter ego': King-Nixon vertel 29/10/54, Nixon Papers, St. Louis Post-Dispatch 19/9/54. Nixon liet verslaggevers weten dat King 'een
expert [was] op het gebied van binnenlandse en internationale communisme' en dat zijn
binnenlandse veiligheidswerk hem een 'helder inzicht [had gegeven] in het grote gevaar
en de mogelijkheid van subversie in de Verenigde Staten.' De aanstelling van een drank-
handelaar door de vice-president leverde veel protestbrieven op van pleitbezorgers van
geheelonthouding. Deze zijn ook opgenomen in de Nixon Papers. King zei later dat toen
Nixon hem inhuurde deze hem vertelde dat een van zijn voornaamste taken was om hem
te 'beschermen' zodat hij tijd kreeg om te lezen en na te denken: 'Hij had bescherming
nodig en ik, als enig mannelijk staflid in die tijd, was het belangrijkste stootkussen.'
(NYT 7/9/73)
King begeleidde Nixon naar Wenen waar ze verbannen slachtoffers ontmoetten van de
verijdelde Hongaarse revolutie. In juni 1959 begeleidde hij Nixon en zijn vrouw Pat naar
de Sovjetambassade in Washington om de vice-premier Frol Kozlov, die daar op bezoek
was, te ontmoeten. Na afloop schreef King de vice-president om hem te bedanken voor de
'redelijk opwindende gebeurtenis': 'ik werd altijd opgenomen door mijn Russische bezigheden dat ik ervan droomde in Moskou te zijn en zo zie je dat de ambassade voorzag in
een bepaalde betekenis.' (King-Nixon, 5/7/60, Nixon Papers) Dit speelde zich af drie
maanden voor Kings partner Maheu een ontmoeting had met Sam Giancana over de
moordplannen op Castro.
Telefoontje Pawley aan Rose Mary Woods en antwoord Nixon: Woods-Nixon 4/1/60,
Nixon Papers. Nixon-Pawley lunch en brief aan Pawley: Nixon-Pawley 12/1/60, Nixon
Papers. Nixon-King ontmoeting 12/1/60: aantekening 12/1/60, Nixon Papers. Pawley tegen Nixon, 18/7/60 staat in Nixon Papers. Nixons belangstelling als president voor het
verkrijgen van het CIA-dossier over Cuba: aantekeningen John Erlichman, 18/9/71, gepubliceerd in bijlage 3 van Statement of Information van de gerechtelijke commissie van het
Huis van Afgevaardigden, mei-juni 1974, AMSRK 486-8. In de uiteindelijk doorslaggevende bandopname van 23/6/72 van gesprekken in het Oval Office verzocht Nixon zijn
medewerker H.R. Haldeman om de CIA te zeggen dat aangezien een onderzoek van de

Watergate-inbraak de 'hele Varkensbaai-kwestie' weer kon oprakelen, de FBI voor de bestwil van het land om de tuin geleid diende te worden. (Band in Nixon Papers, Alexandria, Va.) Nixons belangstelling voor O'Briens relatie met Hughes: Lukas 173-81, Ambrose *Nixon: Education* 421-3, Kutler 202-5, Haldeman 109, 133-5, 144-7, 159-60.

Nixons eerste, serieuze en openbare kritiek op JFK was in een toespraak van 5/5/61 in Chicago (NYT 6/5/61 en *Chicago Tribune* 6/5/61). Hij had gewacht tot eind van de lente om de nieuwe president de tijd te geven de nationale eenheid te herstellen (Nixon-William Rogers 29/4/61, Nixon Papers). CIA-Maffia plot tegen Castro, maart-april 1961: Wyden *Bay* 38-45, 109-110. Rusk, McNamara, Bundy, Sorensen weten niets van CIA-komplot: Rusk int, *Assassination Plots* 120, 157-159. JFK tegen Szulc over moord: *Assassination Plots* 138-9, en Szulc in *Esquire*, februari 1974. JFK tegen Goodwin over moord: WP 21/7/75. JFK tegen Martin over geruchten 'rokkenjager': Bartlow Martin *It Seems* 211. 'Jullie zijn er allemaal op uit': Bradlee 49. Ford over geheim rapport van CIA dat presidentiële reputaties kapot maakt: Schorr 143-4. 'Veel mensen waarschijnlijk gelogen hebben': Helms int. Bissell 'strikt persoonlijke opvatting': Davis *Kennedys* 543-50. McNamara over CIA als 'zeer gedisciplineerd': *Assassination Plots* 158.

'Er zijn twee dingen': brief Thomas Powers in *Times Literary Supplement* 21 & 27/4/89. Helms zei hetzelfde tegen deze auteur. (Helms int) JFK tegen Smathers over moord: Smathers mg, Smathers int. Opmerking Thomas Powers over CIA-functionarissen: Thomas Powers in *Times Literary Supplement* 21/4/89. Hoover tegen RFK over relatie Edwards-Maheu en plannen tegen Castro: Davis *Kennedys* 385-6, AMSRK 493-4. Geen notulen van JFK-RFK onderzoek naar 'vieze zaakjes' en 'contacten': Helms int. RFK over misdaad 'bovenaan de lijst': Davis *Kennedys* 367. 'Ik wil graag de geschiedenis ingaan': Opotowsky 74-5. RFK's lijst: Blakey en Billings 169. Deportatie Marcello: Davis *Mafia Kingfish* 90-3. 'Daar sta je dan. Je helpt de regering': dossier Samuel Giancana, FBI, Fox 341. Critici verschillen van mening over connectie JFK-maffia: Fox 333-5. Trafficante-Marcello vermoede steun aan Nixon: Moldea 198. Hunter tegen Nixon, 13/12/59, over ontmoeting met Hoffa: citaat uit Drew Pearson, WP 5/2/61.

Pearson over hulp Teamsters-vakbond in Ohio en Hunter-Hoffa 8/12/60: WP 4/1/61. Eisenhower over Sinatra in bezigheden Kennedy: Slater 240. Verslag Justitie over 'show girls' in suite JFK: Kelley *His Way* 293. Aanwezigheid Joseph Kennedy in Cal-Neva hotel is officieel bevestigd door Hy Raskin: Raskin int en ongepubliceerd manuscript. Bezoek van gangsters staat in Kelley *His Way* 304. Opschepperij Giancana na verkiezingen: Exner 194. Relatie JFK-Campbell: Exner 49-252. Logboeken telefoongesprekken Witte Huis: *Assassination Plots* 194. Smathers over hoe Campbell naar privé-vertrek wordt geleid en gesprekken JFK-Thompson over haar en andere vrouwen: Smathers int, Raskin int. In haar memoires verwijst Exner naar een 'lobbyist van de spoorwegen'. Exner 129-31. Joseph Kennedy's vermoede banden met de georganiseerde misdaad: Blakey en Billings 274-98. Winchell over 'maitresse van een top-New Dealer': Klurfeld 95 en gesprek Klurfeld met Ernest Cuneo, doorgegeven aan auteur door de heer Cuneo.

Bewering Campbell over geheime ontmoetingen en verzegelde enveloppen en uitleg waarom ze dit niet eerder vertelde: *People* 29/2/88 en 'Donahue,' Los Angeles, transcriptie 030188, februari 1988. Roselli jaagt Giancana op stang: Fox 338-9. Giancana zegt 'alles' te weten over Kennedy's: dossier Giancana, FBI. Sorensen over officiële dagboek 'verre van compleet': Sorensen int JBM. JFK gooit *Time* in open haard: Collier en Horowitz *Kennedys* 271. RFK: 'We hebben samen al': RFK mg. 'Hij had sterk het gevoel': RFK memo 1/6/61, AMSRK 446. JFK tegen Clifford over 'tweede Varkensbaai': Clifford mg, Clifford ges. *Christian Science Monitor* 24/7/75. Pers over uit puin werken: bijvoorbeeld, NYT 30/4/61. JFK over overname van zijn baantje aan Lyndon Johnson: dagboek Billings 7/5/61. JFK over 'zielige regering': dagboek Billings 29/4/61. Over JFK en Billings: Michaelis 127-89, Collier en Horowitz *Kennedys* 62-7, 79-80, 90-2.

Waarom Billings nooit trouwde: Billings mg. JFK over 'behoorlijk ziekelijke brief': JFK-Billings 3/5/89. Billings over lunch eind april: dagboek Billings 29/4/61. 'Het was het enige dat hem bezighield': Ralph Martin 336. JFK over het aanhouden van Dulles: AMSTD 290. 'Dulles is een echte vent': Sidey 146-7. JFK en Eisenhower op Camp David: Eisenhower interview door Malcolm Moos, 8/11/66, DDEL, memo Eisenhower 22/4/61, DDEL, NYT 23/4/61. JFK 'niet onder de indruk' van Eisenhower: dagboek Billings 29/4/61. Ontmoeting JFK-Goldwater: Goldwater *Goldwater* 136-8. Ontmoeting JFK-Nixon: Nixon in *Readers Digest*, november 1964, Nixon *Memoirs* 232-6, NYT 21/4/61. Bundy tegen JFK over 'zeer grote druk' van de Republikeinen: 19/2/63, JFKL. 'Daar draait het vandaag de dag allemaal om': Sor 294. RFK weigert CIA: RFK mg, Sidey 149. Brandon loopt tegen Bundy op: Brandon mg. Ontslagaanvraag Bundy aan JFK: ongedateerd, JFKL, Kissinger tegen Bundy: 5/5/61, JFKL.

Bundy overgeplaatst naar westelijke vleugel: Bundy int, Destler, 186-7, Sidey 151. JFK roept onderzoeksraad Taylor in het leven: JFK-Taylor 22/4/61, JFKL en Verslag Taylor. Ontmoeting Bowles en NC: Bowles mg, Bowles 330-2, Goodwin 186-8. Rusk bezorgd over raketten op Cuba: Rusk tegen DFR, 3/5/61. Verdere overpeinzingen na Varkensbaai-fiasco: AMSRK 446-9, 458-60, Higgins 151-171. Conclusie Verslag Taylor: Verslag Taylor en Taylor-JFK 13/6/61, JFKL. RFK over afschuiven Cubaanse kwestie: memo RFK 1/6/61, RFK Papers. Conclusie verslag Doolittle staat in *Final Report of the Senate Select Committee on Intelligence* 52-3 van de Amerikaanse Senaat. Arnold Smith over NC na Varkensbaai: 26/4/61, Bohlen Papers. NC en tekortkomingen Sovjets: zie, bijvoorbeeld, Tatu 127-40. Sjevtsjenko over effect van Varkensbaai in Moskou: Sjevtsjenko 109-10. Sovjethouding jegens JFK na Varkensbaai: Klosson int, Kohler int, RFK mg, Chayes mg, eerste versie AMSTD, Sjevtsjenko 110, 117, Corson en Crowley 271, Ulam *Expansion* 653, Andrew en Goridevski 468-9. Van Fleet-affaire: NYT 1/11/61, 2/11/61. NC 'indruk dat Kennedy besluiteloos was': Sjevtsjenko 110. Oosteuropeaan tegen Bowles: Bowles mg. NC zegt dat vader geen rijke man was: geciteerd in Ulam *Expansion* 650. JFK tegen Adenauer over top: 16/5/61, JFKL. Bohlen over top als 'afgedaan': aantekeningen Bohlen. Voor documentatie van gok Bolsjakov, zie noten voor hoofdstuk 7.

7. De geheim agent

Bolsjakovs eerste ontmoeting met RFK en algemene opmerkingen: RFK mg, Holeman int, Bartlett int, Bolsjakov in *Nowoye vremija* (Moskou) 27/1/89, NW 24/12/62, Salinger in *Macleans* 28/11/83, AMSRK 499-501, Bradlee 194, Guthman 119, Symington 144, Salinger 184, 187. Vladislav Zoebok heeft materiaal afgestaan uit zijn interview met Adzjoebei. 'Ik zou graag...ontmoeten,' 'Ik ben de enige' en 'Georgi werd...geschaduwd': Holeman int. 'Een belangrijke agent': *Macleans* 28/11/83. Holeman in autocolonne 1952: Nixon-John Madigan 13/11/56, Nixon Papers. Holeman haalt *Press Club*-leden over om Sovjets toe te laten: Holeman int. Gvozdev vraag over Libanon en antwoord: Holeman int. 'Ik zeg hun steeds': Rose Mary Woods-Nixon, na gesprek Holeman, 18/12/58, Nixon Papers. 'Frank Holeman, Spion bij de Welpen': Woods-Frank Holeman vertel 8/1/59, Nixon Papers. 'De Russen denken dat een oorlog nabij is': William G. Key-Nixon 17/7/58 (kopieën verzonden naar Allen Dulles, John Foster Dulles, J. Edgar Hoover, 18/7/58), Nixon Papers.

'Maak je niet ongerust over Berlijn': Woods-Nixon 18/12/58, Nixon Papers en Holeman int. NC 'erg geïnteresseerd' en 'erg veel...voor over': Woods-Nixon 18/12/58 en aantekening Woods 8/1/59, Nixon Papers. Nixon zou waarschijnlijk overleg hebben gepleegd met Eisenhower en Foster Dulles: Goodpaster int en Holeman int. Leven van Gvozdev na vertrek Washington: Holeman int en Barron 508. Holeman kwam Gvozdev in de Sovjet-Unie tegen toen hij Nixon begeleidde op diens bezoek van 1959. (Holeman int) JFK-Adenauer over 'voor het blok': 16/5/61, JFKL. Bohlen over voorwaarden voor top, instructie JFK voor RFK over 'voorkeur' aan top en antwoord Bolsjakov: aantekeningen Bohlen, RFK mg. 'Ze het klaarblijkelijk niet...': RFK mg. 'Bobby was mijn cliënt': Holeman int. 'Mijn baas wil': Guthman 119 en Guthman int. 'Ik wilde er zeker van zijn': Holeman int. Bolsjakovs kennismaking met Washington: NW 24/12/62.

'Jammer genoeg': RFK mg. Thompson over 'beoordelingsfout,' reactie JFK op dit advies, mening Rusk en Bundy over dit kanaal: Thompson mg, Jane Thompson int, Rusk int, Bundy int. Symington over 'insinuerende grappigheid' en 'gevaarlijk spelletje': Symington 145. JFK verscheen voor fotografen met Sovjetdelegaties, onder wie Bolsjakov, bijvoorbeeld op 26/6/61 en 25/11/61. Zie documentatie in noten voor hoofdstukken 10 en 13. FBI-fotografen in de bomen tijdens etentje Holeman-Bolsjakov: Holeman int. 'Ik geloof niet dat Bobby dacht': Bartlett int. NC over het afzakken van Gromyko's broek tijdens Sovjettrip van Harold Macmillan in 1959: Macmillan *Riding* 589-635. Molotov naar Wenen en bezorgheid NC over loyalisten Molotov: Medvedev *All Stalin's Men* 106-7. Sergej Chroesjtsjov denkt dat zijn vader Molotov uit Oelaanbaatar terughaalde omdat de Mongolen er niet van hielden een afgezant te hebben in wie NC duidelijk weinig vertrouwen had (Sergej Chroesjtsjov ges). Kritiek Sjelepin op buitenlands beleid NC: Simmonds 92. 'Elke crisis waaraan ik...bieden,...': Sidey (1964) 141. '...met ons te sollen': geciteerd in Lasky *JFK* 569, gebaseerd op Lasky ges met Nixon. 'Dat we betrokken zijn geraakt': Odon 286. 'Hoe slechter ik het doe' en 'Als ik verder was gegaan': AMSTD 292, gebaseerd op journaal Schlesinger 3/5/61 en 7/5/61, zoals opgemaakt in eerste versie AMSTD. 'Veronderstel ik dat u mijn opvatting zou delen': JFK-Adenauer, 16/5/61, JFKL. Angst Johnson over top: Merle Miller 287. 'Sovjetleiders gewoonlijk meer aandacht': aantekeningen Bohlen. 'Recente gebeurtenissen maken een top': Thompson-Rusk 4/5/61 en 6/5/61, JFKL. Opluchting JFK over succes Shepard: Sidey 157-8. 'Niet zo blij was te merken': dagboek Billings 7/5/61. 'Het zal als een appeltje in onze handen vallen': AMSTD 334. Verzoek Brown om luchtaanvallen: Brown-Rusk 26/4/61, JFKL. Plannen gezamenlijke stafchefs voor zet tegen Noord-Vietnam: Parmet *JFK* 148. 'Niet nog een fout...veroorloven': dagboek Billings 7/5/61.
'Het leven van één enkele boerenknul': Salisbury *Without Fear* 292. 'Het legerhoofd zei': memo RFK 1/6/61, RFK Papers. 'Als de mariniers al niet bereid zijn': Rostow mg en RFK mg. 'De communisten...vijf man inzetten': memo RFK 1/6/61, RFK Papers. JFK weigert inzet troepen Laos en 'We in Laos er tot over onze nek': Odon 267-9, journaal Schlesinger 7/5/61, opgemaakt in eerste versie AMSTD, memo RFK 1/6/61, RFK Papers. Genève-besprekingen en JFK tegen Harriman: AMSTD 337, AMSRK 702-3. Johnson 'bijzonder lage verwachtingen': Johnson-DFR 25/5/61. RFK raadpleegt Bolsjakov en zorg over 'tunnel': RFK mg, memo RFK 1/6/61, RFK Papers. NC in Tbilisi: Luclus Battle-Bundy 25/5/61 en NYT 13/5/61. Primeur Vanocur over top: Vanocur int, Sidey 159-62. Ontmoeting JFK-Mensjikov 16/5/61: 16/5/61 mem, JFKL. Gesprek Bohlen-Rusk: Bohlen-Bundy 16/5/61, JFKL. Over betrekkingen JFK-Diefenbaker: RFK mg, Lawrence Martin 180-90.
Beledigende memo en 'Ik vond Diefenbaker geen...': Lawrence Martin 191, Bradlee 67, 181-5. Bomenplanten en verwonding JFK: Sidey 165-6 en Lieberson 132, waarvan de laatste foto's bevat van JFK die van pijn ineenkrimpt. Toestand JFK: Lincoln *My Twelve Years* 260-1 en Odon 288. Aankondiging top: TASS-verklaring van 19/5/61 en NYT 20/5/61. Fulbright over 'grote spanning': DFR 20/5/61. Reacties burgers Jacksonville en Carson City: USN 5/6/61. 'De heer Chroesjtsjov ziet misschien niet': NYKr 3/6/61. Telegram Biddle: Biddle-Rusk 31/5/61, JFKL. *Newsweek* verslag en Gore en Hickenlooper over top: NW 29/5/61. Ball en Goldberg over top: Sulzberger 755-6 en Ralph Martin 350. Mansfield tegen JFK over top, 26/5/61, te vinden in JFKL. Column Reston (NYT 30/4/61) werd opnieuw afgedrukt in *Pravda* 5/5/61. JFK half mei 1961: Sidey (1964) 160-1.
Beslissing JFK tot tweede State of the Union: Sorensen mg, Sidey 123, 172. Tekst toespraak JFK in JFKPP 25/5/61. Sorensen over waarschijnlijkheid van Rockefeller in 1964: Sorensen mg. Advies aan JFK om afstand te houden van Mercury-project: McDougall 309-10. 'Is er ergens...in te halen?': Sidey 122. 'In de ogen van de wereld': Hirsch en Trento 108. Beschouwing JFK van maanprogramma: Sor 523-6, McDougall 317-22, Sidey 113-23. Weerstand Eisenhower maanrace: Ambrose *Eisenhower* 640-1. 'Bijna hyste-

risch': eerste versie brief Eisenhower 22/6/61, DDEL. Eisenhower tegen Borman: 18/6/65, DDEL. Prescott Bush over inflatie: NYT 26/5/61. Joseph Kennedy over onevenwichtig budget: Corcoran int. JFK leest drukproeven: Rostow *Diffusion* 224, Sidey 166-70. 'Hier volgt het prille begin': Bundy-JFK 26/5/61, JFKL. Buitenlandse Zaken over NC in Wenen: ministerie van Buitenlandse Zaken, *'Scope Paper,'* 23/5/61, JFKL. Profielschetsen CIA: *Office of Current Intelligence, 'Khrushchev: A Personality Sketch'* en *'Khrushchev: The Man and His Outlook'*, 11/9/59 en 25/5/61, DDEL en JFKL. CIA-beoordeling van karakterschets NC en citaat uit brief Wedge: Bryant Wedge in *Transaction*, oktober 1968. Transcripties van andere Amerikaanse gesprekken met NC te vinden in DDEL en JFKL. 'U bent net een nachtegaal': NC-Reuther mem 30/10/59, DDEL en JFKL. 'De manier waarop Sovjetleiders': Stevenson-JFK 25/5/61, JFKL, en Bartlow Martin *Stevenson* 638-41. Bohlen tegen JFK over NC: aantekeningen Bohlen en Sulzberger 758. Lippmann tegen JFK over NC: Lippmann mg, Bundy-JFK 29/5/61, JFKL, en Steel 532. Achtergrond en persoon NC: NC1, NC2, NC3, Pistrak, Crankshaw, Medvedev en SNK, evenals biografisch materiaal in DDEL en JFKL. 'Het Cambridge van de arbeider': Prav 13/12/62. McDuffie over ontmoeting met NC 1946: McDuffie 199-200. Tekst Geheime Toespraak: NC1 559-618. 'We zijn allemaal stalinisten': Leonhard 232. 'Jullie zijn bang oog in oog' en 'De dwaas realiseerde': Micunovic 270-1. 'De post van premier': NC-Hubert Humphrey mem 3/12/58, JFKL. Verschil van mening Amerikanen-Sovjets over eerste zorg tijdens top: Thompson-Rusk 24/5/61, 30/5/61, JFKL. Over het Berlijnse probleem 1945-1960, zie Schick 3-133, Slusser in Blechman en Kaplan 303-408. 'We hoeven ze niet eens af te vuren': NC-Humphrey mem 3/12/58, JFKL. Dulles en Mikojan over Oostduitse regering: mem 17/1/59, DDEL. NC tegen Humphrey over Duitse hereniging: NC-Humphrey mem 3/12/58, JFKL. Volgens Stevenson Duitsland nooit herenigd: Newton Minow ges, Minow int JBM. Eisenhower over West-Duitsland als 'magneet': Eisenhower-Bernard Law Montgonery 14/7/53, DDEL. West-Duitser verkrijgt soevereiniteit: Ambrose *Eisenhower* 216-7.

'We wisten dat ze hem officieel niet': Sergo Mikojan op Harvard, 13/2/89-15/2/89. Ik ben dank verschuldigd aan Benina Berger-Gould en Priscilla Johnson McMillan voor het delen van hun aantekeningen en notulen van deze zittingen. Angst NC voor nucleair West-Duitsland en Rapacki-plan: Ulam *Expansion* 610-3, Ulam *Rivals* 288-94. Eisenhower over NC's 'uit de duim gezogen crisis': Eisenhower 336fn. Over Eisenhower-NC Camp David-zittingen, zie Beschloss *Mayday* 187-215. Concessies Eisenhower inzake Berlijn en Duitsland staan in *Documents on Germany* en AMSTD 348. Adviseurs NC advies om inzake Berlijn wat gas terug te nemen: Gelb 70. NC tegen Kroll: NYT 2/1/61. Visie JFK op Berlijn voor 1961: JFK *Strategy* 96-8, 212-4, AMSTD 346-7, *Documents on Germany 1944-1961* 699, CR 14/6/60. Verzoek JFK aan NC om tijd voor voorbereiding standpunt Berlijn: Sor 542. JFK noemt Berlijn niet in State of the Union en uitleg: JFKPP 30/1/61, 1/2/61.

Thompson over NC die 'ongetwijfeld zijn eigen...': Thompson-Rusk 4/2/61, JFKL. Instructie JFK van Thompson inzake Berlijn: Martin Hillenbrand-Thompson 20/2/61, JFKL. Communiqués JFK-Adenauer: JFKPP 13/4/61 en verklaringen in JFKL. 'Verbaasd...eensgezinde steun': Thompson-Rusk 10/3/61, JFKL. 'Al mijn collega-diplomaten': Thompson-Rusk 16/3/61, JFKL. Lippmann-NC over Berlijn: Lippmann 51-2, Steel 526-8, WP 17/4/61-19/4/61. 'Als ik een kathedraal bezoek': Sulzberger 572. Over de wil van NC om zich hard op te stellen tegenover de president, zie Beschloss *Mayday* 215-20, 239, 257, 300-1, 304-7. Berlijn advies april van Acheson: Acheson-JFK 3/4/61, Bundy-JFK 4/4/61, AMSTD 346, Isaacson en Thomas 609-11. Schlesinger maakte bezwaar tegen Achesons presentatie in een memo aan JFK (6/4/61, JFKL). 'Alle gesprekken over Berlijn': *Der Tagesspiegel* 9/3/61. Lightner over harde lijn: Lightner-Rusk 25/5/61, JFKL. Thompsons advies over Berlijn mei: Thompson-Rusk 30/5/61, JFKL. 'Aan de ene kant' en 'Er is een kans': Bundy-JFK 29/5/61, JFKL. RFK tegen Bolsjakov over plicht jegens Berlijn: RFK mg. JFK in Hyannis: Sidey (1964) 144. Joseph Kennedy voor aankomst JFK: Saunders 38 en Edward Kennedy 264. JFK kiest cadeau voor NC en vraagt vader om geld: Billings mg en Edward Kennedy 264. Diner Boston Armory beschreven door Richard Rovere in NYKr 17/6/61 en Rovere 158-60. Tekst toespraak in JFKPP 29/5/61. JFK over Samuel Adams in campagne: 16/9/60, Pikesville, Md., PCS. Vertrek NC naar Wenen: telegram Amerikaanse ambassade in Praag naar Buitenlandse Zaken 31/5/61, JFKL, NYT 29/5/61, 1/6/61, 2/6/61 en Medvedev 179-80. NC en Thompson bij ijsshow: Thompson-Rusk 24/5/61 en 30/5/61, JFKL, NYT 25/5/61. Ontmoeting JFK met Ben-Goerion en vertrek: NYT 28/5/61, Lincoln *My Twelve Years* 262, Sidey 173-4. JFK tegen Salinger over minimaliseren kansen op succes: Sal 169, 175-7. RFK: 'redelijk hoopvol' over Wenen: RFK mg.

8. 'Niet als een manke'

Aankomst JFK op Orly: NYT 1/6/61, NW 12/6/61, Sidey 175-6. Rose Kennedy over aankomst: Rose Kennedy 492. Billings over huiverigheid JFK voor familiereisjes: Billings mg. Autocolonne naar Parijs en aankomst: Lincoln *My Twelve Years* 262-3, Odon 288, Sidey 177-8. Fascinatie JFK voor De Gaulle: eerste versie AMSTD, AMSTD 103, Sor 560-1. 'Zelfs als er sprake was': Wahl-Bundy, ongedateerd, mei 1961, JFKL. 'Ietwat klunzig': De Gaulle 254. De Gaulle-JFK gesprekken: mem van ontmoeting JFK met Congresleiders 6/6/61, JFKL, Bohlen mg, aantekeningen Bohlen, Bohlen 479-80, De Gaulle 254-9, AMSTD 349-58, Sor 559-62, Sulzberger 759-62, Odon 290-1. De Gaulle tegen Eisenhower over Berlijn, 1960: Herter-Dillon 16/5/60, JFKL, en Couve de Murville mg. Lunch: AMSTD 350-1 en eerste versie AMSTD, gebaseerd op interview Jacqueline Kennedy, V, 46-7, Schlesinger Papers.

'Hoe meer u daar betrokken': De Gaulle 256. Moord Trujillo en reactie in Parijs: Rusk tegen DFR 20/12/61, Bowles mg, NYT 1/6/61, Sal 172-3, Sidey 187-8. Invloeden 'die zich...verspreiden': NW 12/6/61. Diner Versailles: NYT 1/6/61, L 9/6/61, Odon 289, Kelley *Jackie* 170, AMSTD 354-5. 'U hebt uw...bestuderen': Bohlen mg, aantekeningen Bohlen. 'Ik heb meer vertrouwen': Manchester *Shining* 186. JFK over vrijdagavond: NYT 2/6/61, Harriman-JFK, *'Current Status of Cease-fire Issue'*, ongedateerd, Harriman Papers, Halberstam *Best* 74-5. Vertrek Parijs JFK en vlucht naar Wenen: Abram Chayes mg, Kohler int, Jane Thompson int, Sorensen mg, NYKr 17/6/61, Sidey 192. Weigering JFK om als manke naar Europa te gaan: uitlating tegenover generaal Chester Clifton: Stoughton en Clifton 7, JFK over Roosevelt en Koerilen was in Salem, Mass.; CR 21/2/49. Gesprek Radford-Snyder: Radford vertelde dit verhaal tegen Arthur Krock, die het opnam in een memo van 9/2/72, Krock Papers. India Edwards over ziekte JFK en antwoord Sorensen: NYT 5/7/60.

Inbraken artsenkantoren: Parmet *JFK* 121. Onderzoek Casey van gezondheid JFK en Moley over 'gevoelige geestelijke black-outs': Raymond Moley-Nixon 14/12/60, Nixon Papers. Lord Moran en Churchill: zie Moran. JFK's ziekte van Addison en geheimhouding: MacMahon en Curry 122-36, Blairs 561-79, Parmet *Jack* 190-2, 308-9, Kearns Goodwin 734-5. Managers JFK en Travell over gezondheid JFK: Parmet *JFK* 18-20. Rugprobleem JFK: Kearns Goodwin 646-7, 700-1, 735, 774-6, Blairs 24. JFK tegen Billings over rug: Billings mg. 'met een instabiele rug...geboren': Blairs 24. Jacqueline Kennedy over procaïne-behandeling: eerste versie AMSTD, gebaseerd op interview met Jacqueline Kennedy, I, 11-3, Schlesinger Papers. JFK in badkuip: Odon 288. Injecties Travell in Parijs: Travell 398-399. Zorg Burkley: Burkley mg, Parmet 121-2.

Max Jacobson en relatie met JFK: NYT 4/12/72-6/12/72, 8/12/72, 10/12/72, 12/12/72, 16/1/73, 24/2/73, 25/2/73, 19/4/73, 24/6/73, 29/10/73, 24/3/74, 26/4/75, 25/6/75, 30/5/79, Fisher 81-4, 97-8, 102, 236-7, 261-6, 282-3, 313-4, Heymann 296-319. Over Jacobson en JFK, het verslag van Heymann is het volledigst dat beschikbaar is, gebaseerd op wat Heymann omschrijft als een 'langdradig, ongepubliceerd gedenkschrift,' andere gegevens over Jacobson en interviews met Jacobsons zoon Thomas, vrouw Ruth en vriend Ken McKnight, evenals patiënten van Jacobson, onder wie Charles Spalding en Truman

Capote. Met zulke onderwerpen als de Kennedy's en de maffia en JFK en Judith Campbell is het buitengewoon moeilijk de details van de relatie JFK-Jacobson te bevestigen met
dezelfde zekerheid als de meer orthodoxe diplomatieke geschiedenis. Men moet ook rekening houden met het feit dat de familie Jacobson er net zoveel baat bij heeft de reputatie
van de overleden arts te rehabiliteren als de familie Kennedy dat heeft bij haar pogingen
de president niet met hem in verband te brengen. Vandaar dat ik deze materie voorzichtig heb behandeld.

'Acute amfetaminevergiftiging': NYT 4/12/72. Geschrapt uit autopsierapport en mogelijke betrokkenheid RFK: Dr. John K. Lattimer in *Resident and Staff Physician*, mei 1972,
en Davis *Mafia Kingfish* 291-4. Bezorgdheid Spalding over vermoeidheid JFK in 1960:
Heymann 297-8. 'Dr Jacobson is er': Saunders 206. 'Ik liet hem weten...': NYT 4/12/72.
Jacobson en JFK in 1963: NYT 4/12/72. Manchester over injectie: Manchester *Shining*
167. Travells aanwezigheid in Parijs: Travell 999. Jacobsons aanwezigheid in Parijs en
Wenen: Heymann 302-6, citerend uit ongepubliceerd manuscript Jacobson. 'Het laatste
dat Kennedy wilde': Heymann 311. 'Al is het paardezeik': Heymann 313. Afkeer JFK
van 'marionet': AMSTD 123. Aankomst Wenen NC: NYT 3/6/61, Sidey 191. CIA toont
interesse in Molotov: Flora Lewis in NYT 18/11/86, auteur werd op gelijkenis gewezen
door Richard Helms. (Helms int)

'Een militaristische oefening': NYT 3/6/61. Aankomst Wenen JFK: NYT 4/6/61, Lincoln *My Twelve Years* 268-9, Sidey 191-2. Betrokkenheid CIA bij verwelkomingen in buitenland: Helms int. Billings over aankomst: Billings mg. Voorval Amerikaanse residentie: Jane Thompson int, Sidey 192. 'Chroesjtsjov schijnt': Heymann 305. JFK ontmoet
NC: NYT 4/6/61, NW 12/6/61, Odon 292-4, Lincoln *My Twelve Years* 268-9, Sidey 192-
3, ges met David Wise, toen bij de *New York Herald Tribune*, die aanwezig was. 'Na al mijn
bestuderingen': Odon 293. Afspraak Holeman-Gvozdev: Holeman int. CIA-briefings
1955 Eisenhower: Goodpaster int, Goodpaster memo 28/6/55, DDEL. 'Hij zal wel gedacht hebben': Odon 293. JFK en NC over Thompson: NW 12/6/61.

Zoals vermeld in de tekst, is de voornaamste bron voor mijn verslag van wat Kennedy en
Chroesjtsjov in Wenen tegen elkaar zeiden het officiële memorandum van de gesprekken.
Ze bevatten afzonderlijke mems voor 3/6/61 (12.45 uur, lunch, 15.00 u.) en 4/6/61 (10.15
u., lunch, 15.15 u.). Vrijgegeven aan de auteur, met enkele geschrapte passages, door de
archivaris van de Verenigde Staten als antwoord op 'uw verzoek om het besluit van de directeur van de JFKL om de geheimhouding [van de gegevens inzake] de nationale veiligheid voort te zetten.' (brief van plaatsvervangend archivaris Claudine Weiher aan de auteur, 5/9/90) Ik attendeer op het misbruik van het geheimhoudingsproces dat tot gevolg
had dat deze transcripties negenentwintig jaar zijn achtergehouden. De inhoud van de
besprekingen tussen Kennedy en Chroesjtsjov is nauwelijks onbekend voor de Sovjetregering. In 1965 publiceerden Schlesinger en Sorensen bijzonder onthullende verslagen van
de Weense top die waren gebaseerd op hun toegang tot officiële documenten. Deze officiële gegevens over de besprekingen tussen Eisenhower en Chroesjtsjov van 1960 zijn
openbaar sinds 1982.

Mijn verslag van de besprekingen is versterkt door *'Talking Point Reviewing Conversations
between President Kennedy and Chairman Khrushchev,'* 3-4 juni, 1961, ongedateerd (vrijgegeven in december 1989) en de mem van JFK's ontmoeting van 6/6/61 met Congresleiders,
JFKL. Ik heb tevens gebruik gemaakt van mijn interviews met Rusk, Bundy en Kohler,
die tijdens sommige besprekingen aanwezig waren, en van de verslagen in AMSTD 358-
74, Sor 543-51, Bohlen 480-2, Odon 294-7, Sal 177-82, Kohler 330, Rusk tegen DFR 16/
6/61, Bradlee 124-6 en Sidey 159-67. Daarnaast heb ik Sovjetbronnen over de topontmoeting gebruikt, waaronder Andrei Gromyko 136-7, 175, NC1 458, NC2 492-509,
SNK 50-1, Adzjoebei int WGBH, Falin int WGBH, Boerlatski int WGBH, Sjevtsjenko
110-1, Sergej Chroesjtsjov ges. Zaterdag-lunch JFK-NC: 3/6/61 lunch mem, JFKL, Sal
178, NC1 458, NC2 491, AMSTD 361-2, Sor 544-5.

NC milder gestemd tijdens boswandelingetje met Eisenhower: Adams 454-55. NC en

JFK wandelen in tuin: 3/6/61 lunch en 15.00 uur mems, JFKL, Odon 296. Topbesprekingen en Iran: Sick 8-9, *Dallas Morning News* 6/6/61. NC blij over opmerking JFK inzake machtsevenwicht Amerika-Rusland: SNK 106. JFK tegen Eisenhower: Eisenhower mem 22/4/61. Woede gezamenlijke stafchefs: Herken 157. Brandon over JFK na eerste dag: Brandon 169, Brandon ges. 'Gaat het altijd zo?': Thompson mg. 'Staat u mij toe': Heymann 305. JFK keert terug naar eigen vertrekken: Lincoln *My Twelve Years* 268-75. 'U leek aardig kalm': Odon 295-6. 'Hij gelooft er echt in': Thompson-Rusk 2/2/61, JFKL. 'Ik denk dat zijn verdomde rug': Bartlett int. Persbriefing over eerste dag: NYT 4/6/61, NYKr 17/6/61, Sal 179-80. Randolph Churchill verveeld en vertrekt: NYT 4/6/61, NYKr 17/6/61, Russell Baker in NYT 9/12/87.

Jacqueline en Nina Petrovna op zaterdag: NYT 2/6/61, 4/6/61, NYKr 17/6/61, Philip Geyelin ges. 'De Amerikaanse prinses' en 'Ik zou graag eerst': NYT 4/6/61. NC over Jacqueline en Rose Kennedy: NC2 498-9. Rose Kennedy over Nina Petrovna: Rose Kennedy 404-5 en Ralph Martin 482. De Gaulle en Jacqueline over Nina Petrovna: Sulzberger 914-16. Persoon en achtergrond Nina Petrovna: Salisbury *Journey* 485-90, Kohler int, Jane Thompson int. Jacqueline over Adzjoebei: Sulzberger 914-6. Aanwezigheid Eunice: Billings mg. Travell in journaal: Travell 401. 'Rap van tong': NC2 499. Jacqueline's gesprek met NC: eerste versie AMSTD, gebaseerd op Jacqueline Kennedy interview, V, 33-4, AMSTD 366-7. Bohlens mening over JFK na eerste dag: Bohlen 482-3, Bohlen mg, aantekeningen Bohlen. Thompsons mening: Thompson mg, Jane Thompson int.

Kohlers mening: Kohler int. JFK vast besloten dat NC zou 'begrijpen': RFK mg. 'U kunt geen communist van me maken': Rusk int. JFK woont mis bij en NC legt krans: NW 12/6/61, Odon 297. 'Rusk, je bent': en vrees Rusk: Schoenbaum 335, Rusk 220. 'Ik begroet u op een klein stukje': NYT 5/6/61.

9. 'Hij gaf me vreselijk op mijn donder'

Bolsjakov tegen RFK in mei: RFK mg. Over *Open Skies*, zie Rostow *Open Skies*. 'Ik kan hier niet weggaan': Odon 297. 'Nee, we gaan *niet* op tijd': Sidey 200. Lunch dames Kennedy en Chroesjtsjov: NYT 5/6/61. Nina Petrovna over Jacqueline: *McCalls*, juli 1963, en Jane Thompson int. JFK overhandigt NC cadeau: Billings mg. Cadeaus NC aangehaald in eerste versie JFK-NC 10/6/61 briefje met dankwoord, niet verzonden, JFKL. Aanbeveling De Gaulle over wat JFK zou moeten zeggen tegen NC over Berlijn: Odon 288-92. NC over JFK na afloop zondagmiddagsessie: NC2 500-1. 'In de diplomatie gebruik je bijna nooit': Rusk int. Sovjet *aide-mémoire* over Berlijn in JFKL. Bezorgdheid JFK over 'geest van Wenen': Kern 65. Bohlen briefing en Kennedy vraagt Salinger om sfeer als 'somber' af te schilderen: Lisagor mg en Sal 182.

Interview Reston-JFK: NYT 5/6/61, Sal 182, Halberstam *Best* 75-7, Odon 298. 'Het leek wel een vlucht': Heymann 306. Jacqueline en brief aan De Gaulle: Heymann 306. JFK over NC aan boord vliegtuig: Geyelin ges. JFK tegen O'Donnell over Berlijn: Odon 292, 299-300. Aankomst Londen JFK: NYT 5/6/61, Lisagor mg, Macmillan *Pointing* 355-6. 'Geweldige hoop gevestigd' en 'een man ontmoet': Macmillan *Pointing* 385, 400. 'De chauffeur begeleidde mij': Heymann 306-7. Besprekingen Macmillan-JFK: 5/6/61 mem en Bundy-Rusk, 5/6/61, JFKL. 'Laten we de bijeenkomst schrappen': Macmillan interview met Schlesinger, 20/5/64, aantekeningen in Schlesinger Papers. JFK-Macmillan vroege relatie: de Zulueta int. Brandon mg, Macmillan *Pointing* 306-7, Horne 281-97. Bruce over Macmillan: Bruce-Rusk 13/12/61, JFKL. 'Ik ken veel waarde...vriendschap': Macmillan-JFK 25/5/61, JFKL.

'De helft van de tijd aan overspel': Alistair Horne in *National Review* 30/1/87. 'Je weet hoe het is': Macmillan interview met Schlesinger, 20/5/64, aantekeningen in Schlesinger Papers. Macmillan over verslag JFK van ontmoeting NC: Macmillan *Pointing* 357. NC op Indonesische receptie: NYT 7/6/61, T 16/6/61, UPI bericht 6/6/61. NC vergelijking van JFK en Eisenhower: NC1 458, NC2 497-8. 'Te intelligent en te zwak': Boerlatski int

WGBH en tijdens CCT. Verbazing NC over ondermijning JFK eigen argumenten en zorg over 'bijzonder krappe meerderheid': brief aan Nehroe, aangehaald in Macmillan *Pointing* 398-9. 'Meer op een adviseur vond lijken': Boerlatski op Harvard, 27/9/88. 'Deze vent was hier': Boerlatski int WGBH. Sergej Chroesjtsjov over mening NC over JFK: SNK 50-1, Sergej Chroesjtsjov op Harvard, 13/2/89-15/2/89, Sergej Chroesjtsjov ges. Sergej Chroesjtsjov over 'vlucht naar Mars': SNK 51.

Kornjenko over NC en verslag 1959 over JFK: Schlesinger journaal, 23/8/62, aangehaald in eerste versie AMSTD. JFK bij doop Radziwill: William Douglas-Home mg, NYT 6/6/61, NYKr 17/6/61, Evangeline Bruce ges, Alsop ges, Collier en Horowitz *Kennedys* 278, Kern 64. JFK signeert foto: Lincoln *My Twelve Years* 270-6. 'Ontmoette koningin Mary en was op de thee': JFK-Billings, augustus 1938. Poolse titels Radziwill gebruikt door koningshuis: Sulzberger 1011, Kelley *Jackie* 189. Jacqueline vraagt en Duke antwoordt: Manchester *Death* 611. Trip Jacqueline naar Griekenland: L 16/6/61, NYT 7/6/61, Ralph Martin 355. JFK-Sidey interview in vliegtuig: Sidey mg, Sidey 203-5. JFK krabbelt citaat Lincoln: Lincoln *My Twelve Years* 274. 'Nou, ik wil je even laten weten': Bartlett int. Bundy tegen Sorensen over toespraak Wenen: 5/6/61, JFKL. JFK ontmoet Congresleiders: mem 6/6/61, JFKL, Kern 64-5.

Over Weense toespraak JFK: NYT 7/6/61, NW 19/6/61. Tekst is JFKPP 6/6/61. *New York Times*-kop: NYT 7/6/61. Het innemen van Padong, reactie JFK en commentaar Rusk: USN 19/6/61, Rusk tegen DFR 16/6/61. Thompson over NC en Laos: Parmet *JFK* 139-41. 'We kijken allebei naar dezelfde feiten': Thompson-Rusk 1/2/61-2/2/61, JFKL. Opdracht JFK aan Harriman: Isaacson en Thomas 616. JFK beschouwde later met Ormsby-Gore de gedachte van NC na dat JFK uitdagend had gehandeld (eerste versie AMSTD). Drie verzoeken van JFK aan Congres om defensiebudget te verhogen opgenomen in JFKPP, 30/1/61, 28/3/61 en 25/5/61. NC over 'medelijden met Kennedy': NC2 499. Bolsjakov over veranderen van mening van NC voor Wenen: RFK mg. Voor documentatie van plannen NC over proefnemingen, zie noten voor hoofdstuk 12. Billings over JFK na Wenen: Billings mg. Harriman en William O. Douglas lieten zich in ongeveer dezelfde bewoordingen uit om de reactie van JFK te beschrijven (Seaborg 67 en Douglas mg).

RFK over JFK na Wenen: RFK mg. 'Als zakendoen met pa': Collier en Horowitz *Kennedys* 277-8. Bradlee over JFK na Wenen en hoort JFK lezen uit transcriptie: Bradlee 125. Fragmenten verschenen in de pers, bijvoorbeeld L 16/6/61. 'Terwijl JFK ons een lesje-...gaf': McLellan 209-10. Mansfield over houding NC jegens JFK: Mansfield mg. 'Chroesjtsjov joeg de arme knul': Ralph Martin 352. Johnson viel op zijn knieën: Kern 263. 'Wat moest ik dán doen': David Powers mg COHP. Bolsjakov tegen Holeman over Wenen: Holeman int. JFK in Palm Beach na Wenen: Sidey mg, L 16/6/61, NYT 11/6/61, Sidey 205-7. Aankondiging Salinger van kwaal JFK: NYT 9/6/61, 13/6/61. 'Zoals De Gaulle al zegt': Odon 298. Rusk over geheimhouden ultimatum voor NC: NYT 12/6/61. *Pravda* publikatie van *aide-mémoire*: Prav 10/6/61. JFK terug naar Washington: NYT 13/6/61, T 23/6/61, Sidey 209, RFK mg.

JFK over wat er fout ging: Ormsby-Gore interview met Schlesinger, 5/3/65, aangehaald in eerste versie AMSTD. 'Chroesjtsjovs eerste poging': RFK mg. 'We drijven...een ramp': Macmillan *Pointing* 389. Vraag JFK naar beschikbare voorraden: Lemnitzer-JFK 14/6/61, JFKL.

10. De klok tikt door

Toespraak NC 21/6/61: Prav 22/6/61, NYT 22/6/61, USN 3/7/61, T 30/6/61. 'De wijzers van de klok': NC2 503. NC over 24/6/61 en 25/6/61: Prav 25/6/61 en 26/6/61, Izv 25/6/61, Radio Moskou 25/6/61, Slusser 19. NC-JFK over Strelka in 15/6/61 JFKL. 'Hoe komt die hond': Schlesinger interview met Jacqueline Kennedy, V, 33-4, aangehaald in eerste versie AMSTD. Aankomst Strelka staat ook in Traphes Bryant mg, NYT 21/6/61 en Odon 300-1. NC genoot van bewijs Sovjetheerschappij: Adzjoebei int WGBH. 'Strelka en Belka, en niet Rover': PCS, Portland, Ore., 7/9/60. JFK-NC bedankbriefje van 21/6/61, JFKL. Amerikaans-Sovjet tv-debat en bezoek Sovjets met Salinger: Sal 180-7. JFK ontmoet Sovjetdelegatie: WP 28/6/61, Sal 187-8, Sidey 213-5. Mansfield over Berlijn: Mansfield mg, NYT 15/6/61, USN 10/7/61, T 23/6/61, NW 26/6/61. JFK over verklaring Mansfield: JFKPP 28/6/61.

Drummonmd over verklaring JFK: aangehaald in Nixon *Six Crises* 336fn. JFK als 'de tijger': Sidey 218 fn. Adenauers hang naar Eisenhower en Dulles: RFK mg, Acheson mg. Onder bronnen over Adenauers achtergrond en persoon zijn Gunther *Procession* 453-6, Brandt 48-61, Jahn, Koerfer 181-368. Adenauer over presidentscampagne 1960: William Tyler mg, Jahn 393-8, Stützle 21-2, 37-43, Strauss 355-6, Koerfer 529-31, Prittie 283-4. JFK in *Foreign Affairs*: oktober 1957, *'A Democrat Looks at Foreign Policy.'* Vrees Adenauer voor Stevenson op Buitenlandse Zaken: Schlesinger int JBM. JFK denkt Adenauer haast openlijk pro-Nixon: Sor 541. Adenauers nauwe banden met Nixon: Nixon-Adenauer, 19/9/60, Nixon Papers, NYT 10/11/60. Schroom Adenauer inzake hereniging: 16/3/60 mem van Adenauer-Herter bespreking bij Herter thuis, DDEL.

JFK-Adenauer ontmoetingen april 1961 en achtergrond: Jahn 401-4, Stützle 89-90, Koerfer 533, USN 24/4/61. Kissinger-JFK is 6/4/61, JFKL. JFK over Adenauer: eerste versie AMSTD, gebaseerd op interview Jacqueline Kennedy, V, 43-4, VI, 1-4, Sor 559. 'Herhaaldelijke betuigingen': Sor 559. Adenauer over JFK: Barnet 223, Koerfer 532, Prittie 283-4. Wessel over Varkensbaai en Wenen: Wessel int. Ontmoeting NC 29/6/61: mem, JFKL, Acheson mg, Catudal 143-7, Sor 583-9, AMSTD 381-3. Achesons eerdere houding jegens JFK: Isaacson en Thomas 590-1. Weigering Acheson van NAVO en 'D.A....opgebeurd': Acheson mg, Isaacson en Thomas 609. Acheson over 'begaafde amateur' en antwoord JFK: Acheson mg. 'Drie essentials': Catudal 145, Zolling 78, Brandt 21. Opdracht Von Eckhardt in Harriman-Archibald Cox 28/7/60 in Harriman Papers. JFK tegen Pools-Amerikaanse Congres: PCS, Chicago, 1/10/60.

'Dit is bijna een uitnodiging': Wyden *Wall* 72fn. RFK over wens nooit 'tegenover hem in een debat...': AMSRK 509. *Newsweek*-artikel en antwoord JFK: NW 3/7/61 en 10/7/61, NYT 1/7/61, NYHT 6/7/61. NC over 'berichten' mobilisatieplannen: NYT 30/6/61. NC tegen Roberts: verslag Roberts in McCauley 222, WP 12/7/61, NYT 14/7/61, SEP 21/ 10/61. Veronderstelling David Klein: Kern 80-1. NC op receptie Onafhankelijkheidsdag: Klosson int, Jane Thompson int, Sherry Thompson ges, NYT 5/7/61. NC over schrappen troepenverminderingen: Prav 10/7/61, USN 24/7/61. 'Moeten we de gesprekken afbreken': JFK Bundy 10/7/61. JFK met functionarissen in Hyannis Port: NYT 9/7/61, T 14/7/61, AMSTD 388-9, Catudal 160-3. McCloy tegen Eisenhower over 'een volgende zitting met de Russen': 7/7/61, McCloy Papers. Ontmoetingen 13/7/61: 13/7/61 mem, JFKL, Bohlen mg, McNamara int. AMSTD 389-90.

Functionarissen JFK over traagheid: Chayes mg, JFK in JFKPP 17/12/62. Werkelijke verhaal over antwoord op *aide-mémoire*: Bundy-JFK 21/7/61, JFKL, en Martin Hillenbrand in Catudal 153-4. 'Een kortere en eenvoudiger versie': Sor 587. 'En ik zal vervloekt zijn': Kohler int. Het antwoord werd verstuurd op 17/7/61: NYT 18/7/61, tekst in JFKL. 'Ik ben geschokt': JFK-Bundy 10/7/61, JFKL. 'Allemaal...geschreven of herschreven': RFK mg. Galbraith over 'volledig geautomatiseerd buitenlands beleid': Epernay 57-74. 'Mij als president niet ziet zitten': Berle 750. 'Het zijn geen idioten': Robert Monagan mg. Galbraith over Buitenlandse Zaken: Galbraith-JFK 15/8/61, JFKL. 'Verdomme, Bundy en ik': eerste versie AMSTD. Activiteiten Bundy: Bundy int, Cohen 100, Destler 184-94. Acheson over aftreden als Bundy naar Nationale Veiligheidsraad gaat: Isaacson en Thomas 598. Relatie JFK-Bundy: Bundy int, Bundy in *Foreign Affairs*, april 1964, Bundy in *Massachusetts Historical Society*, vol. 90, 1978, Rusk int, Lisagor mg, Halberstam *Best* 43-7, 59-63, brief Bundy aan auteur 1/1/90.

'McBundy': Lincoln *My Twelve Years* 239. 'Ik hoop...overlaat': SEP 10/3/62. 'Tegen verstand kun je niet op': Bradlee 134 en NW 4/3/63. Bundy merkt op tegen JFK: Bundy-JFK 54/63, 21/8/63, 23/12/61, JFKL. 'Ik vind dat het Witte Huis': Bundy-JFK 28/10/63,

JFKL. 'Een klucht van ondermaatse': Bundy-JFK 17/9/62, JFKL. Bundy tegen JFK over inschrijving als Democraat: Bundy ges en toespraak tot *Women's National Democratic Club*, 1990. Gedicht Bundy aan JFK: Bundy-JFK, ongedateerd, JFKL, Bundy int, WP 25/1/74. De paardenshow vond plaats op 19/5/62. Feest JFK Madison Square Garden: Adler 222-7. Achtergrond Bundy: Bundy int, NW 4/3/63, T 15/11/63, SEP 10/3/62, *New York Times Magazine* 2/12/62, Hilsman 44-6, Halberstam *Best* 40-63. 'De slechtst georganiseerde campagne': NW 4/3/63. 'Oorlogen zitten vol met momenten van glorie' en 'Waarom deden we zo veel dingen': Bundy-John Mason Brown 6/10/43, 2/1/49, Brown Papers. 'Verre van strenge': Galbraith *A Life* 363. 'Ik zal naar de Tempel Israels gaan': Bundy-Brown 7/10/52, Brown Papers.

Cutler biedt zijn baan aan: Bundy int. 'Geen diepe genegenheid': Bundy-Bohlen 18/11/73, Bohlen Papers. Bundy haalt JFK over om Kirk aan te stellen: Bundy int. Bundy over schooltijd met JFK, over verkiesbaar stellen voor Senaat en gedachtenwisseling over Furcolo: Bundy int. Steun Bundy voor campagne JFK en ontmoeting Shriver: Bundy int. JFK belangstelling voor Bundy op Buitenlandse Zaken: NW 4/3/63, Odon 235, 243. Bundy aanstelling als veiligheidsadviseur: Bundy int. 'De president noemde dit een varkenskot': Bundy-O'Donnell 5/1/62, JFKL. 'Ik ben geen fan van Ian Fleming': NW 4/3/63. 'Een van zijn knappe vriendinnen...smeren' en 'Hij was niet onvriendelijk of zo': Ralph Martin 300-1. Mensjikov over Amerikanen die 'niet wil[len] vechten': NYT 16/7/61 en 21/7/61, NYHT 16/7/61, USN 31/7/61, NYKr 5/8/61. 'Maar misschien hadden we...eind': Boerlatski op Harvard, 27/9/88.

Bolsjakov over Mensjikov tegen NC: RFK mg. Amerikanen ontmoeten Mensjikov: USN 7/8/61, 15/7/61 Nitze mem, in eerste versie AMSTD. Plan Rowen-Kaysen: Sorensen mg, Sorensen int WGBH, Carl Kaysen int WGBH, Herken 159-60, Kaplan 299-301. Ontmoetingen 19/7/61: mem 19/7/61, Bundy-JFK 19/7/61, Sorensen-JFK 19/7/61, JFKL, Sorensen mg, McNamara int, Sorensen int JBM, RFK int JBM, Sor 590-1. Eisenhower over 'klaar staan': DDEPP 11/3/59. 'Ik geloof dat er genoeg bewijzen zijn': Eisenhower-McCloy 22/6/61, DDEL. 'Als de heer Chroesjtsjov gelooft': Sor 588. McNamara en flexibele respons: Trewhitt 25, 80, 103. Kissinger over aankondiging noodtoestand: Kissinger-Bundy 14/7/61, JFKL. 'Een alarmbel': Sorensen mg. Voorstel belastingverhoging: Walter Heller-Sorensen 18/7/61, JFKL, T 4/8/61, RFK mg, Odon 278-9. Belangstelling JFK voor schuilkelders: Bundy int, JFK-Bundy 5/7/61, 7/7/61, RFK mg, Sorensen mg, Bundy in Thompson 206-9, AMSRK 428, Sor 613, Kaplan 307-14, Catudal 171-2. 'Heren, we kunnen de situatie': Catudal 182fn. 'Als ik u was': Bundy 375. Achesons SEP-artikel was van 7/3/59. Onthuld en beschreven door Marquis Childs (WP 28/7/61). '...ooit overwogen...kernwapens te gebruiken': McNamara int WGBH. Bewering McNamara dat JFK instemde met zijn voorstel nooit kernwapens te gebruiken: Bundy 376, McNamara int. 'Niemand eigenlijk wist': Bundy 378. Schrijven van toespraak JFK 25/7/61 en versturen tekst: T 4/8/61, NW 7/8/61, NYT 26/7/61, 27/7/61, Sor 591-2, Sidey 229-32, Lincoln *My Twelve Years* 278-9, Manchester *Portrait* 26-7. 'Scheutje angst': eerste versie AMSTD, gebaseerd op interview Jacqueline Kennedy, VI, 3. Toespraak JFK in JFKPP 25/7/61. 'Die knul is *cool*': Leonard Baker 101.

Nixon over toespraak: *Dallas Morning News* 29/7/61. Brieven en telegrammen naar Witte Huis: NYT 5/8/61. Hartmann over JFK: *Los Angeles Times* 28/7/61. *Indianapolis News* commentaar: 28/7/61. Claim TASS: NYT 27/7/61. *Times*-kop uit *The Times* (Londen), 26/7/61. David Bruce over Berlijn: Bruce-Rusk 17/7/61, JFKL. Reston over onderhandelbare kwesties: NYT 26/7/61, 29/7/61. Higgins over denkbeelden JFK: NYHT 27/7/61. Bezoek McCloy aan Sovjet-Unie en NC: aantekeningen McCloy in McCloy Papers, Prav 27/7/61, NYT 28/7/61, 1/8/61, *Manchester Guardian* 23/8/61, AMSTD 392, Isaacson en Thomas 613-4. '...behoorlijk kookte': McCloy-JFK 29/7/61, JFKL. 'Ben van mening...verslag uit moet brengen': Rusk-McCloy 29/7/61, JFKL. 'Konden we hierop geen invloed uitoefenen': Boerlatski op Harvard, 27/9/88. 'Een recordaantal vluchtelingen': Macmillan *Pointing* 392. Klacht Alphand: Bundy-Battle 13/7/61, JFKL.

Fulbright over Berlijn: NYT 3/8/61, Marcy int. *Der Tagesspiegel* over Acheson en Korea van 2/8/61. 'Realistische' formule: *Neues Deutschland* (Oost-Berlijn), 2/8/61. 'Een variëteit aan commentaar': Bundy-JFK 4/8/61, JFKL. Uitleg Bundy opmerking: Bundy int, Bundy 682. Vragen over voorstel Fulbright: Koch 60, Catudal 200-3. JFK ontmoet McCloy: NYT 1/8/61. 'Als we ervan uitgaan dat de Russen': Thompson-Rusk 16/3/61, JFKL. 'Chroesjtsjov is bezig Oost-Duitsland te verliezen': verschillende versies van dit commentaar in Rostow mg, Rostow *Diffusion* 231, AMSTD 394.

11. 'Een muur is een stuk beter dan een oorlog'
Ontmoetingen begin augustus Moskou: Prav 6/8/61, NYT 6/8/61, NYHT 4/8/61, Griffith 83-4. Gedachtenwisseling NC-Ulbricht over grenssluiting: Jan Sejna in *Der Spiegel* 16/8/76, Sejna 112-5 en Wyden *Wall* 85-90, gebruikmakend van een interview met Sejna. Sejna was plaatsvervangend minister van Defensie en verbindingsofficier voor Tsjechoslowakije bij het Warschaupact. Zoals Catudal opmerkt, moeten zijn herinneringen met enige voorzichtigheid worden beschouwd. (Catudal 50fn.) Andere bronnen: Sergo Mikojan en Sergej Chroesjtsjov op Harvard, 13/2/89-15/2/89, Boerlatski op Harvard, 27/9/88, Zolling en Bahnsen 102-4, Liselotte Thomas 211. Toespraken NC augustus, antwoord en Penkovski: Thomas Hughes memo 7/8/61, JFKL, Prav 8/8/61, Izv 9/8/61, NYT 8/8/61-10/8/61, Wyden *Wall* 116-21, Garthoff 40-1, David Martin 111-7. Ontmoeting Fanfani-NC: Salinger-JFK 8/8/61, JFKL, NYT 3/8/61, 5/8/61, 28/8/61, Watt 243. JFK over mogelijke grenssluiting: JFKPP 10/8/61.
Rusk ontmoet Adenauer: mem 10/8/61, JFKL. Optredens NC 11/8/61 en 12/8/61: Prav 12/8/61, 15/8/61, NYT 12/8/61. 'Een checklist van de handelingen': Bundy-JFK 4/8/61, JFKL. Presidentiële atoomschuilkelder: NYT 4/4/75. Sovjettrawlers: D.J. Brennan-William C. Sullivan 3/9/63, FBI-dossiers. JFK 12/8/61 activiteiten: 12/8/61 AP, NYT 13/8/61. Gebeurtenis grenssluiting: *Der Tagesspiegel* 15/8/61, Wyden *Wall* 150-2, Catudal 257-61. Antwoord Washington: Rusk int, Kohler int, Kohler mg, Ausland in *Foreign Service Journal*, juli 1971, Kohler 333, Gelb 167-81, Wyden *Wall* 170-6, 213, Catudal 22-35, Cate 304-7. JFK op de hoogte gesteld en reactie: Rusk int, Kohler int, 13/8/61 AP, 'Verklaring betreffende reisbeperkingen in Berlijn,' 13/8/61, JFKL, Wyden *Wall* 26-9, 176-7, Catudal 35-8, Weintal en Bartlett 211. 'Wij maakten geintjes': NC2 506.
Brandt op de hoogte gesteld en antwoord: Brandt 13,18, Wyden *Wall* 152, 162-3. Zolling en Bahnsen 16-18. Over Brandt, achtergrond en betrekkingen met Adenauer, zie Brandt, Pittie, Hofmann. Brandt over JFK: Brandt 70-1. Brandts eerste ontmoeting op het Witte Huis: Rusk-JFK 10/3/61, JFKL, Brandt 80-1. '*Kennedy* is gehakt...maken': Wyden *Wall* 164. 'Op 13 augustus' en 'Het gordijn ging op': Wyden *Wall* 164. De Sovjet-Unie heeft 'de belangrijkste wereldmacht getrotseerd': Brandt 25. JFK 14/8/61 ontmoeting: Slusser 149. Ontmoeting Bundy-Amory: Amory int, Amory mg, Wyden *Wall* 217-8. Bundy over 'duidelijk initiatief': AMSTD 398. 'Steeds meer druk': JFK-McNamara 14/8/61, JFKL. 'Welke stappen ondernemen we': JFK-Rusk 14/8/61, JFKL. Ontmoeting JFK-Kennan: Kennan mg, 15/8/61 AP, Isaacson en Thomas 614. Brandt bij Rathaus: Petschull 155-7, Zolling en Bahnsen 144-5, Wyden *Wall* 225-6.
Brief Brandt-JFK en reactie JFK: *Frankfurter Allgemeine Zeitung* 19/8/61. NYT 20/8/61. *Vierteljahrschefte für Zeitgeschichte*, vol. 33, 1985. Brandt 31, Wyden *Wall* 224. Adenauer op de hoogte gesteld over sluiting, antwoord en belastering Brandt: NYT 17/8/61, Zolling en Bahnsen 11-2, 141, Stützle 133-40, Koerfer 544-5, Prittie 286. Smirnov tegen Adenauer: Watt 250. Berichten over verslappend moreel in West-Berlijn: Wyden *Wall* 226. 'Bedenk dat wat hier op het spel staat': Rostow-Bundy 16/8/61, JFKL. JFK roept LBJ bij zich: NYT 18/8/61, Leonard Baker 69-70, Odon 303, Lincoln *Kennedy and Johnson* 174-5. 'De president deed mij een boodschap toekomen': Macmillan *Pointing* 393. Zwijgen JFK: JFKPP 13/8/61-20/8/61. Berichten over geschokte JFK, 'Eigenlijk zag hij' en 'Waarom zou Chroesjtsjov': Odon 303.
Vijftien jaar 'om uit hun gevangenis te ontsnappen': NYT 6/9/61. Dit stond in een co-

lumn van James Reston na een gesprek met JFK. Woede JFK na nalaten waarschuwing over Muur: Allen Dulles en Robert Amory, aangehaald in Catudal 242. Inlichtingenchef van BRD, Reinhard Gehlen, beweerde ook dat een eerdere waarschuwing nagenoeg onmogelijk zou zijn geweest (Wessel int, Gehlen 239, Höhne en Zolling 221-2). Wessel, als opvolger van Gehlen, werkte samen met Höhne en Zolling aan hun onderzoek (Wessel int). 'Vandaag loopt de bedreigde grens': JFKPP 25/7/61. 'Een aanmoediging kan zijn geweest': Bundy 367-70. Paques en Whalen: Rusk int, Barron 31, Marchetti en Marks 214-5, Gelb 142fn. 'Nadat ze de Muur...ervan walgde': RFK mg. Walging Eisenhower: Eisenhower interview met Moos 8/11/66, DDEL.
'Als we krachtdadig hadden gehandeld': Acheson mg. 'We hadden die nacht': Clay mg. Couve de Murville over 'direct...reageren': Couve de Murville mg. Leonard over waarschijnlijke reactie van Oost-Berlijn: Leonard *Kremlin*. JFK sprak met Brandt over zijn ontmoeting met Eisenhower in Potsdam: Brandt 73. Er bestaat een foto van deze gebeurtenis die opnieuw is afgedrukt in Lieberson 46. 'Wanneer we hem hadden neergehaald': Sorensen mg. 'Totdat de andere partij gewoon te moe is': Boerlatski op Harvard, 27/9/88. Strauss over het riskeren van een derde wereldoorlog: aangehaald in Bundy 367. 'Zoals u weet staan Oost-Berlijn...': JFKPP 11/10/61. Korte verwijzingen JFK naar Muur: JFKPP 17/12/61, 10/3/62, 18/5/63. 'Het zou ook beter zijn geweest': Bundy 370. 'Ik wil persoonlijk de gevolgen zien': NYT 19/8/61. Delegatie Johnson naar BRD en West-Berlijn: Jack Bell mg, Clay mg, Bohlen mg, RFK mg, L 25/8/61, NW 20/11/89, T 25/8/61, aantekeningen Bohlen, Bohlen 483-5, Jahn 425-6, Brandt 31-4, Cate 404-36, Wyden *Wall* 227-34, Merle Miller 286-90, Roberts 229, Leonard Baker 71-7, Jahn 425-6, Isaacson en Thomas 615.
JFK wacht op bericht uit Berlijn: RFK mg, Sidey 199-200, Wyden *Wall* 229-30, AMSTD 396-7. JFK hoort nieuws: AP 20/8/61, Sor 594, Wyden *Wall* 233. Amerikaanse troepen arriveren in Berlijn: Petschull 173-6, Wyden *Wall* 232-4. JFK over zondag en weigert bezoek LBJ: AP 20/8/61 en NYT 21/8/61. '...gaan wij moeilijke...tegemoet': JFKPP 21/8/61. 'Heeft bloed geroken': Roberts 229. Eerbiediging Sovjetverzoek door bevelhebber: Schick XV. Ontmoeting Eisenhower-Dulles: Dulles-JFK 20/8/61, JFKL. JFK verzoekt Rusk om onderhandelingen mogelijk te maken: 3/8/61 mem, Rusk-JFK 2/8/61, Bundy-JFK 3/8/61, JFKL. 'voelde...keerpunt was bereikt': Sor 594. 'Ik wil nadrukkelijker het voortouw nemen': JFK-Rusk 21/8/61, JFKL. Voorbereiding JFK tot onderhandelen: AMSTD 398-40. 'Zijn eigen directe zorg' Bundy-JFK 21/8/61, JFKL. Sovjetverklaring over 'extremisten': NYT 25/8/61. Verklaring mogelijk uitgegeven in afwezigheid NC: Slusser 143-9, 169. NC tegen Fanfani over onderhandelingen: NYT 28/8/61. Bezoek Pearson met NC en wat eraan voorafging: Luvie Pearson ges, SEP 7/4/62, NYT 28/8/61, WP 28/8/61, Prav 25/8/61 en 29/8/61, Izv 25/8/61.

12. 'Ik wil weg'

JFK hoort van kernproeven: Bundy int, Bundy in *Foreign Affairs*, april 1964, Bundy-Salinger 5/9/61, JFKL, Sor 619, AMSTD 459, eerste versie AMSTD. Ik heb de oorspronkelijke woorden van de president gebruikt; ze waren afgezwakt door Schlesinger. Opiniepeiling van juli: *Gallup* 12/7/61. 'Aangezien ik aannam': Eisenhower-Herter 16/6/61, Herter Papers. Druk gezamenlijke stafchefs: Sor 618. George Ball had aanbevolen 'elke aankondiging van een hervatting van proeven tot ten minste het eind van het jaar' uit te stellen (Ball-JFK, 4/8/61, JFKL). 'Kunnen we er gewoon niet zeker van zijn' en overdenken JFK van beperkt kernstopverdrag: JFK-Macmillan 3/8/61, JFKL, AMSTD 458-9. Toestemming JFK voor voorbereidingen en biedt nieuwe concessie aan: Seaborg 71-8. JFK tegen Pearson en Pearson tegen NC: Pearson-NSK 1/9/61, 5/9/61, JFKL. Verklaring JFK over Russische hervatting, 30/8/61, in JFKL. 'Gedacht moet hebben...sinister' en JFK geeft commentaar op hervatting: RFK mg and RFK memo van 1/9/61, aangehaald in AMSRK 429.
NC en Sacharov op 10/7/61: Sacharov 215-7. NC Tsjerkassy-verhaal in *'Khrushchev: A*

Personality Sketch', geciteerd in noten voor hoofdstuk 7. Boerlatski over veeleisende NC: Boerlatski int WGBH en tijdens CCT. Sergej Chroesjtsjov over militaire leiders: Sergej Chroesjtsjov op Harvard, 13/2/89-15/2/89. Ontmoeting 31/8/61 NC: RFK mg, memo RFK 1/9/61 in AMSRK 429-430, AMSTD 448-9, Seaborg 82-4. 'Ik had hem al...betrekken' en 'Maar nu realiseerde hij zich': Collier en Horowitz *Kennedys* 271-2. LBJ over RFK: Wofford 418. Algemene feiten over RFK en achtergrond, zie AMSRK. Jacqueline over 'immigrantentrekjes': Collier en Horowitz 264. 'Jack zichzelf op veel punten...': Collier en Horowitz *Kennedys* 254. 'Ik mag Luce wel': AMSTD 63. FDR en postzegelverzameling: Beschloss *Kennedy and Roosevelt* 106.

'Mijn god, wat is die onaangepast': Collier en Horowitz 218. 'Het hem allemaal geen donder interesseert': deze opmerking werd gemaakt over Smathers (Bartlettmg). RFK als 'mietje': Rose Kennedy in *'The Journey of Robert F. Kennedy,'* ABC-tv, 1969. Joseph Kennedy en rijke, oude dame uit Washington: Thomas Corcoran int. 'De WASP's zullen het niet pikken': Bradlee 67-8. 'Die leeft zoals wij allen willen leven': Exner 112. RFK en Guevara: AMSRK 801-2. RFK en onderdrukken opstand: AMSRK 46-7. Joseph Kennedy over terugtrekken uit Korea en Berlijn: AMSRK 84-5. 'Iedereen op [de] ambassade': RFK-Paul Murphy, ongedateerd, juli 1948, aangehaald in AMSRK 79-80. 'Als we terugkijken': *Boston Advertiser* 16/1/49. 'President Roosevelt vond': *'A Critical Analysis of the Conference at Yalta,'* RFK Papers. 'Iets om voor te sterven': RFK-Joseph Kennedy, ongedateerd, oktober 1961, aangehaald in AMSRK 91-2. 'In die tijd dacht ik': Stein en Plimpton 50.

RFK analyseert statistieken: Bartlett int. 'Echt een ontzettend humeurige': AMSRK 109. Reis RFK-Douglas: Douglas mg, Douglas 306-7. 'Blijk geeft van een soort kolonialisme': NYT 2/1/56 en AMSRK 128. 'Het enige dat...vraag': 10/10/55 Georgetown University tekst in RFK Papers. Wofford over RFK 1957: Wofford 32-3. RFK en campagne 1956: AMSRK 133-6. Woordenwisseling RFK-Giancana: Fox 338-9. Documentatie van interesse JFK-RFK voor nationale misdaadcommissie en ergernis Hoover in 1959-1960 JFK FBI-dossiers, FBI. RFK tegen Nixon: 25/7/59, Nixon Papers. 'Als je in het Witte Huis belandt': aangehaald door John P. Roche in *National Review* 22/7/88. Infiltratie Ehrlichman in gevolg Rockefeller opgetekend in aantekeningen juni 1960 van Ehrlichman in Nixon Papers. Joseph Kennedy's voorspelling van toekomst JFK en RFK: SEP 7/9/57. Betrekkingen Joseph Kennedy-Hoover en herinnering van betrokkenheid Murphy-Jackson in diplomatie: Joseph Kennedy FBI-dossiers en Beschloss *Kennedy and Roosevelt* 200, 213-4, 231, 253.

Rayburn tegen JFK: 15/12/60, JFKL. Post voor Democratische Nationale Comité: T 13/1/61. 'Bobby helemaal geen...worden': Demaris 180-3. RFK begin 1961 beperkt in aanraking met Sovjetaangelegenheden: Kohler int, Guthman int, Helms int. 'De op twee na zwaarste baan': Caplin ges. 'Verreweg de slimste': Vincent Dooley mg in Russell Papers. Broertjes Eisenhower: Milton Eisenhower int. 'De op een na belangrijkste man': Collier en Horowitz *Kennedys* 289. 'Er is maar één weg': Stein en Plimpton 127. 'Hier niet zo gelukkig mee': Billings mg. RFK in campagne 1960: AMSRK 192-221. RFK tegen Harriman: Collier en Horowitz 288-91. 'McClellan hield de druk niet op de ketel!': AMSRK 150-1. Rusk zegt nooit in zwembad te zijn geduwd: Rusk int. Enquête 1962: *Gallup* 19/8/62. Robinson tegen Eisenhower: 23/6/61, DDEL. RFK vervolgt Cassini en Landis: Navasky 378-91, AMSRK 387-91. Felheid RFK jegens Castro: Helms int.

'Weet je, ik was niets meer': RFK mg. Hervatting Sovjets en antwoord JFK: T 22/9/61, Smathers int, AMSTD 459-60, Seaborg 85-6. JFK onthaald medewerkers in slaapkamer: eerste versie AMSTD, kortere versie in AMSTD 459-60. 'Beter dan wie ook weet ik': Gavin-Rusk 2/9/61, JFKL. JFK belt Rusk en aantekening: AMSTD 460, Sor 620. JFK hoort van tweede Sovjet-proef en reactie op resolutie van neutralen: Sidey 203, Parmet *JFK* 201, AMSTD 520. 'Ik had geen keus': Sidey 245. 'De tijd nog niet rijp': AMSTD 398. 'Wat voor keus hadden we?': Bartlow Martin *Stevenson* 661. 'Een periode van aanhoudende en uitputtende': Bundy 363, 681. 'Herfst 1961': Lowell 11-2. Reston over frus-

tratie JFK: NYT 6/9/61. Sulzberger-NC interview: NYT 8/9/61, 11/9/61, 13/9/61, 26/6/ 70, Sulzberger 786-806, Marina Sulzberger 246-7. Persoonlijke boodschap werd via de Parijse ambassade verzonden. (Cecil Lyon-Sorensen 10/9/61, JFKL) Sulzberger ontmoet JFK: Sulzberger 809. Briefing Lemnitzer 13/9/61: SIOP-62 briefing 13/9/61 mem, JFKL, Scott Sagan in *International Security*, zomer 1987, Prados *Soviet Estimate* 116-9. 'Chroesjtsjov heeft wel de besten': Bartlow Martin *Stevenson* 661. JFK tegen Stevenson over Verenigde Naties naar West-Berlijn: Bartlow Martin *Stevenson* 660, Schlesinger int JBM. Rostow over 'Nkroemahs plannen': Rostow-JFK, september 1961, JFKL. JFK over 'Twee mogelijkheden omtrent Berlijn': journaal Schlesinger 5/9/61, aangehaald in AMSRK 431. JFK tegen Wechsler in *New York Post* 21/9/61-22/9/61. Relatie Wechsler-JFK werd aan auteur verteld door Joseph Rauh (Rauh ges). JFK hoort van dood Hammarskjöld: Sidey 248-50. Besprekingen Gromyko-Rusk september 1961: Rusk-JFK 20/9/61, Bundy-Tazewell Shepard 23/9/61, JFKL, NYT 22/9/61, 24/9/61, 28/ 9/61, 29/9/61, 1/10/61, 6/10/61, T 29/9/61, NW 2/10/61, 9/10/61, Watt 266.
Sinatra in Hyannis Port: Kelley *His Way* 318-9, Saunders 82-5. JFK schrijft toespraak Verenigde Naties en vliegt naar New York: Sor 521. Bolsjakov belt Salinger: Sal 191. Over achtergrond en persoon Salinger: Lisagor mg, Pierpoint ges, Sal, Deakin 162-91, Bartlow Martin *It Seems* 176. White over Salinger: White (1961) 51. Pierpoint over Salinger: Pierpoint 129, Pierpoint ges. 'Hij komt meer als een...': Sal 50. JFK over leven Salinger: Cassini 324. Lisagor over Salinger: Lisagor mg. 'Meer dan verrast': Sal 18-9. 'Iedereen die...gevolgd': White (1961) 52. Poging JFK-Salinger regeringscensuur: Sal 154-60, Krock 375, Deakin 177-9. Sovjets ontmoeten Salinger en Salinger ontmoet JFK: Sal 191-4. Jacobson behandelt JFK voor toespraak: NYT 4/12/72, Heymann 308-9. Eerste pagina van JFK 25/9/61, leest kopij, is gereproduceerd in NW 9/10/61. Tekst: JFKPP 25/9/61. RFK over *Meet the Press*: 24/9/61 transcriptie *Meet the Press*, bibliotheek van het Congres.
Sovjets ontmoeten Salinger nogmaals: Sal 193-66. Bundy verstuurt 'inlichtingenmateriaal': Bundy-JFK 27/9/61, JFKL, Helms int. Salinger ontmoet Bolsjakov: Sal 197-9.

13. 'Geachte mijnheer de president' en 'Geachte mijnheer de Secretaris-Generaal'
Salinger brengt brief naar Newport: Sal 198-200. Inhoud brief 29/9/61 NC-JFK: Sor 515, 552, 599, *Macleans* 28/11/83, Sal 198-200. In dit en andere gevallen in de tekst en hieronder is de precieze inhoud van enkele brieven JFK-NC na dertig jaar nog steeds niet vrijgegeven. Briefwisseling Chroesjtsjov-Eisenhower: Kohler-Calhoun 22/3/60, DDEL, Kohler int, Goodpaster int. Eisenhower-NC 19/3/60, lijst van brieven Eisenhower-Boelganin, DDEL. 'U en ik moeten erkennen': Eisenhower-NC 12/3/60, 1/4/60, DDEL. Reactie JFK op brief NC: Bundy int, Rusk int, Kohler int, Sal 199-200, Sor 553, Ralph Martin 503. 'Bundy en Sorensen de brief...analyseren': memo JFK 3/10/61, JFKL. Ontmoeting JFK-Sulzberger: Sulzberger 808-813. 'Echt de eerste keer': Odon 304. JFK over Gromyko 1945: Sulzberger 811.
Over achtergrond en persoon Gromyko: Rusk, Klosson, Davies, Kohler, Jane Thompson ints, Andrei Gromyko, Simmonds 164-70, Sjevtsjenko 143-62, 167-71, 196-208, *New York Times Magazine* 24/5/59. Medvedev *Stalin's Men* 82-112. Vergelijking Gromyko met Talleyrand: bijvoorbeeld, Sjevtskenko 153. Gromyko over karakter: Sjevtsjenko 146. Inschatting Harriman: NYT 4/7/89. 'Ongeduld, zjn gebrek aan hartelijkheid': K.B.A. Scott notitie 5/3/59, ABBZ. Dochter over Gromyko: Sjevtsjenko 155. Gromyko over vader: Sjevtsjenko 146. Molotov over 'Litvinov-liberalisme': Sjevtsjenko 147. Verbanning Paulina Molotova en terugkeer: Medvedev *Stalin's Men* 96-103. Stalins medewerkers maken grappen over lot Gromyko: Sjevtsjenko 146. Verwijt Vysjinski en straf: Sjevtsjenko 148. Ontslag Molotov en aanstelling Sjepilov: Medvedev *Stalin's Men* 105-6.
NC over Gromyko: Sjevtsjenko 104, 146. Beschrijving van Gromyko bij Verenigde Naties gebaseerd op bekijken van nieuwsfilm van de gebeurtenis door auteur in nationale archieven, Washington, D.C. Bezigheden in vrije tijd: Sjevtsjenko 149, 156-7. 'Winst is de

meedogenloze filter': Andrei Gromyko 75. 'Laat de minister': Weintal en Bartlett 159. Ontmoeting JFK-Gromyko: NYT 4/10/61, 7/10/61, 8/10/61, T 13/10/61, SR 9/1/71, Sor 599, Sidey 261-2, Odon 304-6. JFK tegen Lippmann over ontmoeting: Lippmann mg. Inhoud ontmoeting gelekt: Salisbury *Without Fear* 285. 'Ik denk dat de Russen': Macmillan *Pointing* 403.

Antwoord JFK op brief NC 29/9/61 (officiële tekst nog niet vrijgegeven) en algemeen over briefwisseling NC-JFK: Bundy int, Rusk int, Kohler int, *Macleans* 28/11/83, Sor 552-5, 599, Sal 197-200. Bundy over Smirnovski: Bundy-JFK 20/10/61. NC opent Tweeentwintigste Partijcongres: Prav 18/10/61, NYT 18/10/61, McSweeney-Rusk 19/10/61, JFKL. Reactie Witte Huis: NYT 18/10/61. Confrontatie JFK-Dealey: Manchester *Death* 48-9, 85. Amerikaanse bronnen voor schatting begin 1961 Sovjetraketten: Prados *Soviet Estimate* 192-26. Vaststelling CIA 6/9/61: CIA, *'Current Status of Soviet and Satellite Military Forces and Indications of Military Intentions,'* 6/9/61, JFKL, Prados *Soviet Estimate* 117-8. Hilsman over verouderd ICBM-systeem Sovjets: Hilsman 164. JFK denkt na over bekendmaking Russische inferioriteit: Hilsman 162-5. 'Als ik opsta': Sidey 282. Achtergrond Gilpatric: T 6/7/62, Trewhitt 11.

Toespraak Gilpatric en gebeurtenissen vooraf: Rusk int, McNamara int, Bundy int, Hilsman mg COHP, Gilpatric int WGBH, Hilsman 162-5. Alsop over 'menselijk smeermiddel': Alsop-JFK, ongedateerd, JFKL. JFK over 'op één na aantrekkelijkste man': Bradlee 230. 'Ik denk…vadercomplex': Kelley *Jackie* 204. 'De Sovjet-Unie ervan te overtuigen': Gilpatric int WGBH. Hilsman over goedkeuring toespraak: Hilsman 163, Hilsman mg WGBH. 'John Kennedy is niet': Wyden *Wall* 258. Tekst toespraak Gilpatric: *Documents on Disarmament* 542-50, persbericht Defensie, 21/10/61, JFKL. 'De heer Chroesjtsjov moet weten': *Department of State Bulletin* 1961. 'Met niemand…ruilen': JFKPP 8/11/61. Herter tegen Eisenhower, 31/10/61, en antwoord Eisenhower, 4/11/61, staan in Eisenhower en Herter Papers. Gedrag Zhou Enlai tijdens en vertrek van Partijcongres: NYT 20/10/61, Prav 24/10/61, Linden 133fn, Griffith 94.

'Donderslag bij heldere hemel': Herken 88-101. Ontploffing dertig megaton door Sovjets: NYT 24/10/61. Malinovski tegen Partijcongres: Prav 25/10/61, NYT 24/10/61. Confrontatie Checkpoint Charlie: Clay-Dowling 31/10/61, Norstad Papers, Clay mg, Falin int WGBH, NYT 26/10/61, 28/10/61, Jean Edward Smith 319-21, Gelb 250-60, Wyden *Wall* 260-7. Aanstelling Clay: Clay mg, NYT 31/8/61. 'Ik ben een fan van de president': Wyden *Wall* 214. Besprekingen RFK-Bolsjakov over confrontatie: RFK mg. Falin over Amerikaans voorstel: Falin int WGBH. Adzjoebei over kalmte NC: Adzjoebei int WGBH. 'Niet kunnen omkeren': NC2 506-7. Falin over bevel vernietigen Muur: Falin int WGBH. NC zei hetzelfde (NC2 506-7). Clay gaf leger in West-Berlijn opdracht muur te bouwen in de bossen om te oefenen in het neerhalen (catudal 133). 'Dichter dan ooit bij een derde wereldoorlog': Falin int WGBH.

Hoopvolle verwachtingen NC voor Partijcongres: Ulam *Expansion* 656-62, Tatu 141-5. Verwijdering Stalin uit Lenin-mausoleum en andere destalinisatie-verordeningen: NYT 12/11/61, NW 13/11/61. Intrekken eis trojka en verkiezing Thant: Watt 294. Rusk over Thant: Rusk tegen DFR 20/9/61. NC over 7/11/61: NYT 8/11/61. NC tegen Kroll: Kroll 527. Bolsjakov tegen RFK over Partijcongres en commentaar JFK: aantekeningen RFK 7/11/61, aangehaald in AMSRK 499. 'Prijsverhoging': Bundy-JFK 12/12/61, JFKL. 'Ik ben me bewust': JFK-NC 16/11/61, JFKL. Conflict Vietnam, 1961: Rust 21-73, Karnow 247-54, Halberstam *Best* 64-151. RFK geadviseerd dat Vietnam betere plek was om te vechten: Rust 34. 'Gezamenlijk een krachtige poging': JFK-Diem 8/5/61, JFKL. 'Nu zitten we met het probleem': Halberstam *Best* 76. Rostow over strategie NC: Rostow-JFK 26/6/61, JFKL. Advies Taylor-Rostow: Taylor-JFK 1/11/61, JFKL. Reactie McNamara-gezamenlijke stafchefs: McNamara-JFK 8/11/61, JFKL.

'Het zal net zo gaan als in Berlijn': journaal Schlesinger 13/11/61, aangehaald in AMSRK 705. Rusk-McNamara tegen JFK, 11/11/61, in JFKL. Lemnitzer over 'geplande fase': Rust 63. Lunch JFK-Krock, 11/10/61, in memo Krock, Krock Papers. 'Een besliste poging van buitenaf': JFK-NC 16/11/61, JFKL. JFK tegen Diem over 'Onze verontwaardiging' is van 15/12/61, JFKL. 'We moeten samenwerken met bepaalde landen': JFKPP 16/11/61. Besprekingen november 1961 JFK-Adenauer: NYT 23/11/61, T 1/12/61, Jahn 433-4, Strauss 357-67, Koerfer 613. Briefing van Adenauer: Amory mg, Gaddis *Strategies* 207, Enthoven en Smith 132-42. Klacht Lemnitzer over briefing: Lemnitzer-Norstad 25/11/61, Norstad Papers. NC in november 1961: Slusser 459-65. Salinger tegen Charmalov over Sovjet-interview van JFK: Sal 192-3, 200. Instructies NC aan Adzjoebei: Adzjoebei int WGBH. Diner Adzjoebei met Salinger: Sal 200-2.

CIA over Adzjoebei: *Office of Current Intelligence*, profielschets Adzjoebei, 8/6/61, Helms-Hugh Cumming, 26/7/60, JFKL. 'Chroesjtsjov aarzelt...te verlenen': Thompson-Rusk 28/7/61, JFKL. Andere bronnen over achtergrond Adzjoebei: Adzjoebei, *'Retracing an Anniversary from Contemporary History,'* Ogonjok (Moskou) oktober 1989, Adzjoebei int WGBH, CIA-profiel 30/1/62, JFKL, Jane Thompson int, Kohler int, *Reporter* 4/8/60, Beschloss *Mayday* 52-3, 201, 218. NC over Stalins vrouw: NC1 44. 'Enthousiaste mensen': 8/6/61 CIA-profiel, JFKL. 'Het was misschien een schok': Prav en Izv 28/10/61. Crankshaw over Adzjoebei: Crankshaw 260-1. Adzjoebei's reis naar Parijs: 30/1/62 CIA-profiel, JFKL. 24/11/61 ontmoeting JFK met medewerkers: Kaysen-JFK 22/11/61, 9/12/61, Kaysen-Bundy 13/11/61, McNamara int, Kaysen int WGBH, Harold Brown int WGBH, Sorensen int WGBH, McNamara int WGBH, Kaplan 257, Herken 151-5. Enthoven over 'puin': aangehaald in Herken 154. Eisenhower over 'helemaal stapelmesjoche' worden: Kistiakowsky 293.

'Om eerlijk te zijn': aantekeningen Bundy, januari 1962, JFKL. Ontmoeting Adzjoebei-JFK: Adzjoebei int WGBH, NYT 26/11/61, T 1/12/61, Sal 203-4. Tekst is uit NYT 29/11/61. 'Het was erg koud': Adzjoebei int WGBH. Bandopnamesysteem JFK: Bouck mg, Powers mg COHP, overzicht banden in JFKL, WP 5/2/82. Opnamesysteem Eisenhower: T 5/11/79. Afluisterapparaatjes op telefoons Amory, Baldwin, Norman: Amory ges, Lasky *Watergate* 72-4. Bradlee schrijft dat toen de president erachter kwam dat Norman in *Newsweek* een nieuwe ontwikkeling in militaire technologie had onthuld, er 'tot op het bot' een onderzoek werd ingesteld naar de verslaggever (Bradlee 155-6). 'Mijn god, ze tapten praktisch elke telefoon af': Lasky *Watergate* 71. Voormalige regeringsleden JFK vinden 'ondenkbaar': Hedley Donovan 84. RFK gebruikt banden voor *Thirteen Days*: WP 5/2/82. Verslag van verzoek RFK om de pers af te luisteren: Lasky *Watergate* 75-84. Walters over afluisteren JFK van vrouw en broer: aantekeningen Stephen Ambrose na een gesprek van november 1990 met Walters, gedeeld met auteur door professor Ambrose. 'Jouw arrogante Russische vriend': Sal 204-5. RFK over Adzjoebei: RFK mg. 'Abonneer': NW 4/12/61. *Izvestija* publiceert interview: Izv 28/11/61, L 8/12/61, NW 11/12/61, NYT 7/12/61. Salinger over wijziging: Sal 206. 'Zoals u weet, had ik een onderhoud': eerste versie brief JFK-NC, verstuurd op 2/12/61. Toespraak NC 9/12/61: Prav 10/12/61. Thompson tegen NC over kerst: Jane Thompson int. Verzoek niet ingewilligd: NYT 16/12/61. Beroerte Joseph Kennedy: NYT 20/12/61, RFK mg. RFK-JFK praten over 1961 en de Russen: RFK mg. 'Wie zou er nou...lezen?': Abel mg. Bundy over geen 'nucleaire opdringerigheid': Bundy 366-85. 'Grote crises grote mannen': JFK *Profiles* 49. JFK over credo Liddell Hart: AMSTD 110. Bundy over starheid NC: Bundy 384-5. Sergej Chroesjtsjov over Berlijnse crisis: CCT, Sergej Chroesjtsjov op Harvard, 13/2/89-15/2/89. 'Ik hoop van harte' en 'Tijdens onze ontmoeting in Wenen': JFK-NC 29/12/61 en NC-JFK 29/12/61.

14. 'Uw president heeft een zeer ernstige fout gemaakt'

'Het belangrijkste resultaat' en de ongewone houding van NC: NYT 2/1/62. Geruchten over NC en andere bewijzen over diens interne problemen, begin 1962, en de officiële Russische reactie: George Ball-Thompson 26/1/62, JFKL, Myron Rush in *Current History*, oktober 1962, NYT 6/2/62, 9/2/62, USN 15/1/62, 29/1/62, NW 19/2/62. NC in Minsk: Prav 13/1/62. Artikel in de *L'Unità*: *L'Unità* 5/2/62, McMillan 477. Bohlen over dat NC niet met ernstige problemen te kampen heeft: aantekeningen Bohlen, Bohlen Papers. McCone over de status van NC: McCone-JFK. 'Toejuiching van de Sovjet-intenties': 5/1/62, JFKL. Thompson over het Chinees-Russische geschil: Thompson-Rusk: 18/2/62, JFKL. Bolsjakov tegen Bradlee: Bradlee-RFK 10/1/62, RFK Papers. NC gefrustreerde verwachtingen t.a.v. het Partijcongres, plus andere problemen begin 1962: Frankland 190-1, USN 14/5/62, Tatu 176-225, Linden 118-40, USN 14/5/62, NW 11/6/62. 'Onze Nikita Serjewitsj': Izv 11/6/61. 'Succes voor roman verzekerd': NYT 28/1/62.

'Gericht op het feit of Chroesjtsjov...": Thompson tegen DFR 3/4/62. Rusk-Kennedy en relatie Buit. Zkn-Witte Huis: Bohlen mg, Jack Bell mg, Dutton mg, USN 31/7/61. *Commonweal* 29/3/63, *Harper's* november 1961, NR 24/7/61, Halberstam *Best*. 35-7, 344-6, Weintal en Bartlett 149-66, Galbraith *A Life* 402-6, Trewitt, 253-4, Hilsman 34-5, 59-60, Bohlen 474-6, Cohen 213-6. JFK tegen medewerkers over het profiel in *Life* (8/6/62) en over Rusk tegen White: Aantekeningen over White in Schlesinger Papers, JFKL. 'Hoe ontsla je...': Hilsman mg COHP. 'Hij komt altijd met...' Cassini 327. JFK tegen Hilsman over 'bepaald geen Dean Acheson': Hilsman mg COHP en Hilsman 53. Relatie Rusk-JFK vanaf begin 1962: Schoenbaum 263-89, Rusk 292-5. 'Zette nooit iets op het spel'; RFK mg. JFK zegt 'Dean' tegen Rusk: vertel 30/7/63. JFKL 'Weet u, het is zeer opvallend': Rusk-Bohlen 27/6/73.

'Mijn band met de president': Rusk int. Rusk's poging Davies te rehabiliteren: Schoenbaum 200-1. 'Voor Robert Kennedy moesten alle regeringsfunctionarissen': Rusk int. Rusk's klacht over RFK's eis en JFK's reactie: Rusk int, RFK mg. Schlesinger's aantekeningen over Rusk: Schlesinger's aantek. in Schlesinger Papers. JFK tegen O'Donnell over vervanging van Rusk: Odon 281-2. 'Een geweldige bestuurder' en 'een goede boodschappenjongen': Hilsman mg COHP, Douglas mg en aantekeningen over White in Schlesinger Papers. Rusk's klachten over notuleren: Rusk int. '... de bureauambtenaar de stuipen op het lijf joeg': Schoenbaum 274. 'Behoorlijk hard': Schlesinger sr., aantekeningen over eerste AMSTD-versie.. Rusk over Schlesinger: Schoenbaum 286-7, Rusk int. Reston over 'slecht bijgehouden rapporten': Sal 208 en NYT 29/12/62. 'Het is het niet waard minister van Buitenlandse Zaken te zijn': Halberstam *Best* 63. 'Probeer in godsnaam...': Destler 184.

Diner van Bolsjakov-Smirnovski met Bradlee-Weintal: Bradlee-RFK 10/1/62, RFK Papers. Tevens vertelde Bolsjakov tegen Bartlett, Lippmann en Bradlee dat JFK een afgezant naar Moskou moest sturen met wie hij een zeer nauwe band had: Bartlett-JFK, ongedateerd, 1962 en Bartlett int. Bolsjakov tegen Salinger over uitwisseling tv-debat en bezoek RFK: NYT 1/3/62, Sal 207-210. Brief van RFK aan NC en diens antwoord worden vermeld in JFKL-inventaris van briefwisseling tussen JFK-NC. Bezoek van Adzjoebei aan Washington: Adzjoebei int WGBH, Thomas Mann-Rusk 26/1/62, JFKL, JFKPP 31/1/62, NYT 25/1/62, NW 5/2/62 en 12/2/62, USN 12/2/62. *Good Housekeeping*, juli 1962, Roberts 205-7. Castro's reactie op een kopie van Adzjoebei's verslag over gesprek met JFK: Jean Daniel in de *New Republic* 14/12/63 en NYT 12/12/62. Salinger's en Harriman's onderlinge beraadslaging over reactie op dit openbare verslag: Salinger-Harriman vertel 11/12/63, Harriman Papers.

Castro tegen Szulc over gesprek tussen JFK en Adzjoebei: Szulc 578-9. Bundy's contemporaire herinneringen: Roberts 206-7. JFK en Macmillan op Bermuda: David Bruce-Rusk 13/12/61, JFKL, Schlesinger-interview met Macmillan 20/5/64, aantekeningen in Schlesinger Papers, AMSTD 489-51, Seaborg *Kennedy* 125-31, Horne 321-4. Sorensen herinnerde zich (int JBM) dat Macmillan achter elkaar brieven naar Kennedy schreef en suggereerde dat het een 'plaag' werd. Bundy waarschuwde JKF op 27/10/61 (memo JFKL) dat 'Macmillan bezig is je een tot een overeenkomst te verleiden waarbij er geen kernproeven mogen plaatsvinden zonder zijn toestemming', iets dat Bundy als 'vals spel' beschouwde. JFK's wens om Nevada niet als testbasis te gebruiken: Seaborg *Kennedy* 136-7. Macmillan tegen Kennedy over 'dictators, reactionairen': Macmillan *At the End* 156.

'Waarom al die moeite': AMSTD, eerste opzet, Kohler int. JFK en Macmillan tegen NC m.b.t. 'zo'n breed mogelijk vlak' is van 6/2/62, JFKL.

Briefwisseling tussen NC en JKF van februari-maart: NC-JFK 10/2/62, 21/2/62, 3/3/62, 10/3/62, 20/3/62. JFK-NC 6/2/62, 13/2/62, 15/2/62, 21/2/62, 24/2/62, 5/3/62, 7/3/62, JFKL. JFK's persoonlijke opvattingen over kernproeven: NC-mem van 27/2/62, JFKL. JFK over hervatting: JFKPP 2/3/62, Bradlee 61-3. JFK's voorbereiding op tv-debat: Sor 557-8, 730. Bolsjakov tegen Salinger over aflassen van tv-debat en JFK's reactie hierop: Sal 214-7. Bolsjakov tegen Sorensen over Sovjet-reactie op hervatting: Sor 558. Tompson-Gromyko bijeenkomsten in Berlijn en Sovjet-pesterijen: JFK-Norstad 26/2/62, Norstad Papers, Hillenbrand mg, Kohler int, McNamara int, NYT 3/1/62, 29/1/62, NW 51/1/62, NW 5/2/62, T 26/1/62, Ulam *Expansion* 661-3.

Thompson over Berlijn: Thompson tegen 3/4/62. Mogelijkheden voor samenwerking in de ruimte: JFK-NC 21/2/62 en 7/3/62, NC-JFK 21/2/62 en 20/3/62, JFKL, JFKPP 21/2/62, NYT 22/2/62 en 18/3/62, *Business Week* 24/3/62. Boodschappen tussen NC-JFK waren in deze periode zo talrijk dat generaal Clifton in brieven naar Bundy schreef over 'huidige persgeruchten' dat de president geen persoonlijke overwegingen heeft bij de boodschappen zoals die van hier naar de Sovjet-Unie gaan omdat de Amerikaanse reacties zo snel worden beantwoord... Aangezien de president nog jong is... is hij zeer gevoelig voor de ongerechtvaardigde beschuldiging dat hij een olifant in een porseleinkast is.' (Clifton-Bundy, maart 1962). 'DAVE, KENNY, TED': aantekening van JFK m.b.t. Bundy-JFK 23/3/62, JFKL. Jacqueline in Mountbatten-apartement: Galbraith *A Life* 411. Hoover's lunch met Kennedy op 22/3/62 waarbij hij erachterkomt dat de verhouding tussen de president en Campbell is beëindigd: *Assassination Plots* 126-31, AMSRK 494-5. JFK en MCNamara in Berkely en Vandenberg: AP 23/3/62, McNamara int. JFK in Santa Monica: Raskin int en Raskin's niet-gepubliceerde manuscript. JFK in Palm Springs: JFK-Eisenhower 8/3/62, DDEL, Pierpoint ges, Raskin int, Summers *Goddess* 294-6. Aankomst en achtergrond van Dobrynin: NYT 31/3/62 en 24/4/62, NW 7/5/62, USN 26/2/62 en 26/3/62, T 23/3/62, *New York Times Magazine* 29/7/62. Mensjikov's herroeping en degradatie: Kohler int, Davies int, Thompson over Dobrynin: Thompson tegen DFR 3/4/62. 'Nu praten alle diplomaten opeens...': *New Yrok Times Magazine* 29/7/62. 'De beste ambassadeur': NW 24/12/62. '...Bolsjakov wel kon schieten': Holeman int. Mensjikov tegen Stevenson: december 1961, Stevenson Papers. 'Aan dit alles zal nu een eind komen':Sal 220-1.

Gesprekken tussen Rusk en Dobrynin m.b.t. de Berlijnse kwestie: Hillenbrand mg, Kohler int, Rusk int NYT 13/4/62, 17/4/62, 21/4/62, NW 23/3/62, USN 30/4/62. Terugkeer van Clay: Clay mg, NW 23/4/62. Clay schreef naar Eisenhower (28/2/62, DDEL): 'Als ik tot de president kan doordringen, krijg ik steun. Zonder de president is het een ander verhaal. Ik ben bang dat het delegeren van de macht tot het verleden behoort.' Rusk over het ontnemen van zijn 'bewegingsvrijheid': Seaborg *Kennedy* 146. De Amerikaanse hervatting wordt beschreven in NW van 23/4/62 en *Life*, geciteerd in Wright 35. Sacharov over pogingen van Russische inlichtingendienst om informatie te krijgen over Amerikaanse kernproeven: Sacharov 225. Anti-raketproeven: Rusk int, Seaborg *Kennedy* 152, 271-3, Rusk 602. Briefing van McNamara: McNamara tegen DFR op 8/2/62, McNamara int WGBH. Interview JFK-Alsop: september 31/3/62, McNamara int, Roberts 202-3. *Pravda* 'verbluft': Prav van 31/3/62.

Effect Alsop-interview op NC: Tatu 218-9. Bezoek van Salinger aan NC: Sal 222-37, Schlesinger-Salinger 8/5/62, Salinger Papers, NYT 13/5/62, *Look* 14/8/62. Arbatov over 'namaak-lanceerterreinen': aantekeningen van MCT en Stephen Ambrose over ontmoeting met Arbatov, Moskou november 1990. Nachtelijk telegram naar Adenauer: Sal 233. Castro over 'Marxistisch-Leninistisch programma': Szulc 568-9. Eisenhower over 'ondubbelzinnige gelegenheid': Eisenhower-Charles Bercy 23/11/62, DDEL. Bundy over de 'laatste schatting': Bundy-JFK 31/3/62, CIA. 'De Cubaanse situatie en de verwachtingen', 21/3/62, JFKL. Castro en Varkensbaai-viering: NW 19/3/62, 26/3/62, 30/4/62.

Castro's lenteproblemen van 1962: Szulc 569-6, Bourne 232-7. Bundy schreef Kennedy (2/6/62) over de 'groeiende spanning tussen de "nieuwe" en "oude" communisten op Cuba. Cubaanse spionage 'op alle fronten mogelijk.': *New Republic* van 14/12/63.

Dulles tegen senatoren: Dulles tegen DFR 2/5/61. 'Deze man met ijskoud water in zijn aderen': Rusk int. McNamara's omschrijving 'hysterisch': *Assassination Report* 157-8, Parmet *JFK* 217. 'Verschrikkingen der aarde': verdrijving OAS, economische blokkade: Davies *Kennedys* 394, Szulc 571-5. 'Mijn idee is...voor opschudding te zorgen.': RFK 7/11/61 memo, RFK Papers. Operatie *Moongoose*: Bissell int, Amory int, Amory mg, McNamara int, Helms int, Bissell int, Prados *Secret Wars* 210-3, *Assassination Plots* 139-45, *Miami Herald* 21/11/62, CIA schatting van 28/11/61, JFKL, Taylor Branch en George Crile III in *Harper's*, augustus 1975, Thomas Powers 132-8, Davis *Kennedys* 393-9, 428-9, 433-4, 835-9, AMSRK 477-80, Szulc 562-76, Garthoff 5, 17-8, 78-9, 90, David Martin 126-44. Bobby was de staalborstel': Helms int. RFK en de kopermijnen van Matahambre: Thomas Powers 138-41. '...dwaze plannen...': Helms int. Schatting maart 1962: CIA schatting van 21/3/62, JFKL.

Gifpillen voor Roselli en training in Puerto Rico: Thomas Powers 148-9. JFK's startsein voor geheime acties: Quirk 197. Diplomaat over Castro als 'romantisch': Verslag van A.S. Fordham-Lloyd van 14/7/59. Bezoek van Castro's zoon aan Moskou: NYT 12/11/61. Russisch-Cubaanse betrekkingen, lente 1962: Hugh Thomas 1377-84, Hyland en Shryrock 28-31. Castro en NC waarschuwen elkaar over invasie: *New Republic* 14/12/63, Szulc 578-80, Igor Statsenko: 'On Some Militairy-Political Aspects of the Caribbean Crisis.' *Latinskaya Amerika* (Moskou) november-december 1973. JFK's terughoudendheid m.b.t. invasie, het Russisch-Cubaanse standpunt en het antwoord van Gromyko: McNamara en Gromyko in MCT. Thompson over Russen en Cuba: Thompson tegen DFR 3/4/62. 'Openlijke koorddanserij': Bundy-JFK 17/9/62, JFKL. JFK over 'doordringing door communisten van buitenaf': JFKPP 20/4/61. Reston over 'grenzen van JFK's belofte: NYT 20/4/61.

JFK over bedreiging Guantánamo door Castro: JFKPP 21/3/62. 'De VS moeten stappen ondernemen': USN 17/9/62. Harris tegen JFK over de publieke opinie: Harris-JFK 4/10/62, JFKL. *Chronicle Poll*: Kern 101. NC's geloof in politieke en militaire macht d.m.v. nucleair arsenaal en aanvoersystemen: Bundy int, Bundy 419-20, McGwire 22-5. JFK over Vietnam na 1964: Odon 16-7, 413-4, AMSRK 708-23, George Ball 366-7. NC wist dat de meerderheid van het Partijcongres tegen de-stalinisatie was: Boerlatski int WGBH en Boerlatski op Harvard 27/9/88. Relatie NC-Mikojan en discussie rond raketgok: Sergo Mikojan tijdens CCT, MCT op Harvard van 13/2/89-15/2/89, Mikojan ges, Sergei Chroesjtsjov ges, Sergo Mikojan in *Latinskaya Amerika*, januari 1988. Lebow over de kosten van de raketgok: *Political Sience Quarterly*, herfst 1983. JFK tijdens persconferentie over raketlanceringen dichtbij versus een afstand van 8000 km: JFKPP 7/3/62.

Geheimhouding als Sovjet-norm: Boerlatski in WGBH, Sjaknazarov tijdens MCT. Amerikaanse consessie waarbij NC's heimelijke acties en oneerlijkheid de Amerikaanse zaak diende: RFK mg, Bundy tijdens CCT, Sorensen tijdens MCT. JFK tegen Bundy's nieuws van 16/10/62: Bundy int. Malinovski over bases in Turkije: Boerlatski tijdens CCT. NC tegen Stevenson over bases in Turkije: aantekeningen Tucker 5/8/58, Stevenson Papers. NC tegen Harriman en Pearson over bases: NC-Harriman mem van 23/6/59, JFKL, SEP 27/4/62, WP 28/8/61, Luvie Pearson ges. Mikojan's houding t.o.v. NC's raketgok: Sergo Mikojan tijdens CCT, MCT op Harvard 13/2/89-15/2/89 en Sergo Mikojan ges. '...ons leiderschap natuurlijk heel wat hoofdbrekens kostte': Sergei Chroesjtsjov tijdens MCT. '...slechts twee gedachten...': Sergo Mikojan tijdens CCT. Mikojan's waardering voor Castro: Sergo Mikojan ges. '...woelden al deze gedachten...': NC 493-5. NC in Varna 16/5/62 en Sofia 19/5/62: Prav 17/5/62 en 20/5/62.

NC onthult raketgok aan Gromyko: Gromyko tijdens MCT en Gromyko in Izv van 15/4/89. 'Over de glastnost van nu en de geheimzinnigheid van toen'; *Observer* (Londen) 2/4/89. Alexejev in *Argumenty i fakty* 11/3/89-17/3/89. NC over praatzieke Opperste Sovjetleden: Boerlatski tijdens CCT. NC onthult plan aan slechts vijf personen: Sergo Mikojan tijdens CCT en MCT, zie ook NC 498-9. NC over geheime bespreking na bezoek aan Bulgarije: NC 494-5. NC en Malinovski over hoeveel tijd een Russische invasie op een nabijgelegen eiland nodig zou hebben: Sergo Mikojan tijdens CCT. CIA-schatting van 1 miljard dollar m.b.t. de raketgok: CIA, 'The Crisis: USSR/Cuba', 25/10/62, JFKL. De Russen hadden nog nooit eerder raketten buiten hun eigen landsgrenzen geplaatst: Thompson mg, Bundy int. Volgens Gromyko steunde Malinovski het plan: Gromyko tijdens MCT en in Izv van 15/4/89. Sergei over 'gebruikelijke manier van toetsing': Sergei Chroesjtsjov tijdens MCT. 'Pas na twee of drie...': NC 499.

Gromyko gerustgesteld door nadruk NC: Gromyko tijdens MCT en in Izv van 15/4/89. 'Laten we maarschalk Birjoezov sturen': Sergo Mikojan tijdens MCT. Volgonov over opdracht aan Malinovski: tijdens MCT. Alexejev over afspraak en kennisgeving over de raketgok: Alexejev int WGBH, tijdens MCT, Mikojan tijdens CCT, Alexejev in *Argumenty i fakty* 11/3/89-17/3/89, *Ekho Planety*, november 1988. Missie van Rasjidov en nawerking: Szulc 576-7, Alexejev int, Alexejev, Risquet, Mikojan, Volgonev en Aragones tijdens MCT, Castro in *Le Monde* van 22/3/63. Castro over NC's voorstel: Szulc 576-81, *New Republic* 14/12/63. 'Weer heb ik de vlag...': Szulc 576. 'Hij dacht het plan niet goed over': Boerlatski tijdens CCT, Boerlatski int WGBH, tijdens MCT. Briefwisseling Gromyko-Dulles: Gromyko in Izv van 15/4/89. Arbatov over 'besloten groep': tijdens MCT. Gromyko over noodzaak van geheimhouding: tijdens MCT.

Fulbright over raketten op Cuba: CR 29/6/61. Geen officiële waarschuwing vóór mei 1962: memo Bureau of Intelligence and Research, oktober 1962, JFKL. NC over de 'dreiging': NC-JFK 22/4/61, JFKL '...zeer emotioneel mens': Boerlatski int WGBH en tijdens CCT. 'Het werd hoog tijd': NC1 494, zie ook Volkogonov en Sergei Chroesjtsjov tijdens MCT.

15. 'Niemand zal zelfs in staat zijn weg te rennen'

Benny Goodman in Rusland en NC over Jazz: Adzjoebei int WGBH, Jane Thompson int, NYT 31/5/62, 2/6/62, 5/7/62, 9/7/62, NW 11/6/62, SC 206. JFK tegen NC over Goodman en Salinger: JFK-NC 5/6/62, JFKL. Laos, lente 1962: RFK mg, Laos 1962 dossier in Harrima Papers, Rusk en Chayes tegen DFR 13/7/62, *Diplomatic History*, lente 1979, Hilsman 136-55, Donmen 200-80. 'Ik vrees dat ik hier weinig': Rusk tegen DFR 29/3/62. JFK tegen Adzjoebei over Zuidoost-Azië: Sal 213-4. JFK tegen NC over Laos: 18/1/62 mem. JFK's persconferentie van februari: JFKPP 21/2/62. '...bluf aan echte vastbeslotenheid paarde': Sor 645-8. Sor mg. JFK over Laos tegen Alsop: SEP 31/3/62. Thompson vindt het 'zeer veelzeggend': Thompson–Rusk 14/5/62, zei ook Thompson-Rusk 15/5/62, Harriman Papers. NC over 'een roekeloos spel': NW 11/6/62. Rusk opzet van JFK's brief naar NC: 11/5/62, Harriman Papers. Briefwisseling tussen RFK en Bolsjakov over Laos: RFK mg.

'Goed nieuws uit Laos': NC-JFK 12/6/62, JFKL. Lot van Laotiaanse overeenkomst: Hillsman 151-5, Donmen 281-303, Rust 76-7. Raùl-Aragones' missie naar Moskou: Mikojan tijdens CCT, Aragones en Risquet tijdens MCT. Risquet over Cubaans voorstel en Aragones over NC's reactie: tijdens MCT. NC op 4/7/62: Jane Thompson int, NYT 5/7/62. NC tegen JFK over Berlijnse kwestie: NC-JFK 5/7/62, JFKL. Bolsjakov over Berlijn: RFK mg en Bolsjakov mem 18/6/62. RFK Papers. Bundy over 'laagvlieg-incident': Bundy-JFK 17/7/62, JFKL. Ontmoeting JFK-Dobrynin op 17/7/62: mem, JFKL. Commentaar Dean in Genève en reactie Rusk-JFK: Seaborg 162-3, Adrian Fisher mg. Achtergrond en karakterschets McNamara: McNamara int, McNamara int WGBH, Kohler int, Henry Trewhitt ges, Hilsman mg, Lovett mg, Dutton mg, T 11/2/91, DEP 5/8/61, L 30/3/62, *Reporter* 18/1/62, *Harpers*, augustus 1961, NW 26/12/60, 12/5/62, Trewhitt, Burner en West 105-6, Halberstam *Best* 214-47, 258-9, Alsop 127-9.

'...die slimmer zijn dan ik': Trewhitt 29. 'Hij rent meer...': Burner en West 103. 'Bob kan dwazen slecht uitstaan': Trewhitt 96. 'Ik heb nooit acties ondernomen': Trewhitt

106-7. 'Ik probeerde Dean ervan te overtuigen': Kohler int. JFK's bewondering voor McNamara: RFK mg. 'Mannen kunnen zijn appeal...': Bradlee 230-1. 'Waarom noemt iedereen...': Halberstam *Best* 220-4. Over de '*Hickory Hill*-seminars': zie Schlesinger Papers. De Kennedy's, die mag ik heel graag': Halberstam 220-4. Hij kwam 'binnenzetten': Cassini 327. JFK over regeringsoplossingen: JFKPP 11/6/62. O'Donnell's waarschuwing: Vanocur int. 'Iedereen zou zich kandidaat moeten stellen': Bradlee 162. Alsop over McNamara's 'ingewikkelde theorieën': Kern 120. 'Bob is uw grote ontdekking': 'Joseph Alsop-JFK, ongedateerd, JFKL. '...enigszins dichtbevolkt': Trewhitt 27. 'Ik ben het ermee eens dat ik niet...': Collier en Horowitz *Fords* 248-9. Kennedy's mislukte poging McNamara's stem van 1960 uit te buiten: McNamara int.

'Gematigd progressieve opvattingen': Odon 237. '...meer dan ik ooit zal hebben' en 'hoeveel autoindustriëlen': Trewhitt 7 en Collier en Horowitz *Kennedys* 254. Ontmoeting tussen JFK en McNamara in Georgetown en afspraak: McNamara int, David Bell mg, Odon 236-8, Lincoln *My Twelve* 211-3, Sidey 14, Trewhitt 7-10, Halberstam *Best* 220-4. '...onder de indruk van': RFK mg. 'Emotie kun je nooit vervangen': Trewhitt 119. 'Ik moet nauwkeurig nadenken': Trewhitt 296. 'De gevaarlijkste man': Trewhitt 83. 'Die andere heeft geen schijn van kans': Trewhitt 250. Reston over McNamara: geciteerd in Hilsman 43-4. Vrees over mogelijke zelfmoord van McNamara en een tweede Forrestal': Trewhitt ges, Trewhitt 271. McNamara's eis inzake Vietnam: McNamara int. McNamara over vergeldingskracht tijdens toespraak in Chicago: McNamara int WGBH, Trewhitt 122-5. 'Hij luisterde naar zijn *Whiz Kids*': Trewhitt 115. NC over vergeldingskracht: Prav 11/7/62, NYT 12/7/62.

'Ik ken niemand die denkt dat...': McNamara int WGBH, Rusk int. NC over anti-raketraket en reactie v.h. Pentagon: Prav 18/7/62, NYT 17/7/62. RFK over ambassadeurspost in Moskou: RFK mg en Thompson mg. Jacqueline over Glenn: Sulzberger 915. Proefballonnetjes voor Galbraith en JFK's reactie: Bradlee 114. RFK over Kohler: RFK mg. Kohler's achtergrond: Kholer int, NYT 29/6/62, NYT 21/10/64, Wise 100. Kohler over JFK: Kohler int. 'Als je mensen stuurt naar': Bartlett int. Lunch met Bolsjakov en Holema van juli: Holeman int en Holeman mem van 11/7/62, JFKL. NC tegen Nixon over *Captive Nations*': Nixon *Memoirs* 207-8. Gesprek tussen mevr. Chroesjtsjov en Jane Thompson: Jane Thompson int. Afscheidsdiner Chroesjtsjov-Thompson: Jane Thompson int, NYT 25/7/62, Thompson-NC 8/10/62, Thompson Papers.

'Zelden is er zo'n gebrek geweest': NW 9/7/62. NC's interne problemen, zomer 1962: Tatu 229-60. 'Chroesjtsjov in het nauw': Rostov *Diffusion* 251-2, Rostov mg, T 25/8/87. Cline's reactie en Rostov's onzekerheid over Cuba: Prados *Sovjet Estimate* 134 en Sulzberger 918. 'Niemand zal zelfs in staat zijn weg te rennen': Acheson tegen Truman 3/5/62, Truman Papers. JFK over de ruimtevaart: JFKPP 22/8/62 en 12/9/62. Schattingen van draagwijdten van MRBM's en IRBM's: *Aviation Week* 12/11/62, Garthoff 20 vn. Telling van Russisch personeel, Il 28's, luchtafweerstellingen, MRBM's en IRBM's voor Cuba: Castro in de *New Republic* van 14/12/63, AMSRK 504. Geheimgehouden Sovjet-troepen: tijdens CCT, MCT. Mogelijk herfstbezoek van NC en mogelijk gesprek over onderhandelingen: Hilsman-Rusk 20/9/62, JFKL. Dobrynin tegen Rusk: Bundy-JFK 31/8/62, JFKL. Rusk tegen DFR 5/9/62. China over Rusk's voorstel: Griffith *Sino* 351, Ulam *Expansion* 664-6. Mongoose: Davis *Kennedys* 397-9, Thomas Powers 129-30, AMSRK 477-80, Prados *Secrest Wars* 194-207.

Discussie over 'liquidatie' van Castro: *Harpers*, juli 1975, Goodwin 189, Thomas Powers 129-30, *Assassination Plots* 105, 161, AMSRK 497-8. U-2-incident van 30/8/62 en NC's reactie: NYT 5/9/62, Prav 6/9/62, *Business Week* 8/9/62, NW 17/9/62, Rusk tegen DFR 5/9/62. CIA patrouillering rond Russische schepen: Prados *Sovjet Estimate*, Laqueur 159-60, Burrows 116-23. Schlesinger over ondersteuning van opstand: Schlesinger-JFK 5/9/62 en JFK-Schlesinger 5/9/62, JFKL. Alexejev over Birjoezov's overtuiging: tijdens MCT. Sergei Mikojan over 'typisch Russisch': tijdens CCT. Castro over omschrijving als landbouwprodukten: Mikojan tijdens CCT. Verslagen van agenten en vluchtelingen van 18/

10/62: William K. Harvey's samenvatting van verslagen van agenten vanaf juli 1962, JFKL, zie ook Frank Sievarts officiële geschiedbeschrijving 'The Cuban Crisis, 1962' in opdracht van min. v. Buit. Zkn voor intern gebruik en op basis van officiële bronnen, 1963, JFKL. In vervolg aangehaald als Sieverts.
'...duidelijk iets nieuws': CIA, Office of Current Intelligence, Current Intelligence Memorandum van 22/8/62, JFKL. McCone's achterdocht inzake raketten op Cuba: Bundy int, Helms int, Rusk int, SEP 27/7/63. McCone's waarschuwing tegen JFK en diens reactie: Laqueur 165-9, Prados *Sovjet Estimate* 127-50. U-2-vlucht van 29/8/62: memo Hilsman van 5/2/63, Hilsman Papers. Carter over 'crash-programma': Carter tegen DFR, 5/9/62. Rusk over Sovjetaanwas: Rusk tegen DFR, 5/9/62. Marine-oefening en Castro's interpretatie: Arbesu en Risquet tijdens MCT, Garthoff 36. Keating en andere aanklacht over achterhouden bewijzen: Keating in *Look*, 3/11/64. Keaton's verdenking van afluisterpraktijken: Lasky *Watergate* 81-2. Helms over Keaton's beschuldigingen: Helms int. JFK over 'iets meer dan vijftigduizend Cubaanse vluchtelingen': JFK tegen Theodore White op 13/2/63 in White-aantekeningen in Schlesinger Papers. Eis van Republikeinen voor blokkade: *National Review*, 25/9/62, 23/10/62, Garthoff 16.
Nixon over 'duidelijk en aantoonbaar gevaar': NYHT, 4/11/62. Rebozo stuurt artikel: Rebozo-Nixon, 10/9/62, Nixon Papers. Veiligheidsincident in Houston: SAC Houston-J. Edgar Hoover, 17/9/62, FBI. Toestemming v.h. Congres voor oproep reservisten: NYT, 22/9/62. Cubaanse vlaggen in Houston: J. Edgar Hoover-Chief, Secret Service, 14/9/62, FBI. JFK houdt zich de eerste twee jaar afzijdig van acties en plant verkiezingen van 1962: Odon 307. *New Republic* over JFK en *The King and I*: 1/10/62. Achtergrond en karakterschets van McCone: Amory int, Hilsman mg, Amory mg, R.O. L'Allier-W.C. Sullivan, 28/9/61, FBI, SEP, 27/7/63, NYT, 27/9/61, T, 6/10/61, L, 6/10/61, Cline 215-9, Thomas Powers 159-67, Halberstam *Best* 152-5, Phillips 151-2, Laqueur 79-81, Alsop 232-3, 244-5, Hilsman 46-7, Wise en Ross 193-9. 'Hij mocht Ethel graag': RFK mg. Snob en puritein': David Martin 186. JFK over geld en religie: AMSTD 72. McCone en professoren van Cal Tech over kernstopverdrag: Wise en Ross 192-4, Halberstad *Best* 152-5.
'...een uitvoerder en geen beleidsvormer': Divine *Blowing* 256-8. McCone keurt kernstopverdrag af: McCone-Krock, 23/2/61, Krock Papers. Kistjakowski over McCone en de publieke opinie: Kistjakowski 197-203, 261-2, 281-5, 372-3. 'Laten we vooruitkijken' en 'Phi Beta Kappas': McCone-Nixon, 10/11/60, Nixon Papers en McCone-Krock, 23/2/61, Krock papers. Beschuldiging inzake oorlogsprofiteurs en antwoord van McCone: Halberstam *Best* 152-5. JFK overweegt RFK en Clifford bij CIA en kiest voor McCone: RFK mg, SOR 630-1. O'Donnell's verontwaardiging over aanstellingen: Vanocur int. 'McCone is een straatvechter': Hilsman mg, Hilsman 46-7. Eisenhower tegen McCone over aanstelling: 27/9/61, DDEL. McCone's komst bij de CIA: David Martin 118. Verslag McCone en Kirkpatrick: Ranelagh 380-1, Wise en Ross 192-3. Cline over McCone en moordaanslag: Cline 215-9, 224. McCone's geloof in belang van nucleair evenwicht: Bundy int, Bundy 419-20. McCone heeft ontmoeting met Gilpatrick en zet vraagtekens bij Cubaanse aanwas: Detzer 63-4, Abel 16-8. McCone vreest excommunicatie: *Assassination Plots* 105.
RFK over McCone's voorkennis aan de vooravond van de rakettencrisis: RFK mg. RFK over raketten als 'belangrijk politiek probleem': memo RFK, 11/9/62, RFK Papers. Ontmoeting tussen RFK en Dobrynin van 4/9/62: RFK mg, RFK 132-4. 'We deden het vanwege de vereisten': Bundy int en Bundy in Thompson 210. Sorensen over de uiterste grens van JFK: tijdens HCCT. RFK's aanval op O'Donnell over *Thirteen Days*: Dit werd tegen de schrijver van dit boek verteld door een functionaris die dicht bij de president stond en anoniem wil blijven. De ontmoeting tussen Dobrynin en Sorensen van 6/9/62 en Sorensen's verslag aan JFK: Sor 667-9. Udall heeft ontmoeting met NC: NYT 9/9/62, *Atlantic*, september 1963. 'Echt iets voor u': Frost-JFK, 24/7/62, JFKL. Analyse van wijn door de veiligheidsdienst: R.H. Jevons-mr Conrad, 21/9/62, FBI. Een van de Republikeinen die Frost's grap overnam was Nixon: *Reader's Digest*, november 1964.

JFK over commentaar van Frost: Sulzberger 929. Verklaring TASS, 11/9/62: Kohler-William Tyler, 11/6/63 en Kennan-Rusk, 13/9/9, JFKL. Respons JFK: JFKPP, 13/9/62. NC naar Oostenrijk: Tatu 240-1, Garthoff 12-3. 'Nog meer ruwe taal': Kaysen-JFK, 21/9/62, JFKL. Bundy over behoefte aan 'harde taal': Bundy-JFK, 15/6/62, JFKL. Aankomst in *Omsk* en uitladen: Detzer 69, Garthoff 19. U-2-vlucht van 5/9/62: Hilsman, memo 5/2/63, Hilsman Papers. U-2-incident in China op 9/9/62: Prav, 10/9/62. Aankomst *Poltava* op 15/9/62: Garthoff. U-2-vlucht op 17/9/62: Hilsman, memo 5/2/63, Hilsman Papers. Rapporten naar JM/WAVE: memo Harvey, 18/10/62, JFKL, Rusk int, Sievarts, RFK13 6-7. CIA schatting van 19/9/62 en reactie McCone: schatting van Special Intelligence van 19/9/62, JFKL, Sievarts, Prados *Sovjet Estimate* 127-39, Wise en Ross 292. Brief van McCone aan Nixon: McCone-Nixon, 29/9/62, Nixon Papers.

Castro's aankondiging van bouw van haven: NYT, 25/9/62. CIA evaluatie over rapporten van agenten en commentaar van Rusk: Rusk int, memo Hilsman, 5/2/63, JFKL, Wise en Ross 292-4. JFK's vergelijking met Pearl Harbor: RFK mg. Geneefse vorderingen: Seaborg *Kennedy* 167-71. NC tegen JFK over beperkt kernstopverdrag: NC-JFK, 4/9/62, JFKL. JFK over 'serieuze poging': JFK-NC, 15/9/62, JFKL. NC komt streefdatum overeen: NC-JFK, 28/9/62, JFKL. Ontmoeting Bolsjakov met NC en Mikojan: RFK mg, Bartlett int, Bertlett mg, Bartlett-RFK, 26/10/62, RFK Papers, SEP, 8/12/63, Sor 668, AMSRK 502, Garthoff 27, 27 vn, 28 vn. Lunch Bartlett-Zintsjoek: Bartlett int. Bedankbrief en commentaar Bundy: eerste opzet, 10/10/62, JFKL. 'Ik ben verheugd dat we kunnen blijven communiceren': JFK-NC, 8/10/62, JFKL. Verplichting Varkensbaaigevangenen en oktober 1962 missie door Donovan: James Donovan 84-109. JFK over bevrijden van gevangenen: Odon 275-7. 'Miljoenen voor defensie': Safire-Nixon, 1961, Nixon Papers. Zie ook *Dallas Morning News*, 12/10/62.

Missie Goodwin-Goulart: Haynes-Johnson 273-5. RFK over sturen van materieel naar Cuba: memo, 11/9/62, RFK Papers, AMSRK 470-1. 'Voordat Donovan tekent' en 'begrepen': Helms int en J. Swift-Bromley Smith, 9/10/62, JFKL. Rusk over 'dekmantel' en commentaar van 10/10/62: Roberts 203, NYT 11/10/62. JFK verzoekt om plannen inzake Berlijn en verwacht crisis: Hilsman-Rusk, 20/9/62, Kaysen-Lincoln, 29/9/62, Kaysen-JFK, 29/9/62, Rust tegen DFR, 5/9/62, Rusk int, Sorensen mg, USN 3/9/62, Sor 668-89. CIA over Il-28's en gesprekken tussen Huges-Bowles-Dobrynin: Thomas Hughes ges, Bowles mg, Garthoff tijdens HCCT, Bowles 418, Roberts 210. Opgevoerd tempo op Cuba: Bundy 405. Ontmoeting Gromyko-Dorticos: Gromyko en Mikojan tijdens MC'I. Bundy in *Issues*: transcriptie van 14/10/62, ABC-TV. NC tijdens afscheidsdiner Chinese ambassadeur: NYT, 15/10/62, Hyland en Shryock 53-4. Elder tegen McCone: David Martin 142-43.

16. 'Híj speelt voor God'

Scene in Cabinet Room 16/10/62: RFK mg, foto's in JFKL, Lundahl int, Lundahl mg, Sidey (1964) 272-3, Burrows 124-5, *Look* 18/12/62. Gilpatrick over JFK op bijeenkomst: Parmet *Jack* 284-5. Gesprek JFK-Bohlen: aante. Bohlen, Bohlen 488-9. Dialoog ochtendbijeenkomst 16/10/62: transcriptie en bandopname, 16/10/62, JFKL. Ruwe versie voor 'mr F.C.' en bijgevoegd briefje: ongedateerd, Sorensen Papers. Bundy over NC als 'veel te verstandig': Bundy 419. Bundy over JFK's mening van 1962 dat VS in defensie waren: Bundy 418-9. Kohler's telegrammen en reactie JFK: Kohler-Rusk 16/10/62, JFKL, Kohler dagboek 16/10/62, RFK mg. Geschiedenis van IRBM's in Europa: Sievarts, memo William Bundy over Jupiters en bases overzee 20/10/62, JFKL. Garthoff 43 vn, Ambrose *Eisenhower* 447, 495, 553. Eisenhower-McElroy: 5/6/59 mem, DDEL. Harr over 'public relations': Harr ges, Harr-Eisenhower 14/10/59, DDEL. Rusk over verouderde raketten: Rusk int, NYT 7/8/87. Verzoek JFK om herziening raketten in Turkije en resultaat: Rusk-DFR 11/1/63, Garthoff 43 vn. Rostow over falen diplomatie om raketten weg te krijgen: Rostow mg. NC's vrees voor kernwapens in West-Duitsland: zie bijvoorbeeld Ulam *Expansion* 610-1, 663-4. Dialoog avondbijeenkomst 16/10/62:

transcriptie en bandopname 16/10/62, JFKL.Crisis Straat van Formosa van 1958 en standpunt JFK: JFK *Strategy* 102-4, stafmemo aan JFK over Formosa-Cuba parallel 7/9/62, JFKL. McNamara over NC's standpunt Sovjet–Unie's 'numerieke achterstand': tijdens MCT. JFK's persoonlijke visie op Monroe-leer: Norbert Schlei mg, AMSRK 505. JFK in openbaar over doctrine: JFKPP 29/8/62. JFK boos over geheimzinnigheid en bedrog: RFK mg, RFK13 5-6. Krock over JFK en Monroe-leer: NYT 14/9/62, 18/9/62. Bundy over gevoel 'opzettelijke bedrogen te zijn' en Sorensen over moeilijkheden als Sovjets raketten zouden hebben onthult: tijdens MCT, Bundy int. '...in staat van beschuldiging': RFK13 45. 'Of ben je dat soms vergeten': Odon 316. Ontmoeting JFK-Stevenson: L 14/12/62, Abel 49, Bartlow Martin *Stevenson* 720. Stevenson-aantekening van 17/10/62 en reactie JFK: kopie in JFKL en Sorensen int JBM. Bohlen's weigering te blijven na smeekbede JFK en reactie RFK: Bohlen mg, Bohlen's aantek, RFK mg, Bohlen 489-93. 'De campagne is voorbij': Sidey (1964) 278. JFK in Waterbury: JFKPP 17/10/62. Blight en Welch over twee scholen: Blight en Welch 7-8, 200-21. Volkogonov over Russische kernmacht 1962: tijdens MCT. Rusk over zijn functie binnen Ex Comm en reactie RFK: Rusk int, RFK mg, RFK beweert instorten van Rusk en reactie Rusk: RFK mg, Rusk int. RFK als 'de facto' leider: Abel 57-8, George Ball 290. 'We wisten allemaal dat *Little Brother*': Abel 58.

Over omgaan met raketten m.b.t. U-2-affaire: 17/10/62 mem, JFKL, Sievarts. Maagzweren Sorensen: NYHT 3/10/62. Sorensen's verslag van opties: Sorensen's aantekeningen 17/10/62, JFKL. Sorensen en RFK halen JFK op van National Airport:Sorensen mg. Ochtendbijeenkomst Ex Comm van 18/10/62: Sorensen's aantekeningen en mem, JFKL, Sievarts, *President's Intelligence Checklist* 18/10/62, JFKL. JFK over waar hij zou blijven als 'Chroesjtsjov Berlijn wegvaagt': Weintal en Bartlett 65-9. Sorensen's opzet voor tv-toespraak en 'waterdichte brief': versie van 18/10/62 en 'Synopsis of President's Speech', ongedateerd, Sorensen Papers. Stevenson over '*praten* met C': aantekening van 17/10/62, JFKL. Sorensen neemt afstand van voorstel voor brief aan NC: Sor 685-6. Thompson over waarschijnlijkheid van Russische schepen die bij blokkade zullen terugkeren: Thompson mg, Jane Thompson int, Sievarts. Rusk over 'met één klap tenondergaan': Sievarts. Gesprek Acheson-JFK: Acheson mg, Acheson in *Esquire*, februari 1969. Rusk, Thompson en Bundy adviseren JFK voordat gesprek met Gromyko plaatsvindt: David Klein-Bundy 17/10/62. Bundy-JFK 18/10/62, Roberts 211. Gesprek JFK-Gromyko van 18/10/62: mem 18/10/62, JFKL, Sievarts, Gromyko in Prav van 23/1/63, Gromyko in Izv van 15/4/89, Gromyko tijdens MCT, Boerlatski tijdens CCT, Amdrei Gromyko 175-9, RFK mg, RFK13 17-20, Abel 75-7, Sor 689-91, NW 29/10/62, NYT 19/10/62, 20/10/62, 27/10/62. JFK betreurt stilte rondom raketten en Rusk, reactie Thompson: Cohen 154. JFK's twijfels over topconferentie: Garthoff 28. Rusk over 'de rillingen over m'n rug': Rusk int. '...meer schaamteloze leugens': en vragen RFK: Lovett mg. Toost Gromyko: Sievarts, NC3 174-5. Aantekeningen Frankel over ontmoeting Gromyko-JFK: Salisbury *Without Fear* 285. Rusk en alcohol: Galbraith *A Life* 402-3, Alsop 186. Avondbijeenkomst Ex Comm van 18/10/62: Sievarts, RFK13 21-2.

JFK heeft ontmoeting met medewerkers, ochtend van 19/10/62: memo RFK 31/10/62, RFK Papers. Oden 321. RFK en Sorensen over besluiteloosheid Bundy: RFK mg, Sorensen int JBM. Ochtendbijeenkomst Ex Comm van 19/10/62: mem, JFKL. 'Stappen die een luchtaanval voor voorstanders blokkade beter te accepteren maken': 19/10/62, memo CIA 19/10/62, Sievarts, memo RFK 31/10/62, RFK Papers, RFK13 22-3, Abel 83-90. Dillon over argumenten RFK: Abel 81, Stein en Plimpton 136-7. Galbraith over 'heidenen' op Hickory Hill: Galbraith *A Life* 496. Bundy belt O'Donnell in Chicago: *Look* 18/12/62. JFK en McNamara stoppen lekken: Sylvester mg, Sievarts, Abel 83-4, Bundy 402-3. Sorensen werkt aan opzet tv-toespraak: opzet van 20/10/62, Sorensen Papers, Sor 691-3. Lunch met Kozlov op 20/10/62: Kohler int, Dasvies int, Kohler Diary 20/10/62. Terugkomst JFK op 20/10/62 en middagbijeenkomst NC:mem 20/10/62, JFKL, aantekeningen Sorensen 20/10/62, Sorensen Papers, Sievarts, Sorensen int JBM, George Ball

295-6, Sor 695-6, Odon 321-6, Abel 91-9, RFK13 25-8, NYT 21/10/62, interview RKF met Schlesinger op 6/4/64, Schlesinger Papers, Bartlow Martin *Stevenson* 723-4, Stevenson-Schlesinger, januari 1963, ongedateerd, JFKL. Stevenson over 'poging confrontatie uit de weg te gaan': Phillip Klutznick int JBM. Stevenson over JFK als 'koud en genadeloos' en in het algemeen: Adlai Stevenson III int JBM, Minow int JBM, Minow ges, Ball int JBM, Sulzberger 923-4, Bartlett int, Bartlett mg, Bartlett Martin *Stevenson* 530. Het lijden van Stevenson en '*De mensheid kan maar weinig...*': Marietta Tree int JBM, Bartlow Martin 592. 'Een lang en verward verhaal': Bundy int. 'Ik mag Jack Kennedy': Minow int JBM. '...geen man van daden': AMSRK 136. 'We zullen dat snotneusje eventjes..." en 'Ik zal eens uitvinden...': Raskin int en niet-gepubliceerd manuscript.
'Lyndon is een leugenaar': eerste versie AMSTD. 'Die klootzak': Adlai Stevenson III int JBM. 'Nou, ik heb één ding geleerd vandaag': Bartlett int en in Thompson 10-2. LBJ over 'vetzak' Stevenson: Schlesinger int JBM. Joseph Kennedy tegen Raskin: Raskin int en niet-gepubliceerd ms. JFK en Stevenson in Libertyville: Minow int JBM, Minow ges, Ball int JBM, Odon 178, Raskin ms. '*Uiterst* zelfverzekerd': Bartlow Martin *Stevenson* 508. JFK over Stevenson als 'hulpeloze pion': Sorensen int JBM. Joseph Kennedy geeft 'vierentwintig uur': Bartlos Martin *Stevenson* 522. '...niet in staat was te bepalen': RFK mg. 'Het kwam nooit in me op': Schlesinger mg, COHP, Schlesinger int JBM. JFK biedt drie posten aan: Bartlow Martin *Stevenson* 557-65. 'Ik neem dit niet': Minow int JBM. 'We bleven op tot twee uur in de ochtend': Ball int JBM. 'Ik ben je baas' en JFK-Stevenson tegenover de pers: Bartlow Martin *Stevenson* 261-5. RFK over reactie JFK: RFK mg, RFK int JBM, Sorensen int JBM.
'De geschiedenis had hem ingehaald': Ball int JBM. 'Kennedy was pragmatisch': Cleveland int JBM. 'Ik hou niet van het woord hard': RFK int JBM. 'Jack kan niet samen in dezelfde kamer...': Lash 541. 'De hele sfeer': Jacqueline Kennedy-Stevenson 9/2/63, Stevenson Papers. Jacqueline over huwelijksrelaties: Tree int JBM. 'Kijk, Stevenson heeft...': Ball int JBM, Schlesinger int JBM. Ball over gesprek met JFK in massagekamer: Ball int JBM. 'Gewoon niet mannelijk genoeg': Smathers int. JFK over Stevenson als 'bisexueel' en in Turks bad: Collier en Horowitz *Kennedys* 233, William Douglas-Home mg. '...te kijke hoeveel de oude Adlai...': Hedley Donovan 76. Rusk mijdt Algemene Vergadering: Rusk int JBM.
Stevenson in Newport ancedote: Cassini 325-6. Stevenson over 'verstandig politicus': Bowles mg. Gesprek Stevenson-JFK over senatorschap: Bartlow Martin *Stevenson* 676-8. 'Ik begrijp die man niet': Kaysen int JBM. Stevenson zonder limousine: Bartlow Martin *Stevenson* 575 'Die jongeman': Halberstam *Best* 27. Stevenson over 'vrek' en aankondiging Lawford: Bartlow Martin *Stevenson* 012, 575 Ball over 'rijke dames': Ball int JBM. RFK over JFK's neiging Stevenson te 'shockeren': RFK int JBM. Stevenson over nachtmerries: Bartlow Martin *Stevenson* 594, 807. RFK-JFK na gesprek: RFK mg, Odon 322-3. Stevenson tegen O'Donnell: Odon 326. Lek in *New York Times* gedicht: Sievarts, mem Schlesinger-Reston van 24/12/64, Schlesinger Papers, Ball tijdens HCCT. JFK belt Jacqueline en zwemt met Powers: Odon 325.
Ochtendbijeenkomst op 21/10/62: mem, JFKL, aantekeningen McNamara 21/10/62, CIA Current Intelligence Memo 21/10/62, Sievarts, Taylor tijdens HCCT, Taylor in WP 5/10/82, Rusk int. Middagbijeenkomst van 21/10/62: Bundy, 'Tentative Agenda', 21/10/62, NC Action Memorandum 21/10/62, Sievarts, JFKL. Presidentiële evacuatieplannen en schullkelder: Goodpaster int, Rusk int, USN 7/10/89. Jacqueline over 'afleiding': *Good Housekeeping*, september 1962. 'God, meid': en lezen van telegrammen: eerste versie AMSTD, Bundy-Jacqueline Kennedy 30/10/62, JFKL. 'Ik ben me bewust van uw verzoek': en reactie Jacqueline: Bundy-Jacqueline Kennedy en Jacqueline Kennedy-Bundy, beide ongedateerd, JFKL. Artikel in *Telegraph*: Schlesinger-Jacqueline Kennedy, ongedateerd en Jacqueline Kennedy-Schlesinger 18/1/63, Schlesinger Papers. Jacqueline's esthetische benadering: Galbraith *A Life* 411-2.
Jacqueline over 'vieze oude mannen', helden uit de geschiedenis, *The King Must Die*

White *Search* 518-24, Manchester *Death* 623. Jacqueline Kennedy-Rathbone: Heymann 377-8. 'Waar loopt de lijn?': Manchester *Death* 999. Vrijgezellenleven JFK: *Good House-keeping*, september 1962. Vrees Joseph Kennedy voor geruchtencampagne en veto Grace Kelly: Priscilla McMillan ges, Dorothy Schiff int. Napoleontisch portret: Faber 112-3. '...wilde de zaak niet verzwakken': AMSTD 118. Jacqueline ongelukkig over staat van First Lady: Franklin Roosevelt, Jr., int, Heyman 247-337, Bradlee 152-3, Saunders 68, West 291-4, Kelley *Jackie* 95-159. Verzoek teruggave memo's: Letitia Baldridge tegen staf 29/5/63, JFKL. 'Haal die passages...': aantekening Jacqueline Kennedy-Schlessinger, ongedateerd, 1965, Schlesinger Papers. Schlesinger's verdediging van *A Thousand Days*: Schlesinger-Bohlen, 1965, Schlesinger Papers.
'Ga zitten en hou je mond': gesprek met Roy Rowan, toen bij *Time*. 'O Jack, ik vind het zo vervelend...': eerste versie AMSTD. JFK's verbazing over haar popularitiet en 'goedkope Texaanse mokkels': gebaseerd op een niet-gepubliceerd manuscript van Manchester *Death*, vermeld in Pearson Papers, 1967. 'Hokje voor geluk': eerste versie AMSTD. Billings over uitgavepatroon Jacqueline: Billings mg. Reizen van Jacqueline tijdens presidentschap: Ralph Martin 474-5, Bishop *Day Kennedy* 23. Galbraith over 'scherpzinniger kijk' en Lemnitzer: Galbraith *A Life* 411. Jacqueline over poëzie: Halberstam *Best* 36. Gallup-poll over Jacqueline: *Gallup* 23/9/62. Miller over LBJ in het Witte Huis: Arthur Miller 508. Jacqueline over 'wolfshond': Ralph Martin 318. Waarschuwing JFK geen afkeur voor mensen te tonen: Manchester *Death* 82. Politieke invloed Jacqueline: Ralph Martin 320, Heymann 347-9.
Jacqueline's imitaties van wereldleiders: Heymann 340. 'en dat is niet De Gaulle': Manchester *Death* 610. 'Wat overblijft zijn de politieke problemen': Schlesinger-Jacqueline over Abu Simbel: 1963, Schlesinger Papers. Relatie Jacqueline-JFK terwijl raketcrisis toeneemt en haar verlangen zich bij hem te voegen: eerste versie AMSTD, Ralph Martin 465, Odon 324-5, Parmet *JFK* 277-98.

17. 'Het moment waarvan we hoopten dat het nooit zou komen'

Boggs, Halleck en andere leiders ingelicht: Sievarts, Mansfield mg, Halleck mg, Hickenlooper mg in Hickenlooper Papers, *Look* 18/12/62. L 2/11/62. Acheson zorgt voor briefing Bruce en Macmillan: Acheson in *Esquire*, februari 1969, T 2/11/62, Sievarts, Chester Cooper mg, Acheson mg, Horne 364-5. Acheson licht De Gaulle in: T 2/11/62, Acheson mg. Bezoek JFK-Eisenhower: Eisenhower-interview met Moos 8/11/66, mem Eisenhower 22/10, DDEL. Arrestatie Penkovski en medewerking: Helms int, Garthoff tijdens HCCT, Garthoff 39-41, Roberts 211, Blight en Welch 208. Bundy vertelde de schrijver van dit boek dat Penkovski's betekenis in de literatuur over deze periode werd overdreven en merkte op dat hij in zijn geschiedschrijving over kernwapens *Danger and Survival* zelfs in staat was geweest geen enkele verwijzing naar de spion op te nemen. (Bundy int)
RFK voordat ontmoeting met NC op 22/10/62 plaatsvond: Guthman 122-3, Guthman int. Ontmoeting NC van 22/10/62: mem, JFKL en NC 'actierapport' van 22/10/62, Sievarts. Castro gealarmeerd over activiteiten in Washington en mobilisatie: Detzer 184 en Del Valle tijdens MCT. Ontmoeting JKF met congresleiders: Smathers int, Russell mg en aantekeningen en Russell Papers. RFK mg, Fulbright mg, Marcy int, Hickenlooper mg, Hickenlooper Papers, Lundahl mg, George Darden mg in Russell Papers, MacNeil 205-7, RFK13 31-3, Odon 327-8, Sidey (1964) 283. JFK drijft spot met leiders: Odon 328. 'Wanneer je een groepje senatoren': Rusk int. 'Degenen onder ons die onder de oude regels functioneerden': Gerald Ford int. Correspondentie Dobrynin-Gromyko: tijdens MCT, ook Sjaknazarov tijdens CCT, gebaseerd op gesprek met Dobrynin, Harriman mg COHP.
'Als ze deze baan willen': Eerste opzet Sorensen's *Kennedy* en Sorensen Papers. Ik heb JFK's eigen taalgebruik gehanteerd. Boodschap Macmillan: Macmillan-JFK van 22/10/62, JFKL, Sievarts. Ontmoeting Rusk-Dobrynin: Rusk int, NYT 23/10/62, Sievart, Harriman mg COHP, Sjaknarazov tijdens CCT, Garthoff 15. Bezorging telegram Rusk:

Rusk-Kohler 22/10/62, Kohler int, Davies int, Davies mg COHP, memo Davies, oktober 22-8, 1962, ongedateerd, met dank aan Davies voor ter beschikking stelling aan schrijver dezes. Scene Oval Office met JFK: L 2/11/62, Sidey mg. Toespraak JFK bevindt zich in JFKL 22/10/62. Taal tussen Sorensen en Dillon bevindt zich in opzet voor toespraak 22/ 10/62, JFKL. 'Nou dat was het dan': Ralph Martin 467. 'We voelden ons in ieder geval niet zo goed als...': Bundy int en Bundy tijdens HCCT. Kritiek Bundy op toespraak: Bundy tijdens CCT, Bundy 457-8.

Scene in 'oorlogskamer' Pentagon en activiteiten: *Foreign Service Journal*, juli 1971, L 30/ 11/62, Garthoff 37-8. Cubaanse verklaring: *New Orleans Times-Picayune* 23/10/62. De enige Britse krant die niet suggereerde dat er sprake was over een te heftig reageren van de president was Lord Beaverbrook's *Daily Express*. (24/10/62) Lord Russell tegen JFK en antwoord JFK: T 2/11/62, Detzer 203-4. '...nu beland bij een directe confrontatie': *Atlanta Constitution* 23/10/62. *Time* over vastberadenheid JFK: T 2/11/62. Russell over 'alle goede Amerikanen': Russell-Arthus Burdett 24/10/62, Russell Papers. Commentaar Berle: Adolf Berle Diary, 22/10/62, Berle papers. Goldwater over maatregel JFK: NYT 23/ 10/62. Commentaar Hugh Scott en William Miller: *New Orleans Times Picayune* 23/10/62. Klacht *Crimson*: Detzer 191. Reactie Keaton: NYT 23/10/62, 24/10/62. Nixon over schade aan campagne: Nixon *Memoirs* 244.

'Kun jij het je voorstellen': *Boston Herald* 26/10/62. Frazier Cheston tegen ouders: *Boston Herald* 25/10/62. Iemand uit Georgia tegen Kennedy: Richard Edmonds-JFK 24/10/62, JFKL. Verkiezingsbijeenkomst conservatieven: Detzer 187. Reactie NC en Mikojan m.b.t. toespraak JFK: Mikojan tijdens MCT, Garthoff 33-4. Kohler bij Koeznetsov ontboden en brief NC: NC-JFK 23/10/62 en bijvoegsel, JFKL. Sovjet-alarm en NC in Dols joi en lezing min. Bin. Zn: Garthoff 41-2, Hilsman-Rusk 24/10/62, T 2/11/62, NC1 497. Bericht radio Moskou: tekst 23/10/62 in JFKL. Voor andere wereldreacties, zie CIA-memo van 23/10/62, JFKL. Opluchting JFK ochtend van 23/10/62: RFK13 35. JFK geobsedeerd door uitblijven Berlijnse blokkade: Bradlee 124-5, Sulzberger 926-7. Bundy over vrees JFK voor vergelding in zake Berlijn: Bundy 421-2 en Odon 318 9, 329-31. NC over Russisch en Amerikaans bloedvergieten: NC1 500.

Ochtendbijeenkomst Ex Comm van 23/10/62: Bundy mem, JFKL, Hilsman-Rusk 23/10/ 62, Hilsman Papers. JFK-NC van 23/10/62 en opzet bevinden zich in JFKL. CIA-schattingen m.b.t. blokkades van Cuba en West-Berlijn: CIA 'The Possible Role of a Progressive Economic Blockade Against Cuba', 25/10/62, 'Survivability of West Berlin', 23/10/ 62, 'Effect on Cuba of a Blockade Covering All Goods Except Food and Medicines, 23/ 10/62, JFKL. Avondbijeenkomst EX Comm van 23/10/62: Bundy mem, JFKL. JFK ondertekent bevel tot blokkade: NYT 24/10/62, Sievarts, Abel 135-6, T 2/11/62. JFK over risico van misrekening en *The Guns of August*: RFK13 40. Commentaar militair attaché Sovjet-Unie en CIA-rapport voor JFK: Abel 134. Avondontmoeting RFK-Dobrynin op 23/10/62: RFK13 41-4, Dobrynin tijdens MCT. 'Al mijn telegrammen waren gecodeerd': Dobrynin tijdens MCT. Diner in Jaipur: Jaipur 284-5, eerste versie AMSTD.

Relatie JFK met Ormsby-Gore: de Zuleta int, David Bruve mg, AMSTD 423-4, NYT 18/10/62, Macmillan *Pointing* 338-9, Sor 559, Odon 94, 266-7. 'Ik moet u laten weten hoe bevoorrecht ik me voel': Ormsby-Gore-JFK 18/5/61, JFKL. Elizabeth II over afgezant: Elizabeth II-JFK 14/5/62, JFKL. 'Ik vertrouw David': Barnet *Alliance* 211. 'Een stel mensen': Ormsby-Gore-JFK 18/5/61, JFKL. 'het standpunt van een struisvogel': Ormsby-Gore-JFK 26/5/62, JFKL. '...acht te slaan op uw laatste advies': en 'bijna onbegrijpelijke boodschap': Ormsby-Gore-JFK 13/7/62, 19/9/62, JFKL. Ormsby-Gore telegrafeert naar Macmillan, achterdocht Gaitskell en avondgesprek Ormsby-Gore-JFK op 23/10/62: eerste versie AMSTD, AMSTD 815-8, RFK13 44-5, Abel 138-40, 148. Achtergrondbijeenkomst McNamara 22/10/62: transcriptie, JFKL. CIA tegen JFK over opslagplaatsen: schattingen, 23/10/62, 24/10/62 in JFKL.

Geen duidelijk bewijs van aankomst raketkoppen: Rusk int, Sievarts, Garthoff tijdens HCCT, middag mem van 25/10, JFKL. Volkogonov over twintig raketkoppen: tijdens

MCT. Amerikaanse informatie over raketkoppen op de *Poltava*: Garthoff 21-2. Davies bezorgt quarantainelijst: Davies int. Demonstraties in Rusland: Davies int, Kohler int, Kohler Diary 24/10/62, NYT 25/10/62. Gesprek NC-Knox: *New York Times Magazine* 18/11/62, officieel bericht Associated Press London 25/10/62, T 23/11/62, Prav 25/10/62, Kohler-Rusk 25/10/62, Rusk-Kohler 27/10/62, Hilsman-Rusk 26/10/62, JFKL. Komer over Knox: Komer-Bundy 25/10/62, ook Klein-Bundy 30/10/62, JFKL. Antwoord NC aan Russell: NC-Russell 24/10/62, *Foreign Broadcast Information Service*.

Ochtendbijeenkomst Ex Comm van 24/10/62: CIA 'The Crisis: USSR/Cuba' 24/10/62, actierapport Ex Comm 24/10/62, JFKL. RFK13 45-52. JFK over 'belangrijke crisis' en 'oproep voor conferentie': JFKPP 14/2/62. '...oog in oog': SEP 18/12/62. NC over schepen die 'rechtdoor' varen: NC1 496. Ormsby-Gore tegen Bundy, 24/10/62: Bundy-JFK 24/10/62. Gesprek Macmillan-JFK, 24/10/62: Macmillan *At End* 196-203. Commentaar Gaitskell en Wilson: CIA 'The Crisis', 24/10/62. RFK over poging Bolsjakov om boodschap NC over te brengen: RFK mg. Ontmoeting Bartlett met Bolsjakov en reactie RFK: Bartlett int, RFK mg, Bartlett-RFK 26/10/62, RFK Papers, Garthoff 27, Sor 668, AMSRK 502, Bolsjakov in *Novoje vremje* nrs 4-6, 1989, NW 24/12/62, *Look* 18/12/62.

Zoals de tekst suggereert, is dit letterlijk wat NC en Mikojan zeiden, letterlijk hoe dit is bericht en door wie en voor wie dit in de loop van de geschiedenis is vervaagd. Sorensen schrijft dat NC en Mikojan Bolsjakov de boodschap overhandigden, maar niet dat RFK degene was die de boodschap overbracht. *Newsweek* schreef dat Bolsjakov kort voor JFK's toespraak van 22/10/62 RFK een valse boodschap overhandigde. Deze weigerde dit naar het Witte Huis te sturen. *Look* berichtte dat Bolsjakov RFK wilde testen en dat NC JFK wilde laten weten dat er geen wapens op Cuba zouden worden geplaatst die in staat waren op Amerikaanse bodem terecht te komen. In deze verklaringen wordt Zinstjoek niet genoemd.

Diner JFK van 24/10/62 en bezoek Bartlett-JFK: Bartlett int, Cassini 323, Abel 214. Brief NC-JFK van 24/10/62 bevindt zich in JFKL. Antwoord JFK: Aantekeningen JFK, 24/10/62 en JFK-NC 25/10/62, JFKL. Telefoongesprek Stevenson-JFK 24/10/62, Stevenson's weigering en inwilliging verzoek Ball: Ball int JBM, George Ball 301-2, Abel 157-8.

Weigering Stevenson mevr. King te benaderen: Branch 360. 'Hij dacht dat hij een Birmaan was': Ball int JBM. '...bijzonder fatsoenlijk': Thant int JBM. Ochtendbijeenkomst Ex Comm van 25/10/62: Sievarts, mem 25/10/62, JFKL, Bundy, actierapport Ex Comm 23/10/62, CIA 'The Crisis, 25/10/62, Hilsman-Rusk 25/10/62, JFKL. Indiscretie Van Zandt en reactie JFK: Hilsman 45, 213, Abel 161-2. JFK-Stevenson, 25/10/62 over antwoord aan Thant: Sievarts. JFK-Thant van 25/10/62 bevindt zich in JFKL.

Thant-NC, 25/10/62 en Thant-JFK bevinden zich in JFKL. Aftakeling Zorin: Sjevtsjenko 114. Bewering Zorin dat bewijs van raketten 'vals' is: Sievarts. Eis van White tot aftreden Stevenson: *Rochester Democrat Chronicle* 25/10/62. *Chicago Tribune* over *wobblies*, 25/10/62. Dialoog Stevenson-Zorin: NYT 26/10/62, Sievarts. 'Ik heb nooit geweten dat Adlai dat in zich had': Odon 334. Republikeinse vrienden uiten waardering: Jane Dick int JBM. Sorensen over prestatie Stevenson: Sorensen int JBM. JFK over 'grootste urgentie': JFK-Thant 25/10/62, JFKL. Plimpton over aarzeling Stevenson om U-2 foto's te tonen: Jane Dick int JBM. Bijeenkomst Ex Comm 5 uur 's ochtends op 25/10/62, JFKL. Actierapport Ex Comm 25/10/62, JFKL.

18. 'Ik zie niet in hoe we een succesvolle oorlog zullen voeren'

Blokkade tenuitvoer gebracht, 26/10/62 : Sievarts, Abel 173-4, RFK13 59-61. 'De pers zal ons nooit geloven': Sal 271. Ochtendbijeenkomst Ex Comm van 26/10/62: mem 26/10/62, JFKL, CIA 'The Crisis', 26/10/62, actierapport 26/10/62, JFKL, Sievarts, Abel 175-6, RFK13 63-4. Rostow over Russische pogingen tot onderhandelen, State Dep over POS-blokkade, waarschuwing inzake reactie NC over luchtaanval: Rostow-Ex Comm 26/10/62, Hilsman-Rusk 26/10/62. Gesprek LBJ met Krueger: Hughes Aynesworth in

Washington Times 26/10/87. RFK en JFK over LBJ in Ex Comm: RFK mg. LBJ en *missile crisis* tijdens campagne van 1964: RFK mg, White (1965). Afwezigheid LBJ op Ex Comm bijeenkomsten: Rostow-LBJ 5/10/68, LBJ Daily Diary 24/10/62-30/10/62, Lyndon Johnson Library. 'Niet één was minder op de hoogte': William Leuchtenburg in *American Heritage*, mei-juni 1990. JFK's overweging Symingon te kiezen: RFK mg, Clayton Fritchey ges, Bartlett int, Bartlett mg.

'Lyndon Johnson heeft me gedwongen': Raskin int en niet gepubliceerd ms. JFK richt zich op goede eigenschappen LBJ: RFK mg en Roberts. 'LBJ's eenvoudige verschijning': Bradlee 194-5. JFK, Billings. Jacqueline over LBJ als presidentskandidaat: Billings Diary, april-mei 1961. '…alle kracht uit hem verdween': Bradlee 226. 'Wat moet die man hier op kantoor?': Lincoln *Kennedy and Johnson* 149-50. '…meest invloedrijke vice-president': NYT 10/11/60. O'Donnell als zondebok: Odon 7-9. 'Die man is niet in staat' en 'zeer loyaal': RFK mg. JFK over 'nog eens twintig Carl Haydens': Bradlee 217. Contactvermindering tussen LBJ en JFK en 'geen stap verder': Lincoln *Kennedy en Johnson* 161, 182. 'President Kennedy heeft me gevraagd':Thompson 101.

'Als je op iets opwindends': Bartlett mg. 'als vice-president niet gelukkig' en 'Als ik …één woord zeg': Bobby Baker 115-7. '…verafschuwde elke minuut': Kearns 164. Wantrouwen Dealy van Johnson en sturen van Aynesworth door Krueger: *Washington Times* 26/10/86. *Dallas Morning News* over 'standvastige' houding LBJ: 30/10/62. Geschiedenis Scali-Fomin en tijdens *missile crisis*: Fomin en Scali tijdens MCT, Sievarts, NW 17/8/62, *Family Weekly* 25/10/62, Abel 177-80, Hilsman 217-9, 222-3, Odon 334-6, Sal 271, 274-80, Scali, Salinger en Hilsman in 'ABC News Reports', 13/8/64, transcripties. Fomin's 1989 versie: tijdens MCT, ABC-TV 'World News Tonight, 29/1/89, Garthoff (1989) 80-1 vn. De parallel Cuba-Turkije werd in het Westen ook al aangeroerd door Russische ambassadeurs Nikita Ryzjov in Turkije en Nikolai Mikjailov in Indonesië. (Garthoff 50-1) Zintsjoek over verhaal rond Scali en commentaar Bartlett: Bartlett mg en Bartlett int.

Voorstel Thant-Stevenson en mening Rusk: Rusk int JBM, Thant int JBM, Garthoff 51-2, Komer-Bundy 26/10/62, Sievarts. Kohlers bieden Stone lunch aan: Kohler Diary 26/10/62 en Kohler int. NC's brief bezorgd: Davies int, Davies mg, Kohler-Rusk 26/10/62, NC-JFK 26/10/62, JFKL. Medewerkers Buit. Zkn lezen brief NC: Thompson mg, RFK13 64-9, George Ball 303-5, Acheson in *Esquire*, februari 1969, Abel 179-85, Sievarts NC in Wenen over *America's Siberian Adventure*: 3/6/61 middag mem, JFKL. Rusk tegen senatoren over brief NC: Rusk tegen DFR 13/1/63. Reactie O'Donnell en Sorenson op NC's brief van 26/10/62: Odon 335-6, Sor 712-3. JFK over secretaresse tegen McNamara: King 00. Avondbijeenkomst Ex Comm van 26/10/62: mem 26/10/62, JFKL, Sievarts, RFK13 68-9, Abel 185-6, Bundy tijdens HCCT.

Goodwin over JFK op Costa Rica: Goodwin 221. Ontmoeting Dobrynin-JFK van 26/10/62: Dobrynin tijdens MCT, Sjaknazarov tijdens CCT. JFK en exleden Ex Comm over openlijke plaatsing raketten en NC's mogelijke eis tot onderhandelingen over buitenlandse bases: Sievarts. McNamara's druk op Cuba-Turkije-ruil: Transcriptie achtergrondbriefing, 22/10/62, JFKL. Rostow en Tyler tegen Rusk over Turkse aspect: Rostow-Tyler tegen Rusk 23/10/62, JFKL. Lippman over parallel Cuba-Turkije en ruil: WP 22/10/62, Kern 129-30. Lippmann's toegang tot JFK in 1961 verminderd: Steel 531-2. McNamara over Jupiters in 1989: tijdens MCT. Gevolg NC naar theater, 26/10/62: Gromyko in Izv 15/4/89, NC1 497. NC ontmoet militair adviseurs en vaardigd boodschap uit, 27/10/62: NC 498-9, Stoeroea tijdens MCT, Stoeroea ges, NC tegen Cousins (SR 15/10/77), Stoeroea in Izv 6/2/89.

Russisch intern debat: Garthoff 46-8, Tatu 229-97, Hyland en Shryock 45-65, Linden 146-73. RFK's 'ongerustheid' op de ochtend van 27/10/62: RFK13 71-2. Boodschap NC-JFK van 27/10/62 bevindt zich in JFKL. Bezorging Davies-Kohler 22/8/67, met dank aan Davies. Verslag Paul Ghali over reactie Malinovski over onderhandelingen: *New Orleans Times-Picayune* 2/11/62. Ontkenning Dobrynin dat documenten werden verbrand:tijdens MCT. Brandrapport: RFK13 71, Garthoff tijdens HCCT. Ontkenning Dobrynin 'in verband met mijn telegram': tijdens MCT. Kornjenko's informatie werd door hem aan Wladislav Zoebole overgebracht die het aan de schrijver dezes overbracht. Falen JFK om consessies RFK aan Ex Comm mee te delen: Transcriptie van bandopname van bijeenkomst Ex Comm van 27/10, JFKL. Zie ook Blight, Welch en Bruce J. Allyn in *International Security*, Winter 1989-1990. Bijeenkomsten Ex Comm van 27/10/62: mems en transcripties in JFKL, Bundy en Sorensen tijdens HCCT, Clifton-JFK over militaire paraatheid, 27/10/62,CIA 'The Crisis' 27/10/62, actierapport Ex Comm, 27/10/62, Rostow-Ex Comm 27/10/62, Hilsman-Rusk 27/10/62, Abel 187-202, RFK13 73-4.

Gedeelte uit commercial McNamara is afkomstig uit 'The Journey of Robert F. Kennedy', ABC-TV, 1969. Lincoln over 'ondragelijke' spanning: Lincoln *My Twelve Years* 327-9. U-2-incidenten 27/10/62: Hilsman-Jacqueline Kennedy 6/3/64, Hilsman Papers, Sievarts, RFK 75-7, Hilsman 220-3, Abel 189-90, 195-6, Garthoff 52-3, 56-7, Mikojan en Boerlatski tijdens CCT, Igor Statsenko in *Kommunist vooroezjennich sil* (Moskou), oktober 1987. JFK tegen Lawrence vóór inauguratie: Lawrence 256. Neerhalen U-2 niet speciaal bevolen: Alexejev tijdens MCT. Bewering Franqui 1981: T 16/3/81. Castro in 1985 over neerhalen: Szulc 583-5. Sergei Chroesjtsjov over 'erg geschrokken' NC: tijdens MCT. Berisping Russische strijdkrachten op Cuba door Malinovski: tijdens MCT. Cubaanse viering neerhalen U-2: Risquet tijdens MCT. Brief Castro-Chroesjtsjov van 28/10/62 werd gepubliceerd in *Le Monde* 24/11/90. Buit. Zkn over Cuba-Turkije-ruil: Hilsman-Rusk 27/10/62, Hilsman Papers. Bundy over Scali: Bundy int. Opzet brief JFK-NC: Opzet bevindt zich in McClow Papers. RKF en Sorensen herschrijven: RKF-Sorensen-opzet, JFKL, RFK13 79-82, Abel 189-90.

JFK-NC van 27/10/62 bevindt zich in JFKL. LBJ en Ball over waarom de VS geen Jupiters konden verruilen: mem 27/10/62, JFKL. JFK verzoekt Thomspon tot gesprek met Dobrynin en antwoord Thompson: Jane Thompson int. 'Vertel hem dat als we geen antwoord krijgen': *International Security*, winter 1989-1990. Sorensen over onderkenning van voordeel bij verzekering inzake Turkije: tijdens MCT, *International Security*, winter 1989-1990. Sorensen's 'bekentenis' van 1989: tijdens MCT. Mogelijke rol van Italiaanse Jupters bij onderhandelen: NC13 179. Ontmoeting RFK-Dobrynin van 27/10/62: Dobrynin tijdens MCT, RFK13 83-7, AMRSK 521-2. Garthoff (1989) 88 vn. RFK spreekt JFK en Powers op avond van 27/10/62: Odon 339-41. JKF en Powers kijken naar *Roman Holiday*: Odon 341. JFK stemt in met Cordier-manoeuvre: Rusk int, Bundy int, Rusk tegen James Blight 25/2/87, hardop voorgelezen door Bundy tijdens HCCT, NYT 28/8/87, Blight en Welch 173-4, Garthoff 59-60.

Ontmoeting Castro-Alexejev op 26/10/62, boodschap aan NC en NC's interpretatie hiervan: Alexejev int WGBH, Alexejev tijdens MCT, NC13 177, *Le Monde* 24/11/90, ALexejev in *Ekho Planety*, november 1988. Verhaal van Keller en ontkent door Sergei Chroesjtsjov: NYT 29/1/89, 30/1/89, Garthoff (1989) 92 vn. NC tegen Thompson over gevaarlijke Amerikaanse generaals: Jane Thompson int. NC over ontmoeting RFK-Dobrynin: NC1 497-8. NC vaardigt boodschap uit op 28/10/62: Gromyko tijdens MCT. 'Het doet me denken aan...': Ball tijdens HCCT. Veronderstelling Ex Comm over mogelijke luchtaanval en visies van McNamara, Sorensen en Smith over volgende stap JFK: tijdens HCCT, CCT, MCT, Sievarts, Abel 194-5. Uitzending boodschap NC-JKF op 28/10/62: NYT 29/10/62, Alexejev tijdens MCT, Boerlatski, Mikojan tijdens CCT. Bundy over nieuws omtrent boodschap NC van 28/10/62: interview door Martin Agronski voor NBC-TV, 'NBC White Paper', 1964, Schlesinger Papers. RFK en anderen ingelicht: RFK13 87-8, Abel 204-7. Diplomaten kijken naar wedstrijd Giants-Redskins: Tyler-Kohler 31/10/62, Kohler Papers.

'Ik voel me herboren': Odon 341. Ontmoeting RFK-Dobrynin: Dobrynin tijdens MCT, RFK13 88. Ochtendbijeenkomst Ex Comm van 28/10/62: CIA mem 28/10/62, CIA 'The Crisis' 28/10/62, Sievarts, Hilsman-Rusk 28/10/62, JDKL, Ralph Martin 471. JFK over 'stofhappen' NC en naar de schouwburg: Ralph Martin 471, RFK13 88, Abel 210. Advies van Rusk tegen verslaggevers: Abel mg, Meg Greenfield in NW 18/10/62, Abel 207.

RFK over 'onvermogen' LBJ: memo RFK 15/11/62, RFK Papers. LBJ tegen Aynesworth: *Washington Times* 26/10/87. Alexejev over boodschap NC: tijdens MCT, Alexejev int WGBH. Chroesjtsjov-Castro van 28/10/62 staat in *Le Monde* van 24/11/90. Castro's woede over boodschap NC: Risquet tijdens MCT, Alexejev int WGBH, Castro in *Le Monde* 22/3/63, Castro tegen George McGovern in NYT 15/8/75, Detzer 260, Bourne 239-41, Szulc 585-7. Protest Cubaanse Ballingen: NYT 29/10/62, *Miami Herald* 29/10/62, 30/10/62. Russische pers over 'Amerikaans verzinsel' en burgers verbaasd over boodschap NC: NYT 29/10/62, NW 12/11/62.

Vertrek JFK en terugkomst: AP 28/10/62. JFK-NC van 28/10/62 en eerdere versie bevinden zich in JFKL. Bijeenkomst gezamenlijke stafchefs en ontslag Anderson: McNamara int, Garthoff 58-9. JFK tegen Schlesinger: Schlesinger dagboek 29/10/62, vermeld in AMSRK 524-5, ook Schlesinger tijdens HCCT. 'We hebben een geweldige overwinning behaald': Er bestaan verschillende versies van dit commentaar, waaronder die in Boggs mg en Roberts 217.

19. 'Nu hebben we onze handen vrij'

Bijeenkomsten RFK-Dobrynin van 29/10/62 en 30/10/62: Dobrynin tijdens MCT, AMSRK 523 en aantekeningen RKF 30/10/62, RFK Papers. Sovjetradio 29/10/62 in 'verstandige eis': Radio Moskou, 29/10/62, tekst bevindt zich in JFKL. Waarschuwing Rostow dat Russen kwesties Turkije en Guantánamo weer 'naar oren zullen brengen': Rostow-Bundy 31/10/62, JFKL. Joseph Kennedy beschuldigt Roosevelt van 'geheime deal': Beschloss *Kennedy and Roosevelt* 14-6, 213-5. Reactie Salinger inzake aantal correspondentiebrieven tussen NC-JFK: transcripties Salinger briefings, 29/10/62, JFKL. Evans over brief NC van 26/10/62, poging JFK lek te vinden: Tyler mg, JFK bij Ex Comm mem 2/11/62, Tyler memo's 2/11/62, 6/11/62, JFKL. JFK tegen Ex Comm over hoe met de pers om te gaan: Sorensen int JBM. JFK toont Lippmann correspondentie: Lippmann mg. 'Ik zou mezelf toch alleen maar lof toezwaaien: Bartlett mg en Bartlett int.

Achtergrondgesprekken JFK met Bartlett, Sulzberger, Bradlee: Bartlett int, Sulzberger 926-9, Bradlee 122-6. 'Ik sneed zijn ballen af': Manchester *Shining* 215. 'Het land genoot nogal': Sidey 901. Over Zjoekov op conferentie in Andover heb ik kunnen profiteren van een ongepubliceerd stuk, toegezonden door mijn oude geschiedenisleraar Harrison Royce van de Phillips Academy, met dank. Banden NC-Zjoekov: mem Zjoekov 15/9/59, DDEL, Slusser 190-1, Sulzberger 801-5. Afspraken Zjoekov in Washington en commentaar Rusk: mem Harriman-Reston 30/10/62, Harriman Papers, Sal 280-2. Raketstellingen ontmanteld en Sovjetmilitairen werken mee: Sievarts, mem Ex Comm 3/11/62, memo departement van defensie 12/2/63, JFKL. Castro's eisen van 28/10/62: NYT 29/10/62. 'Wie Cuba wil komen inspecteren': Abel 212. Thant's missie naar Cuba: Mikojan tijdens CCT, Thant int JBM, NW 12/11/62, Abel 212-3. 'Nikita, Nikita': Abel 213, *Reporter* 6/12/62.

NC beschouwt Castro 'bijna als een zoon' en 'kan niet slapen': Bourne 243. Chroesjtsjov-Castro van 30/10/62 en Castro-Chroesjtsjov van 31/10/62 staan in *Le Monde* 24/11/90. Mikojan tegen Rusk over Castro: Rusk int. Achtergrond Mikojan: Sergo Mikojan ges, Medvejev *Stalin's Men* 28-60, profiel Bureau of Intelligence en Research in Sorensen Papers, Sulzberger 622, 557, Micoenovic 265-79, NYT 16/10/64, Eisenhower Diary 12/1/59, mem Eisenhower 26/3/59, mem Lodge-NC 18/9/59, DDEL, mem Stevenson-Mikojan 31/7/58, Stevenson Papers. 'Anastasia en ik': mem Harriman-NC 23/6/59, JFKL. Chroesjtsjov over Mikojan en Hongarije: NC3 123. Mikojan tegen Koeznetsov en Stevenson over Castro's protest tegen inspecties: Rusk tegen DFR 11/1/63, aantekeningen McCloy 29/10/62, McCloy Papers, Garthoff 63-5. Missie Mikojan naar Cuba: Mikojan tijdens CCT, ges Sergo Mikojan, Rusk tegen DFR 11/1/63, NW 12/11/62, 26/11/62, T 29/11/62, Sergo Mikojan in *Latinskaja Amerika*, januari 1988, NC1 500, 504, Garthoff 64-5. Verslag over Mikojan bekogeld met fruit: Sejna 54.

NC over Mikojan tijdens anti-partij coup: Micoenovic 278-9. Sergo Mikojan's enthousiasme voor Castro: Sergo Mikojan ges. Rusk over 'Hongarije-achtige maatregelen': Rusk tegen DFR 11/1/63. Rusk tegen Ex Comm over geen 'goed contract': mem Ex Comm 6/11/62, JFKL. JFK tegen Sorensen over 'makkelijk nationale steun te krijgen': Sorensen naar JBM. RFK tegen JFK over Stevenson: RFK mg, RFK int JBM. Ball over houding Stevenson inzake aanstelling McCLoy: Ball int JBM, ook Charles Yost int JBM. Schlesinger over McCloy en Dean, 1961: Schlesinger int JBM. Lunch Stevenson-Koeznetsov 30/10/62 en reactie JFK: Stevenson-Rusk 30/10/62, JFKL, Sorensen int JBM, NW 12/11/62, mem Koeznetsov-Stevenson 30/10/62, Schlesinger-JFK 30/10/62, RFK int JBM, McCloy-Rusk tel. bericht 29/10/62. Koeznetzov dringt VS aan om aan aan rand Cubaans territorium te blijven en reactie JFK: WP 9/10/87, Garthoff 62.

McCone over aanwas, Thompson over aanbod aan Russen en JFK over de situatie: mems Ex Comm 1/11/62-18/11/62, JFKL. JFK over Il-28-bommenwerpers: mem Ex Comm28/10/62, JFKL, Garthoff 65-8. Ex Comm over onderschepping U-2 door SAM's op Cuba: memo voor Ex Comm. 'Herziene maatregelen wanneer verkenningsvliegtuig wordt beschoten of vernietigd': 8/11/62, JFKL, *Political Science Quarterly*, herfst 1980. Opdracht JFK dat Il-82's weg moeten en reactie Koeznetsov: mem Ex Comm 2/11/62, JFKL, McCloy-Koeznetsov 5/11/62, McCloy Papers, Garthoff 68-9. Bijeenkomst RFK-Dobrynin op 3/11/62: aantekening Bromley Smith, JFKL. Lunch McCloy-Koeznetsov op 4/11/62: mem McCloy Papers. Bijeenkomst RFK-Dobrynin op 6/11/62: AMSRK 526, RFK mg. JFK 'in elkaar geflanst': JFK-Stevenson en McCloy 3/11/62; JFKL.

JFK 'verbaasd' over beschuldiging NC: JFK-NC 6/11/62 en eerste versie, JFKL, Garthoff 69. Reis van JFK naar Boston en bekeek uitslagen: NYT 7/11/62. Gallup over goedkeuring JFK: *Gallup* 19/8/62, 5/12/62. Harriman klaagt over 'ondermijning': Harriman-RFK, ongedateerd. Curtis en Goldwater over crisis en oplossing: NYT 6/11/62, *Journal of American History*, deel 73, 1986, T.J. Patterson en W.C. Brophy: 'October Missiles and November Elections'. Beschuldigingen van Cubaanse ballingen, JFK vraagt te ontkennen, Witte Huis probeert aankoop van radiozendtijd te verhinderen, JFK geeft bevel tot ondervraging: mem Ex Comm 12/11/62, JFKL. JFK tegen McCloy over veronderstelling *Washington Star*: mem Ex Comm 6/11/62, JFKL. RFK over FBI-ondervragingen van staalwerkers: RFK mg. Sullivan en Dillon over ondervragingen FBI: AMSRK 402-7. LBJ vraagt Hoover om hulp en reactie Hoover: C.D. DeLoch-mr Mohr 28/6/62, J. Edgar Hoover-Al Rosen 3/7/62, FBI. JFK onzeker over publieke opinie over Il-28's: mem Ex Comm 3/11/62, JFKL. Stilte rond bommenwerpers: JFKPP 2/11/62. Resultaten verkiezingen 1962: *Journal of American History*, deel 73, 1986, NYT 8/11/62. Nixon over 'de kwestie-Cuba' en 'deal' JFK: *Los Angeles Times* 8/11/62. Beperkte invloed Cubaanse kwestie bij verkiezingsuitslagen en Curtis hierover: *Journal of American History*, deel 75, 1986. JFK over resultaten en 'wacht maar tot 1964': Bartlett int en Harris-JFK 19/11/62, JFKL. Boodschap Zintsjoek: Bartlett-JFK 6/11/62, JFKL, Bartlett int. Telefoongesprek JFK-Macmillan van 14/11/62: Macmillan *At the End* 215.

Gezamenlijke stafchefs eisen POS en luchtaanval: spreekbeurt Maxwell Taylor 16/11/62, JFKL, Garthoff 71-2. JFK-NC over duikbootbasis van 7/11/62 bevindt zich in JFKL, zie ook mems Ex Comm van 5/11/62, 6/11/62 en Garthoff 75-6. McCloy tegen Koeznetsov over vier regimenten en Russische garanties: Stevenson-Rusk 18/11/62 en Garthoff 77. Lunch McCloy-Koeznetsov 18/11/62: mem JFKL en McCloy papers. Stevenson-Rusk 19/11/62, Garthoff 72-3. Ontmoeting RFK-Bolsjakov 19/11/6: AMSRK 526. Voorstel JFK aan Navo-leiders: Garthoff 73. Vernietiging Cubaanse fabriek door ballingen: Garthoff 79. Castro's waarschuwing tegen Mikojan en antwoord Mikojan: Mikojan tijdens CCT, Risquet en Aragones tijdens MCT. Castro's laatste besluit over vliegtuigen: Aragones tijdens MCT. Ontmoeting RFK-Dobrynin 20/11/62: Abel 211-2.

Brief NC-JFK van 20/11/62: mem Ex Comm 20/11/62, WP 9/10/87. JFK over waarom Castro akkoord ging: JFKPP 17/12/62. Persconferentie Bolsjakov en JFK: AMSRK 526-7 en JFKPP 20/11/62. Eerdere ontwerpteksten van verklaring JFK bevinden zich in So-

702

rensen Papers. JFK beëindigt blokkade en paraatheid: memo over operaties rakettencrisis van departement van defensie 12/2/63, JFKL, Garthoff 73-4. JFK tegen Macmillan, De Gaulle, Adenauer van 20/11/62 bevindt zich in JFKL. Zie ook Garthoff 73. JFK-NC van 21/11/52 bevindt zich in JFKL. Bijeenkomst Ex Comm van 23/11/62: mem Bundy-JFK 22/11/62, 23/11/62, 24/11/62, JFKL, Sorensen int JBM, instructies 23/11/62 aan McCloy, McCloy Papers. Il-28's van Cuba verdwenen: Sievarts. Pleidooi Koeznetsov clausule te laten vallen en reactie McCloy: Stevenson-Rusk 25/11/62, McCloy Papers. Onderhandelingen van december en uitkomst: 22/11/62, Rusk-Stevenson 11/12/62, McCloy-Koeznetsov 20/12/62, McCloy Papers, Stevenson en Koeznetsov tegen Thant 7/1/62, JFKL, Garthoff 81-3.

Sorensen over houding JFK m.b.t. oplossing crisis: Sorensen mg. Cienfuegos episode: Garthoff 97-106, Kissinger 632-5. NC over VS die 'stekelvarken' inslikken: NC2 512. Gromyko over dat de wereld 'beter af' is en Arbatov over 'vernedering': tijdens MCT. 'Jullie Amerikanen': Bohlen 495-6. Moynihan over 'nederlaag': *Playboy*, maart 1977. Will over falen JFK: NW 11/10/82, ook in WP 3/9/87. JFK verzwakt garanties: ontwerpteksten JFK-NC van 27/10/62 en 20/11/62, JFKL. Stafchefs over indekken tegen verzekeringen en mogelijkheid van invasie: Gezam. stafchefs-JFK 16/11/62 en mem Ex Comm, JFKL. Bundy verdedigt falen JFK om blokkade uit te breiden: Bundy 408. Rusk-McCloy 11/12/62 bevindt zich in JFKL. Acceptatie Buit. Zkn van MiG-23's op Cuba: Garthoff 103-4. Over 'Gettysburg': Sor 724. Rovere over 'persoonlijke diplomatieke overwinning': citaat in *New Republic* 1/12/62. *Newsweek* over JFK tijdens crisis: NW 12/11/62. Sokolski over het einde van '"slappe" periode': *Miami Herald* 1/11/62. Popularitietsmeting JFK, december 1962: *Gallup* 5/12/62. '...ons allemaal rond deze tafel...': Bradlee 119-78. Artikel Bartlett-Alsop: SEP 8/12/62. Voor compleet artikel, zie Bartlow Martin *Stevenson* 741-8, memo Stevenson-Schlesinger, januari 1963, ongedateerd, JFKL, Acheson int JBM, RFK int JBM, Schlesinger int JBM, Bundy int JBM, Roberts 207-9. '...de Cubaanse crisis niet besprak': JFK-Stevenson 5/12/62, JFKL. JFK tegen Bartlett over voorstel Stevenson en verzoek hulp aan Sorensen: Bartlett mg en Bartlett int, Steward Alsop-Schlesinger 25/8/65, Schlesinger Papers. Harwood in *Washington Post*: WP 29/8/87. Bartlett over research artikel: Bartlett mg, Bartlett int, Bartlett int JBM. Pierpoint, speculaties Ball: Pierpoint ges, Ball int JBM, NYT 12/12/62. Stevenson op diner t.o.v. Joseph Kennedy Jr. Foundation: JFKPP 6/12/62 en bekijken van film van deze gelegenheid door schrijver dezes in de National Archives. ' plichtmatig zijn toespraken...': Ball int JBM. JFK tegen Ormsby-Gore over nieuwe behoefte tot ontwapening: AMSRK 530. Gesprek Zjoekov-Harriman: mem 31/10/62, Harriman Papers. Rostow tegen Bundy over toekomstplannen Sovjets. Bundy-JFK 17/11/62, JFKL. Ontmoeting Dean-Koeznetsov van 30/10/62: Seaborg *Kennedy* 179-80. Ontmoeting Mikojan-JFK en commentaar Bundy: Bundy-JFK 7/12/62, Rusk-JFK 29/11/62, JFKL, Sievarts, NYT 30/11/62, Garthoff 81, Rostow mg. Peking over 'avonturisme': Abel 213, Linden 155. NC riposteert: Prav 13/12/62, Boerlatski int WGBH. Analyse Hilsman-Ball 13/12/62 bevindt zich in Hilsman Papers. Mogelijke militaire boycot: Garthoff (1989) 48. JFK bewondert tekst: eerste versie AMSTD met citaat dagboek Schlesinger vn 25/12/62. 'We zijn beland bij de laatste fase': JFK-NC 14/12/62, JFKL. NC-JFK 19/12/62 en reactie JFK: brief in JFKL, Bromley Smith-Bundy 20/12/62, JFKL, Seaborg *Kennedy* 178-82. Ontkenning Dean en reputatie: Seaborg *Kennedy* 175-81. JFK naar Orange Bowl: JFKPP 29/12/62, *Miami Herald* 30/12/62, Collier en Horowitz *Kennedys* 300-1, Odon 276-7. 'Nog nooit verlaagde een president': NW 14/1/63. Brigade eist vlag terug: NYT 12/3/75. Pogingen RFK gevangenen te bevrijden: Clay mg, RFK mg, USN 7/1/63, NW 30/4/62, 14/1/63, AMSRK 468-9, Carbonell 184-91, Navaski 327-46, Thompson 57-8. '...zeer aanzienlijk bedrag': van Factor: Raskin int en niet-gepubliceerd ms. '...wat doen we met Hoffa?': AMSRK 537. NC tegen JFK 31/12/62 bevindt zich in JFKL. Dobrynin over kans op betere betrekkingen: Cousins 68-73.

20. 'De vredestoespraak'

JFK tegen NC: aantekeningen Hilsman, 22/1/63, Hilsman Papers. JFK tijdens achter-grondsessie: USN 14/1/63, 21/1/63. 'Het is niet zo erg': Odon 350-1. '...zitten we op dit moment': Schlesinger-Sorensen 2/1/63, Schlesinger Papers. NC-JFK 9/1/63 bevindt zich in JFKL. CIA over officiële boodschap Sovjets: memo's CIA, 16/1/63 en 31/1/63, JFKL. Besluiten JFK over proeven en zes inspecties als 'absoluut minimum': AMSTD 181, 895-7, Seaborg *Kennedy* 185-92. JFK tegen Rusk en McNamara over proeven: mem 8/2/63, JFKL. Foster tegen Koeznetsov over zeven inspecties: Seaborg *Kennedy* 189. 'Ik was lelijk in het nadeel': en antwoord Rusk: Kohler-Rusk 22/1/63 en Rusk-Kohler 23/1/63. Ach-tergrond en karakterschets Kohler: Kohler int, Kohler, NYT 21/10/64, Koh mg, Davies int, Jane Thompson int. '...nucleaire doelwit' en gesprekken Kohler-Bedell Smith: Koh-ler int.

Eerste kennismaking Kohler-JFK en opnieuw aanstelling door JFK: Kohler int. 'Bobby zat aan de overkant': Kohler int. Kholer over NC en Stalin: Kohler int en Kohler 128-31. 'Zulke fouten': NYT 21/10/64. Afscheidsgesprek Kohler met JFK: Kohler int. 'Dat was normaal' en CIA-briefing: Kohler int. '...een heel andere Sovjet-Unie' en Sovjet-werknemers: Kohler int. Ronselpoging: US Army Moskou-Buit. Zkn 19/1/62, JFKL, Kohler int. Uitnodiging aan Chinezen voor verzoeningsbijeenkomst: Prav 14/2/62, 14/3/63, Tatu 319-24.

Koele houding Russen februari en Kohler over geen vooruitgang inzake proeven: Koh-ler-Rusk 27/1/63, 13/3/63, 16/3/63, JFKL, Tatu 310-9. 'We zullen altijd beviend blij-ven': NYT 10/2/62, Tatu 319-24. Campagne tegen Russische kunstenaars: Priscilla Johnson 101-399. Decemberontmoeting NC met kunstenaars: Prav 22/12/62, Davies-Rusk 1/1/63, JFKL, Linden 159-61. Rapport CIA over ontmoeting en reactie Bundy: Bundy-JFK, januari 1963, JFKL. Verzoek Helms plaatsing artikel en goedkeuring JFK: Helms-Chester Clifton 4/1/63, memo Clifton 17/1/63, Helms int. Verloop van 'Chroesjtsjovs overgave': Tatu 298-314. Kohler over NC's 'lusteloze' toespraak: Kohler-Rusk 27/2/63, 28/2/63, JFKL. Gallup over Cuba: *Gallup* 22/3/63. Bush over JFK en Cuba: *Boston Globe* 12/6/88. Troepenkwestie op Cuba weer aan de orde: Bundy in *Massa-chusetts Historical Society*, deel 90, 1978, NYKr 2/3/63, 4/5/63, USN 18/2/63. JFK verzoekt McCone om inspectie en antwoord: tel. ges McCone-Hilsman 4/2/63, Hilsman Papers, memo JFK 4/2/63, JFKL. Eisenhower over Sovjetplannen met Cuba: Eisenhower-McCone, november 1962, DDEL. Aanwezigheid van 42-duizend sovjettroepen op Cuba en standpunt Bundy: tijdens MCT en NYT 23/10/79. 'Laat u ze daar': JFKPP 7/2/63. JFK tegen Bradlee en White over Russen op Cuba: Bradlee 131-3, aantekeningen White, 13/2/63, Schlesinger Papers. Bundy over Sovjettroepen op Cuba: NYT 23/10/79. CIA over 'Castro's avonturisme': CIA schatting 22/4/63, JFKL. RFK over Russisch beheer SAM-bases: RFK mg. Bezorgdheid kenbaar gemaakt aan Dobrynin en antwoord Dobry-nin: NYT 11/2/63, RFK mg. Aankondiging maart over vertrek Sovjettroepen: JFKPP 21/3/63. Baldwin in *Times*, reactie JFK en rapport Elder: NYT 20/4/63, Elder-Bundy, april 1963, JFKL. Nixon tegen bond hoofdredacteuren en Rovere over Cuba: NYKr 4/5/63. Aanvullende interne problemen NC: T 3/5/63, USN 1/4/63 en 6/5/63, Hyland en Shryock 67-97, Tatu 298-351, Linden 146-59.

Achtergrond en karakterschets Kozlov: K.B.A. Scott nauwgezet 5/3/59, ABBZ, Livings-ton Merchant-Kozlov mem 3/7/59, mem Eisenhower-Kozlov 1/7/59, 1959 profielschets door CIA, DDEL, Hyland en Shryock 70-3. '...thuisloze wees' en 'Ondanks zijn witte haar': mem Harriman-NC 23/6/59, JFKL. Kozlov was bij deze ontmoeting aanwezig. Thompson over Kozlov als 'stroman': Thompson-Herter 17/7/59, DDEL. Ontmoeting RFK-Dobrynin 3/4/63: RFK mg, AMSRK 597-8. RFK's 'woedende telefoongesprek': Jacqueline Kennedy, geciteerd in Bradlee 193-4. 'Dat was werkelijk het einde': RFK mg. Brieven NC-JFK en JFK-NC van april zijn gedateerd 3/4/63, 11/4/63, JFKL. 'Ik zou niet weten waarom': Sulzberger 978. Russische gebeurtenissen van april en hartaanval Kozlov: Prav 10/4/63, Tatu 341-9. Moskou-gerucht over enerverend telefoongesprek:

Tatu 341, Hyland en Shryock 80. NC en massaexecuties in Oekraïne en Polen: Crankshaw 96-147. NC's verantwoordelijkheid voor dood Stalin: Jane Thompson int.
NC en moord op Beria, Hongarije:Medvedev *Chroesjtsjov* 62-8, Crankshaw 186-90, 241-3, NC1 334-41. Promotie Brezjnev 1963 en onzekerheid Westen over status Brezjnev en Podgorni: Tatu 349-51. Ontmoeting NC-Cousins 12/4/63: Cousins 95-110. Ontmoeting JFK-Cousins 22/4/63: Cousins 111-20. 'Ik geloof dat het tijd wordt': Bundy-JFK, september 1962, JFKL. McNamara over verwijdering Jupiters: tijdens CCT. Achtergrond Harriman en geschiedenis JFK-Harriman: Isaacson en Thomas 40-6, 601-9, 616-9, Halberstam *Best* 191-9, NC2 350-2, Philip Kaiser ges, Dorothy Schiff int. 'Nu zullen wij de oorlog winnen!': Isaacson en Thomas 213. 'Averell heeft gelijk': Isaacson en Thomas 249. Sovjettrip Harriman-Thomas 1959: 1/12/58 en antwoord Thompson van 16/12/58 bevinden zich in Thompson Papers.
'...niet hetzelfde haatdragende gepraat': Harriman-Galbraith 25/1/60, Harriman Papers. 'Het is gewoon stuitend': Salisbury *Journey* 243. 'Uw overwinning was groots': Harriman-JFK 12/11/60, JFKL. Houding JFK t.o.v. Harriman 1960: RFK mg, Isaacson en Thomas 603-4, Halberstam 73-5. Sorensen tegen Burns over aanstelling Harriman staat in dossier Burns, Sorensen Papers. 'Weten jullie zeker dat een baan voor Averell': AMSTD 149. RFK over telefoonnummer Harriman op 10/1/61 bevindt zich in Harriman Papers. 'Ik ben nog niet doorgedrongen': Sulzberger 753. 'Verdomme. Ik had gehoopt': Isaacson en Thomas 619. '...schijnt me goed te doen': Harriman-Beaverbrook 21/11/62, Beaverbrook Papers. Brief Jacqueline Kennedy: 15/3/63, Harriman Papers. Harriman over Buit. Zkn als 'doods, doods, doods': dagboek Schlessinger 14/4/63, geciteerd in eerste versie AMSTD. Mes op de keel door Eunice voor aanvang Wenen: Halberstam *Best* 75. Harriman tijdens Berlijnse crisis en rakettencrisis: AMSTD 383, Sor 589, Isaacson en Thomas 627-9.
JFK-NC over Harriman, 23/4/63 bevindt zich in JFKL. Dobrynin over de VS en aanhangers Jiang in Laos en antwoord JFK: 'mem Dobrynin 4/1/63, ontwerptekst voor antwoord van 23/1/63, 10/1/63, mem Dobrynin-Koeznetsov, Harriman Papers. Ontmoeting NC-Harriman van 26/4/63: mem Harriman Papers. Bolsjakov-RFK van 10/5/63 bevindt zich in RFK Papers. Aanvallen op Cuba winter en lente van 1963: Summers *Conspiracy* 325, 424-5, AMSRK 539-45, NYT 21/4/63, Garthoff 90-3. Klacht Sovjet-Unie: Sovjetmin. van Buit. Zkn tegen ambassade VS in Moskou, 27/3/63, 29/3/63, JFKL. Rusk over aanvallen en betrekkingen met Rusland: Rusk-JFK 28/3/63, JFKL. Verklaring VS: AMSRK 540, *Assassination Report*, deel V, 11-3. Reactie Rockefeller: NYKr 4/5/63. Opvolger Ex Comm en 'schikking': AMSRK 538, *Assassination Plots* 173. Castro over 'Amerikaanse beperkingen over aanvallen': AMSRK 542.
Bezoek Castro aan Sovjet-Unie: NC1 504-5, NC2 511, NC3 181-3, Szulc 589-91, UUN 13/5/63. Castro voorzien van blondine en niet ingelicht over consessie Turkije: Geyer 294, NC3 182. Voorspelling CIA april over Russen op Cuba: schatting van 22/4/63, JFKL. JFK over 'Castro onder druk houden': mem Ex Comm 29/11/62, JFKL. Sabotage begin 1963: Prados *Secret Wars* 215-7, *Assassination Plots* 172. JFK keurt nieuwe sabotageplannen goed, juni 1963: AMSRK 543, *Assassinatoion Plots* 172-3. JFK-Macmillan tegen NC over proeven, 15/4/63 bevindt zich in JFKL. NC-JFK van 8/5/63 bevindt zich in JFKL. Dobrynin tegen Wiesner en Bowles over flexibiliteit NC: Thompson mg, Bowles mg, mem Wiesner-Dobrynin 16/5/63, JFKL, Cohen 162. NC en speciale afgezanten en Rusk: JFK-NC 13/5/63, NC-JFK 15/5/63, JFKL. Gesprek Fomin-Scali, februari 1963: Tel aantck. Scali-Robert Manning, JFKL.
NC-JFK van 29/4/63 en 8/5/63 en antwoord JFK van 13/5/63 bevinden zich in JFKL. Cousins dringt aan op vredesaanbod en Sorensen vraagt om ideeën: Cousins 122-4, Sor 730, AMSTD 900. JFK besluit tot grote vredestoespraak: Bundy in *Massachusetts Historical Society*, deel 90, 1978, NYKr 22/6/63, AMSTD 900. Bundy en Sorensen bereiden toespraak voor: Sorensen mg COHP, Sor 730-1. Interview Kaysen met Schlesinger 6/8/64, Schlesinger Papers. Ontmoeting JFK-LBJ-Connally van 5/6/63, El Paso: Reston 237-41,

Odon 356. JFK over 'de vredestoespraak': Odon 357. Proces vrijgeven van tekst: Thompson mg, Salinger (Honolulu)-Kaysen (Witte Huis) met JFK-tekst voor toestemming Kaysen, 1:55 's ochtends. E.S.T., 9/6/63, AMSTD 900, Sor 731, NC tegen JFK en Macmillan van 8/6/63 bevindt zich in JFKL. Terugkeer JFK in Washington en toespraak van 'allergrootste belang': Sor 731. Toespraak American University: JFKPP 10/6/63 en ontwerpteksten in JFKL.

Eisenhower over wapenwedloop: DDEPP 16/4/53. Chinese missie naar Moskou: George Denney-Rusk 25/7/63, Gordon Chang in *Journal of American History*, 'JFK, China and the Bomb', maart 1988. Brieven naar Witte Huis over toespraak en reactie JFK: AMSTD 910. Sovjetburgers op de hoogte gesteld van toespraak en hun reactie: Kohler-Rusk 11/6/63, Sor 733. Seaborg *Kennedy* 218, Barnett *Giants* 24-5. NC tegen Wilson en 'beste toespraak': NYT 11/6/63, Sor 733. RFK leest inlichtingenrapporten: RFK mg. Falin over toespraak: Falin int WGBH. Trevelyan over toespraak: Trevelyan mg. McCloy weigert aanstelling als onderhandelaar over proeven: Isaacson en Thomas 630. Rusk nomineert Harriman, kritiek Ball en JFK wijst dit van de hand: interview Kaysen-Schlesinger in Schlesinger Papers, AMSTD 902-3, eerste versie AMSTD.

'Wij stellen nu voor' en 'vanwege diens bewezen': Rusk-Kohler 8/6/63 en Rusk-Bohlen 14/6/63, JFKL.

'Zodra ik hoorde': AMSTD 903. Vestiging *hot line* en achtergronden: Davies mg, Davies int, *Business Week* 13/4/63, 29/6/63, *Defense Nationale* (Parijs), juli-december 1983, 'Le Teletype Rouge', NW 24/12/62, NYT 21/6/63, USN 1/7/63, Sor 724-6, Sulzberger 980, Salisbury *Without Fear* 54. '...al het mogelijke te ondernemen': JFKPP 20/6/63.

21. De geest van Moskou

Oorsprong en aankondiging Europese reis JFK: USN 10/6/63, Seaborg *Kennedy* 224, Odon 338, AMSTD 881-4, 887, Rovere 160-2. Onderhandelingen over De Gaulle's reis naar VS: JFK-Bohlen 14/6/63, Bundy-Tyler 14/6/63, Bohlen-Rusk 15/6/63, 19/6/63, JFK-Bohlen 10/7/63, 4/11/63, JFKL. Herinneringen JFK tijdens vlucht naar Bonn: Michaelis 155-6, Ralph Martin 488. Keulen: NYT 24/6/63, Tyler mg. 'U gaat me toch niet vertellen': Tyler mg. Ford-advertentie in Wiesbaden: NYKr 13/7/63. '...nieuwe instructies': Kohler-Truman Landon 4/5/63, Kohlen Papers. Kohlen ontmoet JFK en reactie Phyllis Kohler: Kohler int, NW 15/7/63, NYT 21/6/63, Clay over bezoek Berlijn van JFK: Clay mg. JFK op stadhuis: JFKPP 26/6/63, NYT 27/6/63, Manchester *Shining* 207-8. De schrijver van dit boek heeft ook een film van de toespraak kunnen bekijken in de National Archives. Adenauer tegen Rusk over 'een nieuwe Hitler': Gelb 226. Ontstaan van '*Ich bin*': Bundy int, NYKr 13/7/63, Odon 361, Bradlee 95-6, Bundy 390, 683, Ralph Martin 489, Wyden *Wall* 282-3. '...psychologische invloed [...] nooit onderschatten': Wessel int. Volgende toespraak van JFK was aan de Vrije Universiteit van Berlijn: JFK 23/6/63, Kraft 167. JFK over envelop en tegen Sorensen: JFKPP 23/6/63, Sor 601. Bundy tegen JFK over poll van 19/6/63 bevindt zich in JFKL. Bundy en O'Donnell naar Ierland en antwoord JFK: Odon 358-9, JFK in Ierland: Odon 361-371. JFK's reis naar Chatsworth en Birch Grove: Odon 361, 371, Horne 512-8. Schandaal Profumo-Keeler: 'BOWTIE'-dossiers, FBI, Knightley en Kennedy, Summers en Dorril.

Ivanov over schandaal, 1989: WP 19/5/89. Bruce over mogelijke vervanging Macmillan: Bruce-Rusk 19/6/63, JFKL. Afzegging geëist en staf JFK vermindert aandacht voor bezoek: Knightley en Kennedy 196-207. Macmillan over JFK die 'me de rug heeft toegekeerd': Horne 512. JFK over 'affaire-Profumo': Heckscher mg en memo Charles Heckscher 19/6/63, Schlesinger Papers. Bruce over 'huidige roddels': memo Bruce-JFK 21/6/63, JFKL. JFK tegen O'Donnell en Powers in Brighton: Odon 372. JFK in Italië, verzoek Rusk en herinnering Rusk: Odon 372-4, AMSTD 887-8, Schoenbaum 282. RFK spreekt Horan en Frasca: C.A. Evans-J. Edgar Hoover 3/7/63, FBI. Verzoek JFK aan Hoover inzake Keeler en Rice-Davies en reactie: C.W. Gates-Hoover 29/6/63, W. Branigan-W.C.Sullivan 23/7/63, Evans-Belmont 24/7/63, FBI, Knightley en Kennedy 202-7.

Alphand over 'verlangens' JFK: Ralph Martin 342. Relatie Campbell-Giancana-JFK: Exner 63-299, Exner in *People* 29/2/88, Kelley *His Way* 293-4. Dejean-episode: Davies int, Kohler int, de Laboulaye ges, Barron 170-92. Watkins en Tory-episodes: Barron 243-4, David Martin 166-7, Ladislav Bittmann in House Intelligence Committee tijdens hoorzittingen van het Oversicht Subcommittee, 19/2/80. Veiligheidsdienst over 'vrouw': Lasky *Watergate* 17. 'Niet zijn chapperone': Rusk int. Thompson tegen JFK over mariniers en 'Jezus Tommy': Jane Thompson int. Arvad-episode: Waldrop int, dossier Inga Arvad Fejos, FBI, Blairs 129-52, Kearns Goodwin 630-5, Parmet *Jack* 88-94, Theoharis en Cox 334-5. 'Verdomde vieze joden': samenvatting 24/6/42, dossier Arvad, FBI. FBI over ontmoeting JFK-Arvad van 6/2/42, Arvad over Hitler. 'Ik ben net terug', 'Hebben jullie daar': samenvatting 24/6/42 en dossier Arvad, FBI. 'Op weg naar Reno': JFK tegen Billings: 11/3/42, juli 1942. Hoover tegen medewerker over PT-109 en bewaart dossier JKF: Wofford 215 vn. Charles Colson over FBI en affaire JFK-Arvad: NBC-TV 'Today' van 7/2/75, in memo FBI van 14/2/75. '...Hoover niet ontslaan: Dit werd gezegd tegen Timothy Seldes, toen bij Doubleday en die werkte aan de publikatie van Truman's memoires. Kennedy's omgang met mogelijke schandalen met vrouwen: FBI dossier over JFK, FBI, NYT 17/12/77, Ralph Martin 163. Aantekeningen JFK over *Caroline* WP 29/5/87. 'De eerste man die in de Lincoln-slaapkamer naar bed gaat': Prospectus voor 'The Politicians, the Gansters and the Stars' door Patricia Lawford en Ted Schwartz. 'Ze kunnen me niet raken': Ralph Martin 312. 'We zaten zo krap bij kas': *London Daily Mirror* 25/10/ 63. Rometsch-episode: RFK mg, dossier Rometsch, FBI, Evans-Belmonmt 21/10/63, 25/ 10/63, 28/10/63, J. Hoover-Clyde Tolson 28/10/63, 7/11/63, FBI, NYT 29/10/63, 1/12/ 64, 9/12/64, WS 28/10/63, 29/10/63, 1/12/64, 4/12/64, 5/12/64, WP 3/12/64, 10/12/64, *New York Post* 29/10/63, *Des Moines Register* 30/10/63, 31/10/63, Bradlee 227-9, Branch 911-14, Bobby Baker 77-80. Bericht uitwijzing Rometsch: Clark Mollenhoff in *Des Moines Register* 26/10/63. JFK tegen Bradlee over Rometsch en Baker: Bradlee 231-5.
NC in Oost-Berlijn: Prav 3/7/63, NYT 3/7/63. Thompson's advies over toespraak: Thompson mg, Jane Thompson int. Kaysen tegen Brandt van 5/7/63 bevindt zich in Harriman Papers. Mikojan op Spaso House op 4/7/63: NW 15/7/63, NYT 5/7/63. NC beledigt Chinezen: Jiang in *Journal of American History*, maart 1988, NYT 4/7/63, USN 22/ 7/63. Ontmoetingen NC-Spaak: Harriman-ambassade Brussel, 13/7/63, Harriman Papers, Seaborg *Kennedy* 230. Macmillan tegen JFK op 4/7/63 bevindt zich in JFKL. Over kernstopverdrag in zijn algemeen, zie videoband van conferentie over dit onderwerp van Kennedy Library. Instructies JFK aan Harriman: Thompson mg, Kaysen-Harriman 5/ 7/63, Harriman Papers, mem JFK 18/7/63, JFKL. Adviseurs tegen JFK vóór aanvang Wenen: Buit. Zkn tegen JFK 25/5/61-26/5/61, JFKL. JFK tegen Malraux en medewerkers over kernmacht China: Tyler mg. Kans kernstopverdrag voorkoming atoommacht China: Jiang 237-8, 243. 'Geheime missie', voorstel Thompson: JFK-Harriman 15/7/63, Harriman Papers, Jiang 242-5, Jiang in *Journal of American History*, maart 1988. Voorstellen voor 'radicale stappen', bommen op Lop Nor, industriële sabotage: Jiang in *Journal of American History*, maart 1988. 'We hebben allebei een nationaal belang': Rostow-JFK 8/7/ 63, JFKL, ook memo Rusk 5/7/63, Rusk-Harriman 2/7/63, Harriman Papers. Thompson over NC's discussie over China: Thompson mg. Instructie JFK aan Harriman en reactie: Jiang in *Journal of American History*, maart 1988, eerste versie AMSTD. Geschiedenis MLF: Bundy int, Seaborg *Stemming* 83-94, Herken 174-5, Bundy 503-4. Harriman over 'een paar prettige verrassingen': AMSTD 903, eerste versie AMSTD. Macmillan stuurt aan op conferentie: Seaborg *Kennedy* 258. Harriman over 'twee weken': Seaborg *Kennedy* 251. Gromyko leidt Sovjetdelegatie en ontmoeting NC-Harriman 15/7/63: Seaborg *Kennedy* 238. JFK-NC 15/7/63 bevindt zich in Harriman Papers. Macmillan's oorspronkelijke voorkeur voor Ormsby-Gore, Harriman en Hailsham over elkaar: eerste versie AMSTD, AMSTD 905. Zintsjoek over niet-aanvalsverdrag: Bartlett int. JFK houdt Harriman-delegatie aan het lijntje: Benjamin Read mg, Sorensen int JBM, interview Schlesinger met Adrian Fisher 2/4/65, Schlesinger Papers. 'Je hebt gelijk om Fran-

sen uit eerste verdrag te sluiten': JFK-Harriman 15/7/63, Harriman Papers. Harriman over gesprekken 1943: NW 29/7/63. Debat over kernwapens bij zelfverdediging, terugtrekkingsclausule, niet-aanvalsverdrag, geen formele erkenning: AMSTD 906-7, John McNaughton's rampenartikel 20/7/63, Harriman Papers, mem JFK 18/7/63, 23/7/63, JFKL, Thompson mg, Seaborg *Kennedy* 249-50. Correspontentie Moskou-Londen-Washington over uitkomst onderhandelingen 25/7/63: Harriman 'Personal notes onmeeting with Gromyko', 25/7/63, Harriman Papers. '…iedere avond hard voor gebeden' en 'heb je zijn H gezien?': Seaborg *Kennedy* 256.
NC-Harriman bij ontvangst Kadar: mem Harriman 20/7/63, Harriman Papers. Bezoek NC en Harriman aan Leninstadion: Harriman-DFR 29/7/63. Ontmoeting NC-Harriman na verdrag: mem 26/7/63, Harriman Papers, Roberts 218-9. Functionaris Buit. Zkn over voorstel China: John de Martino-Benjamin Read 2/10/64, Harriman Papers. NC-Harriman tijdens diner: mem 26/7/63, Harriman Papers. '…aanbeveling waargemaakt': NC-JFK 26/7/63, JFKL. '…euforische staat': Ormsby-Gore-JFK 2/8/63, JFKL. '… verdomde blij': Schlesinger-Harriman 28/7/63, Harriman Papers. *Bulletin of the Atomic Scientists* bracht wijzers terug: Seaborg *Kennedy* 285-6. Chinezen kwaad naar huis: Thomas Hughes-Ball 21/8/63, JFKL. 'Het wordt glashelder': Harriman-Rusk 23/7/63, Harriman papers. 'De Gaulle heeft gezegd': Seaborg *Kennedy* 999.
'Ik moet eerlijk zeggen' en pogingen JFK De Gaulle te verleiden:mem JFK 22/7/63, 23/7/63, ontwerptekst JFK-De Gaulle 3/7/63, JFK-De Gaulle 24/7/63, Bohlen-Bundy 6/8/63, JFKL. 'We hebben altijd gehoopt op': JFK-De Gaulle 24/7/63, JFKL. Verslag optreden De Gaulle: David Klein-Bundy 30/7/63, JFKL. Ormsby-Gore tegen Macmillan over Dejean: Bundy-JFK, juli 1963. 'Het komt op hetzelfde neer': AMSTD 914. Reactie JFK en over weigering De Gaulle: JFK-Macmillan, ongedateerd en AMSTD 914. Tv-toespraak JFK over kernstopverdrag:JFKPP 26/7/63 en NYT 27/7/63. JFK ontmoet Harriman in Hyannis Port: eerste versie AMSTD, bandopname telefoongesprek Bundy-JFK 25/7/63, JFKL. Gesprek JFK-Truman: bandopname 24/7/63, 26/7/63, JFKL. Haarkloverij Truman en reactie JFK: JFK-Truman 26/7/63, 30/7/63, Truman-JFK 16/8/63, JFKL. Ontmoeting Rusk-McCone-Eisenhower: mem 24/7/63, DDEL. Strauss tegen Eisenhower over kernstopverdrag, 21/2/63 bevindt zich in DDEL. Antwoord Eisenhower is van 16/3/63, DDEL. JFK ziet af van ondertekening verdrag Moskou: Seaborg *Kennedy* 258. JFK stelt senatoren aan voor ondertekening verdrag Moskou: Aiken mg, bandopname JFK-Dutton 30/7/63, bandopname JFK-Rusk 30/7/63, JFKL. 'Adlai wilde gaan' en Stevenson herinnerde de president': Sorensen int JBM. 'Als Oe Thant gaat, kan Adlai ook gaan': bandopname 30/7/63, JFKL. Steinbeck tegen Stevenson: Bartlow Martin *Stevenson* 770. Ontmoeting Rusk-Gromyko 5/8/63, JFKL, Seaborg *Kennedy* 260-1. Ontmoeting NC met Amerikaanse delegatie 5/8/63: Rusk-Ball 6/8/63, 7/8/63, JFKL. Gesprek NC-Stevenson: Bartlow Martin *Stevenson* 769.
Ceremonie ondertekening verdrag en optekening in dagboek Seaborg: NYT 6/8/63, Seaborg *Kennedy* 260-1. NC over 'geest van Moskou': Kohler int. NC en Rusk over niet-aanvaslverdrag: AMSTD 917-8. Gesprek Rusk-Gromyko: Rusk-Ball 6/8/63, 7/8/63, JFKL. Amerikaanse delegatie naar Pitsoenda: Jane Thompson int, Kohler int, Davies int, Rusk int, Rusk-Ball 9/8/63, JFKL. NC tegen Rusk over Patrick Kennedy: NYT 12/8/63. '…nooit allemaal op een kluitje': Jacqueline Kennedy-Schlesinger, ongedateerd, Schlesinger Papers. 'De lasten van regeringszaken': Macmillan-JFK, 14/8/63, JFKL. McNamra haalt stafchefs over: mem JFK 18/7/63, JFKL, Jiang in *Journal of American History*, maart 1988, USN 5/8/63, Trewhitt 252-3. JFK over tegenwerking Senaat, Congresbrieven en opgeven herverkiezing: Sorensen mg, Cousins 128-35, Sor 737-40, Seaborg *Kennedy* 263-5.
'De categorie die deze week weer bovenaan staat': Cousins 129. McNamara tegen Sen. comm voor Buitenlandse Betrekkingen: Seaborg Kennedy 266 en Jiang in *Journal of American History*, maart 1988. Argumenten JFK tegenover Senaat: bandopname JFK-Mansfield 12/8/63, JFKL. Woede JFK over lobbyen McCone: Halberstam *Best* 153-4, Herken

182. RFK over McCone als paard van Troje: RFK mg, Hilsman MG, SEP 27/7/63. 'Ik ben het zo beu': Thomas Powers 162. 'Ik vond het ironisch': Helms int. Teller en latere getuigenis: NYT 21/8/63, Seaborg *Kennedy* 271-5. Fulbright-JFK over Teller: bandopname 23/8/63, JFKL. Dean over hernieuwde onderhandelingen: Seaborg *Kennedy* 274-5. Eis Hickenlooper en reacties Rusk en Smathers: DFR 28/8/63. Russell over verdrag: Earl Leonard mg in Russell Papers. Bundy over niet-inschakelen van LBJ: Bundy in *Massachusetts Historical Society*, deel 90, 1978. Buit. Betr. gaat akkoord en tegenstand Goldwater: Seaborg *Kennedy* 281, NYT 25/9/63, 28/9/63. 'Er zijn geen beloften': JFKPP 12/9/63. Voortzetting zaak Goldfine en laten vallen van deze zaak: Caplin ges, William Hundley mg, AMSRK 385-6. Aanbeveling medewerkers Caplin: Caplin ges. Gesprekken Eisenhower-Dirksen 16/1/62, 5/2/62, 21/2/62, 11/5/62, Dirksen-Eisenhower 10/1/62, 16/2/62, DDEL. Smathers herinnert JFK over Dirksen: Smathers mg. Verslag Baker over gesprek JFK-Dirksen: Bobby Baker 97-9. 'Ik blijf bij mijn belofte': *Memorial Adresses* Amerikaans Congres 7. Seaborg over invoed Dirksen: Seaborg *Kennedy* 279-80. Steun Eisenhower inzake verdrag: NYT 27/8/63. Klacht Eisenhower over JFK, Justitie en IRS: Eisenhower-LBJ mem 23/11/63, DDEL. Senaatspassage kernstopverdrag en Sorensen over reactie JFK: NYT 25/9/63, Sor 740. Redenen JFK voor rondreis westen: Edward Cliff mg, Douglas mg, Odon 379, Bradlee 212-4. JFK in Montana en Salt Lake City: JFKPP 25/9/63-26/9/63. Salinger over 'vrede als onderwerp': Halberstam *Best* 295-7. JFK over reis naar Sovjet-Unie: Brandon 200. Beperkt effect van kernstopverdrag: Bundy 460-1, Seaborg *Kennedy* 285-301. Macmillan over 'verzwakte' JFK: Horne 525. Poging Attwood voor verzoening Cuba: Attwood mg, RFK mg, Helms int, Attwood in *Virginia Quarterly Review*, herfst 1983, Attwood 257-60, Szulc 588-9, Bundy in *Massachusetts Historical Society*, deel 90, 1978. Rusk tegen NC over aanwezigheid Russen op Cuba: Rusk int. '...geest van weerstand': *Assassination Plots* 177-82, 337. Voorstel Denney: Denney-Grimmins 25/7/63, JFKL. '...tien of twintigduizend': RFK mg. Bundy over 'verslag na iedere actie': Bundy-JFK 11/10/63, JFKL. CIA over dood Castro: *Assassination Plots* 172. FitzGerald over bom in zeeschelp: AMSRK 485, *Assassination Plots* 85-6. Achtergrond Cubela en contact CIA: AMSRK 546-7, Summers *Conspiracy* 321-4. Castro op Braziliaanse ambassade en reactie CIA: *Baltimore Sun* 9/9/63. Chase over Castro op Braziliaanse ambassade: Chase-Bundy 10/9/63, JFKL.

22. Magere kansen

JFK bezorgd dat hij zich niet heeft kunnen presenteren: RFK mg. Burns over JFK in 1959: Burns ges, Burns mg. Buckley over 'gladheid' JFK: *National Review* 13/8/63. Daling populariteit JFK in poll: Louis Harris-JFK 3/9/63, JFKL, *Gallup* 27/3/63, 19/5/63, 7/7/63, 25/8/63, 20/9/63, 10/11/63, USN 8/7/63, 'Is Kennedy in Political Trouble at Home?' JFK's verwachting inzake Rockefeller voor 1964: Sor 184, 614, Bradlee 121. JFK tegen White over Rockefeller: aantekeningen White 13/2/63, Schlesinger Papers. JFK over Romney: Harris-JFK 19/11/62, JFKL, Bartlett int, Bartlett mg, RFK mg, Bradlee 195, Fay 259. JFK over Goldwater: Bartlett int, RFK mg, Odon 13, Fay 259. Verwachtingen JFK voor tweede ambtstermijn: RFK mg, Rostow mg, AMSTD 921-2. Rusk-JFK over mogelijke afstand in 1963: Rusk int.
'Maar als ik McNamara niet': Galbraith *A Life* 406, verwachtingen Harriman, Bundy voor post Buit. Zkn: RFK mg, T 15/3/63. Verwachtingen RFK voor Buit. Zkn en presidentschap: Bartlett int, Bartlett mg, Billings mg, Douglas 308, Bradlee 146, Ralph Martin 565. Graham tegen JFK over McNamara, ongedateerd, 1962 bevindt zich in JFKL. JFK regelt benoeming Smith: Burns ges, Odon 243-4. RFK over McNamara in 1968: RFK mg. O'Donnell over McNamara: Vanocur int. Mislukte oogst Sovjet-Unie en graanovereenkomst: RFK mg, Thompson mg, Freeman in Thompson 169-71, Odon 381-2, Sor 741-3, 753, AMSTD 920, 1018. Linden 187-91. Gallup over graanverkoop: *Gallup* 25/10/63. Ontmoeting Rusk-Gromyko: mem, JFKL, USN 7/10/63.
NC in Oost-Berlijn, januari 1963: NYT 17/1/63, Slusser 469. Komer over Berlijnse over-

eenkomst: memo 29/10/62, JFKL. Berlijnse problemen spelen weer op, herfst 1963: memo McCloy tijdens reis West-Duitsland, oktober 1963, McClow Papers, T 18/10/63, Bundy-JFK 9/11/63. Ontmoeting Gromyko-JFK 10/10/63: mem 10/10/63, JFKL, Andrei Gromyko 181-2, NYT 27/8/63. Ben-Goerion over Dimona: Weissman en Krosney 111. JFK en Israël: Bundy int, Bundy-JFK 16/8/63, 26/9/63, AMSTD 566-7, Sor 558, Bundy 509-10, Parmet *JFK* 225-35. JFK tegen White over joden en negers: aantekeningen White 27/6/60, Schlesinger Papers. JFK tegen Spivak; Spivak ges. JFK over joodse bijdragen: Bradlee 200. Jeruzalem over kernwapens, 1962: Spector 122. Feldman onderhandeld over verdrag en Washinton over levering Hawk-raketten: Bundy int, Bundy 510-1, *Journal of American History*, deel 73, 1986. 'Wat we op dit moment weten': Bundy-JFK 23/3/63, JFKL. Irritaties JFK, oktober 1963: Bundy int. 'Wat ik me ervan herinner': Bundy 510. Gromyko over JFK's opvattingen over Amerikaanse joden: Andrei Gromyko 181-2.

JFK en Vietnam in algemeen, 1962-1963: Rust 60-182, Colby 82-171, Karnow 247-348, Hammer 103-320. 'We zijn hier aan een belangrijke taak begonnen': mem NC 18/1/62, JFKL. Rusk over Vietnam: Rusk tegen DFR, 9/3/62. Galbraith over Zuidoost-Azië: Galbraith-JFK 4/4/62, Harriman Papers. JFK over 'elk gunstig moment moeten aangrijpen': Rust 73. Weigering Diem om te ondertekenen en wordt overgehaald: Rust 75-6. 'Voordat de inkt droog was': Rust 77. 'langzaam escalerende patstelling': CIA Current Intelligence Memorandum 11/1/63, JFKL. Rapport Wheeler en voorstel CIA: Rust 85-6. '...met alle problemen te maken krijgt': Bundy-JFK 12/1/63, JFKL. Rusk over JFK en mislukking akkoord Laos: Rust 88. Voorstel Rusk-McNamara, juni en reactie JFK: Rusk-JFK 17/6/63, JFKL, Rust 89-90.

Achtergrond Diem: Rust 3-7. Carver over coup 1960: Rusk xvii, 1, 8-20. Rusk en JFK maken zich zorgen over boeddhisten en katholieken: Rust 94-107. JFK tegen medewerker over Lodge: Odon 16. Nhu over kernstopverdrag: Rust 106. Mislukte coup-poging, augustus 1963: Hilsman 482-98, Hammer 166-98, Rust 108-30, Colby 128-58. Bijeenkomst NC 28/8/63: mem, JFKL. 'Mijn God, mijn regering': Bartlett mg, Bartlett int, RFK over beleid JFK tegenover Diem: RFK mg. Telegram Taylor en JFK, antwoord Lodge: Taylor-Harkins 28/8/63, JFKL, Rust 123-4. 'Ik weet dat falen': JFK-Lodge 29/8/63, JFKL. LBJ tijdens ontmoeting NC: Rust 129.

Forrestal over RFK, september 1963: Rust 132. Rapporten Krulak, Mendenhall en reactie JFK: Rust 134-9. Ontmoeting McNamara-Diem, september 1963, mem 29/9/63, JFKL. Verslag NcNamara-Taylor 2/10/63 naar JFK en reactie JFK: McNamara-Taylor 2/10/63, JFKL, Rust 143-4. Duw in richting staatsgreep, oktober 1963: Rust 144-57, Hammer 207-79, Colby 148-54. Ontmoeting Lodge-Diem 1/11/63: Rust 157-63. Coup Diem: Rust 163-78, Hammer 280-311, Colby 152-8. Forrestal over reactie JFK: Rust 175. Eisenhower tegen Nixon over affaire Diem, 11/11/63 bevindt zich in DDEL. Galbraith-Harriman over coup: 4/11/63, Harriman Papers.

Verslag Alsop over Russen op Cuba en antwoord Buit. Zkn: Izv 13/11/63, 17/11/63, NYT 20/10/63, 13/11/63. JFK over gestaag verminderde aantallen': JFKPP 31/10/63. JFK tijdens lunch met uitgevers en waarschuwing Chase: Chase-Bundy 13/11/63, JFKL. Affaire rond Russische gevechtsbrigade op Cuba, 1979: Garthoff *Detente* 828-48. Goedkeuring Speciale Eenheid van nieuw operaties en bijeenkomst Fitzgerald-AM/LASH: AMSRK 547-8. Orkaan Flora en reactie Castro: USN 4/11/63, NW 4/11/63, NYT 29/10/63, 1/11/63. Ontmoeting Daniel-JFK 24/10/63: *New Republic* 14/12/63. Attwood bereidt zich voor op bezoek aan Havana: RFK mg, Sorensen mg, Attwood mg. Toespraak JFK Miami: JFKPP 18/11/63, Sorensen mg COHP, Sor 723. 'U kunt maar beter als de sodemieter': Kohler int. NC-Kohler op 7/11/63: NYT 24/10/63, 8/11/63, Prav 8/11/63, 13/11/63, USN 18/11/63, Kohler Diary 7/11/63, Kohler int. Bezoek *Time* aan NC op 7/11/63: NYT 7/11/63, 8/11/63, Sidey mg, Kohler-Rusk 8/11/63, JFKL.

Arrestatie Barghoorn, algemeen: Kohler int, Davies int, Mary Ann Stoessel ges, NYT 17/11/63, Bohlen-Thompson 10/3/61 (over bezoek Barghoorn aan Moskou), Bohlen Pa-

pers, Kohler-Barghoorn 17/5/62, Barghoorn-Kohler 20/4/63, Kohler Papers, Kohler Diary 31/10/63-21/11/63, Bundy-Kohler 12/11/63, Denney-Rusk 12/11/63 ('Motieven Sovjets in zaak Barghoorn zijn vaag'), Bromley Smith-Bundy 12/11/63 ('Helms zegt Barghoorn heeft geen banden met CIA of leger'), Kohler-Bundy 13/11/63, Kohler-Rusk 13/11/63, Rusk-Kohler 13/11/63, Kohler-Rusk14/11/63, Bruce-Bundy 16/11/63, Stoesel-Bundy 16/11/63, JKFL. Kohler over KGB-dossiers: Kohler int. JFK over Barghoorn: JFKPP 14/11/63. Ontmoeting Gromyko-Kohler 16/11/63: Kohler-Rusk 16/11/63, JFKL. Nosenko over Barghoorn-affaire: *Listener* 22/5/75, Barron 85-7. Thompson's verslag van 21/11/63 over gesprek met Dobrynin: mem Thompson-Dobrynin 21/11/63, JFKL.
Zorin bezorgt brief NC-JFK van 10/10/63: Kohler-Rusk 10/10/63, JFKL. Ontwerptekst brief JFK-NC door Buit. Zkn met goedkeuring Bundy van 10/10/63 bevindt zich in JFKL. Administratieve misverstanden': aantekening inzake Bundy 9/12/63, JFKL.

23. 'De vrede is nu aan u'

Kou en regen in Washington: Martin *It Seems* 242. RFK over 'mistroostigheid' JFK: RFK mg, Manchester *Death* 11. Vietnam november 1963: Rust 175-82, Hammer 312-20. Oorsprong reis naar Texas en bezorgdheid JFK over ruzie: RFK mg, Odon 3-22, Reston 240-64. Johnson over toespraak in Austin: Wright 47, Raymont ges, Macdonald over laatste weekeinde: Lieberson 217. Leesvoer voor tijdens weekend: Bundy-JFK 16/11/63, JFKL. JFK naar Canaveral en kijkt naar rugbywedstrijd en *Tom Jones*: Smathers int, NYT 17/11/63, Manchester *Shining* 263-8. Waarschuwingen m.b.t. reis naar Florida en instructies JFK aan Geheime Dienst: FBI-memo's 18/11/63 en 19/11/63, W.C. Sullivan-D.J. Brennan 1/12/63, FBI, Bishop *Day Kennedy* 27, Manchester *Death* 37. JFK tegen Smathers 18/11/63: Smathers int. Smathers over bezoek ranch LBJ in 1960: Smathers int.
LBJ komt met opgezette hertekop: Manchester *Death* 118-9. Bundy ontmoet JFK, 19/11/63: Manchester *Death* 12. Bezoek Helms-Peake aan RFK en JFK 19/11/63: Helms int en AP 19/11/63. Ontdekking Venezolaanse wapenvoorraad: Helms int, zie ook aanvullende gegevens in Noten Epiloog. 'Prima werk': Helms int en Joseph Smith 7-8. Gesprek NC-Haekkerup: NYT 21/11/63, 23/11/63. JFK bezigheden in Oval Office, 20/11/63, AP 20/11/63, Manchester *Shining* 268-9, Manchester *Death* 10-15. Receptie voor Gerechtshof en terugkeer Jacqueline: Manchester *Death* 15-29, Ralph Martin 547-8. RFK kijkt naar 'Mad, Mad World' en bezoek bij JFK: memo's FBI 4/11/63, 5/11/63, W.C. Cleveland-G. Evans 17/11/63, FBI. Irritaties JFK over LBJ inzake burgerrechten: RFK mg. Gedachten JFK over Sanford: Lincoln *Kennedy and Johnson* 199-207.
RFK over Texas-poll en Connally over LBJ als zijnde 'erg bezorgd': RFK mg, Connally tijdens symposium LBJ Library, maart 1990, uitgezonden op C-SPAN 4/9/90. 'Ik ben zondag terug uit Texas': Manchester *Death* 29. JFK tijdens vlucht naar Texas en tegen O'Donnel, Powers: Manchester *Death* 65-70. Confrontatie JFK-LBJ in Rice Hote,l: mems Schlesinger 20/11/64, 6/1/65, 25/3/65, Manchester *Death* 89-90, Bradlee 221. JFK in Fort Worth: JFKPP 22/11/63. JFK leest *Morning News* en 'een verdomd goede avond': Manchester *Death* 121-2, Odon 23-6. *Intelligence Checklist* 22/11/63: RFK mg. Bezigheden van Rusk, Salinger, Bundy, McNamara, RKF, Ball, Thompson, Acheson en Kohler rond de middag van 22/11/63: Rusk int, Bundy int, Thompson int, Kohler int, Manchester *Death* 139, 140-1, 192, George Ball 310-5.
Lunch Helms-McCone 22/11/63: Helms int. Reactie McCone op moord JFK en 'we gingen allemaal naar onze commandoposten': Helms int. CIA verliest spoor van NC: Corson en Crowley 32-5. '...waren wij daar zeer ongerust over': Helms int. 'In die kleine kliniek': Bishop *Bishop's Confession* 418-9. McCone op Hickory Hill en 'fantastisch leven': Manchester *Death* 256-7. RFK vraagt Bundy om documenten, Bundy beveelt sloten te vervangen: Manchester 257-8, 403. LBJ naar Love Field, 'nu de president zijn', Taylor woedend: Bishop *Day Kennedy* 271, Manchester *Death* 261-4. Rusk tijdens vlucht boven

oceaan: Rusk int, Freeman in Thompson 163-6, Manchester *Death* 356-7. Reactie Thompson op moordaanslag, Thompson mg, Jane Thompson int, Manchester *Death* 261. Reactie Bohlen, Bohlen mg, aantekeningen Bohlen. Vlucht naar Washington: Manchester *Death* 339-52. Roberts bezorgd vanwege Russen: Charles Roberts mg.
Gromyko ingelicht en belt Kohler: Kohler int, Andrei Gromyko 182. Dossier Oswald opgevraagd en reactie Thompson: Manchester *Death* 364-5. 'Als dit waar is': Rusk int, Manchester *Death* 356-7. Bijeenkomst AM/LASH in Parijs: *Assassination Plots* 88-9, AMSRK 547-8. 'Wij dachten [...] dat de CIA': Bundy in *Massachusetts Historical Society*, deel 90, 1978. RFK op Andrews: Manchester *Death* 377-9. 'Hij heeft nu wat hij hebben wil': Bishop *Day Kennedy* 617. 'Het was afschuwelijk': Bishop *Day Kennedy* 415. McNamara tegen LBJ over waakzaamheid Pentagon: Manchester *Death* 345-6, 402-3. Bundy tegen LBJ op South Grounds: Manchester *Death* 403. Slaapproblemen Dillon en Bundy in dagboek: Manchester *Death* 416, 424, 445. Schlesinger over Stevenson: Schlesinger int JBM. De Gaulle en Macmillan over moordaanslag: Rusk int, Horne 574-6, Macmillan *At End* 471-5. Reactie China en Madame Nhu: NYT 25/11/63. Reactie NC op moordaanslag: Adzjoebei int WGBH, SC 50-4. NC denkt na over samenzwering en terugkeer naar Moskou: Adzjoebei int WGBH, NYT 23/11/63. Poging Sovjets meer te weten te komen over Oswald: Sjevtsjenko 123-4. Verzekering LBJ inzake uitblijven vergeldingsacties: Sjevtsjenko 123. Russische pers over moordaanslag en reacties Sovjetburgers: Tass 23/11/63, Izv 23/11/63, Prav 23/11/63, NYT 23/11/63, 24/11/63, 25/11/63. Castro ingelicht over moordaanslag: *New Republic* 21/12/63. TV-Toespraak Castro: NYT 24/11/63. Stafbijeenkomst Kohler en gesprek NC-Kohler: Kohler int, Kohler Diary 23/11/63, NC2 514, NYT 24/11/63. NC-LBJ en Gromyko-Rusk van 23/11/63 bevinden zich in LBJ Library en Kohler Papers. Brieven Sovjetburgers bevinden zich in Kohlen Papers. Ontmoeting LBJ-Lodge 24/11/63: Manchester *Death* 543, Halberstam 298-9.
Thompson over dood Oswald: Manchester *Death* 527. *Pravda* over Ruby: Prav 27/11/63. Brandon over rouw in Sovjet-Unie en vragen over samenzweringen: Brandon mg, Brandon 198-203, Brandon ges. NC stuurt Mikojan en vrees Dillon voor incident: NYT 24/11/63, 5/11/63, George Ball 314. Thompson over Mikojan die niet mag lopen: Jane Thompson int, Manchester *Death* 574. Nina Chroesjtsjov tekent condoléanceregister: Manchester *Death* 598, 654. De Gaulle brengt bezoek aan Washington en weigert eerder verzoek in te willigen: Rusk int, aantekeningen Bohlen, Manchester *Death* 611-4. Bartlett tegen McNamara over JFK's bezoek aan Arlington: Bartlett mg, Bartlett int, Manchester 491-5. 'Als Jack na de Varkensbaai': Brandon 201-2. 'Angie ik ben niet langer': Manchester *Death* 610-1. Jacqueline tegen Mikojan: Manchester *Death* 609-10, Rusk int.
LBJ denkt aan samenzwering: Manchester *Death* 481, Rowan 232-3, NYT 26/4/75. Gallup over verdenkingen van samenzwering: *Gallup* 6/12/63. Kennan over Oswald: Kennan-Kohler 26/11/63, Kohler Papers. Helms over afleiding LBJ en onderzoek CIA: Helms int. LBJ haalt Warren over: Manchester *Death* 630. Reactie Sovjets over bevindingen commissie Warren: *Za Roebezjom* (Moskou) 14/10/64. LBJ verzoekt onderzoek verhalen uit 1967: Thomas Powers 156-7. 'BV Moord': *Atlantic*, juli 1973. 'Kennedy probeerde Castro': NYT 25/6/76. LBJ tegen Helms en Salinger over straf van God: RFK mg, Halberstam 292. Onthulling complot Cubéla en lot Cubéla: Summers *Conspiracy* 321-4, 400-2, 411. 'Wie zou hier zoiets gevoeligs': *Assassination Report*, deel 3, 216, 220. Vrouw Oswald en KGB en bezoeken Oswald aan Mexico-Stad: Summers *Conspiracy* 160-1. '...bedenkelijke operaties' Sovjets van begin jaren 60: Andrew en Gordievski 464-5, Barron 113-47.
Nosenko: Helms int, Epstein 3-50, 257-74, Barron 85-7, 452, David Martin 111-4, 200-8. Voor theorie Eddowes, zie Eddowes. Opgraving Oswald: NYT 5/10/81. 'Bobby Kennedy is nu gewoon weer advocaat': Fox 181. Onvrede maffia met regeling rakettencrisis: Scheim 193-5. Oswald, Murret en Pecora: McMillan 161-2, 309-14, Summers 449-51. Ruby en Capone, Dorfman, 'Barney' Baker, Miller, Pecora, Roselli: Davies *Kennedys* 559-62, Summers 246, 432-51. Postadressen Oswald in New Orleans en omgang met

anti-Castrogezinden: Summers 290-8. RFK tegen Goodwin over georganiseerde misdaad en moordaanslag: Goodwin 465, Bobby Baker 393.

Bezoeken Ruby aan Cuba en wapentransporten: Davis *Kennedys* 552-3, 559-61, Summers 440-5, Scheim 104-6. Gepensioeneerde Rusk was verontwaardigd over falen Allen Dulles het anti-Castro-complot van de CIA aan de commissie Warren te onthullen (Rusk int). 'Hij beleefde niet eens het genoegen': Manchester *Death* 407. Jacqueline Kennedy-NC van 1/12/63 bevindt zich in JFKL, en Manchester *Death* 653-4.

Epiloog. De climax

Ontmoeting LBJ-Mikojan 26/11/63: Mikojan tijdens MCT, Prav 27/11/63, NYT 4/12/63, NC1 505. Weintal en Bartlett 116. LBJ-NC 25/11/63 bevindt zich in Johnson Library. NC is 'bezorgd' en krijgt inlichtingen over Johnson: Sergei Chroesjtsjov ges, Sergei Chroesjtsjov op Harvard op 13/2/89-15/2/89, Sjevtsjenko 123-4, NC3 181, Crankshaw 285-6. Bezorging brief NC op oudejaarsavond en reactie LBJ: NC-LBJ 31/12/63, Johnson Library, LBJ *Vantage Point* 464-5. Briefing Robert McCloskey van 3/1/64, Johnson Library. Cleveland over brief: Cleveland-Rusk van 4/1/64, Harriman Papers. Antwoord LBJ: LBJ-NC van 18/1/64, Johnson Library, LBJ *Vantage Point* 465-6. Vermindering produktie verrijkt uranium en reactie Sovjet-Unie: Seaborg *Stemming* 21-3, 35-50, LBJ *Vantage Point* 465-7. Dobrynin en LBJ over topoverleg: NYT 18/4/64, LBJ *Vantage Point* 468.

'Chroesjtsjov dacht niet': Bishop *Bishop's Confession* 417-9, zie ook LBJ-Turner mem Catlegde van 15/12/64, Krock Papers. McCone licht LBJ in over wapenopslagplaats, bewijs van Betancourt, reactie LBJ, Helms int, T 3/7/64, USN 23/12/63, 10/2/64, 9/3/64, NYT 30/11/63, 4/12/63, 7/12/63, 10/12/63, *Department State Bulletin* 9/12/63, 16/12/63, 10/8/64, Joseph Smith 374-78. Reacties Castro en NC: NYT 7/12/63, 8/12/63, 18/1/64, Prav 13/12/63. LBJ stopt manoeuvre Attwood: Attwood mg. 'Hij zag er weinig heil in om Cuba onder druk te zetten': Helms int. 'Als Jack Kennedy was blijven leven': Joseph Smith 377. LBJ en Vietnam, lente 1964 en incident Golf van Tonkin: Karnow 319-86, LBJ *Vantage Point* 112-9. NC naar Hanoi voor onderhandelingen: Karnow 328. '...tot aan zijn nek in de Vietnamoorlog': NC3 181. JFK over terugtrekking uit Vietnam: Odon 16-7, AMSRK 708-23, George Ball 366-7. Rusk over mogelijkheid terugtrekking in 1965: Rusk 441.

Invloed rakettencrisis op besluitvorming Vietnam: Eliot Cohen in *The National Interest*, winter 1986. Nc's 70e verjaardag: SC 52-6, 337-8, NYT 18/4/64. 'Wij zijn oudjes': SC 98. Onvrede Moskou over NC: Tatu 364-98. Missie Adzjoebei en Schwirkmann-incident: *L'Humaniste* 9/11/64, *Le Monde* 7/1/65, SC 132-3, Linden 201, Hyland en Shryock 161, Barron 10-11, 120, Crankshaw 285-6. Gromyko over invloed missie Adzjoebei op afzetten NC: Tatu 389. Ontmoeting Rockefeller-NC: Finder 182-9. NC over LBJ als president: NC3 181. Complot tegen NC: SC 45-155. Brezjnev als 'de ballerina' SC 32.

Afzetten NC: SC 145-62, 223, Medvedev *Chroesjtsjov* 235-45, Adzjoebei in WP 15/10/89, Sergei Chroesjtsjov in NYT 23/10/88, Tatu 394-423, Linden 202-30. Verslag rol Brezjnev in afwezighed van Nina Chroesjtsjov: Seina 92-3. LBJ ingelicht over afzetten NC en Chinese kernproef: NYT 19/10/64, 28/10/64, LBJ *Vantage Point* 468-70. Zintsjoek tegen Bartlett: Bartlett int. Stagnatie Sovjeteconomie van 1980: Goldman 1-41. Georgi Sjaknazarov, medewerker van Gorbatsjov, zei dat de prijs van een tweepartijenstelsel 'de stagnatie van de economie [inhield]. We betaalden er een hoge prijs voor.' (CCT) Berlijnse overeenkomst 1971: Bundy 385-8. Castro en Russen na 1963: Szulc 595-683, Hugh Thomas 91-106, Wayne Smith 84-257. Einde van complotten tegen Castro: Szulc 600. Dreigementen regering Reagan m.b.t. 'de bron': Risquet tijdens MCT, Garthoff 106, USN 8/3/62, NYT 15/9/83. NC over invasie in Praag: NC3 139-41.

Gepensioeneerde NC: SC 163-331, Medvedev *Chroesjtsjov* 250-5. 'U kunt alles van me afpakken': SC 247. 'Zes jaar zijn er voorbij: SC 303-4. 'Helaas is een zekere mate van beschaving': SC 340. Brieven van Jane Thompson en Jacqueline Onassis: Jane Thompson int, SC 341. NC over JFK in memoires: NC2 513-4. NC tegen senatoren over kleinkinderen onder het communisme: NYT 17/9/59 en aantekeningen JFK, 16/9/59, JFKL. Onze eerste *perestroika*: *Financial Times* 29/4/88. '...worstelen om een geweldige zak aardappelen': Jane Thompson int. Lot Adzjoebei na 1964, Adzjoebei int WGBH, NYT 14/11/64. 'Het tijdperk Chroesjtsjov was de eerste akte': WP 15/10/89. 'Vrijheid en *glasnost* staan ver': *Boston Globe* 18/2/89.

Sergei Chroesjtsjov tegen Gorbatsjov uit 1986 is te vinden in SC 315-6. '...beter als hij blijft waar hij is': NYT 23/10/88. Bezoek Jacqueline Onassis aan Sovjet-Unie 1976: Mary Ann Stoessel ges, NYT 20/7/76, 2/11/76, 5/4/77. Sergei Chroesjtsjov op Harvard over toekomst: *Harvard Crimson* 16/2/89, *Boston Globe* 18/2/89, Sergei Chroesjtsjov ges, NYT 13/10/88.

Register

Birjoezov, Sergej 354-356, 376
Bissell, Richard 87, 98, 100-102, 104, 109, 110-111, 113, 115, 123-127, 130-131, 231
Boelganin, Nikolaj 24, 36, 52-53, 157-158, 195, 291
Boerlatski, Fjodor 209, 233, 242, 258, 269, 321, 351, 357, 359, 519
Bohlen, Charles (Chip) 11, 16, 23, 41, 42-43, 48, 52-53, 68-70, 76, 84-85, 88, 97, 105, 115, 118, 121, 136, 141, 144, 148, 151-152, 156, 171, 178, 192, 194, 205, 236, 253, 259, 262-263, 270, 274, 278, 285, 292, 323, 326, 333, 372, 373, 386, 393, 409, 413-414, 531, 546, 610
Bolsjakov, Georgi Nikitovitsj 142, 144, 145-146, 148, 150, 165, 167, 186, 188, 195, 213-215, 218, 233, 256-257, 278, 285, 287, 289-290, 292, 305-307, 313-315, 317, 324, 328-329, 332-333, 336, 350-351, 362-364, 372, 388, 456-457, 469, 476, 489, 508, 510, 520-521, 531, 539-540, 623
Boun Oum 84
Bowles, Chester 24, 29, 38, 48, 57, 65, 71, 74, 118, 138, 140, 228, 232, 275, 390-391, 542-543
Bradlee, Ben 130, 145, 214, 228, 271, 281, 316, 324, 328-329, 332, 372, 432, 447, 467, 499, 517, 529, 560, 596, 582, 607
Brandon, Henry 82, 137, 188, 616
Brandt, Willy 220, 222, 250, 252, 253, 259, 260 , 551, 560, 629, 635
Brezjnev, Leonid 51, 208, 296, 446, 532, 566, 600, 619, 628, 630-633, 635-636
Brown, Winthrop 149
Bruce, David 48, 73, 75, 207, 240, 436, 451, 553
Bullitt, William 22, 42
Bundy, McGeorge 11-12, 33, 57-58, 68, 77, 86, 93, 101-103, 110, 114-115, 125-126, 129, 137, 145, 151, 154, 164, 169-171, 210, 225, 228, 230, 231, 232, 233, 234, 237, 238, 242, 248, 251, 255, 256, 258, 262, 263, 279-281, 292, 297, 298, 301, 304, 307, 314, 319, 321, 326, 328, 330, 331, 338, 341, 343, 345, 364, 383, 385, 389, 390, 391, 393, 396-398, 402-408, 410, 419-420, 423, 428, 430, 433, 438, 443, 447-448, 455-458, 460, 463, 471, 480-481, 486-488, 493-494, 497-498, 510, 516-519, 521, 527, 529-530, 534, 537, 543, 549, 552, 562, 573-574,

579-580, 582-583, 585, 587-589, 594-595, 597, 599, 600, 602, 604, 608-609, 611-612, 628
- -, profielschets 227-233
Burke, Arleigh 59, 60, 115-116, 137
Burns, James MacGregor 25, 118-119, 536, 581
Bush, George 464, 528
Bush, Prescott 154

Cabell, C. Pearre 111
Camp David 76, 93, 147, 161, 182, 186, 199-200, 202, 563, 571
- -, ontmoeting Eisenhower-Kennedy 136
- -, ontmoeting Eisenhower-Chroesjtsjov 25
Campbell, Judith 133-134, 335, 555
Caplin, Mortimer 276
Carter, Jimmy 596, 635
Carter, Marshall 377, 381, 401, 403, 410
Casey, William 172-173
Cassini, Oleg 261, 286, 325, 426
Castro, Fidel 12, 14-15, 27-28, 32, 86-88, 90-98, 100-101, 109, 112, 118, 120, 124, 127-132, 134, 138-139, 141, 146, 184, 185, 170, 239, 272, 279, 315, 322, 330, 341, 342, 343, 345, 346, 351, 353, 354, 355, 356, 357, 363-364, 374-375, 381, 387-390, 393-394, 399, 401-402, 404, 407, 413, 416, 422, 438, 464-465, 474, 477, 484, 489, 490-492, 495-496, 499-506, 509-512, 514-515, 518, 522-523, 528, 540-541, 558, 578-580, 596-597, 604, 611, 614, 617-618, 620-621, 622, 625-626, 635-636
- -, loopbaan 89-95
- -, plannen moord op 126-134
Castro, Raúl 363
Chamberlain, Neville 21
Charmalov, Michael 190, 218, 285, 287, 289, 311, 630
Chase, Gordon 579-580, 595, 626
Che Guevara 85, 356
China 81, 84, 147, 149-150, 186, 197, 199, 284, 303, 309, 323-324, 346, 361, 367, 373-374, 378, 518, 524, 561-562, 564-567, 569, 586, 613, 624, 627, 632, 637
-, eerste atoombom 633
-, Sovjet-Chinese betrekkingen 47, 146-148
Chroesjtsjov, Leonid 38
Chroesjtsjov, Nikita passim
- -, afgezet 629-633

Elder, Walter 530, 608
Ellsberg, Daniel 301
Enthoven, Alain 314, 365
Erhard, Ludwig 585, 605-606, 629
Estabrook, Robert 82, 469
Evans, Rowland 498

Fallin, Valentin 306, 546
Feldman, Myer 233, 587
Fischetti, Joseph 132
FitzGerald, Desmond 579, 596, 626
Fleming, Ian 127
Fomin, Aleksandr 82, 469-470, 476-477, 480, 486, 489, 542
Ford, Gerald 129, 439
Forrestal, Michael 591-592, 605
Frankel, Samuel 60
Freeman, Orville 366, 583-584
Freers, Edward 113
Frost, Robert 165, 384-385
Fulbright, J. William 19-21, 38, 73, 75, 102, 104, 152, 210, 242, 245-246, 256, 291, 358, 438, 570-571, 574

Gagarin, Joeri 107-109, 111, 139, 148, 153, 181
Galbraith, John Kenneth 29, 75, 149, 227, 372, 420, 433, 536, 588
Galjoekov, Vasili 630-631
Gardner, Arthur 91
Garthoff, Raymond 437, 492, 508
Genève 331, 332, 334, 336, 361, 365, 387, 520, 524, 547, 571, 589
Giancana, Sam 13, 87, 127, 131-134, 275, 335, 555, 620-621
Gilpatric, Roswell 300, 301, 302, 303, 304, 306, 318, 319, 320, 322, 338-339, 343, 346, 382, 393, 407, 410, 422, 433, 434, 458, 496, 503, 510, 591
Glenn, John 334, 372
Gleysteen, Culver 51
Goldberg, Arthur 152
Goldwater, Barry 51, 60, 122, 135-136, 378, 444, 505, 528, 574, 581-582, 629-630
Goodpaster, Andrew 33, 143, 228
Goodwin, Robin 32
Goodwin, Richard 33-34, 121, 130, 138, 325, 328, 375, 389, 434
Gorbatsjov, Michail 296, 491, 635-636, 638
Gore, Albert 60, 152
Gottlieb, Sidney 127

Goulart, João 10, 389
Graves, Robert 15
Graybeal, Sidney
Green, Theodore 20
Gromyko, Anatoli 488
Gromyko, Andrej 45, 79, 84-86, 146, 148, 150, 166, 178, 181, 192, 194-195, 200, 204, 255, 284-285, 289, 290, 291, 294, 295, 296, 297, 298, 311, 333, 336, 345, 353-356, 358, 361-362, 365, 391, 405, 415-418, 439, 441, 449, 453, 459, 471, 482, 489, 492, 498, 512, 525, 538, 563, 565-566, 570-571, 584-588, 599, 610, 613-616, 630
- -, profielschets 293-296
Gunther, John 22
Guthman, Edwin 113, 142, 145, 611
Gvozdev, Joeri 143, 144, 178

Hailsham, Lord 563, 565-566
Hall, Gus 36
Hall, Leonard 98
Hammarskjöld, Dag 74, 78-80, 196
- -, overlijden 284, 288
Hammer, Armand 48, 60
Harriman, Averell 24, 38-39, 41, 43-45, 48, 50, 52, 68-69, 71, 73, 75, 150, 164, 171, 202, 212, 214, 222, 273, 278, 293, 340, 348, 372, 493, 502, 505, 518, 530, 535-539, 546-547, 561-567, 569, 571-572, 582, 586, 589, 590-592, 595, 611
- -, profielschets 534-539
Harris, Louis 29
Harvey, William 343, 579
Hayden, Carl 20
Helms, Richard 12, 130, 289, 343, 377, 390, 436-437, 527, 573, 599, 604-605, 608-609, 617-618, 620, 625-626
Herter, Christian 42-43, 92, 302, 380
Hickenlooper, Bourke 152, 570, 574
Higgins, Marguerite 75, 240, 252
Hillenbrand, Martin 226, 415
Hilsman, Roger 300, 301, 325, 381, 460, 470, 590-591
Hitler, Adolf 57, 99, 159, 199, 207, 217, 219, 250, 294, 535, 556
Hoffa, James 97, 131, 132, 275, 293, 522, 620-621
Holborn, Frederick 20, 96, 153
Holeman, Frank 142-146, 178, 215, 336, 372
Holt, Pat 102
Honecker, Erich 244, 245, 248

Kissinger, Henry 137, 220, 228, 236, 511, 635

Klein, David 223

Klosson, Boris 54-55, 79, 80, 113-114, 224

Knox, William 452-453, 461

Koedrjatsev, Sergei 344

Koeznetsov, Vasili 15, 43-44, 56, 59, 445, 502-505, 508, 511-512, 519, 520-521, 524

Kohler, Foy 14-15, 84, 171, 178, 192, 194, 227, 249-250, 263, 291, 331, 366, 382, 399-400, 402, 414, 420-421, 440, 445, 452, 471, 494, 508, 526-528, 537, 546, 549, 561, 566, 571, 597, 598, 599, 608, 610, 614-615, 617, 625

– –, profielschets 525-527

Komer, Robert 585

Kongo 69, 78, 80, 122, 139, 147-148, 162, 164, 196, 284, 348, 373, 426, 450

Korea 272, 273, 407, 414, 625

Korneitsjoek, Aleksandr 43-44

Kornjenko, Georgi 21, 105, 209, 470-471, 479

Kosygin Aleksej N. 633, 636

Kozlov, Frol 47, 55, 224, 324, 354, 420-421, 446, 531-533, 542

– –, profielschets 530-532

Krock, Arthur 309, 408

Kroll, Hans 161, 307

Krueger, Jack 465, 469

Lansdale, Edward 343

Lansky, Meyer 96, 132

Laos 69, 82, 84-86, 107, 122, 137, 139, 144, 147-149, 150-153, 155, 158, 162-163, 164, 170-171, 185-188, 194, 195, 198, 211, 261, 289-290, 293, 307-310, 346, 348, 361-363, 371, 373, 406, 417, 430, 481, 517, 524, 537-538, 560, 570, 588-588, 607

Laski, Harold 21

Lawford, Peter 103, 132, 285, 427

Lechuga, Carlos 578

LeMay, Curtis 496, 573

Lemnitzer, Lyman 115, 283, 300, 311, 343, 433, 566

Lenin 89, 158

Lightner, Allen 164, 253, 304

Lincoln, Evelyn 58, 152, 189, 237, 316, 440, 467-468, 623

Lippmann, Helen 105

Lippmann, Walter 50, 105-107, 136, 156, 163, 183, 199, 232, 264, 297, 311, 482, 485-486, 499

Litvinov, Maksim 294, 312

Lodge, Henry Cabot 39, 43, 66, 231, 273, 467, 557, 590-595, 606, 616

Loemoemba, Patrice 78

Lovett, Robert 73-74, 232, 272, 281, 368, 409, 418

Lundahl, Arthur 11, 14

maanlanding 153, 154

Macdonald, Torbert 9-10, 391, 602-603

Macmillan, Harold 80, 201, 204, 207-209, 216, 242, 253, 266, 269, 280, 282, 253, 297, 319, 330-331, 434, 436, 439, 450-451, 455-456, 510, 541-544, 552-553, 561, 563, 565-568, 570, 572, 612

maffia 127-134, 335, 343, 555, 620-622

Maheu, Robert 127-129, 131

Malenkov, Georgi 47, 157, 195, 294

Malinovski, Rodion 224, 303, 340, 348, 354, 355, 357, 363, 477, 485, 586

Manchester, William 16, 175, 549

Mansfield, Mike 21, 38, 152, 214, 219, 242, 246, 291, 559-560, 570, 577, 584, 628

Mao Zedong 45-46, 48, 59, 85, 89, 117, 180-185

Marcello, Carlos 131-132, 620-621

Marshall, George 70-71

Martin, John Bartlow 130

Martin, Edwin 404

Matsoe 35, 38

McArdle, Mal 95

McCarthy, Joseph 19, 37, 42, 64, 273-274, 293, 326, 536

McCloy, John 73-74, 83, 225, 229, 235, 240, 241, 242, 243, 264, 266, 279, 280, 409, 503-506, 508, 510-512, 515, 546

McCone, John 34, 323, 343, 361-362, 375, 377, 380-382, 386, 390, 392, 395-396, 398-399, 401-403, 408, 410-411, 413, 421, 427, 429, 436, 437, 447, 455, 459, 464, 485, 504, 528, 564, 569, 573, 591, 594, 608-609, 625

– –, profielschets 379-382

McCormack, John 17, 276, 603

McElroy, Neil 400

McKone, John 58-59

McNamara, Robert 14, 48, 57, 62, 65-66, 71, 77-79, 102, 104, 107, 115, 129-130, 140, 154, 216, 225-226, 229, 234-237, 270, 300-302, 309, 311, 314, 325-328, 335, 337, 338, 342, 345, 366-371, 375, 377, 381, 394-395, 397-398, 401-407,

Verantwoording foto's

Eerste katern

John Kennedy op verkiezingscampagne in Buffalo: John F. Kennedy Library

Kennedy en Adlai Stevenson arriveren bij het Carlyle Hotel: UPI/Bettmann Newsphotos

Kennedy begroet RB-47-piloten: John F. Kennedy Library

Vergadering in de Cabinet Room: John F. Kennedy Library

Fidel Castro met Nikita Chroesjtsjov: Wide World

Kennedy, William Thompson en George Smathers: Wide World

Kennedy met zijn vader: Joe Scherschel/*Life* Magazine

Cubaanse ballingen maken zich klaar voor de herovering van Cuba: Wide World

De invasie begint

Krijgsgevangenen worden aan de pers getoond: Wide World

De Kennedy's met premier Konstantinos Karamanlis en diens vrouw: Noel Clark/*Life* Magazine

Robert Kennedy: Wide World

Georgi Bolsjakov: UPI/Bettmann Newsphotos

De president en zijn vrouw kijken naar de vlucht van Alan Shepard: John F. Kennedy Library

Met Charles de Gaulle, Elysée-paleis: UPI/Bettmann Newsphotos

In Versailles: UPI/Bettmann Newsphotos

Kennedy begroet Chroesjtsjov, Wenen: Paul Schutzer/*Life* Magazine

De eerste vergaderingen zitten erop: Wild World

In het Schönbrunn-paleis: Werner Wolff/Black Star

De Chroesjtsjovs met Jacqueline Kennedy: Wide World

De confrontatie op zondag: John F. Kennedy Library

De topconferentie is afgelopen: James Whitmore/*Life* Magazine

Terugkeer naar Washington: Wide World

Chroesjtsjov met de Thompsons: James Whitmore/*Life* Magazine

Kennedy, Maxwell Taylor, Dean Rusk, Robert McNamara: UPI/Bettmann Newsphotos

De Berlijnse Muur: UPI/Bettmann Newsphotos

Lyndon Johnson met Konrad Adenauer: Wide World

Kennedy, Johnson, Lucius Clay, Charles Bohlen: UPI/Bettmann Newsphotos

Kinderen zoeken dekking: Wide World

De confrontatie bij Checkpoint Charlie: Wide World

Chroesjtsjov op het Tweeëntwintigste Partijcongres: Wide World

Kennedy aan het eind van 1961: Wide World

Tweede katern

Alexej en Rada Adzjoebei: UPI/Bettmann Newsphotos

Robert McNamara: Wide World

Castro bij een massabijeenkomst in Havana: UPI/Bettmann Newsphotos

Chroesjtsjov met zijn adviseurs: Wide World

Chroesjtsjov bij het concert van Benny Goodman: UPI/Bettmann Newsphotos